ALS DOOR EEN DONKERE SPIEGEL

KARLEEN KOEN

Als door een donkere spiegel

Uitgeverij Luitingh – Utrecht

Voor Randall M. Stewart

© 1986 Karleen Koen
© 1986 Uitgeverij Luitingh B.V., Utrecht
Alle rechten voorbehouden
Oorspronkelijke titel: *Through a glass darkly*
Vertaling: Fri Woudstra
Omslagillustratie: Teresa Fasolino
Omslagbelettering: Evert van Dijk
Omslagontwerp: Karel van Laar

CIP/ISBN 90 245 1871 7

Als eerste en belangrijkste, voor mijn echtgenoot Edward, die vol-
hield dat ik kon schrijven en mij toen steunde en aanmoedigde.
En voor mijn kinderen, Blake en Samantha.
En voor mijn kleinkinderen, Eddy en Scott.

DEEL EEN

Het begin
Engeland
1715-1716

1

Door het half open raam van de bibliotheek waren duidelijk twee boze stemmen te horen. Barbara herkende ze; ze bleef staan en zocht een plekje om zich te verstoppen, een plekje waar ze kon luisteren zonder gezien te worden. Een paar seconden later kroop ze weg tussen de klimop die zich over de hele bakstenen gevel van het oude huis vertakte. Hier en daar waren de takken zo dik als haar pols, en de klimop had zich zo dicht verstrengeld dat het huis zelf bijna niet meer zichtbaar was. Elk jaar kwamen er in de lente schattige groene uitlopertjes door de kieren van de ramen de kamers in en elk jaar knipte haar grootmoeder met haar naaischaar de dunne twijgjes weg en beval de tuinlieden de klimop eens flink te snoeien. Nu was het november, en de takken hechtten zich des te vaster aan het huis. De meeste donkergroene bladeren waren al geelbruin verkleurd door de kou.

'Stommeling! Onbeschofte idioot die je bent!'

Vanuit de bibliotheek was haar moeders stem luid en helder hoorbaar.

'Had je gedacht dat ik dat goed zou vinden? Wou je soms als een geslagen hond naar me toe komen kruipen om mijn zegen? Zegen! Ik zou je kunnen vermoorden. Besef je wel wat je op het punt stond te doen? Heb je wel nagedacht. . . of heb je geen gevoel meer, behalve in dat stijve ding tussen je benen?'

Het effect van haar moeders stem was onbeschrijflijk. Meestal klonk hij laag en omfloerst, maar nu er woede en minachting meespeelden, was het effect verpletterend.

Harry mompelde iets en Barbara probeerde dichter bij het raam te komen om beter te kunnen horen, maar de klimop gaf niet mee. De oude takken hadden hier meer rechten, want de plant was net zo oud als het huis, en dat was meer dan honderd jaar geleden gebouwd in de tijd van Elizabeth I. Het huis had meerdere verdiepingen, maar wat eens moderne architectuur had geleken, vond men nu merkwaardig en ouderwets: spiraalvormige bakstenen schoorstenen die allemaal verschillend waren, puntige gevelspitsen langs het hele dak, ramen met kleine ruitjes van geblazen glas, kille donkere kamers met ongelijke vloeren en buiten priëlen van iepehout, een bowlinggreen, visvijvers en een oude doolhoftuin. Barbara hield van deze omgeving; ze was er geboren en woonde er nog steeds. Ze kende elk pad, elk vijvertje, elke vruchtboom en elke krakende tree van de trap. Ze voelde zich hier veilig en geborgen... behalve wanneer haar moeder op bezoek kwam, maar dat gebeurde gelukkig niet vaak. Het kwam vast door Harry dat ze uit Londen was overgekomen, dacht ze. Hoe was ze erachter gekomen? In gedachten zag ze haar moeders knappe bleke gezicht en ze voelde dat haar broer niet veel goeds te wachten stond.

'Wat ben je toch een stommeling,' zei haar moeder, en haar stem was vol verpletterende minachting. 'Die verbintenis is volkomen ongeschikt. Nu meer dan ooit. John Ashford was ontzet toen ik het hem vertelde.' Harry maakte waarschijnlijk een gebaar — ze kon zich voorstellen hoe hij daar zat, onderuitgezakt in zijn stoel met een gezicht dat net zo hard en koud stond als dat van hun moeder en zijn vuisten gebald in een poging zijn drift nog even in te houden — want haar moeders stem klonk nu anders.

'Ja, ik heb het tegen hem gezegd! En zijn dochter heeft het ook gehoord, want die stond ernaast. Als dat slappe jengelende kind niet had gehuild, had haar vader haar vast een pak rammel gegeven. Ik zou dat in ieder geval hebben gedaan. God, wat jeukten mijn handen om haar te slaan! Maar jouw gedrag is onvergeeflijk. Elke verbintenis die we nu aangaan, heeft zo'n verstrekkende betekenis; dat zou jij beter moeten weten dan ieder ander!'

Elk woord klonk hard en definitief. Barbara begreep dat Harry, die zich nooit zorgen maakte over de toekomst, verbluft was door hun moeders plotselinge verschijning uit Londen en door haar snelle, trefzekere handelen.

'De familie kan naar de duivel lopen, en jij ook!' zei Harry. 'Ik hou van haar. Wat doet het ertoe met wie ik trouw? Ik kan nooit een groter schandaal teweegbrengen dan jij en mijn vader destijds...'

Barbara hoorde de klets van een hand tegen een gezicht. Haar lichaam schokte, alsof zij het was en niet Harry die zojuist was geslagen.

'Waag het niet je vaders naam in mijn bijzijn te noemen.'
Wat een venijn klonk er in die woorden.
'Hij bestaat niet meer voor mij. Zoals Jane niet meer bestaat voor jou. Over een paar maanden trouwt ze met haar neef; de Ashfords sturen haar nu al naar Londen, waar ze bij familie kan logeren. En jij gaat ook weg, Harry. Morgen. Een paar maanden Italië, een bezoekje aan Frankrijk, dat moet toch wel wat beschaving en geduld aankweken bij een jongeman met zo'n. . . ja, wat? Impulsieve? Ja, impulsieve aard als jij. Ik gebruik liever het woord impulsief dan dwaas. Dat gezicht van jou, Harry! Ik wou dat je jezelf kon zien. Alleen het noemen van Italië heeft het vuur in je als minnaar al een beetje gedoofd, nietwaar?' Ze lachte. 'Ik dacht het wel.'
Als haar moeder getuige was van iemands emoties, was hij verloren; daar maakte ze dan onmiddellijk handig gebruik van. Maar nu klonk haar stem zachter; ze was zeker ergens anders gaan staan in de kamer en Barbara moest op haar tenen staan tussen de onwillige klimopranken om nog iets te horen.
'En je zult me gehoorzamen. Meres blijft bij je tot je schip vertrekt, dus er komt geen laatste romantisch afscheid tussen jou en je schatje. En ik wil ook niet over negen maanden op een verrassing worden getrakteerd. Het is uit, neem dat maar van mij aan. Het was kalverliefde, een eerste vlammetje waarvan er nog veel zullen volgen, denk ik. Ga daar maar eens over zitten nadenken, beste Harry. Als je daar tenminste toe in staat bent.'
Ze zwegen. Barbara wilde naar haar broer toegaan, maar ze begreep dat ze dat beter niet kon doen. Hij was onverwachts, op een wrede en gevoelige manier vernederd en hij zou het niet prettig vinden als zij de gevolgen te zien kreeg. Ze balanceerde met haar voet op een dikke klimoptak en probeerde een eindje hoger te komen om door het raam naar binnen te kijken, om hem te zien. . .
'Juffrouw Barbara!'
Ze schrok ervan. Dat was natuurlijk een van de dienstmeisjes die haar riep om te zeggen dat haar moeder thuis was. Nou, als het een beetje meezat, kon ze haar moeder ontlopen tijdens dit bezoek. En als het niet anders kon, zou ze morgen even met haar praten voor ze weer naar Londen ging. Ze kwam uit de klimop te voorschijn, maar aarzelde nog of ze zou vluchten of naar Harry toegaan.

'Juffrouw Barbara!'

De stem van het dienstmeisje kwam al dichterbij. Ze besloot te vluchten en snelde over de brede betegelde treden van het terras langs de bibliotheek. Ze rende langs haar grootmoeders uitgebloeide rozentuin waar de struiken nu kaal waren, zelfs lelijk met hun doorns en hun dikke rozebottels nu de weelderige bloembladen allemaal waren verdwenen in haar grootmoeders verzameling gedroogde bloemen, in haar likeuren en wijnen en in haar geneesmiddelen. Ze rende langs de gesnoeide taxusstruiken die haar met hun dichte groene vormen zouden verbergen. Voorbij de taxusstruiken lag het bos; zodra ze daar was, kon ze een hele middag doorbrengen in de warme keuken van een van haar grootmoeders pachtboerderijen. Daar kon ze thee drinken en bosbessen of walnoten eten terwijl de boerin een pruimentaart stond te bakken en met haar praatte over de oogst, over recepten en over kinderen.

'Juffrouw Barbara!'

Ze liep nog harder terwijl haar mantel achter haar aan golfde als een groot, donker zeil. Het bos was nu dichtbij. Ze rende erheen alsof haar grootvaders jachthonden haar op de hielen zaten. Het kon haar niets schelen dat niemand haar nu kon zien vanuit het huis. Haar moeder was er.

In de salon van de hertogin van Tamworth liet Diana, de burggravin Alderley, zich in een grote leunstoel zakken en legde haar voeten op een ouderwets krukje dat was bekleed met borduurwerk en afgezet met zilverdraad. Ze was een mooie vrouw met donker haar, violetblauwe ogen, een blanke huid en zachte rode lippen, en al dat moois werd nog benadrukt met behulp van kleur, poeder en verfpot. Maar dat uiterlijk was bedrieglijk. Ze had het uithoudingsvermogen en de zintuiglijke gevoeligheid van een paard. Het baren van elf kinderen had haar alleen maar geschaad in haar taille, die nu door een korset werd ingesnoerd, en in de tekening van haar gezicht waarin een harde lijn was ontstaan. Naast haar was een jong meisje druk bezig kussens in haar rug te schikken en haar japon in elegante plooien te leggen. Met een kort gebaar stuurde Diana haar weg; ze had niet meer aandacht voor het dienstmeisje dan ze voor een lastige vlieg zou hebben gehad.

Haar moeder, de douairière hertogin van Tamworth, zat op

een rechte stoel en wachtte ongeduldig. Haar gerimpelde handen lagen rustig gevouwen over de knop van haar wandelstok, maar haar blik was gevestigd op Diana en af en toe bewoog een spiertje in haar kaak. De hertogin was nooit knap geweest zoals haar dochter. Vroeger had ze dat erg gevonden maar nu niet meer. De tijd had zich over haar ontfermd, had haar geleidelijk aan haar jeugd en ronde vormen ontnomen tot er bijna niets van haar over was. Maar tegelijk was er meer nadruk gekomen op de regelmatige en sterke beenstructuur van haar gezicht en op de intelligente en gebiedende blik in haar ogen waardoor ze nu, een eindje in de zestig, een indrukwekkende verschijning was, gedragen door karakter, leeftijd en kracht. Diana zou nooit zo worden, ondanks haar violetblauwe ogen en haar mooie gezichtje (maar over karakter zou Diana zich nooit druk maken). De hertogin keek toe hoe haar dochter een geconfijte vrucht uit een schaaltje nam en langzaam opat.

'Harry.' Plotseling sprak de hertogin zijn naam uit.

Diana likte haar vingers één voor één af. De hertogin wist dat ze opzettelijk treuzelde, daarom bleef ze onbewogen op haar stoel zitten, ook al jeukte haar hand om de stok op te heffen en haar dochter op haar rug te ranselen. Zij en Diana hadden bijna hun hele leven met elkaar overhoop gelegen en ze was niet van plan haar dochter nu, in dit late stadium, een overwinning te gunnen. Ze had niet verwacht dat Diana uit Londen zou overkomen toen ze haar vermoedens over Harry en Jane in een brief had geuit. Ze had verwacht dat ze hier zelf iets aan zou kunnen doen. Daarom was Diana's verschijnen vandaag net zo verrassend en net zo afschuwelijk voor haarzelf geweest als voor Harry. Want ze wist hoe haar dochter was opgetreden. Ze zou hem meedogenloos naar de keel zijn gevlogen zonder rekening te houden met zijn gevoelens of verlangens.

'Hij was kwaad,' zei Diana langzaam. Haar stem was laag en omfloerst, net zo opvallend en beroemd als haar ogen. Toen ze voor het eerst naar Londen was gekomen, als de jonge echtgenote van Kit, spraken de mannen over niets anders dan over haar schoonheid en haar stem. 'Kwaad en uitdagend. Ik kon hem wel aan, maar als het Barbara was geweest. . .' Maar die gedachte liet ze snel varen. 'Hij kwam al gauw terug van zijn opstandigheid en stemde in. Hij heeft geen ruggegraat, net als zijn vader.'

De hertogin kwam met moeite overeind uit haar stoel en strompelde naar een van de glas-in-loodramen die uitkeken over een perk met buksstruikjes die in een strak patroon werden gesnoeid. Richard had meer dan een jaar aan dat perk gewerkt en de tekening gemaakt, een 'A' die aan weerszijden geflankeerd werd door een 'S'. Hij had het grind uitgekozen, de struikjes geplant en de tuinlieden gewezen hoe ze moesten snoeien, en hij had een hele vracht bloeiende planten ertussenin geplant. Het zag er niet goed onderhouden uit. Daar zou ze werk van maken, maar niet nu. Nu had ze nog een appeltje te schillen met Diana en moest ze een oplossing zoeken voor de stommiteiten van Harry – misschien leek hij wel op zijn vader, maar toch niet in alle opzichten – en ondanks alles was hij haar kleinzoon. En Diana had zelf ook nog een paar problemen die om een oplossing vroegen. Haar handen klemden zich vaster om de gouden knop van haar stok.

'Je hebt hem gekwetst,' zei ze.

'Natuurlijk heb ik hem gekwetst! Wat kon ik anders doen, nadat je mij het nieuws had geschreven? Die twee feliciteren?' Diana had geen erg in de pijnlijke trek op het smalle gezicht van de hertogin. Ze dacht alweer aan iets anders, ongevoelig en egocentrisch als ze was.

'Ik moet je zeggen, moeder, dat ik me heb verbaasd over Jane. Naar mijn idee heeft dat meisje niets om een man te boeien, ook al is ze met Harry samen opgegroeid. Ze is saai en niet eens knap. Vooral niet als ze huilt. Harry kan natuurlijk alleen maar denken met wat hij tussen zijn benen heeft. Hij zou alles hebben aangepakt. Hoe dan ook, hij gaat morgen weg; Meres is op het ogenblik bezig zijn koffer te pakken. Ik heb een brief geschreven aan Caroline Layton in Italië. Kun je je die nog herinneren?'

De hertogin knikte stuurs.

'Harry gaat bij de Laytons logeren. Ze zijn me nog iets verschuldigd. En ik ken Caroline – ze heeft bepaald een zwak voor jonge mannen – en ze zal zeker Harry's ogen voor vrouwen in het algemeen weten te openen.' Diana liet een gemeen lachje horen. 'En dan nog Frankrijk. Na Frankrijk en Caroline zal die arme Jane over een half jaartje nog maar een vage herinnering zijn.'

'Je hebt het grondig aangepakt,' zei de hertogin vanaf het raam. Het was geen compliment, maar dat viel Diana niet op.

'Ik werk altijd grondig. Dat leer je wel in mijn positie.' Haar stem klonk bitter.

De hertogin glimlachte cynisch. Ditmaal was Diana, de pientere, knappe Diana gevangen in een web dat ze niet zelf had gesponnen, en als de hertogin er niet persoonlijk bij betrokken was geweest, had ze misschien wel genoten van het wanhopige gedraai en gekonkel van haar dochter. Maar ze was er wel bij betrokken... moge de genadige Heer in de Hemel Diana en Kit naar de hel verbannen waar ze beiden thuishoorden. Ze waren hun leven lang dwaas en roekeloos geweest. Kit was aan de drank; ze gokten allebei en ze verloren geld dat ze geen van beiden bezaten. Diana dook het ene bed in en het andere uit als een goedkope hoer uit Southwark. En dat was allemaal nog niets vergeleken bij het feit dat Kit vijf maanden geleden op het nippertje naar Frankrijk was gevlucht, net voor de gerechtsdienaren kwamen om hem te arresteren. Hij werd ervan beschuldigd dat hij steun gaf aan de man die als lid van het huis Stuart de troon opeiste van de pas gekroonde koning George I van Hannover. Diana was niet alleen aansprakelijk voor de enorme schulden die hij had achtergelaten maar ook voor zijn verraderlijke gedrag, en zonder iemand erover te raadplegen, had ze echtscheiding aangevraagd bij het parlement. Dat was iets ongehoords; het huwelijk was uiteindelijk een heilig sacrament, een eeuwige band waar men maar het beste van moest zien te maken. De hele familie was in opstand gekomen, de jonge hertog incluis, al was hij het minst geliefde kleinkind van de hertogin, 'die dikke idioot van een zoon van Abigail,' zoals ze hem noemde; ze voelden zich allemaal besmeurd door *zijn* gedrag en over het *hare* waren de meningen verdeeld.

De hertogin voelde zich uitzonderlijk gekrenkt door het feit dat een dochter en schoonzoon van haar zo bedreigend konden zijn voor de hele familie. Dat al die jaren dat zij en Richard de koning trouw hadden gediend – al het geld en het land dat zij hadden verworven – op het spel werden gezet door een lamlendige gokker, die te veel dronk en te veel kletste, en door een vrouw die niet eens wist wat het woord loyaliteit betekende. Ze dankte de hemel dat Richard dood was.

Er werd op de deur geklopt. Hannah Henley, een verre nicht, kwam de kamer binnen. Ze was een van die vrouwen die men kent als 'berooid familielid', doordat er nooit genoeg geld of bezittingen in de familie waren geweest om haar een kans te geven op een goed huwelijk. Ze leefde van de liefdadigheid van de hertogin, en als tegenprestatie gaf ze Diana's kinderen les en was tegelijk hun gouvernante. Ze hoorde noch bij de familie, noch bij de bedienden, en haar afhankelijke positie had een bittere trek in haar gezicht achtergelaten. Ze maakte een lichte buiging voor beide vrouwen en zei: 'Het spijt me, nicht Diana, maar we kunnen Barbara nergens vinden.' Ze wilde Diana niet met iets anders aanspreken dan met het woord nicht, en benadrukte zo een band die zij beiden verfoeiden.

Diana keek haar strak aan. Nicht Henley, zoals men haar noemde, zei vlug: 'Ze hebben meer dan een uur gezocht, maar niemand weet waar ze heen is.'

Iedereen zweeg. Nicht Henley voegde er nog snel aan toe: 'Barbara is erg moeilijk. Ze weigert naar iemand te luisteren en de helft van de tijd loopt ze buiten door het park en het bos. Ik doe mijn plicht zo goed ik kan, maar...'

'Klaarblijkelijk is dat niet goed genoeg. Je zou mijn dochter lesgeven in Frans, aardrijkskunde en in manieren. In dat laatste ben je niet geslaagd merk ik. Laten we hopen dat ze behoorlijk Frans kan spreken.' Plotseling veranderde ze van onderwerp. 'En hoe gaat het met de andere kinderen?'

Nicht Henley bracht verslag uit over haar andere leerlingen: Harry was van school gestuurd omdat hij had geduelleerd, zoals nicht Diana al wist, Tom was op Eton, kleine Kit kende voldoende Latijn om volgend jaar op te gaan, Charlotte had een merklap geborduurd voor haar moeder, Anne kon haar gebedjes al opzeggen en Baby had last van een lelijke hoest.

Diana zond haar weer heen; haar moederlijke gevoelens, voor zover ze die bezat, waren weer bevredigd.

'Vertel eens wat over Barbara, moeder.'

Haar woorden verrasten de hertogin. Haar dochter had geen werkelijke belangstelling voor haar kinderen; ze baarde ze net zo nonchalant als een kat en liet ze, zodra dat mogelijk was, aan anderen over. Ze waren allemaal door de hertogin opgevoed. Deze plotselinge belangstelling voor Barbara, haar lieveling, voorspelde niet veel goeds. Had Diana's bezoek nog een ander doel behalve Harry?

'Ze is gegroeid sedert je haar de vorige keer hebt gezien.'

'Langer geworden?'

'Ja, wel wat langer. Ze lijkt meer dan ooit op je vader.'

'Nou ja, misschien doet het er niet toe.'

Diana sprak de woorden uit alsof ze niet eens luisterde naar wat haar moeder zei, maar in gedachten een nieuwe berekening maakte. 'Haar figuur. Is ze nog altijd zo dun als een lat?'

De hertogin keek nadenkend. Natuurlijk. Diana had een echtgenoot voor het meisje op het oog. Het was te hopen dat de man niet blind of kreupel was. Diana, in haar wanhoop, was tot alles in staat.

'Haar borsten worden nog wel gevulder. Ze is een laatbloeiertje, net als ik vroeger. Ze is nog geen zestien. Ze wordt nog wel wat dikker.'

'Is ze knap?'

'Ze is niet zo mooi als jij vroeger was, Diana, maar ze ziet er aardig uit.' Persoonlijk vond zij haar kleindochter wel mooi. Niet zo'n rijke, donkere schoonheid als van Diana, maar meer zoals Richard: blank, blond en engelachtig. Zijn blauwe ogen. Zijn rossiggouden haar. Maar ze had niet haar grootvaders engelachtige natuur, alleen zijn gezicht. En haar eigen impulsiviteit. En haar temperament . . .

'Moeder, je luistert niet. Ik vroeg of ze goed Frans spreekt.'

'Natuurlijk doet ze dat,' zei de hertogin geërgerd. 'Ik heb het haar zelf geleerd. Ik mag dan op het platteland wonen, maar ik weet nog wel wat een jonge vrouw van goede familie allemaal moet kunnen. Je hebt dus huwelijksplannen voor haar?' Ze deed alsof Diana haar helemaal niet had verrast, alsof het de gewoonste zaak van de wereld was dat Barbara ging trouwen. Dat was het ook. Het meisje was vijftien. Diana was getrouwd en verwachtte al een kind toen ze zestien was. (Natuurlijk waren zij en Richard erop tegen geweest.)

'Ik heb een graaf aan de haak. Hij spartelt wel tegen, maar ik heb hem aan de haak. Hij gaat dikwijls naar Frankrijk. En zolang er geen kinderen zijn en het hem niet verveelt, zal hij zijn jonge vrouw wel op reis willen meenemen.'

De hertogin wachtte vol spanning. Die verdomde Diana. Die plotselinge trouwplannen voor Barbara hadden haar totaal overrompeld. En ze wilde niet dat Diana dat zou merken. Ze was van plan geweest er volgend jaar zelf iets aan te doen, wanneer men het schandaal een beetje begon te vergeten. Nu voelde ze een pijn in haar benen omhoogtrekken tot in haar heupen door al die schokken die ze te verwerken kreeg: Diana's komst, de zorgen over Harry en nu weer dit bericht. Ze probeerde zich te beheersen; tenslotte was ze een officiersweduwe. Haar zoons waren gestorven. En verleden jaar was haar schoonzoon gebleken een verrader te zijn en haar enige dochter had echtscheiding aangevraagd. Wat stelde een huwelijksaanzoek nog voor na dit alles? Niets. Absoluut niets. Behalve dat ze van Barbara hield. En Diana hield niet van haar. Diana hield alleen van zichzelf.

'Het is Roger Montgeoffry,' zei Diana, en lette scherp op de reactie van haar moeder.

Roger, dacht de hertogin verbijsterd. Hij was een oude, dierbare vriend die jarenlang Richards adjudant was geweest, en wanneer hij maar kon was hij de stervende hertog komen opzoeken... zelfs toen hij zijn tijd moest verdelen tussen Engeland en Hannover, waarmee hij zich niet geliefd had gemaakt bij de vorige koningin maar waarvan hij nu de vruchten plukte nu er iemand uit het huis van Hannover op de troon zat. Een graaf... ja, ze had vernomen dat Roger een titel had gekregen. Maar dit... Lieve god. Dat Diana haar hiermee kon overvallen. Waarom had niemand haar geschreven? Ze meende zich iets te herinneren. Iets over Roger, iets... onaangenaams... Ze probeerde het zich voor de geest te halen, maar het lukte niet. Hij was veel te oud voor Barbara, en toch... en toch...

Diana lachte; ze genoot van het effect van haar nieuws.

'Bah!' zei de hertogin, zich naar de bel begevend om haar kamenier te roepen teneinde haar naar haar slaapkamer te helpen. 'Dat is echt iets voor jou om me zo te overvallen. We praten er later nog over. Ik ga eerst rusten; ik ben moe. Te moe om na te denken. Wat zei je ook weer dat Rogers titel is? Ik ben het vergeten.'

'Hij heeft de titel graaf Devane gekregen.'

'Graaf Devane. Ja, nu herinner ik het me weer. Nou, Roger Montgeoffrey is een heel eind opgeklommen dat hij meent zich met onze familie te kunnen verbinden. Maar ik vind het wel interessant... heel interessant. Ik feliciteer je, Diana. Een schandaal roept altijd jouw overlevingsinstinct op.'

Het donkere gebouw met zijn smalle puntgevels en de hoge gedraaide schoorstenen werd weldra zichtbaar in de schemering toen Barbara weer terugkeerde naar huis. De wind sloeg zo krachtig tegen haar rok en mantel, dat ze bijna niet kon lopen. In een van de hoge erkers aan de voorkant van het huis stonden kaarsen vaag te schitteren, maar verder was alles donker. Het was al na etenstijd en haar grootmoeder was waarschijnlijk in haar slaapkamer. Haar moeder zou al in haar eigen vertrekken zijn, klaar om naar bed te gaan. Als ze geluk had, kon ze ongezien naar haar kamer op de bovenverdieping komen. Ze liep alleen nog kans dat haar grootmoeder haar een standje zou geven omdat ze niet had gegeten, maar ze zou zeggen dat ze pachters had bezocht en dat zou grootmoeder prettig vinden, want het was een van de plichten van een dame om te zorgen voor de mensen die van je afhankelijk zijn. Ze stond even stil bij een heg en holde toen dwars door de moestuin en het huis in. Behoedzaam sloop ze door de hal en toen zachtjes de achtertrap op naar haar kamer. Met trillende handen probeerde ze een kaars aan te steken.

'Barbara... wat heerlijk om je weer te zien.'

Haar moeders stem. Ze stond een ogenblik als verlamd.

'Ik wil met je praten. Ga je handen wassen en kom dan in mijn slaapkamer.'

Diana verliet het vertrek. Onmiddellijk daarna kwam een dienstmeisje binnen en zette een kom water met een paar handdoeken op een tafel. Barbara had de beschikking over het meisje, dat was opgeleid tot haar persoonlijke kamenier. Nu liep ze op haar toe en zei met ijzige stem: 'Gemene klikspaan die je bent. Je had me toch tenminste kunnen waarschuwen. Ga wat brood en kaas voor me halen. Met een lege maag ga ik niet naar mijn moeder.' Ze deed haar mantel uit en begon haar gezicht te wassen. Haar handen beefden. Haar moeder was toch slimmer dan ze dacht.

Langzaam liep ze de lange gang af. De portretten staarden haar aan met donkere valse ogen, als van ratten, of met wijde starende blik, als idioten, afhankelijk van de vaardigheid van de kunstenaar en de uitdrukking van zijn model. Diana's kamer lag aan het eind van deze lange holle gang, die vroeger was gebouwd voor vrolijke dansen en spelletjes, voor de vele gasten van zijne excellentie de eerste hertog van Tamworth. Haar grootvader was een belangrijk man geweest; dat werd nog eens benadrukt door de portretten die hier hingen: Karel II, Jacobus II en zijn twee echtgenotes, en zelfs William en koningin Mary hingen hier en koningin Anne, glimlachend als een broedse kip. Ze herinnerde zich de tijd toen haar grootvader nog leefde, toen al die slaapkamers werden gebruikt. Dan gluurde ze wel eens naar binnen om de zware brokaten gordijnen te zien, de schitterende wandkleden en de donkere meubels. In die tijd dineerde de familie met vrienden in de grote zaal, en grootvader zat als een koning aan het hoofd van de tafel. Ze herinnerde zich ook de tijd toen alle kamers waren gesloten en er zwarte gordijnen hingen omdat haar oom, de oudste zoon, was gestorven. Grootvader was toen veranderd, en het huis ook. Het was er veel rustiger geworden en ook somberder.

Toen ze haar moeders slaapkamer binnenkwam, zag ze haar daar als een keizerin zitten op een klein recht fauteuiltje, aan het voeteneind van het bed. De kamer rook muf doordat hij bijna nooit werd gebruikt. De muren waren behangen met zware rode damast, en dezelfde stof was ook gebruikt voor de sprei en voor de gordijnen. Barbara hield niet van deze kamer. Het was er altijd koud. Haar moeder placht hem te gebruiken wanneer ze kwam; rood was haar lievelingskleur. Nu had ze ook een rode peignoir aan, waardoor ze één leek te zijn met de stoel waarop ze zat.

Diana wees haar dochter een stoel aan. Zo... ik moet dus gaan zitten, dacht Barbara. Waarom heeft ze me laten komen? Ze probeerde te bedenken wat ze verkeerd had gedaan, maar er was niets behalve dat ze niet was thuisgekomen voor het eten. Maar zoiets kon haar moeder eigenlijk niets schelen; alle kinderen waren opgevoed door haar grootmoeder. Het zou haar verbazen als haar moeder al hun namen juist wist te noemen. Barbara, hou daar onmiddellijk mee op, hoorde ze haar grootmoeder in gedachten zeggen. Altijd herinnerde ze zich haar grootmoeders lessen die haar herinnerden aan haar vele plichten. Maar nu was het toch belangrijker dat ze zich op haar moeder concentreerde; ze was al zo vaak het slachtoffer van haar moeders humeur geweest. Ze had geleerd haar gezicht en gebaren te bestuderen, zorgvuldig, zoals haar grootvader zijn landkaarten bestudeerde voor hij ten strijde trok. Ze zag een vermoeide trek om haar moeders mond, en haar handen bewogen zenuwachtig. Kwam het door Harry? Ging ze haar over Harry ondervragen? Diana keek verstoord en Barbara begreep dat haar moeder een groet verwachtte. En dat doe ik niet, dacht ze, terwille van Harry doe ik dat niet.

Diana glimlachte alsof ze haar dochters gedachten kon raden. Barbara rilde even bij de gedachte dat haar moeder haar zo goed doorhad. Ze moest zich nog beter wapenen.

'Zo, lieve kind,' zei Diana hartelijk (achter die hartelijkheid school een sarcasme waardoor Barbara des te verbetener werd). 'Hoe gaat het met je?'

'Heel goed, moeder.'

'Heel goed? Ik had gedacht dat het wel saai was in dit oude huis. Wil jij hier niet vandaan? Als ik hier ben, wil ik altijd meteen weer weg. Dat zou jij ook moeten willen.'

Aandachtig bekeek ze haar moeder. Wat verborg ze achter dat witte, maskerachtige gelaat, die lachende rode mond? Vast geen uitnodiging. Diana had nog nooit laten merken dat haar kinderen welkom waren in Londen. Ze kwam een- of tweemaal per jaar naar het oude huis en bleef daar een paar dagen. Haar kinderen werden één uur per dag bij haar gebracht, en wanneer ze ze op de een of andere manier hinderlijk vond gaf ze ze een klap in hun gezicht en riep een dienstmeisje.

Toen Barbara nog klein was, werd ze mooi aangekleed om even aan haar moeder en de gasten te worden getoond.

'Dit is ze dan,' placht haar moeder te zeggen. 'Geef eens een kusje... o, knijp niet zo hard. Je kreukt mijn japon. Neem haar maar weer mee.'

Dan werd ze weggedragen tot de volgende dag, behalve wanneer ze stout was, en dat was ze steeds vaker naarmate ze ouder werd (dan schreeuwde ze en stampte met haar voeten, wat haar jongere broertjes en zusjes prachtig vonden) en dan werd ze voorgoed uit de kamer verbannen. Dat kon haar niets schelen; Diana ging toch weer gauw weg. Zelfs wanneer ze was thuisgekomen omdat er een nieuwe baby moest worden geboren. Ook dan trok Diana zo gauw mogelijk weer naar Londen en het nieuwe kleintje kwam bij de anderen in de kinderkamer, maar het ging ook wel eens dood. Ze kon zich alle vier de gestorven kindertjes herinneren, alsof ze van haarzelf waren geweest. Elk sterfgeval maakte de overlevende kinderen kostbaarder. Ze hield zielsveel van haar broertjes en zusjes, alsof zij en niet Diana hun moeder was.

'Jij bent... vijftien, is het niet? Bijna zestien. Het wordt tijd dat je je haar gaat opsteken en iets meer van de grote wereld ziet.'

'De wereld zien?' Ze was wel zo wijs om geen nieuwsgierigheid te tonen, geen emotie waardoor ze later weer kon worden gekwetst.

'Misschien niet de wereld, maar toch wel een paar vrienden. Je moest eens wat manieren leren; je gedrag van vanmiddag was niet bepaald voorbeeldig. Dat rondzwerven over het landgoed alsof je een jongen bent. . . '

'Dat is hier niet erg, moeder. Iedereen kent me. En ik was op bezoek bij pachters, niet aan het rondzwerven . . .'

'In andere plaatsen is dat wel erg. . . zoals Londen bijvoorbeeld.'

Londen! De wereld, haar toekomst, lagen in dat woord opgesloten.

Diana moest lachen toen het onbewogen gezicht van haar dochter toch verbazing toonde. 'Ja meisje, Londen. Nieuwe kleren, nieuwe vrienden, bals, het hof, een echtgenoot. . .'

Natuurlijk, dacht Barbara. Een echtgenoot. Het werd tijd, dat wist ze. Wie had haar moeder opgediept? En waarom koos ze zo'n omweg om het haar te vertellen? Waarom noemde ze zijn naam niet meteen. . . of was hij soms. . . ze beet op haar lip. Harry had haar en Jane een keer verteld over een Frans meisje dat door haar broers naar het altaar moest worden gesleurd terwijl haar bevende bruidegom kwijlde en haar betastte, oud en seniel als hij was. Ik zal jou er ook met plezier naar toe sleuren, had Harry geplaagd. Ze had gelachen en Jane had gehuild. En ze had geweten dat haar ook zoiets kon overkomen, ofschoon dat niet waarschijnlijk was omdat haar grootmoeder te veel van haar hield. Maar het was haar plicht om te trouwen zoals haar ouders dat voor haar beslisten, hoewel ze er niet op had gerekend hier vandaag mee geconfronteerd te worden. . . terwijl haar grootmoeder er niet bij was. Ze probeerde haar ongerustheid te verbergen door met opgeheven kin te vragen: 'Een echtgenoot? Hebt u iemand op het oog?' Het was jammer dat haar stem beefde.

'Ja. Iemand die belangstelling voor je heeft. Graaf Devane.'

Ze kneep haar handen samen in haar schoot. 'Ik ken hem niet. . .'

Nu lachte Diana weer, en ze deed nog meer haar best om geen emoties te tonen. Echt iets voor haar moeder om haar zo te kwellen. Zo had ze ook tegen Harry gedaan. Ze zou haar niet het genoegen gunnen... ze zou niet...

'Het is Roger Montgeoffrey.'

Ze was stomverbaasd, en het kon haar niets schelen of haar moeder het zag. Roger, die knappe Roger die altijd bij haar grootvader kwam, die altijd vriendelijk tegen haar was. Dat was een geschenk uit de hemel. Hij was de knapste man van de wereld. Hij was charmant. Eigenlijk was hij alles. Ze was altijd al op hem gesteld geweest, en dan te denken dat haar moeder een huwelijk aan het regelen was met hem... het leek een godswonder... te mooi om waar te zijn. In een opwelling sprong ze van haar stoel en omarmde haar moeder.

'Dank u! Dank u wel!' zei ze in haar verwarring.

Diana keek haar verbaasd aan en zei toen langzaam: 'Het is nog niet definitief... we hebben er alleen nog maar over gesproken. Hij moet eerst met jou praten, en er zijn nog duizend details te regelen.'

'Ik zal zorgen dat hij me aardig vindt, moeder, u zult het zien.' Haar gezichtje straalde van geluk.

'Ik had geen idee dat je het zo... prettig vond,' zei Diana.

Barbara kuste haar moeders hand en rende de kamer uit. Ze kon haar geluk niet op. Ze wilde door de gangen rennen en zijn naam uitschreeuwen. Wat bofte ze toch. Roger... Roger... Roger...

Zonder te kloppen stormde ze bij haar grootmoeder de kamer binnen. Haar grootmoeder lag al in bed, maar ze sliep nog niet. De vertrouwelijke warmte van het vertrek kwam haar tegemoet. Deze kamer veranderde nooit. Langs de muren donkere panelen en familieportretten in zwaar vergulde lijsten die elk vrij plekje van de wand bedekten. Haar grootvaders portret boven de schoorsteen, enorm groot. Een jong, glimlachend gezicht en aan zijn voeten een paar honden. Overal stonden kleine tafeltjes met boeken en paperassen en vazen met gele chrysanten. Haar grootmoeders bed nam de halve kamer in beslag, met zijn prachtige met de hand geweven gordijnen.

Haar grootvaders honden keken op van hun plaatsje bij het brandende haardvuur; ze snuffelden aan haar en legden toen weer hun kop op hun voorpoten. Haar grootmoeders kamenier, Annie, zat op een stoel naast het bed en fronste de wenkbrauwen, zoals ze altijd deed tegen haar. Dulcinea, haar grootmoeders kat, hief haar kop op en keek haar strak aan.

'O grootmama...' Ze begon te huilen. Ze kon er niets aan doen, ze had het land aan huilen, maar ze verwachtte – ze wist eigenlijk niet wat ze verwachtte – maar dit... dit was een droom die werkelijkheid werd.

De hertogin van Tamworth zag eruit als een gemummificeerd kindje met haar vele sjaals en haar kanten nachtmuts die als een slappe pannekoek over haar hoofd lag. Met moeite kwam ze overeind en beval Annie meer kaarsen aan te steken.

'Kindje, kindje! Wat is er? Kom hier bij me zitten. Opzij, Dulcinea. Opzij! Vervelend beest. Ze denkt dat het bed van haar is! Kom jij maar hier, schatje, mijn kleine Richard. Wat is er? Vertel het je grootmoeder maar, dan zal zij wel proberen je moeilijkheden op te lossen.'

Barbara moest glimlachen en ze droogde haar tranen. Het was een grapje tussen hen beiden dat Barbara altijd moeilijkheden had. Meestal was dat ook wel zo. Ze kroop dicht tegen het magere lichaam van haar grootmoeder aan. Het voelde alsof er alleen maar botten door het nachthemd werden bedekt. Dulcinea, die met tegenzin naar het voeteneind van het bed was verhuisd, geeuwde en begon zich zorgvuldig te wassen.

'Heb je met je moeder gesproken? Ben je bedroefd door het nieuws? Meisjelief, eens moeten we allemaal trouwen. Je wént er wel aan. Ik was woedend toen mijn vader me uithuwelijkte, en kijk eens hoe dat is gelopen. Ik ben zo ontzettend veel van je grootvader gaan houden.'

Ze haalde diep adem. Plotseling voelde ze zich moe. 'Nee, u begrijpt het niet, grootmama. Ik voel me juist heel gelukkig!'

'Gelukkig, schatje?' De schaduwen in haar grootmoeders gezicht verplaatsten zich.

'O, ja. Ik heb altijd van Roger gehouden.'

Hoe kon dat nou, dacht de hertogin verrast. Was hier sprake van liefde? Ze probeerde het gezicht van het meisje in de schemering te zien. Alleen de omtrek was duidelijk zichtbaar.

'Dat wist ik niet.'

'Nee,' zei Barbara. 'Dat wist niemand. Dat hoefde ik toch aan niemand te vertellen?'

'Dus dat huwelijk... is voor jou... een geschenk uit de hemel?'

Barbara knikte.

'Je weet toch dat het nog niet vaststaat? Ik heb begrepen dat je moeder Roger – de graaf – veel geld schuldig is. En er moeten afspraken over de bruidsschat worden gemaakt.' Ze had al informatie ingewonnen. Ze zou voorbereid zijn wanneer Diana en zij elkaar weer spraken.

'Ik weet wel dat hij niet van mij houdt, grootmama. Maar dat geeft niet. Ik zal er wel voor zorgen dat hij van me gaat houden.' Barbara sprak die woorden uit met het zelfvertrouwen van een meisje dat bijna zestien is.

'Hij is veel ouder dan jij, kind. Ik denk wel tweeënveertig. Hij zal al eerder liefjes hebben gehad... dat zijn dingen waar jij geen verstand van hebt.'

'Het kan me niets schelen. Ik zorg gewoon dat het goed wordt.'

Ineens zag de hertogin de strakke, harde lijn van haar kaak, en het lieve was uit haar gezicht verdwenen. Ze geloofde haar, net als Richard. Hij zette ook altijd door, en dat werd zijn ondergang. De hertogin kreeg een angstig voorgevoel.

'Liefde is niet altijd het belangrijkste, meisje. Er zijn nog meer dingen tussen man en vrouw... plicht, toewijding, kinderen... Wederzijdse liefde is zo zeldzaam...' Ze zweeg. Het meisje naast haar sliep en glimlachte zelfs in haar slaap. Annie doofde alle kaarsen op één na. Morgen zou ze met Diana praten, iets meer te weten zien te komen over Roger, waarom hij met de dochter van een dwaze verrader wilde trouwen. En ze wilde met Barbara spreken. Het meisje mocht niet zo onvoorbereid het huwelijk ingaan. Niet als ze haar huwelijk en zichzelf wilde redden. Ze begon te bidden, altijd haar grootste troost. Lieve Heer, bescherm dit kind hier naast me. Leid haar niet in verzoeking, maar verlos haar van het kwade. Laat Uw licht altijd over haar schijnen. Mogen Uw liefde en Uw wijsheid haar gids zijn. Ze wierp een blik op het portret van Richard; ook in het donker wist ze precies waar het hing. En zegen de ziel van mijn zo dierbare echtgenoot, Richard... o Richard, er zijn momenten dat ik je zo mis, dat ik je zo nodig heb.

2

Toen Barbara een paar uur later wakker werd, ontdekte ze dat ze in haar eigen bed was gelegd, en nu bleef ze wachten op Harry. Ze wist zeker dat hij zou komen. Ze hadden geen gelegenheid gehad met elkaar te praten sedert hij uit Oxford was weggestuurd; hij was beschaamd en chagrijnig teruggekomen op Tamworth, en Diana was bijna onmiddellijk na hem verschenen. Haar moeder had sindsdien uitspraken gedaan die hun beider levens volkomen veranderden.

'...verbintenis is volkomen ongeschikt... nu meer dan ooit...' Die woorden tegen Harry echoden nog steeds door haar hoofd. Waarom? Omdat vader naar Frankrijk was gevlucht tijdens het parlementair onderzoek. 'Het lijken wel ruziënde kippen!' had haar grootmoeder verachtelijk gezegd, toen... voordat vader was gevlucht. 'Ze roeren in de modder om te zien wat er boven komt!' Hij had niet eens afscheid genomen... Sir John Ashfords stem was goed verstaanbaar geweest toen hij op die zomerdag haar grootmoeder had opgezocht. Zij bleef doodstil en hij schreeuwde. 'Als een rat!' Haar vader was gevlucht als een rat, zei hij. Bang geworden.

Allerlei woorden schoten door haar hoofd. Tory, jakobiet, verraad. Haar grootmoeders plotselinge vragen. Vader had niet eens afscheid genomen. Ze stuurden haar weg. Harry had het haar uitgelegd.

'Hij is geen verrader, Bab. Het is allemaal politiek, mijn lieve onschuldige zusje. Hannover of Jacobus III. Koning of troonpretendent. Maar wie is dat eigenlijk? De een is protestant, de ander katholiek. De een wordt gesteund door een meerderheid van machtige mensen in dit land en de ander niet. Vader heeft de verliezer gesteund. Zo is het altijd met hem gegaan.'

Zijn gezicht was bitter. Arme Harry. Hij was te jong en te knap voor al die bittere gevoelens. Hun vader had zijn erfenis erdoor

27

gejaagd met gokken. Iedereen wist het. Harry's opleiding werd door hun grootmoeder bekostigd. Twee familieleden gaven hem een kleine toelage, maar dat was niet genoeg om hetzelfde soort leven te leiden als de andere jongelui in Londen. En nu had vader het laatste dat hij nog bezat op het spel gezet: zijn titel. Ze wilde zijn hand pakken maar hij draaide zich om. Voor haar was het immers veel minder erg. Zij was nooit verder geweest dan Tamworth. Maar Harry was in Oxford geweest en in Londen. Hij wist wat het leven te bieden had, en dat was nu niet meer voor hem weggelegd. Geen wijn. Geen vrouwen. Geen gezang. . . . en geen Jane. 'Elke verbintenis die we nu aangaan, heeft zo'n verstrekkende betekenis.' Ach, Roger. Ze huiverde en kwam overeind in bed.

Ze gooide de dekens van zich af en kreeg het gevoel dat haar kamer, haar hele leven te klein voor haar waren. Nu begreep ze hoe Harry zich voelde. Ze keek om zich heen. Dit was haar veilige nestje. Ze had geweigerd naar een grotere kamer op de eerste verdieping te verhuizen. Nee. Ze wilde bij de kinderkamer blijven. Hier had ze altijd gewoond. Overdag kon ze haar broertjes en zusjes hun lessen horen opzeggen. Ze was dicht bij hen als ze 's nachts huilden.

Ze was de koningin van dit kleine rijk; in haar slaapkamer koesterde ze haar schatten. Vogelnestjes die ze met veel zorg had bewaard (je moest zo voorzichtig zijn; als je een roodborstje kwaad deed, bracht dat ongeluk. Als je hun eitjes wegnam, zou je je benen breken. En als je een stervend roodborstje in je hand nam, zouden je handen altijd blijven trillen . . . dat zei Annie). Nu waren ze gevuld met een geurig mengsel van gedroogde kruiden en bloemen. Een klein Frans kistje van ingelegd hout waarin ze haar haarlinten bewaarde, een paar sieraden, een stukje kant dat van Rogers mouw was afgescheurd. De ivoor-met-zilveren toiletset die ze van haar grootmoeder had gekregen toen ze dertien werd. Een oude klerenkist waarin een paar baljurken van haar moeder waren opgeborgen, met takjes lavendel tussen de plooien.

Deze kamer was haar cocon en zij was de pop die hier tevreden opgesloten had gewoond. Maar plotseling was het vertrek te klein. Ze had een gevoel dat haar vleugels zich gingen ontvouwen, glanzend mooi als de japonnen in de kist. Zelfs Tamworth was te klein. De hele wereld was te klein . . .

'Bab!'

Harry's bleke gezicht werd zichtbaar in de deuropening. Ze kroop over de dekens heen om gauw een kaars aan te steken voor hij ergens tegenaan liep. Met de lucht van de brandende kaars kreeg ze ineens de geur van cognac in haar neus. Hij had gedronken. Nu zou hij natuurlijk lastig zijn en ruzie maken. Hij zou vast niet blij kunnen zijn met haar.

Maar ineens zag ze zijn gezicht toen hij op de rand van het bed ging zitten. Zijn mooie violetblauwe ogen ('Ik wil jouw ogen hebben!' zei ze altijd tegen hem. 'Ik heb ze meer nodig dan jij!') waren gezwollen van het huilen. Zijn mond met de volle stevige lippen stond hard en onnatuurlijk dun. En ineens besefte ze dat haar hartsverlangen die dag wèl was vervuld, maar het zijne niet. Hij liet zich op het bed neervallen en ze trok de dekens hoog om zich heen en wreef met haar voeten over het laken om ze wat te warmen. Ze dacht niet meer aan haar eigen vreugde.

'Harry, ik vind het zo erg...' Hij verborg zijn gezicht in zijn handen. Ze zag zijn schouders schokken, maar er kwam geen geluid. Ze was zo onder de indruk van zijn emotie dat ze zich heel stil hield. Dit was ook liefde, dacht ze. Die pijn, die wanhoop. Dat zal ik ook meemaken. Ik zal het allemaal ondergaan, het goede en het verschrikkelijke.... o, Roger. Ze voelde zich rijk, sterk en gezegend.

'Heeft ze het jou verteld?' Hij had zijn handen van zijn gezicht weggenomen. Ze rook de cognac, en ze huiverde.

'Ik... ze... ik heb het afgeluisterd.'

Hij stootte een geluid uit, half lach, half schreeuw. 'Zo! Heb jij het afgeluisterd. Stoute Bab! Op een kwade dag zul je nog eens iets horen waar je je mooie oortjes aan zult branden!'

Ze zei niets. Wat had ze moeten zeggen?

'Nou, vertel me dan maar eens, dierbare zuster,' en er klonk venijn in zijn stem waar ze bang van werd, ook al wist ze dat het niet tegen haar was gericht. 'Hoe vond je mijn rol in de komedie die moeder en ik vanmiddag hebben opgevoerd? Vond je mij geen held? Heb je gehoord hoe flink ik voor mijn liefde opkwam? Ik was een echte man, maar niet zo een als onze moeder, hè?'

'Harry,' zei ze met gespannen stem. 'Zij... je was niet op haar voorbereid...'

Hij lachte zachtjes. 'Dat was ik inderdaad niet. Ik liep die kamer binnen als een haan op een mesthoop, klaar om alles wat ze zei in haar geverfde gezicht terug te gooien. Ik dacht dat ze was gekomen om me de les te lezen omdat ik van de universiteit ben getrapt.' Hij lachte weer met een schor, akelig geluid. 'Daar was ik op voorbereid. Ik was van plan tegen haar te zeggen dat ik natuurlijk had geduelleerd. Als een man je moeder een hoer noemt die haar ziel zou verkopen voor een goudstuk, dan is het je plicht haar eer te verdedigen. Ook al heeft ze die niet.'

'Wie heeft dat gezegd!' Ze greep zijn arm en probeerde zijn gezicht beter te zien.

'Ik had hem moeten doden. Ik had mijn hoofd er niet bij, omdat ik wist dat wat hij zei waar was...'

'Harry! Wie zou er nu zoiets tegen jou zeggen?'

Er viel een vreemde schaduw op zijn gezicht. 'Het doet er niet toe met wie ik geduelleerd heb,' zei hij zachtjes. 'Een vriend... tenminste, dat dacht ik. Onze moeder heeft in haar wijsheid en in haar hebzucht bij het parlement echtscheiding aangevraagd. Het nieuws is op dat moment zelfs belangrijker geweest dan de opstand die in Schotland wordt voorbereid.'

Ze ging op het bed liggen, stomverbaasd. 'Lieve Heer in de hemel,' fluisterde ze. 'Een echtscheiding...' Geen wonder dat Harry Jane niet mocht hebben...

'Ja,' zei hij, spottend. 'Door vaders vlucht was ze nergens meer, maar ze is weer keurig terechtgekomen. Ze is een echte Whig geworden, een felle tegenstandster van de Tories, en nu komt ze het parlement nederig vragen haar banden met de verraderlijke jakobiet te mogen verbreken. Ze is uiteindelijk de enige dochter van de grote hertog van Tamworth, de held van Rijssel, de verdediger van Engeland, thuis en overzee – kijk me niet zo aan. Ik citeer letterlijk wat ze heeft geschreven om haar zaak te bepleiten. Ze zou zo graag haar leven in dienst van de koning willen stellen, en dit alles bracht mijn vriend ertoe de woorden te uiten waarover ik ben gaan duelleren. Ofschoon God weet dat hij gelijk had.'

'Wanneer is dat gebeurd?' vroeg ze.

De klank van haar stem deed hem opkijken.

'Je bent kwaad...'

'Niemand heeft me iets verteld!' riep ze uit. 'Ik heb het recht om dit te weten! Ik ben geen kind meer. Waarom word ik zo behandeld?' Maar Harry had zich van haar afgewend. Hij staarde in de duisternis, waar het licht van haar kaars niet kon doordringen.

'Ze denkt dat ze nog wat bezittingen kan redden als ze van vader is gescheiden. Ze hoopte zelfs alles terug te krijgen. Dan word ik de nieuwe burggraaf, en vader is voor altijd verbannen – weggevaagd. Een vergissing van lady Alderley, uit haar wilde jonge jaren. Ik zal al zijn schulden erven, zijn titel en zijn landgoed, en waarschijnlijk zit ik vóór mijn twintigste in een gevangenis voor schuldenaren, Bab. En iedereen verwelkomt het nieuwe regime. 'Wie dat niet doet, wordt neergeslagen.'

Zijn dreigende woorden maakten haar bang. Er was al onrust geweest in Oxford en Londen, en in Schotland hadden mannen zich verzameld en wachtten nu op de troonpretendent, die van over zee moest komen en aan het hoofd van hen naar Londen zou marcheren. Sir John had hierover geschreeuwd tegen haar grootmoeder. 'Ze moeten allemaal hangen. Al die stiekeme jakobieten onder het Tory-geboefte!' 'Onzin!' had haar grootmoeder geantwoord. 'Het is een storm in een glas water!' 'Mens, het is een echte opstand!' En zo ging het een hele tijd door. Haar grootmoeder veranderde steeds van partij; de ene dag was ze voor de Tories, de andere dag voor de Whigs. Het ging haar alleen maar om het debatteren. 'Ik geloof echt dat die man me in leven houdt,' zei haar grootmoeder dikwijls. Maar in wezen twijfelde niemand aan grootmoeders loyaliteit, heel anders dan met. . . haar gedachten stormden door haar hoofd.

Als ze met Roger trouwde, zou ze rijk zijn. Daarom wilde haar moeder dat huwelijk, dan was ze rijk en dan kon ze Roger overhalen om Harry wat geld te geven zodat hij een positie in de regering zou kunnen krijgen. Als Jane zou willen wachten en niet met haar neef trouwde. . . Als Harry nu maar niets overhaast deed, ineens de kant van de troonpretendent koos en naar hun vader in Frankrijk ging.

'Ik ga met grootmama praten,' zei ze. 'Ik heb zelf ook nieuws voor je, Harry. . .'

'Wie heeft aan onze moeder geschreven, denk jij?' Zijn stem klonk zo bitter en sarcastisch dat ze ervan schrok.

'Ik begrijp het niet,' fluisterde ze.

'Ik had het kunnen verwachten. God, wat een stommeling ben ik geweest!' Hij sloeg met zijn vuist op het nachtkastje en de brandende kaars viel over het bed. Met een gil begon Barbara de vlam uit te slaan voordat het bed in brand vloog. Idiote dronkaard, wilde ze roepen, kwaad als ze was over zijn onvoorzichtigheid en om wat hij over hun grootmoeder had gezegd. Echt iets voor Harry om dingen omver te gooien en andere mensen de boel te laten opruimen. Zo, de kaars was gedoofd maar haar handen deden pijn, en hij ging door met praten alsof er niets was gebeurd.

'Jane en ik zijn veel te open geweest van de zomer. Ik heb grootmama's gezicht wel gezien. Ik had eraan moeten denken dat grootmama – moeder – andere plannen zou hebben.'

'Wat bedoel je?' Ze ging bijna huilen. Er was sprake van verraad. En nog wel van grootmoeder.

'Deze rottende tak van de Tamworths moet nu eenmaal worden gered. Moeder heeft plannen... kijk maar naar die echtscheidingsaanvraag en hoe ze alle hoop voor mij en Jane de bodem in heeft gestampt. Zij vindt dat een toekomstige burggraaf – vooral een die verarmd is – verder moet kijken of iemand met geld moet zien te vinden...'

Ze schrok van de klank in zijn stem. Hij had dus erg geleden onder de schande, onder het gebrek aan geld, meer dan ze zich had voorgesteld.

'En weet je wat het gekste is of eigenlijk bedoel ik het treurigste? Dat ik in mijn narigheid ook een gevoel van opluchting heb. Ze zeggen dat Italië onbeschrijflijk mooi is.'

Ze wist geen antwoord te vinden en plotseling voelde ze zich doodmoe. Alsof hij begreep dat ze zich van hem afwendde, zei hij: 'Weet jij wat het is om in Londen te zien hoe mijn neven een leven leiden als een vorst terwijl ze weten dat ik – dat wij – niets bezitten door de stommiteit van een ander? Als ik een huwelijk met Jane zou doorzetten, zou ik tenslotte net zo stom zijn als hij... begrijp je dat?' Ze zei geen woord.

In het donker legde hij zijn hand op haar hoofd en streelde een van haar lange krullen.

'Arm kindje,' zei hij zacht. 'Jij gelooft nog in dromen...'

Ze ontweek zijn hand. Ze had haar eigen gedachten en gevoelens, en er was niemand die ze kon veranderen!

'Je veracht me...'

Ze zuchtte. Arme Harry, hij was dronken. De helft van wat hij zei kwam door de cognac. Ze kroop wat dichter naar hem toe en legde haar wang tegen de zijne. Hij was vochtig. Het deed hem toch wat; hij hield wèl van Jane.

'Ik hou van je, Harry.'

Hij slikte. 'Ik ook van jou.'

Ze zaten een hele tijd stilletjes bij elkaar in het donker, alles vergeven en vergeten. Ze was waarschijnlijk in slaap gevallen want ineens hoorde ze Harry's stem en rook ze zijn zure drankadem. 'Bab, wakker worden! Ik moet nu gaan.'

'Nog niet!' zei ze, nog helemaal in de war. 'Ik moest jou nog wat vertellen...'

'Een andere keer!' Hij drukte haar handen. 'Je moet me schrijven. Beloof je me dat?' Hij nam haar ruw in zijn armen. 'Ik hou echt van je,' fluisterde hij. 'Zeg tegen Jane...' maar hij maakte zijn zin niet af. Hij kuste haar, en trok de dekens over haar heen, en toen hoorde ze het geluid van zijn laarzen in de richting van de deur. Ik sta op en ga het hem vertellen... maar het bed was zo heerlijk warm en ze was zo moe. Te veel... Harry, Jane, echtscheiding, grootmama... het gat in het laken... wat zou Annie boos zijn... ze wilde bidden voor Harry en dan opstaan... wat wilde ze ook weer zeggen... nee, dat niet... en toen sliep ze.

Ze kwamen op de binnenplaats bij elkaar om afscheid te nemen van Harry: Barbara, haar grootmoeder, Diana, Kit, Charlotte en Anne. Het was een heldere ochtend. De wind ruiste door de lindebomen die als schildwachten de weg afbakenden vanuit Tamworth door het dorp en uiteindelijk naar Londen, naar de oevers van de Theems waar Harry zich zou inschepen.

Met onbewogen gezicht nam Harry stijfjes afscheid van zijn grootmoeder die tranen in haar ogen had. Hij zei helemaal niets tegen Diana en volstond met een kort knikje. Toen hij Barbara omhelsde, voelde ze zijn lichaam trillen, en ondanks zichzelf begon ze te huilen. Kleine Anne, die pas vier was en het meest van Harry hield, vroeg steeds: 'Maar waarom gaat hij nou weer weg?' tot Diana streng bevel gaf het kind naar binnen te brengen. Zelfs Kit, die tien jaar was en altijd zoveel praatjes had, gedroeg zich ingetogen en zijn gezicht stond net zo vastberaden als dat van Harry. Charlotte van zeven, een mager, ernstig meisje, huilde zachtjes. Barbara nam haar in haar armen om haar te sussen voordat Diana nog meer geïrriteerd raakte.

'Gaat Harry weg? Jij gaat toch niet ook weg?' De paarden werden ongeduldig en schraapten met hun hoeven over het grind. Di-

ana gaf een teken waarop Meres de deur van de koets voor Harry
openhield.

'Stil maar schatjes,' fluisterde Barbara. 'Harry gaat alleen maar
op reis. Je moet niet treurig zijn.'

'Jij bent ook treurig,' snikte Charlotte. 'Ik vind het helemaal
niet leuk.'

Barbara wachtte op Jane in de boomgaard; de appels werden net
geplukt. Zij en haar broers en zusters hadden meegeholpen met
de oogst. Ze kon net zo vlug in een boom klimmen als de eerste
de beste dorpsjongen; ze was zelfs vlugger dan haar broer Kit. Ze
vond het heerlijk om zo hoog mogelijk te klauteren tussen de takken en de zon te voelen die door de bladeren scheen. De slechte
appels lagen op de grond te rotten, goed voor de eekhoorns en de
vogels. De goede werden zorgvuldig bewaard op speciale planken
of ze zaten nu al in droge, geglazuurde potten. Daar werd 's winters appeltaart van gemaakt en dan rook het hele huis naar kaneel
en suiker terwijl buiten de wind en de sneeuw tegen de ramen
sloegen. Zij en Jane liepen dikwijls door de appelgaard, lachend
en fluisterend, terwijl mannen, vrouwen en kinderen de appels
verzamelden in de grote manden. Ze nam de sappigste en ging
met Jane onder een boom zitten. Voorzichtig schilde ze dan Janes
appel met een scherp mesje. Met haar ogen dicht gooide Jane de
schil achter zich, want de letter die zo werd gevormd zou de eerste
letter zijn van de naam van je toekomstige man. Barbara beweerde dat het een 'H' was, en lachte toen haar vriendin bloosde. Je
kon ook twee pitjes tegen je wangen plakken en de namen van
twee aanbidders noemen. Het pitje dat het langst bleef plakken
was de aanbidder die het meest van je hield. Maar Jane wilde dit
spelletje niet spelen en Barbara had geen aanbidders, dus aten ze
hun appels op en praatten wat. Ze wist dat Jane vandaag zou komen als ze kans zag weg te glippen.

En ja, daar kwam Jane aangehold. Ze zag er ongelukkig uit,
haar gezichtje helemaal opgezwollen van het huilen. Ze was nooit
erg knap geweest; haar oogharen en wenkbrauwen waren zo licht
dat je ze bijna niet zag en ze had sprietig haar. Maar als ze glimlachte, zag je de schoonheid die van binnen uit straalde. Ze was
trouw en vindingrijk en zelfs moedig, op haar eigen verlegen manier. Voor Jane en Harry verliefd op elkaar waren geworden,

toen ze met hun drieën opgroeiden, was Jane altijd degene geweest die een goede smoes wist te bedenken wanneer ze kattekwaad hadden uitgehaald. En Jane klikte nooit.

Nu stond Jane stil en keek Barbara met roodomrande ogen aan. Hij is niet gekomen, dacht ze, en ze voelde hoe haar hart werd toegeknepen. Het is dus werkelijk voorbij.

Plotseling ging ze op de grond zitten, alsof ze geen kracht meer had om te staan. 'O, Bab!' zuchtte ze. 'Ik heb zo vreselijk gehuild, ik dacht dat ik geen tranen meer over had. Maar ik heb er nog meer!' Barbara knielde bij haar neer en legde haar armen om haar heen. Toen Jane eindelijk wat rustiger werd, fluisterde ze: 'Dank je wel dat je bent gekomen. Harry is zeker...'

'Vertrokken. Moeder heeft hem vanmorgen weggestuurd. Hij gaat voor een tijdje naar Italië.'

'O god,' snikte Jane. 'Ik hou het niet uit!' Ze ging languit liggen en bedekte haar gezicht met haar armen. Behalve de wind die door de takken van de bomen ritselde, hoorde je niets dan haar snikken. Het begon schemerig te worden. Er kwam een blad van een boom omlaag dwarrelen. Barbara hield haar hand op en ving het. Annie zei dat het geluk bracht als je een vallend blad ving. Maar Annie vertelde wel meer onzinverhalen. Ze zei dat bramen giftig waren op Sint-Michielsdag omdat de duivel er de avond tevoren op had getrapt. Maar toen Barbara twee jaar geleden op Sint-Michielsdag alle bramen had opgegeten die ze maar kon vinden, was er niets gebeurd, behalve dat ze een standje kreeg van haar grootmoeder omdat ze zo gulzig was geweest.

Janes gesnik was iets bedaard, en Barbara leunde met haar hoofd achterover tegen de boom en keek omhoog naar de hemel, net als Jane. Wat zag zij in die pluizige witte wolkjes? Waar droomde ze van?

'Ik had nooit gedacht dat hij van mij zou houden,' zei Jane. 'Ik hield al jaren zo verschrikkelijk veel van hem. Zelfs toen we nog kinderen waren. Ik kan nog niet geloven dat het allemaal voorbij is.'

'Wat ga je doen?'

Haar mond kreeg een harde trek. 'Ik zal wel trouwen met Augustus Cromwell, dat heb ik altijd al geweten. En ik probeer een goeie vrouw voor hem te zijn. Ik zal zelfs proberen van hem te houden.'

'Dat moet je niet doen!' reageerde Barbara onmiddellijk. 'Je moet nee zeggen tegen je ouders. Je moet wachten. Misschien verandert alles nog.'

'Wat kan er nog veranderen? Harry is weg. Ik weet niet voor hoelang. Mijn huwelijk wordt aanstaande zondag al afgekondigd! Ik had sterker moeten zijn, dat zei mijn moeder ook al. Het was fout dat ik me aan iemand anders heb gehecht. Ik heb mijn moeder recht in de ogen gekeken en gevraagd: "Hebt u nooit van iemand gehouden? Hebt u helemaal geen hart?" Toen begon ze met mij te huilen. Ik ben toch nooit zo flink als jij, Bab. Ik doe altijd mijn plicht. Geloof je niet dat iedereen dat op den duur doet? Dat iedereen zijn liefde, zijn hartstocht, uit zijn jeugd vergeet en gewoon maar zijn plicht doet? Mijn moeder zegt dat het zo is, maar ik kan het haast niet geloven.' Haar stem klonk bitter, net als die van Harry gisteravond. Wat gaven ze het toch gemakkelijk op, dacht Barbara. Ik zou wel terugvechten, o ja, zei een stemmetje binnen in haar. En je was bereid alles te doen wat je moeder zei, gisteravond. Stil toch, zei Barbara tegen zichzelf.

Ik zou getrouwd zijn met wie zij wilde, maar als ik niet van die man hield, had ik ooit op een dag Roger als minnaar willen hebben. Al was het maar voor één uurtje. En ofschoon ze wist dat ze haar vriendin zou shockeren, zei ze: 'Ik had een kind van hem willen hebben... dan hadden we moeten trouwen... als ik zoveel van iemand hield.'

Jane was zo radeloos van verdriet dat ze niet eens verbaasd was. 'Jij misschien wel,' zei ze vermoeid. 'Maar daar heb ik geen moed voor.' Ze keek naar Barbara, naar het mooie gezichtje met de grote blauwe ogen en het prachtige roodgouden krulhaar. Zij was de kleindochter van een hertog. Ja, dacht Jane gelaten. Jij zou dat misschien doen, net als je moeder vóór je. Maar ik ben de dochter van een landjonker, en zoiets past niet bij mij.

Barbara huiverde van de kou en van medelijden met haar vriendin. Het werd al later in de middag.

'Ik ga naar Londen,' zei ze tegen Jane. Ze kon niet op het laatste nippertje haar hele vreugde blootleggen, zoals ze ook Harry niets had kunnen vertellen. 'Mijn moeder neemt me mee om te zien of ik een echtgenoot kan vinden. Jane, je moet niet met die Augustus trouwen. Je moet wachten. En als ik een goed huwelijk aanga, zal mijn man een goeie positie voor Harry zoeken en dan kunnen jullie toch trouwen. Wacht toch alsjeblieft.'

Jane kwam overeind en plukte de bladeren en takjes van haar mantel. Ze opende haar mond om iets te zeggen, maar zweeg. Uiteindelijk begon ze en koos haar woorden heel voorzichtig: 'Dank je wel voor het aanbod, lieve, lieve Bab... maar als je moeder nu eens niet, ik bedoel, mijn vader zegt... o, neem me niet kwalijk, Bab, maar hij zegt dat geen behoorlijk mens met haar zou willen omgaan. Misschien is het niet zo gemakkelijk om een man...' Ze keek Barbara aan en voegde er gauw aan toe: 'Maar natuurlijk, jij bent zo knap dat je er toch wel een vindt. Alleen, als ik nu zou wachten... zoals jij zegt, en er loopt iets mis, dan zit ik helemaal zonder echtgenoot. En het is nu beloofd, ik ben nu al gebonden. En wie zou een vrouw willen nemen die haar trouwbelofte heeft gebroken? En als ik helemaal niet trouw, dan heb ik niets, geen kinderen, geen eigen huis...'

'En ik dacht dat je van Harry hield!'

'Dat doe ik ook, echt waar! Maar... Harry was een droom, Bab. Ik wist in mijn hart dat ik hem nooit zou krijgen. De kleinzoon van een hertog! En nu met wat je vader heeft gedaan, nu moet hij iemand trouwen die hem helpt alles weer op te bouwen, iemand met een titel en geld. Probeer me alsjeblieft te begrijpen... alsjeblieft.'

Ze raakte even Barbara's mantel aan. Ineens stond Barbara op en Jane volgde.

'Ik moet gaan,' zei ze en haar ogen ontmoetten de strakke blik van Barbara. 'Ze denken dat ik in mijn kamer ben, en ik wed dat mijn vader me slaat als ik thuiskom. Dank je wel dat je hier bent gekomen om me over Harry te vertellen.' In een snelle beweging omhelsde ze Barbara en zei: 'Veel succes bij de mannenjacht.' Toen rende ze weg tussen de bomen. Zwijgend keek Barbara haar na. Door Jane besefte ze voor het eerst dat het misschien niet zo gemakkelijk zou zijn om met Roger te trouwen.

De hertogin beklom de laatste tree van de grote trap en bleef even staan om te rusten, met haar hand op de gebeeldhouwde eenhoorn die het einde van de trapleuning sierde. Ze zocht Diana en ze was vermoeid. Ze voelde zich uitgeput door het afscheid van Harry die ochtend. Arrogante vlerk! Hij gaf haar dus de schuld. Merkwaardig zoals hij een ogenblik op Richard had geleken. Niet zo blond als zijn grootvader, maar die vastberaden lijn van zijn gezicht... het sneed als een mes door haar hart. En haar botten deden haar zo'n pijn! Toen steunde ze weer op haar stok en strompelde naar de deur die toegang gaf tot Diana's vertrekken. Ze dacht aan Barbara. Diana zou dat kind niet meenemen en uit-huwelijken voor de hertogin wat meer inlichtingen had dan het beetje dat Annie uit Diana's bedienden had losgekregen. Er stond haar iets bij over Roger... Waarschijnlijk was het niets. En dat kleintje beweerde dat ze van de man hield! Wat wist zij van liefde. En van Roger!

Ongeduldig klopte ze met haar stok op de deur. En donkere helft ging open en ze ging naar binnen. Het eerste wat ze zag was Diana, naakt als op een Rubens schilderij, uitgestrekt op de witte lakens die de damasten bekleding van het bed moesten bescher-men. Het kamermeisje dat Diana uit Londen had meegenomen kneedde glanzende olie in haar lichaam. Een ogenblik stond de hertogin sprakeloos van verontwaardiging. Toen wees ze met haar stok naar een van de roodbeklede stoelen die als soldaatjes langs de muur stonden en een ander kamermeisje, een van haar eigen bedienden die blijkbaar moest helpen bij dit heidense ritu-eel, trok de stoel gauw naar voren en zette hem op de plek die de hertogin met haar stok aanwees. Het meisje maakte een kleine buiging voor haar meesteres en knipperde angstig met haar ogen. Ze leek wel een angstig konijn, vond de hertogin, en om niet te lachen commandeerde ze: 'De kamer uit, allebei.' Met een rechte rug ging ze op de stoel zitten en zei: 'Doe iets om je heen, Diana. Die meisjes krijgen nog een beroerte van jou.'

Diana kwam lui overeind en trok een laken naar zich toe. 'Het is de nieuwste mode uit Frankrijk,' zei ze terwijl ze het laken om-knoopte. 'De hertogin van Orleans laat haar lichaam driemaal per dag masseren. Daar blijf je jong en lenig van.'

'Roep je kamermeisje dan maar terug! Jij hebt geen tijd te ver-liezen!' Geërgerd keek ze naar haar dochter, die zichzelf opmaak-te als een Franse hoer. Ze liet zich er niet door afleiden.

'Die geschiedenis met Roger,' zei de hertogin, 'zit me dwars.'

'Wat heb je tegen hem?' vroeg Diana scherp. 'Je kent zijn fami-lie. En je kent hem ook. Hij is niet meer het eeuwige zwarte schaap. Hij is rijk, een van de eerste beleggers in de South Sea Company. Hij is een belangrijk man aan het hof geworden en ik

– we – mogen van geluk spreken dat we hem hebben.'

'Wat bedoel je dat je hem hebt, Diana? Een rijke graaf als Roger heeft geen behoefte aan de Alderley-tak van de Tamworths. Je man is een verrader die naar Frankrijk is gevlucht. Je bezit geen cent en je aanvraag tot echtscheiding heeft iedereen geshockeerd. Daarom vraag ik je nog eens: wat bedoel je dat je hem hebt?' Nu heb ik haar te pakken, dacht ze. Laat ze maar zien zich hieruit te redden. Ze voelde zich te oud voor al die zorgen. Eerst die kwestie met Harry en Jane, en toen was Diana met haar nieuws over Roger gekomen. De pijn in haar benen en de vermoeidheid maakten het haar moeilijk om na te denken.

Diana haalde diep adem en begon op luchtige toon te spreken. Als haar moeder haar niet zo goed had gekend, was ze op een dwaalspoor gebracht door haar achteloosheid.

'We zijn oude vrienden. Je weet hoeveel hij van vader hield. Hij is er trots op dat hij zich kan verbinden met een tak van de Tamworth-familie.'

'De waarheid, Diana!'

Diana fronste haar wenkbrauwen. De hertogin bleef haar dochter aankijken. Ze wist dat haar dochter een leugen probeerde te bedenken die haar moeder zou moeten geloven en ze wist ook dat Diana haar niet voor de gek kon houden en weldra met de kern van de zaak op de proppen moest komen.

Diana keek de hertogin nog eens aan. Ze was niet dwaas en ze wist dat ze aan haar moeder moest toegeven.

'Hij wil het Bentwoodes-landgoed hebben.'

De hertogin stond versteld. 'Mijn moeders Londense bezit...'

'Het is aan mij beloofd toen ik trouwde, maar toen vond je Kit te roekeloos en je hebt het nooit echt overgedragen! Dat vond ik toen heel gemeen. Maar nu ben ik je er dankbaar voor. Voor Bentwoodes is Roger bereid mijn echtscheiding door het parlement te krijgen, aandelen South Sea op mijn naam te zetten en op Harry, en bovendien met Barbara te trouwen.' Ze keek haar moeder triomfantelijk aan.

De benen van de hertogin deden vreselijk pijn. Diana's woorden drongen bij vlagen tot haar door, terwijl ze probeerde na te denken. Het was geen slechte overeenkomst, eigenlijk wel een heel goede. Diana had het geraffineerd gespeeld.

Nu de waarheid was gezegd, leunde Diana voorover en vertelde haar moeder meteen de hele geschiedenis.

'Hij wil Bentwoodes ontzettend graag hebben nu hij zichzelf beschouwt als een groot edelman. Hij wil dolgraag dat een groot huis en een plein in Londen naar hem worden genoemd. Maar afgezien daarvan kan ik hem ook nog de rol van grote redder laten spelen voor de in ongenade geraakte dochter van een nationale held, een man onder wie hij heeft gediend en die hij verafgoodde.' Ze glimlachte zelfgenoegzaam. 'En de nieuwe graaf, die vastbesloten is binnenkort hertog te worden, is ook al gaan denken aan een erfgenaam. En ik heb nog een troefkaart. Ik ben in het bezit van de kleindochter van diezelfde geliefde man – een meisje van goede familie wier naam is bezoedeld door haar vaders daden – die hij zou kunnen redden door met haar te trouwen.'

Een dergelijke vangst was Diana wel toevertrouwd, dacht de hertogin, trachtend de pijn in haar benen de baas te blijven... Kon ze zich nu maar herinneren wat haar zo vaag door het hoofd spookte.

'Ik zal hem Bentwoodes verkopen in ruil voor jouw echtscheiding,' zei ze, en boog zich voorover om haar benen te wrijven. 'Maar laat Barbara hierbuiten. Het geeft me een akelig gevoel...'

'Hoe moet ik haar anders uithuwelijken!' riep Diana uit. 'Weet je dat mijn dierbare schoonzuster, Abigail, heeft gevraagd of Barbara bij haar komt wonen als kamenier? En ze vroeg het zo vriendelijk, moeder, alsof ze me een gunst verleende! Mijn Barbara een betaalde gezelschapsdame, je kunt gerust zeggen een bediende! Ik ga liever dood dan dat ik mijn dochter zo laat vernederen! En zo voel jij het ook, ik zie het aan je gezicht!'

'Hij is te oud. En zijn reputatie...' Het klonk zwakjes. De pijn in haar benen was erger geworden, zo erg dat al het andere daarbij vervaagde.

'Hij is een man van de wereld, moeder,' zei ze en stond op om een kamermeisje te roepen. En met het schellekoord in de hand voegde ze eraan toe: 'Niemand wordt vijftig zonder vergissingen te hebben gemaakt. Jij niet en ik niet. Zelfs vader niet.'

De hertogin was verstomd. De adem stokte haar in de keel van verontwaardiging, en ze kon geen woord uitbrengen door de pijn.

'Ik heb jouw meisje ook gebeld, moeder. Ga nu maar rusten. Ik ben blij dat we dit gesprek hebben gehad.'

'Waar ben je de hele middag geweest?' vroeg Diana langs haar neus weg. Ze zaten in de kleine winterzitkamer. Die lag wat dichter bij de keuken en bovendien waren er twee haarden, die haar vader in die kamer had laten aanleggen. Er stond een mooi kabinet van knoestig notehout, met glazen deuren waarachter een hele collectie Chinese vazen en kommen werd bewaard. Dan was er nog een aantal kleine tafeltjes, een clavecimbel en een paar leunstoelen. Langs de grote ramen die op de tuinen uitkeken waren raamzitjes ingebouwd, maar het was nu te koud om daar gebruik van te maken. De gele velours gordijnen waren gesloten tegen de kilte.

Een bediende was bezig de tafel af te ruimen terwijl Perrymen, haar grootmoeders butler, een andere bediende beval de hangoortafel in te klappen en weer tegen de muur te zetten. Barbara zat op een sierlijk krukje bij een van de open haarden en stak fel met haar naald in het borduurwerk dat in haar borduurraam was gespannen. Nicht Henley zat ook op een kruk en verstelde servetten. Het vuur spatte en knetterde achter het haardscherm. De hertogin zat in een stoel met armleuningen en had haar benen op een bankje gelegd dat daar speciaal voor was neergezet. Dulcinea lag op haar schoot en langzaam streelde ze het zachte vachtje. Grootmoeders benen waren in linnen windsels gezwachteld en ze had paardebloemenwijn vermengd met papaver gedronken, niet zoveel dat ze ervan ging slapen, maar genoeg om de pijn te verdoven. Ze liet haar gedachten de vrije loop en keek terloops naar Diana en Barbara. Barbara had geen antwoord gegeven aan haar moeder en Diana zat zich te ergeren. De hertogin wachtte tot Perrymen en de bedienden de kamer uit waren.

'Waar zijn je manieren, Barbara!' zei ze scherp. 'Je moeder zei iets tegen je.'

Barbara's kin ging een eindje omhoog, maar ze antwoordde beleefd: 'Ik ben uit geweest, en ik heb een paar mensen bezocht om afscheid te nemen.'

'Geniet maar van je vrijheid zolang het nog kan,' zei Diana. 'In Londen gaat een jongedame nooit zonder geleide uit.'

Dulcinea geeuwde en sprong plotseling met een elegante boog op Diana's schoot. Ze spon en strekte haar klauwen uit zodat ze in Diana's japon haakten. Diana had het land aan katten en Dulcinea wist dat. Diana nam haar op om haar van haar schoot te gooien, maar één hard ivoren nageltje greep in de kanten manchet van haar mouw, waardoor hij scheurde.

'Verdomme,' riep Diana. 'Nou zit er een scheur in mijn dure kant.'

Dulcinea liep op haar gemak terug naar haar meesteres en sprong weer op haar schoot. Nu zat ze weer tevreden en stil, en loerde af en toe naar Diana met haar groene spleetoogjes.

'Wanneer vertrekken jullie?' vroeg de hertogin, en sloeg verder geen acht op Diana's ergernis. Ze begon zich te verzoenen met het huwelijk. Diana had gelijk. Dit was het beste voor Barbara. Zelf was ze ook het huwelijk ingegaan zonder er iets over te weten. Roger was een man met ervaring; hij zou wel lief zijn voor Barbara.

'Ik wil graag zo spoedig mogelijk vertrekken,' zei Diana. Barbara reageerde niet, maar je kon zien dat ze sneller begon te ademen. De hertogin keek vertederd naar haar. Nu zou ze spoedig getrouwd zijn en eigen kinderen hebben. Ik wou dat ik zo oud kon worden dat ik die kleintjes nog kon zien, dacht de hertogin. Ze luisterde naar wat Diana zei: wat Barbara allemaal nodig had voor Londen, en ze bespraken de prijs van een hofjapon en of zo'n japon in Londen moest worden gemaakt of hier, door Annie en de dorpsnaaistertjes. Barbara zei helemaal niets. Het leek alsof ze het helemaal niet over haar hadden. De hertogin lette niet op haar; ze was danig verrast door Diana's opmerkingen over het nieuwe hof van Hannover. De koning had een lange, scherpe neus, heldere blauwe ogen en niet meer charme dan een koolraap. Zijn minnares, Melusine von der Schulenburg, leek wel een beetje op een bonestaak, zo lang en dun was ze. Ze sprak Engels, maar de koning sprak alleen maar Frans en Latijn met zijn hovelingen. En hij was erg op zijn privacy gesteld; zijn slaapkamer werd zelfs door twee Turkse soldaten bewaakt tegen ongewenste gasten. De hele kroning was teleurstellend geweest; het hof van Hannover had geen stijl, ze konden niet aan de Stuarts tippen.

'Het zal er wel saai worden,' zuchtte Diana. 'Maar ja, koningin Anne was ook niet erg levendig.'

Het vuur in de twee open haarden knapte en knetterde en vulde de kamer met een doezelige warmte. Nicht Henley stond op en verontschuldigde zich; ze nam haar mand met verstelwerk mee. Diana geeuwde en rekte zich uit met haar volle blanke armen omhoog. Ook zij stond op.

'Neem me maar niet kwalijk. Ik ga naar bed. Ik word zo moe van die buitenlucht hier. Welterusten moeder. . . Barbara.'

De gordijnen gingen open en vielen weer dicht achter haar. De houtblokken in de haard vielen uit elkaar in een regen van oranje vonken. De hertogin lag een beetje te dommelen in de warmte. . . zo vredig. . .

'U hebt naar moeder geschreven over Harry en Jane!' zei Barbara beschuldigend en haar stem klonk kwaad. De hertogin kwam ineens overeind, geschrokken, en richtte haar blik op haar kleindochter, die daar in het schijnsel van het vuur een toonbeeld van huiselijkheid leek maar die nu kookte van woede.

'Ik had nooit gedacht dat u hen zou verraden, grootmama! Was het nu zo erg als ze waren getrouwd? De Ashfords zijn toch een keurige familie! Ze houden van elkaar!' Bij elk woord dat ze sprak ging haar naald nog sneller door haar borduurwerk heen. Nu zat er een knoop in de draad en geërgerd gooide ze het hele werk neer.

'Je hoeft niet op die toon tegen me te spreken, jongedame!' reageerde de hertogin kortaf. Ze wilde tijd winnen, want ze was stomverbaasd over Barbara's aanval. Wat was dat kleine ding ineens uitgevallen.

'Ik heb niemand verraden!' zei de hertogin. 'Ik heb mijn plicht gedaan! Trek maar niet zo'n kwaad gezicht tegen mij, Bab Alderley! Ik heb doodgewoon mijn plicht gedaan en het kan me niets schelen wat jij ervan denkt, of Harry of Jane! Ik heb gedaan wat ik moest doen.'

Omdat Barbara haar de hele tijd verachtelijk bleef aankijken, sprak ze verder: 'Harry moet een goed huwelijk doen. Vergeet niet dat hij een kleinzoon is van Richard Saylor, de eerste hertog van Tamworth! Wij trouwen niet met dochters van plattelandsjonkers!' Barbara gooide haar haar achterover. Het licht van het haardvuur glansde erdoorheen. Net Richards haar.

'Dacht je dat ik niet van Harry hield, kind?' vervolgde ze op zachtere toon. 'Zou ik hem kwaad willen doen? Grote god! Jullie, kinderen, zijn mij het allerliefst. Maar plicht gaat voor liefde. Harry komt er wel weer overheen en Jane ook. Eeste liefde houdt maar zelden stand. Er is maar één ding. . .'

'Als u nog één keer het woord "plicht" uitspreekt, begin ik te gillen,' viel Barbara uit.

'Doe dat maar!' ketste haar grootmoeder terug. 'Dan sla ik je met mijn stok!'

'Dat kunt u niet, want u hebt hem niet bij u staan!'

De hertogin keek om zich heen. Het kind had gelijk. Toen keken ze elkaar aan, twee kwade gezichten, twee stel harde ogen.

'Zal ik hem voor u gaan halen, grootmama?' Het moest verachtelijk klinken, maar het idee dat ze haar grootmoeders stok zou halen om ermee geslagen te worden, deed haar op haar lippen bijten om niet te lachen. De hertogin zag dat onmiddellijk en maakte er gebruik van.

'Brutale meid! Als ik overeind kon komen, Bab, gaf ik je een pak rammel.' Ze zuchtte. 'Kom dan maar voor straf bij me zitten. We moet elkaar proberen te begrijpen.' Ze ging een beetje opzij met haar benen zodat Barbara op het bankje kon zitten waar haar voeten rustten. Stijfjes ging Barbara zitten op de plek die de hertogin had aangewezen. Ik zal nooit begrip hebben voor een plicht waar je anderen verdriet mee doet, dacht ze koppig.

Waar heeft ze die koppigheid toch vandaan, dacht de hertogin. Ja, Richard was ook koppig geweest, maar niet zo onwrikbaar. Ik heb haar niet streng genoeg opgevoed, dacht ze. Ik had haar meer moeten slaan. Ik had nooit zo naar mijn grootmoeder durven kijken. De tegenwoordige jeugd kent geen manieren. Ze leunde achterover. De wijn had haar een schijn van kracht gegeven, maar haar hoge leeftijd en haar moeheid bleven aan haar knagen. Ze sloot haar ogen en begon met zachte stem te spreken om zichzelf zoveel mogelijk te sparen.

'Bab, over twee jaar zullen noch Harry, noch Jane zich het verdriet en de pijn van nu herinneren. Twee jaar duurt lang wanneer je jong bent. Harry vindt wel een aardig minnaresje, en Jane zal trouwen en een baby krijgen. Het leven gaat verder, en onze plichten in het leven ook... Ik kende je grootvader amper toen het huwelijkscontract werd getekend.'

Naarmate we ouder worden, beroepen we ons steeds meer op leugens, dacht ze. Vertel het meisje maar eens hoe je Richard Saylor met je ogen volgde, lang voordat hij ooit een woord tegen je had gezegd. 'Maar ik deed mijn plicht. Ik wist dat ik dat voor mijn familie moest doen.' En Barbara luisterde, of ze wilde of niet, geboeid als ze was door verhalen uit grootmoeders jeugd.

'O, Bab... hij was de knapste man van het land, en bovendien ook nog de beste! In het begin was het mijn plicht om van hem te houden, maar daarna hield ik van hem omdat ik niet anders kon. En hij is mij ook gaan liefhebben, terwijl ik een kattig, mager jong ding was. We hebben samen gewerkt aan het opbouwen van onze rijkdom...' Welk een dappere krijgsman was hij geweest, en de hertogin zag hem in gedachten in zijn rode generaalsuniform met alleen Marlborough nog boven hem. Dat waren mooie jaren. Drie sterke zoons hadden alle gestorven baby'tjes overleefd; ze hadden het landgoed weer hersteld en als bekroning van hun liefde, was er een dochter geboren, een meisje dat net zo mooi was als haar vader knap. Het leven was zo rijk en alles leek zo gemakkelijk. Maar toen sloeg het noodlot toe: hun twee oudste zoons sneuvelden in die jarenlange oorlog met Frankrijk. De derde stierf plotseling aan de pokken; een duivel doodde zelfs hun oudste, liefste kleinzoon – de opvolger, aangezien zijn eigen goede vader was gesneuveld. De titel was naar Abigails zoon gegaan. Grote god! Ze had altijd zo'n minachting gehad voor Abigail, nooit begrepen hoe haar leuke, charmante William die nooit jaloers was geweest op de erfenis van zijn oudere broer en altijd vol grapjes zat, William die als een hond in een ver land was gestorven – ze hadden zijn lijk zelfs nooit gevonden – met haar had kunnen trouwen. Zo was er na twintig jaar van geluk en voorspoed, in vijf jaar tijd, niemand van hun kinderen overgebleven dan Diana. Hun drie prachtige zoons waren er niet meer. En toen had Richards hart het ook begeven. Hij was gestorven. Stof tot stof...

'Grootmama, voelt u zich wel goed? Zal ik Annie roepen?' Barbara schrok ervan hoe ze eruitzag. Verraad of niet, deze oude vrouw was haar rots in de branding.

Vermoeid schudde de hertogin haar hoofd. Haar gezicht stond weer oud en treurig.

'Ik houd van Roger, grootmama,' zei Barbara langzaam. 'Zoals u van grootvader hield.'

Plotseling trof haar de waarheid van Barbara's mededeling. Ja... misschien hield ze wel van hem. Maar Roger was tweeënveertig, en Richard was twee jaar jonger geweest dan zij. Roger was een man met ingesleten gewoonten, foute zowel als goede. En hij was toch anders dan Richard. Weer kreeg ze een vreemd voorgevoel. 'Jij bent vijftien!' zei ze, iets scherper dan ze bedoelde omdat ze bang was. 'Wat weet jij van liefde? Jij houdt van een knap gezicht, dat is alles!'

Barbara schudde haar hoofd, met opnieuw een opstandig gezicht.

'Luister eens, mijn kind. Ik zal je over liefde vertellen, het soort liefde dat jij nu voelt. Je moeder werd verliefd op Kit Alderley, een knappe, waardeloze schoft, ook toen al – God vergeve me dat ik zo over je vader spreek – en we stonden haar toe te trouwen omdat hij uit een goede familie kwam en omdat we drie jongens hadden die allemaal moesten erven. Diana mocht doen wat ze wilde. Ik heb haar gesmeekt nog wat te wachten. Ze was toen vijftien en stapelgek op Kit. Ja, kijk me maar aan, kind, je kunt je niet voorstellen dat je moeder ooit vijftien is geweest! En ze was zo eigenwijs! Maar we hebben toen goed gevonden dat ze met Kit trouwde. En op een dag werd ze wakker en besefte dat ze zeven kinderen te voeden had, dat haar man een verrader was en dat ze geen geld meer had. Nee! En ook geen liefde! Die was in de loop van de jaren langzaam weggeëbd. Praat mij niet over liefde, meisje! Zelfs de grootste liefde vliegt het raam uit als hij niet is verankerd met waarheid, eer en plicht!'

Barbara bleef zwijgen. Begrijpt ze het wel, vroeg de hertogin zich af. Kun je het al begrijpen als je nog maar vijftien bent?

'Laat je moeder je vertellen waarom ze dit huwelijk zo graag wil,' zei ze scherp. 'Laat haar maar vertellen waarom Roger Montgeoffrey aan jou heeft gedacht. Het is hem om ons landgoed te doen en niet om jouw knappe gezichtje! Vergis je niet!'

'Bij u kwam de liefde ook pas later,' zei Barbara zachtjes. 'Zo zal het met hem ook gaan.'

'En als dat nu eens niet gebeurt?'

Barbara glimlachte op een langzame, verleidelijke manier zoals de hertogin het nooit eerder had gezien. 'Ik zal ervoor zorgen dat hij van me houdt, grootmama. Dat kan ik beslist.'

Grote god! Richard had dikwijls precies hetzelfde gezegd in de overtuiging dat hij iemand met zijn charme kon dwingen en dat was nog dikwijls gelukt ook! Behalve toen de dood kwam. De dood had hij niet kunnen tegenhouden toen die was gekomen voor zijn zoons en voor hemzelf.

'Je liefde voor Roger kan ook veranderen na je huwelijk, Bab,' zei ze, doodvermoeid door dit gesprek, door de koppigheid van haar kleindochter en door haar eigen angst van een oude vrouw. 'Misschien is hij helemaal niet zoals jij graag wilt. En dan moet je aan je plicht denken, daar verandert niets aan.' Haar stem was nu heel zwak. Barbara stond op om vlug haar kamenier te roepen en tegelijk dacht ze: grootmoeder is oud, ze begrijpt het niet. Natuurlijk zou ze haar plicht doen; ze was per slot van rekening een Tamworth zowel als een Alderley. Maar ze zou ook haar hart volgen.

In de dagen die volgden, kwamen er geen preken meer over plichtsbetrachting. Er werden koffers van zolder gehaald en gelucht en gepakt. En vaak genoeg moesten ze weer overgepakt worden, volgens haar grootmoeders laatste voorschriften. De hertogin bleef op bed liggen; door de kou en de emoties waren haar benen nog slechter geworden. Maar ze regelde de huishouding en alle bijzonderheden van Barbara's vertrek met net zoveel autoriteit als anders. Ze hield een nauwkeurige lijst bij van alle kleren die moesten worden genaaid, versteld en gewassen. Gedroogde lavendel, munt en rozeblaadjes werden met veel zorg tussen de vouwen van de kleding meegepakt.

'Moeder, ik laat japonnen in Londen maken! Deze zijn ouderwets!' riep Diana wanhopig, maar de hertogin lette niet op haar want ze besprak juist met Annie hoe je gevlekte zijden linten weer schoon moest krijgen.

'Je snijdt vier of vijf flinke aardappelen in dunne schijfjes, en dan laat je ze een paar uur in een liter koud water trekken. Dan spons je de zijde af met dat water en je strijkt het droog!'

Annie legde koppig haar armen over elkaar. 'Wijnspiritus, krijt en pijpaarde, dat gebruikte mijn moeder altijd...'

'Dan was je moeder een idioot! Kijk maar in mijn receptenboek!'

Vervolgens moest Annie de rozenmelk gaan zoeken – gemaakt van gestampte amandelen met lavendelolie en rozewater – en daar een flesje mee vullen voor Barbara. Dat was voor een zachte blanke huid.

'Haar huid is al zacht en blank, moeder!'

'Dan zal deze hem nog mooier maken.'

'Ik word gek van haar!' riep Diana. Maar Barbara zei niets. Ze wist dat al die drukte haar grootmoeders manier was om haar toekomst te zegenen, niet alleen met wijwater maar ook met de meer intieme, huiselijke middelen zoals lavendel, rozenmelk en schone zijden linten.

Barbara glipte de kamer uit om nog een keer in de leskamer te luisteren hoe de kleintjes hun lessen opzegden. Zachtjes deed ze de deur van het vertrek open en ging aan haar eigen oude lessenaartje zitten om toe te horen. De kinderen moesten net stukken uit de bijbel opzeggen, en de klank van hun heldere jonge stemmen bracht wat rust in haar hart. Deze broertjes en zusjes zou ze nog het meest missen.

'Zalig zijn de zachtmoedigen, want zij zullen de aarde beërven.

Zalig zijn zij die hongeren en dorsten naar de gerechtigheid want zij zullen verzadigd worden...'

Ze deed haar ogen dicht. Kit en Charlotte konden vlot opzeggen, maar Anne bleef net één woord achter. Ze had haar regels niet uit het hoofd geleerd en probeerde nicht Henley om de tuin te leiden.

Help mij, lieve Heer, dacht ze, in dit belangrijkste avontuur van mijn leven. Ik beloof dat ik goed zal zijn; ik beloof U dat als ik met Roger mag trouwen...

'Zalig zijn de barmhartigen, want hun zal barmhartigheid geschieden.'

De grote dag was aangebroken. Ze stond midden in haar kamer, de met bont gevoerde mantel strak om haar heen en daaronder haar reisjapon nauw ingeregen, haar haar netjes gekamd. Alles wat van haar was geweest in deze kamer was in die koffers gepakt en op de bagagewagen gebonden die achter hun koets aan zou rijden. Haar vogelnestjes had ze aan Kit gegeven. Haar hart klopte zo snel dat ze een gevoel kreeg dat het zou ontploffen in haar borst. Haar jeugd was voorbij. Wanneer ze hier weer terugkwam, zou ze getrouwd zijn en misschien wel moeder, als God het toestond. En Hij moest het toestaan.

'Mevrouw, uw moeder vraagt of u wilt opschieten.' Haar kamermeisje zei het zachtjes. Barbara nam haar niet mee naar Londen, als straf voor die eerste avond dat haar moeder thuis was. Als ze hier op Tamworth niet loyaal kon zijn, wat had ze dan aan zo'n meisje in Londen?

'Zeg maar tegen haar dat ik zo kom.' Ze moest nog één keer

afscheid nemen van haar broertjes en zusjes. Dat vond ze even erg als het afscheid van haar grootmoeder. Ze was de hele ochtend bij haar grootmoeder geweest. Samen hadden ze gebeden en grootmoeder had uit de bijbel voorgelezen. Ze had haar grootmoeders hand vastgehouden terwijl Annie haar haar borstelde en er een lint doorheen vlocht. Ze had beloofd te zullen bidden, naar de kerk te gaan, op haar manieren te letten, haar drift in te houden en beleefd te zijn tegen oudere mensen, kortom, zich als een keurige jongedame te gedragen.

Kit, Charlotte en Anne stonden keurig in een rij in de kinderkamer. Alleen de baby ontbrak want die lag nog in zijn wieg, en Tom die op school was, en natuurlijk Harry.

'Ga niet weg, Bab,' snikte Charlotte. 'Alsjeblieft! Jij bent de enige met wie ik kan praten. Grootmama is al zo oud!'

Nicht Henley fronste de wenkbrauwen vanuit haar hoekje bij het raam, en Barbara zag het. Anne begon te huilen. Zelfs Kit veegde over zijn ogen. Nicht Henley kwam al overeind, maar Barbara schudde haar hoofd tegen haar.

'Laat ze maar, nicht,' zei ze. 'Ze mogen best huilen. Hoor eens, luister nou naar me,' troostte ze. 'Als ik getrouwd ben, laat ik jullie allemaal overkomen en als Henley niet aardig is, neem ik een nieuwe gouvernante om voor jullie te zorgen en dan gaan we in een groot huis wonen. En jullie worden ooms en tantes van mijn baby'tjes.'

In haar hoekje zat nicht Henley haar hoofd te schudden.

'Echt waar, Bab?' vroeg Kit.

'Echt?' snikte Charlotte. Anne verborg haar gezicht in Barbara's mantel.

'Stil nu maar, schatjes,' zei ze. 'Ik ga naar Londen om een groot avontuur te beleven en jullie moeten hier wachten tot ik jullie laat komen. Maar ik zal een pop sturen, en snoep, en soldaatjes, en zelfs iets voor nicht Henley als ze heel lief voor jullie is. Daar moet je maar aan denken!'

'Zul je het niet vergeten, Bab?' vroeg Kit. Ze nam zijn gezicht in haar handen.

'Jij bent de oudste tot Tom weer uit school thuis is. Jij moet op de kleintjes letten en ze beschermen.'

Kit keek in de richting van nicht Henley en er kwam een vastberaden trek op zijn gezicht. Barbara liep naar de wieg van de kleinste. De jongste Alderley lag als een engeltje te slapen. Ze raakte even het kleine vuistje aan. Dag lieverdje, zei ze bij zichzelf. Ik bid God dat ik binnenkort ook een kleintje heb zoals jij. Tegen haar nicht zei Barbara met duidelijke stem: 'Wees lief voor ze, want bij God, ik stuur je weg zodra ik gravin ben!'

'Bab!' riep Charlotte, maar Barbara rende de kamer uit, de trap af en door de grote hal want ze wilde niet dat de kinderen haar zagen huilen. Vervolgens rende ze langs de verbouwereerde Perryman en meteen over het grind van de binnenplaats. Met een sprong verdween ze in het rijtuig dat stond te wachten.

'Je kreukt mijn jurk!' riep Diana en schoof geërgerd een eind opzij. Het rijtuig zette zich in beweging terwijl Barbara met haar hoofd buiten het raampje hing. In een van de erkerramen meende ze een glimp te zien van een grote, slappe kanten muts boven een mager gezichtje. Met een ruk gingen ze de bocht om langs de bijgebouwen, de stallen en de duiventil.

Barbara voelde een kramp in haar borst, maar ze wilde er niets van laten merken met haar moeder en haar moeders kamermeisje in het rijtuig. Ze probeerde aan één ding te denken, dat haar een beetje kon troosten... Roger.

De hertogin zat rechtop in bed en haar hart bonsde. Ineens herinnerde ze zich wat ze zich maar niet voor de geest kon halen. Richard was de galerij op komen lopen – wanneer was dat geweest? Tien of vijftien jaar geleden... of nog langer. Zij en haar dames zaten aan een groot wandtapijt te werken. Ze was de omtrek van een prachtig paard aan het borduren, Richards lievelingshengst. Peter Lely had het patroon voor haar uitgetekend, maar ze was niet van plan het naar Vlaanderen te sturen om het te laten uitvoeren. Daarom hadden zij en Annie en een paar nichten en een aantal pientere vrouwen uit het dorp, die enig verstand van weven hadden, wel een jaar of drie aan het tapijt zitten werken.

Ze had onmiddellijk aan Richards gezicht gezien dat er iets aan de hand was. Ze legde haar werk neer en liep een eind met hem op om niet door de vrouwen te worden afgeluisterd.

'Wat is er, lieverd?' vroeg ze hem.

Hij lachte nerveus. Ze ging op een bank bij een van de erkerramen zitten en Richard kwam bij haar staan.

'Er is iets heel vreemds gebeurd,' zei hij. 'Ik denk dat ik Roger moet wegsturen.'

'Hoe bedoel je?'

'Ik moet hem ontslaan als adjudant.'

'Waarom in 's hemelsnaam? Je hebt geen trouwer...'

'Hij is verliefd op me!'

'We houden allemaal van je!' zei ze, omdat ze de bijbedoeling niet wilde horen. 'Ik zie niet in waarom je hem...'

Hij nam haar handen in de zijne en bleef haar lang aankijken.

'Wat bedoel je?' vroeg ze tenslotte.

'Ik bedoel, mijn lieve onschuldige vrouwtje, dat Roger net zo van mij houdt als jij. Hij probeerde met me te vrijen! Begrijp je het nu nog niet?'

Ze schrok. 'Een sodemieter!' zei ze, meer tot zichzelf dan tegen hem.

Maar hij moest plotseling lachen. 'Waar ter wereld heb jij zulke woorden geleerd, Alice?'

'De bijbel,' antwoordde ze prompt. 'Ik kan het nog niet geloven, Richard. Er zijn altijd vrouwen verliefd op hem. Heb je je niet vergist?'

'Nee hoor,' zei hij en hij lachte niet meer. Ze zwegen beiden. Na een poosje vroeg ze: 'Hoe heeft hij... ik bedoel, wat – wanneer is dat gebeurd?'

'Gisteravond. Hij was dronken. Mannen doen vreemde dingen als ze te veel op hebben. Het is tegenwoordig mode om de voorkeur te geven aan mannen.'

Ze kreeg ineens een visioen van de opgeschilderde, opgedofte broer van de koning van Frankrijk. 'Zo is Roger niet! Dat is een ernstige beschuldiging, Richard!'

'Grote god!' riep hij uit. 'Ik zal hem nooit rechtstreeks beschuldigen! Er is niets gebeurd. Het is alleen maar dat...' Hij hield even op. 'Ik weet het niet precies meer, Alice. Ik was zelf ook dronken. Ik had zelf ook wel kunnen...'

'Daar mag je niet aan denken!' zei ze. 'Jij was het niet. Wat er ook is gebeurd, jij was het niet! Het was de wijn! Bij jou... en Roger.'

Toen hij haar aankeek stond zijn gezicht gespannen. 'Ik zal wachten. Je hebt gelijk. Door wijn kunnen mannen...' Hij slikte. Ik wacht af... wacht eerst maar eens af. Zijn woorden echoden

51

door haar hoofd. Waarom was het haar niet te binnen geschoten toen Diana nog thuis was? Omdat het niet belangrijk was... iets tussen dronken mannen... Omdat ze niet wilde... En Roger was aangebleven als adjudant, zorgeloos en knap als altijd. Wat was er waar van haar herinneringen en wat was droom? Moest ze Diana schrijven? Haar dochter zou natuurlijk zeggen dat het de hersenspinsels van een oude vrouw waren. Ze dacht nu weer aan Roger en Barbara. Wat was er werkelijk gebeurd, al die jaren geleden? En wat deed het er nu nog toe? Verdomme, dat ik zo oud en zwak ben, dacht ze. Ineens schoten haar bijbelse woorden te binnen: 'Want nu zien wij nog door een spiegel, in raadselen, doch straks van aangezicht tot aangezicht. Nu ben ik onvolkomen, maar dan zal ik ten volle kennen, zoals ik zelf ben gekend.'

3

De eerste graaf Devane, of Roger zoals zijn vrienden hem noemden, draaide zich om teneinde een nog beter beeld van zichzelf te krijgen in de hoge Venetiaanse spiegel die zijn bediende voor hem omhooghield. Een pruikenmaker en een kleermaker bewogen zich als schaduwen in de donkere achtergrond van de spiegel. Het was laat in de ochtend en het was niet een dag waarop Roger bezoekers ontving, maar er waren een paar vrienden langsgekomen die hij had binnengelaten omdat hij er niet van hield alleen te zijn. Hij stond ernstig naar zichzelf te kijken en alle anderen in de kamer hadden hun blik op hem gericht, alsof de snit van zijn jas en het model van zijn pruik het allerbelangrijkste ter wereld waren. En dat waren ze eigenlijk ook op dit ogenblik.

Tien jaar geleden woonde hij nog in een klein gehuurd appartement op kosten van zijn toenmalige minnares. Nu waren alleen al in zijn slaapkamer de muren bespannen met dure zachtgroene, uit Lyon geïmporteerde zijde en langs de hoge ramen, die uitkeken over een van de deftigste pleinen van Londen waar Roger het grootste huis had gehuurd, hingen zware, zilvergrijze gordijnen. Aan de wanden waren weelderige Italiaanse landschapsschilderijen opgehangen aan lange fluwelen linten. Slechts drie schilderijen stelden mensen voor. Een ervan was een klein portret van koning George, een ander beeldde prinses Elisabeth-Charlotte van Beieren uit, de schoonzuster van de overleden Franse koning Lodewijk XIV, en het laatste was een portret van Richard, de eerste hertog van Tamworth.

Het geluid van een flinke boer verbrak de stilte. Aller ogen keken naar Robert Walpole die bij de haard zat op een groen fluwelen, met zilveren franje afgewerkt bankje. Hij veegde de resten van een krentenbroodje van zijn vingers af aan zijn jas. Aan zijn dikke cherubijnengezicht, dat werd geaccentueerd door de zware donkere wenkbrauwen boven intelligente ogen plakte nog poedersuiker. Met zijn negenendertig jaar was Robert een van de belangrijkste leden van het Lagerhuis en minister van de Schatkist.

'Was dat een mening?' vroeg Roger.

Robert schudde zijn hoofd. Naast hem, op een stoel met armleuningen, dommelde zijn broer Horatio, even dik maar niet zo begaafd. Horatio diende als minister voor de Verenigde Nederlanden, dank zij de grote invloed van zijn broer. Hij deed één oog open om naar Roger te kijken, maar sloot het onmiddellijk weer. Roger bekeek zijn spiegelbeeld bedenkelijk. De pruikenmaker en de kleermaker hielden hun adem in, want beiden hoopten dat hij de koopwaar van de ander zou afkeuren. Lord Devane was een toonaangevend man, en als hij tevreden was, zou hij niet alleen minstens vijf pruiken kopen en een heleboel jassen bestellen, maar bovendien zou iedereen in de elegante wereld hem nadoen.

'Ik zou die pruik niet kopen,' zei John, hertog van Montagu, vermoeid. Hij was een lange man met zware oogleden en hij stond aan de andere kant van een glanzende notehouten tafel die was beladen met zilveren schalen, vol krentenbroodjes, rijkelijk bestrooid met poedersuiker, een andere hoog opgestapeld met luchtige scones, zo groot dat het wel sponzen leken en op nog een andere schaal lagen kaasjes opgestapeld, omringd door druiven en sinaasappelen. Er stonden zilveren kommen vol boter, verse room en verschillende soorten gelei. Uit drie zilveren kannen werd koffie, thee of warme chocolademelk geschonken. Maar in tegenstelling tot Robert Walpole had Montagu geen hap gegeten. Hij en Roger hadden het grootste deel van de nacht zitten gokken in een van de privé-ruimten bij Pontac's, een bekende taveerne. Roger dronk nooit veel tijdens het spelen maar Montagu wel, en dat moest hij vanmorgen bezuren. Tijdens het spelen was hij met een doffe klap dwars over de tafel gevallen en Roger had hem mee naar huis genomen om in een van zijn logeerkamers te slapen, zodat hij niet in zo'n toestand bij zijn vrouw hoefde te komen.

'Ik zou hem niet kopen,' herhaalde hij. 'Want als je dat wel doet, moet ik er ook een aanschaffen en hij zal mij lang niet zo goed staan als jou.'

'Edelachtbare,' piepte de pruikenmaker gauw, 'ik verzeker u dat het de nieuwste Franse mode is. U bent de eerste aan wie ik deze heb getoond.'

'Dat weet ik,' mompelde Roger. 'Maar staat-ie me?'

'Beste vent, hij staat je schitterend en dat weet je heel goed,' teemde Tommy Carlyle, een broodmagere lange man met rouge op zijn wangen en lippen en verder een spierwit gepoederd gezicht. Hij zat een eindje van de anderen af en volgde elke beweging die Roger maakte. In zijn linkeroor droeg hij een grote diamanten oorbel. Het was een vreemde gewoonte van hem, een van de vele waarom de andere mannen in de kamer hem verachtten. Maar Roger vond hem wel grappig, en hij mocht binnenwandelen wanneer hij wilde, alsof hij het schoothondje was, behalve dat Carlyle veel te groot was en ook nog in staat om te bijten.

'God bewaar me!' mompelde Robert Walpole. 'Hij kijkt alsof hij Roger met huid en haar zou kunnen verslinden!' Zonder zijn ogen te openen bromde zijn broer mee.

Roger keek weer in de spiegel en glimlachte om wat hij zag. Het spiegelbeeld van een man van in de veertig die eruitzag als vijfendertig of soms zelfs jonger, wanneer hij de nacht tevoren heel goed had geslapen. Maar vanmorgen was zijn gezicht pafferig en de rimpeltjes om zijn ogen waren goed zichtbaar. En toch was hij een bijzonder knappe man, opvallender en verfijnder dan de andere mannen in de kamer, ook al waren die veel jonger. Zijn glimlach had iets onverwachts: charmant en tegelijk droevig, waardoor vrouwen meenden dat hij een tragedie achter de rug had waarvan alleen zij de gevolgen konden wegnemen. Die glimlach en dat gezicht hadden hem altijd geluk gebracht, en geluk was wat hij nodig had als jongste zoon in een familie die alles in de burgeroorlog had verloren. Hij had meer ambitie dan zijn oudere broers die op het platteland woonden en een onbeduidende vrouw hadden getrouwd. Hij had geld van hen weten los te krijgen om een positie in het leger te kunnen kopen, en toen hij daar eenmaal zat, hadden zijn charme en zijn moedige gedrag de rest gedaan. Hij wist altijd precies wat hij moest doen, of het nu ging om een verrassingsaanval op de vijand of om het charmeren van een generaalsvrouw op een theevisite.

Hij was verbonden geweest aan de staf van de hertog van Tamworth en was tevreden geweest met die positie, maar nu hij al tegen de dertig liep zag hij in de spiegel lijnen in zijn gezicht die alleen maar dieper zouden worden. In zijn hart voelde hij dingen die hij niet kon verklaren en zo kwam het dat hij het Engeland van koningin Anne verliet, waardoor hij meteen het voortdurende geruzie tussen de mensen rondom de zieke vorstin achter zich kon laten. Hij vertrok over zee naar Hannover; hij zou wellicht meer kansen hebben bij de toekomstige erfgenamen van de Engelse troon dan in Engeland zelf. De hertog had hem aanbevelingsbrieven meegegeven en zijn bekende charme zou de rest moeten doen. En zijn geluk. Toen hij hoorde over Robert Harley's plan om de South Sea Company te stichten, in 1710, verkocht of beleende hij onmiddellijk alles wat hij bezat of wat hij kon lenen van vrienden, familie en welwillende vrouwen, voer naar Londen en belegde alles wat hij had in de betreffende aandelen – elke penny en elk gebed aan God dat de onderneming mocht slagen. De firma kreeg namelijk het monopolie van alle handel in de Stille Zuidzee in ruil voor het overnemen van een deel van de staatsschuld.

Zijn ingeving leverde hem het duizendvoudige op. Het bracht hem net zoveel succes als zijn vertrek naar Hannover een paar jaar eerder. Het geld stroomde hem toe, want zijn relatie met de toekomstige koning verwijdde al zijn horizonten. Men zag hem nu als een gefortuneerd man, en iedereen wilde meedelen in dat fortuin. Kooplieden, kleermakers, ambtenaren, arme dichters en arme familieleden, roddelaars en vrienden verdrongen zich elke donderdag in zijn hal, wanneer hij zijn officiële ontvangst hield, waarbij ze allemaal hoopten voorbij de prachtig versierde zalen in de nog prachtiger versierde privé-vertrekken te worden uitgenodigd tot ze uiteindelijk, als pelgrims die hun heiligdom bereiken, zijn slaapvertrek betraden.

Onder hen bevond zich Diana, beeldschoon en kwijnend, een oude vriendin die het nu wat moeilijk had en die altijd mensen wist te vinden die ze voor haar karretje kon spannen. De mogelijkheid om Bentwoodes tot ontwikkeling te brengen leek hem aanvankelijk wel aardig, maar langzamerhand werd hij door dat idee geobsedeerd. Hij had Bentwoodes voor het eerst gezien toen hij op een dag met Diana uit rijden ging, terwijl zij bijna huilde van angst omdat Kit zojuist het land was uitgevlucht. Roger hoopte een groot gezin te stichten, en als symbool wilde hij een huis aan een plein hebben, zo mooi dat heel Londen ervan versteld zou staan. En wanneer hij dacht aan een jonge, vruchtbare vrouw die hem zoons zou schenken om later zijn rijkdom en titel over te nemen, leek hem dat een aardige gedachte. Het werd tijd dat hij trouwde, maar een jonge vrouw kon niet verwachten dat hij zich door haar liet omvormen en zij zou zich naar hem schikken.

Hij herinnerde zich Barbara alleen als een leuk, gezellig, lang en mager meisje met schitterend roodgouden haar en blauwe ogen – haar grootvaders ogen – die hem overal volgden, waar hij ook ging. Ze was op hem gesteld, dat wist hij, en het vertederde hem. De laatste keer dat hij haar had gezien was waarschijnlijk op Richards begrafenis geweest, vijf jaar geleden, en hij kon zich haar eigenlijk niet herinneren. Hij herinnerde zich alleen het verschrikkelijke verdriet dat over hem was gekomen, een duisternis die alles wat hij zei en deed versomberde. Het was alsof zijn jeugd en idealen met Richards lichaam waren begraven. Daarna was hij een verhouding begonnen die hem helemaal leek op te branden, en toen daar een eind aan kwam voelde hij zich volkomen uitgehold. In die tijd had hij zich voor het eerst oud gevoeld, meer dan oud. Hij had Bentwoodes nodig, omdat hij daardoor een band kreeg met Richard en met zijn eigen jeugd, om de leegte in zichzelf weer op te vullen.

Diana kende niet al zijn gevoelens. Ze wist niet dat hij ondanks zijn rijkdom en zijn macht toch ook kwetsbaar was. Ze wilde hem gebruiken, en uit eigen overwegingen zou hij haar daar de kans toe geven.

'Ben je van plan hem te kopen?' herhaalde Montagu.

Rogers glimlach verdween. 'Ik ben bang,' zei hij langzaam en hield even op met spreken – het zweet parelde op het voorhoofd van de pruikenmaker – 'dat ik hem wel zal moeten kopen.' De pruikenmaker keek zo opgelucht dat Robert Walpole zich verslikte in een biscuitje en zelfs Carlyle een flauwe glimlach vertoonde.

'Wat heeft hij dan gekocht?' vroeg Horatio onmiddellijk. Zijn pruik zakte hem op één oor.

'Maak je daar maar geen zorgen over, Horatio,' antwoordde Carlyle. 'Jou staat toch niets!'

'Ik zal er nog vier bij bestellen,' zei Roger. 'Twee bruine, een zwarte en een blonde.'

'Dat blond zal je prachtig staan,' teemde Carlyle. 'Ik kan me jou goed voorstellen met blond.'

Montagu kreunde hardop. Carlyle richtte zijn monocle op hem, als een beer die zijn ene prooi in de steek laat voor de andere.

'Koop er toch ook een, Monty,' zei hij. 'Dan zie je er vast – hoe moet ik het zeggen – nog theatraler uit.' Hij depte zijn rode lippen met een ragdunne zakdoek.

Montagu bloosde. Robert Walpole legde de jamscone waar hij net aan was begonnen neer. Roger beet op zijn lip. Iedereen wist van Montagu's laatste minnares af, een operadanseres die er met een toneelspeler van het Haymarket-theater vandoor was gegaan. Maar iedereen, behalve Carlyle, was te beleefd om er toespelingen op te maken. Horatio ving het pijnlijke moment op door plotseling te vragen naar de gezondheid van Montagu's schoonvader, de hertog van Marlborough, die ziek was. Het gesprek ging nu over de kwalen van de hertog en over zijn ruziënde vrouw, die altijd op haar dochters zat te vitten. Roger nam geen deel aan het gesprek. Hij zette zijn nieuwe pruik af en kamde met zijn vingers door zijn zilverblonde haar. Hij overlegde met zijn bediende welke pruik hij vandaag zou dragen en af en toe dwaalde zijn blik af naar het portret van de hertog van Tamworth. Niemand had daar erg in, behalve Carlyle.

In de verste muur van de kamer ging een deur open en twee jonge mannen liepen naar Roger en wachtten eerbiedig. Een van hen was Francis Montrose, Rogers secretaris, een keurige, slanke man met een ernstig, rond gezicht. De ander was Caesar White, een gewone man, behalve dat hij een misvormde linkerarm had. Die hield op bij de elleboog en daar groeide een klein, nutteloos handje. White was dichter, en hij deed dienst als bibliothecaris bij Roger, die hem op deze manier van de hongerdood redde.

'De hertog van Bedford en sir Christopher Wren zijn hier,' zei Montrose.

Roger sloeg met zijn hand tegen zijn hoofd. 'Ik was Bedford totaal vergeten. Hij zal geduld moeten hebben, Francis. Zeg maar . . .' Hij zweeg, maar plotseling lachte hij en Montrose, een ernstige jongeman, lachte terug. 'Zeg maar dat ik nog geen beslissing heb genomen – en dat is waar, Francis – en dat ik zo stom ben geweest een andere afspraak te maken, maar die zal ik terwille van hem heel kort houden. Breng intussen sir Christopher Wren naar de rode zitkamer, waar hij op mij moet wachten. Geef hem maar wat wijn – of vrouwen, wat hij maar wil. Als deze heren nu naar huis willen gaan' – hij boog naar zijn vrienden die naar het gesprek hadden geluisterd – 'dan kun je Bedford hier binnenlaten, waar hij op mij moet wachten. Dan kan hij nog eens naar het schilderij kijken. Ik kom zo gauw mogelijk naar hem toe, zodra ik sir Christopher heb gesproken. Ziezo, Francis, ik heb al je moeilijkheden weer voor je opgelost. Waar betaal ik je eigenlijk voor?'

'Welk schilderij?' vroeg Robert aan Montagu.

'Een Rubens,' antwoordde Carlyle, nog voor Montagu zijn mond kon opendoen. 'Op die muur daar. Vierde van rechts.'

Roger begon zijn strakke jas al uit te trekken.

'Edelachtbare...' begon de kleermaker.

'Nu niet!' zei Roger ongeduldig. 'Kom maar aanstaande donderdagochtend. Francis, schrijf het op.' De pruikenmaker glimlachte zelfgenoegzaam vanuit zijn hoekje. De kleermaker keek alsof iemand hem zojuist in de maag had gestompt.

'De delen Plutarchus die u hebt laten inbinden, zijn aangekomen, meneer,' zei White, die rustig zijn beurt had afgewacht. 'En ook een nieuw boek over architectuur van Giacomo Leoni. Ik heb ze allebei op een tafel in de bibliotheek gelegd, dan kunt u ze inkijken. En ik heb ook een derde canto bij mijn gedicht gemaakt, dat u wellicht wilt lezen...'

'Mijnheer, u hebt vanmiddag een zitting voor uw portret,' onderbrak Montrose, met een ongeduldige blik naar White. 'Sir Godfrey Kneller heeft vanmorgen een briefje gestuurd om u te helpen herinneren. En er is nog een briefje gekomen van lady Alderley...' Roger hield zijn hand op en Montrose overhandigde hem een verzegelde brief op donkerrood briefpapier. Een kort ogenblik hing er een geur van sterk parfum in de kamer. Carlyle leek ineens ergens buitengewoon tevreden over. Roger stak de brief in een zak van zijn vest en liet zich door zijn bediende verder uit de zachtblauw satijnen jas helpen. Ze zaten allemaal te kijken en maakten hun opmerkingen.

'Ik vind het een mooie jas.'

'Blauw is niet mijn kleur.'

'Is dat een nieuwe pruik?'

'Gaan jullie nu naar huis,' herhaalde Roger. Hij liep naar de drie mannen bij de haard. 'Monty, je ziet er vreselijk uit. Je moet naar bed. Robert, jou zie ik vanavond nog bij de prinses van Wales – wat heb jij op je jas gemorst? Het lijkt wel jam. Horatio, help me onthouden dat je me een paar boeken moet sturen wanneer je weer in Amsterdam bent.'

Er kwam een lakei binnen met de driekantige hoeden, jassen en handschoenen en reikte ze aan de diverse eigenaren. Roger liep naar White, die bij het raam was gaan staan met een bundel paperassen in zijn goeie hand.

'Caesar,' zei hij, 'ik beloof je dat ik vandaag tijd maak om naar je verzen te kijken. Leg ze maar op de tafel bij mijn bed. "Vele dapperen leefden vóór Agamemnon," reciteerde hij zachtjes, "maar onbeweend en onbekend slapen zij de eeuwige slaap, want zij hadden geen dichter die hen bezong."' Meteen draaide hij zich om om Carlyle te groeten, en White keek hem aan met een mengeling van eerbied en bewondering in zijn ogen.

'Is het waar, Roger, wat ik heb gehoord? Dat er een bruiloft op til is?' Carlyle vroeg het plotseling, met luide stem, en iedereen schrok ervan.

Een ogenblik was het doodstil in de kamer. Roger bloosde, met een stomverbaasde uitdrukking op zijn gezicht. 'Ik heb geen idee, Tommy,' zei hij. 'Want in tegenstelling tot jou houd ik me nooit bezig met kwaadaardige roddels. Daar heb ik vrienden voor.' Hij draaide zich om en verliet de kamer, met Montrose als een schaduw achter hem aan. Onder de rouge op Carlyle's wangen verschenen twee vlekjes natuurlijke kleur. De anderen kwamen onmiddellijk om Carlyle heen staan.

'Wat voor trouwerij?' vroeg Robert.

'Toch niet Roger?' zei Montagu.

'Dat kind van Alderley,' antwoordde Carlyle kortaf.

'Onzin!' zei Montagu.

'Roger was erg gehecht aan de hertog,' waagde Horatio.

'Bezit zij een fortuin waar niemand wat van afweet?' vroeg Robert. 'Waarom zou hij het anders doen?'

Carlyle nam een kleine mof van zilvervos van de lakei over. 'Gebruik je ogen en je oren,' zei hij met vermoeide stem. 'Giacomo Leoni's nieuwe boek over architectuur. Sir Christopher Wren – onze allerbeste architect – zit te wachten...' Hij wachtte op hun reactie.

'Roger gaat iets bouwen,' zei Horatio aarzelend.

'Heel goed!' snauwde Carlyle sarcastisch. 'Wat zul je ons toch goed weten te dienen in het buitenland, jij met je scherpe geest. Natuurlijk wil Roger iets bouwen! En wie is de eigenaar van een prachtig stuk grond genaamd Bentwoodes?'

Ze staarden hem alledrie aan.

'Precies,' zei hij, en liep met een tevreden tred de kamer uit. De andere drie bleven bij elkaar staan.

'Ik ken Diana...' zei Montagu.

'Wie is Diana?' onderbrak Robert hem.

'...en ze zal er alles voor terug willen hebben. Verdomme! Ik weiger om Roger bij te staan bij die echtscheiding. Je kunt er zeker van zijn dat dat een van haar voorwaarden is. Natuurlijk is er niemand' – hij glimlachte langzaam – 'die zo goed is in fellatio als Diana. Dat is de prijs van een echtscheiding misschien wel waard.'

Op dat moment kwam de hertog van Bedford binnen. De drie mannen knikten naar hem en hij knikte terug, maar liep door naar de andere kant van de kamer om naar een schilderij te kijken.

'Die Rubens,' zei Robert. 'Roger geeft geld uit alsof hij koning Midas was. Waar haalt hij het vandaan?'

'Als het een mesalliance is, doet Roger het vast niet,' zei Horatio.

'Ik zou graag willen weten,' zei Robert, terwijl ze alle drie naar de deur liepen, 'waarom ik Diana nooit heb ontmoet.'

'Je hebt haar wel gezien,' weersprak zijn broer. 'Verleden zomer, toen zij ieder ogenblik in en uit Westminster liep en iedereen lastig viel. Donker haar, mooie ogen, enorme, blanke tieten. "Die zou ik weleens willen nemen," zei je tegen me. Je eigen woorden...' De deur ging achter hen dicht.

De hertog van Bedford stond nog naar de Rubens te kijken.

'Ik snap nog niet hoe zijn bod het mijne kon overtreffen,' zei hij. 'Ik dacht dat ik het hoogste bod had gedaan.'

'Lord Devane heeft een uitstekende smaak,' waagde White, die niet zeker wist of hij bij de conversatie hoorde.

'Ja,' snauwde de hertog. 'Dat weten we allemaal.'

Barbara zat naar de mist te kijken. Zoals de mist het plein van Covent Garden beneden haar langzamerhand vulde, zo voelde ze bij zichzelf een vreselijk ongeduld opkomen. Ik wou dat er iets gebeurde, dacht ze. Het doet er niet toe wat. Ze keek lusteloos hoe de bloemen-, groenten- en kruidenkooplieden hun spullen oppakten, soms met een paar kindertjes erbij in hun manden vol noten of uien, en zich terugtrokken onder de arcaden van de huizen aan de overkant. Daar bleven ze dan praten, pijprokend en hun baby's voedend, tot de mist weer optrok. Dan zouden het lawaai en de drukte onder haar raam opnieuw beginnen.

Ze had een verschrikkelijk heimwee naar Tamworth, de tuinen, het bos, de gezelligheid, naar haar grootmoeders standjes en naar haar broertjes en zusjes. Het was al begonnen zodra het rijtuig over London Bridge was gekomen. Het was plotseling stil blijven staan en haar moeder had het Franse dienstmeisje, dat ze uit Tamworth had meegebracht, uit het portier van het rijtuig geduwd, een handjevol geldstukken achter haar aan gegooid en tegen de koetsier gezegd dat hij moest doorrijden.

'Ik kan haar niet betalen!' had Diana bits gezegd toen Barbara haar met grote ogen aankeek. Vanaf dat ogenblik had Barbara dan ook geweten dat niets zou gaan zoals ze het zich had voorgesteld. En dat klopte. Het rijtuig stopte niet voor het grote huis dat haar ouders in Westminster bezaten, maar reed door nauwe, kronkelige straatjes tot ze waren aangekomen op het marktplein van Covent Garden. Daar stapten ze uit voor een van de hoge bakstenen huizen. Ze liep achter Diana aan de trap op waar Clemmie, haar moeders dienstmeid, stond te lachen met haar half tandeloze mond en kwamen bij een klein, donker, smerig appartement dat bestond uit een zitkamer, een gang, twee slaapkamers en een pieterig zijkamertje. Meres kwam weer te voorschijn, als een soort zwerfhond. Hij sliep onder een tafel in de zitkamer terwijl hij overdag in het trappehuis rondhing tot Diana een boodschap voor hem te doen had. Barbara had gedacht dat ze uit winkelen zou gaan om handschoenen en waaiers en linten te kopen, dat ze haar neven en nichten in Saylor House zou gaan bezoeken, dat grote huis dat haar grootvader in Londen had gebouwd. Ze had gedacht dat ze naar Westminster Abbey zou gaan en de Tower of London zou bezoeken, dat ze Roger zou zien en zeker niet dat ze dag in dag uit in deze kamers opgesloten zou zitten, terwijl haar moeder urenlang aan een tafel in de zitkamer wijn zat te drinken onder het schrijven van talloze brieven. 'Waarom?' vroeg ze haar moeder, met het risico een klap te krijgen – hetgeen dan ook gebeurde. 'Omdat,' antwoordde haar moeder, die een beetje wankelde door het vele drinken, 'ik schulden heb. Veel schulden.

En niemand kan me hier vinden. Zodra het huwelijk bekend wordt gemaakt, verandert alles.' Barbara had niet gehuild, maar ze keek haar moeder aan met haar blauwe ogen waar Diana van alles uit kon aflezen. 'Denk maar niet dat je naar je grootmoeder kunt schrijven, want Clemmie houdt je scherp in de gaten wanneer ik niet thuis ben.'

Clemmie, haar gevangenbewaarster en haar redster, want wanneer haar moeder erop uitging voor het een of ander wist Barbara Clemmie over te halen om haar mee te nemen bij het boodschappen doen. Ze was nooit verder gekomen dan de omliggende straten, maar één keer had Clemmie haar meegenomen over de drukke hoofdweg Strand, naar de rivier de Theems, waar ze wel uren had willen blijven om naar de schepen te kijken. Maar Clemmie was oud en haar voeten werden moe.

'Je kunt deze rivier niet vertrouwen. Soms komen er dooie ratten en baby's langsdrijven,' zei ze tegen Barbara. 'Het is nu vloed. Kom maar mee.' En toen liepen ze weer terug. Onderweg genoot Barbara van wat ze te zien kreeg, zoals winkels met vrolijke uithangborden. Handschoenen, boeken, juwelen, oude kleren, zachte, glanzende stoffen, kaas, vet, geplukte ganzen, het lag allemaal uitgestald en de koopvrouwen volgden haar over een halve straatlengte en bezwoeren haar toch binnen te komen in hun winkel. Er waren straatverkopers, hun koopwaar op de rug, die riepen naar de voorbijrijdende koetsen en naar de ramen en deuren van de huizen rondom: 'Pannekoeken! Gloeiend heet!' Of: 'Prachtige linnen sokken, vier paar voor een shilling!' Of: 'Messen en scharen slijpen!' 'Rattenkruid!' 'Bezems, koop mijn bezems!'

De klokken van de kerk van Sint-Paul van Covent Garden begonnen te luiden. Barbara luisterde naar hun heldere klank, met haar wang tegen het raam. Hoelang zou ze moeten wachten?

Ineens voelde ze het raam trillen. Dat was geen klokgelui, dat was iemand die aan de voordeur klopte. Het was zo onverwachts dat ze schrok, en meteen dacht ze aan Roger. Haar moeder stond in de zitkamer en staarde naar de deur. Het leek werkelijk of ze bang was. Clemmie stond als aan de grond genageld in de gang. Er werd weer geklopt.

'Meres,' zei Clemmie. 'Meres had ons toch wel gewaarschuwd.'

Even later knikte Diana en voorzichtig deed Clemmie de deur open. Haar mond vormde een vette O van verbazing, want daar stond Barbara's tante, lady Abigail Saylor. Als een slagschip zeilde ze naar binnen, rijk met haar paarlen ringen en spelden, haar bruingestreepte japon en de zachte bontvoering van haar gele mantel. Abigail was achter in de dertig en nog steeds aantrekkelijk, al was ze wat grof met haar mopsneus en haar vale blonde haar. Barbara had haar tante al een paar jaar niet gezien, maar zodra Abigail sprak, wist ze dat haar tante niet was veranderd.

'Wat deed je daar lang over,' zei ze tegen Clemmie. 'Dacht je dat ik een schuldeiser was?'

Ze zag Barbara, glimlachte met haar mond maar niet met haar ogen, en hield haar gepoederde wang op voor een kus. 'Wat ben jij gegroeid, kind. Ga nu maar spelen, als een lief meisje. Diana, jij bent magerder geworden en het staat je goed. Kom, we moeten praten.' Abigail vroeg nooit iets, ze commandeerde.

Barbara ging op haar stoel zitten bij het raam, maar het was nu nog mistiger. Ze kon niets zien. Haar ogen gingen naar een adventskrans die op een tafeltje naast haar bed lag. Ze had hem zelf gemaakt van takken die ze beneden op de markt had gekocht. Het was nu adventstijd. Als ze op Tamworth was geweest, had ze nu door het bos gelopen om mistletoe en hulst af te snijden en dennetakken, waarmee zij en haar zusjes kransen zouden hebben gevlochten om de dorpskerk te versieren. Dan had ze meegeholpen met het vullen van manden met voedsel voor de pachters en de armen . . .

Ze hoorde stemverheffing in het gesprek van haar moeder met Abigail. Ze hadden nu al ruzie. Wat kwam haar tante doen? Ze had geen zin om te wachten tot men het haar kwam vertellen . . .

Ze sloop de gang in om te luisteren. Clemmie stond er al, met haar oor tegen de zitkamerdeur. Beleefd ging ze opzij voor Barbara.

' . . . staat me helemaal niet aan. Ik vond het mijn plicht om het je te komen vertellen. Ik denk alleen maar aan jullie welzijn!' zei haar tante.

'Je hebt er niets mee te maken!' schreeuwde Diana.

'Bentwoodes is familiebezit . . .'

'Ik ben zelf familie, en Bentwoodes is van mij! Ja, kijk me maar aan, Abigail, hebzuchtig mormel dat je bent! Het is van mij, vanaf mijn geboorte, en ik mag het aan de duivel verkopen als ik daar zin in heb.'

'Roger Montgeoffrey heeft er geen recht op! Hij is een parvenu! Hij is niets!' De stem van haar tante trilde van woede.

'Hij is rijk en machtig genoeg! En hoe heeft jouw grootvader zijn titel verdiend? Door in de juiste slaapkamers diensten te bewijzen, heb ik gehoord!'

'Hoe durf je! Weet je wat jij bent, Diana? Uitschot! En dat zul je altijd blijven ook. Als een dief in de nacht sluip je weg uit je huis in Westminster; je bedienden krijgen geen loon en jij verbergt je op Tamworth en hier om een horde schuldeisers te ontlopen. Ze liggen in rijen dik voor je deur te slapen – het is een groot schandaal in die straat. Toen ik erheen reed om je op te zoeken, stoven ze als sprinkhanen op mijn koets af. En dan moet ik horen dat je je dochter als hoer in Covent Garden verkoopt aan de hoogste bieder! En wij weten van niets, terwijl Tony het hoofd van de familie is!'

'Tony is een stommeling!'

Barbara en Clemmie keken elkaar aan. Barbara hield haar hand voor haar mond om niet te giechelen. Tony, de oudste zoon van haar tante, was inderdaad een stommeling.

'Hoe durf je! Tony is de vriendelijkste, de liefste . . .'

'Hij is een idioot, en dat weet je best!'

'Nou goed,' zei haar tante, 'maar jij bent minstens zo idioot dat je je dochter uithuwelijkt aan de grootste losbol van Londen. Ik wens haar geluk met die vent! Ik voorspel je nu al dat hij haar ongelukkig maakt!'

'Welke man doet dat niet? Ze kan net doen als wij, ze kan hem ontrouw zijn . . . O, nee, in jouw geval was het mijn broer die zijn huwelijkstrouw brak, nietwaar?'

'Je gaat te ver, Diana! Ik ben hier als een bezorgd familielid gekomen om je te waarschuwen. Ik wilde mijn nichtje beschermen . . .'

'Klets jij maar niet over "mijn nichtje", je bent hier alleen gekomen vanwege de bruidsschat. Het is jou om Bentwoodes te doen! Barbara mag wat jou betreft met de duivel trouwen, als Tony Bentwoodes maar krijgt!'

Er viel een lange stilte. Barbara hield haar adem in. Haar tante begon weer te spreken, maar nu veel kalmer.

'Laten we geen ruzie maken, Diana. Ik ben hier gekomen om je te helpen. Ik zou je in ruil voor Bentwoodes een behoorlijke som gelds kunnen geven.'

'Nog geen drie maanden geleden kwam ik je smeken om een lening, en je wilde me nog geen penny geven.' Diana's stem klonk uiterst rustig.

'Ik was toen zo in de war over Kit en jouw aanvraag tot echtscheiding. Iedereen was ontzet in onze familie. Die vreselijke pamfletten waarin jij voor hoer werd uitgemaakt. Onze naam die steeds werd genoemd in het parlement, alsof we gemene misdadigers waren. Dat kon ik je niet vergeven. Nu ben ik wat rustiger geworden en ik wil mijn plicht doen tegenover jou en mijn lieve nicht. Als je haar wilt uithuwelijken, goed. Er zijn genoeg jongemannen die ik je kan aanbevelen, maar laat Bentwoodes erbuiten...'

'Het is te laat, Abigail! Ik ga mijn dochter uithuwelijken aan de nieuwste graaf in Engeland, ook al is hij een parvenu, en ik zal er zelf ook financieel behoorlijk op vooruitgaan. Ik zal nooit meer jou of iemand anders van de familie nodig hebben, en je kunt mij niet meer tegenhouden.'

'Jou tegenhouden!' beet haar tante, en alle familiegevoelens bleken vergeten te zijn. 'Heel Londen weet dat je van plan bent je dochter aan Roger Montgeoffrey uit te huwelijken. En ik ken de mannen. Ze doen nooit wat je wilt als ze het gevoel hebben dat ze gedwongen worden. Ja Diana, zit maar niet te kijken, je hebt te veel gewaagd en je bent te ver gegaan!'

'Wie roddelt er zo?'

'Tommy Carlyle, onder anderen. Je weet hoe hij...'

'En wie heeft het aan Tommy verteld?' onderbrak Diana.

'Hoe kan ik dat weten?' viel haar tante uit. 'Maar de fatjes in Whites koffiehuis wedden met elkaar of jij dat huwelijk erdoor krijgt of niet. Ik vind het gewoon ordinair, Diana! Van jou kon ik het nog verwachten maar Roger, al is hij dan een parvenu, zal toch wel een betere smaak hebben. Moet je je gezicht nu eens zien. Ja, je verliest het. En je zult tot je stervensdag spijt hebben van wat je zojuist tegen mij hebt gezegd, Diana Alderley! Ik wens je een goede dag! En veel geluk! Want de Heer hierboven weet dat je dat nodig zult hebben!'

De deur van de zitkamer ging open en Barbara en Clemmie deden een stap achteruit. Haar tante bleef staan en nam hen beiden goed op; haar boezem (die ze graag royaal vertoonde) ging op en neer van kwaadheid.

'Je lijkt meer op je moeder dan ik had gedacht!' zei ze.

Barbara kwam met haar kin omhoog.

'Ja,' zei haar tante, 'wees maar trots. Hoogmoed komt voor de val, en jij gaat een heel diepe val maken, arme meid.'

Ze greep in haar mof en haalde er een zak met geldstukken uit. 'Hier,' zei ze. 'Ik had dit aan je moeder willen geven. Verhuizen jullie alsjeblieft naar een betere buurt!'

Barbara weigerde de zak met geld aan te pakken, maar Clemmie kende geen scrupules. Ze boog, glimlachte met haar anderhalve tand in de mond en bedankte Abigail uitbundig terwijl ze de voordeur voor haar opende. Met een laatste geruis van haar vele onderrokken verdween tante Abigail. Barbara ging de zitkamer binnen. Diana stond bij haar tafel een glas wijn te drinken. Als een tijgerin ging ze tegen Barbara tekeer.

'Als je één woord tegen me zegt – één woord – dan ransel ik je tot mijn arm erbij neervalt! En nu verdwijn je! Ik moet nadenken!'

Achter Barbara kwam Clemmie die met de zak met geldstukken zwaaide.

'Goddank,' zei Diana. 'Geef hier. Nu kan ik mijn juwelen uit het pandjeshuis halen. . . '

Barbara lag op haar bed te draaien en te woelen. Die ruzie betekende dat ze niet naar Saylor House ging. Dat ze hier moest blijven. Ze verstopten zich hier voor schuldeisers, voor hun familie, voor de schande. Ze had niet beseft wat haar vaders vlucht, haar moeders gedrag en hun schulden betekenden. Ze schaamde zich en schaamte was iets nieuws voor haar. Kom toch alsjeblieft gauw. Kom me alsjeblieft halen, Roger. Ik weet zeker dat alles weer goed komt als ik je zie.

Roger besteeg een vurige Spaanse hengst en knikte tegen de staljongen dat hij de teugels kon loslaten. Het paard steigerde en stampte op de straatkeien, maar Roger hield het in bedwang en draafde langs de fontein midden in St.-James's Square. Om één uur zou hij sir Christopher Wren ontmoeten. Nu reed hij Pall Mall Street in. Het ging maar langzaam met zo'n rusteloos paard tussen de voetgangers, de draagstoelen en rijtuigen door. Hij woonde dicht bij het koninklijk paleis St.-James, dicht bij Westminster Abbey en het Parlement, en het verkeer was daar altijd verschrikkelijk. In St.-James's Street reed hij bijna een paar regeringsklerken omver; ze liepen zo druk te praten dat ze hem pas in de gaten kregen toen hij zijn paard tot stilstand bracht. Op de hoek van St.-James's Street en Piccadilly keek hij aandachtig naar het huis van de graaf van Burlington. Hij had geruchten gehoord dat de graaf het ging opknappen, en hij kon inderdaad op de binnenplaats stapels bakstenen zien liggen. Hij had ook gehoord dat Burlington de velden ten noorden van zijn tuin in straten en huizen wilde veranderen. Burlington ging dus bouwen. En de graaf van Scarborough wilde land ten noorden van Burlingtons terrein tot ontwikkeling brengen. De stad begon deze kant uit te groeien.

Nu was hij op New Bond Road en voor hem lag Tyburn Road. Opzij lag Tottenham Court Road, de weg die naar het dorp Hampstead leidde. Tussen Tottenham Court Road en Hyde Park lagen vruchtbare velden, die in kleine boerenbedrijfjes waren verpacht. Een oude laan voerde naar een bouwvallig buitenhuis waar ooit de betover-overgrootvader van de hertogin van Tamworth, baron Bentwoodes had gewoond. Door de velden liep een stroompje dat uitmondde in Tyburn Brook. Een deel van het terrein bestond uit dichte bossen waar op herten en hazen kon worden gejaagd. De Bentwoodes en na hen de hertog van Tamworth hadden hun koningen altijd het volle gebruik van dit jachtterrein gegeven. Roger was van plan dit ook te doen wanneer hij eigenaar werd. Hij keek naar links; daar kwam sir Christopher Wren al aan. Er naderde een koets bespannen met vier paarden, en de koetsier liet ze halt houden voor Roger.

Bij een van de raampjes ging een leren gordijn omhoog en sir Christopher Wren stak zijn hoofd naar buiten. Hij was nu een oude man – in de tachtig – maar hij was een genie in het bouwen. Een van zijn meesterwerken was de St.-Paul's Cathedral in Londen.

'Kan de koets hier inrijden?' vroeg sir Christopher.

'Ik zal u een weg wijzen; laat uw koetsier mij maar volgen.' De koets slingerde gevaarlijk over de diepe modderige sporen, maar Roger reed door tot hij voor het bouwvallige buitenhuis stond op wat eens een binnenplein was geweest. Roger bond zijn paard aan een pilaar en keek hoe de koetsier van de bok sprong en de treden van de koets naar buiten haalde. Steunend op zijn stok stapte Wren voorzichtig uit. Er heerste een diepe stilte die slechts werd verbroken door een enkel geloei van een koe. Roger bood Wren zijn arm en samen liepen ze de verwilderde tuinen in, waar ze een hele tijd met elkaar bleven praten. Af en toe wees een van hen op een bijzonder uitzicht van het landgoed. De koetsier installeerde zich in de portiek om zijn pijp te roken. Hij was al aan zijn derde pijp toe toen Roger en Wren terugkwamen.

'Kijk eens of er binnen nog meubels zijn, een stoel of bankje voor je meester,' beval Roger.

De man aarzelde. 'Zou de deur niet op slot en grendel zitten?'

'Jawel, maar die zijn waarschijnlijk verrot. Duw maar. Het geeft niet, ik ken de eigenaars.'

De koetsier haalde zijn schouders op en duwde tegen een van de houten deuren. Tot zijn verbazing gaf hij meteen mee en hij ging naar binnen. Wren ging tegen een van de pilaren staan en wreef in zijn gehandschoende handen om ze warm te krijgen.

'U hebt gelijk,' zei hij tegen Roger. 'Het is een prachtig landgoed, het mooiste dat ik in deze buurt heb gezien de laatste jaren. Ik zal het voor u laten opmeten en taxeren. Met genoegen. Maar ik ben te oud, lord Devane, voor al het andere dat u mij voorstelt. Ik zou allang dood zijn eer het klaar was, en ik houd er niet van de dingen onafgemaakt achter te laten.'

'En als ik u zeg dat dit landgoed in de lente van mij kan zijn?'

Spijtig schudde Wren zijn hoofd. 'Dan nog, er moet een ontwerp worden gemaakt, er zijn vergunningen nodig en er moeten wegen worden gebouwd... U hebt het over een kerk, een theater, huizen, winkels, een plein, een herenhuis voor uzelf, een markt, de omliggende straten om er te komen... Dat kan ik niet allemaal.'

'Als ik het van het voorjaar heb, zou u een kerk kunnen bouwen,' zei Roger met een overredende glimlach. Wren had een zwak voor kerken. 'Dat zou u toch wel kunnen? In een jaar of drie, vier... '

'Een kerk...'

'Een kleine maar. Zoals u voor Henry Jermyn hebt gebouwd in St.-James's. Dat is zo'n inspirerende kerk! Klein, zodat de gelovigen alles kunnen zien en horen, en toch zo mooi en ruim dat ze zich in het paradijs kunnen wanen.'

'U vleit me.'

'Integendeel. Ik kan u niet genoeg vleien.'

Wren begon er oren naar te krijgen. Hij keek langs Roger naar de velden rondom hen. 'Het wordt hier heel mooi wanneer u klaar bent,' zei hij met zachte stem. 'Groot aangepakt. Daar hou ik van.' Hij strekte zijn armen wijd uit, met stok en al. 'Dit zou blijven voortbestaan, zelfs na uw dood. Bentwoodes House...'

'Devane House.' Roger zei het rustig maar beslist. 'Ik had gehoopt, gedroomd dat ik een van uw kerken zou hebben. Ik beschouwde dat als een zeldzaam juweel, een laatste kunstwerk in uw schitterende carrière. Geen politiek, geen zakelijke belangen, alleen uw eigen vrije wil en fantasie, gecombineerd met uw jarenlange ervaring.'

'Vrije wil, zegt u.'

'Ik zou u op geen enkele wijze beïnvloeden maar alleen het geld verschaffen. Maar u moet het zelf weten. U kunt voelen of dit te veel voor u is. Ik vergat uw leeftijd – u maakt zo'n veel jongere indruk.'

De koetsier verscheen in de deuropening; zijn hoed en jas waren bedekt met stof en spinnewebben, maar hij had een stoel bij zich.

'Ik moest overal zoeken, edelachtbare, en ik heb bijna mijn benen gebroken, maar hier is er een...'

Roger bood Wren zijn arm en samen liepen ze naar de koets. De koetsier werd helemaal vergeten. Hij zuchtte, zette de stoel neer en volgde hen naar de koets.

'Misschien kan ik toch wel een kerk bouwen,' zei Wren. 'Een kleintje. En een blik werpen op uw ontwerpen voor de rest, als die eenmaal zijn getekend. Wat suggesties doen. Meer niet.'

Roger keek hem lachend aan. 'Het is veel meer dan ik had durven hopen. U bent zo vriendelijk, ik voel me werkelijk vereerd.'

Wren keek om zich heen. Vanuit de koets kon hij een lange rij prachtige eiken zien die langs het kleine beekje stonden. 'Ik wens u geluk. Over een jaar of tien wordt dit het mooiste stuk van Londen.'

'Dat hoop ik zeker, sir Christopher.'

Nadat hij een paar uurtjes had geslapen, verscheen Roger die avond in de salon van de prinses van Wales in St.-James's Palace. Het vertrek was stampvol mensen, rijke lieden met hun fluweel, damast en satijn en hun juwelen die schitterden in het kaarslicht van de kroonluchters. In een grote allegorische plafondschildering waren afbeeldingen te zien van goden en godinnen rustend op hun wolken, omringd door rozen en cherubijnen. Hun gezichten stonden sereen, hetgeen niet kon worden gezegd van de menselijke wezens die eronder liepen. Met uitzondering van Roger natuurlijk, want hij had gerust en zag er daardoor knap en ongelooflijk jong en gedistingeerd uit. Hij droeg een zilverblonde pruik, een zwartfluwelen jas afgezet met zilveren kant en tressen en zwartleren schoenen met grote fluwelen strikken en diamanten in de hakken. De mensen moesten naar hem kijken, of ze wilden of niet, zoals hij daar tussen hen in liep te buigen en te glimlachen naar iedereen.

Koning George stond aan het andere eind van de kamer met naast hem zijn magere, onaantrekkelijke minnares, gravin Melusine von Schulenburg. Om hen heen stond een kring van hovelingen, alleen om in de nabijheid van de koning te worden gezien. De koning sprak geen Engels, alleen Duits, Frans en Latijn, en hij had beslist niet de charme van zijn Stuart-voorgangers. Roger liep eerst naar de prinses van Wales, Caroline, een dikke blonde vrouw met een knap, blond gezichtje en pientere blauwe ogen. Hij boog zich over haar hand voor een handkus en glimlachte naar haar hofdames.

'De koning lijkt vandaag in een goed humeur te zijn,' merkte Roger op.

'Ja, omdat de prins van Wales zich goed gedraagt, denk ik,' zei ze met een veelbetekenende blik naar haar echtgenoot, George Augustus, een tamelijk domme en onverdraagzame man die met zijn minnares stond te flirten.

'U bent zeer diplomatiek.' Roger glimlachte naar haar.

'Dat leer je wel te zijn, beste Roger, maar jij bent altijd zo vriendelijk. Mijn tante Liselotte vraagt naar je in haar laatste brief.' Liselotte was prinses Elisabeth-Charlotte van Frankrijk en Beieren, dezelfde Elisabeth-Charlotte van wie een portret in Rogers slaapvertrek hing.

'Schrijft u haar dat ik haar duizendmaal de hand kus en dat ik binnenkort naar Frankrijk ga, waar ik haar beslist zal opzoeken.'

Caroline lachte. 'Dat vindt ze vast prettig. Maar ga nu maar. Zijne Majesteit heeft je gezien. Wij praten straks wel.'

Glimlachend en buigend begaf hij zich naar de koning van Engeland, een alledaagse man van vijfenvijftig met een bijzonder lange, puntige neus. De koning was een teruggetrokken man die altijd alleen dineerde. Maar Roger wandelde met hem door de paleistuinen, ontving hem als gast in zijn eigen huis en was altijd welkom achter die gesloten paleisdeuren, die voor anderen zo zelden opengingen.

'Kijk die twee nu. Hij ziet eruit als een vorst. En de koning lijkt wel zijn stalknecht,' zei Robert Walpole, die er zelf uitzag als een dikke bruine beer met zijn bruinfluwelen kostuum en gestreept vest. Hij stond daar met zijn broer en zijn zwager, burggraaf Charles Townshend, een van 's konings ministers.

'Je uiterlijk is niet belangrijk, het gaat erom wat je doet. Is het waar dat hij met Kit Alderley's dochter gaat trouwen?' vroeg Townshend terwijl hij keek naar Roger die zo natuurlijk met de koning stond te praten, alsof hij hem zijn leven lang had gekend.

'Waar heb je dat gehoord?' vroeg Robert.

'Jij hebt het me zelf verteld. Trouwens, iedereen praat erover. Het schijnt dat het meisje een groot landgoed in het huwelijk inbrengt. Voor Roger ben ik blij, maar ik gun het Diana niet dat ze er zo goed afkomt.'

'Diana,' herhaalde Walpole. 'Ik hoor die naam steeds noemen. Is ze vanavond ook hier? Wijs mij haar eens aan.'

Townshend en Horatio wisselden een blik van verstandhouding.

'Daarginds zie je een groepje Tamworths, maar ik betwijfel of Diana erbij is. Ze zit tot haar nek in de schulden en ze houdt zich een beetje schuil.'

Robert keek in de richting die Townshend had gewezen. Lady Abigail Saylor zat daar met haar gezin. Ze zag er vanavond vermoeid en geïrriteerd uit, vooral toen ze zag hoe Roger met de koning praatte. Haar zoon, Anthony Richard, tweede hertog van Tamworth, zat naast haar. Hij was zeventien en zag er tamelijk onnozel uit in zijn roze satijnen kostuum en zijn blonde krulpruik. Haar oudste dochter, lady Fanny Wentworth, en haar man zaten bij hen. Lady Fanny was een knappere kopie van haar moeder. Dan waren er nog twee zusters van de overleden hertog, lady Elizabeth Cranbourne en lady Louisa Shrewsborough, beiden schitterend met hun royale portie rimpels, juwelen en hooghartigheid die ze ten toon spreidden.

Horatio rilde. 'Tony Saylor heeft niet het uiterlijk van zijn grootvader geërfd...'

'En zijn hersens ook niet,' vulde Townshend aan.

'Die Diana lijkt me wel een pittige vrouw,' zei Robert. Klaarblijkelijk had hij niet naar de anderen geluisterd.

Weer wisselden Horatio en Townshend een blik.

'Diana Alderley zal geen belangstelling voor je hebben, Robert. Je hebt niet genoeg geld,' zei Horatio.

'En je bent te lelijk,' zei Townshend.

'En te dik,' zei Horatio.

'Dat zijn dus mijn plannen, majesteit,' legde Roger de koning uit in vlekkeloos Frans. 'Ik wil graag in Frankrijk zijn in carnavalstijd. En ik wil nog een paar oude vrienden bezoeken. De zomer wil ik in Italië doorbrengen en' – met een glimlach en een buiging naar de koning – 'in Hannover.'

'In Frankrijk woont een Schot, een zekere John Law,' zei koning George. 'Heb jij van hem gehoord?'

Roger knipoogde naar Melusine, die teruglachte. 'Zeker, sire. Hij heeft een theorie over kredieten ontwikkeld, die een omwenteling zou betekenen. Ik zou die wel eens kunnen bestuderen.'

'Dat had ik ook gedacht, Roger. En breng dan ook een paar persoonlijke boodschappen bij de regent; niets officieels, alleen van mij naar hem.'

'Dit plezierreisje lijkt een zakenreisje te worden,' zei Melusine. 'Hij werkt zelf veel te hard en nu wil hij dat jou ook laten doen.'

'Ik heb veel te veel aan hem te danken. Heeft hij jou dan verwaarloosd, Melusine? Je kunt altijd met mij meegaan.'

'Je spot met me, Roger. Ik hoor dat je met iemand anders verloofd bent. Gooit u hem maar in de Tower-gevangenis, majesteit, omdat hij me voor de gek houdt. Maar niet zijn hoofd afhakken, daar is hij te knap voor.'

Roger keek haar met grote ogen aan, duidelijk geërgerd. 'Wie zegt dat ik verloofd ben?'

Ze wees met haar waaier vol diamanten naar Tommy Carlyle, die zulke hoge hakken onder zijn schoenen droeg dat hij boven iedereen uit torende. Carlyle keek hun kant uit, en toen hij hun blikken opving, wierp hij Roger een kushandje toe. Roger moest erom lachen, maar de koning snoof verachtelijk.

'Waarom ga je nog met hem om, Roger! Hij is onnatuurlijk,

echt een afwijking van normale mannen!'

'Hij is een vriend van me, majesteit. En ik blijf mijn vrienden trouw.'

'Zo'n man kent zelf geen trouw,' zei koning George. 'Hij wordt helemaal beheerst door zijn onnatuurlijke driften. En hoe wreed is hij geweest tegenover mijn nichtje Liselotte, met zijn mooie jongetjes en knappe minnaars!'

'Misschien moet men eerder medelijden hebben met zulke mensen, sire . . . '

'Blijven jullie nu niet over Carlyle praten,' onderbrak Melusine ongeduldig. 'Is het waar dat je met de dochter van die verrader Alderley gaat trouwen?'

'Melusine!' zei de koning.

'Geen man heeft ooit trouwer dienst gedaan dan haar grootvader,' zei Roger. 'Haar moeder heeft hetzelfde bloed in haar aderen, en u weet dat u op de Tamworths kunt rekenen, sire.' Hij knikte in de richting van de groep die langs een van de muren zat: de jonge hertog, zijn moeder en zusters en tantes. Lady Saylor zag hen kijken en zei iets tegen haar dochter. Meteen stonden ze op.

'Zal ik niet liever een Duitse erfgename voor je zoeken?' vroeg de koning.

Robert boog. 'Nee, dank u. Het is misschien wel amusant om die verarmde tak van de familie weer omhoog te helpen. Majesteit . . . Melusine . . . ' Achteruitlopend kwam hij bij het groepje van de Walpoles en Townshend.

'Nu weet ik waarom lady Alderley om een audiëntie heeft gevraagd,' zei de koning.

'O hemel, George, probeer te glimlachen. Daar heb je die hooghartige lady Saylor al met haar dochter.'

'Laten we meteen weggaan, Robert,' zei Roger toen hij zag dat de twee vrouwen op de koning afkwamen. 'Ik ben niet in de stemming om beleefd te doen tegen Abigail Saylor.'

Clemmie bracht het briefje binnen. Ze hield het tussen haar vingers alsof het brandde. Diana griste het weg en scheurde het open. Ze las het een paar maal over. Barbara zat naar haar te kijken en dacht: Dat is een briefje van Roger, ik voel het. Waarom kijkt moeder zo strak? Hij is dood. Ja, hij is vast gestorven. Of erger, hij is van gedachten veranderd. Hij wil me nooit meer zien . . .

'Hij komt morgen!' zei Diana langzaam. Barbara verroerde zich niet; ze leek wel van steen. Ze keek haar moeder aan als een krankzinnige.

'Hij komt morgen!' herhaalde Diana. Clemmie gooide haar schort over haar hoofd en begon een horlepijp te dansen. Het was zo'n verrassing. Diana lachte en gooide het briefje in de lucht. Barbara's hart klopte zo snel dat ze het gevoel had dat ze doodging. Ze deed een stap naar voren: 'Moeder...'

Maar Diana zat al aan tafel met haar ganzeveren pen in de hand. 'Laat me even met rust. Clemmie moet op zoek gaan naar Meres. We hebben nog heel wat te doen voor Roger komt.'

Ze werden er allemaal op uit gestuurd om de boodschappen in huis te halen, die zij op lange lijsten had genoteerd. Diana deelde muntstukken uit en drukte hen op het hart om het allerbeste zo goedkoop mogelijk in te slaan, anders zou ze hen allen afranselen. Meres moest water halen, emmers water, en zand, potas en boenders, en een soeppot, kop en schotels, lepels en tinnen bekers. Clemmie en Barbara werden naar de bakker gestuurd om eten te bestellen voor de thee die ze Roger morgen zouden serveren. En ze moesten Turkse kleden, schilderijen en kanten gordijnen zien te vinden in tweedehands winkels. En bloemen. Clemmie en Barbara moesten wachten tot de markt bijna was afgelopen om zo goedkoop mogelijk in te kopen.

'Jullie moeten niet betalen waar het niet beslist hoeft; vraag maar of je een eerste aanbetaling kunt doen in plaats van het volle bedrag, en geef een valse naam en adres op,' beval ze. Het was al donker toen ze alles thuisbrachten wat Diana nodig had. Barbara werd naar bed gestuurd, maar ze hoorde haar moeder, Meres en Clemmie nog ontzettend lang doorwerken. Ze wreef wat rozenmelk op haar wangen en zei haar gebed op. Morgen. Haar leven begon morgen.

De volgende morgen sprong ze uit bed en holde de zitkamer binnen. Clemmie en Diana waren al eerder opgestaan, en ze hadden een wonder tot stand gebracht. De kale, smerige kamer was veranderd in een warm, gezellig, bijna elegant vertrek. Voor de ramen hingen gesteven witte kanten gordijntjes en op de vensterbanken stonden oranjerode geraniums en witte hyacinten te bloeien. Er brandde een vrolijk vuurtje en in een soeppot stond soep te pruttelen, waardoor er een heerlijke geur in de kamer hing.

Over de gehavende tafeltjes lagen Turkse kleedjes, helderblauw, groen en goudkleurig, en op de kastplanken stond een tinnen servies te glanzen. Aan de muren hingen schilderijen en op de grond lagen een paar tapijten. Er stond een tafel gedekt voor de thee en boven de schoorsteen hing zelfs een kerstkrans.

'Ik vind het prachtig,' zei Barbara stomverbaasd.

'Ik ben blij dat het naar je zin is,' snauwde Diana.

Barbara kende die klank in haar stem. Haar moeder leefde alleen nog op haar zenuwen en nu kon ze om een futiliteit in woede uitbarsten. Ofschoon het nog uren duurde eer Roger kwam, werd Barbara toch naar de slaapkamer gestuurd. Ze moest zich helemaal wassen. Het water was ijskoud en toen haar haar was gewassen en gespoeld met twee emmers water, klappertandde ze zo dat ze bang was in haar tong te bijten. Clemmie wikkelde haar in een deken en zette haar op een bankje voor het vuur. Zodra het haar droog was, begonnen ze haar aan te kleden. Eerst een fijn linnen hemdje van haar moeder, toen haar eigen witte kousen. Vervolgens hielp Clemmie haar in Diana's korset, en toen haar moeder aan de veters begon te trekken, kreeg Barbara tranen in haar ogen.

'Ik krijg geen adem!' riep ze uit.

'Hou je stil!' siste Diana. Barbara hoorde dat haar moeder zich amper kon beheersen en ze zweeg. Ze waren nog wel een uur met haar bezig; ze kreeg een onderrok met hoepel aan van Diana en haar eigen mooiste jurk van zachtblauw fluweel met roomkleurige kanten mouwen. Haar haar, dat eerst zo in de war zat, werd door Clemmie in krullen op haar hoofd gespeld en al die tijd liep Diana als een leeuwin door de kamer heen en weer. Barbara beet op haar lippen en alle vreugde over het weerzien van Roger was verdwenen. Als het niet doorgaat, pleeg ik zelfmoord, dacht ze. Nu vlocht Clemmie een paar zachtblauwe en groene linten door haar krullen. Diana bekeek haar dochter van top tot teen.

'Ga naar je kamer en blijf daar,' commandeerde ze.

'Bewaar uw hart met toewijding,' herhaalde Barbara bij zichzelf terwijl ze haar moeder gehoorzaamde, 'want dat is de bron van het leven.' Ze sprak die zin telkens en telkens weer uit als een litanie tegen paniek. Langzamerhand werd ze weer kalm en kwam ook haar vertrouwen terug. Waarom zou Roger niet met haar trouwen? Hij wilde Bentwoodes hebben, en zij kwam op de koop toe. Dat ze van hem hield, was een bijkomstigheid waar hij niet op rekende. Dus wees nu rustig. Denk aan Tamworth. Denk aan grootmama die over het grasperk wandelt met Anne en Charlotte achter haar aan. Ja... ja... kalmte...

Ze hoorde een klop op de deur en er ging een schok door haar heen. Nu. Ze ging op het bed zitten en wachtte tot haar moeder haar riep. Haar hart ging nu zo tekeer dat ze niets anders kon horen. Maar haar moeder riep haar niet. Ik ga niet kijken wat er aan de hand is. Een van haar geloften aan God was dat ze niet meer zou afluisteren, als God ervoor zorgde dat Roger met haar trouwde. Maar misschien had haar moeder al geroepen, en was zij zo opgewonden dat ze het niet had gehoord. Alleen de gang in. Niet verder. Daar zat Clemmie op een stoel. Barbara sloop wat dichterbij. Clemmie schudde haar hoofd, maar ze negeerde de waarschuwing. Nog één keer, dacht ze. Dan zal ik het nooit meer doen. Ze legde haar oor tegen de deur.

'Ik hou er niet van gedwongen te worden, Diana.' Het was zijn stem, daar was geen twijfel aan. Clemmie trok aan haar arm. Barbara rukte zich los en schudde haar hoofd.

'Ik begrijp je niet,' zei haar moeder.

'Je begrijpt me uitstekend. Heel Londen praat erover dat ik met jouw dochter ga trouwen. Ik word niet graag overhaast.'

'Roger,' zei haar moeder, 'je weet dat dat niet mijn schuld is. Zo stom doe ik niet. Ik maak nergens aanspraak op,' vervolgde Diana kalm maar met een klank in haar stem die Barbara zo goed kende. Vanavond slaat ze me, dacht ze, en het kan me niets schelen. 'Iemand zal zeker met Barbara willen trouwen vanwege Bentwoodes – ofschoon vader liever zou hebben gehad – maar daar hebben we het nu niet over. Als jij geen belangstelling meer hebt, ga ik op andere aanbiedingen in. Je begrijpt...'

'Probeer maar niet me om de tuin te leiden, Diana. Er zijn geen andere aanbiedingen. Niemand heeft er nu nog erg in wat Bentwoodes kan worden. Jouw schandaal heeft iedereen het uitzicht benomen – mijn god, waarom huil je nu?'

'Als je eens wist wat ik heb doorgemaakt, Roger,' zei ze met een lage, vibrerende klank in haar stem. 'Ik had me zoveel voorgesteld van dit huwelijk. We zouden er allebei op vooruitgaan. Ik zou wat meer voor mijn kinderen kunnen doen... En jij, een jonge vrouw, kinderen, land... Nou ja, ik red me wel. Ik kan je nog niet het geleende geld terugbetalen, maar dat komt wel. Ik moet me nu nog hier verbergen voor rekeninglopers en schuldeisers, maar jou zal ik het eerst afbetalen!'

'Diana, ik bedoelde niet...'

'Nee, jij bent al vriendelijk genoeg geweest. Zodra ik andere regelingen heb getroffen, betaal ik je terug.'

'Andere regelingen?'

'Abigail is hier geweest. Ze zegt dat ze me een lijfrente wil geven in ruil voor Bentwoodes, en ze is sterk gekant tegen onze voorgenomen verbintenis. Ik ga gewoon naar Abigail...'

'Is Abigail hier geweest?'

'Uit plichtsgevoel, zei ze. Ze zei dat jij niet − vergeef me Roger dat ik zo eerlijk ben, maar we zijn al zulke oude vrienden − goed genoeg was om je met onze familie te verbinden. Natuurlijk zei ik...'

'Mijn familie is net zo oud als de hare!'

'Word nou niet boos, Roger. Laten we gaan zitten. Wil je een glas wijn? Misschien kun jij een paar geschikte huwelijkskandidaten voor Barbara noemen?'

'Geen sprake van. Ik kwam je tot de orde roepen vanwege die geruchten die je hebt verspreid, en nu zal ik Bentwoodes kwijtraken aan Abigail!'

'Heb je dan nog wel belangstelling voor mijn aanbod?'

'Ga nu alsjeblieft dat arme kind van je halen, zolang mijn hersens nog een beetje willen werken!'

'Zeker. Neem wat wijn terwijl ik weg ben. En denk er wel aan, dat Barbara op het platteland is opgegroeid...'

'Genoeg, Diana!'

'Nee, ik zal niets meer zeggen. Ze verheugt zich er ontzettend op om jou te zien. Je bent altijd een favoriet van haar geweest...'

Barbara schoot weg van de deur en rende de slaapkamer weer in. Ze zat op het bed toen haar moeder binnenkwam.

'Grote goden, nou moet ik een glas brandewijn hebben! Carlyle heeft zijn werk goed gedaan. Roger is schichtig als een oud wijf.' Ze balde haar vuist en zwaaide ermee naar de hemel. 'Als ik dit overleef...'

Barbara keek naar haar moeders gezicht. Niets wees erop dat ze even daarvoor had gehuild. Alles wat ze had afgeluisterd spookte door haar hoofd. Ze zat daar maar, haar moeder aankijkend, en kon geen woord uitbrengen.

'Wat heb jij!' siste Diana. 'Hij zit te wachten!' Voor het eerst kreeg ze erg in Barbara's gezichtsuitdrukking. Onmiddellijk zat ze naast haar en knelde haar hand strak om haar dochters arm.

'Hij zit te wachten.' Diana sprak langzaam, haar kaken op elkaar geklemd, en haar rode nagels drongen bij elk woord dieper in Barbara's arm. Van pijn begreep het meisje haast niet wat haar moeder zei. 'En hij heeft nog niet besloten. Als je het nu bederft met je domme gedrag dan zweer ik je dat ik je een pak slaag geef tot ik erbij neerval en jij eraan sterft!' Nog één keer draaide ze haar dochters arm om. Barbara gilde niet, maar haar gezicht werd bleek. Tevreden liet Diana haar los.

'Bijt op je lippen om ze rood te maken,' zei ze verachtelijk, en liep de deur uit zonder te zien of Barbara volgde. Barbara stond op en haalde diep adem. Ik wil niet huilen. Ze zal mij niet aan het huilen krijgen. Op die gedachte concentreerde ze zich toen ze de zitkamer binnenkwam en Roger Montgeoffrey voor het eerst na vijf jaar weer zag. Hij nipte aan een glas wijn, maar zette het onmiddellijk op de vensterbank. Glimlachend kwam hij naar haar toe.

Ze kreeg een indruk van overweldigende rijkdom door de zware kanten jabot die van zijn hals neerhing, de diamanten aan zijn handen en het zachte geschoren fluweel van zijn jas. Hij straalde een sfeer van rijkdom, macht en elegantie uit, zo duidelijk als de jasmijnparfum die hij droeg, het zwarte vlekje bij zijn lachende mondhoek en de donkere krullen van zijn pruik die zijn smalle, dierbare gezicht omkransten. Het laatste wat ze zich van hem herinnerde was zijn ontzettende verdriet bij haar grootvaders begrafenis. Toen had hij niet zo'n onbereikbare, grootse indruk gemaakt; toen was hij menselijk kwetsbaar geweest, net als alle anderen. Hoe kwam het toch dat hij knapper was dan ze zich herinnerde? Hoe had ze ooit die lieve glimlach kunnen vergeten! Ze hield haar adem in en haar ogen vulden zich met tranen, de tranen die ze had opgespaard vanaf de dag dat ze over London Bridge waren gekomen en ze al haar moeders leugens had doorzien. Ze maakte een diepe buiging.

'God bewaar me, Barbara,' zei hij met een iets trillende stem, 'wat lijk je sprekend op je grootvader!'

Zijn woorden deden haar goed, maar nu verloor ze ook bijna

haar zelfbeheersing. Als ik ga huilen maak ik mezelf te schande, dacht ze. Alsof hij doorhad wat ze voelde, wendde hij zich van haar af en zei tegen Diana: 'Ze is een beeldige jonge vrouw geworden. Mijn complimenten.'

Barbara vocht nog steeds tegen haar tranen. Ze kon amper zien waar Diana haar wees om te gaan zitten. Roger lette niet op haar en converseerde met Diana, en zijn stem vulde de kamer met een rustige, weldadige stroom van woorden waardoor zij haar kalmte weer terugvond. Diana kuchte. Geschrokken keek Barbara haar aan. Ze knikte naar de theetafel naast Barbara, terwijl Roger bleef praten over Hannover, over haar grootmoeders gezondheid en een wet in het parlement. Er viel een korte stilte. Barbara haalde diep adem.

'Mijnheer,' zei ze met haar lage, enigszins hese stem, en ze durfde hem niet aan te kijken, 'mag ik u een kopje thee aanbieden?'

Roger staarde haar aan. Ze keek een ogenblik omhoog. Ze wist het zelf nog niet, maar haar stem gaf haar onmiddellijk iets sensueels. Roger was perplex, en Diana zag het. En ondanks haar onervarenheid zag Barbara het ook. De plotselinge bewondering in zijn ogen was anders dan zojuist, toen hij haar nog als een kind had gezien. Nu zag hij iets in haar dat ze zelf nog niet eens kende. Ze glimlachte teder naar hem omdat hij zo vriendelijk tegen haar was geweest toen ze binnenkwam, en ook omdat ze van hem hield. En ditmaal was hij het die zijn adem inhield, want als Barbara spontaan lachte, waren haar ogen verblindend. Dat had ze van haar grootvader.

'Je bent opgegroeid,' zei hij langzaam. 'Dat had je niet mogen doen in mijn afwezigheid. Ik voel me ineens oud geworden.'

'U zult nooit oud zijn in mijn ogen,' zei Barbara zachtjes. Ze keek omlaag om niet de gloed in zijn ogen te zien. Er viel een pijnlijke stilte.

'Ik wil graag wat thee, Barbara.'

Haar moeders woorden herinnerden haar weer aan haar plicht, en ze haastte zich thee in te schenken en gemberkoekjes, zoete scones en dikke room op bordjes te leggen. Het lukte haar Roger een kopje aan te reiken zonder te beven, ofschoon ze hem niet durfde aan te kijken. Ze glimlachte even bij de gedachte hoe hij naar haar had gekeken en ze kreeg weer wat zelfvertrouwen. Roger zei niets, maar bleef haar aankijken onder het drinken. Diana zei evenmin iets en bleef naar hem kijken terwijl ze haar thee dronk.

'Wanneer heb ik je voor het laatst gezien, Barbara?' vroeg hij haar.

'Op grootvaders begrafenis. U hebt me toen een verguld lintendoosje gegeven dat u uit Frankrijk had meegebracht, en toen hebt u mij omarmd en gezegd dat ik niet te lang moest huilen omdat mijn grootvader dat niet goed zou vinden.'

'Ik sta versteld dat je je dat herinnert.'

'Ik herinner me alles wat u tegen mij hebt gezegd,' antwoordde ze.

Hij glimlachte. Hoe kan ik ooit nog meer van hem houden dan nu? dacht ze. Ze probeerde een onderwerp te bedenken waardoor hij met haar zou blijven praten, en haar bleef aankijken met die ogen die haar een gevoel gaven dat ze mooi was.

'Kent u de koning? Ik bedoel, mijn moeder zegt dat u bevriend bent met zijne majesteit.'

'Toen ik in Hannover was, heb ik als secretaris gediend bij zijn moeder en door haar zijn hij en ik vrienden geworden. De mensen zeggen dat hij dom is, maar ze hebben het mis; hij is alleen maar bedachtzaam.'

'Ik heb Barbara nog niet aan het hof gepresenteerd,' zei Diana. 'Zoals je ziet, wonen we hier in behoeftige omstandigheden. Misschien zal ze zijne majesteit toch binnenkort ontmoeten.'

'Hij zal verrukt zijn,' zei Roger tegen Diana. 'Hij had grote bewondering voor je vader.'

'Hoe kent hij mijn grootvader?' vroeg Barbara.

'Toen Marlborough het opperbevel had over de geallieerden tegen Lodewijk XIV, zijn jouw grootvader en de koning in verschillende veldtochten samen opgetrokken!'

'Hebt u nog uw paard, Willem de Veroveraar?'

'Wat heb jij een zeldzaam goed geheugen! Nee, ik heb hem verkocht toen ik uit het leger ging. Wat was dat een prachtig paard, hè?'

'Ja, en weet u nog dat u met grootvader ging kegelen, urenlang? En dat grootvader kwaad werd omdat u altijd van hem won? Waarom bent u ons nooit komen opzoeken na zijn dood?'

'Ik kon het niet, Barbara. Je grootvader was mij zo dierbaar, en ik kon niet naar een plek gaan waar alles mij aan hem herinnerde. Hij was de meest rechtschapen man die ik ooit heb gekend, en je mag er trots op zijn dat je zijn kleindochter bent.'

Haar kin ging omhoog. 'Dat ben ik ook.'

'Dat zijn we allemaal,' zei Diana. 'Ik denk zo dikwijls aan mijn vader. Ik hoop maar dat een van mijn zoons in het leger gaat, Tom of Kit misschien.'

'Dan wordt het vast Kit,' onderbrak Barbara, helemaal in haar element nu Roger het over haar broers en zusjes had. 'Hij is gek op soldaten, paarden en veldslagen. Verleden jaar wilde hij al Caesars *Commentaren* bestuderen, maar dominee Latchrod vond hem nog te jong. Ik denk dat het is omdat de dominee niet zo goed is in Latijn.'

Roger keek geamuseerd. 'Welke broer is Kit?'

'Eerst komt Harry, dan ik, dan Tom en dan Kit. Toen u hem de laatste keer hebt gezien, was hij nog maar een klein jongetje. Na Kit komen Charlotte, Anne en William. Alleen noemen we hem nooit William, maar "Baby". Hij is een schat, en zo bijdehand voor zijn leeftijd...'

'Barbara,' onderbrak Diana. 'Roger heeft vast geen zin in al die familiepraat. Schenk hem nog maar eens thee in.'

Toen Barbara haar hand uitstak voor zijn kopje, viel de kant van haar mouw een eindje terug, en nu werd de plek zichtbaar waar Diana met haar nagels in haar arm had geknepen. Er kleefde zelfs een stukje kant aan het geronnen bloed.

'Je hebt je bezeerd!' schrok Roger en nam haar arm om de wond te zien. 'Hoe is dat gebeurd?'

Ze gaf geen antwoord en keek ook haar moeder niet aan. Ze was zich sterk bewust van zijn hand op haar arm. Hij lette op haar gezicht, en toen ze hem eindelijk aankeek, bleven ze elkaar een tijd in de ogen zien.

Zacht liet hij haar arm los en zei: 'Daar moet je iets aan doen, anders krijg je een litteken.'

'Ze is nog jong,' zei Diana. 'Ze geneest snel.'

'Toch moet je beter voor haar zorgen, Diana,' zei hij ernstig. 'Ik zou het jammer vinden als die arm geïnfecteerd raakte.'

Er viel een stilzwijgen.

'Vertel eens wat je van Londen hebt gezien.' Hij richtte zich tot Barbara. Het incident met de arm was gesloten, maar ze had plotseling het gevoel gekregen dat ze door Roger werd beschermd. Ze wierp een snelle blik op haar moeder en begon te vertellen dat ze de Theems had gezien.

'Heb je de leeuwen van de Tower niet gezien, en de graven in Westminster?'

Ze schudde haar hoofd.

'Dat moet toch een keer gebeuren. Het zijn de bezienswaardigheden van Londen – en de krankzinnigen in Bedlam.'

'Ik geloof niet dat ik daarnaar toe wil...'

Weer was er een ogenblik stilte. Roger stond op. Hij glimlachte naar Barbara. 'Dank je wel voor de thee. En voor het ophalen van herinneringen. Als ik mag, zal ik mijn rijtuig sturen zodat je de bezienswaardigheden kunt gaan zien.'

Met een blik naar Barbara die betekende dat ze in de kamer moest blijven, volgde Diana hem de kamer uit.

'Wat vond je van Barbara?'

'Ik ben zeer verrast, Diana. Ze is een charmant meisje.'

'Dus dan...'

'Dan kunnen onze raadslieden beginnen een contract op te stellen. We schijnen het op alle punten eens te zijn. Eind januari ga ik naar Frankrijk, en ik zou graag willen dat de zaak voor die tijd was beklonken.'

'Natuurlijk,' zei Diana welwillend. 'Zoals je wilt. Nog een prettige avond, Roger.'

Zodra de deur achter hem dicht was, rende ze de zitkamer binnen, met Clemmie achter haar aan. Barbara zat bij het raam en hoopte nog een laatste blik op Roger te kunnen werpen. Clemmie schonk twee glazen wijn in. Een voor haarzelf en een voor Diana. De twee vrouwen klonken en sloegen de wijn in één teug naar binnen. Barbara keek op.

'Hoe is het gegaan?'

'Hij heeft belangstelling. We gaan onderhandelen over de contracten...'

Barbara sloeg haar handen in elkaar en begon door de kamer te dansen. Vol genegenheid keek Clemmie naar haar en schonk meteen stiekem nog een glas wijn in. Ik ga trouwen... trouwen... trouwen... zong Barbara in zichzelf.

'Zou hij het merken als ik een lijfrente voor mezelf beding,' zei Diana.

Roger zat in een half verborgen nis opzij van de drukke publieke ruimte van Pontac's taveerne. Het was al na middernacht. Keurige burgers lagen nu al lang met hun vrouw in bed, met de grendels op de deuren tegen werkelijke of gewaande gevaren van de nacht. Er gingen nu al twintig jaar lang geruchten over bendes dronken jonge mannen (die soms tot de beste families behoorden) die Londen 's nachts onveilig maakten. Ze begonnen met vechtpartijen in de taveernes, waar ze de meubels kort en klein sloegen; dan gingen ze de straat op en gooiden stenen naar ramen en lantaarns. Maar het was vooral het geweld jegens mensen die ze toevallig tegenkwamen in de smalle donkere straten, dat hun reputatie had gevestigd; er gingen verhalen over gebroken neuzen en messteken in de rug; en men had het over verminkingen, ogen uitsteken, in elkaar slaan, roofovervallen en verkrachtingen. Koningin Anne had nog in 1712 een verordening uitgevaardigd tegen die barbaarsheden, en sindsdien was het wel wat rustiger geworden, ofschoon sommige mensen nog steeds angstig door de donkere straten gingen in de verwachting dat ze ieder ogenblik gegrepen konden worden.

Binnen Pontac's maakte niemand zich zorgen over de duisternis buiten. Er werd stevig gedronken en gegokt, en menig overspel was begonnen aan de lange houten tafels waar lachende en zingende mannen en vrouwen bij elkaar zaten. Roger zat nadenkend in een nis waarvan de gordijnen in een boog waren opgenomen, nipte aan zijn cognac en keek naar de andere tafels. Hij had een flinke avondmaaltijd gegeten: ragoût, kalfskop, gans en Cheshire kaas. Pontac's was beroemd om zijn eten en om zijn rode wijn, en nu zat hij alleen. Hij had wel bij een van de andere groepjes kunnen gaan zitten, maar hij gaf er de voorkeur aan op zichzelf te blijven en slechts af en toe een woord te wisselen met diegenen die naar hem toe kwamen voor een praatje. Later zou hij in een kamer boven gaan spelen, of hij zou naar White wandelen om daar te spelen. Tegen de ochtend zou hij een draagstoel huren om hem thuis te brengen, alleen. Er was geen vrouw met wie hij de heerlijke rustige uurtjes van de vroege ochtend wilde delen.

Ineens ontstond er een drukte bij de ingang. Tommy Carlyle stond in de deuropening. Zoals gewoonlijk was hij buitensporig gekleed. Hij droeg een vuurrode pruik waarop een enorme hoed balanceerde. Zijn kostuum was gifgroen en zijn witte kousen waren geborduurd met gouden klokken, het nieuwste snufje. Twee jonge, opgemaakte jongemannen hingen ieder aan een arm. Roger deed geen moeite om Carlyles aandacht te trekken; als Tommy hem zocht, zou hij hem wel vinden.

Carlyle koos een tafel en bestelde een schaal met punch die moest worden gemaakt volgens zijn persoonlijke recept: warme wijn, rum en suiker, en veel citroensap. Carlyle vroeg nog iets aan de bediende. Zonder iets te zeggen, wees hij naar de nis met de gordijnen waar Roger zat. Carlyle stond op. De diamant in zijn oor schitterde.

'Ik moet even wat zaken afhandelen,' zei hij tegen zijn gezelschap. 'Gedragen jullie je netjes terwijl ik weg ben.'

Hij liep naar de nis. Het was een hele voorstelling, alleen al om naar hem te kijken. Hij was een lange man en hij droeg altijd hoge hakken, zodat hij hoog boven de andere mensen uitstak. Bovendien gaven zijn schoenen hem een wiegende, aanstellerige loop, alsof een verfijnde beer voorzichtig een weg zocht tussen de doorns. Carlyle duwde een gordijn opzij en bleef een moment naar Roger staren. Roger wees hem de lege stoel.

'Zo, hier ben je dus, engel,' zei hij toen hij ging zitten. 'Je was totaal verdwenen na de salon van de prinses. Robert vertelde dat je het gokken in zijn huis had afgezegd, en ik ben bij jou langs geweest. Toen nog langs de meeste taveernes waar ik die twee jongens heb opgediept, als een soort beloning voor mijn volharding. Maar hier ben je dan eindelijk!'

'Ja, hier ben ik.'

Er viel een stilte. Carlyle plukte aan de diamant in zijn oor.

'Nou ja,' zei hij, zuchtend. 'Ik ben stout geweest, ik geef het toe. Zeg maar dat ik een vreselijke, bemoeizuchtige roddelaar ben.'

'Je bent een vreselijke, bemoeizuchtige roddelaar.'

'Heel goed, Roger. Je hebt me bijna gekwetst. Wat heb ik misdaan? Zijn de onderhandelingen met lady Diana helemaal de mist ingegaan?'

Roger glimlachte en dronk zijn cognac. Carlyle sloeg hem gade.

'Je hebt alleen zitten drinken,' zei hij langzaam. 'Ben je bedroefd? Heb je het meisje gezien? Nee, zeg maar niets. Ze is zeker foeilelijk. En jij zoekt vanavond troost in de gedachte dat ze zo'n mooi landgoed meebrengt als bruidsschat. Geeft niets. Je trouwt met haar. Eén keer met haar naar bed en dan sluit je haar verder weg! Dat doen de meeste getrouwde mannen!' Hij grijnsde om zijn eigen geestigheid en liet de bediende een glas brengen.

'Ik ga met dat meisje trouwen, Tommy,' zei Roger. Hij zei het zachtjes, op een verraderlijke toon. 'En ik zit vanavond alleen te drinken omdat ik een schok heb gehad toen ik haar vandaag voor het eerst zag. Het leek alsof Richard in eigen persoon naar me toe kwam lopen. Ik ben er nog niet overheen, Tommy.'

Carlyle keek hem met grote ogen aan. Zijn geverfde mond stond half open.

'Grote god! Ben je verliefd?'

Roger haalde zijn schouders op en trok een scheef gezicht. 'Het meisje lijkt op haar grootvader. Als we trouwen, zal ik kinderen hebben die afstammen van Richard die mij troosten in mijn naderende ouderdom... Niet meer en niet minder.'

'Om maar niet te praten over tweehonderd acres van de mooiste grond die er nog in Londen te vinden is!'

'Inderdaad.'

'Er is meer,' zei Carlyle theatraal en legde een van zijn grote handen op zijn hart. 'Ik voel het. Nee, ontken het maar niet. Zeg nou maar dat je smoorverliefd bent.'

Roger schudde zijn hoofd, meer geamuseerd dan geërgerd door Carlyles toneelspel. Morgen, wist hij, zou dit gesprek in vele koffiehuizen worden naverteld, en tegen de avond in de salons.

'Ik weet wel dat ik dit droomwezen met eigen ogen moet zien. Maar dat zal wel niet gebeuren, want Diana kan me niet uitstaan. Wanneer is de bruiloft?'

'Dat laat ik over aan mijn raadslieden en aan de familie van de bruid. De hele zaak moet rond zijn voor ik naar Frankrijk ga. Dan kan ik instructies aan mijn bankiers geven. Ik zou graag in het voorjaar alvast een paar wegen willen aanleggen...'

'Frankrijk! Wegen! Voorjaar! Vertel eens wat meer, lieve jongen. Laat je die schat van je achter? Een huwelijksreis in Frankrijk zou heel romantisch kunnen zijn.'

'Ik ben te oud voor romantiek. Ik verlang naar mijn vrienden in Parijs. En Italië ligt ook al te wenken. Het schijnt dat daar prachtige villa's zijn. Ik wil het mooiste huis bouwen dat ooit in Londen heeft gestaan, voordat Burlington mij te vlug af is.'

'Dan moet je weten dat lady Saylor het land heeft laten taxeren.'

Roger schoot overeind. Van zijn gezicht waren verschillende emoties af te lezen. Carlyle wachtte vol belangstelling.

Tenslotte sprak Roger langzaam, met zorgvuldig gekozen woorden: 'Lady Saylor stelt ongetwijfeld belang in het welzijn van haar familie. Maar het is wel jammer dat haar belangstelling niet zover gaat dat ze haar huis openstelt voor haar schoonzuster en nichtje wanneer die het moeilijk hebben.'

'Heel goed gezegd! Dat had ik je niet nagedaan...'

'Maar dat zul je nog wel doen!'

'Dat spreekt vanzelf, beste jongen...'

'Waarom komt hij niet meer op bezoek?' vroeg Barbara wel voor de tiende keer aan haar moeder. Diana zat bij het raam te genieten van een onverwacht ochtendzonnetje. Haar voorraad geld was veel te beperkt. Abigails gift had de druk van de schulden amper verminderd, en haar schuldeisers zaten haar als bloedhonden op de hielen. En toch had ze de huwelijksvoorwaarden die haar raadslieden haar hadden gebracht verworpen, alsof ze alle tijd had. Ze marchandeerde over elke penny, en ook nu weer zat ze te rekenen met hoeveel geld zij in haar gebruikelijke stijl zou kunnen blijven leven. Ze keek omhoog van haar cijferwerk en zei tegen Barbara: 'Neem één raad van me aan: je moet leren wachten. Dat is het lot van alle vrouwen. Jij komt op het ogenblik helemaal niet voor in zijn gedachten.'

Barbara gooide haar hoofd in haar nek. Ze was niet van plan naar haar moeder te luisteren. Buiten het raam maakte Covent Garden zich op voor de twaalf dagen voor Kerstmis, de belangrijkste feestdag in Engeland. De manden van de marktvrouwen waren vol kerstgroen, met gele peren, rode appels en allerlei noten (die men ten geschenke zou geven aan gasten en als cadeautjes aan kinderen), met houtblokken die op kerstavond in de haard zouden branden. Op Tamworth zou het kerkkoor al kerstliedjes aan het instuderen zijn. Dominee Latchrod zou zich weer uitsloven met zijn getuite lippen en zwaaiende armen, tot hij zijn pruik van zijn hoofd trok en op de grond begon te stampen als het koor te vals ging zingen. Grootmama, maar ook Harry, Tom en Kit en Anne, Charlotte en Baby... ze zei de namen op tegen de heimwee, tegen haar moeders krenterigheid en tegen haar eigen ongeduld vanwege het feit dat Roger nog steeds niet was gekomen.

Maar toen kwam hij onverwacht, en Barbara was buiten zichzelf van geluk. Diana echter keek bedenkelijk. De zitkamer was kil en zelf had ze het ook koud. Het spookte door haar hoofd wat ze eens tegen Abigail had gezegd. Ze had haar familie wel nodig, hun steun... hun geld. Al was Roger nog zo vrijgevig, er zou nooit genoeg geld zijn om van te leven. De schulden die Kit had achtergelaten waren enorm; ze slokten het hele inkomen op dat zij zichzelf had toebedacht. Roger had ermee ingestemd al die schulden af te betalen, maar noch hij noch Diana hadden beseft hoeveel het was. En het was nog niet genoeg. Haar eigen toelage en weduwenpensioen waren al lang geleden opgebruikt. Harry zou jarenlang een zuinig beleid moeten voeren om het landgoed weer rendabel te maken. En ze moest ook voor de andere kinderen zorgen. Misschien moest ze wel hertrouwen om enige zekerheid te hebben. Maar dan moest ze eerst kunnen scheiden. Dit voorgenomen huwelijk tussen Barbara en Roger moest haar iedere extra penny bezorgen die ze kon lospeuteren.

Roger schikte de bontvellen om hun benen heen. Er waren hete bakstenen om hun voeten op te zetten en extra kussens om tegen te leunen. Barbara lette op elke beweging die hij maakte; ze zag de lachrimpeltjes om zijn ogen en de manier waarop hij zijn hoofd schuin hield om te luisteren. Ze wist niet wanneer ze hem weer zou zien... Het rijtuig ratelde door de smalle straten en Roger zat naast haar de bezienswaardigheden aan te wijzen zoals de Guild Hall en het beursgebouw, allemaal herbouwd na de grote brand van 1666.

'Van dat gebouw houd ik het meest in Londen, de St.-Paul's Cathedral,' zei Roger met een glimlach naar Barbara. Het rijtuig stond stil en Barbara stapte uit bij de brede treden die naar de grote portiek leidden, de westelijke ingang tot de kathedraal. Ze gingen naar binnen en een geestelijke van de Anglicaanse kerk begroette hen met een buiging. Roger maakte zich bekend en onmiddellijk wilde de geestelijke de deken roepen.

'Nee,' zei Roger. 'Mijn jonge vriendin moet deze kathedraal op dezelfde manier bezoeken als ieder ander. Wilt u zo vriendelijk zijn haar het een en ander te laten zien?' De geestelijke, die vader James heette, bloosde en ging hen voor in de diepe ruimte van het schip. Diana keek om zich heen en zuchtte.

'De oorspronkelijke kerk is bijna geheel verwoest bij de grote brand,' vertelde vader James. Sir Christopher Wren en zijn werklieden hadden er vijfendertig jaar over gedaan om deze kathedraal te voltooien. Hun traagheid was spreekwoordelijk geworden, maar het was wel de moeite waard geweest, want de kathedraal was nu een schitterende aanblik in het landschap. Je kon hem herkennen aan de enorme koepel met daar bovenop een meer dan twaalf meter grote lichtkap en een gouden kruis, dat boven alle andere kerktorens uitstak.

Barbara nam de donkere, stille schoonheid van de kerk in zich op. Roger keek naar haar en glimlachte. De hoge gewelven met hun enorme pilaren, het koor, het altaar, het uitgebreide houtsnijwerk met engelen, fruit en bloemen, het verguldsel, alles had maar één doel: de mens te richten op een almachtige God.

Ze stond precies in het midden van de kathedraal terwijl vader James alle bijzonderheden opnoemde. 'Blijft u even staan waar u bent,' zei vader James, 'dan zal ik u iets merkwaardigs laten zien. Legt u nu uw oor tegen de muur.'

Ze deed wat hij haar vroeg. Hij liep door de zuilengaanderij naar een punt recht tegenover haar. Met zijn lippen tegen de muur sprak hij zachtjes een paar woorden. Ze kon hem woordelijk verstaan: 'O God de Vader, schepper van hemel en aarde, ontferm U over ons.'

Hij kwam weer naar haar toe. 'Ze noemen dit de fluistergalerij. Het geluid wordt daar alleen op die manier doorgegeven. U zou me niet gehoord hebben als ik de woorden in uw richting had gezegd.'

'Nou, Roger,' zei Diana, 'het is wel ver met ons gekomen dat je me meeneemt voor een bezoek aan een kathedraal!'

Lachend nam hij Diana bij de arm en leidde haar naar een van de zijkapellen. Ze gingen zitten op een houten bank. Na een tijdje haalde hij een paar goudstukken uit zijn zak.

'Alweer blut?' zei hij met een spottende blik in zijn ogen. 'Barbara hoort niet zo te leven.'

'Dat zal ik wel beoordelen!' beet Diana hem toe terwijl ze de goudstukken aanpakte.

'Ga toch zolang bij Abigail wonen...'

'We hebben ruzie met elkaar.'

'Dat hebben jullie toch altijd? Ik heb begrepen dat er problemen zijn met het huwelijkscontract, Diana. Craven liet me weten dat jij telkens nieuwe eisen stelt, en omdat hij weet dat ik Bentwoodes wil hebben, geeft hij telkens weer toe.' Hij keek haar aan en zijn gezicht stond hard. 'Ik wil Bentwoodes hebben, Diana, maar ik laat me niet beetnemen.'

'Het is niet mijn schuld,' riep Diana uit. Ze keek Roger aan met haar mooie, violetblauwe ogen. 'Je moet me echt geloven, Roger. Wilcoxen en Blight zijn al jarenlang raadslieden voor onze familie en zij hebben me aangeraden niet te snel toe te geven, de potentiële waarde van het land in het oog te houden...'

'Met zulk gepraat schiet ik niets op. Potentiële waarde! Besef je wel dat ik duizenden zal moeten investeren voor ik een penny uit dat landgoed terugkrijg? Het is een karwei dat tien, twintig jaar in beslag neemt. Kun jij twintig jaar wachten, Diana?'

Ze keek een andere kant uit, naar een prachtig marmeren beeld van een gebogen engel die met gevouwen vleugels op een grafsteen stond: het graf van degene voor wie deze kapel ooit was gebouwd.

'Ik wens dit te regelen voor ik naar Frankrijk ga, of anders gaat de koop niet door,' zei Roger.

'Ik zal ervoor zorgen,' antwoordde ze. 'Ik beloof het je.'

Barbara en vader James beklommen weer een andere donkere wenteltrap. Ze begon pijn in haar zij te krijgen van al dat klimmen, en ook doordat haar korset veel te strak zat. Vader James opende een deur die toegang gaf tot de zuilengalerij rondom de voet van de koepel. Haar adem stokte even en ze hield zich met beide handen vast aan de balustrade. Ze stond hoog boven de stad, als een vogel in de lucht. De wind speelde in haar mantel en ze werd koud tot op haar botten. Maar het kon haar niets schelen. Londen strekte zich voor haar uit, een enorme lappendeken van pannendaken, kerktorens, smalle stegen, brede straten en het schitterende lint van de Theems, en tot in de verste verten graslanden en velden.

'Het is er geen goede dag voor,' zei vader James naast haar, 'maar ik geloof niet dat er op de hele wereld een mooier uitzicht bestaat. God kan onmogelijk iets schoners hebben geschapen.'

Toen ze weer binnen waren en Roger en haar moeder naar haar toe liepen terwijl zij nog hijgde van het trappenlopen, begreep ze onmiddellijk dat er iets was gebeurd. Ze las het van hun beider gezichten. Roger die haar de kathedraal had willen tonen, leek nu haast te hebben om te vertrekken.

Vader James nam hen mee naar een beeld van John Donne. 'Hij was deken van St.-Paul's,' zei vader James tegen Barbara. 'Dit is het enige beeld dat de grote brand in de oude kerk heeft overleefd.'

Ze keek omhoog naar Donnes strenge gezicht. 'Hij was al ziek toen hij voor zijn portret poseerde. . .'

Op dat ogenblik kwam een koster naar hen toe en zei dat deken Sherlock, die van hun bezoek had gehoord, hen op de thee uitnodigde. Diana zuchtte en Roger wilde zich al excuseren, maar toen hij de uitdrukking op Barbara's gezicht zag, stemde hij toe. Ze volgden de koster een trap op en door een gang, naar een kamer vol boeken langs de wanden en paperassen op de tafels. Voor het haardvuur stond een oude man met donkere, scherpe ogen. Een veel jongere man zat naast een theetafel vol heerlijkheden: scones, koekjes, kruimelcake en brood en boter. Roger nam Barbara bij de hand en leidde haar naar de man bij de haard.

'Deken Sherlock,' zei hij, 'dit is een jonge vriendin van me, juffrouw Barbara Alderley. U kent haar grootmoeder, de hertogin van Tamworth. En lady Alderley kent u ook geloof ik.'

Deken Sherlock knikte koeltjes in Diana's richting. Ze maakte een kleine buiging.

'Ik ken uw grootmoeder,' zei Sherlock tegen Barbara. 'Ze kan debatteren als een vijfdejaarsstudent op de universiteit, en dat heeft ze vele malen gedaan wanneer ze het niet eens was met mijn preken. Ik mis haar scherpe aanwezigheid. U lijkt op uw grootvader, een goed mens en een goed christen. Ik hoop dat uw grootmoeder het goed maakt.'

Voor Barbara kon antwoorden, zei Diana: 'Mijn moeder maakt het uitstekend, dank u.'

Sherlock keek zuinig. Het was duidelijk dat hij haar gedrag afkeurde, en het was even duidelijk dat Diana daar niets om gaf.

'Ik dacht dat u ons voor de thee had uitgenodigd,' zei Roger. 'Thee. . . o, ja. Laten we hier gaan zitten, waar Julian − hij is mijn secretaris − ons zal bedienen. Lady Alderley, lord Devane, juffrouw Alderley, mijn secretaris, Julian Weathersby.'

Ze knikten allemaal tegen elkaar en Diana glimlachte langzaam, stralend naar Weathersby, die met zijn ogen knipperde.

'De thee, Julian,' zei Sherlock.

Weathersby schrok op. Toen begon hij in te schenken en de schalen met versnaperingen te presenteren.

'We hebben zojuist het beeld van John Donne bewonderd,' zei Roger tegen Sherlock. 'Een fantastische man. Zijn wereldlijke geschriften zijn de beste, beter dan de kerkelijke.'

'Dat ben ik niet met u eens, maar misschien vervelen we uw jonge vriendin? Wilt u iets meer over hem horen, juffrouw Alderley?'

'O... ja.'

'En ik wil graag nog wat thee,' zei Diana met haar lage, hese stem tegen Weathersby. Hij schonk onmiddellijk weer in en ze begon met kleine slokjes te drinken, terwijl ze hem voortdurend met haar violetblauwe ogen bleef aankijken. Af en toe keek hij haar kant uit, maar dan ontweek hij haar blik meteen weer.

De deken ging gemakkelijk zitten en begon op droge, belerende toon te spreken. 'Hij was een groot man, juffrouw Alderley, een buitengewoon mens, een zondaar die Gods weg had gevonden. In zijn jeugd hield hij van wijn, vrouwen en dichtkunst...'

'Wie doet dat niet?' lachte Roger.

Sherlock deed alsof hij hem niet had gehoord. 'Hij was de zoon van een ijzerhandelaar. Rooms-katholieke ouders. Hij ging zowel naar Oxford als naar Cambridge, maar hij is nooit afgestudeerd. Hij werd secretaris bij Egerton, de archivaris, en hij zou zelfs in het parlement zijn gekomen als de liefde zich niet had aangediend.'

'Wat zegt u dat poëtisch,' vond Roger.

Sherlock snoof. 'Hij werd verliefd op een nicht van zijn meester, Anne More, en trouwde met haar. Haar vader was woedend en liet hem in de gevangenis gooien. Zijn betrekking als secretaris was hij nu ook kwijt...'

'O, hemel,' zei Diana, 'ik heb thee gemorst.' Ze keek naar Weathersby die haar onmiddellijk zijn zakdoek gaf. De vlek bevond zich op het satijn van haar keurslijfje, precies daar waar haar tepel zat. Ze wreef erover met de zakdoek. Haar tepel werd hard en prikte tegen de stof van de japon. Hij kon zijn ogen er niet van afhouden. Ze keek hem aan.

'U moet me helpen,' zei ze. 'Wilt u proberen de vlek weg te nemen?'

Hij slikte en keek naar Roger en Sherlock, maar ze waren diep in hun gesprek verwikkeld.

'Misschien kunnen we beter hier bij het raam gaan staan. Daar hebben we meer licht,' zei Diana. Weathersby knikte.

'Na zijn ontslag,' vervolgde Sherlock, 'duurde het vijftien jaar eer hij zijn ware roeping vond: de Kerk.'

'De wereld heeft een groot dichter aan de Kerk afgestaan,' zei Roger. 'Luister maar, Barbara. Het is een stuk uit een gedicht aan zijn minnares.

"Mijn hand wil het genoegen smaken
Elk plekje van u aan te raken.
O mijn Amerika! Mijn nieuw gevonden land,
Mijn koninkrijk, alleen door mij bemand..."

Ik zou nog meer regels kunnen reciteren maar dat doe ik niet, want je bent nog zo onschuldig,' zei Roger.

Eens vraag ik je naar die regels, Roger, dacht Barbara, en dan moet je ze voor me opzeggen.

Sherlock stak een waarschuwende vinger omhoog. 'Diezelfde man schreef ook: "Geen mens is een eiland, alleen voor zichzelf; ieder mens is een deel van het continent, een deel van het geheel. De dood van elke mens neemt ook iets weg van mij, omdat ik met het hele mensdom verweven ben. Vraag daarom nooit voor wie de klok luidt; hij luidt voor u." '

Ze zwegen. Sherlock snoof en glimlachte naar Barbara. Zijn tanden waren bruin van de tabak.

'Je bent een geduldig meisje geweest dat je zo naar me wilde luisteren. Hoe oud ben je eigenlijk?'

'Bijna zestien, mijnheer.'

'Dan wordt het tijd aan een echtgenoot en een gezinnetje te denken. Lady Alderley, de tijd is gekomen dat dit meisje trouwt,' zei hij.

Diana had zich bij het raam vermaakt met Weathersby, en antwoordde nu: 'Die gedachte is ook bij mij opgekomen.'

'Julian!'

Weathersby schrok en ging instinctief een eindje verder van Diana staan.

'Zoek eens The Lady's New Year Gift voor me. Het staat op de vierde plank bij de Griekse testamenten. Dat geef ik aan u, juffrouw Alderley. Lord Halifax heeft het voor zijn dochter geschreven.'

Sherlock nam het dunne boekje dat hem werd aangereikt en begon te bladeren.

'Godsdienst... echtgenoten... Hier. Luister maar eens, jongedame. "Het is een van de nadelen van jouw geslacht dat jonge vrouwen bijna nooit hun eigen keus mogen maken. Ze mogen niet weigeren wanneer hun ouders iemand aanbevelen, al zijn ze het dikwijls niet eens met de keus. Ze moeten proberen zich in hun lot te schikken..." '

Barbara wist niet wat ze moest antwoorden. Zij was het wel eens met de keuze van haar ouders. Sherlock gaf haar het boek.

'Je mag het houden. Bestudeer het maar goed, dan word je een betere dochter en met Gods hulp een betere echtgenote.'

Roger stond op. 'Dan moet ze het boek zeker lezen. Doe het vooral, Barbara. Deken Sherlock, u hebt ons buitengewoon onderhouden met uw interessante gesprek, maar nu moeten we voor het donker wordt...'

Weathersby begeleidde hen tot aan het rijtuig. Hij legde de bontdeken zorgvuldig over de benen van Diana en Barbara. Diana glimlachte naar hem. Het rijtuig zette zich in beweging en Roger vroeg: 'Vind je altijd wel iemand om mee te flirten?'

Diana wierp haar hoofd in haar nek. 'Als het kan wel. Om de tijd te passeren. Wat een pompeuze kletsmeier is die Sherlock! Hij kan me niet uitstaan, die idioot!'

Verlegen keek Barbara naar Roger, maar hij klopte met zijn stok tegen de zoldering van het rijtuig, dat meteen gehoorzaam tot stilstand kwam.

'Ik wil Barbara het monument laten zien ter herinnering aan de grote brand,' zei hij. Het was nu zo koud dat bij elk woord een wit wolkje uit zijn mond kwam.

'Schieten jullie op!' riep Diana hen na. 'Ik wil graag naar huis!'

Het begon al te schemeren, maar Barbara kon duidelijk de Dorische zuil zien die hoog oprees tussen de gebouwen rondom.

'Karel II heeft hem laten oprichten ter herinnering aan de grote brand, de brand waarbij ook St.-Paul's en die hele wijk zijn verwoest,' legde Roger uit. Ze liepen rondom het vierkante voetstuk. Op twee zijden was een Latijns opschrift te lezen. Roger hielp Barbara met het vertalen. Op een van de andere zijden was een

Engelse inscriptie waarin de katholieken werden beschuldigd dat zij het vuur hadden aangestoken in de hoop de protestantse godsdienst uit te roeien.

'Is dat waar?' vroeg ze.

'Er zijn mensen die zeggen dat de brand een waarschuwing was van God, tegen de goddeloosheid van de mensen. Anderen denken dat het een komplot was.'

Plotseling vroeg ze: 'Gelooft u in God?'

Haar vraag verbaasde hem. 'Als ik in de St.-Paul's sta, geloof ik met heel mijn hart. Maar als ik ergens anders ben, twijfel ik aan Zijn bestaan, dat moet ik bekennen!'

'Maar dat is ketterij!'

Hij begon te lachen, en ze geneerde zich over haar woorden. Toen ze weer in het rijtuig zaten, dacht ze: hij is de eerste mens die ik ooit heb gekend die niet in God gelooft. Ze was opgevoed met God als een van de hoekstenen in haar bestaan. Haar moeders woorden brachten een heel ander onderwerp in haar gedachten.

'Wanneer vertrek je naar Frankrijk, Roger?'

'Omstreeks 23 januari. Ik wil gauw weg. Ze vieren dan nog carnaval. Daarna blijf ik de hele zomer in Hannover, en ik wil ook nog naar Italië. Je begrijpt dus dat ik onze zaken snel wil regelen.'

'Dat begrijp ik.'

Barbara was net zo stil geworden als een van de beelden die ze zojuist in de St.-Paul's hadden bewonderd. Over minder dan zes weken zou Roger al weg zijn. En het klonk alsof hij in geen maanden terugkwam! Haar moeder had daar niets over gezegd. Ze had gedacht dat ze misschien in het voorjaar zouden trouwen. Nu leek het nog wel een jaar te zullen duren.

Het rijtuig hield stil. Een armoedig kind, in lompen gehuld, kwam naar voren met een mand waarin winterviooltjes en hulst tot boeketjes waren samengebonden. Roger kocht er twee en gaf ze aan Barbara en Diana. Hij bracht hen tot aan hun deur, streelde Barbara onder haar kin en droeg haar op vooral in Sherlocks boek te lezen. Barbara stond met haar mantel aan uit het raam van de zitkamer te kijken hoe het rijtuig wegreed. Ze draaide zich om. Diana zat aan tafel berekeningen te maken; ze ging er helemaal in op. Gedachteloos schonk ze een glas wijn in. De kamer zag er weer armoedig uit. Er waren alweer een paar mooie spullen teruggebracht voor het hun te veel geld ging kosten. Barbara keek naar de viooltjes in haar hand. Ze begonnen al te verwelken...

Roger leunde achterover in zijn rijtuig en dacht aan Diana. Ze had nogal ingetogen gereageerd. Zou dat betekenen dat ze redelijk zou zijn, of was het weer een nieuwe truc? Hij klopte tegen het dak van zijn rijtuig. Er ging een deurtje boven zijn hoofd open.

'Rijd Oxford Street maar af,' zei hij tegen de koetsier. Ook al zou hij het Bentwoodes-landgoed niet kunnen zien, hij wilde toch weten dat hij erlangs reed om zich beter in zijn droom te kunnen inleven. Hij dacht geen moment aan Barbara die nu alleen zat in Diana's Covent Garden-appartementje en die misschien wel zat te studeren in lord Halifax's vermaningen aan zijn dochter die hij haar voor de grap had aanbevolen, als een vogeltje in een kooi dat moest wachten tot anderen het deurtje voor haar openden.

4

Op dezelfde ochtend van de dag waarop Roger Barbara en Diana
mee uit had genomen, zat lady Abigail Saylor in de grote salon
van Saylor House. Het was een groot vertrek met ramen die op
de tuinen uitkeken. Een uitgebreide schildering van de overwin-
ningen van de eerste hertog in de Nederlanden hing in panelen
langs de wanden. Het meubilair was Frans en Nederlands en met
veel precisie gemaakt, met fijne ingelegde taferelen van vogels en
bloemen op de tafelbladen en de voorkant van kasten. In elke
hoek stond een groot Hollands kabinet waarin de verzameling
Chinees porselein van de hertog werd bewaard. Alle vertrekken
in Saylor House waren in dezelfde trant ingericht, met lijstwerk
en panelen, kostbare meubels en tapijten. Het huis was afgebouwd in 1690, toen de eerste hertog het toppunt van zijn carrière had bereikt.

Het huis strekte zich uit langs één kant van Pall Mall Street,
dicht bij St.-James's Palace, een van de deftigste straten van Londen. Aan weerskanten en langs de achterkant lagen uitgebreide
tuinen zodat het huis was afgeschermd van de stadse drukte door
bloeiende bomen, bloemperken en goed onderhouden gazons.
Ofschoon naburige landeigenaren stukken grond hadden verkocht die weer in kleinere percelen waren onderverdeeld, waar nu
woningen met twee en drie verdiepingen langs hun tuinmuren to-
renden, hadden de Tamworths geweigerd om ook maar één inch
van hun grond van de hand te doen.

Abigail, die was gezeten in de salon van dit huis, het symbool
van alles wat ze ooit had begeerd, had een dik, vierkant gezicht;
het was fris en knap geweest toen ze nog jong was maar nu, in
haar middelbare leeftijd, was het onbewogen en welgedaan. Ze
gedroeg zich altijd als een koningin, altijd duur gekleed en nooit
zonder opmaak, en ze troostte zich dat wat ze aan jeugd had verloren, gecompenseerd werd door karakter. Ze zat daar met haar

oudste dochter, Fanny, en met een aangetrouwde tante, Louisa Shrewsborough. Abigail vond zichzelf een bijzondere vrouw. Ze was de dochter van een graaf, niet de enige dochter, niet de knapste en ook niet de liefste. Het had haar verontrust dat haar oudere en jongere zusjes allemaal trouwden terwijl zij nog thuis zat. Ze begreep er niets van. Ze was toch verstandig en aantrekkelijk, en ze had een goede bruidsschat. Ze wist precies wat goed was voor anderen, en ze deelde haar kennis graag met iedereen. Ze had altijd geweten dat van al haar zusjes zij de meest geschikte was om met een oudste zoon te trouwen, de zoon die een landgoed en alle titels zou erven. Daarom was het een hele schok voor haar toen haar oudere en jongere zusters dat wel hadden gedaan terwijl zij maar bij haar moeder bleef zitten en zich bezighield met ontelbare meters fijn doch nutteloos borduurwerk om de tijd te doden.

Ze zou nooit begrijpen wat haar bezielde toen ze inging op een huwelijksaanzoek van William Saylor, de tweede zoon van de hertog van Tamworth. Om de waarheid te zeggen was ze een beetje verliefd op hem, ofschoon ze hartstocht een onnodig bestanddeel van het huwelijk achtte. Sommige mensen zeiden dat William verliefd was op haar jongere zusje Kitty, die al met Williams oudere broer was getrouwd. Dat geloofde Abigail niet. Maar al wat ze ooit voor William had gevoeld was spoedig verdwenen door ergernis over zijn persoonlijkheid. Ze wilde zo graag dat hij ooit zijn eigen titel zou weten te verdienen, of dat hij de invloed van zijn familie zou aanwenden om zich te bevoordelen. Maar zo was William niet. Hij was tevreden met een minder mooi huis en een kleiner landgoed. Het sprak in haar voordeel dat ze nooit voorzag wat de Heer in de hemel voor haar had weggelegd. Haar zusje Kitty was in het kraambed gestorven, en ze had gedacht dat Kitty's echtgenoot spoedig weer zou trouwen; kerkhoven lagen vol met eerste, tweede en derde echtgenoten van mannen. Het baren van kinderen was de grootste doodsoorzaak.

Daarom was ze volkomen onvoorbereid op de dood van haar zwager... en nog belangrijker, op de dood van zijn jonge zoon en erfgenaam. Plotseling, zonder enige waarschuwing, was William, haar William erfgenaam van Tamworth geworden. Voor het eerst van haar leven was ze sprakeloos geweest. Haar leven, zo begrensd en rustig, had ineens een nieuwe horizon gekregen.

Want Tony, haar enige zoon, was nu ook erfgenaam geworden, de belangrijkste erfgenaam na zijn vader. Als er iets was waar Abigail zich op beroemde, en ze beroemde zich eigenlijk op een heleboel dingen, dan was het wel in het bijzonder op haar moederlijke instincten. Zij wist wat goed was voor haar drie kinderen, en ze stond erop dat ze ook deden wat goed voor hen was, of het nu paste bij hun persoonlijkheid of niet. En toen was ook het volkomen ondenkbare gebeurd. William was gesneuveld, in een van die belachelijke veldslagen waarin hij niet had hoeven te strijden. Het lot was haar toch gunstig gezind geworden. Nu was haar zoon, Tony, de tweede hertog van Tamworth. De jongen was pas twaalf, maar zij stond naast hem en ze had zich er duchtig op voorbereid leiding te geven in elke beslissing, elke stap van de jonge hertog.

Abigail beschouwde zichzelf als de geestelijke leidsvrouwe van de hele familie. Daarom zat ze nu in de salon met Fanny en met haar tante Shrewsborough. Met een liefdevolle blik keek ze naar haar dochter die herstellende was van het kraambed. Fanny leek erg op haar toen ze nog jong was, hetzelfde blonde haar, hetzelfde frisse, gladde gezichtje. Fanny had niet haar moeders karakter, en dat was maar goed ook, want ze deed precies wat haar werd gezegd en dat vond Abigail bijzonder prettig. Tante Shrewsborough was weer heel anders. Die was niet uitgenodigd, die was gewoon komen opdagen en Abigail moest haar wel ontvangen, omdat ze anders langs de butler heen naar de salon was doorgelopen. Die kleine, ontembare tante Shrewsborough vertegenwoordigde een ander tijdperk met andere manieren: ze zei precies wat ze op haar hart had en ze deed gewoon wat ze wilde. Zij en haar zuster, lady Cranbourne, waren een hele bezoeking voor Abigail. Maar ze deed haar plicht. Ze bad voor hen en gaf hun aanwijzingen over hoe ze moesten handelen. Als ze die aanwijzingen niet opvolgden, was het haar schuld niet.

Hoe dan ook, tante Shrewsborough, die altijd van alles op de hoogte was, had nu dezelfde aanleiding om op bezoek te komen als Abigail had gehad om Fanny te ontbieden: Diana. Zij was de enige die haar woedend kon maken. Diana was gewoon slecht. Ze was immoreel, meedogenloos en egoïstisch. Abigail schaamde zich al jarenlang voor haar. En nu hadden tante Shrewsborough en Fanny bevestigd wat ze zelf pas als een gerucht had vernomen, van niemand minder dan Tony. Lieve hemel, als Tony het aan haar overbriefde, dan zouden de geruchten zelf nog veel erger zijn. Abigail zuchtte in het geheim wanneer ze aan Tony dacht. Hij stelde haar teleur. Hij was niet pienter. Hoe Abigail ook plannen voor hem maakte, ideeën voor hem ontwierp, ze was zich ervan bewust dat ze hem dolgraag anders zou willen hebben. Ze vertroetelde hem en leidde hem, maar hij werd er niet pienterder van. Het was iets waar ze met niemand over sprak, zelfs niet met Fanny. Maar nu zaten ze bij elkaar vanwege Diana. Er werd rondgebazuind dat Diana en haar jonge dochter van honger omkwamen en dat Tony – gesteund door Abigail – weigerde hen te helpen. De mensen vonden het een schande dat een rijke hertog van Tamworth een familie in nood niet wilde ondersteunen. De mensen begonnen ook weer te spreken over dat vreselijke schandaal van afgelopen zomer: Kits vlucht en Diana's aanvraag van een echtscheiding. De mensen zeiden dat Abigail de huwelijksonderhandelingen tussen Diana en graaf Devane probeerde te torpederen, dat ze Bentwoodes voor Tony wilde behouden. Het was om razend van te worden, vooral omdat het voor een groot deel waar was.

Tante Shrewsborough had de geruchten van haar kamermeisje vernomen, en die had ze weer van de butler. Fanny's echtgenoot, Harold, had het haar verteld. Op een vergadering van de Royal Society had men het gehad over Rogers plannen met Bentwoodes.

'Er is nog meer,' zei tante Shrewsborough tegen Abigail. Ze greep in haar zak, haalde er een brief uit en gaf hem aan Abigail, die snel begon te lezen. Haar gezicht kreeg een geërgerde uitdrukking. Het was een brief van de hertogin. Ze vroeg haar schoonzuster of ze nieuws over Diana en Barbara wist. Ze had geen woord meer van hen gehoord sedert ze een maand geleden van Tamworth waren vertrokken.

Abigail trok de voorkant van haar losse, grijze ochtendjapon wat recht, waardoor een buitensporige hoeveelheid boezem zichtbaar werd. Tante Shrewsborough die klein, tenger en gerimpeld was, droeg een bruine krullerige pruik en een zwierige hoed, die een jongere en minder gerimpelde vrouw zou hebben geflatteerd. Ze wachtte tot Abigail wat zei. Fanny, die tussen hen in zat, beet zenuwachtig op haar lippen.

'En?' vroeg tante Shrewsborough. 'En? Zal ik Alice schrijven dat haar dochter hèt onderwerp van gesprek is in Londen? Zal ik haar schrijven dat haar eigen familie ervan wordt beschuldigd dat ze een van hen laat verhongeren? Zal ik haar schrijven dat eigenlijk niemand weet wat er voor den duivel aan de hand is?'

Abigails schitterende boezem ging op en neer.

'Ik was heus wel van plan mijn huis open te stellen. . .' begon Abigail, maar tante Shrewsborough luisterde niet eens. Haar pruik en hoed stonden te trillen van boosheid.

'Ha! Vroeger wisten we tenminste onze familie hoog te houden, ook al hadden ze ons te schande gemaakt. Ik wil niet hebben dat mijn achternicht als een bedelares op een zolderkamertje woont. Je bent natuurlijk kwaad geworden op Diana, maar nu is ze er zelfs in geslaagd Tony's naam door het slijk te halen. Dat ik het moet beleven dat mijn broers erfgenaam op deze wijze wordt neergehaald. Richard was de vriendelijkste, de eerlijkste man ter wereld, en hij zou het vreselijk hebben gevonden dat zijn familie zo wordt beklad. Het is een schandaal!' De veer op haar hoed sidderde van verontwaardiging.

Abigail haalde diep adem. 'Als je het zo belangrijk vindt, waarom heb je dan je eigen huis niet aangeboden. . .'

'Ik ben niet het hoofd van de familie, dat is Tony! Al zou Diana in haar hemd door de straten dansen, ze blijft de enige dochter van de hertog van Tamworth. Ze is mijn nicht. En dat meisje van haar hoeft niet gestraft te worden voor de zonden van de moeder. Wat moet ik in godsnaam aan Alice schrijven? Als ze niet gauw wat hoort, komt ze hiernaar toe.'

Fanny zei: 'Het spijt me, mama, maar ik ben het wel eens met tante. Er is geen reden waarom Barbara zou moeten lijden omdat jij en tante Diana ruzie met elkaar hebben. Het zal toch heel gek staan als Barbara's verloving met graaf Devane wordt bekendgemaakt, en de toekomstige bruid moet als adres een krot in Covent Garden opgeven.'

'Ja, dat is ook zoiets,' onderbrak tante Shrewsborough. 'Ik wist niets over die huwelijksplannen van Diana. Iedereen vraagt ernaar en ik weet niet wat ik moet antwoorden!'

'Ik ben absoluut tegen dat huwelijk,' zei Abigail. 'Diana heeft nooit een poging gedaan de zaak met Tony te bespreken, en we weten allemaal hoe bezorgd Tony is over de familie. Roger Montgeoffrey is te oud en hij is veel te losbandig. Die vrienden van hem, die vreselijke Carlyle en die Walpole. . .' Ze trok haar neus op.

'Je vergeet de koning van Engeland op te noemen!' snauwde Shrewsborough. Ze zwegen. Tante Shrewsborough had een punt gescoord. 'Al huwelijkt Diana dat meisje uit aan een blinde, doofstomme kreupele, als hij maar geld bezit en gek genoeg is om een deel van hun fortuin te herstellen! Diana is geruïneerd. Kit heeft haar in de grootst mogelijke narigheid achtergelaten! Denk eens aan Harry! Hij heeft nu al zoveel schulden geërfd die hij nooit kan terugbetalen, tenzij ik hem mijn vermogen nalaat – hetgeen ik inderdaad behoor te doen!'

Abigail zweeg. Zij wilde alles voor Tony hebben. De gedachte dat er ook maar een penny naar iemand anders ging, zat haar al dwars. Bentwoodes was van Tony, niet van een ander kleinkind, maar van haar zoon.

'Ik ben tegen haar partnerkeuze – niet de redenen die erachter steken,' zei ze. 'Tony deelt mijn gevoelens. Als we ons huis aanbieden, lijkt het of we ons overgeven. . .'

'Nee, dan lijkt het of jullie goede manieren hebben! Mens, gebruik je hersens! Je kunt de huwelijksonderhandelingen toch veel beter beïnvloeden wanneer de voornaamste personen onder je eigen dak wonen!'

Er kwam een oplettende uitdrukking op Abigails gezicht. Tante Shrewsborough zag het en knikte, alsof ze tevreden was.

'Hier een woordje, daar een suggestie, en de onderhandelingen worden weer vertraagd. En als Diana hier veilig bij jou inwoont, hoeft ze niet op het eerste het beste aanbod in te gaan. Ze is uiteindelijk het hebzuchtigste lid van onze familie, en dat zegt wat! Ik wil mijn mooiste diamant eronder verwedden dat ze ook nu al marchandeert om haar eigen aandeel te vergroten. Haal haar eerst hiernaar toe, dan doe je haar een paar suggesties aan de hand en het zal me verwonderen als het hele huwelijk dan niet wordt afgezegd. Montgeoffrey mag er dan uitzien als een engel, hij heeft zeker geen engelengeduld.' Ze stond op en schudde haar japon glad. 'Jij bent altijd verstandig geweest; je ziet vast wel in dat ik gelijk heb. Fanny, geef je tante een kus en breng je nieuwe baby eens bij mij.'

Abigail stond op om haar tot de deur te begeleiden. 'Je weet wat je te doen staat,' zei tante Shrewsborough zachtjes. 'Gelukkig ben je zo verstandig om naar me te luisteren. Ik ga wel met je mee om met Diana te praten, als je dat wilt. En Lizzie wil ook wel mee. We zijn het met elkaar eens – Diana moet hier komen. Zorg jij daarvoor? Goed zo!'

Abigail kuste de gerimpelde wang van haar tante en beloofde dat ze het juiste besluit zou nemen. Ze glimlachte tot de deur dichtviel. Toen verdween de glimlach. Ze ging terug naar Fanny die achteroverleunde in haar stoel. Ze zag bleek.

'Fanny, heb ik verkeerd gehandeld? Hemeltjelief, hoe moet ik ooit Diana overtuigen dat het beter is dat ze hier komt wonen. Ik heb me niet weten te beheersen tegenover haar, en je weet hoe Diana is! Ze zou liever verhongeren om mij dwars te zitten...'

Fanny schudde haar hoofd en lachte. 'Zo is tante Diana niet, moeder.'

Abigail keek haar dochter aan. 'Je hebt gelijk, Fanny. Diana doet alleen maar wat het beste en gemakkelijkste voor haarzelf is. We moeten haar er alleen van overtuigen dat het in haar eigen voordeel is...'

'Graaf Devane vindt het vast indrukwekkender als ze hier wonen.'

'Inderdaad... ik vraag me af wie ik voor hem in de plaats zou kunnen aanbieden... Wharton...'

'In wiens plaats, mama? Wharton is in maart getrouwd.'

'Carr Hervey heeft een jongere broer...'

'Dacht je werkelijk dat je dat huwelijk zou kunnen tegenhouden, mama? Diana zou nooit Bentwoodes aan Tony afstaan, tenzij hij zelf met Barbara trouwde...'

'Trek die woorden in, Fanny! Ik zou nog liever zien dat Tony met de duivel trouwde dan dat hij een dochter van Diana nam!' Abigail probeerde haar gedachten te ordenen. 'Als ik haar bepaalde voorstellen doe, is ze misschien wel voor rede vatbaar. Misschien moeten we met een groepje naar haar toe gaan, niet ik alleen. Ik schijn haar tegen de haren in te strijken... Hervey...'

'Waarom niet Carr zelf, mama? Hij erft later een graafschap.'

'Onzin! Een tweede zoon is mooi genoeg voor Barbara. De Alderleys zijn niet meer wat ze vroeger waren. Een bedrag ineens... of een toelage... een jaarlijkse toelage in ruil voor het landgoed... De Newcastles hebben misschien nog wel ergens een neef zitten...'

'Mama, wat ben je in hemelsnaam van plan?'

'Tom en Harold zouden de echtscheiding erdoor kunnen krijgen... Ik vraag me af wat Roger haar biedt... Het moet heel wat geld zijn... Fanny, je ziet bleek. Heb je wel genoeg gerust?'

Fanny zuchtte. 'Ja, mama. Alleen schijn ik er ditmaal niet overheen te komen...'

'Drie baby's in drie jaar tijd, daar zou iedereen doodvermoeid van worden!' Abigail sprak op scherpe toon. Ze hield van haar kinderen en ze maakte zich zorgen over hen. Alleen Fanny liep elk jaar weer het risico van de dood.

'Ik hoop dat Harold je vermoeidheid wil begrijpen.'

Fanny keek een andere kant op. Dit was een onderwerp waar zij en haar moeder het niet over eens konden worden.

'Hij moest je wat meer sparen,' zei Abigail. 'Je kunt en je moet niet doorgaan met elk jaar weer een baby te krijgen. Je gezondheid heeft ervan te lijden. Heeft je dienstmeisje dat recept klaargemaakt dat je grootmoeder je heeft gestuurd?'

'Ja, mama.'

'Doe toch niet als ik vroeger en geef hem te kennen dat zijn attenties niet welkom zijn... voor je eigen bestwil, Fanny.'

'Mama, alstublieft.'

Abigail keek haar dochter aan. Fanny herinnerde haar zo aan haarzelf toen ze jong was. Alleen was zij nooit zo zacht geweest. 'Ik wil niet dat je doodgaat,' zei ze fluisterend.

Fanny glimlachte naar haar. 'Ik ga niet dood, mama. U bent toch ook niet doodgegaan.' Ze nam haar moeders hand en legde hem tegen haar wang. Abigail zweeg. Ze moest het aan de Heer overlaten. En ze vertrouwde Hem niet. 'Ik zal zeer vermeerderen de moeite uwer zwangerschap,' had Hij tegen Eva gezegd. 'Met smart zult gij kinderen baren en naar uw man zal uw begeerte uitgaan, en hij zal over u heersen.' Dat leek nergens op, had Abigail altijd gedacht, en vooral Eva kwam hier bekaaid vanaf.

Abigail deed er maar een paar dagen over om haar krijgsplan op te stellen. Ze was te weten gekomen dat Diana van haar allerlaatste middelen leefde en dat ze het huwelijkscontract nog niet had getekend omdat ze probeerde er nog meer geld uit te slepen. En van dat tekenen zou niets komen, dacht Abigail vol vertrouwen. Ze had Tony en Harold opgedragen een nieuw gerucht te verspreiden dat de Tamworths verontrust waren over Diana's misplaatste trots, dat ze haar hun woning hadden aangeboden maar dat zij had geweigerd. Tony en Harold moesten dit langs hun neus weg aan een paar vrienden op hun club vertellen. Dan zouden andere mensen er ook van horen en zo zou het gerucht langzaam worden verspreid.

Ze vond ook dat tante Shrewsborough gelijk had: je moest zoiets niet alleen doen, en... je moest de vijand overrompelen. Zoals haar beroemde schoonvader placht te zeggen: val de vijand aan voor hij jou kan aanvallen.

Vier dagen later waren Abigails troepen verzameld in haar blauwe salon; met thee, toost en biscuitjes voor zich bespraken ze de zaak nog eens, de tantes, Tony, Harold en Fanny.

Ze hadden twee rijtuigen nodig om iedereen comfortabel te vervoeren. Lakeien renden af en aan met hete bakstenen en dekens. Want het was begonnen te sneeuwen. De rijtuigen zetten zich in beweging. Ze zouden pas stilstaan wanneer ze Covent Garden hadden bereikt.

Barbara en haar moeder zaten te kaarten toen er op de deur werd geklopt. Het was tante Shrewsborough die met de knop van haar stok tegen de deur sloeg. Zij en haar zuster Elizabeth waren tere, bleke schoonheden geweest in hun jeugd. Nu waren het kleine gerimpelde vrouwtjes die te veel make-up droegen en te veel juwelen omhingen, en ze waren zo teer als een ijzeren paal. Ze gaven er niets om dat hun rouge klonterde in hun rimpels of dat hun poeder vastkoekte; ze voelden zich alsof ze twintig jaar waren en mooi.

Alle vrouwen droegen mantels of pelerines afgezet met zacht bont. Aan hun oren en om hun hals hingen parels. Ze hadden voor zoveel geld aan juwelen, kant en bont om zich heen dat verscheidene gezinnen er een jaar lang van hadden kunnen leven. Ze zagen er allemaal verzorgd, welvarend en machtig uit. Abigail had Tony nauwkeurig geïnstrueerd over wat hij moest zeggen. (Soms – niet dikwijls maar af en toe – verraste hij haar. Vanmorgen had hij gezegd: 'Ik heb altijd gevonden dat tante Diana hier bij ons hoorde te wonen.' 'Waarom heb je dat dan niet tegen mij gezegd?' vroeg Abigail. Hij haalde zijn schouders op. 'Ik dacht dat u kwaad zou worden.')

Toen ze het geklop hoorde, bleef Diana roerloos zitten. Zij en

Clemmie keken elkaar aan. Barbara wist nu wat dat allemaal betekende. Diana was voortdurend bang dat haar talloze schuldeisers haar zouden weten te vinden. Ze verwachtte geen bezoek, ontving alleen maar haar advocaten, en hun bezoek was nooit onaangekondigd. En ze hadden Meres toch. Het was zijn taak om op straat uit te kijken. Als er nu iemand aanklopte, betekende het dat Meres het veilig vond – of dat hij een eindje verderop in een taveerne zat te drinken. Diana knikte. Clemmie ging naar de gang en opende de deur, maar bij het zien van die hele stoet familieleden viel haar mond wijd open.

'Ga zeggen dat wij er zijn, vette slak!' snauwde tante Shrewsborough, en liep meteen langs haar heen.

Clemmie liep naar de deur van de zitkamer en wist nog net uit te brengen: 'Het is uw familie,' voordat ze de kamer binnendrongen waar ze de armoedige omstandigheden in zich konden opnemen. Barbara voelde dat ze bloosde.

Diana stond op en fluisterde tegen haar dochter: 'Trek je jurk glad en probeer in hemelsnaam te glimlachen.'

'Waar heb ik dit bezoek aan te danken?' vroeg Diana, die nog altijd bij de tafel stond. Niemand had nog een stap naar voren gedaan. Tante Shrewsborough hield een zakdoek met oranjebloesemwater voor haar neus en keek nogmaals rond. Het was erger dan ze had verwacht.

'Jullie komen me toch niet in Londen verwelkomen,' zei Diana, 'want ik woon hier nu al een maand. Ga zitten – nee, ik heb niet genoeg stoelen. Die hebben we opgestookt om het wat warmer te hebben. Ik bied jullie geen verversingen aan. Zoals jullie zien, heb ik hier maar weinig mogelijkheden.'

'Diana,' zei tante Shrewsborough, en liep op haar nicht toe om haar te omhelzen. Eerst hield Diana zich strak en stijf, maar plotseling versmolt ze en drukte haar tante tegen zich aan.

'Stil maar, meisje,' zei ze een beetje onbehouwen. 'Je familie is er nu.' Achter haar kwam tante Cranbourne naar voren, en ook zij omhelsde Diana. Harold en Tony bogen en Fanny kuste Diana op haar wang. Alleen Abigail bleef bij de deur staan; zij overzag het toneeltje zonder enige uitdrukking op haar gezicht. Diana glimlachte naar haar met een scherpe, katachtige glimlach.

Nu drongen de twee tantes en Fanny om Barbara heen. Fanny kuste Barbara en zei: 'Ik ben je nicht Fanny. Ken je me nog?'

Barbara glimlachte tegen de aardige vrouw die zulke zachte wangen had en die zo lekker rook. Ze had deze mensen bijna nooit meer gezien sedert de begrafenis van haar grootvader, maar ze waren geen van allen erg veranderd. Zijzelf was toen een mager, levendig meisje van tien jaar geweest en er was nog steeds iets kinderlijks in haar. Maar haar lichaam en gezicht waren op de grens van de volwassenheid, waardoor ze iets vertrouwds had voor de anderen, maar ook iets onbekends.

'Natuurlijk kent ze je niet meer!' snauwde tante Shrewsborough en duwde Fanny opzij met haar stok. 'Ga uit de weg en laat mij naar dit kind kijken! Alle goden, geef je oudtante eens een kus, Barbara! Kijk Lizzie, ze lijkt op onze broer!'

Haar tante Cranbourne omarmde Barbara met al haar bont en kanten lubben. De twee oude vrouwen bekeken haar alsof ze een paard was dat ze wilden kopen. Tante Shrewsborough duwde met haar stok en Barbara draaide zich gehoorzaam om.

'Grote hemel,' zei tante Cranbourne, 'dat wordt een schoonheid! Ze is nu nog te mager, maar als ze wat dikker wordt, dan zweer ik dat ze nog op mij gaat lijken, zo'n veertig jaar geleden! Moet je dat haar zien!'

Barbara stond tussen hen in en lachte. Ze kon zich die twee oude vrouwen vaag herinneren. Ze waren familieleden en plukten en trokken aan haar als bloedverwanten. Ze herinnerden haar ook een beetje aan haar grootmoeder. Plotseling voelde ze zich veilig, veilig te midden van haar familie die je misschien wel bekritiseerde maar die je toch accepteerde. Zoiets voelde ze nooit met haar moeder. Diana was alleen maar koel.

'Ik ben zo blij dat ik u allemaal zie,' zei ze, en spontaan sloot ze de oude dames in haar armen.

'Die stem!' riep tante Shrewsborough. 'Zeg nog eens iets!'

Barbara bloosde.

'Ik ben Tony...'

Barbara keek naar de dikke, ernstige, grote jongeman voor haar. Ja, dat was Tony. Het gezicht was iets ouder, de gestalte iets langer, maar die verlegen lichtblauwe ogen hoorden nog altijd bij diezelfde dikke jongen die zij en Harry zo hadden geplaagd. 'Ik vind het heel erg dat ik niet eerder ben gekomen, Bab. Je... je ziet er heel goed uit.'

Abigail schraapte haar keel en keek van de andere kant van de kamer naar Tony. Hij stond nog steeds met bewondering naar Barbara te kijken. Weer schraapte ze haar keel. Harold porde Tony in zijn ribben. Hij schrok op en wendde zich tot Diana. 'Tante Diana. Bied u de gastvrijheid van mijn huis, en hoop dat u en mijn nicht het als het uwe zult beschouwen. . .' Hij zweeg en keek naar zijn moeder. Abigail bewoog haar lippen met het woord 'plicht'. Tony beet op zijn lippen.

'Plicht!' zeiden Harold en tante Shrewsborough en Abigail tegelijk. Barbara lachte. Maar Diana lachte helemaal niet en keek hen om de beurt hooghartig aan; haar knappe gezicht stond streng, en zonder de gebruikelijke rouge was het zeer bleek. Ze leek meer een koningin die boetelingen ontvangt dan een wanhopige vrouw in een gevlekte japon en zonder kousen.

'Ben tekortgeschoten in mijn plichten tegenover de familie, tante Diana,' zei Tony snel, bang dat hij de rest zou vergeten. 'Vraag uw vergiffenis. Ook voor mijn moeder.'

'Het is waar, Diana,' zei Abigail, die nu eindelijk ook naar voren kwam. 'Ik ben driftig geweest, en ik heb mijn verantwoordelijkheidsgevoel laten overheersen. Daar heb ik echt spijt van. Ik vraag je om vergiffenis, en ik nodig je uit om met Barbara in mijn huis te komen.'

Het was een mooie toespraak. Eerlijk, maar niet hartelijk. Zo was Abigail niet.

Vol verwachting keek iedereen naar Diana.

'Keren jullie allemaal maar weerom en ga naar huis. . .' begon Diana koel.

O, nee, zei Barbara bij zichzelf. Ze stond naast Tony, en op de een of andere manier vond zijn hand de hare. Ze ging bijna huilen.

'Ik heb geen behoefte aan jullie liefdadigheid, niet op dit late uur. Waar waren jullie een paar maanden geleden, toen ik bijna bedelend door de straten ging? Waar waren jullie toen de rekeninglopers me uit mijn eigen huis joegen? Jullie hebben zitten wachten om te zien of ik eronderdoor zou gaan of zou slagen, voor jullie iets met me te doen wilden hebben. Nou, ik ga inderdaad slagen, en ik heb jullie nu geen van allen nodig.'

Iedereen zweeg. Fanny keek met grote verbaasde ogen naar Diana. Niemand durfde ooit zo tegen haar moeder te spreken. Harold keek verlegen en Tony staarde naar de gespen op zijn schoenen. Tante Shrewsborough snoof en keek haar zuster aan.

'Ik heb niets gelezen over een huwelijk in een van de kranten,' zei ze tegen iedereen in het algemeen. 'Jij wel, Lizzie?'

'Nee,' zei tante Cranbourne.

'Dat betekent dat je onderhandelingen nog niet zijn afgerond,' vervolgde tante Shrewsborough. 'Ik zou een gegeven paard niet in de bek zien, als ik jou was, nicht. Als ik naar dit huis van jullie kijk, kan Roger Montgeoffrey jullie binnenkort voor een appel en een ei krijgen. Wou je dat soms, Diana? Je hebt toch veel meer macht als je vanuit Saylor House kunt onderhandelen – met je familie achter je. Of je blijft met je trots hier zitten. Maar dat houdt je 's nachts niet warm. Gebruik toch je hersens, kind. Neem dat aanbod van Abigail toch aan!'

Diana keek om zich heen. Geen spiertje in haar gezicht verried wat ze voelde.

'U moet ook aan Barbara denken, tante,' zei Tony plotseling te midden van de stilte. Deze toespraak was niet voorbereid, en Abigail keek hem verbaasd aan. 'Kleindochter van een hertog. Heeft haar hele leven op Tamworth Hall gewoond. Naar Londen gekomen – naar hier! Niet aan gewend. Kan ik zo aan haar zien. Laat haar naar Saylor House komen, tante Diana! Alstublieft!'

'Goed gezegd, jongen!' riep tante Shrewsborough, en tikte hem met haar stok op zijn arm. Met een dankbare blik lachte Barbara naar hem. Ze kreeg het gevoel dat ze op Tony kon rekenen, en ze schaamde zich voor al die keren dat zij en Harry hem hadden dwars gezeten. Hij was alleen maar een beetje sloom. En daar hadden ze hem zo mee geplaagd. Ze stak haar arm door de zijne en fluisterde: 'Dank je wel.'

Tante Shrewsborough was nog niet klaar. Ervaren als ze was in het kaartspelen, had ze nog één troef achter de hand.

'Ik heb een brief van je moeder gehad,' zei ze en schudde met haar stok voor Diana's gezicht. Weer stond Diana roerloos, maar haar gezicht veranderde van uitdrukking. 'Ze wilde weten wat er hier voor den duivel aan de hand is. Ze vroeg naar Barbara – en naar het huwelijk. En ze zei dat ze zelf hierheen zou komen als ze niets van mij vernam. Toen heb ik maar geschreven dat alles in orde is, maar als je liever wilt dat ze wèl hierheen komt...'

Diana zweeg. Niemand zei iets. Ze hadden het allemaal wel eens in hun leven aan de stok gehad met de hertogin wanneer ze kwaad was, en wisten wat dat betekende.

'Misschien . . . hebben jullie gelijk,' antwoordde ze langzaam. 'Misschien kunnen we tot een overeenkomst komen.'

Barbara begon iedereen te omhelzen. Toen ze Tony had omhelsd, bleef hij haar een hele tijd als verdwaasd aankijken. Abigail deed kalm een paar stappen naar voren. Hun wangen raakten elkaar. Clemmie wiste zich het zweet uit haar gezicht. Even had ze gedacht dat Diana te ver was gegaan, maar Diana was onder een gelukkig gesternte geboren. Nu liet ze zich waarachtig de hand kussen door de mannen en omhelzen door de vrouwen, alsof ze hun een persoonlijke gunst verleende.

Te midden van al dat omhelzen en kussen deelde Abigail mee dat ze morgen een paar lakeien en een rijtuig zou sturen. Tante Shrewsborough en tante Cranbourne ruzieden over de vraag van wie van hen tweeën Barbara haar blanke teint had geërfd.

'Zorg dat je dat zo houdt, jongedame!' waarschuwde tante Shrewsborough. 'Een blanke huid is de eerste schoonheid van een dame. Ik gebruik altijd Mekka-balsem. Elke avond Mekka-balsem.'

'Grootmama heeft mij haar rozenmelk gegeven . . .'

'Wat!' riep tante Cranbourne, trillend van verontwaardiging. 'Ik heb Alice jarenlang gesmeekt om dat recept en ze heeft altijd geweigerd. Wat zit erin, Bab?'

'We moeten gaan,' zei Harold tegen hen. Ze keerden zich naar hem om als twee gemene kleine feeksen. Hij ging een paar stappen achteruit.

'Je moet ons komen opzoeken,' zei tante Shrewsborough streng tegen Barbara. 'Ik zal je het een en ander vertellen over die graaf Devane van je . . .'

'Een knappe man!' zei tante Cranbourne. 'Als ik tien jaar jonger was, zou ik het nog tegen je opnemen, Bab. Kom Louisa, ze staan te wachten. Diana, je hebt een wijs besluit genomen!' Weer werd er gekust en gepraat en toen was de kamer weer kaal en leeg. Alsof ze er nooit waren geweest, behalve dat Barbara zich zo opgelucht voelde.

In de stilte ging Diana plotseling zitten; het leek of alle kracht uit haar benen was weggevaagd. Ze keek naar Clemmie die nog altijd tegen de muur stond, vormeloos als een enorme bloedzuiger, en ze begon te lachen. Clemmie schudde haar hoofd en grijnsde met haar tandeloze mond.

Buiten zei Tony: 'Barbara is ouder geworden.' Achter hem knipoogde Harold tegen Fanny, die giechelde. Abigail, die helemaal achteraan kwam, zei niets. Ze had Tony's woorden niet gehoord.

Saylor House was nog mooier dan Barbara had verwacht. Zodra het rijtuig dat Abigail voor hen had gezonden de binnenplaats kwam oprijden, voelde Barbara haar hart bonzen van trots. Het was een massief, symmetrisch gebouwd huis, drie verdiepingen hoog en met een schilddak. Midden op dat dak was een marmeren koepelgewelf waar de familie op warme zomerdagen gasten ontving of dineerde. Rondom het dak liep een witte stenen balustrade waar je langs kon lopen om van het prachtige uitzicht te genieten. In het westen kon je St.-James's Square zien, tot aan St.-James's Park in het zuiden. In de balustrade waren zelfs stenen banken uitgespaard waar gasten even konden gaan zitten, en toen de hertogin daar nog woonde, had ze potten met bloemen en struiken laten neerzetten, zodat het dak op een tweede tuin leek, dichter bij de hemel. De voorgevel van het huis had overal gelijke ramen, en in het midden leidden een paar brede treden tot de dubbele deur van de ingang.

Twee lakeien kwamen onmiddellijk naar het rijtuig om de portieren te openen. Een kleine, dikke butler stond majesteitelijk voor de ingang om hen te verwelkomen.

'Lady Saylor verwacht u in de grote salon,' zei de butler.

'Dank je, Bates,' zei Diana. 'Bates, dit is mijn oudste dochter, juffrouw Barbara Alderley. Barbara, dit is Bates. Jij hebt altijd op Saylor House gewoond, hè Bates?'

'Inderdaad, lady Alderley. Ik vind het prettig u te leren kennen, juffrouw Alderley. Mag ik u zeggen dat u op uw grootvader lijkt, en mag ik ook zeggen hoe verheugd we zijn u op Saylor House te mogen verwelkomen.'

Barbara lachte tegen hem, maar al haar aandacht was gericht op de grote hal waar ze nu stond. Het was de mooiste ruimte die ze ooit had gezien. De vloer was bedekt met grote, vierkante, zwarte en witte marmeren plavuizen. Het plafond reikte tot de tweede verdieping, en door de hoge ramen in de voorgevel van het huis kwam volop licht naar binnen. Aan weerskanten leidde een prachtig gebeeldhouwde houten trap naar een ruime overloop op de tweede verdieping. Het uiteinde van de trapleuningen was uitgesneden in de vorm van een ananas. Barbara liep verder de hal in. Voor haar was een grote, imposante deur, precies gelijk aan de toegangsdeur achter haar. In de muren van deze en de volgende verdieping waren ovalen uitgespaard waarin marmeren portretbustes stonden, omringd door gebeeldhouwde laurierkransen. Barbara wist het nog niet, maar het waren borstbeelden van de beroemdste mensen uit de regeringsperiode van koningin Anne: Marlborough, Godolphin, prins George en vele anderen. Tegen de zijmuren, in de schaduw van de trappen, hingen twee grote portretten. Barbara liep naar het vrouwenportret.

'Dat is moeder,' zei Diana, die naast Barbara was komen staan.

'Grootmama?' vroeg Barbara verbaasd, kijkend naar die slanke jonge vrouw met haar donkere ogen en haar en haar meesterlijke neus. Het gezicht was niet knap volgens gangbare ideeën, maar zo levendig, vrolijk en intelligent dat een bezoeker ernaar zou blijven kijken. Ze droeg een donkergroene fluwelen japon en aan haar voeten speelden drie kindertjes. 'Dicken, Will en Giles, mijn broertjes,' zei Diana.

'Wat was ze knap!' zei Barbara, verrukt over dit onverwachte beeld van haar grootmoeder toen ze jong was.

'Haar neus is altijd te groot geweest,' zei Diana. 'Kijk, dit portret is van vader.'

Barbara liep over de marmeren vloer naar de overzijde, waar het portret van haar grootvader hing. Het leek haar wel gepast dat hij en grootmoeder elkaar tot in lengte van dagen aankeken, zoals ze waren vastgelegd in hun jeugd. Het schilderij stelde een knappe, glimlachende man voor met een kalme blik in zijn grote blauwe ogen. Hij droeg een grote, ouderwetse pruik en een militair uniform in rood en wit, en hij leunde tegen een zwarte hengst.

Bates hield de deur naar de grote salon open. Diana en Barbara gingen naar binnen. Abigail, die op een stoel naast de zware marmeren schoorsteen had gezeten, stond op en liep hen tegemoet. Tony had voor het raam staan peinzen; nu haalde hij zijn handen uit zijn zakken en volgde zijn moeder. Mary, Tony's jongste zusje dat op een krukje zat, bleef waar ze was. Barbara kreeg een verwarde indruk van mannen die op elkaar afstormden, langs de muren rondom haar heen, met een schreeuw van victorie of een doodskreet die van hun gezichten af te lezen was. Alle andere voorwerpen in de kamer leken klein vergeleken bij die grote schilderingen. Boven de schoorsteen hing een portret van Abigail met haar kinderen, die vredig de tegenover hen hangende oorlogstafereleren bekeken.

'Vroeger hing er ook een portret van mij,' zei Diana tegen Barbara. 'Ik zou wel eens willen weten waar Abigail dat heeft verstopt – ah, Abigail...' begon ze. Met een koel gebaar legden Abigail en zij de wangen een ogenblikje tegen elkaar. Barbara kuste haar tante.

'Gebleven om je te begroeten,' zei Tony en schudde haar enthousiast de hand. Barbara glimlachte naar hem, reikte toen omhoog en gaf hem een snelle kus.

'We zijn neef en nicht, Tony. Het mag,' plaagde ze. Zijn dikke gezicht werd rood.

'Mary!' riep Abigail. 'Je kent je nicht Barbara en tante Diana toch nog wel?' Mary stond vlug op, maakte een buiginkje en lachte verlegen naar Barbara. Ze had lichtblauwe ogen en ze zag eruit alsof ze ieder ogenblik kon wegvluchten. Barbara glimlachte ook en rekende uit dat ze ongeveer tien of elf jaar moest zijn, ouder dan Charlotte maar net zo ernstig en verlegen, dacht Barbara. O, wat ben ik blij dat ik hier ben, dacht ze, niet alleen vanwege het huis, maar ook omdat ze hier Mary had die ze kon vertroetelen, zoals ze dat altijd met haar eigen broertjes en zusjes had gedaan.

'Mary, breng je nicht eens naar haar kamers,' zei Abigail. 'Barbara, ik heb een suite aan deze kant van het huis voor jou bestemd, met uitzicht over de tuinen; dat is 's winters zoveel vrolijker dan de straat.' Ze lachte koeltjes naar Barbara zonder haar werkelijk te zien.

Barbara liep achter de kleine Mary de kamer uit, en Tony keek haar na tot de deur dichtviel. Zelfs toen de deur allang dicht was, bleef hij die kant uitstaren.

'Waar sta jij naar te kijken?' zei zijn moeder geërgerd.

Hij schrok en wendde zich tot zijn tante.

'Alleen maar gebleven om u te verwelkomen, tante Diana. Drukke zaken, weet u. Beschouwt u dit huis als het uwe.'

'Dat is het vroeger geweest, dus dat zal wel lukken,' zei Diana. 'Ik voel me eigenlijk overal thuis. Vader zei dat ik de ideale soldatenvrouw zou zijn geweest.' Ze lachte naar Abigail. 'Jij bent ook soldatenvrouw geweest, hè Abigail? Al was je niet ideaal...'

Tony kuchte en liep de kamer uit. Diana ging in een leunstoel bij het vuur zitten en strekte haar handen uit om zich te warmen. Abigail sloot een ogenblik haar ogen en bad om geduld.

'Ik ben inderdaad van plan te komen en te gaan zoals mij goeddunkt, Abigail. En misschien slaap ik ook niet altijd onder jouw dak. Ik ben in ieder geval niet van plan je tekst en uitleg te geven over mijn bezigheden.'

'Die heb ik niet nodig,' snauwde Abigail, die haar goede voornemens een ogenblik vergat.

Diana, tevreden dat ze de eerste klap had uitgedeeld, leunde achterover in haar stoel. Ze strekte haar voeten naar het vuur uit en draaide haar mooie, slanke enkels rond. 'Ik hou van dit huis,' zei ze. 'Ik ben er opgegroeid. Ik heb hier menige dans gedanst en menige bewonderaar gekust. Een van de jongens van Cavendish heeft me in deze kamer ten huwelijk gevraagd. Waar heb je mijn portret gelaten?'

Abigail zat zo afgunstig te kijken hoe glad Diana's huid nog was, dat ze de vraag niet hoorde. Diana was maar vijf jaar jonger en nog zo'n knappe vrouw. Abigail had er wel aardig uitgezien, maar ze kende haar beperkingen en ze wist dat ze met haar geld en haar familienaam zo lelijk als een pad had kunnen zijn en nog een goed huwelijk had kunnen sluiten. Diana echter was mooi geweest, op een heel bijzondere manier. Mannen werden onmiddellijk verliefd op haar; ze had ze als het ware in haar macht. Ze had wie dan ook in het koninkrijk kunnen trouwen, maar toch had ze Kit gekozen. En nu zat ze hier met haar vierendertig jaar, geen vermogen meer, een slechte reputatie, op een leeftijd waarop andere vrouwen dik werden, hun tanden begonnen te verliezen, mismaakt waren door de pokken of door de vele zwangerschappen, en ze was nog steeds prachtig om te zien. Zou ze dan altijd knap blijven?

'Ik vroeg waar je mijn portret hebt gelaten?'

'Welk portret?'

Abigail wist precies welk portret Diana bedoelde. Ze had het als eerste weggehaald omdat Diana er als een godin op had uitgezien.

'Dat waarop ik een wijnkleurige jurk droeg, door Lely geschilderd. Ik had diamanten in mijn haar en om mijn hals en armen.

Lely zei dat ik hem herinnerde aan een bloedrode roos, rijk, mooi en geurig. . . hij was verliefd op me. . .'

'Je zou je kunnen afvragen wat hij van je geur afwist!'

Diana lachte.

'Ik heb het naar een andere kamer gebracht. Ik vond dat het hier niet paste.' Abigail wist dat ze toch weer op een verdedigende toon sprak.

Diana keek omhoog naar het portret dat boven de schoorsteen hing. Daar was Abigail op afgebeeld, glimlachend, dik en blond in een blauwe japon met parels en haar kinderen naast haar. Zij leek beslist niet op een bloedrode roos.

'En het jouwe past beter, veronderstel ik. Maar nu woon jij hier – waar ga je heen als Tony trouwt? Dan zul je dit huis wel missen, met al zijn pracht. De nieuwe hertogin zal jouw schilderij dan wel weghalen en het hare ophangen – zo gaat het nu eenmaal in het leven.'

Tony trouwen. . . Abigail had er nog niet eens aan gedacht. Nee, dat was niet waar. Ze had dikwijls het ene meisje afgewogen tegen het andere, want Tony moest beslist het beste, liefste meisje hebben dat ook nog het meeste bezit meebracht. Maar ze had er nooit over nagedacht dat ze Saylor House zou moeten verlaten. Net iets voor Diana om dat ter sprake te brengen.

'Ik wil graag wat dingen van mezelf hebben,' zei Diana.

'Hoe bedoel je?'

'Een paar dingen uit mijn huis, een paar meubeltjes, portretten. Mijn kleren. Zou je een lakei kunnen sturen om wat spullen te halen zonder dat hij bijzondere aandacht trekt? Een paar dingen maar, Abigail, zodat ik me meer thuisvoel in dit huis, waar ik ben grootgebracht.'

'Ik dacht dat je je overal thuisvoelde!' snauwde Abigail voor ze er erg in had. Weer lachte Diana, alsof ze precies wist wat ze deed. Abigail zou het liefst met haar vuist in die lachende mond slaan, al die scherpe witte tandjes eruitstompen. Maar het allerliefst wilde ze Bentwoodes hebben voor Tony. En daarom moest ze geduldig zijn.

'Mijn – Tony's huis staat tot je beschikking, Diana. Als je een paar dingen uit je eigen huis wilt halen, kunnen we daar wel voor zorgen. En dat brengt me op iets dat ik tegen je had willen zeggen. Ik weet dat je met Roger Montgeoffrey onderhandelt, en ik heb je al gezegd hoe ik over dat huwelijk denk. Maar ik heb mijn bankier een paar berekeningen laten maken, zuiver speculatief natuurlijk, over wat Roger op den duur aan inkomen zal halen uit Bentwoodes. En ik dacht dat jij dat moest weten...'

'Moet ik dat weten?'

'Natuurlijk. Ik besef dat je nu contant geld nodig hebt, maar je hoeft niet iets op te offeren dat in de toekomst een flink kapitaal kan opbrengen – met een beetje geduld en tijd...'

'Ik heb geen tijd, Abigail. Ik bezit geen grond, geen waardepapieren, geen geld, niets anders dan het Alderley-landgoed maar dat komt onvervreemdbaar aan Harry toe en daar rust al de grootst mogelijke hypotheek op. Ik kan niet eens mijn huis in Westminster binnengaan zonder te worden aangesproken door schuldeisers die hun geld willen hebben.'

'Als iemand je nu eens een bedrag leende om je voorlopig te helpen...'

Diana liet niets merken van haar gevoel van triomf.

'Roger heeft me al geld geleend.'

Abigail schrok ervan. Snel maakte ze een nieuwe berekening van het bedrag dat ze van plan was geweest Diana aan te bieden. Ze voelde zich misselijk worden.

'Natuurlijk was het niet genoeg. Niets is genoeg om mij uit het dal te halen waar ik me nu in bevind. Die verdomde Kit – ik hoop dat hij aan de pokken sterft in Lotharingen!' Snel wierp ze een blik naar haar schoonzuster. Abigail zat nu aan geld te denken en merkte niets. Diana keek weer naar het vuur. Haar hese stem klonk peinzend en zacht.

'Roger biedt mij bijna alles wat ik nodig heb. Hij wil mijn lopende rekeningen betalen, de hypotheek op het landgoed inlossen en een kapitaal vastzetten op Harry en mij. Maar ik heb geen toelage. Ik moet een toelage hebben, iets waarvan ik kan rondkomen tot ik hertrouw...'

'Hertrouwen! En je bent nog niet eens gescheiden!' Abigail kon het woord bijna niet uitbrengen, ofschoon het steeds iets gemakkelijker werd wanneer ze het zachtjes liet volgen door Bentwoodes.

'Als ik weer trouw,' zei Diana, alsof ze Abigail niet eens had gehoord, 'is het om iets anders dan om zijn prestaties onder de lakens.'

Abigail wendde zich af. Diana was zo ordinair. Iedereen wist dat ze met Kit had moeten trouwen, maar zoiets hoefde je niet rond te bazuinen. Je moest toch een voorbeeld zijn voor je kinderen.

'Waarom trouw je niet zelf met Roger?' De vraag ontsnapte haar en Abigail verwenste zichzelf. Maar haar schoonzuster reageerde met een blik van respect en verbazing.

'Om twee redenen,' zei Diana. 'Ten eerste zou mijn moeder mij het landgoed nooit geven, en ten tweede, lieve Abigail, heeft hij het mij niet gevraagd.'

Roger met zijn knappe uiterlijk was dus geen dwaas, dacht Abigail. Jammer. Het zou gemakkelijker zijn geweest het landgoed te krijgen als hij wel een dwaas was. En ze moest dat landgoed hebben voor Tony, die er recht op had als hoofd van de familie. Diana kon worden omgekocht, al zou het haar heel wat meer kosten dan ze had berekend. Ze wierp een vluchtige blik op het bijna volmaakte profiel van haar schoonzuster. Diana was merkwaardig eerlijk geweest, dat was geen goed teken. Maar ze begrepen elkaar.

'Morgen zal ik je die berekeningen laten zien, Diana.'

Diana keek naar Abigail met haar prachtige ogen, ogen die leken op heldere violetblauwe vijvers.

'Ja, doe dat.'

Als een wat groot uitgevallen jonge eend trippelde Mary voor Barbara uit. Ze praatte niet over zichzelf of over het huis waar ze doorheen liepen. Ze kwamen door een gang op de tweede verdieping en aan het eind zag Barbara een heel groot raam met een zitje in de vensternis. Aan weerskanten waren gesloten deuren. Ergens halverwege opende Mary een daarvan en Barbara kwam een slaapkamer binnen die op zijn manier net zo fraai was als de grote hal beneden.

Langs de wanden was een licht eiken lambrizering en de gordijnen, de sprei en de overtrekken van de stoelen waren van zonnige gele damast. Mary toonde haar ook nog twee kleine aangrenzende kamers waar ze kon lezen of borduren, of bezoek ontvangen. Een deur in de verste kamer leidde ook weer naar de gang, zodat je een bezoeker niet door de slaapkamer hoefde binnen te laten. In een van de kamers hing een enorm portret van Diana, stralend mooi in een wijnkleurige japon en getooid met diamanten. Ze kwam weer terug in de slaapkamer, waar Mary zwijgend bij de deur stond, met haar hand al op de klink.

'Wacht even,' zei Barbara. 'Ik bijt je niet. Hoe oud ben je?' Mary slikte. 'Elf.'

Barbara lachte tegen haar. 'Ik heb een broer, Kit, die is tien. Maar hij heeft meer praatjes dan jij. Hij kletst als een ekster. Ben jij altijd zo rustig? Je doet me denken aan mijn zusje Charlotte. Zij is mijn lievelingszus.'

Mary zei niets. Ze had haar moeders vierkante gezicht geërfd, maar niet de schoonheid die het moest verzachten.

'Waar zijn jouw kamers?'

'Bo... boven.'

'Alleen van jou?'

Mary knikte. 'En mijn kindermeisje, mevrouw Mentibilly.'

Er stond een prachtige bos gele narcissen en Barbara raakte een ervan aan. 'Dit is beeldig. Ontzettend attent van je moeder. Mijn grootmoeder heeft altijd erg veel bloemen in ons huis – Tamworth Hall. Alleen in de kamers die we gebruiken. Grootmoeder leidt een teruggetrokken leven. Hoe oud was jij toen je vader stierf?'

De pupillen in Mary's ogen werden groter. 'Twee.' Toen zei ze snel: 'Ik kan me niets van hem herinneren.'

Barbara lachte. 'O, ik wel. Hij was lang en knap en hij lachte altijd. Hij bracht dikwijls sinaasappels voor me mee in zijn zakken, en dan moest ik raden in welke zak, anders zou hij ze aan Dulcinea geven. Alsof katten sinaasappels eten! Dulcinea is mijn grootmoeders kat. Ze noemt al haar katten Dulcinea.'

'Mijn moeder houdt niet van katten.' Mary gooide de woorden eruit, alsof ze haast had om weer te zwijgen.

'Nee,' zei Barbara. 'Dat dacht ik al. Heb jij andere dieren?'

Mary schudde haar hoofd.

'Een hond? Zelfs geen vogeltje? Wat zul je eenzaam zijn in dit grote huis.'

Mary zei niets. Ze keek omlaag, maar mokte niet. Ik begin je te begrijpen, dacht Barbara. Je bent eenzaam en je ziet een heleboel, maar je praat er niet over. En je hebt geleerd niemand te vertrouwen. Mij kun je wel vertrouwen. Je lijkt zo op Charlotte. Kom maar Mary, vertrouw me maar. En om te zien of Mary haar zou volgen, liep Barbara weer een van de aangrenzende kamers in. Mary volgde, langzaam, op een veilig afstandje. Het leek wel of ze een vogeltje lokte. Mary stond in de deuropening. 'Waar moeten mijn kleren in?' vroeg Barbara. Zwijgend wees Mary naar een deur die bijna onzichtbaar in de lambrizering was verwerkt. Barbara maakte hem open. Het was een klein kamertje met allemaal haken aan de muur. Ernaast gaf nog zo'n deur toegang tot een ander vertrek. Daar stond alleen een smal bed, voor Barbara's kamermeisje. Barbara keek om zich heen. Alles was volmaakt, behalve dat portret van haar moeder. Dat wilde ze liever laten weghalen.

Ik denk dat ik thee ga drinken in mijn kleine zitkamer, zei Barbara bij zichzelf. En ineens draaide ze zich om en vroeg: 'Kom je bij mij theedrinken, Mary?'

Mary knikte. Er werd geklopt. Barbara liep snel naar de slaapkamer en opende de deur voor twee lakeien die haar koffers binnenbrachten.

'Waar is je dienstmeisje?' fluisterde Mary. Als een schaduw liep ze achter Barbara aan.

Barbara knielde op de grond en opende een van de koffers. 'Ik heb geen dienstmeisje. Ik heb haar op Tamworth achtergelaten omdat ze niet aardig was. Jouw moeder zal wel een meisje voor me te leen hebben. Kijk, Mary.'

Barbara tilde een rek uit de koffer, waarin allemaal vakjes met deksels zaten. Nieuwsgierig maar voorzichtig keek Mary over haar schouder mee. Barbara opende een van de dekseltjes en er kwamen kleurige linten te voorschijn. Mary zuchtte. Barbara haalde een rood lint uit haar verzameling en gaf het aan Mary. Aarzelend pakte Mary het aan. Barbara haalde een stukje kant uit de kluwen linten.

'Dit is van de mouw van de man van wie ik houd, Mary. Hij is de knapste en aardigste man van de wereld; ik ga met hem trouwen en dan krijgen we een heleboel kinderen. Jij moet peettante worden voor een van mijn baby's. Ik heb hier ook nog een muziekdoosje dat hij mij heeft gegeven. Ik zal het je later wel laten zien, maar eerst. . .' Ze legde het stuk kant voorzichtig terug in zijn nestje en opende een ander vakje. Daar zaten haar sieraden in: haar parels, een paar kettingen en oorbellen, en een miniatuur van haar grootmoeder. Ze tikte op de grond naast zich.

'Ga zitten, Mary. Ik wil je een portret van grootmama laten zien. En ik zal je vertellen over mijn broers en zusjes, Harry, Tom, Kit, Charlotte, Anne en Baby. Je doet me zo aan Charlotte denken. Ik zou graag willen doen alsof jij mijn zusje was. Ik mis ze allemaal zo. Kijk, dit is grootmama. Ze ziet er hier erg oud en streng uit, en dat is ze ook wel. Ik moet elke week oefenen met iemand die mij leert hoe ik vis en vlees moet voorsnijden. En ik moet mijn muziek oefenen en mijn Frans. . .'

Mary zat dicht tegen haar aan. Aarzelend strekte ze een hand uit en raakte de zoom van Barbara's rok aan. Barbara was er blij om. Ze had altijd moederlijke gevoelens tegenover kleinere kinderen, en kinderen hielden ook van haar.

'Mijn mama vindt de jouwe niet aardig.' Mary stamelde de woorden, en meteen keek ze Barbara vol ontzetting aan. Maar Barbara legde haar arm om het meisje heen en zei: 'Dat weet ik. Er zijn niet veel mensen die mijn moeder mogen. Kijk, dit zijn mijn eerste parels. Die kreeg ik van grootmama toen ik dertien werd. Als je straks met me theedrinkt, mag je ze om. Dan doen we net of je een hertogin bent. En dan moet ik me keurig gedragen, want als ik getrouwd ben, word ik een beroemde gravin.'

'O, Barbara,' zuchtte Mary, gelukkiger dan ooit. Ze begon een beetje van Barbara te houden met haar kleine, eenzame hartje.

Later, toen er een kamermeisje was geweest om haar koffers uit te pakken en Mary weer naar haar lessen moest, ging Barbara in een van de vensternissen zitten, met de dikke gele kussens in haar rug. Ze keek uit over de achtertuinen, waar de bomen hun kale takken lieten wuiven boven de grindpaden. Voorbij de bomen stonden hele rijen gesnoeide rozenstruiken. Wat zal het hier mooi zijn in de lente, dacht ze met haar hoofd tegen het koele vensterglas. Het was heerlijk om hier te zijn. Ze voelde zich nu ook dichter bij Roger. Nu zou het contract ook wel gauw worden getekend. Niemand vertelde haar iets, en ze werden kwaad als ze ernaar vroeg. Het was zo moeilijk om te wachten, om geduldig te zijn, wanneer anderen over je toekomst beslisten. Zij was niet geduldig, dat was haar ergste fout, had grootmama gezegd. Ze zuchtte van verlangen naar grootmama en naar Roger, haar prins, haar droom. Voor haar was hij altijd die knappe gebruinde man die hoog op een paard zat, tegen haar lachte en haar bij zich op het paard tilde. Hij was de man die haar in zijn armen had genomen bij haar grootvaders begrafenis, die haar had geknuffeld en die had gezegd dat ze niet moest huilen, terwijl hij dat zelf wel deed. Ze hield van hem met heel haar hart, en ze zou van hem blijven houden, altijd.

Roger zat dicht bij het loeiende haardvuur waarop het water voor de koffie en thee in het St.-James's koffiehuis werd verhit. Hij zat daar liever dan aan de lange tafels bij de andere klanten die praatten, gokten en hun pijp rookten. Hij had zijn stoel dicht bij het rek gezet waarop de koffie- en theepotten warm werden gehouden. Een eindje achter hem stond de kassierster, mevrouw Blow, achter een hoge kassa. De klanten betaalden haar een penny en dan mochten ze zo lang blijven als ze wilden en net zoveel koffie of thee drinken als waar ze zin in hadden. Roger kwam hier om de nieuwsbrieven te lezen en de roddelpraatjes uit het paleis te vernemen, net zoals hij naar Lloyd's koffiehuis ging om nieuws te horen over scheepvaart, waar men daar in gespecialiseerd was, en naar Will's omdat daar veel dichters kwamen.

Het eerste koffiehuis van Londen was geopend in 1650, vijfenzestig jaar geleden, en nu waren koffiehuizen een dagelijks begrip geworden. In elke buurt vond je er wel een of twee net om de hoek, die vooral werden bezocht door mannen, omdat ze daar hun vrienden en kennissen ontmoetten.

Net als in de meeste andere hing in het St.-James's koffiehuis een mist van al het pijproken. Walpole en zijn broer en nog twee mannen zaten te kaarten aan een ronde tafel bij het raam, dat uitkeek over de straat. Roger had ook even gespeeld maar hij had steeds verloren, daarom was hij ermee opgehouden. Nu zat hij een brief te lezen met nieuws van het Franse hof die Elliot, de eigenaar, hem had gegeven. Elliot wist dat Roger in januari naar Frankrijk ging, en dacht dat hij het laatste nieuws wel wilde weten. Er stond eigenlijk niet veel in die brief dat Roger niet reeds wist: dat de regent ruzie had met zijn neef, de koning van Spanje; er waren geruchten dat de regent aan zwarte kunst deed, in een poging de duivel op te roepen en hem de jonge koning te laten vermoorden. Roger vouwde de brief weer dicht en gaf hem aan een dienaar. Hij zat te denken aan de Schot John Law die in Parijs zo'n furore maakte, en dat hij moest proberen hem te ontmoeten wanneer hij in Frankrijk was, toen Carlyle binnenwandelde, die

Roger onmiddellijk zag zitten. Hij legde zijn penny neer voor mevrouw Blow, riep een dienaar om een glas wijn, verzocht een andere dienaar om een stoel bij Roger neer te zetten en kwam met veel gegroet door de hele ruimte eindelijk bij Roger zitten.

Roger, die zich had zitten vervelen, was blij hem te zien. Carlyle kende vast de laatste roddelpraatjes. Hij kwam inderdaad van Button's koffiehuis waar hij had zitten luisteren naar de dichter Alexander Pope. Ineens hoorden ze Robert Walpole luid boeren, en Carlyle zei dat Walpoles vrouw met lord Hervey naar bed ging. Roger glimlachte. Walpoles vrouw ging met hèm naar bed. Het was toevallig gebeurd: te veel wijn, de verveling... Hij had nu al genoeg van haar, zoals hij tegenwoordig overal genoeg van had. Als zij geïnteresseerd was in Hervey, zou hij haar wel een duwtje in die richting geven. Hij was ook te veel op Walpole gesteld om te riskeren dat zijn vrouw tussen hen beiden kwam te staan. Carlyle vertelde over Walpoles schulden en dat hij om geld zat te springen. Roger nam zich voor hem een paar honderd pond te lenen.

Carlyle las ook Elliots brief. Tot zijn teleurstelling zei Roger dat het verhaal over zwarte kunst alleen maar verspreid was door de onwettige neven van de regent, die op die manier hoopten hem in diskrediet te brengen. Carlyle wilde graag meer weten over zwarte kunst. Ze spraken over een oude vrouw die op de brandstapel was verbrand in Chelsea, hadden het over een nieuwe winkel die werd geopend en of ze er meteen naar toe zouden gaan en over het gerucht dat de troonpretendent, James III, voor de kust van Schotland lag. Ze bespraken het nieuws dat lady Diana Alderley nu bij haar neef woonde, de jonge hertog van Tamworth.

Carlyle vertelde zijn nieuws (dat Roger al kende) met de nodige vrolijkheid; hij dacht dat zijn geroddel aanleiding was geweest voor de verhuizing. Dat was toch wel het minste wat hij kon doen voor zijn dierbare vriend en dat jonge meisje met wie hij wilde trouwen. Was het contract al getekend, wilde Carlyle weten. Roger zei van niet. Toen hadden ze het over de vraag of het gepast was dat Roger nieuwjaarscadeaus aan Barbara stuurde terwijl ze nog niet officieel met hem verloofd was. Carlyle zei nee, en Roger zei dat hij al iets had gekocht. Carlyle vermeldde dat hij Diana Child's Bank had zien binnengaan, de bank waar lady Abigail Saylor cliënt was. Dat vond Roger wel interessant. Ze besloten ook nog even naar Button's te gaan om te zien of Pope daar nog zat; Roger wilde dat gedicht ook wel horen. Hoelang was ze bij Child's Bank binnen geweest, vroeg Roger. Carlyle zei dat hij dat niet wist.

'Wat bedoel je nu eigenlijk?' Roger fronste zijn wenkbrauwen, iets wat hij bijna nooit deed, en zijn stem klonk scherp. Zijn advocaat Craven, van de firma Craven, Waddill en Civins, schoof op zijn stoel heen en weer. Hij was een klein dik mannetje dat altijd verkleurde plekken van snuif op zijn gele tanden had. Hij schraapte zijn keel.

'Eh... ziet u... het schijnt dat lady Diana plotseling van mening is dat de voorwaarden niet genoeg... eh... h'm... bieden, mijnheer.'

'Ik weet dat er een klein meningsverschil was over een lijfrente, maar daar hoeven we toch niet over te harrewarren, Craven.'

'Twintigduizend pond, mijnheer.'

Roger opende zijn mond en sloot hem toen weer. Eén moment was hij sprakeloos.

'Ja, ik begrijp u volkomen. Wij schrokken ook toen de advocaten van lady Alderley dat bedrag noemden. Het schijnt dat lady Alderley iets wil hebben voor de lange duur...'

'De lange duur?'

'Zeker, dat waren hun woorden. Als u niet bereid bent haar een percentage van de huurinkomsten van gebouwen en huizen te geven, wil ze graag een bedrag ineens, mijnheer.'

'Abigail!' mompelde Roger. Hij sloeg met zijn hand op de schrijftafel.

'Neemt u me niet kwalijk?'

'Niets! Ik zat hardop te denken. Ik begrijp je goed, geloof ik. Het gaat niet om geld boven op juffrouw Barbara's kapitaal. Het komt boven op het geld dat ik lady Alderley reeds heb geleend en bij de schulden en hypotheken die ik zou afbetalen?'

Craven knikte. Roger keek naar de stapels papieren op zijn schrijftafel. Het waren vooral tekeningen en schetsen van gebouwen, en berekeningen van bouwkosten. Hij had al heel wat tijd en geld aan Bentwoodes besteed.

'Zal ik de onderhandelingen... eh... afbreken, mijnheer?'

'Nee! Nee, Craven. Laat je niet in de war brengen. Bij zakelijke onderhandelingen kun je je geen boosheid permitteren.'

Hij haalde diep adem; zijn ogen waren helderblauw van woede. Met een gebaar van zijn hand stuurde hij de advocaat weg en ging bij het raam staan dat uitkeek over St.-James's Square. Het begon een beetje te sneeuwen. Beneden hem werd een wagen vol denne-takken, hulstkransen en ontelbare sierbogen van laurier- en palm-bladeren uitgeladen. Hij zag White en Montrose met elkaar ru-ziën. Het leken net schooljongetjes. Hij had hun opgedragen het huis voor het kerstfeest op te sieren. Hij wilde koninklijke ont-vangsten houden met diners en muziek, zijn hele huis stralend van het kaarslicht en het groen. Hij had gedacht gedurende deze feest-dagen zijn vertrek naar Frankrijk en zijn aanstaande huwelijk en Bentwoodes te vieren. Wren liet zelfs twee assistenten een gipsen model maken van zijn bouwplannen en dat wilde hij op een tafel tentoonstellen voor al zijn gasten. En dat zou nu allemaal in rook opgaan door de hebzucht van een vrouw? Hij fronste zijn wenk-brauwen.

Beneden kregen White en Montrose hem in de gaten, zoals hij daar bij het raam stond, en ze wuifden. Maar hij wuifde niet te-rug. Bentwoodes was zijn droom, zijn kans om ook tot de werke-lijk grote families te behoren, om iets te scheppen dat eeuwig aan hem zou herinneren. Hij zou heel wat aandelen en waardepapie-ren, die zijn bankiers zo zorgvuldig voor hem hadden belegd, moeten verkopen. Zijn plannen zouden ontzettend veel geld gaan kosten, en hij ging tegen het advies van zijn bankiers in. Maar zijn kinderen, zijn kleinkinderen zouden de vruchten plukken van het aanzien van de familie, van alle huur die ze konden innen en van alle handel. Eigenlijk was Diana heel geslepen dat ze iets van die toekomst wilde hebben. Maar zij was niet degene die een droom verwezenlijkte, dat deed hij. Er moest een manier zijn om haar dat bij te brengen. Hij sloot zijn ogen en ademde diep om de woe-de die hij in zich voelde opkomen te onderdrukken. Het mocht niet gebeuren dat Abigail en Diana en zijn eigen woede hem de baas werden. Zo'n kans als Bentwoodes kwam maar eens in je le-ven.

Barbara zat aan een elegante schrijftafel in een van de vertrekken naast haar slaapkamer. Het was een elegante tafel met versierde pootjes en een blad dat omlaag krulde en geopend kon worden.

Daarbinnen was een glad schrijfoppervlak en er waren een heleboel hokjes waarin je brieven kon opbergen. Een dikke brief aan haar grootmoeder lag opgevouwen klaar; er moest alleen nog een zegel van Tony op voor hij werd weggestuurd. Ze schreef naar haar grootmoeder over Roger, dat ze van het dak van dit huis uitzicht had op St.-James's Square, waar hij woonde. Het waren drukke dagen voor Kerstmis, schreef ze. (En Roger kwam nooit op bezoek, maar dat schreef ze niet.) Ze was bij Fanny op bezoek geweest en had de twee kleine kindertjes gezien. Ze nam les in waterverfschilderen en dansen, samen met Mary. Soms nam Tony Mary en haar mee uit voor een ritje. De dagen waren streng ingedeeld: 's morgens had ze les (schilderen, aardrijkskunde, Frans, spinet, dans) en ging ze brieven schrijven of goedgekeurde boeken lezen; de middagen waren voor bezoek of het ontvangen van gasten.

Barbara nam een nieuw vel papier. Ze wilde Jane een brief schrijven en haar voor de thee uitnodigen. In de slaapkamer was Martha, het kamermeisje dat tante haar had toegewezen, en door de open deur kon Barbara haar net zien. Ze stak haar tong uit tegen de rug van de dienstbode, een zware, strenge vrouw met donkere wenkbrauwen die elkaar boven de neus raakten. Martha had haar verhinderd naar Roger te schrijven. Als een meisje heimelijk contact wilde zoeken met een heer, moest ze een betrouwbaar dienstmeisje hebben dat de brief kon bezorgen. Na één blik op Martha wist ze zeker dat die meteen naar haar tante zou lopen. Maar toch wilde ze Roger een keer zien. Haar kin kwam omhoog en haar grootmoeder zou onmiddellijk hebben geweten dat haar besluit vaststond, maar haar tante kende haar niet goed genoeg en haar moeder lette niet op haar.

'Ik begrijp niet waarom dit vanavond nodig was,' zei Abigail tegen Tony. Ze stonden beiden in de grote salon te wachten tot Diana en Barbara beneden kwamen. Tony droeg een nieuwe pruik, een zilverbrokaten jas en een wit geborduurd vest met een zwartfluwelen broek. Abigail trok aan zijn kanten manchet onder het spreken.

'Uiteindelijk is Diana al zo dikwijls naar het theater geweest, en Barbara is veel te jong naar mijn mening. Theaterbezoek geeft een slechte reputatie Tony, die je je jonge nichtje niet zou moeten bezorgen.'

'Zal haar beschermen, moeder.'

Abigail moest niets hebben van de toon waarop hij dat zei. 'Poeh! Zij heeft geen bescherming nodig. Laat haar maar gaan, Tony. Je hoeft niet de hele avond de wacht te houden bij je plattelandsnichtje. Zet hen in je loge en ga dan je eigen vrienden opzoeken in de pauze...'

Ze sprak niet verder want Barbara kwam de kamer binnendansen. Zelfs Abigail moest toegeven dat ze er heel knap uitzag in haar lichtgele japon en witte onderrok, met parels om haar hals en in haar oren. Ze zag er jong, fris en maagdelijk uit.

'Tony, ik ben zo opgewonden, zeg nog eens waar we naar toe gaan!'

'Een klucht genaamd *Het bedrog van Scapino*. Een blijspel in twee bedrijven, *De komische rivalen,* met Italiaanse sonates van signor Gasparini. Dansen door het Devonshire-meisje. Twee Franse meisjes die koorddansen en hun vader zal de "nieuwste grappen van Harlequin" presenteren, zoals ze ook voor de jonge Franse koning zijn opgevoerd. En een zekere Evans uit Wenen zal heel bijzondere kunstjes laten zien van zijn wonderpaard Hercules.'

Tony had het hele programma uit zijn hoofd geleerd. Abigail keek hem met grote ogen aan en er kwam een vermoeden bij haar op dat zo belachelijk was dat ze het meteen weer liet varen.

'Ik ben zo benieuwd, ik heb nog nooit iemand over een touw zien lopen! En Tony zegt dat hij ons na afloop meeneemt naar Pontac's voor een souper!'

Barbara's bruisende enthousiasme irriteerde Abigail. 'Souper?' zei ze koeltjes. 'Dat wordt veel te laat...'

'Negen uur maar, tante. De voorstelling is om negen uur afgelopen. Dan kunnen we om elf uur al thuis zijn! Tony, help je even met mijn handschoen, hij is losgegaan!'

Abigail keek toe hoe haar zoon zich gehoorzaam over Barbara's pols boog. Het leek wel of hij er langer over deed dan nodig, met zijn gepeuter aan die kleine paarlen knoopjes. Ze trok een bedenkelijk gezicht. Hij zag er veel te gelukkig uit, maar voor ze iets kon bedenken om zijn stemming te bederven, kwam Diana de kamer binnenglijden. Ze droeg een japon van koningsblauw satijn die haar borsten uitdagend omhoog duwde. In haar haar droeg ze diamanten en saffieren die pasten bij haar halssieraad. Waar waren die in vredesnaam vandaan gekomen? dacht Abigail, en berekende snel wat de waarde ervan kon zijn. Diana hoefde die juwelen maar te belenen en ze kon een half jaar vooruit.

Toen Barbara zag hoe haar moeder was gekleed en hoe ze zich had opgemaakt met een tache de beauté bij haar linkeroog en bij haar mondhoek, verlangde ze alleen maar om zelf ook volwassen te zijn. Als ze poeder en verf gebruikte zou Roger zeker onmiddellijk voor haar vallen. Maar voorlopig moest ze het zien te doen met haar lichtgele jurk en de parels.

'Wanneer zie ik graaf Devane weer?' vroeg ze aan haar moeder. Diana keek Abigail aan. Abigail bestudeerde een van de wandschilderingen.

'Binnenkort,' zei Diana achteloos.

Barbara reageerde niet; ze dacht aan de blik die ze tussen haar moeder en haar tante had zien wisselen, en ze had het gevoel dat dat niet veel goeds voorspelde.

Signor Gasparini was al midden in een van zijn galmende aria's toen ze bij het Drury Rave Theater aankwamen. Een portier wees hun hun loge, die met een heleboel andere loges onder een houten balkon lag. Voor de loges was de parterre waar banken stonden die met groene matten waren bedekt. Het krioelde er van de mensen, en niemand lette op signor Gasparini. Er zaten mannen en vrouwen, maar de mannen waren in de meerderheid. Ze kaartten en flirtten met de aanwezige vrouwen, en sommigen waren gaan staan om te kijken wie er in de loges zaten. Het toneel was helder verlicht door kaarsen die in grote kandelabers aan weerszijden van het toneel hingen. Jonge vrouwen met manden sinaasappels verkochten het fruit als verversing aan het publiek.

Robert Walpole en Tommy Carlyle waren beiden in de parterre, maar niet samen. Carlyle stond omhoog te kijken, en omdat hij lang en breed was, benam hij de mensen achter hem het zicht. Er werd gesist en boeh geroepen, maar hij bleef staan en keek op zijn gemak langs alle loges. Hij zag Tony binnenkomen met Diana en Barbara, en ontwaarde de hertog en hertogin van Montagu in de loge ernaast. Hij zwaaide naar hen tot de hertogin hem opmerkte en wees naar de loge naast hen, waar Tony Diana en Barbara hielp met hun mantels. Nog meer mensen begonnen erg te krijgen in hun aanwezigheid. Het was Diana's eerste verschijnen in het openbaar sinds tijden, en bovendien was iedereen nieuwsgierig naar Barbara over wie veel was gesproken, maar die weinigen hadden gezien. Nu gingen een paar mensen staan die allemaal naar Tony's loge wezen.

Charles Townshend porde Walpole in zijn zij. Walpole, die juist de sappigste sinaasappel uit de mand van een koopvrouwtje koos, keek omhoog naar de loge die Townshend hem wees. Daar zag hij bij de hertog van Tamworth een donkerharige vrouw in een laag uitgesneden koningsblauwe japon die het grootste deel van haar grote blanke borsten onbedekt liet. Ze was bijzonder mooi met haar donkere wenkbrauwen en het volmaakt gevormde gezicht dat alleen onder de kin iets te dik was. Naast haar zat een knap jong meisje, maar voor haar had hij geen belangstelling. Het was alsof ze niet voor hem bestond. De vrouw wuifde zich koelte toe met haar waaier en overzag alle mensen beneden.

'Diana...' zei Walpole vol bewondering. Toen haar ogen zijn kant uitkeken, stond hij op en maakte een buiging. Ze keek koel in zijn richting, en meteen ging haar blik weer verder. Zijn zwager naast hem zei: 'Ze heeft geen belangstelling, Robert.'

'Dat komt wel,' antwoordde hij.

In de loge naast die van Tony trok de hertog van Montagu aan de mouw van zijn echtgenote. 'Lord Tamworth zit in de volgende loge. Ik moet hem toch even begroeten.' Hij fluisterde niet; dat deed niemand. De voorstelling speelde zich even goed af in de loges als op het toneel.

'Ga je gang.'

Hij stond op, leunde over de balustrade en siste Tony's naam. 'Kom in de pauze bij ons zitten.'

Toen het eerste bedrijf was afgelopen, gingen ze naar de Montagu-loge. Montagu schoof Diana's stoel naar voren en hielp haar haar lange rok om haar voeten te schikken. Ze lette niet op hem.

'Dat is lang geleden,' zei hij tegen haar.

Ze keek hem vluchtig aan. 'O ja?'

'Mary,' zei Montagu tegen zijn vrouw, 'je kent Tamworth, en lady Alderley. Dit is haar oudste dochter... eh...'

'Barbara,' hielp Tony.

'Juffrouw Barbara Alderley.'

Mary Montagu en Diana wisselden tamelijk vijandige knikjes en toen stak Mary twee vingers uit naar Barbara, terwijl ze allang weer omlaag keek naar andere mensen in de parterre. Ze was iets jonger dan Diana en droeg een zwart fluwelen japon met een rijke versiering van juwelen in haar haar, haar oren en om haar hals. Barbara stond nog wat verlegen naast haar, tot Tony haar bij de arm nam en weer naar haar stoel geleidde.

Montagu ging schuin achter Diana zitten, waar hij een goed uitzicht had op haar blanke rug, schouders en hals.

'We hebben elkaar een paar jaar geleden ontmoet,' zei hij, 'in het zomerverblijf van Windmere.'

'O ja?'

'Hou je mond!' zei Mary Montagu. 'Het tweede komische bedrijf gaat beginnen.'

Zwijgend keken ze naar het tweede deel van *De komische rivalen.*

Montagu kwam met zijn hoofd pal bij Diana's oor. Hij was zo dichtbij dat zijn adem warm op haar schouder viel.

'Denk eens na,' fluisterde hij. 'Ongeveer vier jaar geleden, een warme julimaand. Je had dorst en ik heb je wijn gebracht. We waren alleen. We zijn toen... intiem... geworden. Probeer het je te herinneren.'

Diana opende haar waaier en hield hem voor haar mond. 'Was jij dat? Daar had ik geen idee van.'

Ze keek Montagu nu aan met haar grote violette ogen en likte langzaam met het puntje van haar rode tong langs haar lippen.

'Zouden we iets dergelijks kunnen herhalen?' fluisterde hij.

'Ik was toen niet meer nuchter,' zei ze, en plotseling lachte ze diep uit haar keel, en hij lachte met haar mee. Op het toneel gebeurde niets grappigs, en hun gelach verbrak de stilte. Het was duidelijk het lachen van twee mensen die een intiem moment met elkaar hadden gedeeld. Barbara bloosde. Beneden hoorde Robert Walpole het gelach ook. Hij ging staan en zag Diana en Montagu dicht bij elkaar zitten. Hij fronste zijn zware wenkbrauwen en plofte weer terug in zijn stoel. Carlyle, die dichter bij het toneel zat, had het ook gehoord. Ook hij stond op om te kijken.

'Diana en Monty,' zei hij tegen zijn gezelschap. 'Zo, zo, zo. Daar moet ik meer van weten. Ze hebben het zo gezellig met elkaar, dat kan nooit komen door dit oude, saaie toneelstuk.' Hij baande zich een weg tussen de mensen door en verliet de parterre.

De toneelknechten ruimden het toneel leeg omdat het Devonshire-meisje zou gaan dansen. Diana en Montagu zaten te fluisteren. Alle anderen in de loge zwegen en er ontstond een pijnlijke, gespannen stilte. Er werd op de deur geklopt; Carlyle slenterde naar binnen en zei: 'Mary, liefste, je moet me redden. Ik zit beneden veel te dicht bij het toneel, kan ik niet hier bij jou gaan zitten – o, maar je hebt bezoek. Ik kom ongelegen.' Dat deed hij inderdaad, maar hij maakte geen aanstalten om te vertrekken. Voor het eerst die avond glimlachte Mary Montagu. Haar tanden begonnen al te rotten; langs de bovenkant, waar de tanden in het tandvlees verdwijnen, zaten bruine plekken.

'Natuurlijk moet je blijven, Tommy, al was het maar om mij gezelschap te houden. Je kent iedereen geloof ik, Tamworth, lady Alderley.'

Carlyle boog zich over Diana's hand. Met een koele blik keek ze hem aan. 'Zeker, zeker, lady Alderley, u ziet er vanavond betoverend uit. Vind je niet, Monty? Maar ja, de mooie lady Alderley is altijd betoverend. U geniet van uw nieuwe huisvesting, hoop ik, lady Alderley. Zoveel aangenamer dan Covent Garden – en wie is dit kind? Toch niet de geheimzinnige Barbara? Stel me voor. Stel me ogenblikkelijk voor! Ik buig voor u, lieve.'

Barbara keek omhoog in ogen die niet lachten, zoals de rood-aangezette mond wel deed. Ze had nog nooit een man gezien die zoveel poeder, rouge en taches de beauté droeg. In zijn linkeroor schitterde een enorme diamant. De krullen van zijn zwarte kroezige pruik raakten haar hand toen hij die vasthield. Ze wist niet wat ze ervan moest denken.

'Waar hebben jullie deze kostbaarheid verstopt gehouden?' zei hij. 'Beeldig, beeldig! Heeft het een tong? Zeg eens iets tegen Carlyle, kind.'

'Hoe... hoe maakt u het?' stamelde Barbara.

Carlyle liet haar hand los en deed alsof hij achterover viel.

'Wat een stem!' riep hij. 'Fantastisch! Ik werp me aan uw voeten als uw eerste verovering!'

'Een mooie verovering,' zei Diana. Ze keek Carlyle koel aan.

'Maar ik stoor!' ging Carlyle voort. 'U moet het Devonshire-meisje zien. De gratie van een godin. O, maar de dans is al voorbij. Nu hebt u het allemaal gemist. Mary, mijn troeteltje, zal ik weggaan? Stoor ik?'

'Ja,' zei Diana.

'Kom jij maar pal naast mij zitten,' zei Mary Montagu, en wees op de stoel naast haar, waar Montagu eerst had gezeten. 'Ik verveel me dood.'

'Maar waar is Roger?' vroeg Carlyle terwijl hij ging zitten. 'Ik dacht dat hij met jullie mee zou komen.'

'Dat was het plan, maar hij heeft op het laatste nippertje afgezegd.'

'Die vrouw,' zei Carlyle met een zucht. 'Ik hoor dat zij iets heeft met...' Hij leunde naar voren en fluisterde iets in Mary's oor.

'Nee,' zei ze, en begon te lachen.

'Barbara,' zei Tony. 'Wil even wandelen op de gang. Ga je mee?'

Barbara, die bewegingloos als een standbeeld had gezeten, sprong op. 'Ja,' mompelde ze. De twee verlieten de loge.

'Dat was gemeen van je, Tommy,' zei Mary Montagu. 'Het kind heeft het gehoord. Ben je van plan te gaan roddelen over de manier waarop mijn man zich belachelijk zit te maken met die veredelde hoer achter ons?'

'Dat spreekt toch vanzelf.'

'Mooi. Haal dan ook alles wat je je aan smerigs over haar kunt herinneren naar boven.'

'Mary, mijn troeteltje, hoor ik jaloezie in je stem?'

'Je hoort verveling, Tommy, dodelijke verveling. Ze kan hem krijgen. Ik ben hem al jaren beu.'

Carlyle keek bedenkelijk. 'Sst! Sst! Maar goed dat de bruid net weg is. Je zou haar zo ontgoochelen.'

'De bruid? O, je bedoelt dat kind van Alderley. Zijn de contracten dan al getekend?'

Carlyle boog zich naar voren. 'Nog niet,' fluisterde hij. 'Diana vraagt steeds meer geld. Ik vind het stom. Ze brengt Roger tot het uiterste.'

'Ze was altijd al zo'n hebzuchtig kreng.'

'Wat vond je van het meisje? Haar stem is hemels, maar toch was ik teleurgesteld. Roger verdient beter, iets indrukwekkenders. Ze is uiteindelijk nog maar een kind.'

'Arme meid,' zei Mary Montagu bij zichzelf.

'Draai je niet om, lieve. Je man zit bijna te kwijlen over Diana.'

'De idioot.'

Buiten in de gang wreef Tony Barbara's handen tussen de zijne. Ze leunde tegen een muur met haar ogen dicht.

'Bab, gaat het een beetje?'

Barbara deed haar best om niet te huilen.

'Het spijt me dat je dat moest horen, Bab. Mannen als Roger hebben altijd... het heeft niets te betekenen. Toe Bab, trek het je niet zo aan.'

Ze slikte en deed haar ogen open. Tony met zijn dikke, pafferige gezicht keek haar aan met bezorgde, vriendelijke, lichtblauwe ogen. Het was lief van hem dat hij haar bij die vreselijke mensen vandaan had gehaald.

'Breng me naar huis, Tony,' fluisterde ze. 'Ik voel me misselijk.'

'En het souper dan? Als je wat gegeten hebt voel je je vast wat beter.'

Het idee dat ze nog twee uur bij Pontac's zou moeten zitten... En als de hertog en de hertogin ook kwamen... en haar moeder en die man van Carlyle, stel je voor dat die kwam! Nee, nee, ze wilde naar huis, naar bed.

'Alsjeblieft,' fluisterde ze.

'Zoals je wilt, Bab. Je weet dat ik alles voor je doe.'

Hij liet haar even achter bij de muur om haar mantel te halen en fluisterde tegen Diana dat Barbara niet in orde was en dat hij haar naar huis bracht. Montagu verzekerde hem dat hij Diana veilig zou thuisbrengen. Carlyle grinnikte.

'De bruid is ziek,' zei Carlyle zachtjes tegen Mary Montagu.
'Komt dat door iets wat ik heb gezegd?'

'Gemenerik,' fluisterde ze terug. 'Roger zou je vermoorden.'

In zijn haast om weer bij Barbara te komen, botste Tony tegen Walpole die juist bij de deur van de Montagu-loge stond. De mantels vielen op de grond en Walpole bukte zich tegelijk met Tony. Hun hoofden stootten tegen elkaar, maar ze bezeerden elkaar niet echt dank zij hun pruiken.

'Blijf nu staan, Tamworth!' zei Walpole; hij bukte weer om de mantels op te rapen en gaf ze aan Tony.

'Mijn nicht,' zei Tony, die snel op Barbara toeliep. 'Ziek, weet je. Moet nu gaan.'

Walpole liep nog over zijn hoofd te wrijven toen hij de loge binnenkwam. Op het toneel sprong het wonderpaard, Hercules, door een hoepel van vuur. Vanaf het balkon van de lakeien werd gejoeld en gefloten. Mary Montagu en Carlyle wenkten Walpole om naar voren te komen. Diana en Montagu keken hem amper aan. Hij zwaaide een kushand naar Mary, maar begaf zich naar het hoekje waar Montagu en Diana zaten.

'Stel me voor, Monty,' zei hij.

'Lady Diana Alderley, Robert Walpole, minister van de Schat-kist.'

Bij het woord 'schatkist' keek Diana op en glimlachte. 'Mijn-heer Walton, het is mij een genoegen u te ontmoeten.'

'Walpole,' zei Montagu. 'En verspil maar geen tijd aan hem. Hij heeft geen geld.'

'O,' zei Diana.

'Ik meende al dat ik hem zich zag uitsloven in de parterre, als een walvis op het droge,' fluisterde Carlyle tegen Mary Montagu. 'Ik had geen idee dat het hem om Diana te doen was. Het wordt al ingewikkelder.'

'Als er nog één man hier naar binnen loopt en recht op haar af-komt, begin ik te gillen. Ik heb hoofdpijn, Monty, en Tommy zal me wel thuisbrengen.'

Montagu knikte verstrooid in de richting van zijn vrouw.

'Apropos,' zei Carlyle.

Montagu lette niet op hem. Zijn blik was gevestigd op Walpo-le, die blijkbaar precies wist wat hij deed. Zijn vrouw sloeg de deur van de loge achter zich dicht.

'Herinner je je mijnheer Walpole niet, Diana,' zei Montagu. 'Hij had de leiding bij het onderzoek tegen je man in het parle-ment, verleden zomer.'

Diana's prachtige blanke boezem ging op en neer.

'Het was mijn plicht, meer niet,' begon Walpole te stotteren, tot groot vermaak van Montagu. Eindelijk stond de grote man met de mond vol tanden. 'Niets persoonlijks, lady Alderley, dat verze-ker ik u.'

'Zeg dat maar tegen mijn vaderloze kinderen. Ga weg, mijnheer Walton.'

'Walpole,' verbeterde Walpole. Mary Montagu en Carlyle wa-ren al vertrokken, en Montagu hielp Diana met haar mantel.

Met het naderende kerstfeest kreeg Barbara het druk. Tony nam haar mee uit wandelen in St.-James's Park, waar ze de herten kon voeren. Mary, die met hen mee mocht, vertelde opgewonden dat je in de lente een kop verse melk kon kopen van de melkmeisjes die zich met hun koeien bij de Rosamond-vijver verzamelden, en dat je dan heerlijk kon drinken tijdens je wandeling. Abigail had erin toegestemd dat Mary haar lessen oversloeg tijdens de feestdagen. Doordat de meisjes nu samen waren, hoopte ze dat Barbara niet te veel vragen zou stellen.

Barbara had Mary tot in bijzonderheden verteld wat ze allemaal had gezien, van de sinaasappelverkoopsters tot de koorddansers, maar niet wat Carlyle over Roger had gezegd. Ze had die nacht urenlang liggen huilen, maar ze was te trots om naar haar moeder of haar tante of zelfs naar Fanny te gaan om erover te praten. Ze verwerkte het allemaal in stilte. Intussen bezocht ze de mooie plekjes van Londen. Zij en Mary hadden een heerlijke middag bij hun tante Shrewsborough die hen op de thee had uitgenodigd en die op een deftige, ceremoniële manier serveerde, met haar zilveren theepotten en twee lakeien om hen te bedienen. Daarna nam ze de twee meisjes mee naar boven, waar ze zich naar hartelust mooi mochten maken met poeder, rouge en taches de beauté, ook al moest het kamermeisje hun gezichten later boenen tot ze vuurrood zagen. Het was hun heerlijkste middag in een serie van dit soort dagen.

Op een middag had Barbara zelfs een ontmoeting met Roger. Fanny had haar en Mary meegenomen om boodschappen te doen. Barbara had een beetje geld, waarvoor ze nieuwsjaarscadeautjes wilde kopen voor haar broertjes en zusjes. Mary vond het heerlijk dat ze mocht helpen bij het kiezen van speelgoed voor Tom, Kit, Charlotte, Anne en Baby, die ze nu door de verhalen van Barbara al zo goed kende, alsof ze met hen was opgegroeid. Barbara gaf juist haar grootmoeders naam en adres op aan de winkelbediende – voor een paar extra shillings zou hij de cadeautjes inpakken en laten bezorgen – toen ze Roger voor een boekwinkel daartegenover zag staan. Hij stond in een boek te bladeren, en die vreemde, akelige man Carlyle was bij hem.

Ze holde naar de overkant. Roger lachte tegen haar, en meteen vergaf ze hem alles. Hij boog zich over haar hand met de gratie van een jonge god. Hoe kon iemand zo knap zijn? Fanny en Mary kwamen naar hen toe. 'Ah, een kinderpartijtje,' zei Carlyle. Ze spraken over het winkelen, over plannen voor het kerstfeest en over zijn reis naar Frankrijk. Er werd niets gezegd over Diana. Niets over onderhandelingen. Fanny sprak met een hoge, gespannen stem, waardoor Barbara wist dat ze zenuwachtig was. Later, in het rijtuig, vroeg Barbara: 'Fanny, wat is er toch aan de hand? Vertel het me alsjeblieft!' Fanny keek een andere kant uit en zei: 'Stil toch.' Barbara kreeg een akelig voorgevoel. Ze bedacht een plan: ze zou lief en gedwee en geduldig zijn ter ere van het kerstfeest. Dan was het toch wel zeker dat ze Roger nog een keer zou zien. Bij die gelegenheid zou ze hem onomwonden vragen hoe het stond met hun huwelijk.

Er was inderdaad iets aan de hand. Mary, die nu haar bondgenote was, vertelde dat er verscheidene uitnodigingen van Roger waren gekomen, voor haar en haar moeder, en dat haar tante ze had weggestopt. Ze was wel zo verstandig haar moeder of haar tante er geen vragen over te stellen. Die speelden het een of andere spelletje, maar ze hadden buiten de waard gerekend als ze dachten dat haar volgzaamheid meer was dan uiterlijk vertoon. Barbara wist wat ze wilde, en dat zou ze hebben ook.

Doordat haar plan haar een beetje moed gaf, kreeg ze ook zin om het huis te versieren. Ze begreep niet dat tante Saylor dat werk aan de bedienden overliet, dat Tony en Mary nog nooit kerstkransen hadden gevlochten of groen langs de trapleuning hadden opgehangen. Ze deelde bevelen uit alsof Tony een van de lakeien was. Hij klom op de balustrades van de hal om het dennegroen te bevestigen terwijl Mary midden in de hal op de grond laurierkransen zat te maken. Elk schilderij, elke deurpost had zijn eigen versiering. Mary had de keukenmeisjes gevraagd sinaasappels en citroenen vol te prikken met kruidnagels en ze legde ze in schalen, met kaneel en rozemarijn. Ze wilde het huis extra mooi maken voor Jane, die op de thee zou komen bij haar tante, en voor Roger, als hij mocht komen. ('Ze doet me denken aan haar grootmoeder,' zei Bates tegen de huishoudster. 'Het huis ziet er net zo uit als vroeger.')

'O... mijn god...!' kreunde de hertog van Montagu. Hij lag naakt op een bed in een appartement dat hij alleen voor dit doel had gehuurd. Hij sloot zijn ogen en kreunde weer. De vrouw bij hem zoog met haar mond de levenssappen uit zijn lichaam en duwde ongeduldig de dekens weg. Ze bewoog haar mond om zijn penis in een ritme dat ze jaren geleden had geleerd. Hij kreunde en klemde zijn handen om de lakens. 'God...!' riep hij opnieuw, en zijn lichaam schokte, eenmaal, tweemaal, driemaal. Toen kwam ze overeind. Ze was net zo naakt als hij en ze had een prachtig lichaam: grote blanke borsten met donkere tepels en brede heupen onder een smalle taille. Alleen haar buik was uitgezakt door de vele zwangerschappen. Ze steunde achterover op haar ellebogen, haar benen wijd, het donkere haar rondom haar geslacht uitnodigend voor hem.

'Diana,' zei hij, met de ogen dicht, 'je bent fantastisch. . .' Hij opende zijn ogen en steunde op één elleboog, verbaasd en opgewonden dat zij zich zo presenteerde. Zelfs hoeren, waar hij voor betaalde, deden dat niet. Nu sloot ze haar ogen, en met een sensuele uitdrukking op haar gezicht begon ze zichzelf te strelen. Hij kon zijn ogen niet van haar afhouden. Ze speelde met haar borsten en kneep in de tepels tot ze rechtop stonden. Ze kneedde het zachte vlees van haar buik, en eindelijk, langzaam ging haar hand tussen haar benen. Tot zijn verbazing raakte hij opnieuw opgewonden; hij voelde zijn penis hard worden en kwam naast haar liggen. Met haar ogen dicht begon ze haar lichaam in een bepaald ritme te bewegen, een ritme zo oud als de tijd, zo oud als de wereld. Hij greep haar haar en trok eraan.

'Wacht op mij,' zei hij. 'Ik wil het doen. . .'

Hij kuste haar mond. Ze beet hem, waardoor hij nog meer opgewonden raakte. Ruw greep hij haar armen, drukte ze tegen het bed en kwam boven op haar liggen. Haar hoofd rolde heen en weer. Hij duwde in haar en ze bewoog naar hem toe; ze vloekte en schold hem uit, waardoor hij stijf werd van begeerte. Ze beet hem en hij ramde erop los als een gek, tot zijn orgasme kwam met bijna pijnlijke hevigheid. Uitgeput lag hij op haar, maar zij lag nog te bewegen.

'Meer,' zei ze fel. 'Meer!'

'Diana, ik. . .'

Ze schudde zo dat hij van haar afviel, en hij zag hoe één hand naar haar geslacht ging en de andere naar haar borst, en hoe de handen bewogen en haar hoofd van de ene kant naar de andere ging, terwijl haar beide handen steeds sneller bewogen. Het duurde een hele tijd, maar eindelijk kreunde ze en lag toen stil. Ze opende haar ogen. Hij vroeg zich af of ze zich zou schamen. Ze ging rechtop zitten.

'Ik heb eigenlijk niemand nodig,' zei ze en schudde haar haar achterover.

'Dat geloof ik,' fluisterde hij, bijna eerbiedig. Ze tekende met haar vinger langs de omtrek van zijn mond.

'Zeg dat je me wilt helpen,' zei ze, 'dat je mijn echtscheiding steunt. . .' Ze zweeg. Hij schoof van haar weg naar de rand van het bed.

'Ik heb je meer dan eens verteld dat ik dat niet kan doen. Wat zouden de mensen zeggen? Wat zouden ze denken? Hoe kan ik het rechtvaardigen. . .'

'Dat je een vrouw van adel, de dochter van een grote held in bescherming zou nemen. Iemand die is verraden door haar Tory-echtgenoot die haar ook nog heeft verlaten.' Er lag niet eens veel emotie in haar stem. Ze had de woorden al zo vaak gezegd dat ze niets meer voor haar betekenden.

Montagu zuchtte. Hij zat nog met zijn rug naar haar toe. 'Diana, wat kan ik tegen je zeggen. Ik kan niet. . .'

'Een diamanten halssnoer.'

Hij draaide zich om en keek haar verbaasd aan. 'Wat?'

'Geef mij een diamanten halssnoer. . .'

'En dan val jij me niet meer lastig over je echtscheiding?'

'Geef mij nu maar eerst dat halssnoer en wacht dan af. . .'

Jane Ashford logeerde bij haar tante Maud in Londen. Ze was een zuster van haar moeder en woonde in King Street in een smal huis van drie verdiepingen met een Hollands dak. Haar man was een lagere ambtenaar op het departement van Marine, en tante zelf leefde het hele jaar voor de twee officiële hoffuncties die bij zijn beroep hoorden. De rest van het jaar vulde ze met het verzamelen van zoveel mogelijk roddelpraat over het hof en de mensen die daar kwamen, zoals Roger Montgeoffrey oftewel graaf Devane, de favoriete Engelse vriend van de koning. 'De koning houdt niet van te veel mensen om zich heen,' vertelde ze haar nicht toen ze een toertje met het rijtuig maakten. 'Die Von Bothmer en Bernstorff zijn de enigen die hij ziet, behalve dan lord Devane, en jij bent opgegroeid met het meisje met wie hij gaat trouwen – Jane, jij stiekemerd! Wat zal ze rijk worden en veel invloed krijgen!'

Jane zuchtte en keek naar buiten, terwijl de stem van haar tante maar doorratelde. Jane vroeg zich af wat haar vader en moeder aan tante Maud hadden geschreven, maar het moest wel iets zijn, want haar tante hield haar als een havik in het oog, behalve wanneer Augustus op bezoek kwam. Augustus Cromwell was niet knap en hij was ontzettend lang en mager. Zijn neus was te lang en hij had slechte tanden. Hij was nu vierentwintig en net klaar met zijn studie in Oxford, en elke zaterdag kwam hij haar bezoeken. Ze sloot haar ogen en leunde met haar hoofd tegen de leren kussens.

'Kijk Jane, daar heb je Whitehall en daar is het gebouw van de marine – daar zit Edgemont, in de kamer bij dat raam – zie je, Jane.' (Edgemont was haar echtgenoot, een rustige man die bijna nooit een woord zei.)

'Dat is het standbeeld van koning Karel I, dat is de koning die is onthoofd – kijk nu eens, Jane...'

Kijk eens, Jane, luister eens, Jane. Zo lag haar hele leven voor haar: gehoorzaamheid aan anderen, met inbegrip van Augustus of Gussy zoals men hem noemde, als haar heer en gemaal. Gehoorzaamheid aan Harry zou ze niet erg hebben gevonden – o, Harry, hoe kom ik hier ooit doorheen. Harry, zo donker en knap en zo hartstochtelijk. 's Nachts droomde ze van zijn kussen. Ja, ze had zich door hem laten kussen. En het was zo heerlijk geweest; het had getinteld in haar buik en in haar borsten. En nu had ze alleen herinneringen. Ze zag op tegen de dag dat Gussy haar zou kussen. Harry's tanden waren mooi wit. Hoe zou ze het ooit kunnen verdragen!

Lieve god, elke dag keek ze uit, wachtte ze en hoopte ze op een brief. Ze rende naar de deur telkens wanneer ze de klopper hoorde – 'Wat ben je toch lief, Jane, je helpt me zo, kind. Edgemont, dit meisje is werkelijk een parel,' zei haar tante dan, want zij wist niet dat Jane hoopte op een brief, die ze in de zak van haar schort zou verbergen, en die ze op haar kamertje zou gaan lezen. Zijn woorden van liefde en geruststelling zouden haar sterken en haar helpen haar dagelijkse plichten te doen.

Waarom schreef Harry niet...? Maar ze wist wel waarom. Omdat hij stoer, ongeduldig en rusteloos was, en vermoedelijk had hij iemand anders gevonden. Ze kende Harry. In zijn studietijd had hij ook een vriendin gehad, dat wist ze, maar toen hij haar in zijn armen had genomen onder de appelboom, had haar dat niets kunnen schelen. Soms dacht ze dat haar hart ging verschrompelen en sterven. Heer in de hemel, hield haar tante nu nooit op met praten? Ze praatte de hele dag. En ze ging winkelen en vrienden bezoeken, of ontving ze thuis om thee te drinken en kaart te spelen, en te praten, praten, praten.

Hier in Londen bedacht haar tante van alles om de dag te vullen. Bij Jane thuis, op Ladybeth Farm, moest ze de hele dag haar moeder helpen. Er moest gewerkt worden in de melkschuur en in het bierhuis. Er moest room, kaas en boter worden gemaakt. Kippen voeren, brood bakken, jongere broertjes en zusjes die ze moest nalopen. Jane had de hele dag karweitjes gedaan om het huishouden te verlichten. Nu zouden ze op Ladybeth aan het verzamelen zijn van allerlei groen voor de kerstversiering. Buren en pachters mochten van de hertogin van Tamworth op haar landgoed hulst en klimop plukken in de kersttijd. Zij en haar zusjes zouden kransen maken; ze zou haar moeder in de keuken helpen, want er was zo ontzettend veel te bakken: pasteien, taarten, koekjes en kerstpuddingen. Het huis zou stralen van het kaarslicht, de dominee zou in een speciaal kerstgebed voorgaan en er zouden dorpelingen langskomen die de bekende kerstliedjes zongen. Zij, Harry en Barbara zouden bij elkaar komen − behalve dat Harry dit jaar in Italië was, en Barbara in Londen om binnenkort te gaan trouwen. En zijzelf zat in Londen bij haar tante, die kaartmiddagjes wilde houden. Tante zou te veel geld verliezen en oom Edgemont zou daar ruzie over maken. Prettig kerstfeest.

Het rijtuig bleef stilstaan. Jane keek naar buiten. Ze waren thuis. Haar tante liep snel de smalle treden op naar de voordeur en praatte onderwijl aan één stuk door tegen de koetsier, die tegelijk huisbediende was. Hun andere bediende was Betty, het keukenmeisje.

'Thomas, breng die paarden meteen weer naar de stal. Ik wil niet dat Lewis me een extra uur berekent. (Haar tante huurde paarden want het was te duur voor hen om ze zelf te houden. En ze mochten hun rijtuig ook tegen betaling bij de stalhouder zetten.) 'Thomas, trek het rijtuig goed naar binnen. Ik wil er geen vocht en schimmel in hebben.'

Ze zei altijd precies hetzelfde. Dat rijtuig was voor haar een bron van oneindige trots; haar vriendinnen begrepen niet hoe zij en haar man zich zoiets konden permitteren. Tante Maud glimlachte altijd; ze vertelde niet dat ze deze luxe van haar eigen lijfrente betaalde en dat zij en oom Edgemont er minstens eenmaal per week over ruzieden.

Haar tante stond haar handschoenen uit te trekken en de brieven te bekijken die Betty op tafel had gelegd. Jane trok haar mantel uit en ging zitten.

'Grote goden!' riep haar tante uit, en zwaaide met een velletje papier. 'Jane! Jane, lieverd! Dit is voor jou . . .' Een ogenblik klopte Janes hart zo snel dat ze dacht dat ze ging flauwvallen, maar toen zei haar tante: 'Het is een uitnodiging. Luister, kind. Juffrouw Barbara Alderley nodigt juffrouw Jane Ashford en mevrouw Maud Berkley – ik word ook uitgenodigd, lieve Jane. Wat zal ik aantrekken – om donderdag thee te komen drinken – ik ga morgen de stad in om een jurk te kopen – wat zal Maria stikken van jaloezie – Jane! Saylor House!' Haar tante klemde het papier tegen haar boezem. 'Edgemont is daar een keer geweest voor een plechtigheid – de tegenwoordige hertog, weet je – en daar heeft hij wekenlang over gepraat. En dan te denken dat jij en ik daar gaan theedrinken!'

'Jane, jij en Augustus zullen het nog eens ver brengen. Dat voorspel ik jullie! Lady Saylor is de dochter van de graaf van Bistril. Het was zo'n prachtig huwelijk van haar met lord William! Fantastisch! Ik was helemaal ondersteboven toen lord William stierf. Kapot was ik. En daarvoor ook al zijn oudste broer en zijn zoontje. Het leven is wreed, Jane. Dat alle zoons van de hertog en de hertogin zo moesten omkomen, en hun kostbare kleinzoontje. De hertog zelf was zo'n groot man. Na de slag bij Rijssel hebben we op straat gedanst en zijn naam geroepen. Hij reed in het rijtuig van de koningin. Ik heb het zelf gezien, ik stond tussen de mensen om naar hem te kijken – iemand heeft toen mijn grijze sjaal nog gestolen, die met dat gouddraad – maar dat weet je natuurlijk allemaal wel. Thee in Saylor House. Zou lady Diana er zijn?'

Harry zal mij nooit een brief schrijven, dacht Jane, nooit.

Barbara en Mary zaten in de oranjerie. Hun tekenleraar liet hen plantenstudies tekenen en ze deden ijverig hun best een weelderige witte camelia vast te leggen.

'Er gebeurt iets,' fluisterde Mary, met een blik over haar schouder om te zien of haar gouvernante zo dichtbij zat dat ze het kon horen. Maar zij zat met de leraar te praten.

'Wat dan?' vroeg Barbara. Ze kende haar nichtje nu goed genoeg. Mary zat te trillen van spanning. Ze had vast iets gezien of gehoord. Ze zag en hoorde zo dikwijls iets, maar alleen Barbara schonk haar enige aandacht.

'Er is een briefje bezorgd van lord Devane...'

'Voor mij!'

'Stil! Nee, het was voor tante Diana, geloof ik. Maar mijn moeder begon erom te lachen en zei: "Dat is een laatste wanhopige poging van hem, Diana. Al zijn persoonlijke charme wordt nu in de strijd geworpen."'

'En wat zei mijn moeder?' vroeg Barbara.

Mary haalde haar schouders op. 'Ik kon het niet horen. Ze hebben me weggestuurd.'

Barbara keek naar de camelia, maar ze zag alleen maar Rogers gezicht voor zich. Vandaag zou ze theedrinken met Jane. En vandaag moest Roger ook komen. Dan zou zij vrouwe Fortuna bij de haren grijpen en zelf met Roger praten. Ze zou zeggen...

'Hebt u uw aandacht er wel bij, juffrouw Alderley?' vroeg de tekenleraar.

Ze boog haar hoofd weer over haar papier. Bah! Hij kon stikken met zijn camelia!

Ze trof haar tante in een van de bijkeukens, waar ze haar zilver inspecteerde. Het lag allemaal uitgestald – vorken, messen, lepels, theepotten, soepterrines, dienbladen – op een kleed van zacht vilt, op lange tafels. Het werd om de andere dag gepoetst, maar Abigail inspecteerde het altijd op donderdag, en wee de butler of de lakei als er één vlekje op zat.

'Wat bent u vanmiddag van plan, tante?' Barbara vroeg het zo onschuldig mogelijk. 'Ik wilde u eraan herinneren dat ik Jane Ashford en haar tante voor de thee heb uitgenodigd, en ik zou het fijn vinden als u ze ook ontmoette.'

'Onmogelijk.'

Barbara's hart klopte sneller. Haar tante zou natuurlijk zeggen dat ze die middag bezet was omdat ze de huwelijkscontracten moest tekenen, want Roger kwam immers...

'Je moeder en ik hebben al een andere afspraak om vier uur. Ik ben bang dat we geen tijd zullen hebben om je vrienden te ontmoeten. Nodig Fanny maar uit om te helpen ontvangen. En ga nu weg, lieverd, ik heb het druk.'

'Tante, ik zou graag lord Devane willen spreken, als hij vanmiddag komt.'

Abigail keek haar aan met een blik van afkeer. Hoe wist ze dat? Ze was een koppig, ongeduldig meisje dat haar plaats niet kende. Die hele zaak ging haar niets aan. Ze moest maar doen wat haar werd gezegd. Abigail zou persoonlijk de strengste man die ze maar vinden kon uitzoeken om met Barbara te trouwen. Ze had het hele huis al op z'n kop gezet. Zoals bijvoorbeeld met Kerstmis, wat een drukte! En haar invloed werd al groter. Gisteren had Mary het gewaagd haar tegen te spreken, en Tony begon steeds zelfstandiger te worden. Het leek wel of hij gehecht raakte aan dit roodharige meisje, dat haar nu met die grote blauwe ogen aankeek. Maar achter die ogen was een wilskracht verborgen, even sterk als die van Abigail! Ongelooflijk in een meisje van vijftien!

'Nee!' zei ze op koelere toon dan ze bedoelde, doordat al die gedachten door haar hoofd speelden en ze Bates vanmorgen had horen zeggen: 'Ze heeft iets van haar grootmoeder, die kleine schat. Dat waren nog eens tijden, daar lijkt het nu niet meer op...'

'Alstublieft, tante. Het is zo belangrijk voor me! Roger – lord Devane – betekent heel veel voor me. Ik houd al van hem sedert ik nog heel klein was. Alstublieft...'

'Wat dacht jij dat je van liefde afwist. Hoe durf je zo tegen me te spreken! Nee!'

Het was alsof een vat met kruit in Barbara's hoofd ontplofte. Het ging niet alleen om nu, het ging om al die keren dat ze had moeten wachten, dat ze onwetend werd gelaten. Haar gezicht vertrok zo in woede dat Abigail onwillekeurig een stap achteruit deed.

'Verdwijn! Ogenblikkelijk!' zei ze en wees naar de deur. Tot haar verbazing tilde Barbara haar rokken hoog op en holde als een jongen de kamer uit.

Barbara ging in haar kamer zitten en kneep haar trillende handen samen. De ergste woede was nu over. Ze had haar tante wel kunnen slaan en ze was geschrokken van haar eigen drift. Hoe zou grootmama zich voor haar schamen. Haar grootmoeder had haar altijd zo op het hart gedrukt dat een dame altijd dame moest blijven, zacht, vriendelijk en hoffelijk. Maar niet alle woede was over. Ik ga naar hem toe, zei ze tegen zichzelf. Niemand houdt me tegen.

Ze zat te wachten onder een van de trappen, diep in de schaduw weggedoken. Ze bad dat Jane en haar tante te laat zouden komen, dat ze tenminste even met hem zou kunnen spreken. Toen hoorde ze de klopper op de deur. Wat ze wilde gaan doen was zo gedurfd en zo ongepast – ja, ze kon haar grootmoeder dat woord horen zeggen – dat ze het bijna niet kon opbrengen. Maar ze zou het toch doen.

Daar was Roger. Hij was Bates gevolgd in de hal en hij stond te wachten tot de butler hem in de salon zou aankondigen. Hij keek naar haar grootvaders portret. Ze kroop uit haar schuilhoek te voorschijn.

'Roger...' zei ze.

Geschrokken draaide hij zich om. Hij zag er moe en oud uit, lang niet de knappe prins die ze altijd voor ogen had.

'Ik... ik moest je spreken.' De woorden rolden uit haar mond: stel je voor dat Jane en haar tante nu arriveerden; als haar moeder en tante door die deur kwamen...

'Barbara,' zei hij. 'Wat lijk je toch op je grootvader...'

'Alsjeblieft, Roger, luister even. Ik moet het weten. Niemand wil iets zeggen. Wat gebeurt er toch? Gaan we – nog trouwen? Zeg het me alsjeblieft...' De woorden bestierven op haar lippen bij zijn veranderde gelaatsuitdrukking. Er was iets koels op te zien, woede. Ze legde haar handen tegen haar wangen.

'O, nee,' zei ze.

'Je moeder...' begon hij, maar op dat ogenblik ging de deur open en Barbara sprong terug in de schaduw van de trap. Ze zag Roger naar de salon lopen alsof hij zijn eigen executie tegemoet ging. Er was niets uitgelegd en er gebeurde iets afschuwelijks. Haar knieën knikten en ze kon amper naar de kleine salon lopen, waar ze Jane zou ontvangen. Ze keek naar het schilderij van haar grootmoeder. 'Grootmama,' fluisterde ze. Was zij maar hier...

Een rijtuig reed de binnenplaats van Saylor House op. Janes tante Maud hield haar hoed vast, een enorm samenraapsel van veren, kant en paarlen versierselen. Ze riep: 'Schitterend! Zei ik je niet dat het schitterend was? Moet je die tuinen zien! Er komen twee lakeien aan, twee! Ik had mijn gestreepte pelerine moeten dragen, dat voel ik Jane! Zeg tegen Thomas dat hij rechtsomkeert maakt...'

'We zijn er al, tante Maud, en we zijn al te laat. Zo onbeleefd kunnen we niet zijn.'

Het rijtuig kwam tot stilstand. Maud moest zich vasthouden om niet van haar bankje te vallen.

'Het is mode om te laat te komen,' verzekerde ze Jane. 'Ik weet zeker dat lady Alderley nooit op tijd is.' Maud was zo opgewonden dat ze de beruchte lady Alderley zou ontmoeten. Ze had alles over haar gelezen in de goedkope roddelkrantjes. Diana bracht schande over haar familie, en Maud had er alles voor over om haar te ontmoeten.

Binnen was ze bijna sprakeloos door de grootsheid van de hal, maar ze beheerste zich, trok haar japon glad, schikte haar krullen en gaf haar mantel met een vorstelijk gebaar aan een lakei.

Ze fronste haar wenkbrauwen, stak haar lange armen als een krab uit naar Jane en kneep haar in de bleke wangen. 'Werkelijk,' had ze tegen Edgemont gezegd, 'ik weet niet wat we met dat meisje moeten beginnen! Het is maar goed dat ze al verloofd is. Hoe zou ik er ooit voor kunnen zorgen dat een jongeman zich voor haar interesseerde. Er zit geen leven in, geen pit. Je kunt zeggen wat je wilt, Edgemont, maar ik had wel pit!' Ze rechtte haar rug en keek omhoog naar de brede overloop. Zij en Jane kwamen langs de portretten van de hertog en de hertogin. 'Voorvaderen,' fluisterde ze tegen Jane, maar die keek amper.

Ze volgden Bates naar een zijdeur in de hal. Maud keek onmiddellijk uit naar de adembenemend mooie, slechte lady Diana, maar ze zag alleen een aardige, blonde jonge vrouw en een meisje van Janes leeftijd. Het meisje had een vreemde uitdrukking op haar gezicht, alsof ze zo kon overgeven.

Barbara rende naar voren om Jane te omarmen. Jane was een stukje van thuis, van Tamworth. Ze bleef haar hand vasthouden terwijl ze haar aan Fanny voorstelde, maar tegelijkertijd dacht ze alleen aan Roger. Ze voelde zich misselijk.

Jane moest een paar tranen wegslikken. Barbara en Harry hadden dezelfde glimlach. O, Harry. Ze was zo blij dat ze Barbara zag, maar in het diepst van haar hart voelde ze jaloezie. Ze probeerde het gevoel te onderdrukken, maar Barbara zag er zo modieus uit met haar japon en haar nieuwe kapsel. Ze scheen zich thuis te voelen in dit enorme, prachtige huis. Op Tamworth leek iedereen de grote rijkdom en invloed van de Saylors te vergeten. En Barbara ging nu trouwen met een graaf, en Jane had alleen maar Gussy. Natuurlijk waren hun plaatsen in het leven volkomen verschillend. Dat was altijd zo geweest. Janes vader was een welvarende boer en een ridder, terwijl Barbara's vader burggraaf was en haar grootvader zelfs hertog. Ze was dom geweest dat ze ooit aan Harry had gedacht! Dwaas! Haar hart kromp ineen. Ze had nooit moeten komen.

Fanny wees hun een kleine ovale tafel waar vier armstoelen omheen stonden. 'Wat snoezig,' zei Maud. 'Zo klein! Speciaal ontworpen voor de thee!'

Met moeite weerhield ze zich van het omdraaien van een van de kopjes om te zien wie de fabrikant was. Dat zou ze straks doen, als niemand keek.

Jane en Barbara zaten te fluisteren terwijl Fanny begon thee in te schenken. Jane vond niet dat haar vriendin erg veranderd was. Alleen leek ze zenuwachtig en ze was ongewoon bleek. Ze bleef maar naar de deur kijken, alsof ze iemand verwachtte.

'Heb je nog iets van Harry gehoord?' fluisterde Jane.

Barbara schudde van nee, en Jane voelde zich weer wat beter. Komt hier nu nooit een eind aan? dacht Barbara.

'. . . lord Devane, jij ondeugend meisje,' zei Maud tegen Barbara. Ze had het eerste deel van de zin gemist. 'Jij boft toch maar. Hij is de knapste man die ik ooit heb gezien. Wanneer is het huwelijk?'

Fanny verslikte zich in haar thee. Maud kwam haar op haar rug kloppen. Toen Fanny weer op adem was, vroeg ze gauw waar Maud die hoed toch had gekocht.

'O, vindt u hem mooi?' vroeg Maud. 'Dat hoopte ik al. Ik heb echt gevoel voor mode! Dat is een gave, nietwaar? Jane heeft absoluut geen smaak, maar ik help haar . . .'

Barbara stond op. Ze hield het niet langer uit. 'Neem me niet kwalijk,' bracht ze uit. 'Ik moet even weg.'

'Is ze ziek? Wat vreemd!'

Fanny zette haar kopje neer. 'Excuseert u mij even? Ik ben zo terug.'

In de hal stond Roger. Bates reikte hem zijn hoed en zijn stok. Barbara riep zijn naam en hij draaide zich naar haar om. Zijn ogen waren als saffieren. Hij zag er slecht uit.

'Roger, wat is er?'

Ze was gewend dat mensen in woede uitbarstten wanneer ze

kwaad waren, en deze stille woede maakte haar bang. Hij streelde haar over de wang en als een poes vlijde ze haar wang tegen zijn hand, maar hij schudde zijn hoofd, liet zijn hand zakken en liep naar de deur die Bates openhield. Bates vermeed een van beiden aan te kijken.

'Wat is er?' herhaalde ze.

Maar hij draaide zich niet eens om. Ze volgde hem tot aan de deur, en nog draaide hij zich niet om. Bates sloot de deur en weg was hij. Haar moeder en tante stonden in de deuropening van de salon te kijken. Ze voelde de spanning bij de twee vrouwen. Fanny stond bij de zijdeur en haar mond vormde een O. Achter haar stond Maud.

'Wat is er gebeurd?'

Barbara krijste de woorden tegen haar moeder. Het kon haar niets schelen wat de mensen dachten. 'Wat hebt u gedaan! Ik haat u!'

'Ga onmiddellijk naar je kamer!' zei haar tante.

'Het is voorbij,' zei haar moeder.

Barbara had het gevoel dat er iets in haar stukging.

'O nee, nee, nee!' riep ze. Fanny was bij haar en omarmde haar. 'Wees stil,' zei haar tante. 'Kom maar hier, lieverd,' zei Fanny. Maar ze kon geen van beide. Haar hart brak. Ze had Roger verloren, haar knappe Roger, voor ze hem ooit werkelijk had gehad. Het was niet eerlijk.

Zonder een woord bracht Fanny het snikkende meisje naar boven. Beneden stonden Abigail, Maud, Jane, Diana, Bates en de twee lakeien te kijken tot Barbara in een gang was verdwenen.

'Wie is die vrouw?' vroeg Diana plotseling.

Maud, die haar op een gretige manier had staan aankijken nu de scène met Barbara achter de rug was, knipperde met haar ogen.

Abigail was Maud en Jane volkomen vergeten, en nu stonden ze hier in de hal en waren getuige geweest van dat vreselijke gebeuren. Ze sloot een ogenblik haar ogen en kwam toen met vaste tred naar voren.

'Ik ben lady Saylor,' zei ze zo indrukwekkend mogelijk. 'U bent zeker mevrouw Berkley en jij, lieve, bent natuurlijk Jane. Barbara heeft zoveel over je verteld. Diana, kom eens hier. Je kent Jane toch wel. . .'

Jane rilde toen Diana naar voren kwam, met die wrede glimlach van haar.

'Of ik haar ken,' zei Diana. 'Ik ken haar heel goed. Ze heeft geprobeerd met mijn Harry te trouwen.'

Maud snakte naar adem. Jane werd eerst bleek en bloosde toen donkerrood tot in haar hals. Abigail zuchtte. Net iets voor Diana om dit zo te doen. O hemel, het leek wel of Jane in huilen ging uitbarsten.

'Vergeeft u me, mevrouw Berkley, dit is een moeilijk ogenblik voor ons allemaal. Zou u Jane mee naar huis willen nemen? Ze ziet er niet goed uit.'

'Wat!' Maud wendde haar ogen eindelijk van Diana af. 'Jane, ben je ziek? Kom kindje, kom maar mee, dan zal tante Maudie een van haar speciale hoofdpijndrankjes voor je maken. Goedendag, lady Saylor. Lady Alderley.' Maud en Diana knikten stijfjes.

'Goddank dat die weg zijn,' hoorde Maud Diana zeggen toen de deur nog niet helemaal dicht was. Haar magere boezem ging op en neer. In het rijtuig barstte Jane in tranen uit.

'Nou!' zei Maud. 'Moet je je dat voorstellen! Wat een brutaliteit. Ze is precies zoals men zegt! Hoe durft ze zo tegen je te spreken – maar ze is wel mooi. En ouder dan ik. Ik vraag me af hoe – Jane, zit niet zo te snotteren! Heb je lord Devane gezien? Ik zag nog een glimp van hem! Een knappe man! Barbara boft toch maar – hier, neem mijn zakdoek – bof*te,* bedoel ik. Arm kind. Wat een manieren! Ik had het nooit gedurfd om zo tegen mijn moeder te spreken. Maar hij is te oud voor haar. Een man zoals hij moet een rijpe vrouw hebben, een vrouw van mijn leeftijd . . .'

Jane steunde met haar hoofd tegen de rugleuning en sloot haar ogen. Zoals Diana haar had aangekeken. Ze rilde. Ze had een vreselijke hoofdpijn. Maar ze was nooit zo vrijpostig geweest als Barbara. De enige keer dat zij in opstand kwam, was toen ze had geprobeerd Harry te ontmoeten. Zij was een gehoorzaam meisje. En nu was Barbara net als zij. Nu zou Barbara weten wat het was om elke dag weer te huilen. Ja, Barbara, die sterke Barbara zou nu weten hoe alle andere mensen zich voelden. Plotseling begon ze weer te huilen, terwijl haar tante doorratelde over de manieren van de tegenwoordige jeugd, afgewisseld met commentaren over het huis en de japonnen van Abigail, Diana en Fanny.

5

Barbara lag uitgeput op haar bed. Abigail en Diana stonden naar haar te kijken; beiden waren woedend over haar koppigheid. Ze hadden zo lang met haar gepraat en ze was zo moe. Ze wist dat ze in opstand kwam tegen alles wat haar was geleerd. Hoe meer ze dreigden, pleitten en argumenteerden, hoe halsstarriger ze werd, ook al wist ze dat ze het niet kon winnen.

'Wees toch redelijk. Hij is te oud. Ik zal een jonger iemand voor je zoeken. Ik ken zo ontzettend veel jonge mannen,' zei haar tante.

'Ik wil Roger,' viel Barbara uit.

'Ik geef je een pak slaag tot je niet meer kunt lopen,' zei Diana. Ofschoon Abigail dicht bij Barbara's bed stond, bleef Diana iets meer achteraf. Ze sprak van een afstand tegen Barbara, zoals ze altijd had gedaan.

'En toch wil ik Roger!' gilde Barbara tegen haar moeder.

'Hij is te losbandig,' zei haar tante. 'Zijn vrienden zijn de beruchtste mannen van Londen. Hij zou nooit een goede echtgenoot worden.'

'Ik hou van hem.'

'Houden van!' snoof Abigail verachtelijk; in haar hart hoopte ze dat Diana haar zou slaan tot ze eindelijk haar mond hield en niet meer zo'n koppige kin kon opzetten, dat ze niet meer kon praten als een vrouwelijke duivel. Waar was de gehoorzaamheid gebleven, de gedweeheid die paste bij een jongedame? Diana had klaarblijkelijk haar plichten als moeder verzaakt, en het was ook duidelijk dat de oude hertogin slapper begon te worden.

'Je bent nog maar vijftien,' zei ze. 'Je weet niets van liefde! Je hebt Roger Montgeoffrey maar een paar keer gezien...'

'Amper een paar keer,' onderbrak Diana. 'Je kunt niet zeggen dat hij je druk heeft bezocht.' Barbara beet op haar lippen, maar de koppige lijn van haar kin bleef. Haar gezicht was opgezet van het huilen en door alles wat ze zeiden kon ze helemaal niet meer stoppen, maar ze zou niet opgeven. Dat wilde ze niet.

'U hebt het mij beloofd! U bent uw belofte aan mij en Roger niet nagekomen!'

Diana's gezicht werd nog koeler. 'De keus is gemaakt. Je zult je moeten onderwerpen. En dat zul je ook... vroeger of later.' Haar lage stem was zacht, maar ijzig. Barbara rilde. Toch zou ze haar moeder niet tonen dat ze bang was.

Abigail haalde diep adem. 'Een meisje moet trouwen met degene die haar ouders voor haar uitzoeken. Wij zijn ouder en wijzer, en wij weten meer van het leven...'

'U bent mijn moeder niet!' Tranen stroomden over Barbara's wangen. 'U wilt alleen maar Bentwoodes! Het kan u niets schelen wat er met mij gebeurt! U wilt alleen maar Bentwoodes!'

'Je moest een flink pak slaag hebben,' zei Abigail met trillende stem. 'Als je mijn dochter was, zou ik je slaan tot je schreeuwde om genade. Je bent brutaal, ongemanierd, roekeloos en zelfzuchtig! Wat mij betreft kun je wegrotten in deze kamer! Ik doe niets meer voor je!'

De deur sloeg achter hen dicht. Barbara had zo'n pijn in haar hoofd dat het leek alsof het zo uit elkaar kon spatten.

'Water en brood, en verder niets,' hoorde ze haar moeder zeggen. '...de deur op slot, de hele tijd,' kwam haar tante.

Ze legde haar gezicht in haar kussen en snikte.

Buiten de kamer leunde Abigail tegen de muur; ze was helemaal van streek door haar uitval tegen Barbara. Het leek alsof het kind dezelfde uitwerking op haar had als Diana: beiden maakten haar kwaad; beiden brachten haar ertoe dingen te zeggen waar ze later spijt van kreeg.

'Ik denk niet dat Barbara nu op een ander huwelijksaanzoek zal ingaan,' zei Diana met opvallende scherpzinnigheid.

'We moesten haar maar over een weekje naar Tamworth terugsturen,' zei Abigail. Ze was uitgeput door die scène met Roger en door Barbara's hysterie. 'Een jaartje alleen op het platteland, met een oude vrouw als gezelschap, zal haar wel kalmeren. Dan zal ze blij zijn met elk voorstel dat je haar doet.'

'En Bentwoodes?'

Diana had geen enkele tact. 'Het zou toch vreemd lijken als het nu meteen werd overgedragen, Diana. Deze kwestie moet betijen.

Roger is over een paar weken vertrokken. Laten we het daarna doen.' Intussen zou ze Diana met argusogen in de gaten moeten houden, anders kon ze het land nog onder haar vandaan verkopen. En ze zou op Tony moeten letten; die was de laatste tijd een beetje vreemd geweest. Nu moesten ze nog door de komende dagen heen, want Londen zou gonzen van de geruchten. En Barbara moest in haar kamer blijven, desnoods op water en brood, tot Abigail het tijd zou vinden om haar naar Tamworth terug te sturen. Laat de hertogin maar op dat ongehoorzame kind passen! Intussen zou ze Fanny sturen – lieve Fanny die helemaal in de war was van al die emoties – om dat koppige kind wat redelijkheid bij te brengen.

Er werd op de deur geklopt en Barbara kwam overeind in haar bed. Ze was zeker in slaap gevallen; haar hoofd was nog dof en ze voelde zich ziek. Vervolgens werd een sleutel in het slot omgedraaid; ze hadden haar deur nu al afgesloten. Fanny kwam binnen.

'O, lieverd,' zei Fanny en holde naar haar toe om haar te kussen. Barbara begon weer te huilen. Fanny wiegde haar heen en weer in haar armen tot ze eindelijk bedaarde. Ze streelde haar over het hoofd en begon zachtjes te praten over het huwelijk en de verantwoordelijkheid die het meebracht. Dat een vrouw, die zwakker en minder was in de ogen van God, niet kon beslissen met wie ze trouwde. Dat er nog andere dingen waren behalve liefde waar je een huwelijk op kon bouwen, zoals achtergrond en de mogelijkheid dat de twee bij elkaar pasten.

'Maar ik hou van hem, Fanny.'

Fanny zuchtte, liep naar de waskom en maakte een doek nat om Barbara's gezicht te deppen. Het gaf een beetje troost, net als Fanny's zacht gepraat.

'Wij zijn geschapen uit een rib van de man; hebben we niet geleerd ons aan onze echtgenoot te onderwerpen? En aan onze ouders? Dat is Gods wil. Ik geloof dat jij dat ook wel weet, Barbara. Ik kan niet geloven dat grootmama je iets anders zou hebben geleerd.'

Barbara slikte en wendde haar hoofd af. Het was waar, haar grootmoeder had haar geleerd haar plicht te doen. En toch leek het altijd alsof zij haar gevoelens respecteerde, alsof haar gevoelens niet minder belangrijk waren dan die van Harry. Tenslotte ging Fanny weg. Even later ging de deur weer open en ze hoorde het geluid van iemand die iets neerzette. Toen ging de deur weer dicht en de sleutel werd omgedraaid. Ze ging uit bed en liep een beetje duizelig naar het andere kamertje dat ook naar de gang leidde. Daar stond een zilveren blad met een kan water en een bord met een paar sneetjes wittebrood. Barbara stapte weer in haar bed. Het kon haar niets schelen. Ze voelde zich te ziek om te eten.

De volgende morgen rammelde ze van de honger, maar 's nachts was Martha binnengekomen en had het blad weggehaald. Martha had zo weinig gevoel dat ze haar niet eens de droge korsten brood liet houden. Hoelang zouden ze haar op water en brood houden? Wat had het allemaal voor zin? Als haar moeder nooit de naam Roger had laten vallen, had ze nooit die mooie droom gehad. Dan had ze gewoon haar plicht gedaan. Ze schaamde zich nu. Ze vond het ook vreselijk dat ze ongelijk had gehad. Maar voorlopig wilde ze alleen zijn. Ze hield het nog wel een paar dagen uit op water en brood, en dan zou ze haar excuses aanbieden. Ze ging in de nis bij het raam zitten en keek uit over de tuinen. O Roger, ik zal altijd van je houden. Dat kunnen ze niet van me afnemen. Weer werd de sleutel in het sleutelgat omgedraaid. Ze nam niet eens de moeite om te kijken; ze zou die stuurse Martha nooit meer een blik waardig keuren. Ze verlangde naar haar grootmoeder. Kon zij maar komen.

'Bab! Wat – wat zie je eruit!'

Het was Tony die zich over haar heenboog. Hij streelde een van haar handen en bovendien was er de geur van voedsel, de geur van gebakken spek en koffie! Ze sprong op, rende naar het dienblad en propte spek en brokken zacht wit brood met boter in haar mond. Eten! Tony was een engel. Bij elke hap leek de dag vrolijker te worden; ze kreeg weer moed en de toekomst zag er minder somber uit. Plotseling bleef het eten in haar keel steken en haar maag kwam in opstand. Ze moest overgeven. Ze rende naar haar pot, boog zich eroverheen en alles wat ze had gegeten kwam er weer in vieze brokjes uit. Ze kokhalsde tot ze er bijna bij neerviel.

Tony, die hulpeloos om haar heen had staan draaien, nam haar arm, bracht haar naar een stoel en knielde voor haar neer.

'Bab, je bent ziek. Zal ik mijn moeder roepen?'

'Nee!'

'Je ziet er zo beroerd uit. Wat kan ik voor je doen?'

'Ik ben in ongenade gevallen, Tony.'

'Dat weet ik. Dat weet iedereen. Hebben je allemaal gehoord, door het hele huis heen. Je – je houdt erg veel van hem, hè Bab?' De tranen kwamen weer boven. Ze keek een andere kant uit en knikte. Onhandig streelde hij haar hand.

'Je bent erg lief.' Ze veegde haar ogen af. Het verdriet was nog altijd even sterk, haar hele lichaam trilde ervan. De lucht van het eten maakte haar misselijk. Lieve Jezus, help me. O, grootmama. Ze keek Tony aan.

'Wat is er, Bab? Zal doen wat je wilt, behalve Roger ontvoeren. Tegen moeder gezegd dat ze je niet mag opsluiten. Goed meisje, zei ik. Koppig, maar goed. Gezegd dat het mijn huis is. Eten gebracht. Wilde je niet misselijk maken.'

Ze lachte zwakjes. Zijn grote, ronde gezicht stond zo ernstig. Hij was een echte lieverd.

'Wat flink van je, Tony.'

'Moeder is boos op me. Vind ik niet prettig.'

'Tony, luister eens. Ik wil een brief schrijven aan grootmama, en ik wilde jou vragen hem voor mij te verzenden. Het moet geheim blijven, Tony, want tante Abigail zou het mij nooit toestaan. Ik vraag haar alleen maar mij mee naar huis te nemen. Ik zal hem jou laten lezen. Wil je dat alsjeblieft voor me doen, Tony?'

Hij dacht een ogenblikje na. Toen knikte hij.

'O, Tony.' Ze boog zich naar voren en kuste hem op de mond. Toen stond ze op en begon als een invalide langzaam naar het andere kamertje te lopen, naar haar bureautje. Tony raakte zijn lippen aan met zijn vingers, in een teer en lief gebaar.

Haar handen beefden zo dat ze inkt morste en vlekken maakte op de brief, maar ze slaagde erin te schrijven: 'Kom naar Londen, grootmama. Ik zit in vreselijke moeilijkheden. Ik ben slecht geweest. Komt u alstublieft. Uw liefhebbende kleindochter, Barbara Alice Constance Alderley.'

Ze strooide zand om de inkt te drogen. Ze had haar grootmoeder nodig. Ze zou alles kunnen verdragen als zij maar bij haar was. Ze had zo'n verdriet.

Tony nam de brief, vouwde hem op en stak hem in zijn zak. Hij nam Barbara's hand in de zijne.

'Heb tegen moeder gezegd dat je je goed zou gedragen, Bab. Wil je dat wel doen?'

'Ik zal mijn best doen, Tony. Maar het doet zo'n pijn.'

Plotseling was ze in zijn armen. Hij was lang en ze kwam maar tot aan zijn schouders, maar het waren lieve, troostende schouders en hij scheen het niet erg te vinden dat ze op zijn mooie jas huilde. Hij was zo lief.

Haar deur ging niet meer op slot, en Martha bracht een dienblad met eten waar ze maar piepkleine hapjes van at. Ze bleef nog één dag in haar kamer, toen rechtte ze haar rug en ging haar excuses aanbieden aan haar tante en haar moeder, die samen in Abigails zitkamer bleken te zitten. Haar moeder zat aan een kaarttafeltje patience te spelen. Zulke kaarttafeltjes waren in de mode gekomen onder koningin Anne, toen het kaartspel zo populair was geworden. Je kon er met vier mensen omheen zitten, en in elke hoek was een uitholling waar een kaars in paste. Diana speelde met een spel kaarten waar koning George op stond afgebeeld toen hij in Engeland voet aan wal zette. Er was ook een keer een spel kaarten geweest ter ere van haar vaders overwinning in Rijssel.

Abigail kookte inwendig nog altijd van woede, maar ze luisterde naar Barbara's gemompelde excuses. Dat Tony tegen haar bevelen was ingegaan kon ze nog lang niet verteren. Abigail begon een lange preek over Barbara's gedrag die het meisje nauwelijks kon aanhoren. Haar trots was gekwetst, en haar tantes woorden waren als zout in een wond. Ze putte troost uit de gedachte dat ze spoedig op Tamworth terug zou zijn. Haar tante praatte maar verder, dat ze de hele kersttijd niet de deur uit mocht en dat ze in haar kamers moest blijven tijdens de feestdagen. Nou, dat was best. Ze had dit jaar geen zin in feestvieren. Diana zei geen woord maar bleef kaarten op de tafel smakken.

Het was de dag voor Kerstmis en Saylor House gonsde van de activiteit: bedienden dweilden de vloeren, poetsten meubels en zilver en uit de keuken stegen heerlijke geuren van kapoen, gans en kalkoen omhoog. In de grote salon en in de hal werden tafels gedekt met zwaar damast en kant, waarop porseleinen borden en zilveren bestek. Het avondeten zou laat zijn en daarna zouden de gasten blijven wijndrinken bij het brandende kersthoutblok. Barbara en Mary zouden al vroeg naar hun kamers gaan. Nu zat Barbara in de oranjerie, tussen haar tantes vele bloeiende planten: miniatuur sinaasappel- en citroenboompjes, lelies en rozen. Ze bleven bloeien dank zij vele houtskoolkomfoors die de tuinlieden voortdurend van nieuwe brandstof voorzagen. Ze had nog altijd verdriet; iedere morgen wanneer ze wakker werd voelde ze het zwaar als een kanonskogel op haar hart vallen.

Ze slenterde naar de glazen deuren die naar de achtertuinen leidden. Vandaag was er geen tuinman te zien. Niemand harkte de dorre bladeren weg, niemand spitte de bloembedden om. Plotseling kreeg ze zin om in de tuin te wandelen, om de koude lucht op haar wangen te voelen, om iets anders in te ademen dan de lucht van Saylor House. Ze mocht eigenlijk niet naar buiten, maar ze kon toch wel even de tuin in.

Ze keek om zich heen, maar in de oranjerie of in de tuin was niemand te zien. Ze hadden het allemaal druk met voorbereidingen voor vanavond. Ze pakte een van de mantels die daar aan een haak hingen, opende de deur en liep naar buiten in de frisse, koude lucht. Ze vond het heerlijk. Ze had de afgelopen dagen geen energie meer gehad en ze kon nog steeds niet veel eten. Vanmorgen had ze er met moeite twee kopjes thee en wat toost in gekregen, maar dat was niet genoeg. Ze was al een paar pond lichter geworden.

Ze liep nu wat vlugger over de grindpaden. Wat een heerlijke frisse lucht. Ze had het gevoel dat ze wel tot Tamworth zou kunnen lopen. Hoezeer verlangde ze naar haar grootmoeder! Ze liep nu over een pad evenwijdig aan de tuinmuur. Aan de andere kant kon ze het geroep van straatventers horen: 'Mooie uien!' en het geratel van karren en wagens. Ze liep langs de poort, met Roger nog steeds in haar gedachten. Ze bleef staan; ze dacht aan de poort waar ze zojuist langs was gekomen. Er zat geen slot op. Meestal zaten alle hekken van de tuinen op slot, opdat er geen mensen van de straat naar binnen konden komen.

Barbara stond nu voor het poorthek. Ze kreeg een opwelling om het te openen en naar buiten te lopen. Voor het goed tot haar doordrong wat ze deed, stond ze al aan de andere kant, op de straatkeien, gescheiden van de wagens en rijtuigen door houten paaltjes die in de bestrating waren aangebracht. Die paaltjes vormden een barrière tegen het rijdende verkeer, en de voetgangers konden daar veilig achter lopen. Voor haar uit zag ze een taveerne met een uithangbord waar geen enkel woord op geschreven stond, alleen maar een schildering van een koning in een rode jas met gouden knopen en een gouden kroon. Die taveerne heette De George. De winkels waren open. In een etalage zag ze handschoenen en linten met kerstgroen en hulst ertussenin. Een leerjongen stond bij de ingang de passerende mensen uit te nodigen om binnen de voortreffelijke waar van zijn meester te komen bekijken. Ze wilde nog een eindje verder lopen en dan zou ze teruggaan en door het tuinhek naar binnen glippen. Niemand hoefde het ooit te weten.

Ze ontdekte dat ze was aangekomen op een van de Londense pleinen, een van die mooie open ruimten met prachtige huizen rondom. Nu stond ze op het deftigste plein van de stad, St.-James's. Ze herkende het onmiddellijk aan de fontein in het midden. Ze liep over de keien tot nummer 17, Rogers huis in Londen. Ik ga hem alleen maar een prettig kerstfeest wensen, zei een stem in haar hart, terwijl een andere stem zei: Wat doe je nu? Maar ze wist wat ze deed.

Ze tilde de zware koperen klopper met zijn leeuwekop omhoog en liet hem vol vertrouwen tegen de deur vallen. Er werd opengedaan. Voor haar stond een statige man met een keurige zwarte pruik. Op zijn zwarte jas was een familiewapen geborduurd. Wat heb ik gedaan? vroeg ze zich in paniek af.

Ze stak haar kin naar voren en zei: 'Lord Devane, alstublieft. Zeg hem dat juffrouw Barbara Alderley hem wil spreken.' (Tot aan haar dood zou ze niet weten wat haar die fatale kerstdag bezielde; hoe ze alle regels kon overtreden en zonder chaperonne bij een ongetrouwde man op bezoek kon gaan.)

Cradock, Rogers majordomus, trok een ernstig gezicht. Hij had genoeg ervaring om te weten dat ze was wie ze zei dat ze was, maar het verontrustte hem dat ze geen bediende of familielid bij zich had. En zelfs als ze niet was wie ze voorgaf te zijn, zou lord Devane nooit willen hebben dat hij haar op de stoep liet staan.

Hij maakte een buiging. 'Komt u maar binnen, mevrouw,' en ze volgde hem het huis in, door een smalle gang met aan de linkerkant een trap en aan weerskanten twee stel deuren. Door een deur rechts zag ze bedienden die witte damasten tafellakens over tafels legden. De schoorsteen was versierd met hulst en klimop, en tussen dennegroen stonden witte kaarsen. Het was de dag voor

Kerstmis en hij hield een ontvangst, en nu was zij hier. Ze was een dwaas, maar toch volgde ze Cradocks gebaar naar een deur links.

'Wilt u hier wachten, juffrouw Alderley, dan zal ik lord Devane waarschuwen. Kan ik u een verfrissing aanbieden?'

'Nee,' fluisterde ze. De enormiteit van wat ze deed maakte haar verlegen. Ze bevond zich nu in een kleine salon die getuigde van Rogers rijkdom. Dit was de Neptunuskamer, zo genoemd omdat het behang op de muur Neptunus afbeeldde met zijn baard vol zeesterren en zeepaardjes, oprijzend uit een blauwgroene golf en blazend op een gouden hoorn. Om een stuk of vijf kaarttafeltjes stonden stoelen met armleuningen gebeeldhouwd in de vorm van spelende dolfijnen. In het midden van elke tafel stond een witte kaars, versierd met een rozemarijn en klimopkrans. Barbara ging op de rand van een stoel zitten en probeerde op adem te komen. Haar hart klopte zo snel dat ze er duizelig van werd. Wat verwachtte ze in 's hemelsnaam van Roger – dat hij haar zou schaken?

Cradock klopte op de deur van de bibliotheek.

'Binnen,' riep Montrose, die aan zijn bureau zat met de lijst van gasten voor het diner. White hing in een stoel bij het haardvuur en las Alexander Popes *Ilias,* een boek dat het jaar daarvoor zo'n groot succes had gehad.

Montrose maakte een sissend geluid toen Cradock hem iets in het oor fluisterde, en White keek op van zijn boek en zag de secretaris een niet-begrijpend gebaar maken.

Cradock verliet de kamer.

'Wat is er, Francis? Vertel het mij ook. Je barst van verlangen om het mij te vertellen!'

Montrose kon het niet lang voor zich houden. 'Er is een jongedame beneden.' Hij wachtte even voor het dramatische effect. 'Een jongedame zonder chaperonne, die zegt dat haar naam Barbara Alderley is.'

Whites mond viel open. Iedereen in huis wist dat de trouwplannen van lord Devane waren gestrand. En White en Montrose wisten beiden dat hij al veel geld had geïnvesteerd in plannen, vergunningen en leningen aan lady Alderley. Hij zag er dan ook moe uit tegenwoordig, niettegenstaande zijn charme.

'Maar waarom is Cradock naar jou toegekomen in plaats van...'

'Verantwoordelijkheid.'

White begreep het meteen. In grote huizen met veel bedienden schoof men verantwoordelijkheden liever op een ander af.

'Carlyle!' riep hij even later. 'Het is vast een van zijn trucs! Herinner je je niet, Francis, hoe hij eens twee hoeren betaalde die hier moesten aanbellen en zeggen dat ze hofdames waren van de prinses, met een speciale boodschap voor lord Devane?' Hij sprong overeind en grinnikte tegen Montrose als een kwajongen. 'Laten we samen naar beneden gaan om haar te bekijken. Als ze echt is – en dat kan niet – zal ik hem voor jou waarschuwen. Ik neem de verantwoording.' Hij stoof de kamer uit.

Montrose volgde met een zucht.

Barbara sprong op toen ze een zachte klop op de deur hoorde. Van benauwdheid kon ze haast geen adem krijgen. Bij het zien van die twee vreemde jonge mannen die haar aanstaarden alsof ze een bezienswaardigheid was op een dorpskermis, ontzonk de moed haar helemaal. Het was te heet in die kamer, ze viel bijna...

White kon haar nog net opvangen voor ze op de grond viel. Noch hij noch Montrose beschouwden dit meer als een grap. Het was duidelijk dat dit slanke, knappe meisje een respectabel iemand was. Wat ze hier deed zonder chaperonne – en doodsbleek bovendien – daar bleven ze maar liever buiten. Ze hadden natuurlijk eerst lord Devane moeten roepen. White hielp haar op een stoel en streelde haar hand.

'Wie bent u?' vroeg ze.

White beet op zijn lippen. 'Ga onmiddellijk naar boven en haal lord Devane,' beval hij Montrose, die als aan de grond genageld stond te kijken. Zijn stem klonk zo dringend dat hij de deur uitstoof. Pas toen hij op de deur van lord Devanes slaapvertrek klopte, herinnerde hij zich dat White had beloofd de boodschap aan lord Devane over te brengen en dat hij de volle verantwoordelijkheid op zich zou nemen. Hij wilde alweer de trap afhollen toen Justin, Rogers persoonlijke bediende, de deur opende. Als een man die zijn ondergang tegemoet gaat, liep Montrose naar binnen.

'Ik ben Caesar White, lord Devanes schrijver,' zei White tegen Barbara. 'En die ander was Francis Montrose, zijn secretaris. Vergeeft u me, juffrouw Alderley, maar u ziet eruit of u ziek bent.

Kan ik iets voor u . . .'

Barbara trok haar hand uit de zijne. 'Gaat u weg,' zei ze. Ze schaamde zich zo dat ze dacht te zullen sterven. Ze was in Rogers huis en daar had ze niets te maken. Nu hadden twee jongemannen en de majordomus haar gezien, en ze had zich van haar leven nog nooit zulke moeilijkheden op de hals gehaald.

'Het is persoonlijk, mijnheer.'

Roger beduidde Justin dat hij de kamer moest uitgaan. Hij had zich aangekleed voor de ontvangst van vanavond en hij zag er bijzonder knap uit.

'Ja?'

'Juffrouw Barbara Alderley bevindt zich in de Neptunuskamer, mijnheer. Caesar is nu bij haar.'

Rogers ogen gingen wijd open. 'Wat bedoel je? Juffrouw Alderley in de Neptunuskamer? Is dit een grap? Carlyle. . .'

'Ik wou dat het waar was, mijnheer. En er is nog iets.' Montrose slikte. 'Ze is alleen, mijnheer.'

'Alleen!'

Nog nooit had lord Devane, in al die jaren dat Montrose bij hem werkte, tegen hem geschreeuwd. Ditmaal schreeuwde hij: 'Waarom is niemand het mij direct komen zeggen?'

'Cradock kwam eerst naar mij toe, mijnheer, want hij wist niet wat te doen omdat de juffrouw niet werd begeleid!'

'Waarom, in godsnaam, zit Caesar dan nu bij haar. Aan wie heb je het nog meer verteld? Jezus Christus, man, ik zou jullie allebei kunnen vermoorden! Ga uit de weg!'

White zat nog Barbara's hand te strelen toen Roger de kamer binnenstormde. Zodra hij zijn meester zag, stond White op. Barbara zei zwakjes: 'Roger, het spijt me zo. Vergeef me alsjeblieft. . .'

Roger snauwde tegen White: 'Zeg tegen mevrouw Bridgewater dat ze onmiddellijk hier komt en' – hij wierp een blik op Barbara, die slap in haar stoel hing – 'laat Cradock, maar niemand anders dan Cradock wat brandewijn brengen en iets te eten.' Zijn stem klonk afgemeten, alsof White een soldaat was onder zijn commando. En als een soldaat rende White heen, opgelucht dat hij de verantwoording had overgedragen aan iemand die blijkbaar wist wat hem te doen stond.

Barbara huilde. 'Ik weet niet hoe dit kon gebeuren,' zei ze. 'Ik maakte een wandeling, en ineens was ik hier. Alsjeblieft, haat me niet, Roger!'

De boze uitdrukking op zijn gezicht verdween. Ze zag er zo zielig uit en hij had altijd een zwak voor haar gehad, vanaf dat ze een klein meisje was.

'J-je bent b-boos op me, en je hebt gelijk. Het was dom en ondoordacht! Nu heb ik m-me te schande gemaakt in jouw ogen!'

Ze bedekte haar gezicht met haar handen. Roger was al jarenlang gewend aan vrouwentranen en wist precies wat hij moest doen. Hij knielde bij haar neer en hield haar in zijn armen. Ze greep de revers van zijn jas en snikte tegen zijn schouder. Aan de ene kant wilde hij lachen omdat het zo'n gekke situatie was. Justin zou het niet overleven als hij zag wat ze met zijn jas deed, maar ze huilde zo heftig dat hij haar nooit zou willen kwetsen. Hij troostte haar zoals hij al vele vrouwen voor haar had getroost, en bedacht dat hij en Diana met al hun zakelijke besprekingen de gevoelens van dit kind totaal over het hoofd hadden gezien.

'Stil nou maar,' troostte hij. 'Stil nou maar, lieve kind.'

Hij voelde tederheid voor haar, een emotie die hem min of meer overviel. Het was dom en ondoordacht wat ze had gedaan en ze had zijn hele huishouding op stelten gezet, maar terwijl hij daar zo geknield lag – over een uur zouden de gasten al komen – kreeg hij een onweerstaanbare aanvechting om te lachen. Ze hikte tegen zijn schouder. Hij beet op zijn lippen en streelde haar rug. Door haar mantel heen was ze vel over been. Kreeg ze niets te eten op Saylor House? Misschien werd ze wel gestraft door haar moeder en tante. Hij schaamde zich dat hij helemaal niet aan haar had gedacht toen de huwelijksonderhandelingen waren afgebroken op die bewuste middag in Saylor House.

Achter hem klonk een kuch. Mevrouw Bridgewater, zijn huishoudster, was binnengekomen en zag hoe haar werkgever op de grond geknield lag met een huilend meisje in zijn armen. Achter haar stond Cradock met een onbewogen gezicht en een dienblad in zijn handen. Roger stond op, maar hij bleef Barbara's hand vasthouden. Ze voelde zich vernederd door de manier waarop mevrouw Bridgewater haar aankeek.

'Mevrouw Bridgewater,' zei Roger vriendelijk, 'dit is de dochter van een vriend van me, en ze is verdwaald tijdens een wandeling. Gelukkig herkende ze mijn huis; haar vader en ik zijn oude vrienden. Ik reken op uw vriendelijkheid om mij te helpen.' Hij had niet verteld waarom Barbara zonder begeleiding was gaan wandelen. 'Gaat u even in het kamertje hiernaast, mevrouw Bridgewater. En wacht u dan op mij tot ik mijn jonge vriendin heb gekalmeerd.'

Mevrouw Bridgewater deed wat er van haar werd verlangd. Cradock had het dienblad neergezet en was de kamer al uit.

Roger schonk een beetje brandewijn in. Barbara verslikte zich bijna in de eerste slok. Daarna liet hij haar wat gebraden kip eten. Hij trok een stoel naast haar en keek toe hoe ze at. Als ze zacht spraken, zou mevrouw Bridgewater niet veel kunnen horen. Hij had het idee dat Barbara nog een heleboel dwaze dingen zou zeggen en wilde haar de grootste vernederingen besparen. Barbara had een hele kippepoot opgegeten. Ze begon aan een tweede en voelde zich al wat beter. Roger was zo onvoorstelbaar vriendelijk.

'Je – je gaat al gauw weg,' zei ze.

'Ja, Barbara. Was je gekomen om afscheid te nemen?'

Ze bloosde toen ze de ironie in zijn stem hoorde, maar ze moest er ook een beetje om lachen. Ze zocht iets om haar handen aan af te vegen. Roger gaf haar zijn zakdoek. Toen haar handen schoon waren, veegde ze haar mond af en tenslotte snoot ze haar neus erin. Hij keek toe zonder iets te zeggen, maar nam de zakdoek niet weer terug. Ze verkreukelde hem tot een knoedeltje in haar hand.

'Ik weet dat je me zou kunnen vermoorden omdat ik hier ben gekomen...'

'Je overdrijft, lieve kind.'

'Maar ik zou mezelf ook kunnen vermoorden. Ik – ik had niet moeten komen. D-dat weet ik wel. Ik weet niet hoe het komt...'

'Maar nu ben je hier.'

'Ja.' Het leek alsof er niets meer te zeggen was.

'Mag ik je thuisbrengen?' vroeg hij vriendelijk.

Ze knikte. De tranen schoten weer in haar ogen. 'Je gaat niet met me trouwen, hè?'

'Nee, dat kan nu niet. En mag ik zeggen dat ik dat na vandaag heel erg jammer vind?'

Ze glimlachte tegen hem. Haar gezicht was opgezet en haar neus was rood, maar het was toch de Saylor-lach. Het trof hem, zoals het hem ook had getroffen de eerste keer dat hij haar zag, hoe ze op haar grootvader leek.

'Je bent erg aardig, Roger. En – en ik weet dat je daar geen woord van meent. Maar ik had gehoopt dat ik je nog eens verliefd op me zou maken, als je me de kans wilde geven. Maar nu – nu ben ik hier, de dag voor Kerstmis, en als ik thuiskom, zullen ze me waarschijnlijk wel vermoorden. . .'

Hij moest lachen, maar ze sprak verder.

'Er is iets dat ik wilde zeggen.' Ze keek omlaag naar de verkreukelde zakdoek in haar handen. 'Ik hou van je. Ik heb altijd van je gehouden. Ik hoop dat je lang en gelukkig zult leven. Dat je t-toekomstige vrouw je vreugde en geluk zal brengen zoals ik het wilde doen. Je moet me niet verachten omdat ik vandaag hier ben gekomen, en ook niet om wat ik zeg. Misschien krijg ik nooit weer een kans, en ik w-wilde dat je het wist.' De tranen rolden over haar wangen en vielen in dikke druppels op haar jurk.

Hij kon niets zeggen. Van de vele dingen die ooit tegen hem waren gezegd, kon hij er geen bedenken die hem zo'n gevoel gaven als nu – weemoedig, aangrijpend en heel erg oud. Hij boog zich naar haar toe en nam een van haar handen in de zijne; zachtjes vouwde hij de vingers open die ze in een vuist gebald hield, in haar ernst en in haar angst, en hij hield de palm van haar hand tegen zijn mond. Als een minnaar kuste hij het binnenste van haar hand heel teder en hield hem toen tegen zijn wang. Ze keken elkaar aan, en dat ene moment waren ze heel dicht bij elkaar. Haar hele leven zou ze dat moment onthouden, wat er verder mocht gebeuren.

'Ik moet je nu thuisbrengen, lieve kind.'

Ze knikte en hij liet haar hand los. Ze stond op, gehoorzaam, rustig, met de kap van haar mantel op haar rug als een klein meisje.

Hij riep mevrouw Bridgewater en gaf Barbara een hand. Samen liepen ze de gang in met mevrouw Bridgewater achter hen aan. Bij de trap stonden Montrose en White.

'Ik wil jullie graag mijn dierbare vriendin juffrouw Barbara Alderley voorstellen. Jullie hebben haar al onder moeilijke omstandigheden ontmoet. Juffrouw Alderley verdwaalde tijdens haar wandeling en herkende mijn woning. Ik zal haar nu naar huis brengen. Cradock, laat mijn rijtuig voorrijden en zeg tegen Justin dat ik zijn jas heb bedorven. Er is water overheen gemorst. Ik moet een andere hebben wanneer ik straks terugkom. Ik hoef jullie er niet aan te herinneren dat juffrouw Alderley in verlegenheid is en niet graag herinnerd wil worden aan wat er vandaag is gebeurd.'

'Er zal met geen woord over gesproken worden.'

Cradock opende de deur en liep met hen de paar treden omlaag. White en Montrose keken elkaar één seconde aan. Toen renden ze naar de Neptunuskamer die een goed uitzicht bood op de straat.

'Ze stappen in het rijtuig,' zei White. Hij leunde tegen het venster met zijn neus helemaal platgedrukt tegen het glas. Montrose stond twee ramen verder. Gelukkig keek Roger niet omhoog.

'Mevrouw Bridgewater kijkt alsof ze een pruim heeft gegeten,' zei Montrose.

'Jezus, ik zou er een miljoen pond voor over hebben om te weten wat hij nu denkt. Hij keek... teder, vond ik.'

'Ik kan zijn gezicht niet zien,' klaagde Montrose. Zijn stem klonk verongelijkt. White glimlachte.

'Ik wou dat ik een vlieg was op een muur in Saylor House wanneer ze daar aankomen,' zei hij.

Het rijtuig zwenkte de binnenplaats van Saylor House op. Barbara rilde. Roger streelde haar hand en zei: 'Je kon er niets aan doen dat je verdwaalde, Bab. Dat moet je goed onthouden.' Het leek of hij haar waarschuwde om niet de waarheid te vertellen, maar ze had geen waarschuwing nodig. Het was geweldig dat hij haar zo hielp. Ze zou het nooit vergeten. Haar leven lang niet.

'Mevrouw Bridgewater, blijft u hier wachten,' zei Roger, toen het rijtuig stilhield. Er kwam een uitdrukking van diepe teleurstelling op haar gezicht, maar Roger wilde vermijden dat ze in het huis met een van de bedienden zou spreken.

'Juffrouw Barbara!' riep Bates toen hij de deur opende. 'We zijn zo ongerust geweest!'

'Zeg tegen lady Saylor dat lord Devane hier is en haar onmiddellijk wil spreken,' zei Roger.

Barbara was nu erg benauwd. Ze was veel banger dan wanneer ze voor haar grootmoeder moest verschijnen nadat Annie over haar had geklikt. Ze vond het vreselijk om nu haar moeder en tante onder ogen te moeten komen. Achter haar grootmoeders boosheid school liefde, maar achter die van haar moeder en tante school helemaal niets.

'Flink zijn,' zei Roger. 'Denk aan ons verhaal. Dat moet je blijven volhouden, wat er ook gebeurt.'

Bates opende de deur van de grote salon. Nooit had de wandeling door de hal zo lang geleken. Abigail, haar moeder en Tony, die bij het haardvuur zaten, leken zo ver weg. In Saylor House werden ook gasten verwacht en allebei de vrouwen waren gekleed in een fluwelen japon en droegen juwelen. Diana had een prachtig diamanten halssnoer om. De grootste diamant viel net in het kuiltje tussen haar borsten. Zelfs Tony zag er schitterend uit in een fluwelen jas met een blauwe sjerp en een volle, kroezige blonde pruik.

Zonder acht te slaan op Abigail bracht Roger Barbara regelrecht naar Diana.

'Ik breng je dochter terug, Diana. Het schijnt dat ze is gaan wandelen en toen is verdwaald. Gelukkig heb ik haar gevonden. Hier is ze, ongedeerd, onaangeraakt, maar heel erg overstuur, ofschoon ik haar verzekerd heb dat je lief voor haar zou zijn.'

'Heb je dat gezegd?' Diana wierp een blik op haar dochter en wat Barbara in die ogen zag, deed haar besluiten om onder geen beding te gaan huilen, in ieder geval niet zolang Roger er nog was.

'Dank u, lord Devane. Ongerust. Veel dank verschuldigd. Dacht dat Bab iets krankzinnigs had gedaan. Moeder overstuur, weet u. Kerstdag en zo. Iets te drinken?' Tony had een stap naar voren gedaan en sprak ernstig tegen Roger. Maar uit het feit dat hij niet een normale zin kon uitspreken kon men opmaken dat hij van streek was.

Abigail sloot haar ogen. Roger was hun doodsvijand en Tony bood hem iets te drinken aan. Roger zag haar blik, en toen ze haar ogen weer opende, waagde hij het tegen haar te glimlachen. Hij boog elegant.

'Dank u, nee. Ik verwacht ook gasten. Ik wilde alleen zeker weten dat Barbara veilig thuiskwam.' Hij nam Barbara's hand, maar ditmaal kuste hij hem niet.

'Moed houden, kleintje,' zei hij zachtjes, maar Barbara keek hem niet aan. Ze keek naar haar moeder.

Met nog een buiging verliet hij de kamer, met Tony achter hem aan.

In de grote salon kon je een speld horen vallen en de spanning was te snijden. Barbara huiverde; de kamer was koud. Net zo koud als haar moeders hart. Ze wachtte, maar niemand zei iets. Ze slikte en begon.

'Het – het is waar.' Haar doorgaans lage stem klonk nu hoog en schril. 'Ik zag dat het hek open was. Ik – ik wilde alleen maar een klein wandelingetje maken. Ik...'

'Ben je met hem naar bed geweest?'

Barbara keek haar moeder met grote ogen aan. 'Ik zou nooit...' begon ze, maar Abigail onderbrak haar.

'Diana, ze was maar een uur weg! Barbara Alderley, jonge dames lopen niet zonder geleide door de stad, dat weet je best. Toen Martha zei dat je weg was, dacht ik dat ik ter plekke zou doodvallen – met twintig gasten in aantocht...'

'Jij hoeft me niet te vertellen wat je in een uur kunt doen. Dat weet ik zelf het best. En ze is uiteindelijk mijn dochter.'

Diana's stem sneed als een mes door Abigails woorden. Ze zat daar gekleed in haar lievelingskleur, dieprood, en haar halssnoer glinsterde in haar hals, en voor Barbara was ze de verpersoonlijking van alles wat slecht en gemeen is. Opzettelijk heel langzaam stond ze op. Abigail en Barbara keken als verlamd toe.

'Zeg me nog een keer, mijn dochter, wat er is gebeurd. Heb je de hele zaak voor me bedorven?' Haar lage stem was prachtig, als honing, als fluweel.

'Ik – ik heb u alles verteld. Ik wilde gaan wandelen en toen ben ik verdwaald, en...'

De kracht van haar moeders vuist deed haar met een klap op de grond vallen. Een vreselijke pijn ontplofte in haar hoofd, rood, oranje, geel. Overal. Ze werd er misselijk van. Langzaam aan verschoof de pijn naar de linkerhelft van haar gezicht. Ze begreep niet goed wat er was gebeurd.

'Grote genade!' riep Abigail, en knielde bij Barbara neer.

'Barbara, Barbara! Is alles goed met je? Tony, in godsnaam, help me.'

Tony kwam al aanhollen. Barbara kreeg de smaak van metaal in haar mond... bloed. Voor ze het wist, spuwde ze het allemaal over de geelfluwelen rok van haar tante.

'Lieve god!' gilde Abigail. In haar haast om op te staan, raakte de tulband die ze op haar hoofd droeg los en rolde onder de porseleinkast. Abigails haar zag er vies en geplakt uit. 'O, nee!' riep ze.

De linkerkant van Barbara's gezicht was één kloppende pijnlijke massa geworden. Ze keek omhoog naar Diana. 'Ik haat je,' zei ze vermoeid.

Diana maakte een beweging in haar richting, maar Tony ging voor haar staan. Zijn bleke, dikke gezicht stond kwaad.

'Blijf bij haar weg, tante Diana! Ik meen het! Moeder, ik houd u verantwoordelijk voor deze hele scène!' Voor het eerst in jaren sprak hij in volledige zinnen, maar iedereen was te zeer overstuur om het te merken.

'Mij!' gilde Abigail, die op haar handen en voeten probeerde haar tulband van onder de kast te vissen. Ze kwam overeind en bleef met haar hak in de zoom haken, waarbij ze de rok van haar japon scheurde.

'Het is Diana!' gilde ze. 'Diana!' Het was alsof ze alleen dat ene woord kon uitbrengen. Het bloed dat Barbara had uitgespuugd had een grote rode vlek gemaakt pal onder haar buik.

'Tony! Tony!' riep ze, maar hij gaf geen antwoord. In de hal begon Barbara te huilen, wat haar gezicht nog meer pijn deed.

'Bab, huil toch niet. Ik zal je beschermen, dat beloof ik je.'

'O, Tony,' snikte ze.

Bates wachtte tot ze de trap op waren. Hij had de tegenwoordigheid van geest gehad om de gasten in een zijsalon binnen te laten. Nu opende hij de deur van de grote salon. Abigail met haar vieze haar op haar hoofd geplakt lag weer op handen en voeten voor de porseleinkast. Diana stond bij de haard, mooi en sereen. Bates sprak in de richting van het portret boven de schoorsteen.

'Uw gasten zijn aangekomen, mevrouw.'

Barbara lag op haar bed. De linkerkant van haar gezicht was opgezwollen en de zijkant van haar tong was dik en rauw, want door de kracht van Diana's klap had ze op haar tong gebeten, haar hoofd deed pijn en haar oog werd helemaal blauw. Niemand had haar wat ijs of een kompres gebracht. Martha was nergens te zien. Tony had haar op haar bed geholpen. Ze had een hekel aan Martha, maar dat was niets bij de haat die ze voor haar moeder koesterde. 'Grootmama,' fluisterde ze in het donker. De gedachte dat haar grootmoeder spoedig zou komen, legde zich als een beschermende mantel om haar heen.

De hertogin lag te rusten. Vanavond zou ze een paar uur beneden in de eetzaal van de bedienden moeten zitten om naar hun jaarlijkse toneelstuk te kijken dat ze te harer ere opvoerden. Het stuk werd altijd geschreven en geregisseerd door Perryman die ook de hoofdrol speelde, een parodie op haar, de hertogin. Perryman trok een oude jurk aan en zette een gekke pruik op; dan schreeuwde hij tegen de bedienden en er was altijd een boze geest die het hele huishouden op stelten zette. Perryman zocht dan overal, onder kussens, in de soeppot, en de hertogin lachte en knikte, zoals de spelers van haar verwachtten. Het zou zo'n teleurstelling zijn als ze het niet prachtig vond. De dominee kwam ook kijken, samen met sir John Ashford en zijn vrouw.

Het was een jaarlijkse traditie geworden. Sir John zei altijd dat ze haar niet gemeen en onverzettelijk genoeg hadden uitgebeeld, en dat Perryman te dik was om de rol goed te brengen. Na afloop hield de dominee een korte toespraak over haar vrijgevigheid en christelijke naastenliefde, en dan ging de hele huishouding naar de grote hal waar haar kleinzoon Tom het grote kersthoutblok in de haard aanstak en waar ze allemaal toostten met een glas bier. Daarna trokken de bedienden zich terug om te zien of alles in orde was voor morgen. Dan gaf ze een groot feest in de hal waar alle bedienden, pachters en vrienden bij elkaar zaten. Allemaal aan een heel lange schragentafel die veel ouder was dan zijzelf, een tafel die zelfs in de tijd van haar overgrootvader was gebruikt, zelfs in de tijd toen Hendrik VIII op de troon zat. Ze zouden de hele middag feesten. 's Morgens werd een kerkdienst gehouden en 's avonds kwamen de zangers met hun kerstliedjes. Kerstcadeautjes – fooien voor de bedienden – alles in de komende twaalf dagen.

Ze moest nog naar een souper bij de landjonker, een diner bij de dominee en een kaartavond bij sir John. Maar wat was het dit jaar anders dan andere jaren, zonder Barbara. O, wat miste ze haar kleindochter. Ze had bijna zin om de kinderen in het rijtuig te proppen en met hen naar Abigail te gaan voor het nieuwe jaar, alleen om haar kleine Barbara weer eens te zien. Zij was het geweest die de leiding had bij het zoeken naar een kersthoutblok en bij het vlechten van kransen van dennegroen. Het was Barbara die zich op de een of andere manier een plaatsje had weten te veroveren in het toneelstuk en die van haar elfde jaar af de bedienden de lachstuipen bezorgde met haar voorstelling van een luie, smerige, brutale dienstmeid bij de hertogin, die door Perryman werd gespeeld. En het was Barbara die het helderst zong wanneer de oude kerstliedjes werden ingezet en die leven bracht in dit oude huis, en dat besefte de oude dame pas goed nu ze al een maand weg was.

Elke dag sedert haar vertrek had de hertogin uitgekeken naar een brief. Ze kende Diana goed genoeg om niet al te ongerust te zijn. Er was maar één lange brief van Barbara gekomen, die twee weken geleden uit Saylor House was verzonden. De hertogin had hem verschillende malen gelezen, tot ze hem uit het hoofd kende. Daarna had ze hem aan de kinderen moeten voorlezen en aan Annie, aan de huishoudster, aan Perryman en de kok, die het nieuws doorvertelden aan de lagere bedienden. Verdraaid nog aan toe, ze misten haar allemaal.

Wat liepen de wegen van de Heer toch vreemd dat een van de kinderen van Diana, haar mislukking, zoveel voor haar was gaan betekenen op het moment dat haar leven door droefheid werd overvallen... haar zoons die één voor één doodgingen, en Richard, die zo veranderde... Die fijne, heldere geest van hem die was weggeëbd... Droefheid... ja, dat was droefheid... en hoe verder hij van haar kwam af te staan, hoe meer ze het kind Barbara nodig had, het kind dat zo op Richard leek. Als Barbara er was, kon ze Richards dood aanvaarden, het gapende, diepe gat dat in haar leven was ontstaan, want hij was het middelpunt van haar leven geweest, ziek of gezond, het middelpunt... ja, Barbara had haar leven weer inhoud gegeven en de hertogin had het gevoel dat er nu een tweede gat in haar hart was ontstaan. Ze had nooit gedacht dat ze het kind zo zou missen.

Als Barbara met Roger trouwde, zou ze de kinderen bij haar laten komen, dat wist de hertogin; Barbara was hun echte moeder, niet Diana, die ze liefdeloos ter wereld had gebracht en ze verder aan hun lot had overgelaten. Wie had de hertogin dan nog? Misschien zou ze wel naar Londen gaan, om de kinderen af en toe te zien. Dicht bij hen wonen om haar achterkleinkinderen te zien opgroeien. Ah, daar was Annie die de brieven bracht. De hertogin vond het heerlijk om ze te ontvangen; vrienden en familie hielden haar op de hoogte van allerlei roddelpraatjes. Annie glimlachte. Wat was dat?

De hertogin pakte een brief aan en herkende onmiddellijk Barbara's wijde handschrift. Ze scheurde het zegel los en las de vier zinnetjes: 'Kom naar Londen, grootmama. Ik zit in vreselijke moeilijkheden. Ik ben slecht geweest. Komt u alstublieft.'

'Wat is er, mevrouw?'

Annies scherpe stem bracht haar terug in de werkelijkheid. Haar kleintje zat in moeilijkheden! De hertogin vroeg zich niet eens af waarom en hoe. Ze wist alleen dat dit kind, dit lieve kind haar nodig had. Het was fijn als iemand je nodig had. Ze stond op.

'We gaan naar Londen, Annie,' zei ze gedecideerd. 'Ons kleintje heeft ons nodig, Annie.' Meer hoefde ze niet te zeggen.

Het was twee dagen voor nieuwjaar. De feestelijkheden op Saylor House waren als gebruikelijk verlopen; Abigail had kaartavondjes gehouden en diners, theepartijen en soupers, maar Barbara's aanwezigheid lag als een domper over de vrolijke kerstsfeer. Ze bleef in haar kamer; men hoefde haar niet op te sluiten want ze weigerde van haar kamer te komen. Ze at nauwelijks; de dienbladen die naar boven werden gebracht kwamen weer bijna onaangeroerd terug. De bedienden spraken erover; iedereen wist dat Diana haar had geslagen, maar niemand wist precies waarom. De volgende dag had Barbara haar hart uitgestort bij Fanny. En ofschoon Fanny niets zei, had Abigail het gevoel dat zij op de een of andere manier de schuld kreeg van alles. Mary liep door het huis te mokken als een bedelaarskind. Wanneer Abigail maar opkeek, zag ze die lichtblauwe ogen van haar jongste dochter beschuldigend naar haar staren. Maar zij had Barbara niet geslagen! Dat had Diana gedaan!

Nu zat ze in de grote salon thee te drinken. Fanny en Harold waren er ook, evenals Tony, Diana en Mary. Bij het zien van Diana, die gulzig de kruimelige cake van haar vingers likte – en op schandelijke wijze met Harold flirtte – begon Abigails bloed te koken. Tony, haar Tony met dat beetje hersens in zijn hoofd, de jongen voor wie ze jarenlang plannen had lopen maken, was gisteravond laat naar haar slaapkamer gekomen om te zeggen dat hij erover dacht naar Barbara's hand te dingen zodra zij over haar liefde voor lord Devane heen was. Abigail had op haar bed gezeten, met nachtcrème over haar gezicht, een oude doek om haar hoofd en onder haar kin tegen het uitzakken van een onderkin, en ze had letterlijk geen woord kunnen uitbrengen. Barbara en Tony. En het ergste was dat Tony Bentwoodes toch wel zou krijgen. Diana zou het hem verkopen – maar dat had ze Tony nog niet allemaal uitgelegd. Wat zou Diana lachen als ze het wist.

Lieve hemel, daar zat ze nu en dat kind boven werd met de dag magerder; het was een domper op alle feestvreugde. En Diana zat daar maar te smullen van háár eten, sliep op háár bed, leende háár geld, en nu Tony die verliefd werd op die koppige, onstuimige wildebras, het was allemaal te veel voor haar. Na alles wat ze de laatste dagen had doorgemaakt, was voor haar de maat vol. Nu kon haar niets meer overkomen.

Bates kwam de kamer in. Het viel Abigail op dat zijn gezicht rood was van opwinding. Ze moest haar best doen om de vreselijke woorden die hij sprak in haar bewustzijn te laten doordringen. De maat was dus nog niet vol; de Heer had nog iets voor haar in petto. Het leek wel een nachtmerrie; straks zou ze wakker worden en dan was het twee weken voor Kerstmis, en Diana zat nog in Covent Garden. En ze was niet van plan haar daarvandaan te halen.

'Mevrouw,' herhaalde Bates. 'De hertogin is hier. Het is haar rijtuig in de oprijlaan. Ik zou het overal herkennen.'

Diana, die tot Fanny's ergernis naar Harold had zitten lachen, stond langzaam op en de lach bestierf op haar gezicht. Tony was al opgesprongen en snelde de kamer uit, gevolgd door Fanny, Harold en Mary. Abigail stond op, als een gevangene in een droom, en liep langzaam de hal in. Diana volgde nog langzamer. Barbara verscheen boven aan de trap en vloog naar beneden. Hoe wist zij het? vroeg Abigail zich af. Ze was toch geen heks? Barbara rende iedereen voorbij tot ze bij de voordeur was. In de oprijlaan stond een ouderwets rijtuig. De koetsier boog zich naar binnen door het portier en sprak met iemand. Achter het rijtuig stond nog een wagen, die volgeladen was met meubilair. Barbara herkende de stijlen van haar grootmoeders hemelbed. Dan waren er nog grote, rechthoekige pakken overdekt met zacht leer, waarin een aantal geliefde tafeltjes van de hertogin zat en een portret van de hertog, allemaal voorwerpen uit Tamworth die de hertogin onontbeerlijk achtte op reis.

'Schiet op, man! Deze kinderen zijn half dood van de kou en ik ook!'

Het was haar grootmoeders stem, nog iets knorriger door de vermoeidheid van de reis. Barbara drong langs de koetsier en Abigails lakei, die probeerden de inzittenden van het rijtuig te laten uitstappen. Binnen zaten ze allemaal in het duister: haar grootmoeder, Annie, Dulcinea, stevig vastgehouden door Annie, een huilende Anne en Charlotte, die op het punt stond dat ook te gaan doen.

'Grootmama!' riep Barbara en klom naar binnen, niettegenstaande het feit dat de koetsier half binnen en half buiten het rijtuig hing. Ze wierp zich in haar grootmoeders armen en huilde en kuste haar gezicht. Anne en Charlotte, die ertegenover zaten, wierpen zich op Barbara, zodat de hertogin werd overspoeld door huilende, krioelende kleinkinderen. Ze zei geen woord maar haar gezicht werd al vriendelijker, en ze streelde elk kinderlijfje dat haar voor de handen kwam.

'Zullen we eerst eens proberen uit het rijtuig te stappen? Anne, Charlotte, laat John jullie helpen. Barbara...' Met een snel gebaar streelde de hertogin Barbara's gezichtje. Ze had willen zeggen dat ze moest uitstappen, maar ze zweeg. Ze wilde het meisje bij zich houden. Wat hadden ze met haar gedaan? Ze was zo mager als een talhout en wat was dat voor een lelijke kneuzing op haar gezicht, een kneuzing die ook een blauw oog had veroorzaakt. Bij God, hier zouden een paar koppen voor rollen!

Op de een of andere manier lukte het toch iedereen te laten uitstappen. Anne en Charlotte werden allebei door een lakei gedragen. Annie liep aan het hoofd van de processie als een lichtgeraakte dienares van de koningin van Egypte. (Bates kon zijn ogen niet van haar afhouden. Ze was net zo lichtgeraakt, trots en geweldig als altijd. Hij aanbad haar met zijn ogen. Ze liet even haar blik over hem gaan om te zien of hij nog altijd haar slaaf was, constateerde dat dat inderdaad zo was en met een rukje van haar hoofd beduidde ze hem dat ze het weer druk had met haar levenstaak: de hertogin.)

'Waar zijn de jongens?' vroeg Barbara.

'Er was geen ruimte voor ze in het rijtuig, maar ik heb ze beloofd dat ik ze zou laten komen voor je huwelijk.'

'Er komt geen huwelijk, grootmama.'

'Mevrouw,' begon Bates, die door zijn vreugde over Annies komst bijzonder spraakzaam was geworden, 'ik ben ontzettend blij u te zien. U ziet er goed uit.'

'Hou je mond, Bates,' zei de hertogin gemoedelijk. 'Je praat te veel. Bewaar dat maar voor Annie. Als ze tenminste iets met jou te maken wil hebben.'

'Ja, mevrouw. O, mevrouw, het is zo fijn u hier te hebben – kijkt u uit.'

'Ik kan nog wel zien, man. Kijk jij maar uit, Bates. Mijn Annie zal je wel intomen voor deze dag ten einde is.'

'Ja, mevrouw,' beaamde Bates vrolijk.

'Grootmama,' zei Tony bij de deur. 'Welkom. In mijn huis. In uw huis, grootmama.'

De hertogin voelde tranen opkomen, tranen omdat ze nu na vijf jaar weer terug was in dit huis waar zij en Richard hadden gewoond en hun gelukkigste tijd hadden beleefd. Dit huis, waar Richard na zijn dood in de grote salon had gelegen terwijl heel Londen defileerde voor een laatste blik op hun held. Daarna had ze hem naar Tamworth gebracht om hem te begraven. De koningin had Westminster Abbey gewild, maar Tamworth was goed genoeg voor de eerste hertog. En daar zou zij naast hem komen liggen wanneer het haar beurt werd.

Ze brachten haar in de hal waar de rest van de familie stond te wachten. Ja, dacht de hertogin, dit huis wekt te veel herinneringen op, maar nu ben ik hier en jullie zullen allemaal boeten voor je onvriendelijkheid jegens mijn meisje.

Fanny kwam het eerst naar haar toe, gevolgd door Harold. Ze kuste haar grootmoeder zachtjes op de wang.

'Fanny, wat zie je er toch lief uit,' zei de hertogin. Vanuit haar ooghoek kon ze zien dat Abigail en Diana nog niet van hun plaats waren gekomen. Ze porde Tony in zijn ribben.

'Je bent nog steeds te dik, jongen. Je moeder geeft je te veel te eten. Help me onthouden dat ik je mijn recept voor vlierbessenthee geef, dat neemt de eetlust weg.'

'Ja, grootmama.' Tony vond het niet erg dat zijn grootmoeder met kritiek begon. Zo was het altijd geweest, en zo zou het altijd blijven. Mary kwam van achter de rokken van haar moeder vandaan en liep stiekem naar de twee meisjes die zich achter Annie verscholen hielden. Het was alsof een magneet haar naar hen toetrok. De hertogin, haar grootmoeder, keek met dreigende blik, maar zei niets.

Abigail die verstijfd was blijven staan, als iemand die een enorme schok heeft gehad – ze keek naar de twee meisjes die zich achter Annie verstopten, naar een ongeduldige, enorm grote kat in Annies armen en naar de bagage die door lakeien in haar hal werd neergezet – kwam plotseling naar voren als iemand die door onzichtbare touwtjes wordt getrokken.

Majesteitelijk schreed ze naar voren en raakte de wangen van de hertogin met de hare. 'Mama Saylor, wat een aangename verrassing. Ik . . .'

'Ik heb het koud, Abigail, en ik ben moe. Zorg ervoor dat deze twee dondertjes gauw te eten krijgen en dan meteen naar bed gaan. Anne, Charlotte, kom naar voren en groet je tante . . . en je moeder. Zo Diana, begroet jij mij niet?'

Er hing een stilte in de hal. Heel langzaam bewoog Diana zich naar voren. Ze had een sensuele manier van lopen, deinend vanuit de heupen, waardoor haar rokken zacht meewiegden. Harold kon zijn ogen niet van haar heupen afhouden, maar Diana keek naar haar moeder terwijl ze op haar toeliep. Eén keer keek ze naar Barbara, maar die had alleen oog voor haar grootmoeder en zag haar niet.

'Mama,' zei ze toen ze eindelijk bij de hertogin was. 'Wat een verrassing.' Ze boog zich voorover en kuste haar moeder op de wang.

'Ja, dat kan ik me voorstellen,' beet de hertogin.

Ze stond op en pakte Dulcinea van de vloer. 'Abigail,' zei ze, 'ik ga nu naar mijn kamers. Zorg jij ervoor dat mijn bed onmiddellijk wordt opgemaakt. Het zit in die pakken. Het marmer van de hal is dof, Abigail. Ik zal je huishoudster een recept geven om het weer te doen glanzen. Tony, geef me je arm. Ik moet nu even rusten. Barbara, na mijn dutje wil ik graag met je praten. Geef me nog een kus, kind, dan slaap ik lekkerder.'

Ze gingen uit elkaar. Lakeien droegen grote koffers naar binnen en de ingepakte meubelen van de wagen die volgeladen buiten stond. Mary stond eindelijk naast de twee meisjes; ze lachte verlegen tegen Anne en Charlotte en de twee liepen met haar mee naar boven. Annie deelde bevelen uit aan de lakeien. Bates stond van dichtbij naar haar te staren met iets van aanbidding in zijn ogen. Abigail stond het pandemonium in haar eigen huis gade te slaan. Barbara begon de trap op te lopen, maar Diana greep haar arm.

Ze draaide zich met een ruk om en keek in de mooie, violetblauwe, koude ogen van haar moeder.

'Je bent pienterder dan ik had gedacht,' zei Diana.

Barbara antwoordde niet maar rende de trap op achter haar zusjes aan.

6

De hertogin lag in haar bed, het bed dat ze uit Tamworth had meegebracht en dat weer was opgebouwd in een van de staatsievertrekken die vroeger voor koninklijke bezoeken werden gereserveerd. Het meeste meubilair was uit de slaapkamer weggehaald en vervangen door de meubels die de hertogin had meegebracht. Een portret van de hertog, *het* portret, hing nu op een plek waar ze het steeds kon zien. De hertogin was strompelend door haar vertrekken gegaan om ze te inspecteren – door de koude reis waren haar benen weer erg pijnlijk geworden – en nu opende ze een van de gebeeldhouwde boekenkasten en liet haar vinger over de ruggen van de boeken gaan. Er was geen stof, maar op de ruggen waren verscheidene schimmelplekken.

'Boekenschimmel,' zei ze hardop.

Ze liep naar de ramen om naar buiten te kijken, en haar oog viel op een druppel kaarsvet op de fluwelen gordijnen. Met een knokige vinger ging ze er overheen. 'Dit huis gaat naar de bliksem,' zei ze tegen het raam.

Eindelijk waren de lakeien klaar met het opzetten van het bed, en nu lag ze erin. Er liepen nog bedienden in en uit, een om warme soep voor Anne en Charlotte te brengen, een andere om speciale thee voor haar te zetten die haar zenuwen zou kalmeren, en weer een andere werd naar Abigail en Diana gestuurd om te zeggen dat ze morgen wel met hen zou spreken, omdat ze nu te moe was. Annie had haar in haar nachtjapon geholpen en haar juwelenkistje uitgepakt. Nu was ze bij de bedienden beneden. Morgenochtend zou ze op de hoogte zijn van alle roddels.

Toen Bates Annie de bediendenhal binnen leidde, werd er net avondthee gedronken. Bates, trots als een pauw, bracht haar naar zijn stoel, de beste die er was, vlak bij het vuur. Alle bedienden begrepen dat deze magere, lelijke vrouw een belangrijk persoon was. Zij was degene die de hertogin hoogst persoonlijk aankleedde, voorlas en troostte, maar bovenal was zij de vertrouwelinge van de grote hertogin van Tamworth. Ze diende al jaren bij de familie en kende alle geheimen, de goede en de slechte, en bewaarde ze voor haarzelf. De jongere bedienden werden aan haar voorgesteld en meteen weer naar hun hoek teruggestuurd, waarna de ouderen zich om Annie schaarden. Voor hen was zij een symbool van de tijd toen de hertog nog leefde.

Toen de thee was afgeruimd, haalde Bates een fles wijn uit de kelder en ontkurkte hem. Nu begonnen de herinneringen: hoe dit vroeger het beroemdste huis van Londen was geweest. Dat koning Willem en koningin Mary hier 's zondags op bezoek kwamen voor de thee of voor een spelletje kaart. Wat was dat fantastisch wanneer hun rijtuig, voorafgegaan door een paar Hollandse en Engelse gardesoldaten in hun prachtige scharlaken uniformen, het binnenplein kwam oprijden. De Londenaren stonden dan buiten de hekken te juichen of boe te roepen, afhankelijk van het laatste oorlogsnieuws uit Europa. En prinses Anne kwam altijd op de ontvangstdag van de hertogin, met haar dierbaarste hofdame, Sarah Churchill. Nog weken nadat de kleine Dicken was gestorven vonden de portiers bosjes rozemarijn in zwarte crêpe gebundeld buiten aan het hek hangen. Zo ging het ook toen William een jaar later stierf. De hertog, die in Europa vocht aan de zijde van generaal Marlborough, was toen thuisgekomen met de restanten van wat ze van zijn zoon hadden teruggevonden. Hij veranderde, en het was de hertogin die de sterkste was; elk overlijden deed haar lichaam buigen maar niet haar geest. Zij had de hertog aangemoedigd om door te gaan met zijn militaire carrière. Men had hem nodig in de oorlog tegen die grote tiran, de Franse koning Lodewijk XIV.

Twee jaar later dromden de Londenaren voor hun hekken samen om de hertogin toe te juichen bij het nieuws van de slag bij Rijssel en het aandeel van de hertog in die strijd. Koningin Anne en de hertogin hadden door de straten gereden in de koninklijke koets, terwijl de menigte hun bloemen toewierp. Maar toen was Giles gestorven, en de hertog was thuisgekomen. Iedereen had gezien dat hij ziek was, en de hertogin had hem naar Tamworth gebracht. Het grote huis in Pall Mall stond nu bijna altijd leeg. De hertog kwam nooit meer terug, tot de dag dat de hertogin zijn lichaam liet opbaren in Saylor House waar honderden mensen drie dagen lang konden defileren om Engelands meest geliefde held eer te bewijzen.

Na afloop werden de bedienden bij elkaar geroepen. De hertogin bedankte hen voor hun diensten en hun trouw; ze gaf hun allemaal een hand, deelde geld uit uit haar eigen beurs en herinnerde zich de naam van iedereen. Ze zei dat ze het zou begrijpen als ze wilden vertrekken, maar dat ze hoopte dat ze de nieuwe jonge hertog met dezelfde trouw zouden willen dienen. En ze waren gebleven. Maar het was meer uit trouw aan het huis en aan de familie. Het was in wezen hun thuis.

Het was nu rustig in de hal van de bedienden. Annie was een beetje sentimenteel geworden door de wijn en de herinneringen. De huishoudster veegde haar ogen af. Ze schudden allemaal hun hoofd over die goede oude tijd, terwijl de jongere bedienden geeuwden en naar bed gingen. Annie beloofde de huishoudster dat ze haar de kostbare recepten van de hertogin voor het wassen van witte kant en het repareren van porselein zou geven. De huishoudster knikte. Spoedig zou ze Annie in ruil daarvoor alles vertellen over de huidige crisis met juffrouw Barbara en lady Diana. Het was niet iets waarover je sprak in aanwezigheid van de jongere, nieuwere bedienden die de oude loyaliteit niet kenden. Maar voor de ouderen waren de mensen boven net zo goed hun eigen familie. En juffrouw Barbara had hun harten gewonnen met haar vrolijkheid en met haar vriendelijkheid jegens de kleine Mary.

De hertogin lag in bed te piekeren met al haar kussens in de rug en haar grote kanten nachtmuts, de bekende slappe pannekoek, op het hoofd. Met haar ene hand streelde ze Dulcinea, die moe was van een lange dag in het rijtuig met twee lawaaiige kinderen. Haar andere hand streek over Barbara's roodgouden haar, dat Annie persoonlijk had geborsteld. Het meisje lag te slapen in haar maagdelijk witte nachtpon met haar haar over het kussen uitgespreid. De eerste aanblik van Barbara's magere, gekneusde gezichtje was een verschrikkelijke schok voor haar geweest. Ze had zich moeten beheersen om Diana en Abigail niet onmiddellijk ter verantwoording te roepen. Dat zou later komen, als ze wat meer van het verhaal had gehoord dan Barbara's versie die het meisje vanavond snikkend had verteld.

'Zo, jongedame!' had ze streng gezegd, 'ik begrijp dat je je volkomen ongemanierd hebt gedragen!' En bij zichzelf dacht ze: Heb ik het kind te veel vrijheid gegeven? Heb ik haar niet behoorlijk opgevoed? Lieve God, is dit dan de zoveelste fout die ik heb gemaakt?

Bij stukjes en beetjes kwam het verhaal los; Barbara spaarde niemand en zichzelf wel het minst. 'Daar stond ik dan, grootmama! Voor – voor zijn deur. En ik b-b-ben naar binnen gegaan. Ik heb eigenlijk een pak slaag verdiend, nog erger dan moeder me heeft gegeven, maar o, grootm-m-mama, ik houd zo-o-o veel van hem. Hij is zo v-vriendelijk. Wilt u het weer goed maken? Ik weet dat u dat kunt!'

De hertogin had haar kleindochter nog nooit zo overstuur gezien zoals ze daar zat te snikken in haar magere handjes. Weg was het gelukkige, zelfverzekerde kind dat ze aan Diana had meegegeven, en daarvoor in de plaats was er dit hoopje ellende.

'Ik weet niet wat er met me aan de hand is,' zei Barbara, 'en ik zal natuurlijk doen wat u zegt, grootmama.' Ze had tegen haar grootmoeder aan liggen snikken terwijl de hertogin haar haar streelde en nadacht. De financiële regelingen waren schijnbaar misgelopen. Dus Barbara was zelf naar Roger toegegaan? Dat was wel heel erg.

Als ze daar niet zo zielig had liggen huilen, had de hertogin haar eigenhandig met haar stok gegeven. Maar nu zuchtte ze inwendig over de onstuimigheid van de jeugd. Over Barbara's natuurlijke openhartigheid. Morgen zou ze de kok een speciaal menu laten klaarmaken voor haar kleindochter. Er moest nodig wat vlees op die botten komen. Ze zou een tocht door het huis maken om te horen wat de andere betrokkenen te vertellen hadden. Ze zou zelfs naar Roger gaan – maar nog niet morgen. Ze glimlachte bij de gedachte hoe de anderen zouden kijken... Abigail, Diana, misschien ook Tony, als hij zo slim was geweest en iets hiermee te maken had gehad. Lieve God, wat had ze toch het land aan oneerlijkheid. Ze voelde zich als een wraakgodin, zonder genade.

De enige persoon waar het in deze ellendige toestand om ging, was Barbara, haar lievelingskleinkind. Lieve God in de hemel, het deed er niets toe dat Barbara zonder chaperonne naar Roger was gegaan. Ik ben oud, dacht de hertogin, dat ik nu niet eens meer geef om de normen van de maatschappij. Die normen gooide ze nu inderdaad overboord. Ze hield zielsveel van Barbara. Het meisje was een geschenk van de Heer om haar over het verlies van

Richard heen te helpen. En ze zou ervoor zorgen dat haar kleindochter gelukkig werd. En wee de man, vrouw of het kind dat probeerde haar tegen te houden. Ze voelde zich onmiddellijk beter nu ze dit besluit had genomen. Ze begon weg te doezelen en het kwam haar voor dat Richard, niet de vriendelijke vreemdeling die de laatste vier jaar van zijn leven bij haar had geleefd maar Richard de man, Richard, haar jonge, knappe, vurige minnaar, zich in haar kamer bevond, op de rand van het bed zat en over haar waakte.

De volgende morgen, lang voordat Diana en Abigail zelfs maar uit hun bed waren gestapt, was ze op een geheime inspectietocht door het huis gegaan (Abigail kon niet aan haar tippen als hoofd van een huishouding; de bedienden werden laks en haar bezoek zou hun goed doen) en ze liet Annie briefjes schrijven die nog diezelfde middag door verschillende lakeien van Abigail door heel Londen moesten worden rondgebracht om vrienden en kennissen mee te delen dat de hertogin van Tamworth in Londen was en bezoekers zou ontvangen. Morgen zou het een drukte aan de deur worden van boodschappen, bloemen en uitnodigingen, allemaal voor haar. Ze had zich weliswaar teruggetrokken uit het openbare leven, maar ze stelde nog altijd iets voor. Het werd tijd dat Abigail daaraan werd herinnerd. Vanmiddag zou ze haar jonge kleindochters, Barbara, Mary, Anne en Charlotte meenemen naar St.-James's Palace. Ze had het idee dat Zijne Majesteit haar wel zou ontvangen, al had hij het druk, en ze was woedend dat Barbara nog niet officieel aan het hof was voorgesteld. Nu zat ze op Tony te wachten. Ze wilde een paar dingen tegen hem zeggen.

'Grootmama,' zei hij toen hij de kamer binnenkwam.

Ze zuchtte; hij was hoegenaamd niet knap zoals zijn vader of grootvader. Dit was nu de tweede hertog van Tamworth, erfgenaam van alles wat zij en Richard hadden vergaard. Deze jongen kreeg de erfenis van Dicken, de erfenis van Dickens zoontje. Abigails blonde, stompzinnige zoon, de minste van haar kleinkinderen. Ik ben niet vriendelijk tegen hem geweest, dacht ze bij zichzelf. Richard zou hem wel vriendelijk hebben bejegend...

'Grootmama, gaat het goed met u?'

'Natuurlijk gaat het goed. Sta daar niet te staren, jongen. Geef me een kus. Hier!'

Met een bevelend gebaar wees ze op haar lippen. Ernstig boog

Tony zich naar voren en kuste haar. Toen deed hij snel een stap achteruit, alsof hij verwachtte dat hij voor deze daad zou worden geslagen.

'Ga zitten,' zei ze kortaf. 'Barbara heeft me verteld wat je voor haar hebt gedaan, jongen. Ik ben je dankbaar. Dankbaar en geroerd. En verrast. Zit er meer in je dan ik dacht?'

'Nee, grootmama. Dat is er vast niet.' Zijn verbazing maakte dat hij hele zinnen begon te spreken.

'Onzin. Het moet er zijn. Jij bent de kleinzoon van Richard Saylor. Ik wil je bedanken voor wat je voor Barbara hebt gedaan. Ik had gedacht dat je zo onder de plak van je moeder zat dat je niets zou durven ondernemen. Ik heb je verkeerd beoordeeld, jongen. Dat geef ik toe. Ik ben trots op je, Tony. Je hebt je als een heer gedragen. Je hebt gehandeld als de beste van Richard Saylors kleinzoons!'

Tony's gezicht was al roder geworden bij elk woord dat ze sprak. Hij mompelde iets waarvan de hertogin alleen kon opvangen 'Deed mijn plicht' en 'Houd ook van Barbara'.

Ze keek hem scherp aan. Wat bedoelde hij? Kon het zijn dat hij. . . dat haar Barbara zijn hart had veroverd, Tony's hart waar zijn moeder zo angstvallig over waakte?

'Spreek eens wat harder, jongen, laat horen wat je zegt.'

'Houd van Barbara, grootmama,' bracht hij uit. 'Al weken. Bijna vanaf dat ik haar voor het eerst zag. Zou haar willen trouwen, als Devane het niet doet. Zou dan wel een stommeling zijn.'

Lieve God in de hemel, dacht de hertogin, wat krijgen we nou! Tony en Barbara. Ze waren neef en nicht, maar het was wettelijk toegestaan. En zo zou Barbara hertogin van Tamworth worden. Maar dan had je Tony als hertog.

'Wat vindt je moeder hiervan?'

Tony keek naar zijn schoengespen.

'Ik begrijp het al,' zei de hertogin. 'Je weet dat Barbara diepe gevoelens koestert voor lord Devane, hè?'

Tony knikte en in een opvallende uitbarsting van welsprekendheid zei hij: 'Het hindert niet. Ik geef haar geen ongelijk. Hij is een knappe man. Elegant. Alles wat ik niet ben. Maar ik houd van haar, grootmama, en ik zou goed voor haar kunnen zorgen. Dat zou ik zeker doen.'

'Tony.' De hertogin lachte naar hem. 'Geef me nog een kus. Je bent toch je vaders zoon. Nee, ik geef je nog geen toestemming om naar haar hand te dingen. Daar is het nog te vroeg voor. Maar ik vind je een fijne jongen. Ga nu maar.'

Abigail veegde nogmaals het zweet uit haar handen. Over een uur zouden er vijftien gasten komen om de komst van het nieuwe jaar te vieren. Sedert zes uur vanavond was er voortdurend op haar deur geklopt. En telkens was het iets voor de hertogin: bloemen, cadeaus, uitnodigingen en rode rozen van de koning zelf. Hoe wisten ze dat zij in de stad was terwijl ze pas eergisteren was aangekomen? Ze had die middag een half uur moeten luisteren naar de huishoudster die uitlegde hoe goed ze steeds haar best deed en dat ze haar ontslag zou nemen als de hertogin van Tamworth niet tevreden was. En blijkbaar waren Anne, Charlotte en Mary (Mary!) in de keuken gekomen en hadden bijna al het geconfijte fruit opgegeten dat voor vanavond was bestemd. De kok had haar twintig minuten lang bezworen dat hij niet in zo'n ongeordend huishouden kon werken.

Ze had de huishoudster en de kok gesust. Ze had de drie meisjes ontboden en ze streng toegesproken. Toen ze om haar eigen lakei belde om hem een boodschap te laten brengen, had ze gemerkt dat hij het alweer druk had met het rondbrengen van boodschappen voor de hertogin. De hertogin was gisteren de hele middag weggegaan met Barbara en de meisjes zonder te zeggen waar ze naar toe gingen. En nu was Abigail ontboden, een uur voor haar eerste gast werd verwacht. Ze veegde haar handen nogmaals af en bekeek zich in de spiegel. Ze zag er koninklijk uit met haar donkerblauwe japon met witte kant aan hals en mouwen. Haar boezem kwam voordelig uit in het decolleté en haar saffieren schitterden er heel aantrekkelijk. Ze had gedaan wat haar het beste leek, het beste voor iedereen. Ze had er alleen maar op gewezen dat Rogers voorwaarden misschien niet helemaal eerlijk waren. Niets meer, niets minder. Ze had aangeboden een betere, jongere echtgenoot te zoeken. Ze was – allicht – gekrenkt door Barbara's gedrag. Maar ze had haar nooit aangeraakt. Ze hoefde zichzelf niets te verwijten. Tony's gevoelens voor Barbara kwamen voort uit het feit dat ze elkaar dagelijks zagen. Dat zou wel overgaan als het meisje weer naar Tamworth ging met haar grootmoeder. Goddank wist de hertogin daar niets van af. Abigail veegde nogmaals het zweet uit haar handen. Ze had altijd het beste met iedereen voor gehad.

'Ik heb alleen maar gedaan wat mij het beste leek, mama Saylor,' zei ze, staande voor de hertogin, en haar gezicht verried niets van wat ze voelde. Het ergerde haar dat de hertogin daar zat als een koningin en dat ze die hele kamer moest doorlopen en moest wachten tot de hertogin haar aansprak. Maar ze liet niets merken. Ze legde haar verhaal kalm uit. Montgeoffrey was zoveel ouder. Zijn reputatie was verdorven. Ze dacht dat Barbara zou worden meegesleept door zijn levenswijze, dat ze er slecht van zou kunnen worden.

'En Bentwoodes!' zei de hertogin kortaf. 'Had jij geen belang bij Bentwoodes?' Abigail legde omstandig uit dat ze alleen de suggestie had gedaan dat Diana iets verder zou zoeken, dat ze het landgoed niet te goedkoop van de hand deed. Zij had er geen persoonlijk belang bij. Heimelijk veegde ze haar handen af aan haar japon maar bleef haar schoonmoeder onschuldig aankijken.

'Wat denk je dat er nu met Bentwoodes gaat gebeuren, Abigail?'

Ze haalde haar schouders op. Het was natuurlijk haar zaak niet. Het land was waardeloos zolang het niet geëxploiteerd werd. Diana moest het zien te verkopen en het geld gebruiken om Barbara's...

'Als het land waardeloos is, waarom heb je Diana dan niet aangemoedigd om toe te happen op Rogers aanbod?'

Ze wilde dat Diana zoveel mogelijk kreeg voor dat land, omdat ze haar financiële situatie kende. Maar hoe dan ook, ze vond dat Roger Montgeoffrey niet het soort man was om met haar nichtje te trouwen. Hij was te...

'Dank je, Abigail,' onderbrak de hertogin. 'Zeg maar tegen Diana dat ik te moe ben om haar vanavond nog te spreken. Doe mijn groeten aan je gasten en wens ze een goed nieuwjaar van me. Ik kom maar niet beneden.'

De hertogin leunde achterover. Abigail, met haar hebberige en bedisselende maniertjes, had toch nog enig plichtsbesef. Misschien was Roger inderdaad niet de man voor Barbara, hoe rijk hij ook mocht zijn. Dat roddelpraatje van vroeger was haar weer in gedachten gekomen. Belachelijk. Wellicht was het beter als Barbara niet met hem trouwde. Hij was te oud voor haar. Misschien moest ze Barbara weer meenemen naar Tamworth en een jaar lang tegen haar tranen en boze buien aankijken.

Er was een zacht klopje op de deur. Annie keek naar de hertogin die er moe uitzag en schudde haar hoofd, maar de hertogin gebaarde dat ze moest opendoen. Barbara kwam binnen met een pakje in haar hand. Het leek of ze er vandaag al beter uitzag, ofschoon de hertogin op een onbewaakt ogenblik zo'n verslagen uitdrukking op haar gezicht zag, dat het haar door het hart sneed. Ze opende haar armen en Barbara holde naar haar grootmoeder.

'Ga jij naar het feest van Abigail?' Ze streelde Barbara's smalle gezichtje.

Barbara schudde haar hoofd. 'Ik ben nog altijd in ongenade, en eerlijk gezegd heb ik geen zin in feesten. Ik zal een buiginkje maken voor de gasten, en dan ga ik naar mijn kamer met Mary, Anne en Charlotte. Ik ben gekomen om u uw cadeautje te geven. Er liggen er al zoveel op u te wachten dat het mijne helemaal in het niet zou vallen. Alstublieft, grootmama. Gelukkig nieuwjaar.'

De hertogin maakte het ritselende pakje open. Er zat een paar handschoenen in die zo zacht waren dat het wel rozeblaadjes leken.

'Ruik er eens aan, grootmama.'

De hertogin hield ze bij haar neus. Ze geurden naar jasmijn-extract.

'Dat is Rogers favoriete parfum, grootmama.'

Roger. De hertogin legde de handschoenen neer. Ze wenkte Barbara om naderbij te komen en kuste haar op elke wang.

'Je grootmoeder is moe,' bromde Annie vanuit haar stoel.

'Zou je weg willen gaan, Annie,' zei de hertogin. 'Ik moet onder vier ogen met Barbara spreken.' Ze wachtten tot Annie de deur achter zich had dichtgetrokken. Toen keek Barbara haar grootmoeder met zulke stralende, verwachtingsvolle ogen aan, dat de oude dame ervan schrok.

'Als ik je eens zei, Barbara, dat ik het het beste vind om alles maar te laten zoals het is. . .' Voor ze haar zin kon afmaken, lag Barbara al op haar knieën voor haar.

'Nee, grootmama! Ik houd zoveel van hem. Ik ga dood zonder hem! Echt waar!'

'Je kent hem niet, kind!' zei ze en nam Barbara's handen in de hare. 'Laat hem naar Frankrijk gaan,' drong de hertogin aan. 'Ga jij met mij mee terug naar Tamworth. Ik zal voor een briefwisseling tussen jullie zorgen. Dan heb je tijd om erachter te komen of je...'

'Als hij weggaat, grootmama, ben ik hem kwijt. Dat weet ik heel zeker. En als ik hem kwijtraak, ga ik dood.'

Ze zweeg. Er was klaarblijkelijk maar één oplossing die Barbara wenste. Gisteren had het zo gemakkelijk geleken, maar vanavond hadden Abigails bezwaren haar aan het twijfelen gebracht. Een vrouw behoorde haar echtgenoot toe zodra ze getrouwd waren, met lichaam en ziel en al haar eigendommen. Of hij nu een dronkaard was, een sadist, een geilaard of een bruut, een vrouw moest dat maar zien te verdragen. Liefhebbende ouders probeerden een gezonde, verstandige man uit te kiezen die ook op de lange duur goed zou zijn voor hun dochters. Ze keek naar Barbara's betraande gezichtje en de hertogin werd onaangenaam herinnerd aan Diana, in haar jeugd, die pleitte voor haar Kit.

'Alstublieft, grootmama! Alstublieft! Ik weet dat u het voor elkaar kunt krijgen.'

'Ba! Ga maar weg, Bab. Je hebt me moe gemaakt met je tranen.'

Moe en bezorgd. Ze was hier gekomen om het beste te doen voor haar meisje, maar nu wist ze niet meer wat het beste was. Ze was moe, en haar benen, die verraders, herinnerden haar aan haar leeftijd. Ze was te actief geweest vandaag en daar zou ze vannacht en morgen voor moeten boeten. Ze zou de hele dag in bed moeten blijven. Maar dat was goed. Ze had bedenktijd nodig.

Door de hele binnenstad van Londen en in Westminster begonnen kerkklokken het nieuwe jaar onzes Heren 1716 in te luiden. Vannacht zouden de klokken om twaalf uur luiden en morgen overdag om nieuwjaarsdag te vieren. Iedereen die het kon betalen, zou nieuwe kleren aan hebben wanneer ze naar de receptie van de koning gingen of vrienden en familie gingen bezoeken en nieuwjaarscadeaus gingen brengen. Iedereen zou uitkijken naar voorspellende tekenen in het nieuwe jaar; de eerste die in dat jaar een huis binnentrad was een voorteken, geluk wanneer het een donkerharige man was, ongeluk als het een vrouw was. Er zouden bijbels te voorschijn worden gehaald om te tippen, een ouderwetse gewoonte om een willekeurig vers uit de bijbel aan te wijzen waarin een voorspelling voor het komende jaar werd gelezen.

Roger en zijn vrienden zaten bij elkaar om een enorme zilveren bokaal met daarin de traditionele 'lamswol': bier, nootmuskaat, suiker, toost en geroosterde appel. Om de voet van de bokaal was een guirlande van rozemarijn en laurier met blauwe en gouden linten geslingerd. Carlyle en Walpole, White en Montrose, Townshend en zijn vrouw, Catherine Walpole, de hertog en hertogin van Montagu en Carr Hervey hieven hun bekers met het warme bier en riepen: 'Wass Hael,' het Oudsaksisch voor 'Op je gezondheid'. Iedereen was een beetje dronken. Niemand had het over Rogers mislukte plannen. Het scheen hem niets te kunnen schelen. Alsof Bentwoodes nooit had bestaan. Hij had het alleen over Frankrijk.

'Misschien blijf ik wel jaren weg,' zei Roger. 'Ik zou de hele wereld kunnen verkennen.'

'Dat komt van de lamswol,' zei Walpole.

'Of het komt door de teleurstelling,' zei Carlyle, maar niemand luisterde naar hem.

Barbara zat op haar bed. De klokken luidden. Haar bijbel, die speciaal voor haar was gemaakt ter gelegenheid van haar belijdenis, lag open op het bed. De kaft was van zacht, gebosseleerd leer en op de voor- en achterkant waren de wapens van Tamworth en Alderley ingestempeld. Mary, Charlotte en Anne zaten alle drie met grote ogen te kijken. Ze had hen vanmiddag, toen ze zich prettig voelde, beloofd dat ze vannacht om twaalf uur zouden tippen. Nu had ze meer zin om niets te doen, alleen maar op het bed te liggen. Haar hart was zo bezwaard dat het bij elke harteklop pijn deed. Als ze dit overleefde, zou ze nooit, nooit meer van iemand houden. Dan kon het haar niets meer schelen aan wie ze haar uithuwelijkten. Het zou jaren duren eer ze hier bovenop kwam.

'Bab, het is Mary's beurt,' zei Charlotte.

Barbara gaf de bijbel aan Mary die haar ogen stijf dichtdeed, een eindje bladerde en uiteindelijk met haar vinger wees.

"Zalig zijn de zachtmoedigen," las Barbara voor, "want zij zullen de aarde beërven."

Mary keek teleurgesteld. In Annes regel had het woord 'hoer' gestaan, en dat had hen alle drie geschokt en geprikkeld. Charlotte had 'vuur en slangen' gehad, wat ook erg boeiend was.

'Nu jij, Bab. Jij,' zei Charlotte.

Barbara deed haar ogen dicht, bladerde wat en zette haar vinger neer.

'IJdelheid der ijdelheden, zegt Prediker; alles is ijdelheid.'

Ze kon de laatste woorden nauwelijks uitspreken. Haar keel zat dicht. Ze wilde hen niet teleurstellen met hun nieuwjaarsplezier, maar ging toch achterover op het bed liggen met haar armen voor haar ogen. De drie andere meisjes keken elkaar aan. Roger, deed Mary geluidloos met haar mond. De andere twee knikten. Ze waren alle drie een beetje verliefd op Roger, alleen maar omdat hun Barbara het ook was. Anne kroop naar haar zusje toe en fluisterde: 'Ik hou van je, Bab.' Ze veegde de tranen van Barbara's wangen.

Mary en Charlotte namen ieder een hand en streelden hem. Barbara voelde de tranen uit haar ooghoeken druppelen. Een paar maanden geleden had ze Jane zien huilen en toen begreep ze het niet. Toen was ze nog een kind. Maar nu was ze dat niet meer. O, Roger, dacht ze.

De hertogin lag in haar bed met Dulcinea, zoals gebruikelijk, naast haar. Af en toe hoorde ze gelach en gegil. Abigails gasten moesten wel aan hun derde beker lamswol toe zijn. Het nieuwe jaar 1716. Herinneringen drongen zich aan haar op, zoals de lamswol Abigails gasten in beslag nam. Richard was al meer dan vijf jaar dood. Barbara was toen een meisje geweest; nu was ze een vrouw. Met het hart en de behoeften van een vrouw. Kinderen, een huis, en als ze geluk had, een echtgenoot van wie ze kon houden. Maar dat viel zo weinig mensen ten deel. Zij en Richard waren iets bijzonders geweest. Terwijl ze hier nu in bed lag, kon ze zich Richard voor de geest halen zoals hij was toen ze hem voor het allereerst had gezien. Het moest wel lente zijn geweest. In haar herinnering lagen een blauwe lucht, vogels die zongen en groene bomen. Ze was achttien toen en ongetrouwd. Ze troostte een kind. Ja, dat was het. Een stel jongens had een kleiner jongetje geplaagd en zij had het gezien, en met een plotselinge felheid (ze was een fel meisje, lichtgeraakt en gauw kwaad omdat haar spiegel een weinig attractieve jonge vrouw liet zien terwijl haar hart ernaar hunkerde om mooi te zijn, zoals haar moeder was geweest) had ze de jongens weggejaagd en was neergeknield bij het huilende jongetje, zelf bijna in tranen omdat ze medelijden met hem had, en toen had ze gevoeld dat iemand naar haar omlaag keek. Ze keek omhoog en zag vanuit een van de gebouwen rondom de binnenplaats een jongeman naar haar kijken. Hij lachte en het was een mooie lach, vriendelijk... teder. Ze was opgesprongen en had de herinnering meegenomen aan een knap gezicht, een sterke mond, een brede neus en volle wangen, een man waar elke vrouw naar zou kijken.

Dat was de eerste keer dat ze hem had gezien. En het was ook de eerste keer dat hij haar zag. Twee jaar later trouwde ze met hem. Hij was een fortuinzoeker, werd ze door de familie gewaarschuwd. Het was dwaas van haar. Ze lachten, fluisterden en roddelden achter haar rug. Ze trouwde beneden haar stand, zeiden anderen. Haar vader was stomverbaasd geweest en boos, en ten slotte had hij ingestemd. Hij had gezegd dat Richard hun vermogen weer zou opbouwen. En zij? Ze was verliefd. Haar vriendinnen waren al vijf of zes jaar getrouwd en waren al moeder. De waarheid was dat ze met hem naar bed wilde. De eerste keer dat hij haar kuste, was zijn mond als vuur en honing op de hare. Toen wist ze ook dat ze voorzichtig moest zijn. Dat hij niet te veel macht over haar mocht krijgen. Maar hij hield van haar. Dat was zijn macht...

En wat wilde Barbara? Een man, zoals zij Richard destijds wilde hebben. Tegen de tijd dat ze met hem trouwde, had ze geweten dat hij een goed mens was, eerlijk en trouw. Barbara wist dat nog niet van Roger, maar toch verlangde haar hart naar hem. Misschien moest zij zelf ook vertrouwen hebben in dat hart. Ze wilde dat Barbara wat ouder was en Roger wat jonger – en dat Richard hier was om tegen te praten. Maar Richard zou nu erg oud zijn geweest. De man die ze had begraven, had gesproken over zijn rozen en zijn heesters. Iedere dag was hij naar de graven van zijn zoons gegaan en had gehuild. Hoe dikwijls was Perryman hem niet gaan zoeken om hem met zachte dwang weer thuis te brengen? Die man had haar niet kunnen helpen. Niemand kon haar helpen. Ze moest maar vertrouwen hebben in zichzelf en in de Heer.

Ze vroeg de belangrijkste mensen om in de bibliotheek bij elkaar te komen. Het was de middag van nieuwjaarsdag en ze had een besluit genomen. Tenminste, een deel ervan, de rest hing af van Roger. Hierna kwam hij aan de beurt. Ze zat op hen te wachten met Dulcinea op haar schoot. De bibliotheek was een klein vertrek op de derde verdieping opzij van de grote zaal die over de hele breedte van de voorgevel liep. Lange rijen in leer gebonden boeken strekten zich uit over de planken. Richard had deze boeken met veel trots verzameld. Nu gebruikte haast niemand deze kamer. Tony was geen lezer en ook geen verzamelaar, zoals zijn grootvader. Ondanks een houtskoolvuur rook het hier nog steeds muf. De hertogin zat naast een secretaire waarvan ze de klep had geopend. Ze liet haar hand gaan over haar eigen naam, Alice, die Richard in de klep had gesneden met zijn pennemes. Een dwaze schooljongensstreek voor een man van veertig...

Iemand kuchte nerveus. Dulcinea sprong van haar schoot en liep naar sir Percy Wilcoxen, de oudste van een firma die de Saylors jarenlang had gediend. Dulcinea draaide om zijn benen en hij kuchte opnieuw. De hertogin wees hem dat hij kon gaan zitten. Zodra hij was gezeten sprong Dulcinea op zijn schoot. Plichtmatig aaide hij haar even en duwde haar toen van zich af. Abigail, Tony en Diana verschenen, allemaal met slaperige ogen door te veel lamswol. De hertogin voelde zich echter uitstekend. Ze was de hele dag in bed gebleven en had genoten van haar brieven. Iedereen wilde haar komen opzoeken en er waren cadeaus: waaiers, rougedoosjes, bloemen, parfum en linten. Ze had genoten.

De hertogin wachtte tot de begroetingen voorbij waren. Iedereen zat nu en keek naar haar. Omdat ze begreep dat iedereen naar haar meesteres zou kijken, begaf Dulcinea zich naar de hertogin.

'Heb je het document, Diana?' vroeg de hertogin. Er hing een sfeer van verwachting in de kamer.

Diana knikte. Ze maakte geen aanstalten om het stuk, een gevouwen, vergeeld perkament, aan haar moeder te geven. Abigail was bijna verlamd van spanning.

De hertogin strekte haar hand uit. Diana keek ernaar. Toen boog ze zich langzaam naar voren en overhandigde het stuk. De hertogin gaf het aan Wilcoxen die er een blik in wierp en toen begon voor te lezen.

'Ik, Alice Margaret Constance Verney Saylor, barones Verney, gravin van Peshall en hertogin van Tamworth, schenk hierbij het land genaamd Bentwoodes aan mijn kleindochter, Barbara Alice

Constance Alderley, als bruidsschat voor haar huwelijk. Getekend op 7 november 1715, in aanwezigheid van Annie Smith en James Perryman.' Hij kuchte weer en zweeg. De hertogin strekte haar hand uit en hij gaf haar het document. Abigail en Diana hielden hun adem in. Dulcinea draaide zich om en sloeg met haar pootje tegen het perkament.

'Het land,' zei de hertogin, 'behoort aan Barbara. Niet aan jou, Diana, niet aan jou, Abigail, en niet aan jou, Tony.'

'G-grootmama,' stamelde Tony. 'Ik heb er geen belangstelling voor!'

Abigail sloot een ogenblik haar ogen, alsof ze bad om geduld. Er werd zacht op de deur geklopt en Barbara kwam binnen. Ze ging regelrecht naar haar grootmoeder. Nu keek iedereen naar haar.

'Bab,' zei de hertogin op zachtere toon, 'ik heb net gezegd dat dit stuk' – ze zwaaide met het vel perkament – 'Bentwoodes aan jou overdraagt. Is dat niet zo, Wilcoxen?'

'Eh, ja, zeker.' En Wilcoxen zweeg weer.

'Wil jij dit land verkopen aan. . . je tante, Barbara?' vroeg de hertogin. Abigail beet op haar lip. Tony keek verwonderd naar zijn moeder.

'Nee,' zei Barbara, 'beslist niet.'

'Wil je het land weer aan mij teruggeven? Daar heb ik wettelijk recht op, nietwaar Wilcoxen? Ik had het land overgedragen als bruidsschat, maar het is niet als zodanig gebruikt.'

Wilcoxen schraapte zijn keel. Alle vier de vrouwen keken hem aan. Hij zag eruit als een man die zich onverwacht bevindt te midden van een groep leeuwinnen – zoals die in de dierentuin bij de Tower, magere, uitgehongerde, wrede beesten die met één snelle beet het hart uit een mens z'n lijf konden scheuren – dreigende beesten die hem aanstaren en stuk voor stuk klaarstaan om hem te verslinden. Maar van hen allen was de hertogin zelf nog de meest geduchte. Hij schraapte zijn keel.

'Eh, ja. Wel, uwe doorluchtigheid, wat dat betreft. . .'

'Wat dat betreft,' onderbrak Abigail, 'Barbara is minderjarig. . .'

'Nee,' kwam de hertog ertussen. 'Ze is vijftien. De leeftijd des onderscheids voor een meisje is twaalf.'

'Alleen voor het huwelijk is ze volwassen, mama Saylor,' zei

Abigail. 'Zij heeft er niets in te zeggen waar dat landgoed naar toe gaat. Diana, haar voogdes zal dat moeten beslissen.'

'Wie van ons heeft gelijk, Wilcoxen?'

'Eh, ja, wel. U beiden hebt goede punten naar voren gebracht. Omdat juffrouw Alderley van het vrouwelijk geslacht is... natuurlijk, ik bedoel...'

Met één snelle beweging scheurde de hertogin het document in tweeën, toen in vieren en in achten. Abigail hapte naar adem. Wilcoxen kuchte. Tony zat met grote ogen te kijken. Barbara hield haar hand voor haar mond. Dulcinea sprong achter de snippers aan die op de grond dwarrelden. Alleen Diana bleef onbewogen naar haar moeder zitten kijken.

'Ik neem mijn geschenk terug,' zei de hertogin. 'Wie het nu wil hebben, zal tegen mij moeten procederen.'

'Zou ik nooit doen, grootmama,' zei Tony onmiddellijk. Abigail beet op haar lip.

'Wat – wat betekent dat?' vroeg Barbara met bevende stem.

'Dat Bentwoodes niet meer van jou is, lieve kind, maar van mij en dat ik ermee kan doen wat ik wil. Als je met mij mee naar huis gaat, Bab, praten we er nog over...'

Barbara rende de kamer uit. Tony sprong op en ging haar achterna. Abigail stond op. De hertogin duwde Dulcinea van haar schoot en greep naar haar stok.

'Blijf hier!' siste ze tegen Abigail die al bij de deur stond. Ze liep de grote zaal in. In de verte kon ze Barbara voorovergebogen zien staan, met haar hand tegen haar maag alsof ze overgaf. Tony stond achter haar; hij sprak tegen haar. De hertogin zette een bedenkelijk gezicht. Ze ging terug naar de bibliotheek, langzaam, alsof ze erge pijn in haar benen had. Abigail zat woedend tegen Wilcoxen te fluisteren.

'Ga nu weg,' zei de hertogin. 'Nu meteen. Behalve jij, Diana, jij blijft nog.'

Wilcoxen boog vlug naar links en rechts. Hij wist niet hoe snel hij de deur uit moest komen.

Diana's handen openden en sloten zich ritmisch op de armleuningen van haar stoel. Het was de enige beweging die ze had gemaakt sedert het verscheuren van het document.

'U had er niet zo'n voorstelling van hoeven maken, moeder,' zei Abigail en haar dikke gezicht kreeg een koppige trek om de kin.

'En ik zou het op prijs stellen als u mij met wat meer beleefdheid wilde behandelen. Ik ben uw kamenier niet! Nu ga ik naar mijn kamers. Ik heb hoofdpijn.'

De hertogin zei niets. Maar toen de deur zich achter Abigail had gesloten, ging ze zitten en keek haar dochter aan.

'Ik ben geruïneerd, weet je dat?' zei Diana. Ze sprak de woorden uit zonder emotie, maar die was wel op haar gezicht te lezen.

'Waarom heb je me niet gezegd hoeveel schulden je had? Ik had gedacht dat Rogers voorwaarden meer dan genereus waren.'

'Dat zijn ze ook. Maar het is niet genoeg.'

'Genoeg? Wat is genoeg?'

'Een toelage, moeder. Geld van mezelf zodat ik af en toe een japon kan kopen. Ons eigen bezit is verdwenen. Harry zal nog jaren nodig hebben om mijn deel daaruit terug te verdienen. Ik had gedacht dat Roger met nog betere voorwaarden zou komen. Dat ik hem kon uitspelen tegen Abigail en zelf als overwinnaar uit de bus zou komen. Zo zou het zijn gegaan.'

'En Barbara? Hoe moest het met haar?'

'Abigail had al beloofd een echtgenoot voor haar te zoeken, als onderdeel van de transactie.' Diana boog zich naar voren. Haar gezicht was koel, bleek en hard. 'Dan had ik nu geld gehad, en in de toekomst geld uit de exploitatie van Bentwoodes.'

'Waarom heb je niet om een toelage gevraagd toen je op Tamworth was?'

'Ik dacht dat je nee zou zeggen.'

'Dat zou ik inderdaad hebben gedaan.'

Diana lachte, maar er klonk weinig vrolijkheid in haar stem.

'De geest van een kind is iets heel bijzonders, Diana. En zoals jij daar misbruik van hebt gemaakt... ik zou er niet over gepiekerd hebben mijn parels voor de zwijnen te werpen, en toch gaf ik je mijn kleindochter...'

'Mijn dochter, moeder...'

'Nee, mijn dochter! Ik heb haar opgevoed. Ze is meer van mij dan jij ooit bent geweest.'

'Heb je altijd zo'n hekel aan me gehad?'

De hertogin sloot haar ogen. Dat Diana haar zo'n vraag kon stellen, gaf haar een gevoel alsof haar hart als een steen in haar borst lag.

'Ik heb geen hekel aan je, Diana.' Haar stem trilde.

'Maar je houdt niet van me...'

De hertogin begroef haar vingers in Dulcinea's vacht; ze voelde de warmte van het dier, een warmte die totaal ontbrak in de stem en in de geest van haar enige, haar knappe dochter.

'Je bent mijn kind. Ik geloof niet dat er één vrouw is die een hekel heeft aan het kind dat ze onder het hart heeft gedragen. Maar kinderen verlaten je lichaam. Ze groeien op en gaan hun eigen weg. Jij hebt nooit mijn liefde nodig gehad, Diana. Ik ken je door en door, en toch houd ik van je. Je bent altijd mooi geweest en je werd bewonderd, maar tegelijk was je egoïstisch en wreed, Diana. En ik kon je dat egoïsme niet vergeven. Dat kan ik ook nu niet.'

'Dat is een mooie toespraak, moeder, maar die houdt me 's winters niet warm. En ik kan er ook niet van eten.'

'Ik zal je een toelage geven, Diana. Voor de rest van je leven.'

Diana staarde haar moeder aan. Dat had ze blijkbaar niet verwacht. De hertogin hield haar ogen gesloten, met haar ene hand op Dulcinea, die meer zachtheid had in haar wrede kattehart dan Diana in haar mensenhart.

'Waarom moeder? Waarom?'

De hertogin stond op zodat Dulcinea op de grond viel. Ze voelde zich ontzettend oud en moe. En haar benen deden pijn. Het was nog een eind lopen naar haar kamer en naar haar bed. En ze moest nog met Roger spreken.

'Als je dat niet weet, Diana, kan ik het je ook nooit uitleggen. Welterusten, mijn kind.'

Haar ouderwetse, ratelende koets bleef stilstaan voor Rogers Londense huis. Ze had het briefje de vorige avond laten bezorgen met de vraag of ze 's morgens langs kon komen, en Roger had teruggeschreven dat het hem een groot genoegen zou zijn haar te ontvangen. Ze zag hem in gedachten voor zich met zijn smalle, knappe, gebruinde gezicht, zoals hij altijd lachte al die keren dat hij aan hun tafel had gegeten wanneer zijn geld op was en het nog dagen duurde eer hij weer betaald kreeg. Hij had Richard verschillende malen opgezocht gedurende zijn laatste jaren. Zou hij veranderd zijn?

Ze werd onmiddellijk in de Neptunuskamer binnengelaten. Tijdens het wachten bekeek ze het houtsnijwerk met de vissen en schelpen. De deur ging open. Ze draaide zich om, maar het was niet Roger die binnenkwam maar een onaantrekkelijke jongeman met een te korte, verschrompelde linkerarm. Hij kwam glimlachend op haar toe.

'White! Caesar White! Kom hier en geef me een kus!'

'Met genoegen, uwe doorluchtigheid.' Hij kuste haar op beide gerimpelde wangen. Zijn glimlach maakte hem veel aantrekkelijker. Ze legde haar hand in zijn gezonde rechterhand en hij hielp haar naar een stoel.

'Ik dacht dat je doodgehongerd was,' zei ze.

'Dat was ik bijna, maar zoals u ziet ben ik goed terechtgekomen. Ik ben nu in dienst bij lord Devane als klerk van zijn bibliotheek.'

'En je eigen schrijfwerk?'

'Dat doe ik nog steeds. Maar van deze betrekking kan ik leven. Toen ik hoorde dat u kwam, wilde ik u beslist even zien. Ik heb u nooit behoorlijk bedankt voor het geld dat u mij zond. Daardoor ben ik toen niet van de honger omgekomen, dat meen ik echt.'

'Het was een mooi gedicht,' zei de hertogin met zachte stem. 'Je hebt Richard goed getroffen. Ik heb enkele regels die jij hebt geschreven gebruikt voor zijn grafsteen.'

'Ik voel me vereerd en tegelijk deemoedig.'

'Onzin. Een echte dichter hoeft nooit deemoedig te zijn. Hoe ben je bij Roger terechtgekomen?'

'Het schijnt dat hij het gedicht ook heeft gelezen, en hij heeft contact met mij gezocht om boeken die hij had aangeschaft te catalogiseren. Aangezien uw geld toen alweer op was, heb ik de betrekking aangenomen. Maar nu verlaat ik u. Lord Devane kan zo komen. Hij kon niet beslissen welke jas hij vandaag zou aantrekken. Uw bezoek betekent erg veel voor hem.'

'Hij is dus nog altijd ijdel.'

White lachte. Hij boog zich over haar hand. Ze hield zijn hand vast en dwong hem haar aan te kijken.

'Heb je mijn kleindochter laatst gezien?' Ze vroeg het op felle toon. 'Kijk me maar niet zo aan! Ik weet hoe dat gaat in grote huishoudens. Er gaan zo gauw praatjes door een huis. Heeft ze zichzelf erg te schande gemaakt? Was Roger woedend?'

White drukte haar hand voor hij die weer losliet.

'Ik geloof niet dat hij kwaad was,' zei hij vriendelijk. 'Eigenlijk eerder verdrietig om harentwil dan iets anders. Ik geloof, als ik me deze vrijheid mag veroorloven, dat hij gevoelens voor haar koestert en niet graag zou willen dat zij hieronder leed.'

'Goed gezegd!' snoof de hertogin verachtelijk. 'Ik zie wel dat ik van jou geen roddels zal horen. Ze is een impulsief en schaamteloos kind, en Roger mag blij zijn dat hij van haar af is!'

White lachte. 'Ik denk dat u erg veel van haar houdt. En te oordelen naar wat ik heb gezien, geef ik u geen ongelijk.' Hij boog weer en verliet het vertrek.

Dus White had haar gezien. Grote god, wat had Barbara toch uitgespookt – een scène gemaakt in bijzijn van het voltallige personeel.

De deur ging weer open en ditmaal was het Roger die binnenkwam. Hij begon te glimlachen zodra hij haar zag, en ze moest wel terug lachen terwijl ze dacht: Lieve god, hij is nog altijd even knap. Nee, Diana had gelijk. Hij was knapper dan ooit! Geen dag ouder geworden. Geen wonder dat mijn kleindochter gek op hem is.

'Alice. . . Alice,' zei hij naar haar toekomend, waarna hij haar uit haar stoel tilde om haar te omarmen. 'Je ziet er prachtig uit,' fluisterde hij in haar oor, en ze hoorde een emotie in zijn stem die haar bijna tot tranen toe ontroerde. Herinneringen kwamen bij haar boven, herinneringen aan de vele momenten die zij en Richard met hem hadden gedeeld: hoe hij zijn nieuwste minnares behandelde, hoe hij vrouwen die met hem naar bed wilden van zich afschudde, hoe zij zijn knappe kop had geschud en beweerde dat hij nu echt verliefd was, om meteen weer van gedachten te veranderen. Hoe hij voortdurend schulden had maar altijd weigerde van Richard te lenen. 'Ik ben zo op jullie gesteld dat ik tegen jullie niet wil liegen dat ik het geld zal terugbetalen,' zei hij altijd. 'Maak je maar geen zorgen. Er is ergens wel een vrouw met de zakken vol en een saaie man die op me zit te wachten.'

Hij deed een stap achteruit en ze keken elkaar aan met tranen in de ogen. Ze haalde een zakdoek uit de zak van haar rok en snoot haar neus.

'Sentimentele oude dwaas!' zei ze kwaad.

'Jij of ik, Alice?'

'Beiden!'

Hij lachte.

'Ik ben gekomen, Roger, om mijn excuses aan te bieden voor mijn hele familie. Van mijn immorele dochter tot mijn hebzuchtige schoondochter, tot mijn eigenwijze kleindochter.' De woorden kwamen haar gemakkelijk over de lippen. Hem te zien maakte haar jonger, verkwikte de geest. Nou, als hij degene was die Barbara wilde hebben, dan zou ze hem krijgen. Dat vage roddelpraatje, dat altijd in haar onderbewustzijn was blijven hangen, was nu voorgoed uit de wereld.

Hij stond bij het schellekoord en zei: 'Aangezien ze zich allemaal schandelijk hebben gedragen, zullen die excuses wel enige tijd vergen. Ik stel voor dat we het ons veraangenamen met wat wijn, of heb je liever sherry?'

'Port,' antwoordde ze met zichtbaar genoegen.

'Port. O, Alice, jij was altijd al een vrouw naar mijn hart. Port zal het zijn.'

'Lord Carlyle is beneden; hij wil lord Devane spreken, en hij staat erop te blijven wachten tot mijnheer vrij is.' Cradock lachte zuur bij het zien van de uitdrukking op de gezichten van Montrose en White. 'Hij bevindt zich in de bibliotheek.'

'Nee,' zei Montrose, toen Cradock de deur achter zich dichttrok.

'We moeten wel,' zei White en stond op. 'Kom.'

'Ik weiger hem te vertellen wie er bij lord Devane op bezoek is,' zei Montrose.

'Dat hoeft toch niet,' antwoordde White.

Carlyle, groot en breed in een gifgroen kostuum, zat wijn te drinken.

'Wie zit er bij Roger?' was zijn eerste vraag.

'Een oude kennis, geloof ik,' zei White luchtigjes.

'Welke oude kennis?'

'Lord Devane geeft ons geen inlichtingen over de identiteit van zijn bezoekers,' zei Montrose stijfjes.

'Ik heb gehoord,' zei Carlyle, en tipte met een lange nagel tegen zijn wijnglas (hij liet zijn nagels groeien in navolging van de mandarijnen die men op het Chinese porselein zag dat iedereen in die tijd verzamelde), 'dat Roger verleden week onverwacht bezoek heeft gehad. En dat lady Saylor deze week onverwacht bezoek kreeg. Kom jongens, vertel het me maar. Is het of is het niet het rijtuig van de hertogin van Tamworth dat daar buiten staat te wachten? Alleen een hertogin zou in zo'n gammel oud ding willen rijden. Is zij nu bij Roger?'

'Werkelijk, lord Carlyle,' snauwde Montrose, 'ik heb geen idee waar u het over hebt. Wanneer lord Devane klaar is met zijn gezelschap kunt u hem al die vragen zelf stellen.'

'Is hij altijd zo kleingeestig?' vroeg Carlyle aan White.

'Ja,' zei White.

'Wat vervelend voor jou. Ik heb met je te doen. Hé, Montrose, schenk me nog eens een glas wijn in. Een beetje meer, jongen. Als ik dan toch met jullie tweeën moet zitten wachten op Roger, mag ik me wel een beetje amuseren. Hoe lang denken jullie dat Roger – nou ja, het doet er niet toe. Jullie zeggen toch niets. White, geef me eens een afschrift van dat laatste vers dat je hebt geschreven. Roger zei laatst dat het het beste is dat je ooit hebt gemaakt.'

Roger en de hertogin dronken hun tweede glas port. Ze konden het uitstekend met elkaar vinden. Ze vervloekten Abigails inmenging en dronken daarop, toen vervloekten ze Diana's inhaligheid en dronken daar weer op. Geen van beiden had Barbara genoemd. De hertogin wuifde zich koelte toe met haar hand. Roger was aan het woord.

'Ze heeft me volkomen voor de gek gehouden, Alice,' eindigde hij. 'Ik heb haar geld geleend en ik heb ervoor gezorgd dat ze niet werd lastig gevallen door de onderzoekscommissie. Ik heb haar vertrouwd.'

De hertogin zette haar lege glas neer. Ze haalde een gevouwen papier uit haar zak, legde het naast het glas op het kleine tafeltje van ingelegd hout, en tikte er met één vinger op.

'Bentwoodes,' zei ze, 'voor jou, als je het nog wilt hebben.'

De glimlach verdween van Rogers gezicht.

'Ik heb de vorige akte van overdracht aan Barbara gisteravond verscheurd. Je had Abigails gezicht moeten zien. Maar ze kon niets doen. Het is van mij. Van jou, als je het wilt. Maar je moet begrijpen dat het de bruidsschat van mijn kleindochter is. Je krijgt haar erbij. Er zijn geen andere omstandigheden waaronder ik het land wil afstaan. Tony heeft gevraagd of hij naar haar hand mag dingen. Ik heb gezegd voorlopig niet. Het kind denkt dat ze verliefd op je is, Roger. En ik wil haar hartsverlangen inwilligen. Bentwoodes is van haar. Ik zou bijna overwegen het zelf te gaan exploiteren als jij weigert.'

Roger begon sneller te ademen. Hij keek haar aan alsof hij zijn oren niet kon geloven; zijn blauwe ogen werden ineens zo helder en blauw als zomerlucht. Hij liep naar het tafeltje, pakte het papier op, opende het en liet zijn ogen over de tekst gaan.

'Hoezeer verlang je naar Bentwoodes, Roger?'

Hij haalde diep adem. 'Meer dan naar iets anders ooit in mijn leven.'

'Nou, dan heb je het.'

Hij keek naar het papier in zijn hand en er kwam een triomfantelijke uitdrukking op zijn gezicht.

'Richard zei altijd al dat je een vrouw bent die iedere man zich zou wensen.'

Hij lachte en zwaaide vol vreugde met het papier. Toen nam hij haar hand en kuste hem. Het was een genoegen om naar hem te kijken.

'Er is nog één ding, Roger.'

Het lachen verdween uit zijn gezicht. Ze zei scherp: 'Ik ben Diana niet. Je hoeft van mij geen lelijke streken te verwachten. Het gaat om Barbara.' Ze lette op zijn gezicht toen ze de naam uitsprak, maar ze zag niets bijzonders.

'Zou je met haar willen trouwen voor je naar Frankrijk gaat?'

Hij was zichtbaar verbaasd over haar verzoek, dat viel haar op. Ze had nog wel een glas port willen hebben.

'Ze denkt dat als je naar Frankrijk gaat, je van gedachten zult veranderen. En ze vertrouwt haar moeder niet.'

'En de huwelijksvoorwaarden zelf?' vroeg hij snel. Ze kon zien dat hij de kwestie afwoog.

'Dezelfde die je met Diana had afgesproken voordat Abigail zich ermee ging bemoeien.'

Roger keek naar het document, een stuk perkament dat hij bij ongeluk had verkreukeld, eerst in zijn vreugde en toen in wantrouwen.

Waarom niet? zei hij zachtjes bij zichzelf. Waarom zou ik het niet meteen allemaal afhandelen? Hij keek de hertogin aan. 'Ik zal trouwen met je impulsieve, eigenzinnige kleindochtertje, Alice. En ik zal haar meenemen. En als we terugkomen, hoop ik dat ze een zoon draagt voor mij, een kleinzoon voor jou!'

'Goed gezegd, Roger. Laten we dat hopen!'

Hij ging op een stoel tegenover haar zitten, met zijn benen voor zich uitgestrekt. Ze keken elkaar aan.

'Ik ben uitgeput,' zei hij. Ze schoten beiden in de lach.

'Bentwoodes!' kraaide hij.

De hertogin zuchtte. Nu het voorbij was, voelde ze zich leeg. Ze keek naar de knappe man aan wie ze zojuist haar kleindochter had gegeven.

'Ze is nog erg jong,' zei ze tegen hem. 'Ze verwacht veel van het leven, en van jou. Ik maak me zorgen over haar, Roger. Ze is het liefste dat ik heb.'

Hij kwam uit zijn stoel en knielde voor haar neer, als een minnaar. Ze voelde zijn charme over zich heenkomen. Het onderdrukte haar angst. Hij nam haar kin in zijn hand.

'Ik zal goed voor haar zorgen, Alice. Dat beloof ik.' Hij lachte om de uitdrukking op haar gezicht. 'Ik hou van je, Alice. Trouw jij liever met mij.'

Ze moest lachen om zijn dwaze woorden, zijn vleierij.

'Onzin,' zei ze en duwde hem weg. 'Het was Richard van wie je hield.'

Een fractie van een seconde schitterde er iets diep in zijn ogen, maar ze zag het niet. Meteen stond hij overeind en trok aan het schellekoord.

'Meer port, Alice!' zei hij. 'Ik stuur je pas naar huis als je zo dronken bent als een kanon! Laten we op Bentwoodes drinken, Alice. En op Barbara!'

7

Met een rood aangelopen gezicht van de wijn en van de opwinding, liep Roger de privé-studeerkamer binnen, naast zijn slaapkamer en haalde een sleutel uit een klein, dichtgeknoopt zakje aan
de binnenkant van zijn vest. Hij morrelde wat aan het slot van
zijn schrijfkabinet en trok de klep neer. Binnenin zat het vol met
paperassen en schetsen die allemaal wat te maken hadden met
Bentwoodes, oftewel Devane House, zoals hij het in gedachten
noemde. Toen hij zijn laatste gesprek had gehad met Abigail en
Diana, was hij regelrecht naar huis gegaan en deze kamer in, en
hij had het schrijfkabinet afgesloten, zonder nog de moeite te nemen de papieren te ordenen. Hij wilde ze niet meer aanraken. Hij
had zichzelf overschat; hij had gegokt en verloren. Het zij zo. Als
men Bentwoodes noemde, sprak hij er luchthartig over; een volgende keer kwam er misschien een ander landgoed binnen zijn bereik, zei hij, en schonk zichzelf nog wat wijn in. Maar Bentwoodes lag nog altijd vooraan in zijn gedachten.

Toen Diana er voor het allereerst met hem over sprak, had het
hem als een bliksemflits getroffen. Het was een droom die met de
dag meer werkelijkheid werd. Tot nu toe had hij zich nooit ingelaten met politiek: Europese tegenover Engelse, Whig tegen Tory.
Zijn tactiek bestond uit een gemakkelijke vriendschap met de koning, waarbij hij alles deed wat van hem werd gevraagd en nooit
iets terug vroeg. En juist omdat hij nooit iets vroeg schonk de koning hem meer dan hij zou hebben gekregen als hij hem had gevraagd. Toch had hij omwille van Bentwoodes partij gekozen. Hij
was opgekomen voor de zaak van de echtgenote van een verraderlijke jakobiet, maar wie zal zeggen wie een verrader is? Degene die
een vorst steunt die niet genoeg geld en troepen tot zijn beschikking heeft om de troon op te eisen waar hij moreel gesproken
recht op heeft? Als Jacobus III, die nu in Schotland zijn invasie zag
mislukken, die zesduizend verse Hollandse manschappen tegen

zijn eigen tweeduizend man zag samentrekken, in staat was geweest de reële steun van zijn volgelingen in Engeland te versterken, marcheerde hij nu triomfantelijk naar Londen en dan was Kit Alderley een held.

Hij ging met zijn vinger over een tekening van de tempel der kunsten die Wren had geschetst. Het was een uitbundige, barok ontwerp, prachtig gesitueerd voor een enorme, rechthoekige landschapsvijver. Hij wilde iets eenvoudigers, iets klassieks, maar dit ontwerp was een begin. In die tempel zou zijn kunstverzameling een plaats krijgen, daar kon hij zijn boeken, schilderijen en beeldhouwwerken tentoonstellen; het zou een plek worden waar vrienden elkaar ontmoetten, wandelden en dineerden te midden van al die schoonheid. Dit moest nog eerder gebouwd worden dan het grote huis dat er pal naast zou komen in de uitgestrekte tuinen die hij wilde aanleggen. Hij glimlachte. Devane House. Men zou het over geheel Engeland kennen.

Al wat hij verloren waande, was weer terug door één uurtje met Richards weduwe. Toen zij gisteravond dat briefje had laten bezorgen, had hij niet kunnen slapen. Nu ging hij drinken, maar hoe meer hij dronk, hoe nuchterder hij werd. Over een vrouw was hij nog nooit zo opgewonden geweest. En toen ze hem vroeg Barbara nu te trouwen in plaats van te wachten, had hij kunnen lachen om de ironie van de drie schikgodinnen die hun draden spinnen. Want dat was precies wat hij wilde. De gedachte dat hij naar het buitenland ging en Diana en Abigail met Bentwoodes zou moeten achterlaten maakte hem ziek van angst. Hij zou genoegen hebben genomen met een aap om Bentwoodes te bemachtigen. En om nu met die lieve, kleine Barbara te trouwen, was het gemakkelijkste wat hij zich kon voorstellen. Hij was haar dankbaar. Zij had op de een of andere manier de hertogin bewerkt. Hij zou haar gelukkig maken. Zij was het instrument waardoor hij zijn laatste droom kon verwezenlijken.

Hij voelde weer energie in zich opkomen, en vol van dit heerlijke nieuws liep hij naar de bibliotheek waar hij lachend in de deuropening bleef staan.

Carlyle zag hem het eerst. Hij legde het gedicht weg dat hij had zitten lezen.

'Wat is er? Je ziet er beslist triomfantelijk uit!' zei hij met zijn gebruikelijke scherpzinnigheid, die Roger soms kon irriteren. De twee anderen keken alleen maar met een vragende blik.

'Feliciteer me maar, heren,' kondigde hij aan. 'Ik ga nu toch trouwen!'

'Trouwen?' vroeg Montrose ongelovig vanaf zijn plaatsje aan het bureau. 'Met wie dan?'

White liep op hem toe en schudde Rogers hand krachtig met zijn gezonde hand. 'Wel gefeliciteerd, mijnheer. Het is een fantastisch meisje.'

'Ik kan het niet geloven,' zei Carlyle fel. Hij keek Roger scherp aan. 'Je bedoelt toch niet...'

'Jawel.' Roger grijnsde naar Carlyle.

Carlyle stond op. 'Dacht ik het niet! Ik heb die lui hier al gezegd dat het het rijtuig van de hertogin was! Nu moet er wijn komen! Montrose, waar is de karaf? Roger, ik had nooit gedacht dat het nog voor elkaar zou komen toen Abigail haar klauwen in dat landgoed zette. Ze zal wel ziek zijn van woede. Wanneer is het huwelijk, mijn jongen?'

'Het is toch niet Barbara Alderley?' fluisterde Montrose tegen White.

'Ja, Barbara Alderley,' fluisterde White terug.

'Geef eens een kalender, Francis, alsjeblieft,' zei Roger.

In zijn verwarring kon Montrose er geen vinden. Zijn handen fladderden door de keurige stapel brieven die hij op zijn bureau had liggen. White greep in een la en haalde een agenda te voorschijn. Hij gaf hem aan Roger.

'Hier,' zei Roger, '21 januari. Dan kunnen we bijna onmiddellijk daarna naar Parijs.'

'Deze maand?' riep Carlyle. 'Jij zet er haast achter! Arme Abigail!'

'Zo-zo spoedig?' vroeg Montrose benauwd. 'Hoe kunnen we dat allemaal voor elkaar krijgen?'

'Het wordt een bescheiden gebeurtenis, Francis. Alleen haar familie en een paar van mijn vrienden. Tussen twee haakjes, ik wil hier de receptie houden. Maak dat in orde. Is er nog tijd om die kamers klaar te krijgen waar Giorgini mee is begonnen – nee? Dan zal ze in mijn kamers moeten slapen. Ik had gedacht te trouwen in St.-James's Church. Dat is mooi dichtbij. Ik nodig Zijne Majesteit ook uit voor het huwelijk, maar niet voor de receptie. Begin maar met een lijst van gasten.'

'Roger, je bent ongelooflijk! Ik nodig je uit eten, dan kun je me elk detail van de gebeurtenissen vertellen. Ik wil elke lettergreep horen die de hertogin heeft uitgesproken! Zonder mankeren! Dat kind van Alderley! Ik kan het niet geloven!'

'Heb ik je die schetsen laten zien die Wren heeft gemaakt voor de tempel der kunsten, Tommy? Het is niet helemaal wat ik wil, maar hij heeft wel de hoofdgedachte weergegeven. Kom mee en zeg eens wat jij ervan vindt.' Hij draaide zich om bij de deur. White en Montrose stonden hem met open mond aan te staren.

'Zorgen jullie voor de ring en de bloemen en zo,' zei hij tegen hen. 'Dat laat ik aan jullie over.'

Montrose zat nog steeds perplex. 'Een huwelijk,' mompelde hij. 'Ik heb geen idee hoe ik moet beginnen.'

White trok een tweede stoel naar het bureau en haalde een vel papier te voorschijn.

'Ik wel. Mijn beide zusters zijn getrouwd. Eens kijken, we hebben een ring nodig, er moet eten zijn, er moeten musici komen en...'

'Eten... musici...' Montrose maakte een lijst. 'Hoe oud is de toekomstige bruid. Twaalf?' Hij sprak sarcastisch. Onverwachte dingen irriteerden hem.

'Ze is vijftien,' zei White. 'En haar grootmoeder is de meest fantastische vrouw van de wereld. Ik zal het gedicht voor de binnenkant van de ring zelf maken. En misschien nog een klein gedicht om op de receptie voor te dragen. Wat zou je zeggen van "God beschikte dat wij één werden" voor de ring?'

Maar Montrose zat over zijn lijst gebogen. 'Lord Townshend, lord Stanhope, lord Devonshire,' mompelde hij onder het noteren van de namen.

'Drie weken tijd?' Abigail keek ongelovig naar de hertogin die in haar nest van kussens lag met een sjaal om haar schouders en met één gerimpelde hand haar grote witte kat aaide. 'Dat meent u niet.'

De hertogin trok haar lippen in een koppig mondje samen. Ze was moe en haar benen deden pijn. Eerder had ze te maken gehad met Barbara's extatische vreugde en met Tony's teleurstelling. Nu snauwde ze: 'Drie weken! En als je hierover gaat twisten, zeg ik tegen Tony dat hij mijn toestemming heeft om met Barbara te trouwen en tegen Barbara dat ze hem moet nemen. Want dat is de enige manier waarop jij nog de hand kunt leggen op Bentwoodes, Abigail. Zoek het dus zelf maar uit!'

Abigail ging zitten. Haar benen waren slap. Hoelang wist de hertogin al dat Tony van Barbara hield? Ze had er nooit een woord over gezegd. Lieve God, geef me geduld om met dit lastige, onmogelijke, bemoeizuchtige oude mens om te gaan. Geef me het geduld om het verlies van al die hectaren land te verwerken, om me neer te leggen bij het feit dat ik een sul van een zoon heb die verliefd wordt op het eerste onmogelijke meisje dat zijn pad kruist. Ze vouwde haar handen en bad om kalmte. Ze moest rustig blijven. De hertogin, moge God haar vervloeken, had haar ogen gesloten alsof ze sliep. Abigail keek naar haar en stelde zich voor hoe ze langzaam stierf aan een vreselijke, slepende ziekte. Na een tijdje voelde ze zich wat beter.

'Er komt natuurlijk geklets over het feit dat ze zo haastig trouwt,' zei ze met ongelooflijk kalme stem.

'De mensen kunnen tellen. Al zou ze zwanger worden van de eerste keer dat Roger zijn broek losknoopt, dan nog duurt het negen maanden.' De hertogin hield haar ogen dicht.

'Ze heeft geen bruidskleren en er zijn honderden kleinigheden...'

'Elke behoorlijke naaister kan in drie weken voor haar kleren zorgen. Het wordt maar een kleine trouwerij; dat willen Roger en ik beiden. En de receptie is in zijn huis.'

'Maar wij zijn de familie van de bruid...'

'Hij staat erop. Het heeft geen zin dit tot een officieel feest te maken. En we hoeven ook niet meer uit te geven dan nodig is. Ik zal de meeste rekeningen wel betalen, al heeft Tony aangeboden alles te bekostigen. Heel royaal van hem, vond ik.' Ze opende één oog om te zien welk effect haar laatste woorden hadden op Abigail. Ze permitteerde zich een glimlachje en sloot haar oog weer.

Abigail zat stokstijf, ten prooi aan een innerlijke strijd. Tony betalen! Drie weken! Bentwoodes voorgoed verloren. Nou, ze had haar best gedaan. De enige troost was dat over drie weken Diana en de hertogin zouden vertrekken en dat Barbara buiten Tony's bereik kwam. Daar moest ze zich aan vastklampen de komende weken, om normaal te kunnen functioneren. Drie weken! In het bed naast haar begon de hertogin te snurken. Abigail keek nog eens naar haar... bemoeizuchtig, vervelend oud mens...

Barbara zat op een witgekalkte bank in de tuin. Het was nu laat in de middag; het weer was helder en koud en de lucht boven haar was zo blauw als Rogers ogen. Ze was zo gelukkig dat ze het niet kon verwerken. Ze moest naar buiten om even onder de kale takken van een boom te zitten en de kou op haar opgewonden hoofd te laten inwerken. Ze had het al aan Anne, Mary en Charlotte verteld, die allemaal waren begonnen te springen en te schreeuwen. Ze had hun gezegd dat ze bruidsmeisjes mochten zijn en toen begonnen ze opnieuw te juichen. De schatjes. Nu konden Tom, Kit en Baby ook overkomen voor haar huwelijk en dan kon Roger al haar broertjes en zusjes zien, behalve Harry. Wat zou Harry opkijken. Zij een gravin, met haar eigen huis en bedienden en een echtgenoot. Zodra Roger wat aan haar gewend was, zou ze haar broertjes en zusjes uitnodigen om bij haar te komen wonen, of eigenlijk haar zusjes, want haar broers moesten naar school. En dan werd dat haar gezin totdat er baby's kwamen. Wat zouden ze allemaal gelukkig worden.

Een voet knerpte over het grind en ze draaide zich om in de verwachting dat het Martha was, om te zeggen dat ze naar binnen moest gaan. Maar het was Tony, met een rode neus van de kou en zijn handen diep in zijn zakken. Hij lachte aarzelend. Ze lachte terug en wees hem de plek naast haar. Toen hij zat, stak ze haar arm door de zijne en legde haar hoofd tegen hem aan. Zijn grote, zware lichaam was warm. Ze kroop dicht bij hem en wreef met haar wang over de ruwe stof van zijn mantel.

'Tony, ik ben zo gelukkig. Dank je wel dat je dat briefje naar grootmoeder wilde verzenden.'

Hij zei niets. Beiden keken hoe twee tuinlieden compost harkten over de bloembedden. Hun bewegingen waren regelmatig als een klok.

'Bab.'

Ze keek naar hem op. Zijn dikke gezicht was ongewoon ernstig en het zag een beetje vlekkerig, alsof hij had gehuild. Arme Tony. Wie met hem trouwde, zou tevreden moeten zijn met zijn titel en zijn vermogen.

'Blij voor je, Bab... Als je me ooit nodig hebt...'

Ze was geroerd door zijn woorden. Zijn vrouw zou net zo'n grote toewijding te beurt vallen, als ze geluk had. Ze bleven stil bij elkaar zitten, kameraadschappelijk, tot het donker werd.

De volgende dag sliep ze lang uit. En toen Martha warme chocolademelk bracht, stuurde ze haar terug om meer eten te halen. Ze moest een beetje aankomen. Roger hoefde niet met een bonestaak naar bed in zijn huwelijksnacht. Tegelijk met het spek en de boterhammen die Martha boven bracht kwam haar tante de slaapkamer in met twee dozen met een fluwelen lint erom. Zwijgend legde ze ze op Barbara's dekens. Barbara opende het kleine, geparfumeerde briefje dat half verborgen was onder een van de linten.

'Alsnog een paar nieuwjaarscadeaus – met toegenegen groeten, Roger.'

Ze kuste het briefje. Haar tante keek verwonderd en strekte haar hand uit. Barbara vouwde het briefje weer op en stak het in de hals van haar nachtpon. Ze voelde zich veilig met haar grootmoeder in huis. Meteen gooide ze al haar waardigheid overboord en opende de grootste doos. Tussen het ritselende zijdepapier vond ze een pelerine van donkergroen fluweel met heel lange uiteinden van zwart sabelbont. Naast het pelerientje lag als een donker diertje een bijpassende mof van sabelbont, met aan weerszijden groenfluwelen linten. Barbara drapeerde de pelerine om haar schouders en stak haar handen in de mof. Ze had nog nooit zoiets zachts en luxueus' in haar handen gehad.

In de andere, veel kleinere doos zat een waaier, waarin langs de zijkanten kleine diamantjes waren gezet. Als je hem opende, zag je een herderstafereel met spelende nimfen, blauw water, groene bomen en dikke wolken. Er steeg een vage geur van jasmijn uit op, het parfum dat Roger droeg. Barbara hield de waaier bij haar neus en snoof diep.

'O! Ik ben zo gelukkig!' riep ze. 'Hoe zou ik ooit nog gelukkiger kunnen worden?'

'Rozen en viooltjes,' zei Montrose tegen White. Ze zaten beiden aan Montroses bureau dat vol paperassen lag, een bewijs hoe druk Montrose het had.

'Doe er nog vergulde rozemarijn bij,' stelde White voor. 'Daarmee is haar boeketje wel perfect. Is dit de lijst van de gasten?'

'Ja. Moet je zien hoeveel mensen hij heeft doorgeschrapt. Hoe krijg ik ooit alles klaar.'

'Ik zal je wel helpen. Zeg, wil hij nu trommels en violen of niet?'

Het was de gewoonte dat bruid en bruidegom de dag na hun huwelijk al heel vroeg werden begroet met muziek, tenzij de musici werden betaald om het *niet* te doen. Slagers brachten hun eigen serenade door op de avond van de bruiloft met hun messen tegen mergpijpen te slaan om de bruid te groeten.

'Ben je gek? Beslist niet! Ik zal wel geld brengen naar de verschillende lawaaimakers, zodat ze goed weten dat ze niet welkom zijn op de huwelijksdag of erna.'

Ook al zou het een eenvoudig huwelijk worden, de mensen spraken er toch over. Het nieuws dat Jacobus III in Schotland tot koning van Engeland zou worden gekroond gaf een extra pikant tintje aan het hele gebeuren. Dat Roger zo onverstoorbaar kon trouwen met de dochter van een bekende jakobiet, gaf wel aan hoe groot zijn macht was. Of zijn stommiteit. Er werd zelfs gefluisterd dat hij zijn steun aan het echtscheidingsverzoek van lady Alderley had ingetrokken. Barbara werd aan het hof voorgesteld op het moment dat er geruchten gingen dat de troonpretendent al opmarcheerde naar Londen. Ze liep trots tussen haar grootmoeder en Roger, en de koning sprak een paar minuten met haar in het Frans. De prins van Wales danste driemaal met haar, en men zag dat hij haar overal met zijn ogen volgde.

Barbara zweefde door de dagen heen. Het leven was nu zo ongelooflijk rijk. Ze hoefde alleen maar haar nieuwe jurken te tellen, hun kleuren als het palet van een kunstenaar: kersenrood, hemelsblauw, primulageel, vuurrood, zachtgrijs, donkerder grijs, narcisgeel, topaas en violet. Bij elke japon waren onderjurken in een contrastkleur en corsages die zo stijf waren van het borduurwerk en de juwelen dat ze bijna bleven staan, terwijl andere waren versierd met zachte gazen strikken. Er waren kleine mutsjes van kantkloswerk, kleurige kousebanden, hemdjes zo licht als een veertje, gouden en zilveren haarspelden, lange witte handschoenen, groene, roze, rode en witte kousen. Dan waren er nog de pakjes die moesten worden geopend en theepartijen, ontvangsten en diners waar ze naar toe moest. Tony hield een ontvangst te harer ere, evenals de oudtantes, Fanny en Harold.

Ze was met haar grootmoeder naar Rogers huis gegaan om kennis te maken met zijn personeel. Rogers bedienden stonden in een lange rij en wachtten al geruime tijd. Ze had een nieuwe middagjapon aangetrokken en ze droeg het schattige fluwelen pelerientje met de mof die Roger haar had gezonden. Alle bedienden hadden haar nieuwsgierig aangekeken toen Francis Montrose haar voorstelde. Ze wist precies wat ze tegen ieder van hen moest zeggen. Haar grootmoeder had in een stoel zitten kijken en zo nu en dan keek ze haar kant uit en zag ze liefde en trots op haar grootmoeders gezicht zodat ze wist dat ze het goed deed. Ze had niet eens gebloosd toen ze een afkeurende blik van de huishoudster kreeg.

'Mevrouw Bridgewater,' had ze duidelijk gezegd, zodat ze het allemaal konden horen, 'wat prettig u weer te ontmoeten.' Later zou ze haar zo nodig ontslaan. Haar grootmoeder had haar geleerd hoe je met bedienden moest omgaan – streng maar rechtvaardig. Ze hoorden bij het gezin, en je moest goed voor hen zorgen.

De dagen vlogen voorbij. Babara zag het als een voorteken dat haar huwelijksdag op de dag van de heilige Agnes viel, wanneer door het hele land de jonge meisjes vastten zodat ze die nacht zouden dromen van hun toekomstige echtgenoot. Als zij die nacht ging slapen zou ze naast haar echtgenoot liggen. Fanny had geprobeerd haar de seksuele plichten van een vrouw uit te leggen, maar omdat ze was grootgebracht op Tamworth met zijn vele boerderijen had ze al veel eerder dieren zien paren, dus wist ze wat er ging gebeuren. Ze was maar een klein beetje bang. Men had haar verteld dat het alleen de eerste keer pijn deed, omdat dan haar maagdenvlies zou worden gescheurd. Toen ze naar Fanny luisterde, die haar niet eens aankeek onder het vertellen en die sprak over de plicht van een vrouw om zich te onderwerpen – maar ze zei niet op welk gebied – kreeg Barbara de neiging om te gaan giechelen. Haar grootmoeder had het er al met haar over gehad en die was veel directer geweest.

'Je weet wat hij met je gaat doen, hè?'

'Ja, grootmama.'

'Het is hetzelfde als bij de dieren die je hebt zien paren, behalve dat ik hoop dat Roger iets subtieler te werk zal gaan.'

'Grootmama, alstublieft!'

'Ben je bang?'

'Nee, grootmama... nou ja, misschien een beetje.'

'Sommige vrouwen vinden de relatie met hun man aanstootgevend, Bab. Maar God weet dat Roger Montgeoffrey genoeg ervaring met vrouwen heeft om aan te voelen wat prettig is. Je mag

je gesternte wel dankbaar zijn dat hij tenminste zal weten hoe je een vrouw hoort te kussen. Heeft hij je al een keer gekust?'
'Nee, grootmama.'
'Je moet hem laten weten wat je prettig vindt en wat niet, kind. Hij heeft genoeg ervaring om daarvan uit te gaan.'
'Grootmama!'
Niet al die ingetogenheid was oprecht. Ze verheugde zich op haar huwelijksnacht, wanneer Roger eindelijk al zijn aandacht aan haar zou geven. Ofschoon ze spoedig gingen trouwen, zag ze hem bijna nooit, afgezien van een enkel ogenblikje op een ontvangst. Ze wist dat hij het druk had, dat hij een belangrijk man was, maar hij had haar nog niet één keer gekust. Hij was niet verliefd op haar, dat wist ze. Maar daar zou ze verandering in brengen. Ze zou hem op allerlei manieren proberen te verleiden. Helaas moest ze wachten tot ze getrouwd was voordat ze daar een begin mee kon maken. Nu was ze nog maagd, een meisje van adellijke familie, en ze werd aan alle kanten geregeerd door regels, beperkingen en de familie zelf, die haar bewaakte alsof ze een kostbaar juweel was dat ieder ogenblik kon worden gestolen.

'Lieve God in de hemel!' riep tante Maud. Jane, die het keukenmeisje hielp met het bakken van pasteien, kwam de gang instormen met het meel nog tot boven haar ellebogen. Haar tante Maud drukte een uitnodiging tegen haar hart.
'Hij is gekomen!' zei ze tegen Jane, en zwaaide met een enveloppe van roomkleurig perkament die was verzegeld met rode was.
'Wat dan, tante Maud?'
'Een uitnodiging voor haar huwelijk!' Tante Maud scheurde het zegel los met een van haar scherpe nagels, al kon Jane zien dat de brief aan haar gericht was. Maud was stomverbaasd geweest dat het huwelijk toch nog doorging. Ze had iedereen die maar wilde luisteren verteld over die theevisitie: 'Ik wist het meteen,' zei ze tegen haar geboeide luisteraars, en ze spon het verhaal uit van het ene detail naar het andere. 'Ik kon meteen zien dat er iets mis was. De atmosfeer in dat grote huis was betrokken. Het gaf me een gevoel van naderend onheil, ja inderdaad, onheil! En ik had gelijk.' Later had ze gehoord over lord Devane en dat het huwelijk toch doorging. Ze was gelukkig voor hen. Ze vertelde het hele verhaal opnieuw en de mensen luisterden voor de derde, vierde maal. En

's nachts droomde ze dat ze voor het huwelijk werd uitgenodigd. 'Zaterdag 21 januari om half twaalf. Het is de receptie, Jane.' Haar tante klonk verongelijkt. 'Je zou veronderstellen dat we voor het huwelijk werden uitgenodigd. Nou ja... ik heb natuurlijk een nieuwe japon nodig, en een hoed, schoenen en handschoenen. Edgemont heeft zijn goede kostuum en jij hebt ook nieuwe kleren nodig. We kunnen niet in lompen verschijnen. Een lijst. Ik ga een lijst maken. Waar is papier? Peggy! Peggy? Waar is dat kind als ik haar nodig heb? Peggy!'

Haar tante gaf haar de uitnodiging en ging zelf naar de keuken. Peggy verstopte zich waarschijnlijk in de kelder. Ze wist niets van huishouden en ze kon amper koken. Straks zou Peggy weer lopen te huilen, en eindelijk zouden ze pen en papier vinden. Jane wist waar alles lag, maar ze zei niets. Ze veegde het meel met haar schort van haar armen. Toen begon ze de uitnodiging te lezen:

De hertog van Tamworth en zijn familie zouden het op prijs stellen als juffrouw Jane Ashford en de heer Augustus Cromwell op de receptie zouden willen komen ter ere van het huwelijk van juffrouw Barbara Alderley met graaf Devane op zaterdag 21 januari om 11.30 uur in de ochtend. Nummer 17, Saint James's Square. Gaarne verwachten wij een antwoord.

Tante Maud was niet uitgenodigd, maar Jane was niet van plan met haar te redetwisten. Voor geen geld liet ze zich dit door de neus boren. Het was lief van Barbara om haar en Gussy te vragen. Ze kreeg een gevoel van misselijkheid. Harry, Harry, lieve schat. Ze slikte. Waar ben je?

Ze veegde de tranen af die over haar wangen liepen. Tegenwoordig gingen er soms uren voorbij dat ze niet aan hem dacht. En er waren tijden dat ze heel kalm over hem kon denken. Dat waren de rustpunten tussen het verdriet door. Een kleinigheid was soms voldoende om weer hevig naar hem te verlangen. Ze ging even voor het raam zitten en keek naar buiten. Gussy kwam haar elke week opzoeken en dan zaten ze hier in dit salonnetje. In een bibliotheek had hij iets gevonden over een onduidelijke relatie van zijn familie met een van de eerste pausen en daar sprak hij enthousiast over. Dan liep zijn gezicht wat rood aan, en als hij glimlachte zag ze zijn rotte tanden. De volgende maand wilde haar tante een verlovingsfeestje houden. Gussy en zij zouden elkaar verlovingsringen geven en haar ouders zouden ervoor overkomen. En zo ongeveer een maand daarna zouden ze trouwen. Ze keek nog eens naar de roomkleurige envelop. O, Barbara, dacht ze. Wat bof jij toch. Waarom moet jij overal geluk mee hebben?

Op de dag van haar huwelijk was Barbara allang wakker voordat de zon opkwam, ook al was ze de avond tevoren pas laat naar bed gegaan. Nicht Henley was aangekomen met Tom, Kit en Baby, en ineens was het huis vol kinderen en koffers. De oudtantes waren aangekomen en later ook Fanny en Harold met hun drie kinderen. Het was een heel gelach, gepraat en gezoen geworden. Eindelijk had nicht Henley, samen met Mary's gouvernante, de kleinere kinderen boven gekregen. Tante Abigail was met hoofdpijn naar haar kamer gegaan en zij was opgebleven met haar twee broers. Tom was al net zo groot als zij en Kit bijna; beide broers waren razend trots op haar en haar jongere zusjes en Mary hadden aan haar lippen gehangen. Tony trouwens ook. Die goeie Tony. Hij was de afgelopen weken steeds met haar opgetrokken, had haar voorgesteld aan mensen, had op haar gelet en gekke dingetjes voor haar gekocht: waaiers, linten en boeken. Ze voelde zich omringd door zoveel liefde met al haar familie om zich heen. Over een paar uur zou ze aan Roger toebehoren. Ze kon zich niet voorstellen dat ze nog maar drie maanden geleden door de gangen van Tamworth holde met haar haar los, en als een kind bezig was met allerlei eenvoudige dingen. Roger was gewoon iemand van wie ze hield, zoals ze dat ook van haar afwezige vader deed. Maar ze miste hen niet; ze waren geen deel van haar leven. Ze hield van hen met dezelfde zekerheid waarmee ze van haar grootmoeder hield.

Een kamermeisje kwam op haar tenen de kamer in om het vuur wat op te stoken. Barbara ging rechtop zitten en rekte zich uit. Straks zou Martha voor haar bad zorgen. Martha was het huwelijkscadeau van haar tante die een vol jaar loon had betaald zodat ze Barbara's kamenier kon worden, ba! Het kamermeisje lachte verlegen naar haar.

'Er is een doos voor u gekomen, mevrouw,' zei ze.

'Laat hem maar hier brengen!' riep Barbara. Ze was er nog niet aan gewend dat ze plotseling rijk was, al had ze wel geweten dat haar grootmoeder geld had, maar ze hadden heel eenvoudig geleefd op Tamworth. Maar nu kon ze zoveel japonnen krijgen als ze wilde en er werden zoveel cadeaus bezorgd; ze vond het heerlijk ze open te maken. En nu was er weer iets. Het kamermeisje kwam terug met een doos en zette hem op het bed.

'Steek eens wat kaarsen aan,' riep Barbara. Het meisje deed het zo snel mogelijk; ze was al even opgewonden als Barbara zelf.

'O, moet je nu eens kijken!' riep ze.

In de doos lag op een bedje van vochtig grijs mos een boeket van roze en witte rozen met winterviooltjes en rozemarijn. Om het boeket heen lag een bijpassende krans voor haar haar. Tussen de bloemen waren groene en zilveren linten gevlochten. Het kamermeisje sloeg haar handen in elkaar toen Barbara de krans voorzichtig uit de doos tilde. Vandaag, en alleen vandaag zou ze haar haar los dragen voor Roger en voor de hele wereld, als teken van haar maagdelijkheid, de maagdelijkheid die een bruid voor haar echtgenoot in het huwelijk meebracht. Morgen, en de hele rest van haar leven zou ze haar haar opgestoken dragen en alleen privé, in bed, zou ze het ooit nog los laten hangen. Het kamermeisje keek met verrukking naar de prachtige haartooi. Nooit zou Barbara weten dat Roger de bloemen niet eens had gezien en de keus aan Montrose en White had overgelaten. Nooit zou ze weten dat de twee jongemannen net zo opgewonden waren als zij toen de bloemist zijn kunstwerk kwam tonen, dat Montrose zelfs met het boeket voor zijn buik op en neer had gelopen terwijl White toekeek, en dat ze beiden vonden dat de linten langer moesten zijn en dat er zilver bij moest, hetgeen de bloemist verschrikkelijk vond.

De hertogin bonkte ongeduldig met haar stok op de grond.

'Maak niet zo'n drukte over mij! Jullie lijken wel slakken, zo langzaam gaat alles! Er kijkt toch niemand naar mij. Ik wil erbij zijn als zij wordt aangekleed! Schiet nou op, Annie!'

Tergend langzaam stak Annie nog een diamanten haarspeld in de zwarte kanten muts die de hertogin droeg. Ze lette niet op het gemopper van haar werkgeefster maar ging stug door met het zo prachtig mogelijk uitdossen van de hertogin. En ze zag er inderdaad prachtig uit. Ze droeg een donkergroen fluwelen japon, zo donker dat het bijna zwart leek, en daaronder een onderrok van zwarte met groen gestreepte satijn. Over een stoel hing een bijpassende groenfluwelen mantel, gevoerd met wit bont. Het was de eerste maal sedert het overlijden van de hertog dat zijn weduwe iets anders droeg dan zwart. Haar sieraden bestonden uit diamanten oorringen, een diamanten broche, diamanten ringen en armbanden. Zodra Annie wat rouge op haar wangen had gedaan en één tache de beauté op haar slaap had aangebracht, stuurde de hertogin haar kamenier weg en riep een lakei om haar naar Barbara's kamer te brengen. Haar benen deden erger pijn dan ooit. Ze had er van alles aan gedaan: warme kompressen, paardebloemenwijn en laudanum. Na vanavond zou ze in haar bed kunnen gaan liggen en er desnoods dagenlang blijven om weer kracht op te doen voor de reis naar huis. Ze had nu al het gevoel dat als ze eenmaal in bed lag, ze misschien niet meer zou kunnen opstaan. Maar nu wilde ze naar Barbara toe. Ze moest het kind op haar trouwdag zien. Ze moest zichzelf geruststellen dat ze juist had gehandeld.

'Grootmama!'

Barbara snelde haar tegemoet en omhelsde haar. De hertogin snoof en wees met haar stok naar een stoel. De lakei hielp haar erheen. Charlotte en Anne, die op Barbara's bed zaten, klommen er onmiddellijk af en maakten een eerbiedig buiginkje.

'Kijk eens naar de bloemen, grootmama,' zei Anne. 'Ik krijg ook bloemen in mijn haar. Dat heeft Barbara gezegd.'

'Onze jurken zijn groen, grootmama. Groen is mijn beste kleur. Dat heeft Barbara gezegd. Ze zegt dat het Rogers lievelingskleur is. Barbara houdt van Roger. Ik ook,' zei Charlotte.

Alleen Mary was stil; zij was opgevoed in een huis waar je alleen tegen een volwassene mocht praten wanneer hij je iets vroeg. Maar ook Mary's ogen schitterden. Barbara is lief voor haar, dacht de hertogin. Voor alle kinderen.

Martha kwam binnen met een japon van zwaar wit brokaat over haar arm. Op de rok was een bloemmotief geborduurd met groen en zilver, met stroken langs de zoom. Er hoorde een zilveren ceintuur bij met lange kwasten. Toen Barbara de japon zag, sloeg ze haar handen in elkaar. Ze droeg witte kousen met groene kousebanden, een wit korset waarvan het corsage met groene banden was dichtgeregen en een groen met wit gestreepte onderjurk. Anne trok de witbrokaten schoenen aan die voor Barbara bestemd waren. 'Kijk eens naar mij!' riep ze. 'Ik ben de bruid!'

Martha fronste haar wenkbrauwen en even leek het alsof Anne zou gaan huilen.

'Martha,' zei Barbara, 'wil je mijn grootmoeders kamenier laten komen? Zij moet mijn haar doen.'

Zodra Martha de deur achter zich had dichtgetrokken stapte Anne, met een uitdagende blik naar haar grootmoeder, opnieuw in de schoenen. Mary en Charlotte giechelden. De hertogin deed of ze niets zag.

'Kom eens hier,' zei ze tegen Barbara.

Barbara kwam en knielde voor haar grootmoeder. De hertogin kuste haar op beide wangen. 'Wees gelukkig, kind.'

Barbara hield haar in haar armen. 'Ik ben zo gelukkig dat ik niet weet wat ik moet zeggen. Dank u, grootmama . . .'

Annie kwam binnen. Ze snauwde tegen Anne dat ze uit haar zusters schoenen moest stappen en onmiddellijk beval ze Barbara te gaan zitten, zodat ze kon beginnen met het borstelen van haar prachtige haar en het te krullen en te vlechten. Iedereen hielp mee: Charlotte legde de krultang in het vuur, Mary hield Barbara's handen vast terwijl Annie haar haar borstelde en uit de war trok en Anne hield de linten en spelden vast die Annie straks zou gebruiken. Annie vlocht het haar opzij, krulde het op de rug en legde daar de twee zijvlechten overheen, waarna ze ze bij elkaar vlocht met groen en zilveren lint. De hertogin schroefde de diamanten oorringen die ze droeg uit en liet ze door Charlotte bij Barbara brengen.

'O nee, grootmama. Dat mag ik niet aannemen.'

Maar ook al protesteerde ze, Annie schroefde ze in haar beide oren waar ze schitterden als reuze dauwdruppels.

'Nu de japon,' zei de hertogin. 'Trek de japon eens aan.'

Terwijl de hertogin toekeek hoe Annie de japon over Barbara's hoofd aangaf en ten slotte de ruime plooien van de rok en onderjurk rechttrok, bewogen haar handen nerveus op de knop van haar stok. Het kind zag eruit als een engel.

'Ben je er helemaal zeker van?' vroeg ze knorrig, en ze wist dat niemand er iets aan zou kunnen doen als Barbara plotseling ging twijfelen over haar besluit, maar ze zag ook dat van hen beiden Barbara verreweg de kalmste was. Maar dat kwam doordat Barbara nog nooit eerder was getrouwd. De hertogin was dat wel, en ze wist dat er in de toekomst ogenblikken zouden zijn waarin Barbara zou worden gekwetst, ongeacht of Roger van haar ging houden of niet. De hertogin beet op haar lip; ze zou niet gaan huilen, niet nu ze de ceremonie en de receptie nog voor de boeg had. Lieve god, wat leek het kind op Richard.

'Ik wou dat je grootvader je vandaag had kunnen zien,' zei ze stuurs. 'Wat zou hij trots zijn geweest.'

Alle bedienden van Saylor House, de kamer- en keukenmeisjes, de kameniers, de lakeien en butlers, de staljongens en de koetsier, de wasvrouwen en de huishoudster begaven zich naar de hal waar de familie al stond te wachten. Het was traditie dat ze de bruid nawuifden en geurige kruiden en bloemen strooiden.

Er kwam enige beroering op de overloop en aller ogen keken vol verwachting naar de trap. Alleen Diana stond met haar rug naar het gebeuren. Zij stond zich in een spiegel te bekijken. Even later verscheen de hertogin met Annie. Ze kwam langzaam de trap af, gevolgd door Anne, Charlotte en Mary. Ze droegen kransjes van rozen in hun haar dat lang en vol over hun schouders hing, net als bij Barbara. Klaarblijkelijk waren ze alle drie trots op hun nieuwe jurken en schoenen, en ze glimlachten tegen de mensen beneden. Annie wisselde een blik met Bates en hij knikte, alsof hij zeggen wilde: de oude dame ziet er fantastisch uit, schitterend, net zoals ze vroeger altijd was.

Er ging een zucht door de mensen. Iedereen keek omhoog naar Barbara, die boven aan de trap wachtte opdat iedereen haar goed kon zien en bewonderen. (De bedienden zouden nog wekenlang over niets anders praten dan over hoe ze er vandaag uitzag.) Barbara lachte blij naar haar familie die in de hal op haar stond te wachten. Toen langzaam en plechtig, kwam ze de trap af met meer waardigheid dan ze ooit had getoond. De hertogin verbaasde zich meer dan eens over de glimp van volwassenheid die ze de laatste tijd bij Barbara had opgemerkt, een glimp van de vrouw die in haar rijpte. Zelfs Abigails gezicht kreeg een vriendelijker trek, tot ze bij toeval de uitdrukking op Tony's gezicht zag. Toen Barbara de laatste tree had bereikt, drongen haar broers en zusjes om haar heen.

'Bab!' zei Tom, en kuste haar hand. 'Je ziet er prachtig uit.'

'Ja, hoor,' echode Kit achter hem. 'Eerste klas!'

'O, Bab,' riep Anne uit. 'Je bent het mooiste dat ik ooit heb gezien!'

'Ik hou van je, Bab,' zei Charlotte.

'Ik wil van jullie allemaal een kus hebben zolang ik nog niet getrouwd ben,' zei Barbara, en hield haar armen open. 'En de volgende keer dat je me aanspreekt, Thomas Alderley, moet je "lady
Devane" zeggen.'

'Nooit! Dat zal ik nooit doen.'

'Nu een kus, alsjeblieft.'

Toen haar broers en zusjes om haar heen drongen, lieten de bedienden een gejuich horen. Zelfs Mary verstoutte zich en kuste
haar op de wang. Tony was de laatste.

'Een kus voor mij, Bab?'

'Natuurlijk. Van ganser harte.'

Ze kuste hem hartelijk op de mond en hij knipperde met zijn
ogen (tot ergernis van Abigail keek hij verrukt) en toen bood hij
haar zijn arm. Geurige kruiden en bloemen vielen als regen over
hen heen terwijl de familie zich in groepjes opstelde voor elk rijtuig. Toen de rijtuigen door de poort de straat inreden, steeg een
rauwe juichkreet op uit de menigte die zich buiten had verzameld
om de stoet te zien.

'Wat is dat?' vroeg Barbara.

De hertogin streelde haar hand. 'Dat is voor jou, kind. Voor je
trouwdag.'

8

'Ik heb vast iets vergeten.'

Montrose, met Rogers kenteken op zijn mouw gespeld, liep op en neer voor het doopvont in St.-James's Church. Het was de meest bezochte kerk van Londen en op zondagen zaten de kerkbanken vol met mensen die oprecht godsdienstig waren en met anderen die overal hun gezicht vertoonden waar het modieus was om gezien te worden. Vandaag waren het altaar en de kerkbanken versierd met witte rozen, klimop en rozemarijn. Buiten op het kerkhof stond al een hele menigte te wachten om een glimp te zien van de bruid en van de koning, die misschien ook wel zou komen. Roger stond met de dominee te praten. Hij zag er prachtig uit in een donkerblauwe jas en met een Franse pruik op. Robert Walpole, die zijn getuige zou zijn, stond naast hem.

'Hoe kan hij zo kalm zijn!' riep Montrose, en veegde de transpiratie van zijn bovenlip. White lachte om zijn vriend. 'Heb je het warm, Caesar? Ik wel, het is te heet in de kerk.'

'Er is niets aan de hand, Francis. Het is niet te heet. Jij bent zenuwachtig, en dat is te begrijpen. Probeer maar te onthouden dat het lord Devane is en niet jij die het antwoord aan de bruid moet geven.'

Tommy Carlyle verscheen in een wit-satijnen jas en met een blonde pruik. Zijn beroemde diamant schitterde in zijn linkeroor. De twee mannen gaven elkaar een hand en Carlyle bekeek Roger van top tot teen.

'Ik moet zeggen, beste kerel, dat je er uitstekend uitziet. Ik dacht dat bruidegoms last van zenuwen hadden.'

'Deze bruidegom niet, Tommy. Ik geloof dat ze zijn aangekomen. Ik zie Tamworth met zijn grootmoeder. Ik ga ze even begroeten.'

Carlyle zuchtte en keek om zich heen. Een eindje verder zag hij Catherine zitten, Walpoles vrouw. Haar knappe, pruilerige gezichtje was naar het altaar gekeerd waar Roger het druk had met het begroeten van familie. Carlyle boog zich naar haar over en fluisterde: 'Ik vind huwelijken toch zo leuk. Jij ook?'

Roger kuste de hertogin hartelijk op beide wangen en schudde Tony de hand.

'Wees goed voor dat kleintje van me. . .' begon de hertogin, maar haar schoonzuster, Louisa Shrewsborough, wrong haar magere lijf tussen Roger en de hertogin. Tante Shrewsborough porde met een gehandschoende vinger in Rogers ribben. Haar zuster Lizzie kwam er nu ook bij staan.

'Ze is mijn nichtje, Roger! Vol kracht en pit. Ik hoop dat je haar kunt bevredigen als het erop aankomt!'

De twee oudtantes schaterden van het lachen. Ze zagen eruit als twee heksen uit een stuk van Shakespeare. Roger streelde hen beiden onder de kin. Ze vonden het prachtig en er klonk nog meer gekakel. Nu wendde Roger zich tot Fanny en Harold die achter de tantes stonden en omhelsde Fanny.

'Ik begroet mijn familie altijd met een kus, vooral wanneer ze zo knap zijn als jij,' zei hij en kuste haar op de wang.

Abigail stond stijfjes achter haar dochter en schoonzoon. Ze stak haar hand uit naar Roger, maar hij boog zich naar haar toe en kuste ook haar op de wang.

'De sterkste van ons tweeën heeft gewonnen, Abigail,' fluisterde hij, en voor ze kon antwoorden, liep hij naar Diana die hem recht in de ogen keek en die ogenschijnlijk geen schaamte voelde.

'Ik zou je met mijn blote handen kunnen wurgen,' zei Roger zachtjes terwijl hij haar op de mond kuste en vriendelijk bleef aankijken, 'maar het is mijn trouwdag.'

Buiten de kerk klonk een luid gejuich en Roger liep snel langs Diana heen naar de deur om de koning, Melusine von Schulenburg en twee volgelingen te begroeten. Iedereen in de kerk stond op. Roger kuste Melusine op de wang en bood haar zijn arm. Volkomen natuurlijk en ongedwongen leidde hij haar naar de voorste kerkbank, terwijl de koning volgde.

'Opschepper!' fluisterde Abigail tegen Fanny toen ze weer gingen zitten.

'Schitterend!' fluisterde Carlyle tegen Catherine Walpole en de hertog en hertogin van Montagu, die ook op hun plaatsen waren gaan zitten.

White klopte op de deur van een klein kamertje waar Barbara wachtte met haar zusjes en Tony. Barbara stond meteen klaar. 'Ze zijn gereed,' zei White zachtjes. 'En mag ik u zeggen, juffrouw Alderley, dat u er beeldig uitziet?'

Toen Barbara aan Tony's arm door de kerk liep met haar zusjes voor haar en Mary, die de lange sleep van haar japon vasthield, had ze het gevoel dat het grote moment in haar leven eindelijk was aangebroken. Zelfs de koning glimlachte naar haar. Ze wist precies wat ze moest doen, want in een van de weinige momenten dat Roger met haar sprak, had hij uitgelegd hoe ze zich moest gedragen. Ze bleef even staan en maakte een buiging, maar toen ze weer rechtop stond, plukte ze uit zichzelf een bloem uit haar boeket en bood hem met een lieve glimlach aan de minnares van de koning. De koning knikte goedkeurend.

Haar zusjes en Mary stonden nu in een klein groepje bij de voorste kerkbank. Barbara gaf hun een teken en ze schoven de bank in naast de hertogin. Barbara boog zich voorover en kuste haar grootmoeder. De hertogin snoof duidelijk hoorbaar.

'Beminde gelovigen,' begon de dominee. Zijn stem droeg ver. Christopher Wren had deze kleine kerk met zijn twee zuilengangen en de ronde barokke bogen zo gebouwd dat alle kerkgangers goed konden zien en horen. 'Wij zijn hier bijeen onder het oog van God en ten overstaan van deze gemeente om deze man en deze vrouw te verenigen door het sacrament des huwelijks...'

De hertogin staarde naar het altaar zonder Roger en Barbara te zien; ze zag de andere paren: zijzelf en Richard, haar zoons met hun vrouwen, Diana en Kit...

'Neemt gij deze man tot uw wettige echtgenoot, om elkaar te beminnen in de huwelijkse staat volgens Gods gebod? Zult gij hem gehoorzamen, hem dienen, beminnen, eren en hem bewaren in ziekte en gezondheid, en met uitsluiting van alle anderen hem bij u houden zolang u beiden zult leven?' vroeg de dominee aan Barbara.

'Ja, dat wil ik,' zei ze duidelijk, met een lage keelklank in haar stem, net als Diana.

'Wie geeft deze vrouw om met deze man te trouwen?'

Tony ziet er ziek uit, vond Abigail. Vanaf het begin van de plechtigheid had hij zijn blik gericht op Barbara. Zijn antwoord was onhoorbaar, maar hij legde Barbara's hand in die van de dominee, die hem later in Rogers hand zou leggen, een symbolisch gebaar dat haar gehoorzaamheid en afhankelijkheid in het huwelijk voorstelde.

Blindelings ging Tony bij zijn moeder zitten. Hij knelde zijn handen zo strak om zijn knieën dat de knokkels wit werden. Al zijn aandacht was gevestigd op Barbara. Hij had de afgelopen weken een volkomen nieuwe volwassenheid aan den dag gelegd, maar Abigail was woedend dat hij zijn energie verspilde aan Barbara, die geen vrouw voor hem was. Ze was te levendig, te eigenzinnig. . . ja, geef het maar toe. . . te intelligent. Nu zou zij zelf een aardig vrouwtje voor Tony zoeken. Een gehoorzaam, lief meisje. Ze zou proberen het verdriet om Barbara te vergoeden. Barbara en Bentwoodes.

Natuurlijk was er eigenlijk niets op de wereld dat Bentwoodes kon vergoeden. Het was een verlies waar je niet snel overheen kwam. Al dat land. De grootste stommeling kon nog zien dat je duizenden ponden kon verdienen met de exploitatie. Ze had altijd geweten dat de hertogin het bezat. Een merkwaardige gewoonte in een familie om een stuk land aan de dochters na te laten, met de verplichting dat ze het niet aan hun echtgenoot mochten overdragen, tenzij de dochter speciale toestemming gaf. En de hertogin had het nooit aan haar man overgedragen. Hij had het ook niet nodig. Hij had genoeg geërfd toen de vader van de hertogin stierf. Richard Saylor was geen dwaas; hij had een goed huwelijk gedaan. Met een rijker meisje getrouwd, dat bovendien uit een betere familie kwam. Een intelligente zet, vond men toen. Eigenlijk net als Roger Montgeoffrey met zijn knappe gezicht en zijn charmante manieren. Tja, met charme kon je heel wat zonden afdekken, en een van zijn zonden — Catherine Walpole — zat helemaal aan de andere kant van de kerk, naast die vreselijke Carlyle, met een ronduit nukkige uitdrukking op haar gezicht, alsof ze rijp was om een scène te maken. Barbara zou haar handen vol hebben. Montgeoffrey was beslist niet gewend aan een huiselijk leven. Maar welke man was dat wel? Vrouwen moesten bij de haard zitten en spinnen, en kinderen baren en opvoeden. Mannen konden doen wat ze wilden. Een vrouw was pas vrij wanneer ze weduwe werd, en dan alleen als ze niet om geld verlegen zat.

'Ik, Roger, neem u, Barbara, tot mijn wettige echtgenote, om van deze dag af te behouden, in goede en slechte omstandigheden, in rijkdom of armoede, in ziekte of gezondheid, om te beminnen en te koesteren tot de dood ons scheidt, volgens Gods heilige gebod, en daarbij zweer ik u trouw.'

De hertogin luisterde naar Rogers eed en moest denken aan zijn gezichtsuitdrukking toen Barbara door de kerk naar hem toekwam. Hij was niet verliefd op haar, maar dat wist Barbara. Lieve God in de hemel daarboven, maak dat ze geen domme dingen gaat doen als hij nooit van haar gaat houden. Ze was zo eigenzinnig. Liefde was bijna nooit de reden waarom mensen van hun stand trouwden. Toch had ze in haar eigen huwelijk onverwacht de liefde gevonden. Om te beminnen en te koesteren – wat had Richard haar gekoesterd. Het leven was zo wisselvallig. Wie had kunnen denken dat ze zo van Richard zou gaan houden? Dat het juist Richard was die door de buitenkant van haar trots en humeurigheid heen zou kijken en de hartstochtelijke en angstige mens zou zien die ze van binnen was.

'Ik, Barbara, neem u Roger, tot mijn wettige echtgenoot, om van deze dag af te behouden, in goede en slechte omstandigheden, in rijkdom of armoede, in ziekte of gezondheid, om te beminnen en te koesteren tot de dood ons scheidt, volgens Gods heilige gebod, en daarbij zweer ik u trouw.'

Barbara en Roger volgden nu de dominee naar het altaar voor het gebed en de zegening. Nu nog een korte preek en de communie, en dan was het voorbij. De hertogin bad met heel haar hart dat Barbara's liefste wens in vervulling zou gaan, en indien de Heer dat niet wilde, dat ze dan de kracht zou hebben om nog ander geluk in haar leven te zoeken en te vinden.

De mensen om haar heen stonden op. Roger bracht Barbara bij de koning. Nu waren ze getrouwd. Haar kleindochter was niet meer van haar. Ze was nu van Roger.

Om het bruidspaar en de koning had zich een menigte gevormd. De koning kuste Barbara's hand.

'Gravin Devane,' zei hij. 'Ik wil graag de eerste zijn die u begroet.'

Iedereen applaudisseerde. Robert Walpole kuste Barbara op haar mond; toen wendde hij zich tot Fanny en toen tot Diana, die nog door Harold werd gekust terwijl de hertog en hertogin van Montagu ongeduldig wachtten.

'Ik veracht mannen,' zei de hertogin van Montagu, die zag hoe haar man Diana kuste.

'Ik ook,' zei Catherine Walpole, die niet naar haar eigen man keek maar naar Roger.

'Ze zijn er!' riep iemand, en alle gasten dromden met de bedienden samen in Rogers hal om het paar met gejuich te verwelkomen. Cradock opende de deur en Tony stapte over Rogers drempel met Barbara in zijn armen en haar twee broers aan weerskanten van hem. Roger verscheen achter hen met de hertogin aan zijn arm. Hij ging naast Barbara staan en zei: 'Ik stel u de nieuwe meesteres van dit huis voor, gravin Devane.'

De bedienden klapten in hun handen en een regen van bloemen en kruiden viel over Barbara en Roger. Achter hen kwamen familie en vrienden uit de kerk eveneens naar binnen, samen met de gasten die voor de receptie waren uitgenodigd.

'Ze ziet er schattig uit,' zei Maud hardop tegen Jane. Maud, die er opzichtig uitzag in haar purperen japon met gele borduursels en kwasten en een tulbandachtige hoed, was al aan haar tweede glas rode wijn. 'Ga naar haar toe en zeg iets.'

'We zullen straks wel kennis gaan maken,' zei Gussy, en Jane lachte hem dankbaar toe. Haar oom zweeg, zoals altijd.

'Je moet jezelf een beetje naar voren schuiven in deze wereld, Jane,' zei tante, die maling had aan wat Gussy had gezegd. Tot Janes verdriet waren ze al vroeg gekomen en Jane had haar tante door het hele huis moeten volgen, want ze wilde alle kamers inspecteren. Ze knikte hooghartig naar de bedienden en de andere gasten, maar eigenlijk kenden ze hier niemand. Als Gussy niet bij haar was geweest om enige waardigheid aan hun komst te verlenen, zou Jane zijn gestorven van schaamte. Hij was dan misschien niet erg opwindend, maar hij was ook een troost voor haar. Alleen hij had gezien hoe terneergeslagen ze was geweest sedert ze de huwelijksuitnodiging had ontvangen. Ze hield van Barbara, maar ze kon het niet helpen dat ze het oneerlijk vond dat Barbara haar hartewens zo gemakkelijk in vervulling zag gaan. Jane had altijd zo haar best gedaan om goed te zijn. Haar enige ongehoorzaamheid was geweest dat ze van Harry had gehouden. Nu was ze verbitterd. Gussy had met haar gepraat. Ze kon hem natuurlijk niet vertellen wat er aan de hand was, maar zijn gevoeligheid gaf haar toch enige troost. Hij had met haar gebeden en haar verteld wat hij allemaal verwachtte voor zijn kerk, en hoe hij hoopte steun te ondervinden van zijn vrouw om hem te helpen bij zijn plichten tegenover de kerkelijke gemeente. Het gaf haar een prettig gevoel dat ze iemand zou kunnen helpen. Maar vandaag was de oude pijn er weer.

Het was Gussy geweest die graag naar de receptie wilde komen, want hij wilde lord Devane vragen of hij eens in zijn bibliotheek mocht kijken. Misschien vond hij er een onbekend boek dat hem vooruit kon helpen met zijn onderzoek. Haar tante had verachtelijk gesnoven. 'Helpen met zijn onderzoek! Vraag liever aan lord Devane of hij een prebende bezit, Augustus Cromwell! Misschien kun je dan een eigen kerk krijgen in plaats van in te vallen voor alle dominees in de stad.' Net als alle andere predikanten moest Gussy een eigen kerk hebben met zijn predikantenplaats voor het leven, maar zoiets vond je niet gemakkelijk. Arme Gussy. Hij zou heel wat beter zijn dan dominee Latchrod op Tamworth, die zijn preken vergat en maar wat mompelde. Gussy was vriendelijk en hartelijk. Nu voelde Jane iemand aan haar jurk trekken, en ze zag ineens een bekend gezicht. Het was Anne.

'Kom mee, Janie. Bab vraagt naar je.'

'Zie je wel!' gilde haar tante. 'Ik wist wel dat ze naar je zou vragen. Ga maar gauw, Jane. Edgemont, zit mijn hoed nog recht? Waar is die lakei met de wijn? Ik moet beslist nog een glas hebben.'

Ze volgden Anne, maar Maud greep nog snel een glas wijn van het blad van een langskomende lakei. Ze dronk het in één teug leeg en gaf het glas aan haar zwijgende echtgenoot. Barbara stond aan het eind van een volle kamer met achter haar aan de muur spiegels. Zo leek de kamer nog veel voller met mensen.

'Zeg eens wat!' siste haar tante. 'Stel ons voor en vertel haar wat je nodig hebt. Laat je nu eens gelden, Jane!'

Haar tante duwde haar naar voren tot ze bij Barbara was. Ze kusten elkaar en Barbara zei tegen de knappe, oudere man naast haar: 'Roger, dit is mijn oudste vriendin, Jane Ashford. Mag ik je mijn man voorstellen, lord Devane.'

Hij had de mooiste blauwe ogen die Jane ooit had gezien, ogen met ontelbare rimpeltjes eromheen in een gebruind, mager en bijzonder knap gezicht. Hij glimlachte naar Jane, en plotseling voelde ze zich welkom hier, door hartelijkheid omringd. Met een verlegen gezicht stelde ze hem voor aan Gussy en aan haar oom en tante. Roger boog zich over tantes hand, waarna ze meteen losbrak in een stortvloed van woorden. Het lukte Roger zich los te maken om met haar oom te spreken. Door een paar vriendelijke vragen kwam hij erachter dat haar oom op het departement van Marine werkte, en meteen wenkte hij een keurige jongeman in een bruin kostuum tegen wie hij een paar woorden sprak, waarna de jongeman haar oom de kamer uit geleidde met Maud erachteraan.

'Ik heb hier een paar vrienden uit de marine; hij zal het vast leuk vinden met hen te praten,' zei Roger tegen Jane, alsof hij dat allemaal voor haar had geregeld. En zonder dat ze wist hoe het kwam, liep ze nu aan Rogers arm door dit prachtige huis, met Gussy achter hen aan. Roger boog links en rechts naar mensen die hem wilden spreken, maar hij sprak met haar, en zij vertelde hem over haar familie op Ladybeth Farm. En achter hen sprak Gussy tegen Roger over zijn studie en over zijn boek. Ze liepen door het hele huis, tot ze de hertogin vonden met haar kleinkinderen om haar heen. De hertogin hield haar armen open, en Jane vergat haar verlegenheid en wierp zich erin. Nu moest ze Gussy voorstellen, en ze wilde alle nieuwtjes horen over haar familie en vrienden, en Gussy moest over zijn studie vertellen. Ze hoorde de muziek in een andere kamer beginnen. Ze liet Gussy met de kinderen weggaan om de eerste dans van Barbara en Roger te zien, maar zij bleef bij de hertogin. Ze wilde eigenlijk vragen hoe het met Harry ging en ze wist dat de hertogin het haar wel zou vertellen. Ja, ze bleef hier. De hertogin was 'thuis', een pijnlijke herinnering aan thuis, maar toch. . .

Tegen het eind van de middag begonnen vlekken van voedsel en wijn op de mooie satijnen en fluwelen kleren van de gasten zichtbaar te worden. Halsdoeken werden wat losser geknoopt, gezichten liepen rood aan en de tafels met het heerlijke voedsel begonnen er gehavend uit te zien, maar niemand had zin om weg te gaan; het was een prachtig feest.

Catherine Walpole danste met Roger. Ze fluisterde verwoed. De uitdrukking van vriendelijke belangstelling bleef op zijn gezicht.

'Wanneer zie ik je weer?' siste ze.

'Binnenkort, Catherine. Je verwacht toch niet dat ik mijn bruid op mijn trouwdag in de steek laat? Probeer je eens te herinneren hoe het was toen je zelf de bruid was.'

Ze keek verongelijkt. 'Dat is eeuwen geleden. Maar ik weet wel dat je me de laatste tijd ontloopt. Ik laat niet met me spelen. Als ik je jonge bruidje eens vertelde over jou en mij, Roger? Wat zou je daarvan zeggen?'

'Als je dat deed,' antwoordde hij, 'zou het mijn huwelijksreis zeker bederven.'

Ze lachte. 'Goed dan,' zei ze. 'Maar je moet niet denken dat je me als een oud vod kunt laten vallen, want die kans krijg je niet.'

'Een oud vod. Je doet me aan vele dingen denken, Catherine, een poesje, een flirt, een verwend kind, maar beslist nooit een oud vod.'

Diana danste met Harold. Hij boog zich voorover en fluisterde iets tegen haar. Wanneer zij lachte, keek iedereen in de kamer in hun richting. De hertog van Montagu keek woedend naar Harold, evenals Fanny. De hertogin van Montagu nam nog een glas wijn. Maud danste met Robert Walpole.

'Mijn echtgenoot, Edgeward – nee Edgemont, ja Edgemont – is een van de ijverigste werkers van het departement. Laatst zei hij nog tegen me, Maud, ik zou eigenlijk bij de schatkist willen werken. De schatkist. . .'

Francis Montrose gaf een gil en sprong bij Tommy Carlyle vandaan. White, die al vijf glazen port op had, lachte zich een ongeluk.

'Als je me ooit nog eens aanraakt, afzichtelijk reptiel dat je bent,' zei Montrose tegen Carlyle, en zijn stem beefde van verontwaardiging, 'breek ik elk bot in je lijf.'

White gilde van het lachen.

'Je bent te gevoelig. . .' begon Carlyle.

'Gevoelig!' schreeuwde Montrose. 'Je blijft van me af!'

Om zeven uur sneden Barbara en Roger hun bruidstaart aan, en lakeien deelden kleine stukjes uit aan de gasten. De ongetrouwde vrouwen in het gezelschap moesten eigenlijk hun stukje taart onder hun hoofdkussen leggen en van hun minnaar dromen. Gussy, die boven was geweest met White en naar Rogers boeken had gekeken en die bovendien verscheidene glazen wijn had gedronken, bracht een stuk taart aan Jane.

'Ik heb een fijne dag, Janie,' zei hij. Hij boog zich naar haar toe en kuste haar op de wang. Het was de eerste keer dat hij haar aanraakte.

'Heel m-m-mooi,' stamelde Tony, die keek hoe Barbara de taart aansneed. 'Heel mooi!'

Carlyle stond naast hem en hikte. 'Roger is inderdaad mooi.'

Om acht uur opende Robert Walpole de deur van de bibliotheek. Harold lag op de grond, half op en half naast Diana, die de voorkant van haar jurk helemaal omlaag had getrokken zodat haar volle, blanke borsten zichtbaar waren.

'Wie is daar?' hijgde Diana, en ze probeerde overeind te komen.

In plaats van terug te gaan, liep Walpole de kamer in, boog zich voorover en kneep in de tepel van een van Diana's blote borsten. Ze gilde en legde haar armen over haar borst. Harold, nog op zijn knieën, probeerde wanhopig zijn broek weer dicht te krijgen.

'Straks is het mijn beurt,' zei Walpole. Hij trok Diana's rokken omlaag. Ze bleef stil liggen en keek wat hij ging doen. Maar hij liep gewoon terug naar de deur en trok hem achter zich dicht. Onmiddellijk daarna liep hij Fanny tegen het lijf.

'Hebt u mijn man gezien?' Haar lippen trilden.

'Nee,' zei hij en versperde haar de weg. 'Tommy Carlyle ligt hier in de bibliotheek, en dat is geen prettige aanblik. Hij is stomdronken en ligt daar te snurken.' Hij nam haar arm en liep met haar weg. 'Laten we hier maar gaan zoeken. Als ik uw man een beetje ken, zit hij bij een kom met punch en al voor driekwart zat. En als we hem niet vinden, dan kunt u wel met mij naar huis komen.'

Abigail concentreerde zich op het verwijderen van een vlek uit haar jurk. Ze kon zich niet voorstellen dat ze zo met wijn had gemorst. Mary, Anne en Charlotte holden gillend door het vertrek, achternagezeten door Kit. Barbara en Roger stonden in de hal afscheid te nemen van gasten, waarvan velen amper op hun benen konden staan. Daar kwam Rogers overijverige secretaris op Abigail toe.

'Neemt u me niet kwalijk, lady Saylor,' zei hij. 'Maar hebt u al linten van de bruid gekregen?'

Abigail kwam langzaam overeind. 'Bedoelt u te zeggen dat het tijd wordt om weg te gaan?'

'Tijd om weg te gaan?' gilde tante Shrewsborough. Haar rouge zat in klonters tussen haar rimpels. 'Moeten we de bruid dan niet naar bed brengen?'

'Dat doen we vanavond niet,' zei Montrose kalm.

'Een schandaal!' riep tante Cranbourne. 'In mijn tijd wisten we tenminste hoe je een bruiloft behoorde te eindigen! De bruid naar bed brengen en nog meer drinken! Sta me niet zo aan te staren, jongeman. Kom Louisa, het schijnt dat het feest voorbij is.'

Zittend in haar stoel keek de hertogin hoe Rogers personeel de gasten de deur uitwerkte. In de hal zag ze Barbara, omringd door broers en zusjes en Mary. Ze omhelsde hen en maakte linten uit haar boeket los om aan ieder een paar ervan te geven. In de kamers die zo vol en warm waren geweest, begon het stil te worden. Wat was dit heel anders dan haar eigen bruiloft, toen lachende meisjes haar naar bed hadden gebracht, haar hadden uitgekleed, haar haar hadden geborsteld en bij haar waren gebleven tot Richard kwam in zijn nachthemd, met zijn jonge vrienden om hem heen. De hele familie was erbij geweest, en ze hadden grove opmerkingen gemaakt over wie 's morgens het meest vermoeid zou zijn, Richard of zij. En toen, eindelijk waren zij en Richard alleen geweest.

'Neemt u me niet kwalijk, mevrouw,' zei White met een glimlach. 'Mag ik u naar boven geleiden?'

De hertogin gaf hem een arm. Over een paar dagen zou Barbara al in Frankrijk zijn. De hertogin voelde een steek in haar hart. En haar benen deden pijn. Ze had te veel wijn gedronken. Maar deze laatste plicht moest ze toch volbrengen voor haar kleinkind. Iemand van de familie moest haar naar bed brengen, en Diana was uren geleden al verdwenen.

Martha was bezig Barbara's haar te borstelen toen de hertogin de slaapkamer van Roger binnenkwam. Het was er stil. Er was niemand behalve Barbara en haar kamenier. Nou, dat leek in de verste verte niet op haar eigen bruidsnacht. Roger vond zichzelf zeker te oud voor al die drukte, de grapjes, het drinken van kandeel (warme wijn met kaneel, eierdooier en suiker) zoals dat toch eigenlijk de gewoonte was. Als hij dan maar niet te oud was voor die andere taak, het ontmaagden van haar kleindochter. Ze strompelde wat door de kamer, bekeek de schilderijen langs de wand en bleef staan bij een portret van Richard. Ze had geen idee dat Roger dit bezat. Ze bewonderde Richards knappe gezicht en vroeg zich af op welk tijdstip van hun leven dit was geschilderd.

Het was een vroeg portret van Richard, toen hij een jaar of twintig was. Waar had Roger dat gevonden? De hertogin wist alleen dat *zij* het nog nooit had gezien.

Plotseling had ze weer dat akelige voorgevoel; het maakte haar bang en sneed haar bijna de adem af. Ze greep naar een stoel om te gaan zitten en haar ogen werden troebel. Ze kon maar amper Barbara zien staan, naakt, terwijl haar kamenier een wit nachthemd over haar hoofd schoof. De hertogin probeerde zo regelmatig mogelijk te ademen. Barbara kwam naar haar toe. Haar lieve meisje. Met hulp van Barbara's jonge, sterke armen hees de hertogin zich omhoog. Ze was uitgeput. Samen liepen ze naar het bed. De lakens zagen er fris en hagelwit uit. Op een tafeltje bij het bed stond een vaas met bloemen, dezelfde die Barbara vandaag had gedragen. Er stond ook een wijnkaraf met twee glazen. Bij het zien daarvan voelde de hertogin zich iets beter. Roger wist wat hij deed. Hij zou ervoor zorgen dat haar kleine meisje niet meer pijn had dan nodig was. Hij had vele vrouwen gehad. Vele vrouwen. Ze was een dwaze, angstige oude vrouw. Ze begon te huilen. Barbara, die al in bed was geklommen, riep: 'Grootmama, wat is er?'

Het duurde even voor de hertogin kon spreken. 'Ik voel me zo oud,' zei ze tenslotte met schorre stem.

'U bent moe, grootmama,' zei Barbara terwijl ze haar knuffelde en probeerde haar tranen af te vegen. 'U moest allang in bed liggen.'

Ze sprong uit bed en trok aan het schellekoord voor de hertogin een woord kon zeggen. Martha kwam de deur in.

'Mijn grootmoeder is uitgeput,' zei Barbara gedecideerd. 'Wil je ervoor zorgen dat ze naar huis wordt gebracht? En er moet beslist iemand met haar meegaan. Kus me nog één keertje, grootmama, en dan moet u gaan. U bent zo moe. Met mij gaat het best. Echt waar.'

De hertogin steunde op Martha's arm. Barbara had gelijk; ze was moe. En haar kleindochter had haar nu niet nodig. Die begon een eigen leven.

Toen Roger zijn slaapkamer binnenkwam, trof hij zijn jonge vrouw op haar knieën naast het bed. Ze lag te bidden. Haar rug, billen en benen waren duidelijk zichtbaar door het dunne nachthemdje. Afgezien van een lichte vrouwelijke ronding en kleine borstjes was ze bijna net zo mager als een jongen. Toen hij haar daar op haar knieën zag, moest hij lachen. Bad ze soms om verlossing? Dan was het nu te laat. Ze was van hem. Hij was nog nooit voor iemand anders verantwoordelijk geweest. Terwijl hij naar haar keek, drong het tot hem door dat hij nu heel andere verantwoordelijkheden had gekregen.

Toen ze hem hoorde lachen, draaide Barbara zich met een ruk om en ze sprong meteen het bed in, trok de dekens tot aan haar hals en keek hem met grote, ernstige ogen aan. Haar haar krulde om haar gezicht en hals. Ze had mooi haar. Het zou een prettig gevoel zijn daar met zijn hand doorheen te gaan. Hij was doodmoe. De hele avond had hij Catherine moeten verhinderen een scène te maken. Wat was zij toch een hypocriet. Hij wist dat ze met Carr Hervey naar bed ging. En toch wilde ze het gevoel hebben dat zij genoeg had van hem, en niet andersom. Roger kende vrouwen, vooral vrouwen die hun man bedrogen, maar al te goed. Zou dit meisje, dat hem nu met van die grote ogen aankeek, hem ook ontrouw worden? Waarschijnlijk wel. Maar als ze hem zoons wist te schenken, kon ze doen wat ze wilde, en hij zou haar haar plezier niet misgunnen. God, wat had ze een lief gezichtje. Hij schonk een glas wijn voor zichzelf in. Zij moest ook maar wat hebben voor hij in haar binnendrong. Dat zou de pijn wat verlichten. Lieve god, het was jaren geleden dat hij met een maagd naar bed was geweest. Hij ging op de rand van het bed zitten. Ze had de dekens weer teruggeslagen en keek naar hem. Door de dunne stof van haar nachthemd kon hij haar kleine borstjes zien. Hij was geroerd door de aanblik. Ze was zo jong.

'Waar lag je voor te bidden, Barbara? Een nietigverklaring?'

Ze moest lachen, een lach die hem herinnerde aan Richard. Zelfs toen Richard al oud was, klonk zijn lach nog jong. Roger dronk nog wat wijn.

'Dat zou ik eigenlijk moeten doen,' zei ze tegen hem. 'Ik ben gewaarschuwd door Fanny en door grootmama over wat ik kan verwachten. Fanny zegt dat ik me moet onderwerpen. Grootmama zegt dat het net zo is als met dieren die paren, alleen hoopt ze dat je wat subtieler te werk zult gaan.'

Dat ze op een ogenblik als dit grapjes kon maken, vond hij verrassend. Hij had zich nog niet de tijd gegund om haar te leren kennen. Wie was ze? Meer dan het magere kind uit zijn herinnering. Ze had gevoel voor humor. Dat was prettig. Een geestige vrouw was zoveel interessanter om mee door het leven te gaan.

Barbara keek naar zijn gezicht. 'Waar denk je aan? Ben je boos?'

'Boos? Waarom?'

'Omdat je zo gauw met me moest trouwen?'

Hij glimlachte naar haar. Je bent de peetmoeder van Bentwoodes. Zonder jou had ik het niet gehad. Eindelijk was het van hem. Morgen zou hij de hele dag overleggen met zijn bouwmeesters en ingenieurs. Zelfs tijdens zijn verblijf in Frankrijk, Hannover en Italië zou Bentwoodes al vorm aannemen. Boos? dacht hij. Ik ben opgetogen. Hij raakte haar wang aan met zijn hand. Ze boog zich naar hem over, een sensuele, vrouwelijke, spontane beweging. Hij voelde begeerte in zich opkomen. Dat was ook een verrassing voor hem. Niet dat hij nu een erectie nodig had. Hij wist precies waar hij aan moest denken om een stijve penis te krijgen. Maar dat het nu lukte zonder die gedachte. Misschien zou ze goed voor hem zijn. Misschien zouden haar geestigheid en haar gelijkenis met haar grootvader de oude spoken, die hem nog altijd kwamen kwellen, weten te verjagen.

'Ik houd van je,' zei ze zachtjes en drukte zijn hand tegen haar wang. 'Al toen ik een klein meisje was, hield ik van je.'

'Je bent nog steeds een klein meisje,' zei hij.

'Nee.'

'Je moet nog zoveel leren, Barbara.'

Ze boog zich naar voren tot haar lippen bijna zijn mond raakten.

'Leer het me dan,' fluisterde ze. 'Alsjeblieft, Roger.'

Hij zette zijn glas neer en nam haar gezicht in zijn beide handen. Ze keek hem vol liefde en vertrouwen aan. Voorzichtig, langzaam kwam hij naar voren en raakte haar mond aan met zijn lippen. Wat een lief meisje was ze. Hij legde haar weer terug tegen de kussens en veegde het zware krulhaar van haar voorhoofd en uit haar gezicht. Weer glimlachte hij en nu bedekte hij haar gezicht en hals met zachte, tedere kusjes, zo licht als een veertje. Maar weldra werden zijn kussen dringender. Ze huiverde. Hij was weer bij haar mond en zijn tong ging voorzichtig op onderzoek. Ze hijgde van verrassing. Zo was ze nog nooit gekust... ze had niet geweten... Hij kwam omhoog met zijn hoofd. Zijn ogen waren helderblauw.

'Wat is er aan de hand?' fluisterde hij. 'Heb ik je laten schrikken?'

Ze legde haar armen om zijn hals. 'Nee... kus me nog eens zo... alsjeblieft, Roger.'

Hij glimlachte naar haar, een langzame, sensuele lach waardoor haar tepeltjes rechtop gingen staan... door die lach en door iets in zijn ogen. Hij verlangde naar haar... hij verlangde echt naar haar... dat was nog nooit gebeurd... maar nu verlangde Roger naar haar. Langzaam legde hij zijn mond op de hare en met één hand streelde hij haar slanke, blote heup onder het nachthemd. Ze was nog nooit zo opgewonden geweest, met die kleine onderstroompjes van angst. Zijn tong ging weer door haar mond, en toen zijn hand zich naar haar borst bewoog, kon ze niet helder meer denken.

'Ik ga je hier aanraken... Barbara... en hier...' zei hij in haar oor, en zijn stem en handen joegen rillingen over haar rug. 'Ik ga je op een heleboel plekjes aanraken... en als je iets niet prettig vindt, hoef je het maar te zeggen.'

'En als ik het wel prettig vind?' vroeg ze ademloos.

Hij beet haar in haar hals. 'Dan moet je dat ook zeggen.'

'Roger...' haar ogen waren als sterren. Tenslotte moest hij zijn eigen ogen sluiten...

De hertogin lag wakker. Ze had te veel wijn gedronken. Om haar angsten te verdrinken, haar zorgen, oude spoken. Ze hadden de hele dag om haar heen gehangen, eigenlijk al die dagen al, sedert ze in Londen was... Hij kuste mij met de kussen van zijn mond! Want kostelijker dan wijn is uw liefde. In hun bruidsnacht had Richard het Hooglied van Salomo opgezegd... Zie, gij zijt schoon, mijn liefste; uw ogen zijn als duiven... had hij gezegd, om zijn achting en zijn begeerte te tonen. Lommerrijk is onze legerstede... de balken van ons huis zijn ceders... zie, gij zijt schoon mijn liefste...

9

Barbara's broer, Harry, lag naast het mollige lichaam van Caroline Layton. Het was al laat in de ochtend en hij had hoofdpijn van het vele drinken. Hij ging rechtop zitten zodat het laken neerviel en zijn buik en dijen zichtbaar werden.

'Schat,' mompelde Caroline, en haar hand streelde lui over zijn rug en over zijn dijen.

Hij ging weer liggen, klaar om te zien wat ze nu zou doen. Ze speelde voorzichtig en teer met hem, kuste zijn dijen, zijn mannelijkheid, liet haar puntige roze tongetje over een zelfgekozen pad gaan. Hij werd opgewekt. Handig gleed Caroline met haar lichaam boven op hem en hij was in haar voor hij het goed en wel besefte.

Ze begon langzaam te bewegen, boven op hem, heel zinnelijk en gericht op haar eigen bevrediging. Hij vond het best om stil te blijven liggen en haar te laten doen wat ze maar wilde. Haar handen streelden zijn dijen, zijn billen, zijn borst en ze bewoog en wiegde in een ritme dat hen beiden genot verschafte. De tepels van haar volle borsten drukten in zijn lijf toen ze nog heftiger op en neer ging, en hijgend viel ze tegen hem aan.

'Heerlijk... o, Harry... jong... zo jong. Ik... o... hou van jonge mannen.'

Ze drukte zich weer tegen hem aan, haar gezicht kalm, helemaal gespitst op haar eigen genot. Hij ging met haar mee in haar dringende, rusteloze dans naar vervulling. Zijn geest was leeg; hij voelde alleen de volle glanzende borsten, het op en neer glijden en de warme vochtigheid om hem heen.

Ze gaf een kreet en drukte haar nagels in zijn vel. Hij hield haar heupen vast en stootte in haar omhoog op zoek naar zijn eigen genot. Even later gleed ze van hem af en ging naast hem liggen.

'Lieve schat,' zei ze.

Hij gaf geen antwoord maar stond op; hij trok zich niets aan van zijn naaktheid en liep naar het raam. Zijn lichaam was klein en gespierd met brede schouders en smalle heupen. Zijn gezicht was sprekend dat van zijn moeder, maar dan mannelijker. Het was een gezicht dat vrouwen boeide. Hij was nog maar net begonnen de macht van zijn uiterlijk te ontdekken. Caroline was de vervulling van zijn meest erotische schooljongensdromen. Maar hij wilde meer dan alleen Caroline. Hij wilde alle vrouwen in de wereld. En hij ontdekte dat hij slechts behoefde te glimlachen en te zeggen wat ze graag wilden horen. Getrouwde vrouwen waren het fijnst; onverzadigbaar als hun echtgenoot maar saai genoeg was. Het gaf niet dat hij geen geld bezat. Het enige waar het op aankwam, was dat hij van adel was en jong, en natuurlijk *te* knap voor zijn eigen bestwil. Ze waren maar al te bereid om voor zijn kleren te betalen, voor zijn tabak en voor zijn gokken. Hij was niet van plan zich ooit nog met maagden op te houden. Hij herinnerde zich Janes felle 'Nee' toen zijn hand haar borsten aanraakte. Niet dat hij niet van Jane had gehouden. Hij hield zelfs nu nog van haar, maar ze was een bleke droom vergeleken bij de werkelijkheid van Caroline Layton en andere vrouwen. Toen hij pas in Italië was aangekomen, boos en verdrietig, was hij onmiddellijk naar een portretschilder gegaan en had een miniatuur van Jane besteld. Hij had haar nauwkeurig beschreven. Toen had hij Caroline ontmoet. Een maand later was het miniatuur klaar, maar hij had moeite gehad Jane te herkennen. Dat bleke, tere, blonde figuurtje kon iedereen wel zijn. Hij was nu al vergeten hoe ze er in werkelijkheid uitzag, en het miniatuur werd onder zijn hemden opgeborgen. Maar soms wanneer hij aan zijn laatste hemd toe was, kwam hij het tegen, en dan keek hij ernaar en probeerde zich te herinneren hoe hij eens naar haar had verlangd. De jongeman onder de appelbomen op Tamworth was echter te ver verwijderd van de jongeman die naakt uit het raam stond te kijken in Carolines villa.

10

De hertog van Orléans, regent voor de jonge Franse koning, Lodewijk XV, snurkte een paar maal en werd toen wakker van zijn eigen gesnurk. Buiten in de donkere nacht sloeg de natte sneeuw tegen de ramen. Binnen lagen de uitgetelde gasten in hun stoelen, of uitgestrekt onder de tafels. Er was weer een souper geweest. De soupers van Orléans waren besloten aangelegenheden. Niemand werd daar zonder uitnodiging toegelaten en er mochten geen bedienden bij zijn vanwege de taferelen waarvan ze getuige zouden kunnen zijn. De gasten maakten zelf het eten klaar, dat daarna werd geserveerd op speciaal ontworpen porselein met afbeeldingen van mannen en vrouwen, vrouwen en vrouwen, mannen en mannen in prikkelende seksuele houdingen. Alsof het servies nog niet voldoende was om honger naar iets anders dan voedsel op te wekken, dronk elke gast een stuk of drie flessen champagne leeg, terwijl zijn ogen werden getrakteerd op een balletuitvoering door naakte meisjes uit het operaballet.

Op wankele benen kwam Orléans overeind en begon de gasten die nog niet helemaal buiten westen waren, wakker te schudden. Het was drie uur in de ochtend. Degenen die konden lopen begonnen hun kleren aan te trekken, hun rokken te ordenen en hun broeken dicht te knopen, en vertrokken. Orléans had een speciale brigade van lakeien die hij over enkele ogenblikken zou binnenroepen om de bewustelozen naar hun rijtuigen te dragen. Nu stapte hij over de naakte lichamen van twee operadanseressen die verstrengeld lagen met het half ontblote lichaam van Henri, de jonge ridder de St.-Michel. Orléans bleef even staan om te zien hoe ze daar lagen, toen pakte hij St.-Michel bij zijn schouders. De man kreunde en deed een poging overeind te komen. Orléans liep nu naar zijn dochter, de hertogin de Berry die met armen en benen wijd op een stoel lag te snurken, haar rok hoog opgestroopt. Orléans trok de jurk van zijn dochter recht en deed haar mond dicht.

Hij keek de kamer rond. De meeste mannen hadden zich aangekleed en waren vertrokken. Wat de vrouwen betrof, kwam alleen
zijn dochter er op aan. Hij belde de lakeien en slenterde toen de
gang in, naar zijn eigen vertrekken. Af en toe bleef hij staan om
door de hoge ramen naar buiten te kijken. Het was pikdonker en
de natte sneeuw sloeg met zacht getik tegen de ruiten.

In het soupervertrek begonnen de lakeien met onbewogen gezichten de gasten weg te dragen. Af en toe bleven ze staan om
naar een naakt meisje met een aardig gezichtje te kijken en dan
wisselden ze een steelse blik, maar gesproken werd er niet. Toen
alle gasten in hun rijtuigen geïnstalleerd waren, behalve de twee
naakte balletdanseressen die nog steeds lagen te slapen, verzamelden de lakeien zich weer in de kamer. Ze waren met hun zessen
en om de beurt neukten ze de slapende meisjes, terwijl de mannen
die hun beurt al hadden gehad stoelen verschoven, borden opsta-
pelden en de kaarsen in de zware kristallen kroonluchters doof-
den. Alles werd snel en efficiënt gedaan, zowel het vrijen als het
opruimen. Spoedig zouden ze klaar zijn en de danseressen zouden
naar huis worden gestuurd zonder zich bewust te zijn geweest van
hun laatste minnaars.

Toen de laatste kaars was gedoofd en er geen spoor meer te zien
was van wat zich in die kamer had afgespeeld, sloten de lakeien
de deur en gingen naar bed. Het vertrek was nu stil en donker.
Alleen bij het licht van de kaarsen kon men er genieten van de
prachtige aankleding. De roomkleurige muren waren verdeeld in
een aantal panelen, waarvan de lijsten met zuiver bladgoud bedekt waren.

In elk paneel was een tafereel van nimfen die op de vlucht sloegen voor faunen en saters, tegen een achtergrond van donkere
bossen en kronkelende riviertjes. Een kunstenaar had elk figuurtje
volkomen levensecht uitgebeeld. De kamer gaf een afspiegeling
van het beste en mooiste op het gebied van Frans vakmanschap.

In een ander prachtig herenhuis in Parijs, dat al even schitterend
gemeubileerd was als het Palais Royal waar Orléans woonde, lag
een Franse prinses in haar bed te woelen en te draaien. Zij was
twintig, en haar kleine, kinderlijke lichaam was zojuist ontijdig
bevallen van een foetus, nadat ze een bezoek had gebracht aan
haar favoriete aborteur. Haar kamenier had de bloederige lakens
weggenomen met het stolsel dat het begin van een kind was ge-

weest, om alles in de oven te verbranden. Het was niet het eerste foetusje dat in de oven werd vernietigd. De prinses liet niet merken dat ze iets voelde. Abortus was de prijs die ze betaalde voor haar levenswijze, en ze was niet van plan die te veranderen, al probeerde ze wel iets te doen aan de gevolgen ervan. Ze had alle bekende methoden van geboortenbeperking beproefd: het drinken van de urine van een man en wilgenthee, hoesten en niezen na de geslachtsgemeenschap, proppen zeewier en verschillende baden. Coïtus interruptus, waar haar zusters geestdriftig over waren, was niet betrouwbaar. Soms vergat ze haar partner op het hoogtepunt te waarschuwen. De prinses trok haar benen op om de krampen in haar buik te verlichten. Buiten sloeg de natte sneeuw nog steeds tegen de ramen, en tenslotte viel ze van uitputting in slaap.

Het was januari en het was een slechte winter in Parijs; in de huizen waar men het kon betalen brandden de vuren dag en nacht, en waar men geen geld had voor brandhout lagen de lijken van bevroren mensen in stapels op straat. De grote koning, Lodewijk XIV, die dertig jaar lang door heel Europa had gevochten, die tijdens zijn regering het machtige paleis van Versailles had gebouwd en die had gezegd: 'Ik ben de staat' was in september 1715 gestorven. Na zijn regering was het land failliet door de vele oorlogen; zijn opvolger was een achterkleinzoon van vijf, die geleid werd door een regentschapsraad bestaande uit zijn neef, Orléans, en zijn onechte zoons van een van zijn maîtresses. Van zijn paleis in Versailles waren de luiken gesloten, en het werd overgelaten aan de huisbewaarders en de muizen. De grootsheid, de waardigheid en de macht waar Versailles het symbool van was geweest, verdwenen met zijn schepper. De overige attributen van dat roemruchte tijdperk – hebzucht, afgunst, kwaadaardigheid, hartstocht en eerzucht – verhuisden naar Parijs, waar de regent woonde en waar het hof hem volgde.

De daaropvolgende avond baande Barbara zich een weg door een menigte van feestvierende mensen op een gemaskerd operabal in het theater van het Palais Royal. Er speelden dertig violen terwijl lachende, gekostumeerde mensen dansten over het nieuwe wonder dat pas was ingericht in de grote zaal van het theater: een speciaal mechaniek waardoor de vloer van het auditorium omhoog werd gebracht tot het niveau van het toneel. Iedereen die zich behoorlijk kleedde was welkom; men hoopte dat openbare bals in het Palais Royal de schandelijke uitspattingen bij andere privé-bals in en om Parijs zouden doen verminderen.

Barbara zocht Roger. Vanmorgen had ze zo lang geslapen dat ze hem niet had gezien, ook al had ze Martha opdracht gegeven haar te wekken. Ik dacht dat u uw slaap nodig had, had Martha geantwoord toen ze tegen haar tekeerging. De rest van de ochtend had ze doorgebracht zoals elke ochtend sedert ze in Parijs waren aangekomen: in haar vertrekken. Toen Roger thuiskwam voor het middageten (hij hield open tafel, wat betekende dat iedereen die zin had bij hen kon komen dineren en alle plaatsen om hun tafel waren altijd bezet) moest zij voor gastvrouw spelen en haar best doen met haar Frans, en bovendien proberen een intelligent gesprek te voeren. Onder de gasten bevond zich John Law, een Schot die een theorie had over geld en krediet waar Barbara niets van begreep. Daarna moest ze zich kleden voor een ontvangst en voor het operabal. Slechts in het rijtuig was ze even alleen geweest met Roger. Zodra ze op het bal waren aangekomen had Roger haar onder de kin gestreeld en gezegd dat ze zich netjes moest gedragen, waarna ze zijn rode mantel tussen de menigte zag verdwijnen. Zich netjes gedragen! Hoe kon hij haar zo nonchalant behandelen? Hoe kon hij haar zo in de steek laten? Barbara vond een stoel en nam plaats bij een kring van oudere vrouwen die op de vreselijkste manier zaten te roddelen over iedereen die ze meenden te herkennen.

Ze zaten nu te bespreken hoe slecht gekleed een van de dochters van de regent was. Roger had haar al een keer meegenomen naar het nabijgelegen paleis van de Tuilerieën, waar de jonge koning woonde met zijn lijfwacht, zijn leraren, zijn gouvernante en zijn hofhouding. Ze had de koning wel aardig gevonden met zijn verlegen uiterlijk, zijn donkere ogen en zijn waardige manieren. Hij vormde een groot contrast met zijn oom, de regent, die dronken was toen ze aan hem werd voorgesteld. Een van de dienaren had hen aangekondigd. De regent was opgesprongen en had Roger omhelsd en op beide wangen gekust. Maar toen hij zich over haar hand heen boog kon ze de cognac ruiken, en hij zou gevallen zijn en haar met zich hebben meegetrokken als een lakei hem niet had opgevangen. Ze wist niet wat ze moest doen. Rogers gezicht was onbewogen. Ze had geen idee wat hij dacht.

De regent liet een boer en nam haar arm om haar voor te stellen aan een statige vrouw met dikke wangen, zijn vrouw, de hertogin van Orléans, die was omringd door een heel stel tamelijk lelijke dochters.

Roger had gelachen om haar reactie op dit alles. Hij had haar uitgelegd: 'Orléans is een losbol, een verdorven cynicus en de intelligentste man van Frankrijk. Hij weet meer van wetenschap en muziek dan een van de andere mensen die ik ken. Maar hij heeft nooit iets nuttigs te doen gekregen, en van louter verveling is hij een dronken nietsnut geworden, net als zovele koninklijke prinsen. Hij en zijn hele familie hebben het gevoel dat ze boven de wet staan en dat ze zich kunnen gedragen zoals ze willen. Dat moet je maar leren accepteren als je iets van de Fransen wilt begrijpen.'

Ze wierp haar hoofd in de nek.

'Doe niet zo verwaand,' zei Roger tegen haar. 'Naarmate je ouder wordt en meer ervaring krijgt, zul je zien dat de meeste dingen in het leven niet zwart of wit zijn, maar een kleurtje grijs daartussenin. Je mag mensen niet veroordelen, want daar moet je later dikwijls de wrange vruchten van plukken.'

Barbara leunde met haar hoofd tegen de muur. Ze kreeg hoofdpijn van het geklets van die oude vrouwen, of kwam het door haar hoofdtooi van parels en veren? Ze wilde naar huis. En daar stond Roger in de verte met zijn rode mantel, met zijn rug naar haar toe gekeerd. Ze liep naar hem toe, en toen ze achter hem stond, legde ze haar armen om zijn middel en fluisterde: 'Breng je me naar huis? Ik ben zo moe.'

Hij draaide zich om, maar hij droeg een ander masker dan Roger die avond voor had gehad.

'Maar natuurlijk, mademoiselle. Al zal het niet zijn om te slapen.'

'Neemt u me niet kwalijk, monsieur,' stamelde ze, en deed een paar stappen achteruit. 'Ik dacht dat u mijn echtgenoot was.'

De man volgde haar. 'Uw echtgenoot? Wat een teleurstelling.'

Ik ben een getrouwde vrouw, dacht Barbara bij zichzelf. Ik hoef niet als een baby naar huis te worden gebracht. Ik kan mijn eigen rijtuig laten voorkomen en vertrekken. Ze had er geen erg in dat de man met de rode mantel haar volgde en haar haar naam hoorde zeggen tegen de Zwitserse garde, opdat men haar rijtuig kon laten komen.

'Henri?'

Iemand trok aan de mouw van de man, een klein vrouwtje met een humeurig gezicht. Ze had kastanjebruin haar en blauwe ogen.

'Ik verveel me, Henri. Wil je met me dansen?'

'Verveel je je, Louise-Anne,' zei hij. 'Hoe is dat mogelijk? Hebben Armand en jij ruzie gehad?'

'Welnee.' Ze trok een pruilmondje. 'Maar ik ben op het ogenblik uitgeschakeld en Armand vindt troost in de armen van een operadanseresje. Er is nergens wat aan als je niet kunt neuken.'

Hij lachte. 'Louise-Anne! Je shockeert me!'

'Poeh! Jij raakt nergens door geshockeerd. Dans alsjeblieft met me voor ik sterf van verveling.'

Barbara zei niets toen Martha de veters van haar japon losmaakte en haar hoofdtooi losspeldde van haar hoofd. Dat kwam niet alleen doordat ze het land had aan Martha, wat wel degelijk het geval was... het kwam door Roger. Hij was alweer in zijn eigen vertrekken gebleven, of hij was nog niet eens thuis. Zo had ze zich niet het begin van haar huwelijk voorgesteld.

Tijdens hun reis was hij vriendelijk geweest, maar dat was hij altijd. Bij het oversteken van Het Kanaal was ze zeeziek geworden. Vervolgens had ze hoofdpijn gehad door het hobbelen van het rijtuig; de wegen naar Parijs zaten vol diepe groeven. Daarna was ze ongesteld geworden (ze was nooit regelmatig als andere vrouwen). Ze bleef maar doen alsof ze vrolijk was omdat de mannen (White, Montrose en Rogers bediende, Justin, reisden met hen mee) geen last schenen te hebben van de kou en van het gehobbel in het rijtuig, en van de vlooienplaag in de herbergen. Ze bleven beneden warme wijn drinken, terwijl zij boven lag te rillen onder vochtige lakens met bovendien kramp in haar buik.

Parijs bestond uit niets dan tegenstellingen: stenen huizen – zoals zij en Roger er nu ook een hadden gehuurd – brede pleinen en prachtige tuinen, met daarnaast donkere, smalle, middeleeuwse gebouwen en vreselijke straten. Het was er altijd een hels lawaai; het was er nog smeriger dan in Londen en de bedelaars waren nog brutaler. Aan de huizen hingen geen lantaarns, zoals in Londen, zodat de straten 's avonds pikdonker waren. En overal bedelaars; ze sprongen voor je rijtuig en wachtten voor de ingang van je huis, als menselijke vlooien. En dan dat geschreeuw van straatventers met hun lavendel, bezems, matten, vis...

Ze had heimwee; Tamworth, haar grootmoeder, Tony en haar familie waren allemaal zo ver weg. Ze zou nog een keer zo'n afschuwelijke reis over land en over zee moeten maken om weer bij hen te komen. Het leek alsof ze nergens paste in Rogers leven. Alsof ze een stuk bagage was dat op het laatste nippertje aan de reis was toegevoegd.

Tijdens hun reis had ze soms het gevoel dat Roger was vergeten dat hij ooit met haar was getrouwd. Dan zag ze hem staren met een blik in zijn ogen alsof hij zich afvroeg wat ze hier eigenlijk deed? Toch was hij altijd vriendelijk. En beleefd. En dat was zijn personeel ook. Maar ze had zich niet voorgesteld dat dit het begin van haar huwelijk zou zijn: Roger die niet naar haar omkeek, de ongemakken van de reis, haar ongesteldheid, Parijs en dit huis met zijn kille pracht.

Het was eigenlijk geen huis, het was meer een paleis met kamers die toegang gaven tot nog meer kamers, en daarachter weer andere kamers. En geen muur zonder schilderijen of spiegels, zonder panelen en met van alles: cupidootjes, violen, bloemen en dieren met vergulde lijsten, eenvoudig niet te beschrijven. Overal stonden glazen en gouden klokken, vazen met bloemen, porseleinen honden, katten, herders... Zelfs Saylor House met al zijn pracht was eenvoudiger, minder volgepropt. Het overdonderde haar.

Ze sloeg met haar vuist op een kussen. Hij had haar vanavond weer in de de steek gelaten. De hele week was ze 's avonds laat naar Rogers vertrekken geslopen en had daar op zijn deur geklopt. Als Justin, Rogers bediende, niet zo vriendelijk was geweest, had ze zich doodgeschaamd. Justin was een klein, keurig mannetje dat deed alsof het de gewoonste zaak van de wereld was dat zij zo kwam aankloppen. Terwijl zij wachtte, praatte hij met haar over Roger, over zijn gewoonten. Roger was lastig met kleding, maar als hij eenmaal iets naar zijn zin had aangetrokken, dacht hij er de hele dag niet meer over na. Hij ging laat naar bed, maar hij versliep zich bijna nooit. Hij ontbeet graag samen met White en Montrose om met hen te overleggen wat er die dag moest gebeuren...

Ze stompte nog eens tegen het kussen en nestelde zich in het kuiltje als een klein, vastbesloten diertje dat zijn nest bouwt. Dit was nu haar leven met Roger... en ze moest er iets van zien te maken. Ze was geen kind meer en ze was niet van plan steeds op de achtergrond te blijven. Ze wist wat haar plicht was; ze kende haar positie. Haar grootmoeder had haar geleerd wat van een dame werd verwacht. En ze was niet bang. (Nou ja, een beetje wel...) Ze zou gewoon haar plaats opeisen in Rogers huis, die kon niemand haar ontnemen... al had ze gehoopt dat Roger haar zou helpen.

Hoe kon hij geïmponeerd worden door haar rijpheid en haar stijl (en smoorverliefd op haar worden) als hij niets van dat alles te zien kreeg? Overleg bij jezelf wat je wilt, zou haar grootmoeder hebben gezegd. Nou, wat zij wilde was stijlvol zijn en een heleboel baby's krijgen, haar broers en zusters om zich heen verzamelen, hen opvoeden en uithuwelijken en tegelijkertijd leiding geven in Rogers huishouding, met een zelfvertrouwen waar iedereen versteld van zou staan. Maar degene die werkelijk versteld moest staan, was Roger. Hij was de spil waaromheen zij draaide. Ze wilde dat hij van haar hield en haar nodig had (zoals ze van hem hield, want soms als ze hem aankeek en besefte dat ze nu eindelijk met hem getrouwd was, voelde ze een liefde in zich opkomen die haar hart sneller deed kloppen).

Ze deed haar ogen stijf dicht en zegde snel een paar korte gebedjes op, zoals ze vroeger deed wanneer ze wist dat haar de volgende dag iets moeilijks te wachten stond. Nu voelde ze zich beter. Ze deed haar ogen weer open. Ze wist wat haar plaats was en ze kende haar plichten. (En ze was begonnen in te zien dat succes soms alleen daaruit bestond, dat je de moed had om stappen te nemen in de richting van je dromen...)

Als bedremmelde schooljongetjes stonden ze alle drie op toen ze de volgende morgen de ontbijtkamer binnenkwam. Ze was zo aan haar lot overgelaten de afgelopen dagen, dat ze haar hele bestaan waarschijnlijk waren vergeten, dacht ze geërgerd. Nou, ze zou ze er wel aan herinneren.

'Barbara,' zei Roger met een glimlach. 'Wat leuk dat je met ons komt ontbijten. Ik dacht dat je nog sliep.' Hij kuste haar hand. Handige leugenaar, dacht Barbara.

De lakei hield een stoel voor haar gereed aan het andere eind van de tafel. Roger zat aan het hoofd met White en Montrose beiden aan zijn rechterhand.

'Nee,' zei ze. 'Ik ga hier zitten.'

Ze wees op de lege stoel aan Rogers linkerhand en ze ving een blik van verstandhouding op tussen White en Montrose. Ze knarsetandde. Toen ze was gezeten, zei ze: 'Slapen? Nee, ik ben gisteravond vroeg naar huis gegaan. Ik kon je nergens vinden en ik was zo moe.'

Er viel een stilte. Na enige ogenblikken schraapte Montrose, die recht tegenover haar zat, zijn keel en zei: 'Ah, ik heb een afspraak voor u gemaakt, mijnheer, voor een bezoek aan het Château de St.-Honoré. De graaf verzoekt u de lunch met hem te gebruiken. En het Trianon is te allen tijde voor u open. De regent zei dat u een dag kon kiezen, en madame heeft een briefje gestuurd om u en lady Devane uit te nodigen in St.-Cloud.'

Barbara haalde diep adem. 'Trianon is toch een van de residenties van de koning? Dat zou ik ook graag bezoeken.'

Roger glimlachte. 'Het zou je vervelen. We praten daar alleen over architectuur.'

'Maar je zoekt toch naar ideeën voor Bentwoodes, nietwaar Roger? Dat kan me toch nooit vervelen. Het wordt immers ook mijn huis. En ik weet meer van architectuur dan je denkt.' Onder de tafel vouwde ze haar handen voor een schietgebedje. Je gaat naar de hel als je liegt, had Annie altijd gezegd. Ze wist niets van architectuur.

Er kwam een lakei binnen met een boeket camelia's, zachtroze bloemen met een witte rand. Hij gaf ze aan Barbara die stomverbaasd was.

'Law wil u graag om vijf uur spreken,' begon Montrose, maar Roger had meer aandacht voor Barbara. Ze haalde een klein wit kaartje uit het boeket, las het en fronste haar voorhoofd.

'Wat is dat nou,' zei ze, 'ik dacht dat ik deze van jou had. Wie is Henri de St.-Michel? Heb ik die man al eens ontmoet? Het is vast een vergissing. Ik zal de lakei zeggen dat hij ze terug moet...'

Roger stak zijn hand uit en gehoorzaam legde ze het kaartje erin.

'Ter herinnering aan gisteravond – Henri de St.-Michel,' las hij hardop. 'Ter herinnering aan – wie heb je gisteravond ontmoet, Barbara?'

White begon zijn botermesje met een servet op te poetsen en Montrose verschoof wat aan zijn paperassen. Beiden zouden nu voor geen goud de kamer uitgaan.

Barbara piekerde. 'Ik kan niemand bedenken. Jij was bij me op de ontvangst en op het bal... ik heb maar wat rondgeslenterd – Roger, wat zijn mannen toch brutaal...' Ineens zweeg ze. De herinnering aan de man in de rode mantel kwam weer boven. Waarom zou hij haar bloemen sturen? Ze vertelde het voorval aan Roger.

Hij gaf haar het kaartje terug. 'Dat moet St.-Michel zijn geweest. Hij schijnt je nogal aardig te vinden. Daar mag je best trots op zijn. Maar je moet ook oppassen; hij heeft nog al zijn wilde haren. Ik zie dat ik beter op je zal moeten passen als we naar een openbaar bal gaan, anders moet ik nog eens duelleren om jou.' Ineens lachte hij. 'Ik had nooit gedacht dat ik ooit vanwege mijn eigen vrouw zou moeten duelleren.'

'Een duel! Wat spannend. Maar ik zou natuurlijk nooit willen dat je dat deed, Roger. Ik zal de bloemen meteen terug sturen. Ik vind het brutaal.'

'Dat zou tactloos zijn, Barbara. St.-Michel heeft alleen tot uitdrukking willen brengen dat je een aantrekkelijke jonge vrouw bent. Ik heb zoiets honderden malen gedaan. Zie het maar als een compliment.'

Ze plukte drie bloemen uit het boeket en schoof er twee over de tafel naar White en Montrose.

Bij Roger stak ze zelf een bloem in zijn knoopsgat en meteen kuste ze hem verlegen op zijn wang. 'Ter herinnering aan mijn eerste verovering,' zei ze.

Roger stond op en kneep haar in de wang. 'Je tweede. Ik was je eerste. Vanmiddag ben ik bij St.-Honoré, maar vanavond dineer ik thuis. Je ziet er vandaag bijzonder knap uit, Barbara. Is dat een nieuwe jurk? Nee? Ik vind hem mooi. Francis, kom je met me mee?'

Glimlachend begon ze aan haar koude ontbijt. White dronk zijn koffie en wierp af en toe een blik in haar richting. Hij keek graag naar haar en bewonderde haar directe manier van spreken met die lage, iets hese stem. Even later kwam Montrose weer terug.

'Mijnheer Montrose, u moet me raad geven,' zei Barbara. 'Moet ik een secretaris in dienst nemen? Of kunt u me helpen met een paar opdrachten?'

Montrose ging zitten. 'Ik ben geheel tot uw dienst, mevrouw.'

'Goed. Ik heb dit huis nog niet goed bekeken en ook niet alle bedienden ontmoet. Wat stelt u voor?'

Montrose was stomverbaasd. 'Voorstellen?' zei hij aarzelend alsof ze hem had gevraagd een moord te plegen. White verborg zijn glimlach achter zijn servet.

'Ja,' zei ze, zonder omwegen. 'Ik ben de meesteres van dit huis, en ik weet niet of dat iedereen wel duidelijk is.'

'Ah... ik zal de huishoudster sturen voor een rondgang door het huis. En, eh... ik zal de bedienden bij elkaar roepen en ze aan u voorstellen...' Zijn stem stierf weg en hij keek of ze nog meer op haar hart had. En inderdaad.

'Goed. Hoe is de tijd van lord Devane ingedeeld?'

'Tijd... ingedeeld?'

'Ja. Hoe laat ontbijt hij elke dag? Op welke dagen houdt hij een ochtendontvangst? Is er elke dag open tafel? U begrijpt me wel, mijnheer Montrose.'

'Ah, hij houdt alleen op donderdag een ochtendontvangst. En hij ontbijt elke dag om tien uur, en dan nemen we zijn afspraken door. De, eh... open tafel is altijd op maandag, dinsdag en vrijdag, mevrouw.'

'Uitstekend, mijnheer Montrose. Zouden u en mijnheer White voortaan een half uur later aan het ontbijt willen komen? En als we logés hebben, moeten die in hun kamer ontbijten.'

'Een half uur... maar waarom?' Snel voegde hij eraan toe: 'Als ik u vragen mag.'

'Ik wil graag elke dag met mijn man alleen ontbijten, voordat de dagelijkse zaken een aanvang nemen. Maar na dat halve uur moet lord Devane weer met u kunnen spreken; ik zou niet graag zijn gewoonten willen veranderen. Behalve misschien in zoverre dat ik er voortaan bij zou willen horen. Dat vindt hij vast niet erg.' Ze glimlachte, haar grootvaders glimlach, en stond op.

'En wilt u alstublieft een nieuw kamermeisje voor me zoeken? Een Frans meisje? Ik wil Martha zo snel mogelijk terugsturen naar Engeland.'

'Terug naar Engeland?' vroeg Montrose verbouwereerd.

'Ja. Ze is ongeschikt. Goedendag, mijnheer Montrose. Mijnheer White?'

White keek op. Hij had het prachtig gevonden zoals ze Montrose had behandeld. Nu was het zijn beurt. Ze glimlachte naar hem.

'Zoudt u alstublieft een paar boeken over architectuur voor me kunnen uitzoeken, boeken die lord Devane ook kent, en wilt u ze naar mijn vertrekken sturen? Ik heb zojuist gelogen. Ik heb helemaal geen verstand van architectuur.'

Ze deed de deur achter zich dicht. White rook aan de camelia die ze hem had gegeven. Hij zei: 'Uiterlijk mag ze op haar grootvader lijken, maar weet je aan wie ze me steeds herinnert?'

Montrose had geen idee. 'Nou?'

'Aan haar grootmoeder. De hertogin van Tamworth.'

Ze was tevreden over zichzelf. Zeer tevreden. Ze had zich koel en waardig gedragen, zoals het de meesteres van het huis betaamde. Ze had White en Montrose toegesproken. In gedachten zag ze haar grootmoeder goedkeurend knikken. En nu ging ze uit. Alleen. Dat kon ze rustig doen. Ze was veilig bij Marie-Victorie de Gondrin, die maar een paar jaar ouder was dan zij en die heel vriendelijk was. Haar salon leek haar een uitstekende plaats om voor het eerst haar vleugels uit te slaan als vooraanstaande jonge getrouwde vrouw.

Marie-Victories rood-met-gouden salon was vol mensen. Sommigen zaten in een kring om een spreker heen aandachtig te luisteren, anderen speelden kaart aan speciale kaarttafeltjes. Weer anderen slenterden door de kamer en praatten of bleven staan luisteren naar een trio dat aan het andere eind van de kamer zat te spelen. De gastvrouw, Marie-Victorie, markiezin van Gondrin, was negentien, met donker haar en donkere ogen en een tamelijk mollig figuur zoals toen de mode was. Ze was afkomstig uit een heel goede Franse familie, en ze was getrouwd met een telg uit een even deftig geslacht. Haar ouders hadden dit huwelijk gearrangeerd en ze had altijd haar plicht gedaan tegenover haar echtgenoot, die enkele jaren geleden was gestorven. Ze had haar meisjesjaren doorgebracht in een klooster waar ze borduren had geleerd, bidden, dansen, tekenen en Italiaans lezen. De heilige zusters hadden haar ook geleerd God te aanbidden en ze deed haar best Gods geboden na te komen, ook al deden haar vriendinnen zoals de hertogin de Berry en mademoiselle de Charolais dat beslist niet. Ze zag Barbara alleen in de deuropening staan en kwam meteen op haar af.

Een jongeman met een haviksneus, die doelloos tegen een muur had staan leunen, zag hoe Marie-Victorie een slank meisje met roodgouden haar begroetten en meteen rechtte hij zijn rug en kwam wat dichter bij hen staan.

'Wat zie je er beeldig uit,' zei Marie-Victorie tegen Barbara en kuste haar op de wang. 'Fris en onbedorven. Kom, wil je kaarten of wil je luisteren naar monsieur Descartes?'

'Ik wil graag luisteren.'

Marie-Victorie onderbrak de magere man met zijn belachelijke pruik, die de hele kring gasten boeide met zijn theorie dat Racines toneelstukken een afspiegeling waren van verbeelding en van het echte leven, om Barbara voor te stellen. Ze ging op een stoel zitten naast een oude vrouw die haar was voorgesteld als de prinses de Lorraine. De prinses rook alsof ze lange tijd niet in bad was geweest. Ze bekeek Barbara van top tot teen en lette niet op de lezing over Racine. Haar rouge zat in haar rimpels gekorst en in haar mond zaten nog maar enkele rotte tanden.

'Dus jij bent het nieuwe rozeknopje van Montgeoffrey. Je lijkt echt op een rozeknopje, zo roze en fris. Maar je klinkt als een courtisane. Die stem!' De prinses kakelde als een oude heks. Barbara moest denken aan haar tante Shrewsborough. Waarom dachten oude vrouwen dat ze alles maar konden zeggen.

'Je hebt te weinig rouge op, meisje. En het is wèl de mode, weet je.' De prinses liet een harde boer. Een bediende achter haar schoot onmiddellijk toe. De prinses maakte een ongeduldig gebaar met haar hand.

'Nee, nee! Verdomde rotvent! Ik betaal hem om erop te letten dat ik niet uit mijn stoel val en de hele tijd komt hij me hinderen.'

De prinses boerde weer. Het was zo luid dat de spreker midden in een zin ophield. Weer boog de bediende zich naar voren.

'Ga weg!' gilde ze. 'Idioot! Brutale idioot!'

Monsieur Descartes hervatte zijn gedachtengang. De prinses eveneens.

'Over brutaliteit gesproken, heb je het nieuwste verhaal al gehoord, rozeknopje? De dochter van Orléans, die slet De Berry, schijnt tegenwoordig naar bed te gaan met een luitenant van de dragonders, een zekere Riom. Ik dacht dat ze iets had met de jonge Richelieu, maar ik hoorde van mijn dochter dat De Berry aan Riom toestemming moet vragen om ergens heen te gaan. Slecht bloed! Heel slecht bloed! Dat krijg je als neven en nichten met elkaar trouwen... het verstand gaat eraan. Alle Orléans zijn half debiel!'

Barbara zat als versteend. Ze had geen idee wat ze moest antwoorden.

'Neemt u me niet kwalijk dat ik u stoor,' zei een stem over haar schouder heen, 'maar madame de Gondrin wil lady Devane graag voorstellen aan een bewonderaar.' Barbara was blij dat ze een excuus had om Racine en de prinses in de steek te laten.

De jongeman bracht Barbara naar een van de hoge ramen die over de tuin uitkeken, en niet naar Marie-Victorie.

'U boft,' zei hij. 'De prinses vindt zichzelf te goed om een po te gebruiken en dikwijls braakt ze regelrecht op de grond. Haar bediende maakt het wel schoon, maar het is de pest voor kostbare tapijten en voor degene die toevallig naast haar staat.'

Ze keek hem met grote ogen aan. Hij deed alsof ze oude vrienden waren en ze waren nog niet eens aan elkaar voorgesteld. Ze probeerde net te bedenken of ze zich beledigd hoorde te voelen toen hij plotseling, als bij toverslag, haar een camelia aanbood. Ze begreep niet waar hij die vandaan haalde maar ze waardeerde het gebaar, en ineens zag ze dat het een roze camelia was, met een wit randje. Hij grijnsde naar haar.

'U?' Het bezoek bij Marie-Victorie werd toch nog interessant.

'Henri Camille Louis de St.-Michel, uw nederige dienaar.'

'Maar hoe hebt u me herkend?'

'Ik heb Marie-Victorie gevraagd mij onmiddellijk te waarschuwen als u was aangekomen. Ik heb u gadegeslagen met de prinses, en toen ik dacht dat u haar stank niet langer kon verdragen ben ik te hulp gekomen.'

Dit was dus haar eerste bewonderaar. Hij was een jaar of twintig en had een gewoon uiterlijk, behalve zijn haviksneus die hem iets gaf van een roofvogel.

'Hebt u mijn bloemen ontvangen? Camelia's zijn mijn handelsmerk.'

'Ze waren prachtig. Dat zei mijn man ook.'

'De half geopende knopjes doen me aan u denken. U hebt dat

frisse, halfontwaakte over u. Heel Engels. Heel aantrekkelijk. Als een vrouw die voor het eerst de liefde leert kennen.'

'Het zal wel komen doordat ik te weinig rouge op heb. Dat zegt de prinses.'

Hij staarde haar aan en vroeg zich af of ze een grapje maakte. In zijn verwarring besloot hij te lachen.

Barbara's ogen straalden. Nu had ze al een bewonderaar. Wat heerlijk dat er niet steeds een chaperonne bij haar was. Voor haar huwelijk kon ze niet eens met een man praten zonder dat haar tante of grootmoeder haar wegtrokken. Niet omdat ze haar niet vertrouwden, maar de reputatie van een jonge, ongetrouwde vrouw was zo gauw verloren... Als ze te luid lachte of te veel glimlachte, als ze te veel met jonge mannen praatte... er waren honderden dingen die ze wel en niet mocht doen. Nu was ze een getrouwde vrouw en er waren geen beperkingen meer, tenzij Roger die wenste op te leggen... en tot nu toe kon het hem niets schelen. Ze genoot van de vrijheid en van het feit dat ze wist dat deze man haar aantrekkelijk vond.

St.-Michel krabbelde een beetje terug. 'Vindt u Parijs leuk?' 'Nu wel.'

Dit begreep hij. Hij kwam één stap dichterbij. 'Wanneer mag ik u komen bezoeken?'

Haar ogen waren groot, blauw en onschuldig. 'Lord Devane en ik zullen ons gelukkig prijzen u te mogen ontvangen wanneer u wilt.'

Ze maakte een buiging en ging naar Marie-Victorie. Ze had genoten. St.-Michel was een lichtzinnige man, precies zoals Roger had gezegd.

Armand, de hertog de Richelieu, kwam rustig naar St.-Michel toelopen. Als je van St.-Michel kon zeggen dat hij er gewoon uitzag, dan was Richelieu beslist lelijk met een smal, mager gezicht en merkwaardige, geelbruine ogen. Bij een bepaalde lichtval waren het ogen waar sommige mensen van moesten huiveren. Zijn stem echter was zacht en warm. Er waren vrouwen die beweerden dat die stem hen betoverde.

St.-Michel en Richelieu waren buitengewoon populaire Franse edellieden en van hen tweeën was Richelieu met zijn afstamming en zijn arrogante zelfvertrouwen de leider, terwijl St.-Michel hem in alles probeerde na te doen. Ze waren beiden getrouwd, maar zoals het destijds de gewoonte was, woonden ze geen van beiden bij hun vrouw. Richelieu was op vijftienjarige leeftijd gedwongen om zijn stiefzuster te trouwen, maar hij had nooit bij zijn vrouw geslapen en hij weigerde iets met haar van doen te hebben. Zijn vader had hem een jaar in de Bastille gevangengezet om hem te dwingen het meisje te erkennen en gemeenschap met haar te hebben, maar Richelieu weigerde. Hij liet haar helemaal vrij en het kon hem niet schelen dat ze minnaars had.

'Met wie praatte jij daar, Henri?'

'De jonge Engelse gravin Devane.'

Richelieu keek naar Barbara die met Marie-Victorie stond te lachen. Het was een ongedwongen lach, en haar gezicht stond helder, fris en zorgeloos. Zijn merkwaardige ogen schitterden.

'Onschuldig type. Iets zeldzaams in Parijs.'

'Bovendien geestig, volgens mij,' zei St.-Michel. 'En je hebt de stem nog niet gehoord. Die vergeet je niet snel.'

Richelieu keek geïnteresseerd.

'Ik heb haar het eerst ontdekt, Armand,' zei St.-Michel.

Richelieu lachte hem uit, een zachte, gevaarlijke, uitdagende lach. St.-Michel legde zijn hand op zijn zwaard. Weer schitterden Richelieus ogen.

'Rustig, rustig, Henri. Marie-Victorie zou terecht woedend zijn als we haar salon bedierven met een ruzie. En waarom? Een vrouw. We gooien kruis of munt. De winnaar krijgt de eerste kans bij dat Engelse vrouwtje. De verliezer... houdt zich even gedeisd. Goed?'

St.-Michel knikte. Richelieu greep al in zijn vestzak naar een munt. St.-Michel hield hem tegen.

'We gebruiken een van mijn munten, vriend.'

'Ik herinner me toen ik pas getrouwd was,' zei Marie-Victorie tegen Barbara terwijl ze samen door de salon liepen. 'Ik was zwaar onder de indruk, ook al ging ik meteen bij mijn schoonfamilie wonen. Mijn schoonmoeder was zo streng – die man die naar ons staat te kijken, is de hertog de Richelieu. Ik zal je straks aan hem voorstellen. Pas maar op voor hem. Hij heeft een vreselijke reputatie, maar vrouwen mogen hem toch graag. Ze hopen allemaal dat ze hem in hun macht zullen krijgen, en dat lukt er niet een. Waar had ik het ook weer over? O ja, hoe ik ernaar verlangde om net als jij, eigen baas te zijn, mijn eigen huishouding te besturen. Je hebt geluk met je lieve lord Devane. Kom me maar vaak opzoeken. Ik was verliefd op je man toen ik nog jonger was. Hij kwam dikwijls naar Parijs voor diplomatieke missies. Maar hij zag me nooit. Je wordt door heel wat Parijse vrouwen benijd.'

'Naar wie keek hij dan wel?'

Marie-Victorie lachte en streelde Barbara's hand. 'Om je de waarheid te zeggen weet ik het niet meer. Zo'n charmante man is natuurlijk altijd erg in trek. Hij was ook dikke maatjes met prins de Soissons, dat herinner ik me nog wel. O, hier is iemand die je moet leren kennen. Louise-Anne, mag ik je lady Devane voorstellen? Ze is pas getrouwd met die fantastische Roger Mont-geoffrey. Weet je nog hoe we over hem zwijmelden toen we nog meisjes waren? Barbara, dit is Louise-Anne, mademoiselle de Charolais.'

De jonge vrouw die Marie-Victorie haar voorstelde, leek niet veel ouder dan zijzelf, ofschoon haar smalle, nukkige gezichtje zwaar met rouge en poeder was opgemaakt. Haar ogen gingen in een paar seconden over Barbara, die voelde dat ze werd getaxeerd en te licht bevonden was. Louise-Anne had al geleerd arrogant te zijn nog voor ze kon lopen, want ze was een kleindochter van de koning van Frankrijk, de grote Lodewijk, heer en meester over de hele wereld, de bouwer van Versailles, schepper van alles wat cultuur en beschaving was in de wereld van toen.

'Marie-Victorie, waar is Armand?' vroeg Louise-Anne na een kort knikje in Barbara's richting. 'Ik heb hem zojuist nog gezien en nu is hij verdwenen. Hij weet dat ik nog een appeltje met hem te schillen heb – ah, daar heb je hem. Neem me niet kwalijk.'

Marie-Victorie stak haar arm door die van Barbara en liep weer verder met haar.

'We zijn samen opgegroeid,' vertelde ze over Louise-Anne, 'daarom accepteer ik haar onbeleefdheid. Ze is heel aardig als ze daar zin in heeft, maar op het ogenblik is ze alleen aardig tegen Richelieu. Ze maakt zich belachelijk bij hem. Iedereen praat er-over. Ik wou dat ze trouwde en wat rustiger werd.'

'Zoals wij,' zei Barbara.

Marie-Victorie streelde haar hand. 'Ja, zoals wij.'

Het was laat. Barbara lag alleen in bed. Ze hoopte dat ze haar deur zou horen opengaan, maar hij bleef dicht. Tenslotte gooide ze de dekens van zich af en holde in haar witte nachtpon naar Rogers vertrekken, duwde voorzichtig zijn slaapkamerdeur open en keek rond. Justin, zijn bediende, was al weg. Mooi. Gekleed in een ruime kamerjas zat Roger in het vuur te staren. Rondom zijn stoel lagen allerlei paperassen, tekeningen en schetsen van huizen. Op haar tenen kwam ze de kamer in. Wat ze nu deed was... moedig. Als je iets wilt, moet je er zelf op afgaan, zei haar grootmoeder altijd. Dat had ze de hele dag al gedaan. Dit was haar laatste bolwerk.

Roger hoorde haar niet binnenkomen. Hij overdacht hoe het voelde om weer in Parijs te zijn. Oude herinneringen kwamen hier weer tot leven. Hij was hier voor het eerst gekomen omstreeks 1690, toen er vredesverdragen werden gesloten tussen Frankrijk en de rest van de wereld. Hij was toen vierentwintig; al vier jaar was hij Richards aide de camp en hij was al vanaf zijn zestiende jaar militair. Al die tijd had de oorlog gewoed en hij had genoeg bloed, verminkte en stervende mensen en paarden gezien voor een heel leven. Hij nam verlof van zijn regiment en Richard bezorgde hem een officiële opdracht zodat hij recht had op een salaris, waarna hij naar Parijs was gegaan. Hoewel de grote Lodewijk toen in zijn godsdienstige jaren was waren er toch nog volop schitterende voorstellingen, balletten, soupers en bals in de luxueuze kastelen rondom Versailles. Drie jaar lang dronk en lachte hij, beminde vrouwen en besteedde andermans geld. In 1701 ging hij weer naar Engeland, terug naar zijn post als aide de camp, terug naar Richard...

(Was het toen dat hij besefte dat zijn gevoelens voor Richard meer waren dan alleen bewondering? Of had hij het altijd al geweten en die gevoelens diep weggestopt? Hij was Richards koerier; hij riskeerde zijn leven achter de vijandelijke linies, als soldaat en als spion, en hij reisde van God mag weten waar naar Tamworth of Londen om Alice haar brieven te bezorgen. Hij had nog nooit een man meegemaakt die zo van zijn vrouw hield als Richard van Alice...)

Maar toen werd hij dertig, en het was niet meer genoeg voor hem om Richards aide de camp te zijn. De oorlog woedde nog steeds en hij moest zien op te boksen tegen de politiek van eerzuchtige, domme en hebzuchtige mannen. Daar had hij op den duur genoeg van, dus nam hij ontslag uit de dienst en vertrok naar

Hannover met Richards aanbevelingsbrieven op zak. Hij raakte betrokken bij de politiek aldaar en speculeerde erop dat keurvorst George koningin Anne zou opvolgen. Tot 1710, het jaar van Richards overlijden. Hij was er kapot van. Hij dankte een God in wie hij niet eens meer geloofde dat hij de afgelopen jaren de tijd had genomen om Richard op te zoeken. Hij was de fijnste man die hij ooit had gekend. Wist hij toen wat de basis was geweest van die oude vriendschap?

Zelfs nu wist hij het antwoord niet, maar doordat hij weer in Parijs was, kwamen oude herinneringen boven. Vervlochten met pijn. En hartstocht. Donker en kloppend. Als bloed dat uit een wond vloeit. Eb en vloed. Leven en dood. Daar ben ik overheen, dacht hij. Hij had zich laten meeslepen, verboden en verraderlijk was het geweest... en opwindend. Een relatie die meer voor hem had betekend dan iets in zijn leven, behalve zijn gevoelens voor Richard. Die waarheid durfde hij te erkennen. En nog andere waarheden. Er moest een eind komen aan die verhouding, dat wist hij al toen hij eraan begon. Maar toch begon hij eraan. En het einde was onvermijdelijk geweest. Dat was toen hij zijn eigen sterfelijkheid onder ogen zag, nadat hij de doos van Pandora op een kier had geopend en erin had gekeken. Daarin had hij gezien wat hij was en wat hij niet was. En wat hij wel en niet verkoos te zijn...

Bentwoodes was zijn nieuwe liefde. Het kon hem vroegere pijn en vroegere teleurstellingen doen vergeten. Hem voor zichzelf beschermen. Hij was nu in Parijs vanwege Bentwoodes (en om zijn onkwetsbaarheid op de proef te stellen, dat gaf hij toe). Hier zou hij de aankleding van Bentwoodes uitzoeken, al die elementen die een huis mooi maken: het lijstwerk, het beeldhouwwerk, de tapijten, de meubels. Bentwoodes in al zijn pracht zou Devane House worden. Zijn zoons zouden er wonen. Hij zou hetzelfde doen als Richard had gedaan... hij glimlachte. Zelfs na zijn dood had Richard nog invloed op hem. Wie had ooit kunnen denken dat Bentwoodes – hij herinnerde zich de vossejacht over de terreinen van Bentwoodes, samen met Richard – ooit zoveel zou gaan betekenen? Zoveel dat hij er een bezoek aan Parijs voor riskeerde. Ik ben eroverheen, dacht hij.

'Roger...'

Hij schrok op. 'Barbara! Wat is er? Voel je je niet goed?'

Ze kwam niet dichterbij, maar ging met een blote voet heen en weer over het kleed. Ze was zich er zelf niet van bewust, maar ze zag er heel jong en lief uit in haar dunne, hooggesloten nachthemd en met haar haar los over haar schouders.

'Ik... ik ben zo eenzaam, R-Roger, ik dacht dat je misschien even b-bij me zou willen slapen.' Ze beet op haar lippen. 'Je hoeft niets te doen,' voegde ze er vlug aan toe. 'Alleen maar voor de gezelligheid. Ik ben niet gewend zoveel alleen te zijn.'

Ze sprak nu heel snel om het uit te leggen. 'Op Tamworth had ik grootmama en mijn broers en zusters, en zelfs bij tante Abigail was er Mary. Hier is niemand... O, Roger, ik mis mijn familie zo; 's avonds laat is het het ergst, en ik dacht, als je het niet druk had, dat je misschien even kon komen. Enkel maar tot ik inslaap.'

'Arm kindje,' zei hij. 'Ik vergeet steeds dat je nog zo jong bent.' Hij strekte zijn armen uit en ze holde naar hem toe en nestelde zich tegen hem aan. Met haar voet wees ze op een tekening.

'Wat is dat?'

'Bentwoodes... Devane House. Mijn – ons huis.'

Ze bukte zich en raapte een papier van de grond.

'Dat is de voorgevel van een tempel,' zei Roger. 'Een man, Palladio genaamd, heeft hem een paar honderd jaar geleden ontworpen. Ik vind classicistische bouwkunst schitterend.'

Palladio, vormde haar mond zonder te spreken. Classicistisch.

'Weet je, Barbara,' zei hij, terwijl hij naar haar mond keek die de woorden vormde, 'je bent heel anders dan ik had gedacht.'

Maar voor ze kon vragen wat hij dan had gedacht, zei hij: 'Naar bed. Ik kom je even een bezoekje brengen.' Hij stond op en ze bleef in zijn armen. Hij droeg haar naar haar slaapkamer en zei met zijn mond in haar haar: 'Al hoef ik niets te doen, misschien doe ik het toch wel.'

De volgende morgen zat ze al aan het ontbijt voor Roger er was. Ze bloosde toen de deur openging, want de herinnering aan de nacht was nog vers. Hij maakte een ontspannener indruk dan zij. Maar hij had natuurlijk meer ervaring met de ochtenden na een vermoeiende nacht.

'Je bent vroeg op,' zei hij.

Een lakei begon hun ontbijt te serveren; Roger sneed een stuk bacon af. Even later legde hij zijn mes neer.

'Maar waar zijn Francis en Caesar? Het is toch tien uur, niet-waar?'

Barbara antwoordde met een paar snelle zinnetjes: 'Ik heb hun gevraagd pas een half uur later bij ons te komen. Ik vond het een goed idee als we dit ogenblikje alleen konden zijn, voor je met al je plichten en afspraken begint. Het is misschien het enige ogen-blik dat we elkaar overdag zien. Dan beginnen we de dag tenmin-ste samen. Ik hoop dat je het niet erg vindt. . .'

Hij glimlachte bij zichzelf en nam nog een hapje bacon. 'Lieve kind, je mag je huishouding regelen precies zoals je zelf wilt.'

Ze haalde nog eens diep adem en sneed het volgende onderwerp aan. 'Ik wilde je vragen wat ik met mijn uitnodigingen moet doen.'

Hij keek naar de stapel enveloppen naast haar bord.

'Ik weet niet welke ik moet weigeren en welke ik moet accepte-ren. Ik dacht dat we ze misschien samen konden doornemen, als je wilt. Later, als ik de mensen beter ken, heb ik je hulp niet meer zo nodig.'

'Je zou Francis kunnen vragen je te helpen.'

'Ik voel me zo stom als ik het hem vraag. Alsjeblieft, Roger.'

Hij fronste zijn wenkbrauwen. Ze hield haar adem in. Ze zag er jong en aandoenlijk uit, net zo jong en aandoenlijk als ze gister-avond was geweest. Hij legde zijn vork neer en hield zijn hand op. Ze gaf hem de stapel kaarten en deed haar best niet ongeduldig te wiebelen terwijl hij ze op zijn gemak bekeek.

'Je hebt visitekaartjes van de hertogin du Maine, de hertogin de Berry, de hertogin van Orléans, madame la princesse en madame la duchesse. Dat zijn wel de machtigste vrouwen van Frankrijk. Die moet je allemaal bezoeken. We zijn niet partijdig.'

'Zelfs de hertogin de Berry?'

'Zij is de oudste dochter van de regent, en een bezoekje in de middag kan geen kwaad. Maar je moet onder geen beding naar een van haar soupers gaan, als je daarvoor wordt uitgenodigd. Maar dat word je waarschijnlijk niet. Bekijk het zelf maar, Barba-ra. Je kunt overal heengaan, behalve naar soupers bij De Berry, de regent of de prins de Soubice.'

'Wat gebeurt er dan op die soupers waar ik niet naar toe moet gaan?'

Hij glimlachte. 'Niets dat jij hoeft te weten.'

'Ga jij er wel heen?'

Ze keek omlaag, naar haar bord. Hij stond versteld. Ze was volkomen onvoorspelbaar. Geen meisjestranen op haar huwelijksnacht, daarna haar zwijgen tijdens hun reis, waardoor hij bijna was vergeten dat hij getrouwd was. En nu opende ze zich weer als een bloem in de zon. Ontving boeketten van jonge mannen, verscheen in zijn slaapkamer in een dun nachtponnetje op een moment dat hij zich heel kwetsbaar voelde, en nu vanmorgen stelde ze gevaarlijke vragen. Met een schok besefte hij dat er nu iemand in zijn leven was gekomen met wie hij rekening moest houden. Hij wilde haar niet kwetsen, maar hij was ook niet van plan zijn eigen activiteiten te beperken.

'Soms, als ik er zin in heb,' antwoordde hij heel vriendelijk, in de verwachting dat ze zou mokken, dat er tranen zouden komen.

Ze keek nog steeds omlaag. Hij wachtte. Toen ze hem aankeek, was hij verbaasd geen tranen in haar ogen te zien. Ze keek met heldere blik.

'Ga je vanmiddag met me mee naar madame de Gondrin?' vroeg ze.

'Misschien,' antwoordde hij, tot zijn eigen verbazing.

Ze sprong van haar stoel en kuste hem op zijn wang, en ze zat alweer voor hij er erg in had. Ze lachte naar hem alsof hij de liefste man van de wereld was, en door die lach leek ze weer sprekend op haar grootvader. Waarom had hij gelogen? Hij ging beslist niet mee naar madame de Gondrin. God, hij zou haar zo dikwijls kwetsen, op honderden verschillende manieren, en tenslotte zou ze niet meer zoveel van hem houden. Tot ze helemaal niet meer van hem hield, en dat was maar het beste. Voor hen allebei. Maar de gedachte dat ze ooit niets meer om hem zou geven vond hij toch niet prettig en hij zuchtte om zijn eigen ijdelheid.

'Ik heb ook nog uitnodigingen voor de opera en het theater en voor lunches die alleen aan mij zijn gericht. Moet ik daar alleen naar toe gaan, Roger?'

'Als je er zin in hebt. Ik heb ook veel afspraken waar jij niet bij betrokken bent, en dan vind ik het een prettig idee dat jij met je eigen vrienden kunt uitgaan. Het is niet de gewoonte dat man en vrouw samen dingen doen.' Hij keek naar haar gezicht en ineens moest hij denken aan het boeket van St.-Michel. 'Maar je moet niet al te populair worden, Barbara. Er zijn grenzen.' Voor haar, niet voor hem.

Ze glimlachte weer omdat hij als een bezitter sprak. Wees voorzichtig, Roger, dacht hij bij zichzelf. In gedachten zag hij drie tandeloze oude vrouwen, naar hem grijnzen. De schikgodinnen. 'Daarnet had je het erover dat we onpartijdig zijn. Waarom is dat?'

Dat ze hem iets vroeg over de Franse politiek terwijl de meeste meisjes van haar leeftijd (en nog veel oudere vrouwen) alleen aan hun japonnen dachten, was alweer een verrassing voor hem. Hoe kwam ze erbij? Wilde ze indruk op hem maken? Of was het de opvoeding van Alice? Hij dacht aan het Franse politieke moeras en hoe hij er zelf financieel bij betrokken was. Hij dacht aan vrouwen als de hertogin du Maine die loog en komplotteerde opdat haar man macht zou krijgen over zijn neef, de regent. Hij dacht aan John Law, een gokker, een fantast, een schurk die in Frankrijk was om het muntstelsel weer op poten te zetten. Hij had plannen voor een nationale bank, voor open vennootschappen die miljoenen zouden opbrengen voor hun investeerders en de stagnerende economie vooruit zouden helpen. Law zou Frankrijk redden van een bankroet dat het gevolg was van de lange oorlogsjaren onder de grote Lodewijk. Hij dacht aan de financiers, de pachters van belastingen, de bankiers die hoopten dat Law niet zou slagen, want zij waren zelf rijk en vet geworden door het oude systeem van geld lenen. Roger speculeerde erop dat Law wèl zou slagen. Hij was van plan enorm te investeren in die nieuwe bank en in de open vennootschappen. Om te kunnen bouwen wat hem voor ogen stond, had hij heel veel kapitaal nodig. Maar Laws macht berustte bij Orléans, en als hij viel, viel Law ook. En Orléans bevond zich in een wankele positie, met een dreigende oorlog met Spanje waar een kleinzoon van de grote Lodewijk regeerde – een volle neef – maar wat stelde familie voor als het om geld en macht ging? En de hertogin du Maine wakkerde het vuurtje aan. Het ging er allemaal om wie zeggenschap had over de hofhouding en de opvoeding van de jonge erfgenaam. Een erfgenaam die morgen al aan de pokken kon overlijden, waarna Frankrijk weer ten prooi zou vallen aan een burgeroorlog. Roger wilde niet dat zijn vrouw betrokken raakte bij het gekonkel van die Franse prinsessen, betrokken raakte in iets dat eigenlijk een gevaarlijke mannenwereld was.

'Het is te ingewikkeld om uit te leggen,' zei hij plotseling. 'En ik wil niet dat je je daar zorgen om maakt. Je mag spelen, op visite gaan, kletsen, kopen wat je wilt, maar je moet je niet met politiek inlaten – ah, daar heb je Francis en Caesar. Goeie morgen, heren. Francis, ik heb een opdracht voor je. Ik wil dat je de schetsen van Le Vau en van Le Notre gaat bekijken, die in Versailles worden bewaard. Als je vandaag gaat, kun je aan het eind van de week klaar zijn. De regent heeft ons toestemming gegeven ze te bekijken. Ik wil graag de vroege schet. . .'

'Dat kan ik op het ogenblik niet doen, mijnheer,' zei Montrose. Er hing een stilte. 'Lady Devane heeft me gevraagd kandidaten voor de betrekking van kamenier te ondervragen, en zoiets duurt wel een paar dagen.' Hij keek Barbara niet aan.

Wat gemeen van hem, dacht Barbara woedend. Montrose stelde haar positie in het huishouden op de proef. Ze was meesteres en zou net als Roger worden gehoorzaamd, of ze werd verwezen naar een lagere rang en zou door niemand gerespecteerd worden.

Roger hield zijn hand voor zijn mond opdat niemand zijn glimlach zou zien. Huiselijk gemanoeuvreer om de macht. Nog dodelijker dan de Franse politiek.

'Dan moet je zeker eerst lady Devanes opdracht vervullen. Dat hoef je een volgende keer niet eens aan mij te vragen.' Het was vriendelijk gezegd, maar er klonk een berisping doorheen. Hij keek naar Barbara, die hem een blik van innige genegenheid toewierp.

Hij stond op en streelde haar onder de kin voor hij de kamer verliet.

Iedereen zweeg.

'Mijnheer Montrose,' zei Barbara, 'dat was niet bepaald waardig van u. Natuurlijk kunt u de opdrachten van lord Devane voor de mijne uitvoeren. U behoefde het alleen maar te vragen.' Ze ging de kamer uit.

'Echt een kind van haar grootmoeder,' zei White plagend tegen Montrose.

Montrose snoof.

Die middag tijdens het diner luisterde Barbara met nog meer aandacht naar de gesprekken die om haar heen werden gevoerd. Er werd gesproken over de rang van bastaarden. Welke bastaarden?

Iemand vertelde over een gerucht dat de regent de jonge koning zou verraden als hij de kans kreeg koning over Spanje te worden. En er werd over financiën gesproken. Altijd maar weer financiën. Frankrijk stond op de rand van een bankroet, en John Law dacht dat hij een oplossing wist. Hij zat die middag aan hun tafel en vertelde over een nationale bank die hij wilde oprichten. Ze hoorde Roger beloven dat hij later die middag een bespreking zou hebben met Law en de regent. En hij had gezegd dat hij misschien met haar meeging naar Marie-Victorie. Maar financiële zaken wogen zwaarder dan haar charme.

Iemand zei dat de hertogin du Maine weer geruchten verspreidde dat de regent aan tovenarij deed en aan incest. Iemand anders vroeg zich af waarom hij haar niet liet arresteren. Weer iemand anders zei dat hij dat niet durfde omdat de geruchten waarheid bevatten.

'Richelieu heeft zich als naaister verkleed en is de hele nacht in haar vertrekken gebleven,' vertelde lady Stair, de zuster van de Britse ambassadeur. Er volgde een stortvloed van verhalen. Richelieu liet zijn minnaressen in zijn wachtkamer wachten, terwijl hij ze één voor één in zijn slaapkamer ontving; hij ging naar bed met de dochter van de regent, De Berry – nee, met de minnares van de regent, madame d'Averne – nee, met allebei. Merkwaardig, dacht Barbara, dat die jongeman die ze gisteren had ontmoet zo berucht en toch zo onweerstaanbaar was. Zij had hem arrogant gevonden, en ze rilde van zijn ogen. Roger gaf haar een teken. Het was tijd om de dames uit de eetzaal te leiden. Hij ging vanmiddag niet met haar mee. Nu zou ze alleen naar Marie-Victorie moeten gaan. Ze vond het jammer dat hij de afspraak was vergeten. Geduld is beter dan trots, kon ze haar grootmoeder horen zeggen, maar haar grootmoeder was niet jong meer en niet verliefd.

Die avond kwam Roger niet thuis van zijn afspraak met de regent en John Law. Na haar bezoek aan Marie-Victorie was ze naar zijn vertrekken gesneld waar ze alleen maar Justin had aangetroffen. Het avondeten at ze helemaal alleen aan de lange tafel. Zwijgend kleedde ze zich voor de opera. Martha was net bezig een halsketting vast te maken toen het briefje kwam. Hij kon onmogelijk op tijd zijn. Hij vroeg haar hem te vergeven; ze moest maar zonder hem gaan. Hij wist niet hoe laat hij thuis zou zijn. Ze liet zich weer uitkleden door Martha en sprak weer geen woord toen de japon, de onderrok, de juwelen en spelden en kousen en het korset werden losgemaakt en weggelegd. Zonder hem ging ze niet. Niet naar een openbaar bal. Ze had nog geen vaste vrienden met wie ze kon gaan.

En waar was Roger? Misschien was hij wel bij zo'n souper van de regent, ondanks zijn afkeurende woorden van vanmorgen. Ze wist er wel iets van, al had ze tegenover Roger gedaan alsof ze niets wist. Het waren verdorven, zondige orgieën met naakte vrouwen en wijn en allerlei smerige dingen. Ze wist niet veel van zonden af, maar ze wist wat een naakte vrouw was, en ze vond het helemaal niet leuk als Roger er een zag. Ze voelde een zekere jaloersheid opkomen. Als Roger van een andere vrouw hield, ging zij liever dood. Ze zou die vrouw vermoorden en hem ook.

Er werd zachtjes op haar deur geklopt. Ze begon haar huishouden te kennen. Dit moest Montrose zijn. Alleen hij klopte zo beleefd. Ze trok een sjaal over haar nachtpon.

'Binnen.'

Montrose stond in de deuropening. 'Lord Devane heeft me gevraagd u deze te geven – om u gezelschap te houden, zei hij. En omdat u vanavond niet bent uitgegaan...'

Barbara sprong op van haar stoel. 'Wat? Wat?'

Ze was nog niet gewend aan de royale geschenken van Roger. Het kon van alles zijn: een baljapon, juwelen. Montrose trok iets naar voren dat achter zijn rug stond, een klein negerjongetje met grote bruine ogen die Barbara aankeken alsof ze een boeman was. Montrose duwde het jongetje, dat vier of vijf jaar oud leek, naar Barbara, en het kind slikte en boog.

'Uw dienaar, mevrouw,' zei hij met een zacht, vloeiend accent.

Barbara was perplex. 'Wat is dat?' vroeg ze.

'Een page, mevrouw. Hij heet Hyacinthe, en hij is voor u. U kunt ermee doen wat u wilt.'

Barbara boog zich naar hem over. Hij was net zo oud als Anne. Zijn lippen trilden maar hij huilde niet.

'Ik ben erg blij met een page,' zei Barbara. 'Vooral zo'n grote jongen als jij. Ben je al zeven?' Ze was met broers opgegroeid en wist hoe ze hun trots kon strelen. 'Je lijkt in elk geval wel zeven.'

'Ik ben vijf,' stotterde hij.

'Vijf!' Barbara zette grote ogen op. Montrose kuchte.

'Ja, wat is er?'

'Er is nog meer, mevrouw.'

Wat kon er nog meer zijn dan een zwarte page? Montrose ging de gang in en kwam terug met een mandje. Barbara hoorde gegrom en gekef. Jonge hondjes! Roger had jonge hondjes gekocht! In het mandje zaten twee mopshondjes met kleine, ingedeukte snoetjes en bolle bruine ogen. Barbara pakte er een in elke hand. Wat waren ze klein!

'Mopshondjes! Vind je ze niet lief, Hyacinthe?'

De hondjes brachten een hele verandering teweeg in het negerjongetje. Hij lachte tegen de wriemelende, piepende beestjes.

'Jij moet maar voor ze zorgen,' zei Barbara. Weer kuchte Montrose. Wat had hij nu weer?

'Waar zal ik ze brengen, mevrouw?'

'Brengen? Ze blijven hier,' zei Barbara meteen. Ze liet haar page en de hondjes niet naar de kille keuken brengen, zo ver weg. Ze zouden hier blijven, in haar kamer.

'Laat maar een bed neerzetten voor Hyacinthe, hier voor het vuur. En laat het mandje maar staan. Dan kan een lakei wel wat melk brengen voor... Hyacinthe... en de hondjes... en voor mij.' Laat Montrose daar maar minachtend over doen. Zij wist hoe jonge hondjes om hun moeder huilden wanneer ze voor het eerst van haar gescheiden waren. En ze kon niet verdragen dat dat kleine jongetje helemaal alleen bij de bedienden moest slapen.

Later die avond, toen de hondjes gegeten hadden en Hyacinthe knus in zijn bedje lag voor het vuur, dacht ze nog eens na over Rogers cadeaus. Niets was zo indrukwekkend als een kleine zwarte page die je sleep droeg of je waaier, of die je gasten wijn inschonk... en de hondjes waren schattig. Gisteren of vandaag had Roger de tijd genomen om dat allemaal voor haar te kopen, dan gaf hij toch wel om haar. En als hij om haar gaf, kon zij wel het geduld opbrengen te wachten tot hij van haar hield. Grootmama had gelijk.

Ze hoorde een geluidje. Iemand huilde heel zachtjes... maar ze herkende het wel. Anne en Charlotte huilden ook wel eens zachtjes in hun bed als ze verdriet hadden. Ze ging naar het bedje toe en knielde neer.

'Wat is er?' zei ze zachtjes. 'Kan ik helpen?'

Hij schrok en haalde diep adem. 'Vergeeft u me, mevrouw. Wilt u me niet slaan, mevrouw?'

'Waarom zou ik je slaan?'

'Ze zeiden dat ik lief moest zijn en niet mocht huilen omdat u me anders zou slaan. Ze zeiden dat ik b-bofte dat ik werd verkocht en dat ik me als een m-man moet gedragen. Maar ik m-mis m-mijn vriendjes zo, m-mevrouw.' Barbara ging met haar hand door zijn kroeshaar en vroeg zich af wie 'ze' waren. Ze wist niet veel af van die broederschap van bedelaars die geld verdienden door kinderen op te kopen van vrouwen die geen kind wilden hebben en ze daarna als pages en dienstmeisjes verkochten aan de adel. Negerkinderen als Hyacinthe werden als slaven verkocht.

'Zal ik je dan terug sturen?' vroeg ze.

'O, nee!' riep hij. 'Dan zouden ze me zeker slaan. Alstublieft, mevrouw, ik beloof u dat ik niet meer zal huilen. Ze zouden heel boos worden. Alstublieft, mevrouw, ik ben nu van u!'

'Dan mag je natuurlijk blijven. En je mag vannacht best huilen. Ga nu maar liggen. Morgenochtend mag je mij warme chocolademelk brengen. Dan moppert de kok misschien wel, maar dan zeg jij trots: "Het is voor lady Devane." En nu leg ik die hondjes bij jou in bed, en morgenochtend moet je ze mee in de tuin nemen, zodat ze mijn kleed niet vies maken. En je moet ze eten geven. Maar ga nu maar slapen, Hyacinthe... slaap lekker.'

Haar woorden schenen de jongen te kalmeren. Ze trok de dekens over zijn armpjes. Ze dacht aan haar broers en zusjes, aan haar grootmoeder, aan Tamworth met sneeuw over de winterse velden. Haar ogen vielen dicht. Ze voelde zich gekoesterd door de warmte van de page en van de mopshondjes.

Toen Roger uren later haar kamer binnenkwam, lag ze naast het bedje van Hyacinthe te slapen met haar hoofd op haar arm. In haar ene hand hield ze nog altijd de hand van Hyacinthe vast. Wat een aanblik, het slapende kind, de hondjes en het slapende meisje met een halve glimlach op haar gezicht. Ze zag er amper ouder uit dan de page. Zo jong en onschuldig.

Door haar onschuld leken de vrouwen waarmee hij de avond had doorgebracht blasé en lelijk. Hun parfum, dat nog in zijn kleren hing, maakte hem misselijk. Hij voelde zich oud, moe... ontrouw.

Dat laatste was een nieuw gevoel: hij had niet gedacht dat hij dat ooit zou kennen. Wat zou ze doen als ze nu wakker werd en hem dronken zag wankelen, met de lucht van andere vrouwen in zijn kleren? Zou ze huilen? Zou ze woedend zijn? Het werd ineens heel belangrijk dat ze het nooit zou weten. Ze was zo'n vreemd kind, vol verrassingen. Tijdens hun reis had ze amper drie woorden gezegd, en verleden week was plotseling zijn hele huishouden door haar ondersteboven gezet. Zijn ontbijtgewoonten veranderd. Camelia's van St.-Michel. Een nieuw kamermeisje. Als ze morgen wegging, zou hij haar missen. Dat had hij niet verwacht. Dat hij op zijn vrouw gesteld zou raken.

Ze zou nu wel koud zijn, zo zonder deken. Hij tilde haar op in zijn armen. Het was niet gemakkelijk, want hij was dronken en verloor bijna zijn evenwicht. Ze werd een beetje wakker en zei slaperig: 'Roger, ik ben zo blij dat je thuis bent.' Meteen sliep ze weer. Hij droeg haar naar haar bed, legde haar erin en dekte haar toe.

'Ik ook, Bab,' zei hij zachtjes tegen haar. 'Ik ook.'

11

De laatste twee kandidaten voor de betrekking van kamenier bij de jonge gravin Devane zaten beneden in de bediendenvestibule te wachten tot de gravin bereid was hen om de beurt te ondervragen. Beide vrouwen waren niet ouder dan twintig jaar. Ze waren allebei smaakvol gekleed, met veel flair, zoals het een kamenier betaamde. Ze waren al kamenier in deftige huizen, maar geen van beiden was hoofdkamenier. Ze hadden ervaring met het naaien van japonnen en met kapsels, borduurwerk, de fijne was, het stijven van dunne zijden stof, linnen en kant en met verstelwerk. Bovendien konden ze lezen en schrijven; ze spraken Engels en Frans en konden klavecimbel spelen en dansen. Een van hen, Thérèse Fuseau, had zelfs ervaring met het inslaan van boodschappen op de markt. Montrose had zijn werk goed gedaan; ze waren beiden uitermate geschikt voor de betrekking.

Voor een pientere, eerzuchtige vrouw was dit de kans van haar leven. Lord Devane was rijk en zijn jonge vrouw had geen lievelingskamenier van thuis meegebracht. Een goede kamenier kon zich zo onmisbaar maken dat ze bijna een lid van het gezin werd.

Er was weinig verschil tussen de twee vrouwen; ze waren allebei eenvoudig en knap, met donker krulhaar en donkere ogen. Thérèse Fuseau had een iets meer opvallende neus, maar dat gaf karakter aan haar gezicht. Ze zat daar rustig, maar ze wrong haar handen in haar schoot op een manier die niet bij haar paste. De mensen met wie ze in haar vorige betrekking had gewerkt, bij de familie Condé, hadden al gemerkt dat ze de laatste weken niet zo vrolijk en zonnig was als gewoonlijk. Meestal liep het assistentje van de kamenier te zingen (onder het aansteken van de haardvuren voor zonsopgang en tijdens de vele karweitjes overdag tot in de vroege ochtenduren wanneer een van de jonge Condé-prinsessen moest worden geholpen met uitkleden).

Maar de afgelopen maand was ze niet geweest zoals anders, en nu probeerde ze zelfs een andere betrekking te krijgen. Suzanne, haar vriendin en kamergenote die als stijfster in dienst was en die grote bewondering had voor Thérèse omdat zij van keukenmeisje was opgeklommen tot assistent-kamenier, begreep er niets van. Thérèse zat af en toe te huilen; ze had kennelijk zorgen.

Wat Suzanne niet kon weten, was dat Thérèse in moeilijkheden zat. Ze had zich aan een van de jonge prinsen van Condé gegeven en daarmee jaren van zelfbeheersing tenietgedaan. Ze had kunnen trouwen met de hoofdlakei; hij had het haar gesmeekt. Maar het leek haar beter om als vrouwelijke bediende kuis te blijven, dan had je kans om vooruit te komen en wat weg te leggen. Thérèse koesterde een droom dat ze genoeg geld zou oversparen om een kleermakaaksterswinkel te beginnen. Maar die droom had ze moeten opgeven omdat ze jong en warmbloedig was, en de prins was zo knap en beschaafd en had zulke lieve dingen gezegd dat ze ervan overtuigd was dat hij van haar hield. Op een zwak ogenblik was ze voor de verleiding bezweken en had hem zijn gang laten gaan, wat ze zelf ook wilde. Een poosje kon hij niet genoeg van haar krijgen en bood haar geld, dat ze had geweigerd; ze had alleen de bloemen aangenomen die hij haar bracht. Als ze geld had geaccepteerd had ze zich een hoer gevoeld en dat was ze niet. Ze had zich uit vrije wil gegeven, tenminste, dat dacht ze. Het duurde niet lang of zijn belangstelling verflauwde.

Zodra ze dat besefte, werd haar alles duidelijk. Dat ze zo dom had kunnen zijn, zij die zoveel meisjes naar de ondergang had zien gaan. Bovendien had ze verdriet, want ze had echt van hem gehouden. Maar het ergste was dat niemand meer respect voor haar had. De prins vertelde de affaire aan zijn broer, die nu ook belangstelling voor haar begon te krijgen. Hij smeekte haar hem één keer ter wille te zijn en beloofde haar geld. En op een dag, toen ze boven in een gang bezig was, had hij haar met geweld tegen de grond gedrukt, zijn hand al onder haar rokken, maar ze was gaan schreeuwen en hij was weggerend. Ze besefte dat ze voor die jonge prins niets anders was geweest dan iemand om zijn behoefte te bevredigen. Door zijn broer was ze bang geworden en ze voelde zich hulpeloos. Aanvankelijk huilde ze aan één stuk door, maar weldra begon haar gezond verstand weer te werken. Ze zou weggaan. Ze zou een andere betrekking zoeken voor ze werd weggestuurd of de oude prinses de Condé erachter kwam en haar zonder getuigschriften ontsloeg.

Toen ze de oude prinses de Lorraine met de oude prinses de Condé hoorde praten over een Engels gravinnetje Devane en de prinses toevallig vertelde dat de jonge gravin een kamenier zocht, was Thérèse weer bij haar volle verstand gekomen. Haar God had haar niet in de steek gelaten en de Heilige Moeder had haar gebeden verhoord.

Nu zat ze te wachten in de vestibule van het herenhuis dat lord Devane had gehuurd. Ze was zenuwachtig, maar toch ook vol vertrouwen dat God haar zou helpen. Monsieur Montrose, die keurige, gedienstige jongeman die haar al eerder had ondervraagd, kwam de kamer in en riep de jonge vrouw die naast haar zat binnen. Thérèse maakte zich geen zorgen over deze kandidate. Ze wist van zichzelf dat ze pienter was, eerlijk, ijverig en slim. Bovendien had haar moeder, die vroeger ook kamenier was geweest, haar alles verteld over het leven van een kamenier, zodat ze al heel jong had geweten wat haar doel zou zijn in het leven. Zo had ze als kind zitten dromen over een sprookjespaleis en over al het heerlijks dat daar werd opgediend: appels, sinaasappels, aardbeien, pittige soepen en ragoûts, chocolade en bonbons. Thérèse en haar broertjes en zusje hadden nog nooit een sinaasappel geproefd, laat staan een bonbon. In plaats van de zware werkkleren die haar moeder voor hen maakte uit oude kleren van haarzelf, zag Thérèse de kleding voor zich van een dame wanneer ze naar een bal ging, haar diamanten, haar waaiers en veren; het was allemaal één grote betovering. . .

Haar moeder had daar allemaal afstand van gedaan toen ze verliefd werd op een lakei en met hem getrouwd was. Ze hadden hun spaarcentjes bij elkaar gelegd en een aanbetaling gedaan op een boerderij. Het bedrijf bloeide, maar de hypotheek was nooit afbetaald en toen er elk jaar weer een kind bij kwam, was haar moeder steeds magerder en zieker geworden. Thérèse wilde maar al te graag ontsnappen aan het slaafse werk op de boerderij, en toen ze zeven was hadden haar vader en moeder haar op hun wagen meegenomen naar Parijs, en hadden haar achtergelaten bij de keukendeur van het huis de Condé; het huis waar haar vader en moeder vroeger ook hadden gewerkt. De huishoudster, die nog altijd met hen was bevriend, had een plaats als keukenmeisje voor Thérèse gevonden. Ze werkte hard en was vrolijk. Toen ze een jaar of tien was, mocht ze met de kok mee naar de markt om boodschappen te doen en ze kon nog beter afdingen dan hij omdat de kooplieden plezier hadden in het kleine, bijdehante meisje met haar donkere ogen en gevatte antwoorden. Maar altijd bleef ze dromen van de pracht van de slaapkamers. Ze wilde kamenier worden. De kok smeekte haar bij hem in de keuken te blijven, maar de huishoudster was ook zeer op haar gesteld, en toen er een plaats als kamermeisje bij een van de prinsessen vrij kwam, gaf ze die aan Thérèse.

Thérèse benutte ieder vrij ogenblik om zich te ontwikkelen; ze leerde lezen en schrijven en ook Engels spreken en muziek maken. En toen er een andere betrekking vrijkwam, die van hulpkamenier, was ze daar helemaal op voorbereid. Het was hard werken en de jonge prinsessen waren verwend en veeleisend, maar ze was gelukkig. Ze had volop te eten en deelde een kamertje met een ander meisje. Ze kreeg een heleboel kleren die maar kort door haar meesteres waren gedragen. Ze had één dag in de maand vrij en ze kreeg loon dat ze zuinig opspaarde, en er waren wel drie lakeien die alles hadden gedaan om een glimlach van haar te ontvangen. Maar toen had ze die fout begaan... Ze deed haar ogen dicht en slikte. Daar wilde ze nu niet aan denken. Ze fluisterde een paar weesgegroetjes...

Toen het haar beurt was, vatte ze weer moed. Ze volgde monsieur Montrose door gangen en langs allerlei salons, een trap op, tot hij de deur van lady Devanes antichambre opende.

'Lady Devane,' zei Montrose tegen een slank meisje in een rijke groene japon die haar haar nog meer gouden gloed verleende en met twee mopshondjes aan haar voeten die dezelfde kleur groene lintjes om hun nek droegen, 'hier is Thérèse Fuseau.'

Hij boog en liet hen alleen. Het meisje keek Thérèse aan met grote blauwe ogen in een hartvormig gezicht. Ze was veel jonger dan Thérèse had verwacht. De mopshondjes buitelden over elkaar heen en blaften met zulke kleine piepjes dat Thérèse moest lachen.

'Mag ik?'

Lady Devane knikte en ze bukte zich om hen te aaien. Onmiddellijk begonnen ze te janken en te bibberen om maar extra veel aandacht te krijgen, en ze rolden op hun rug opdat Thérèse hen ook in hun dikke buikjes kon kriebelen.

'Stoute hondjes,' kirde Thérèse. 'Stoute, stoute hondjes.' Ze vonden het heerlijk en ze wentelden zich in vele bochten om nog meer geaaid te worden en tegelijk haar handen te likken.

'Hyacinthe!' riep lady Devane.

Er verscheen een kleine zwarte page, een knap jongetje met bolle wangen en donkere ogen met lange wimpers.

'Wil je de hondjes meenemen?' vroeg lady Devane hem. Hij keek vluchtig naar Thérèse en pakte toen de hondjes op, die hem meteen in zijn gezicht gingen likken. Toen hij weg was, begon lady Devane Thérèse te ondervragen over haar familie, hoelang ze bij de Condés was geweest, wat voor getuigschriften ze had en ten slotte ook waarom ze daar wegging.

'Het werd tijd, madame,' antwoordde ze, en wachtte. Lady Devane keek haar aan met die helderblauwe ogen. Alstublieft, Heilige Moeder, bad Thérèse, alstublieft, laat ze me aardig vinden. Ik zal tien weesgegroetjes opzeggen en vijf kaarsen voor u aansteken als u maakt dat ze me aardig vindt.

Ik vind haar aardig, dacht Barbara. Ze is goed gekleed, ze heeft mijn vragen goed beantwoord en ze heeft mijn hondjes lief geaaid. Je moet je instinct vertrouwen, hoorde ze haar grootmoeders stem zeggen. Vertrouw op je instinct.

'Wanneer zou je kunnen beginnen?'

Thérèse sloeg de handen ineen. 'Over een week.'

'Goed. Ik zal Montrose opdracht geven een lakei te sturen om je spullen te dragen.'

'Madame, u zult geen spijt hebben van uw besluit. Dat beloof ik. Ik zal u trouw dienen en daar zal ik trots op zijn.'

Barbara glimlachte. Het was haar grootvaders glimlach. Thérèse lachte terug. Buiten de antichambre leunde ze tegen een muur en begon te huilen. Snel veegde ze haar tranen af, maar buiten het huis moest ze even blijven staan om in de moestuin over te geven. Gelukkig was er maar één die het zag, een bedelkind dat door het tuinhek gluurde.

Nog geen week later bekeek Thérèse haar nieuwe domein: de vertrekken van lady Devane en de kamer op de begane grond die ze zou gebruiken voor wassen en strijken. De jonge hondjes keften en sprongen tegen haar voeten toen ze door de deftige kamer liep die de scheiding vormde tussen de vertrekken van lord en lady Devane, naar de antichambre, waar ze de eerste keer door Barbara was ontvangen. Het was precies zoals ze het zich herinnerde: een ongezellige, officiële kamer die alleen werd gebruikt om gasten te ontvangen. Ze liep er vlug doorheen en kwam nu bij de slaapkamer, die tegelijkertijd als zitkamer werd gebruikt. Hier zou voortaan het middelpunt van haar leven zijn.

De muren waren heel zacht groen geschilderd. In een donkere nis stond een hemelbed. Bij de haard lag een handwerkmandje ondersteboven en ernaast lag een borduurraam. Het mandje zag er gehavend uit, met sporen van scherpe tandjes. Thérèse sprak de mopshondjes bestraffend toe: 'Stoute hondjes!' Ze keken haar aan met hun kopjes scheef en hun tong uit de bek. Ze raapte stukjes linnen en losse borduurdraden op en stopte ze weer in het mandje. Midden in de kamer slingerde een paar groensatijnen schoenen met een geborduurde strik. Op de toilettafel stond een hele menigte flessen en potjes en er lagen veren en linten tussen gemorste poeder. Dat zou ze later wel opruimen. Nu kwam ze bij twee gelijke deuren in de muur. De ene zou wel leiden naar lady Devanes privé-vertrek, waar ze zich alleen kon terugtrekken. De andere deur zou toegang geven tot haar kamertje. Thérèse opende de linkerdeur. Dat was lady Devanes kamer. De muren waren bedekt met zwaar blauw damast, evenals de twee fauteuils die bij de haard stonden. In de verste muur zat een raam met daarvoor een tafel van ingelegd hout waar allemaal paperassen op lagen, veren, pennen, een inktpot en een bijbel. Thérèse sloot de deur. Ze was heel nieuwsgierig geworden naar de volgende kamer, de hare. Ze opende de deur en zag een open haardje, een luxe die ze niet had verwacht. Een smal bed. Koffers en een kast voor lady Devanes kleren. Haken voor haar eigen jurken. Een tafel onder het raam. Een raam! Wat een luxe! Een kamergemak. Een stuk spiegelglas waarin ze kon zien hoe ze haar haar kamde. Een kleine deur, die ze opende. Daar was een achtertrap die naar de keuken en naar de kelder leidde.

Die nacht, in haar kamertje, bad ze haar rozenkrans en dankte God voor Zijn goedheid. Niet al haar problemen waren opgelost, maar ze had te eten, warmte en een dak boven haar hoofd. Ze was in Gods handen. Ondanks de kou deed ze het raam open en keek uit in de donkere nacht. Wat heerlijk om een raam te hebben. Wat heerlijk om te leven.

'Vertel eens wat je van haar weet, Francis.'

White en Montrose zaten in de zitkamer die ze moesten delen, een vertrek dat tussen hun twee slaapkamers lag. Montrose probeerde Alexander Popes vertaling van de *Ilias* te lezen, maar hij werd telkens door White gestoord. Hij brandde van nieuwsgierigheid naar de nieuwe kamenier van lady Devane. De lakei die met haar meegelopen was vanaf het Condé-huis praatte over niets anders meer in de bediendenvertrekken.

'Er valt niets te vertellen. Ze is twintig; ze heeft veel ervaring en ze spreekt Engels.'

'Waarom heb je me niets over het sollicitatiegesprek verteld? Je had toch kunnen zeggen dat ze knap en charmant is. Na Martha komt dat als een hele schok.'

'Zulke dingen zeg je toch niet. Wie doet dat nou!'

'Jacques, die betere ogen in zijn hoofd heeft dan jij. Hij kwijlde bijkans toen hij haar beschreef.'

'Je moet je helemaal niet ophouden met kameniers,' snoof Montrose. 'Dat is slecht voor het moreel.'

'Lees jij je boek maar, Francis. Hou jij je maar bij je boeken.'

Thérèse sorteerde Barbara's japonnen en hing ze weer op volgens kleur. Die waar vlekken op zaten, nam ze weg. Ze begon een inventaris van Barbara's groeiende verzameling juwelen.

'Thérèse,' zei Barbara (ze genoot nu al van de manier waarop Thérèse haar 'madame' noemde), 'ik wil er ouder uitzien, meer geraffineerd.'

Thérèse begreep onmiddellijk wat ze bedoelde en ze keek haar jonge meesteres met meer belangstelling aan. Madame had dus een minnaar die ze wilde behagen. Samen bespraken ze Barbara's pluspunten: een mooie huid, schitterend haar en een goed gevormd gezichtje, en haar minpunten: lichte wenkbrauwen en wimpers, weinig buste. Thérèse had voor alles een oplossing.

Barbara werd gedraaid, gepoederd, ingeregen, opgemaakt en voorzien van taches de beauté. Een week later stond ze voor de spiegel naar zichzelf te kijken. Ze zag er prachtig uit. Ze droeg een zachtblauwe japon met een diep keurslijf, zoals Thérèse had aangeraden. Van haar schouders en borsten vielen kanten lubben en Thérèse had een bijpassend stuk kant om haar hals gebonden en er de diamant-met-saffieren broche op gespeld die ze van Roger had gekregen ter gelegenheid van Valentijnsdag. Ze had rouge op haar lippen en wangen, en haar wenkbrauwen en wimpers waren donker gemaakt met een grafietkam. Tot haar grote voldoening droeg ze drie taches de beauté.

'Niet te veel,' had Thérèse gewaarschuwd, 'anders ziet u eruit als een toneelspeelster.'

Ik ga me heel afstandelijk en deftig gedragen vanavond, dacht Barbara toen ze zich nog één keer door Thérèse liet inspecteren. Ze raakte nog even de broche aan die Roger haar had gegeven en draaide zich langzaam om. De hondjes blaften vanuit hun mandje. Ik lijk toch minstens twintig jaar, dacht ze. Thérèse bekeek haar kritisch om er zeker van te zijn dat alles volmaakt was.

Barbara ging naar een verjaardagsbal voor de jonge koning; gisteren was ze naar een Valentijnsfeest geweest bij Marie-Victorie en vandaag stond haar kamer vol bloemen, camelia's van St.-Michel, die haar naam had getrokken als zijn Valentijn. Hij zei dat hij alleen maar was gekomen om haar te zien. Ze had met hem geflirt; het was helemaal in om bewonderaars te hebben. Roger zou het vast wel merken, en hij zou het goed vinden. Hij zou haar toch ook wel een beetje bewonderen.

Het Valentijnsfeest was een veel volwassener aangelegenheid dan vroeger op Tamworth, waar de ongetrouwde jongelui bij elkaar kwamen en lootten wie hun Valentijn zou zijn. Eén keer had Harry haar naam getrokken en hij was woedend geweest. Tot een paar dagen na het feest moest je kleine cadeautjes geven aan degene die je Valentijn was, maar op Tamworth hadden ze alleen een dansfeestje gehad.

Bij Marie-Victorie was er heel wat afgelachen en tussen de mannen en de vrouwen waren veelbetekenende blikken gewisseld. Ze was niet helemaal op haar gemak; ze voelde een verhoogde seksuele spanning in de atmosfeer. Dat kwam misschien ook wel door het carnaval dat spoedig zou beginnen. Carnaval was het grote feest voor de vasten, en de Parijzenaren vierden het met overgave. Iemand had haar verteld dat carnaval een tijd voor zonden was, als vergoeding voor de vasten die volgden.

Richelieu had al een duel uitgevochten met de graaf de Gacé, waarbij hij gewond was geraakt. Volgens de geruchten was de jonge gravin de Gacé naar een feest gegaan bij de prins de Soubice waar ze dronken was geworden (zoals de meeste gasten) en vervolgens naakt doorgegeven van man tot man om vervolgens aan de bedienden te worden overgedragen. Richelieu had erom gelachen met zijn vrienden, en de graaf had het gehoord en had hem tot een duel uitgedaagd, niet vanwege de vraag of het verhaal waar was of niet maar omdat Richelieu het zo onelegant had doorverteld. Barbara was gefascineerd en geschokt door het gebeurde. De gravin was maar een paar jaar ouder dan zij. Nu gingen er weer geruchten dat Richelieu en Gacé gevangen zouden worden gezet vanwege het duel. Richelieu haalde zijn schouders op, maar de gravin de Gacé huilde; ze wilde niet dat Richelieu in de gevangenis kwam, ook al had hij over haar gepraat. Het kon haar niets schelen waar haar man in werd gestopt. Iedereen vond dat dit een van de mooiste carnavals was en Barbara was geboeid door de wellustige verfijning om haar heen, een geheimzinnigheid die haar aantrok maar haar tegelijk afstootte. Dit is een heel andere wereld dan ik ken, en Roger voelt zich daar thuis in.

'Madame,' zei Thérèse, 'u komt nog te laat.'

Barbara opende haar waaier. Hyacinthe, in een bijpassend blauwsatijnen pakje, stond te wachten met haar mantel over zijn arm. Ze bukte zich om de hondjes een laatste aai te geven.

'Wens me maar succes,' zei ze tegen ze. Met hun kleine tongetjes likten ze haar handen.

Zodra de deur achter hen was dichtgevallen, verdween de glimlach van Thérèses gezicht. Met haar hand voor haar mond greep ze naar de porseleinen kamerpot die onder het hemelbed stond en kokhalsde erboven. De hondjes kwamen nieuwsgierig bij het bed staan en jankten. Haar misselijkheid was vanavond heel erg. Ze moest spoedig iets gaan doen. De mensen waren niet gek. Vandaag was ze flauwgevallen in de linnenkamer, en toen ze weer bijkwam, hadden de wasvrouw en de majordomus, een zekere Pierre LeBlanc, naar haar staan kijken met iets van verdenking in hun blik.

Er werd op de deur geklopt. White kwam binnen met een paar boeken in zijn gezonde hand. Thérèse staarde naar zijn misvormde arm, naar het kleine handje dat aan zijn elleboog hing. Ze wilde iets zeggen. White schrok toen hij haar zag.

'Neem me niet kwalijk,' zei hij. 'Ik dacht dat er niemand was. Heb ik u doen schrikken? Ik ben Caesar White, lord Devanes klerk van de bibliotheek. Ik bracht wat boeken over Parijs voor lady Devane; ik dacht dat ze geïnteresseerd zou zijn.'

Thérèse knikte. Ze had het gevoel dat als ze nog één woord zei, ze over het bed zou overgeven, ook al zat er niets in haar maag. Hij kwam dichterbij.

'U bent Thérèse Fuseau, nietwaar?' Hij glimlachte. Zo zag hij er aardig uit. 'Ik had u al eerder willen ontmoeten. Ik heb een kamer in de andere vleugel en ook een kleine zitkamer met een flinke open haard. Misschien wilt u een keer thee bij me komen drinken.'

Thérèse schudde haar hoofd. Hij keek haar niet-begrijpend aan. 'Op uw vrije dag, dan hebt u misschien zin in een wandeling of een soupeetje...' Zijn stem stierf weg.

'Ik vind het prettig u ontmoet te hebben,' zei hij nu vormelijk. Ze was zich ervan bewust dat ze hem had gekwetst, maar ze voelde zich te ziek om zich daarover druk te maken. Hij leek wel aardig, maar voorlopig had ze geen behoefte aan een man.

Barbara wachtte boven aan de trap, opgewonden alsof het om haar eigen verjaardag ging. Ze stond te wachten tot Hyacinthe haar naam had afgeroepen, want eerst dan zou ze langzaam en elegant de trap afkomen en Roger imponeren met haar nieuwe raffinement. Ze hoorde haar naam. Langzaam, zei ze tegen zichzelf, langzaam naar beneden komen. En zo glimlachen. Ja, Roger stond beneden aan de trap met Hyacinthe.

'Je hebt me laten wachten...' begon hij, maar hij sprak niet verder. Halverwege de trap bleef ze staan, zodat hij haar goed kon zien. Als hij me nu maar mooi vindt, bad ze. Alsjeblieft.

'Barbara,' zei hij met een soort zucht. Zijn ogen waren hemelsblauw, lichter en mooier dan haar japon. 'Je ziet er prachtig uit.'

Ze rende het laatste stukje van de trap omlaag. 'O, Roger, vind je het mooi? Zeg eens eerlijk. Kijk, ik heb drie taches de beauté!'

Roger kuste haar op de mond. Wat keek hij trots. Ze wilde dat hij haar nog eens kuste.

In de balzaal van de Tuilerieën bleef ze even staan onder de kroonluchters, langzaam haar waaier heen en weer bewegend. Ze wist dat ze er mooi uitzag. Onmiddellijk stonden de prins de Dombes, de graaf de Coigny en de hertog de Melun om haar heen en vroegen om een dans. Ze zuchtte en wuifde zich koelte toe. Ze zou wel eens in haar balboekje kijken. Naast haar moest Roger lachen omdat ze zich zo geraffineerd opstelde.

'Bewaar de eerste dans na het souper voor mij,' zei hij en liep weg zonder te kijken of ze zijn naam inderdaad inschreef. Bedenkelijk keek ze hem na, maar toen drongen de andere mannen om haar heen en eisten haar aandacht op. De ridder de Bavière en de hertog de Richelieu kwamen nog bij hen staan. Welwillend schreef ze hun namen in haar balboekje. Ze zuchtte. Richelieu, die haar gadesloeg, moest lachen. St.-Michel baande zich een weg door de drom mensen om haar heen. Marie-Victorie hing aan zijn arm.

'Je ziet er schitterend uit,' riep ze.

'Bab,' zei St.-Michel. 'Vanavond ben je onvergelijkelijk, een godin tussen de stervelingen. Gun mij de eerste dans, anders val ik hier dood neer.'

Ze lachte. De muziek zette in. Richelieu gaf haar zijn arm. 'Henri, mijn boekje is voorlopig vol,' zei ze, en ze genoot van haar triomf en van zijn teleurgestelde gezicht. 'Misschien na het souper...'

Zeer tevreden over zichzelf glimlachte ze tegen Richelieu die haar meenam naar een van de kringen waar de dans werd ingezet.

'Je ziet er nog mooier uit,' zei Richelieu terwijl ze de eerste danspassen deden. 'Eindelijk pas je bij de belofte die je stem inhield. De vrouw in jou wordt wakker. Met ingehouden adem wacht ik op haar.'

Louise-Anne stond in een andere kring met St.-Michel en hoorde de laatste woorden.

'Weet Henri dat hij vergeefse moeite doet?' vroeg Richelieu. Hij knipoogde naar St.-Michel die hun gesprek niet kon horen omdat de muziek net was begonnen.

'Nee,' zei Barbara. 'En je moet het hem ook niet vertellen. Ik amuseer me juist zo goed.' Soms werd ze kwaad op Richelieu. Ze wist nooit wat ze van hem kon verwachten. Ze had er spijt van dat ze hem deze dans had gegeven.

'Hoe is je duel afgelopen?' vroeg ze, in de hoop hem in verlegenheid te brengen.

Hij grijnsde. 'Ik heb alleen maar pijn als ik lach. Ik moet waarschijnlijk naar de Bastille. Zou je dat erg vinden?' vroeg hij. Ze huiverde. Zijn stem was als een strelende hand over haar naakte rug. Ze keek hem fier aan. 'Verkoop je mij je zwarte paard waar je altijd op rijdt? Dat heb je toch niet nodig als je naar de Bastille gaat.'

Richelieu vergat even zijn houding van verveelde jonge hertog. 'Daar kun jij toch niet op rijden!'

'Natuurlijk wel.'

'Dat kun je niet!'

'Geef me een kans.'

'Je zult je bezeren...'

'Beslist niet!'

'Goed dan,' zei hij langzaam, en zijn vreemde geelbruine ogen glansden. 'Zullen we wedden?'

'Wedden? Ik weet niet of...'

'Ah, ik zie het al. Er gaat nog altijd een kind schuil onder de vrouw. Geeft niet. Ik doe geen zaken met kinderen.'

'Waar wedden we om?'

Hij wierp zijn hoofd achterover en lachte. Louise-Anne, die hen gadesloeg, struikelde over St.-Michels voet.

'Je krijgt het paard als je erop kunt rijden...' zei Richelieu.

'Nee, ik wil het kopen.'

'Wat ben je toch vervelend. Vergeet die weddenschap maar.'

'Nee! Ik doe wel met je mee. En als ik verlies?'

'Dan koop je een nieuwe hoed voor me.'

Ze lachte. Ze was bang geweest dat hij iets verbodens zou vragen, zoiets als een kus. Ze was zo opgelucht dat ze hem uiteindelijk toch wel aardig vond. St.-Michel en Louise-Anne waren langs de kant gaan staan om te kijken.

'Wat zegt hij allemaal?' riep St.-Michel. 'Armand dringt zich aan haar op. Ik zie het. Rotvent! Hij heeft mij beloofd...'

'Wat heeft hij je beloofd?' vroeg Louise-Anne. 'Wat dan?'

'Luister eens, Barbara,' zei Richelieu. 'Je mag proberen op Sheba te rijden, maar alleen onder bepaalde voorwaarden. Ten eerste dat je man het weet en het goed vindt en ten tweede dat je stalknecht er de hele tijd bij is.'

'Het kan Roger niet schelen...'

'Maar wel als je je nek breekt, en ik heb geen zin om met hem te duelleren.'

'Waarom niet? Is twee in de maand te veel voor jou?'

'Wat een brutale mond heb jij. Daar zou iemand wat aan moeten doen. Nee, omdat hij zijn opponent altijd doodt.'

'Nee maar! Vertel eens.'

'Ik begrijp niet waarom ik met jou wilde dansen. Vrouwen die van hun man houden, zijn eigenlijk stomvervelend.'

'Wat een geluk dan dat deze dans bijna voorbij is. Gaat de weddenschap nog door?'

'Ja. Ga maar gauw weg, klein meisje.'

Ze stak haar tong naar hem uit. Verscheidene mensen zagen het, maar Richelieu moest lachen.

Louise-Anne greep Richelieus arm zodra hij in haar buurt kwam. 'Wat heb je Henri beloofd? Zeg eens op.'

Richelieu haalde zijn schouders op: 'Ik heb geen idee. Heb ik iets beloofd?'

'Hij schijnt het te denken. Hij zag je flirten met dat magere Engelse meisje. God, wat doen jullie allemaal stom over een nieuw gezicht. Ze zou onmiddellijk piepen als je haar aanraakte. Henri gelooft me niet. Hij denkt dat achter al die onschuld een brandende hartstocht schuilt. Geloof je me, Armand?'

'Ja zeker doe ik dat.' Hij glimlachte tegen haar. 'Heb je dat echt tegen Henri gezegd?'

Ze knikte en vroeg zich af wat zijn stemming was. Hij kon soms zo wreed zijn. Tot haar verbazing kuste hij haar hand.

'Dank je, Louise-Anne. Je bent onbetaalbaar.'

Barbara genoot van haar avond. De andere mannen spraken niet als Richelieu. Ze lachten en vleiden haar, en ze vond het leuk om terug te lachen en hen aan te moedigen. Het was een heerlijk spelletje, behalve dat Roger nergens te zien was. Hij bleef in de kaartkamer. Toen het souper begon en Roger nog niet te voorschijn kwam, stemde ze in met St.-Michel die een eindje met haar wilde lopen. Laat Roger haar nu maar vinden. Laat hij haar maar zien souperen met St.-Michel. Ze had er genoeg van op hem te wachten. Ze had zich mooi gemaakt voor hem en voor niemand anders, en dan liep hij maar weg alsof dat niets betekende. Ze hoopte dat hij verloor bij het kaarten. Ze hoopte dat hij een uur naar haar zou moeten zoeken. Ze had het zo druk met haar gedachten dat ze niet merkte waar St.-Michel haar naar toe bracht. Voor ze er erg in had, stond ze met hem in een nis die met een gordijn was afgesloten. Er was alleen ruimte voor een tweepersoons bankje.

'Ga zitten, Bab,' zei St.-Michel. 'Dan breng ik je je souper.'

Maar meteen zat hij naast haar. Het bankje was kleiner dan ze had gedacht en St.-Michel zat dicht tegen haar aan. Hij leunde op zijn gemak achterover en legde zijn arm over de rugleuning van het bankje. Barbara ging helemaal op het randje zitten. St.-Michel lachte zachtjes.

'Wat ben je toch een baby. Ik kan je hier toch geen kwaad doen, lieve Bab. Het bankje is veel te klein voor intimiteiten.'

'Ik heb honger,' zei Barbara met een klein stemmetje. Lieve God, waar was Roger? Stel je voor dat hij binnenkwam en haar hier zo dicht bij Henri zag zitten? Ze gunde Henri vijf minuten om uit te rusten. Vijf minuten – ze schrok op. Zijn hand die over de rugleuning hing had haar blote schouder aangeraakt, zo vluchtig dat het wel verbeelding kon zijn... als diezelfde hand nu niet in haar hals lag en haar streelde. Ze probeerde zich los te maken.

'Je ziet er beeldig uit vanavond.'

Nu lagen zijn beide handen op haar schouders. Ze rukte zich los en stond op. Hij ging ook staan en sloeg zijn armen om haar heen. Hij was sterk, en ineens kuste hij haar.

'Laat me los!' Ze duwde hem weg.

'Barbara!'

St.-Michel liet zijn armen vallen. Hij deed een stap achteruit en legde één hand op zijn zwaard. Roger stond in de gordijnopening.

'Alles in orde, lieve?' Roger kwam naar voren en raakte haar arm aan.

'Ja! Nee! Hij probeerde me te k...' Plotseling kneep Roger zo hard in haar arm dat ze zweeg.

Roger en St.-Michel keken elkaar aan. Ze kon hun ademhaling horen in korte, staccato stoten. Ze keek van de een naar de ander en wat ze zag deed haar beven. Als Roger haar niet was blijven vasthouden, zou ze op de grond zijn gevallen. Roger ging Henri uitdagen voor een duel waarin een van hen gewond zou raken of gedood worden. Of misschien wel allebei. Zoiets gebeurde dagelijks.

Een ogenblik later boog St.-Michel en vertrok. Zodra het gordijn achter hem dichtviel, trok Roger zo hard aan haar arm dat ze wankelde. 'Kleine dwaas die je bent! Wat is er gebeurd?'

'Hij probeerde me te kussen!'

'Heeft hij dat gedaan?' Hij hield nog steeds haar arm vast.

Ze rukte zich los. Op die manier mocht hij niet tegen haar praten; het was haar schuld niet. Als hij zo naar haar bleef kijken, ging ze huilen.

'Je bent hier niet op Tamworth,' zei hij, 'waar je de attenties van de boerenpummels afwijst. Je bent in Frankrijk, en als je niet gekust wilt worden door een galante heer, moet je niet met hem in een donkere nis gaan zitten. Heeft hij je gekust? Kijk me aan! Als het wel zo is, bij God, ik zal. . .'

'Nee! Nee! Er is niets gebeurd! Hij heeft geprobeerd – ik wist niet. . .'

'Rustig nou maar. Ga meteen aan Hyacinthe vragen om onze mantels te halen en ons rijtuig te roepen. We gaan weg.'

'M-maar we hebben de koning nog niet gezien. . .'

'Doe wat ik je zeg.'

'Wat ben je van plan?'

'Niets waar jij je druk over hoeft te maken.'

St.-Michel liep naar de souperzaal en veegde de transpiratie van zijn voorhoofd. Trillend vouwde hij zijn zakdoek weer op. Louise-Anne en Richelieu zaten apart aan een klein tafeltje. Zonder een woord te zeggen liep hij naar hen toe, ging bij hen zitten, greep het wijnglas van Louise-Anne en dronk het in één teug leeg. Richelieu wenkte een lakei om meer wijn te brengen. St.-Michel dronk ook het volgende glas leeg. Hij rechtte zijn rug en ineens verstrakte zijn blik. Louise-Anne en Richelieu draaiden zich om om te zien waar hij naar keek.

Roger kwam met grote stappen naar hun tafel en Richelieu stond glimlachend op, maar St.-Michel bleef als aan zijn stoel genageld zitten.

'Ik kwam even zeggen dat mijn vrouw hoofdpijn heeft en dat ik haar naar huis breng. Ik wilde niet dat een van u, die wellicht met haar zou dansen, teleurgesteld werd.' Roger sprak afgemeten.

'Dat spreekt vanzelf,' zei Richelieu langzaam en hij keek van Roger naar St.-Michel toen deze geen antwoord gaf.

'Ik had met jou willen dansen,' pruilde Louise-Anne tegen Roger, maar hij merkte het niet.

'Ik neem aan dat je vanavond verdwaald bent, Henri, in meer dan één betekenis van het woord.' Roger keek St.-Michel grimmig aan. 'Barbara is onervaren maar dat ben ik niet, en ik bewaak wat van mij is.'

Zijn hand ging naar zijn zwaard. Er viel een lange stilte. Niemand bewoog. Plotseling boog Roger en verliet de souperzaal.

'Wat heb je gedaan?' vroeg Louise-Anne ademloos.

'Ik heb haar gekust. Hij had me bijna betrapt.' St.-Michel veegde nog eens zijn voorhoofd af. 'Ik ben niet van plan te duelleren voor één kus. Dat doe ik voor niemand.'

'Heb je haar gekust?' vroeg Richelieu, en ineens begonnen zijn ogen te schitteren. 'Hoe was dat?'

'Ik weet het amper. Ik had geen tijd. . .'

'En wat deed zij? Heeft ze voor jou gelogen?'

'Niet bepaald. Ze begon het hem te vertellen, maar hij legde haar het zwijgen op.'

'Een duel zou haar reputatie hebben geschaad. Je had moeten doorzetten. Dat zou ik hebben gedaan,' zei Richelieu.

'O ja?' snauwde St.-Michel. 'Nou, ik heb geen zin om te sterven voor één kus. Misschien voor een partijtje neuken, maar niet voor een kus!'

'Roger en mijn oom deelden vroeger de vrouwen met elkaar,' zei Louise-Anne, 'en nu wil hij iemand doden voor een gestolen kusje van die vreselijke vrouw van hem. Het is belachelijk.'

'Ik vond hem erg beledigend,' zei St.-Michel die weer wat moed vatte nu Roger was vertrokken. 'Daar zou ik hem voor moeten doden.'

'Ik ken wel een zoetere wraak dan dood. Geef je het op, Henri?' vroeg Richelieu.

'Nee! Ze draait nog wel bij. Ze vond mijn kus lekker. Ik kon merken dat. . .'

'En daarnet kon je je het niet herinneren. Merkwaardig!'

St.-Michel greep weer naar zijn zwaard. Richelieu stond onmiddellijk op. Beide mannen hadden razend snel gereageerd. Ze keken elkaar hard, verachtelijk aan.

'Stop!' gilde Louise-Anne. 'Als jullie gaan duelleren om dat zeurderige Engelse meisje, vergeef ik het jullie nooit. Ga zitten, Armand. Laat dat zwaard los! Ben je nu helemaal gek geworden! Ze heeft je nog niet eens gekust! Armand, je bent nog niet genezen van je vorige duel.'

'Mij heeft ze wel gekust,' zei St.-Michel humeurig.

'Nee, jij hebt haar gekust,' zei Louise-Anne. 'Dat is een groot verschil.'

Richelieu ging weer zitten. Louise-Anne schudde haar hoofd. Wat een stommelingen waren mannen. Ze had een keer willen vrijen met Roger Montgeoffrey, maar hij zag haar niet eens staan.

'Ik veracht jullie allemaal,' zei ze met trillende stem. 'Jullie zijn krankzinnig.'

'De jacht. Het is de jacht waar het om gaat,' zei St.-Michel zachtjes.

'En het neuken,' zei Richelieu.

'Daar drink ik op,' beaamde St.-Michel en hief zijn glas. Tot tweemaal toe was hij bijna in een duel verwikkeld geraakt, op één avond.

In het rijtuig zaten Barbara en Roger zwijgend bij elkaar. Naast Barbara zat Hyacinthe. Hij wriemelde met zijn hand tussen haar mantel tot hij haar hand had gevonden en gaf haar een bemoedigend kneepje. Ze slikte. Ze moest haar best doen om niet te huilen.

Roger zat tegenover haar. Zijn mond was één harde lijn. Voor hem was de avond al slecht begonnen toen hij de kaartkamer binnenkwam. Hij had aan één stuk door verloren. En toen had de regent hem apart genomen en hem toegefluisterd dat een van zijn spionnen het bericht had gebracht dat de troonpretendent in Schotland zijn aanspraak op de Engelse troon had opgegeven en midden in de nacht was vertrokken. Misschien was hij nu al op zee. Er werd gezegd dat hij op weg was naar Parijs. Dat was een beroerde situatie. De regent had zich in een verdrag verplicht geen asiel te verlenen aan de troonpretendent. En Roger had geen behoefte aan een openlijke ontmoeting met zijn dronken, onverantwoordelijke schoonvader. Dat was toch al een belachelijke verhouding, want Roger was bijna tien jaar ouder dan Kit. Hij was zo geërgerd over al dat nieuws dat hij Barbara ging zoeken om haar te zeggen dat hij vroeg vertrok, maar dat zij gerust kon blijven als ze genoot van het bal. En toen was hij op dat tafereel gestuit dat hem had overrompeld.

Ik bewaak wat van mij is, had hij in het bijzijn van die kinderlijke prinses de Charolais gezegd. Het klonk als een toneelspeler in een slecht stuk. Hij was geschokt toen hij Barbara in de armen van een andere man zag. Hij had zich maar net kunnen inhouden om de jonge idioot die daar bij haar was niet te doden. Het was werkelijk te gek dat hij nu de rol speelde van de verontruste echtgenoot terwijl hij altijd de rol van de minnaar had gehad. En hij was ook kwaad op Barbara, juist omdat hij wist dat ze zijn boosheid niet verdiende. Maar toen hij St.-Michel bij haar zag, was er iets in hem losgemaakt. Het liefst had hij de vent aan zijn zwaard geregen. Jezus Christus, wat was er met hem aan de hand? Als hij vanavond een vrouw had gezien waar hij zin in had, was hij zonder enige aarzeling naar haar toe gegaan, alleen zou hij ervoor hebben gezorgd dat Barbara er niets van merkte. En nu speelde hij de verontwaardigde echtgenoot omdat die kleine dwaas van een vrouw van hem zich door een jongeman had laten kussen.

Hij verdacht haar niet van ontrouw, maar dat kon nog komen. Bij die gedachte voelde hij een scherpe pijn in zijn zij. Ze was nog zo jong.

'Weet je dat hij getrouwd is?' Waarom zei hij dat nu weer. Hij klonk als een mokkende twintigjarige.

'Wie?'

'St.-Michel. Hij laat zijn vrouw en kinderen in een château in Normandië achter en gaat zelf naar Parijs om te doen waar hij zin in heeft. Zijn vrouw beheert het château en de boerderijen en stuurt hem geld voor zijn huis in de stad, voor zijn paarden en voor zijn minnaressen.' Waarom vertel ik dat allemaal?

Het rijtuig kwam tot stilstand. Barbara sprong eruit en holde naar haar vertrekken. Hyacinthe kwam als een schaduw achter haar aan. Ze bleef even in de deuropening van haar antichambre staan en leunde met haar hoofd tegen de deurpost. Thérèse kwam uit de slaapkamer te voorschijn. Ze veegde haar mond af met een zakdoek en haar gezicht was bleek. Zweetdruppeltjes parelden op haar bovenlip, maar Barbara zag het niet.

'Madame is vroeg terug. Hebt u het leuk gehad?'

Barbara kon geen woord zeggen. Ze rende langs haar keffende hondjes en langs Thérèse heen naar haar slaapkamer. Ze ging op het krukje voor haar toilettafel zitten en keek in de spiegel. Ik wil niet huilen, dacht ze.

'Wat is er gebeurd?' fluisterde Thérèse tegen Hyacinthe.

Hij haalde zijn schouders op. 'Madame zegt dat ik de mantels moet halen en dat het rijtuig moet komen. In het rijtuig is ze heel stil. Ik houd haar hand vast.'

'En monsieur?'

'Hij praat, maar ik dacht steeds aan madame. Ze zag eruit alsof ze ging huilen. Gaat ze huilen, Thérèse? Als ze huilt, zal ik haar knuffelen tot het over is.'

Thérèse bukte zich en drukte het jongetje even tegen zich aan. 'Madame moet nu even alleen zijn. Neem jij Harry en Charlotte maar mee naar mijn kamer en wacht daar op mij.'

In de slaapkamer zat Barbara met haar rug naar haar toe, maar Thérèse kon haar gezicht in de spiegel zien. Arm schatje, dacht Thérèse, misschien wel ruzie met een minnaar. En haar man weet het en nu is hij kwaad.

Rustig begon Thérèse Barbara uit te kleden. Ze maakte de japon los en hielp haar uit haar onderrokken. Ze deed haar de juwelen af en haalde de spelden uit haar haar. Alles werd rustig en zwijgend gedaan en alsof het de gewoonste zaak van de wereld was dat Barbara geen woord zei. Voor ze het wist had Barbara al haar nachtpon aan en begon Thérèse haar haar te borstelen.

Het was een prettig gevoel als je haar werd geborsteld. Haar grootmoeder deed het ook altijd. Toen ze aan haar grootmoeder dacht, begon Barbara bijna te huilen. Ze miste haar zo; ze miste hen allemaal. Roger had bijna met St.-Michel geduelleerd, en dat was helemaal niet romantisch zoals in de Franse romannetjes die ze had gelezen. En nu was Roger kwaad. Hij dacht dat het haar schuld was.

Er werd geklopt. Thérèse keek Barbara aan. Barbara knikte. Thérèse deed open en voor haar stond een van de knapste mannen die ze ooit had gezien. Hij was ouder en zijn gezicht was gebruind en mager. Hij had blauwe ogen met kleine lachrimpeltjes aan weerskanten en zijn korte haar was grijsblond. Hij was gekleed in een kamerjas, lord Devane. Thérèses mond viel open.

'Ik ben lord Devane,' zei hij, tamelijk overbodig. 'Wil je mijn vrouw vragen of ze me wil ontvangen?'

Ze draaide zich om. Barbara's gezicht sprak boekdelen. Ze is verliefd op hem, dacht Thérèse. En ik geef haar geen ongelijk.

Ze liet hem binnen en Roger liep naar de slaapkamer. Thérèse ging op een stoel zitten in de antichambre.

Ze was vergeten dat echtgenoten van elkaar konden houden. Ze vergat er haar eigen misselijkheid door.

'Ik was te streng vanavond,' zei Roger terwijl hij naar Barbara toeliep. 'Ik weet niet wat me mankeerde. Ik vertrouw je volkomen, Barbara. Echt waar.'

Ze barstte in tranen uit. Hij glimlachte toen hij haar in zijn armen nam.

Toen ze de volgende morgen wakker werd, lag hij niet meer bij haar. Ze kwam overeind en de dekens gleden van haar af; ze was naakt. Ze glimlachte. Roger was de afgelopen nacht niet zo beheerst geweest als anders. Hij had onstuimig met haar gevrijd. Als hij van haar hield... Ze legde haar armen om haar knieën. Als hij van haar hield, was het leven volmaakt.

Ze was de avond daarvoor wanhopig geweest. Vandaag had ze lust om te zingen. Ze stond op. Het schrijnde tussen haar benen. Ze glimlachte weer. Ze trok een kamerjas aan, belde Thérèse en ging aan haar toilettafel zitten om haar haar te borstelen.

'Help je me aankleden, Thérèse,' vroeg Barbara. 'Ik wil met lord Devane ontbijten.'

Thérèse nam de borstel van haar over. 'Madame ziet er vanmorgen heel gelukkig uit. Heel anders dan gisteren.'

Barbara lachte. 'Dat ben ik ook.'

'Ik zou het ook zijn. Hij is de knapste man die ik ooit heb gezien.'

'Vind je dat werkelijk, Thérèse?'

'Beslist. Ik wist niet wat ik zag, gisteravond toen ik de deur open deed. Hij is fantastisch.'

Ze lachten samen als twee ondeugende oude dames.

'Vandaag maak ik u onschuldig, maar mèt een blos, als een ontluikende roos. Een klein beetje rouge. Eén tache de beauté, niet meer. Naast uw mond. Dat herinnert hem aan de kussen van vannacht. En dan de roze ochtendjapon met de groene ceintuur. De roze pantoffeltjes. Hij zal verrukt zijn.'

Ineens voelde Thérèse de misselijkheid opkomen, en ze legde haar hand op haar maag.

'Thérèse, wat heb je? Voel je je niet goed?' Barbara hielp haar naar een stoel.

'Last van mijn maag.'

'Zal ik een dokter roepen...'

'Nee, het gaat wel weer. Alstublieft, madame, maakt u zich geen zorgen. Laat me even rusten en dan kleed ik u verder aan. Lord Devane zit misschien al te wachten.'

Toen ze de ontbijtkamer binnenkwam, zat Roger al te eten. Hij stond op om haar te begroeten en er kwam een blos op zijn wangen, maar ze zag het amper. Roger schraapte zijn keel. Ze wachtte.

'Vannacht,' zei hij tenslotte met zachte stem, 'als ik je pijn heb gedaan...'

'O nee. Het was – je hebt me geen pijn gedaan.'

'Je ziet er heel lief uit vanmorgen.'

Ze glimlachte en heel haar hart, haar geluk, lag in die glimlach. Ze had nog nooit zoveel van hem gehouden.

'Er zijn brieven,' zei hij. 'Ze zijn gisteren laat aangekomen. Jij hebt er twee. Een van je grootmoeder en de andere van iemand wiens handschrift ik niet kan lezen.' Hij gaf haar twee brieven.

'Harry!' riep ze uit. 'Het is een brief van mijn broer Harry.'

Ze scheurde het zegel open en las:

Lieve Bab,

Ik wist niet wat ik zag toen ik grootmama's brief las. Jij een getrouwde vrouw! En nog wel met Roger. Weet hij wat hij zich op de hals heeft gehaald door met jou te trouwen en met ons verwant te raken? Ik condoleer hem. En ik moet toegeven dat ik dagen heb moeten lachen bij de gedachte dat jij een getrouwde vrouw bent. Ik heb me ook bezat om het te vieren. Dat is wel een viering waard dat ik nu een rijke zwager heb. Ik heb een vriend, de zoon van lord Wharton, die door Europa reist en hij heeft zin om naar Parijs te komen. Dan kom ik ook. Nu vieren we nog carnaval, maar daarna kun je me verwachten. Ik heb geld nodig, Bab, en ik hoop dat je mij wat wilt lenen. Ik hoorde ook nog van grootmama dat vaders schulden zouden worden betaald als onderdeel van de huwelijksovereenkomst. Hoor je wel eens wat van vader? Ik zou Roger een bedankbrief moeten schrijven, ook om hem te verwelkomen in onze familie. Dat doe ik binnenkort. Gedraag je netjes en stuur vooral geld.

Je liefhebbende broer
Harry

De woorden 'stuur vooral geld' waren onderstreept.

Roger keek naar haar gezicht terwijl ze de brief las. Er lag een zachte uitdrukking op en ze glimlachte een beetje. Hij besefte dat ze altijd lief keek als ze aan haar broers en zusters dacht. Ze zou een goede moeder zijn. Een kinderkamer. Er moest een mooie kinderkamer komen in Devane House. Niet zo'n klein, donker kamertje onder het dak, maar een groot, zonnig vertrek waar zijn kinderen groot en sterk zouden worden. Hij verbaasde zich over zijn eigen gedachten. Dat hij zo graag een kind wilde hebben. Niet een kind dat verwant was aan Richard, maar Barbara's kind.

Ze keek op. 'Hij – hij feliciteert ons, Roger. Hij bedankt je voor je genereuze gebaar en hij zegt dat hij ons zal bezoeken.' Ze gaf hem de brief, en terwijl hij las, opende ze die van haar grootmoeder en begon hem stukjes voor te lezen.

'Eens kijken. . . Haar brief is van twee weken geleden. Ze is erg vermoeid door ons huwelijk; de reis terug naar Tamworth was vreselijk – er viel een wiel van hun rijtuig af. Ze is een week op bed gebleven met haar benen, maar nu verpleegt ze de jongens, die de een of andere koorts hebben. . .'

'Dat komt wel weer goed. Kinderen hebben zo vaak koorts.'

Ze las vlug door de rest van de brief. 'Tante Abigail probeert Tony te koppelen aan de dochter van sir Josiah Child, maar Tony wil niet. Goed zo. Jane is nu verloofd – ik moet haar ook eens schrijven. Grootmama zegt dat ze zich verheugt op mijn brieven; ze eindigt met veel liefs voor ons beiden en zegt dat je mij een pak slaag moet geven als ik lastig ben.'

Ze keken lachend naar elkaar.

White en Montrose, die waren binnengekomen tijdens Barbara's voorlezen van de brief, wisselden een blik van verstandhouding.

'Nou, ik heb een brief van Carlyle,' zei Roger. 'Hij vertelt in die mooie stijl van hem dat hij heeft besloten zijn nagels te knippen. Hij snapt niet hoe de Chinese mandarijnen konden eten met zulke lange nagels en hij kan niemand vinden die hem het eten wil voeren. Hij beweert dat ze ons missen aan het hof. . .'

'Jíj wordt gemist. Mij kennen ze niet eens.'

'Ze zouden je missen als ze je wel kenden, Bab.'

'Wat nog meer. . . De opstand in Schotland schijnt een mislukking te zijn geworden. En je moeder gaat nogal eens uit met Robert Walpole. Londen gonst van de geruchten.' Carlyles werkelijke woorden waren:

En nu heeft die loopse teef, of met andere woorden, je schoonmoeder, die arme Robert in haar klauwen. Ze speelt met hem als een kat met een muis. En wat voor muis! Niemand weet wat hun – laat ik het verhouding noemen – voorstelt. Bij White's wedden ze vier tegen één voor Robert. Ik heb mijn geld op Diana gezet. Montagu is des duivels, en het ziet ernaar uit dat Robert sponsors zal vinden voor haar echtscheiding. Diana komt wel weer op haar pootjes terecht. Ze draagt een afschuwelijk smaragden halssnoer, dooreengevlochten met diamanten, en ze vertelt aan niemand van wie ze het heeft. Ik weet dat Robert geen geld heeft voor zoiets. Ze barsten allemaal van nieuwsgierigheid. Ik ook trouwens.

'Walpole, is dat die dikke?' vroeg Barbara zonder veel belangstelling. Het kon haar niets schelen met wie haar moeder uitging. 'Die man die punch morste op tante Abigail op onze bruiloft?'

'Precies.'

'Een uitstekend geheugen,' mompelde Montrose.

'Francis, wat heb jij voor mij?' vroeg Roger.

Zwijgend overhandigde hij Roger een stapel uitnodigingen. Roger keek ze vlug door en gaf een paar aan Barbara. Meteen zei hij: 'Francis heeft blijkbaar een paar uitnodigingen van jou en mij verwisseld. Ik zie een briefje van Richelieu. Maak eens open en kijk wat hij wil.'

Zijn stem klonk neutraal, maar hij lette scherp op Barbara's gezicht. Zonder aarzelen scheurde ze het zegel los en las het briefje.

'Hij vraagt me vanmiddag mee uit rijden, Roger. Ik vergat je te vertellen dat ik heb geprobeerd zijn zwarte paard te kopen – je weet wel, dat we allebei zo mooi vonden – en hij wil zien of ik het aankan. Dat hij daaraan durft te twijfelen! Maar ik heb geloof ik al een andere afspraak. . .'

'Inderdaad,' zei White. 'We zouden naar het Palais Royal gaan om de schilderijenverzameling van de regent te bekijken. Maar dat kunnen we best een andere keer doen.' Hij glimlachte naar haar.

'Nou,' zei Barbara, 'ik ga veel liever met jou uit dan met de hertog de Richelieu. Ik word altijd boos als ik met hem praat. Ik ga dat paard wel een andere keer bekijken.'

'Hoe laat zouden jullie uitgaan?' vroeg Roger.

'Na het middageten,' antwoordde White.

'Ik wilde nog wat speelgoed kopen ook, voor mijn broertjes die ziek zijn,' zei Barbara tegen White.

'De baby ook?'

Barbara knikte.

'Nee, de baby niet!' zei Montrose onwillekeurig.

'Ik weet een goed adres,' zei White. 'Een klein winkeltje op het Ile Sainte Marie.'

'Ik ga met je mee,' zei Roger.

Barbara sloeg haar handen in elkaar en sprong overeind om hem op zijn wang te kussen.

'Mijnheer, u hebt een afspraak...'

'Zeg die maar af. Ik voel er veel meer voor om met mijn vrouw naar het Palais Royal te gaan en te horen wat voor geleuter Caesar haar vertelt. Zorg maar dat je je zaakjes goed kent, Caesar, ik waarschuw je. En ik weet zeker dat ik beter weet wat voor speelgoed zieke jongetjes leuk vinden.'

White grijnsde.

Montrose keek op zijn bord.

'Kom met ons mee,' zei Barbara in een opwelling. Zijn opmerking over Baby was haar niet ontgaan. Ze had het dikwijls over haar familie met White en die had zeker met Montrose gesproken. Er waren geen geheimen in dit huis.

Montrose knikte. Er werd niet meer over afspraken gerept. Roger zei dat hij vastenavond wilde vieren door een paar vrienden te onthalen op pannekoeken en Barbara vond dat een prachtig idee. White keek naar hen met een glimlach en toen ze van tafel gingen, zei hij tegen Montrose: 'Ik voel dat er liefde in de lucht zit. "O gij verrukkelijke, vervloekte, verliefde, vernietigende Vrouw," ' citeerde hij tot ergernis van Montrose, die het niet kon hebben als White met verzen aankwam die hij niet herkende.

'Congreve,' zei White, nog voor Montrose iets kon vragen.

' "Pas dan de vreugde van een vrouw begint/Wanneer zij niet haar minnaar maar een dwaas bemint," ' citeerde Montrose op zijn beurt. Hij lachte om Whites verbaasde gezicht, en in een beste stemming eindigde hij zijn ontbijt.

12

Twee dagen later kwam Roger Barbara's kleine blauwdamasten kamertje binnen toen ze juist klaar was met een brief aan haar grootmoeder. Zijn verschijnen was zo ongewoon – hij had altijd van allerlei te doen 's middags – dat ze hem met grote ogen aankeek, met haar pen roerloos boven het papier. Ze kon aan zijn gezicht zien dat er iets mis was.

'Je vader is in Parijs,' zei hij bruusk. 'Hij wil me spreken.'

'Mijn vader. . . ' Ze zei de woorden met een verwonderde klank in haar stem. Ze had haar vader in geen jaren gezien. Soms vergat ze dat hij bestond. 'Waar is hij? Wanneer kan ik naar hem toe?'

'Barbara,' zei hij vriendelijk, 'hij verbergt zich.'

Ze keek niet-begrijpend.

'Frankrijk is nu een bondgenoot van Engeland. Een Engeland dat wordt geregeerd door een koning die jouw vader heeft verraden. Er zijn overal spionnen. Vanmorgen heb ik gehoord dat de regent heeft geweigerd de troonpretendent te ontmoeten. Die is op het ogenblik ook in Parijs.'

'Wanneer wil hij mij zien? Misschien is hij ziek of heeft hij geld nodig. Hij heeft altijd geld nodig, net als moeder.' Ze stond op. 'Kunnen we nu meteen gaan?'

'Barbara.' Roger haalde diep adem. 'Je gaat helemaal niet. Het is veel te gevaarlijk. Het schijnt dat er een komplot is om de troonpretendent te vermoorden. Misschien hebben ze het ook op zijn aanhangers gemunt. We moeten heel voorzichtig zijn.'

Ze keek naar de papieren op haar bureautje, naar de brief voor haar grootmoeder die ze had geschreven. 'Ik wil hem zien.' Ze keek Roger aan en stak haar kin omhoog. 'Ik wil naar hem toe. Hij is mijn vader.'

Ze bleven elkaar aankijken.

'Het is toch geen verraad als een dochter haar vader helpt. Zeg maar waar hij is, dan ga ik wel alleen naar hem toe. Jij hoeft er niet bij betrokken te raken.'

'Verdomme, Barbara, dacht je dat dit een spelletje was? Het kan me mijn hoofd kosten als ik je vader help. Vraag het aan die Schotse edellieden van wie de hoofden nu aan de poort van de Tower hangen. Zij zijn dood, en de man voor wie ze zijn gestorven is hier in Parijs en is nog in leven.'

'Hij is mijn vader en misschien heeft hij me nodig.'

'Jou nodig hebben? Hij noemt je naam niet eens in zijn briefje.'

Ze nam zijn hand. Haar gezicht stond vastberaden. Ouder dan hij het ooit had gezien.

'Hij is mijn vader, Roger, en ik moet hem spreken en hem helpen, al zou het alleen maar zijn om hem geld te geven van mijn toelage. Ik heb niet alles uitgegeven. Het is niet jouw verantwoording, maar de mijne.'

'Ben je altijd zo loyaal?' De vraag was sarcastisch.

'Tegenover mensen van wie ik houd wel.' Het antwoord was niet sarcastisch.

Hij haalde diep adem en sloot zijn ogen. Ze kon zijn innerlijke strijd zien. Eindelijk opende hij zijn ogen weer en nam haar beide handen in de zijne. 'Luister, we moeten heel voorzichtig zijn. Ik zal zelf moeten gaan. Nee Barbara, luister! Hij is in een buurt van Parijs waar jij niet heen kunt, zelfs niet met mij.'

'Ik wil hem zien.'

'Als het enigszins mogelijk is breng ik hem hier. Misschien maar voor een uurtje. Begrijp je? Je mag niet meer vragen dan ik kan regelen. Het is te gevaarlijk, en ik ga niet terwille van hem mijn – of jouw – hoofd wagen.'

'Hij zal geld nodig hebben.'

'Dat zal ik hem geven. Justin zal op de hoogte zijn van wat er gebeurt. Doe wat hij zegt. Niet meer en niet minder. Je vraagt me wel heel veel, Barbara.'

Hij trok haar naar zich toe en streelde haar haar. De woorden in Harry's brief spookten door zijn hoofd. Wat had hij zich op de hals gehaald door zich met de Alderley's te verbinden? Zijn leven was altijd rustig en veilig geweest. Ik lijk wel krankzinnig, dacht hij.

En nu deed de oorzaak van zijn gemoedsonrust een poging een spelletje schaak te spelen, of er niets aan de hand was, maar ze had haar hoofd er niet bij; alles was geregeld. Roger zou haar vader binnenkort langs de achtertrap naar zijn vertrekken brengen. Dan zou Justin haar komen halen, voorwendend dat zijn meester haar wilde spreken. Ze wist niet hoeveel tijd ze zou hebben met haar vader, maar ze had met Justin afgesproken dat ze een maaltijd voor hem zouden klaarzetten. Justin had nu al een fles wijn uit de kelders gehaald en brood uit de keukens. Hij had overal voor gezorgd en ze had hem wel kunnen omhelzen, net zoals ze haar vader wilde doen. Op Tamworth waren geen schilderijen van haar vader; ze moest in haar geheugen zoeken maar zijn beeld was vervaagd. Ze was bang. 'Je vader is zo ontzettend stom,' zo was haar grootmoeder verleden zomer tekeergegaan, toen sir John Ashford het nieuws van zijn vlucht had verteld. Haar grootmoeder had haar woede zelfs gekoeld op een porseleinen vaas die haar grootvader uit Rijssel had meegebracht. Barbara kende haar vader amper; hij was nog minder vaak op Tamworth geweest dan haar moeder. Maar wanneer hij kwam, was hij altijd vriendelijk. Ze hield van hem. Als hij ziek was, zou ze hem verplegen. Misschien kon ze een goed woordje voor hem doen bij de koning.

Een van de houtblokken in het vuur knapte. De jonge hondjes die bij Thérèse lagen, geeuwden en veranderden van houding. Hyacinthe verzette zijn raadsheer. Hij en Barbara leerden tegelijk schaken. Hij giechelde om haar gezichtsuitdrukking.

'Ik dacht aan iets anders,' zei ze. 'Daardoor heb ik die zet over het hoofd gezien.'

Thérèse glimlachte. Soms klonk madame alsof ze net zo oud was als Hyacinthe. De deur ging open. Lord Devane stond in de opening met zijn hoed in zijn hand en zijn mantel nog aan. Hij zag er moe uit, en zo oud dat Thérèse voor het eerst besefte hoe groot het leeftijdsverschil tussen hem en Barbara wel was. Barbara stond op en stootte het hele schaakbord om. Wat deed Roger hier? Zo hadden zij en Justin het niet geregeld.

'Ik wil lady Devane graag alleen spreken,' zei Roger. Thérèse pakte haar verstelwerk en ging met Hyacinthe naar de aangrenzende kamer. Barbara kreeg een zwaar gevoel in haar maag. Hij kwam niet.

'Harry! Charlotte!' riep Barbara de hondjes terug, die achter Hyacinthe aan liepen. Ze ging op de grond zitten, knuffelde ze en ging met haar hand over hun kleine warme lijfjes. Ze likten haar handen en sloegen met hun pootjes naar haar.

'Ze bederven je japon,' zei Roger. Iets in zijn stem deed haar hart ineenkrimpen. Ze keek naar hem op.

'Vertel maar,' zei ze op effen toon. Ze wist al wat hij ging zeggen.

Hij keek een andere kant uit. Jezus Christus, hoe kon hij haar vertellen over wat hij vanavond had gezien? De straten waren zo donker geweest, zo smal dat hij bijna was teruggekeerd. De koetsier die transpireerde, ondanks de kou en met één hand op zijn pistool. Het lopen door de hobbelige steeg met overal ratten die voor zijn voeten langsschoten en wroetten in het vuil dat in het open riool dreef. De stank van drek, rotting, vuil en armoede. De taveerne was een gat in de muur, vol haveloze mannen die hem bespiedden toen hij binnenkwam en rondkeek, met zijn hand op zijn zwaard, in de verwachting dat hij ieder ogenblik van achter zou worden aangevallen, beroofd en gedood. Hij had Kit niet eens herkend, zo oud was hij, ongeschoren en dronken, tot hij overeind kwam en zijn naam riep. Kit zat daar met twee hoeren, smerige vrouwen met vette haren. Roger kreeg er kippevel van. Wijn voor iedereen, riep Kit. Aardig van je dat je komt, had hij gezegd. Jammer dat Schotland een strop was geworden want de tijd was er wel rijp voor. Engeland had van ons kunnen zijn. Hij gaf Bolingbroke de schuld en had gedronken op de troonpretendent. De wijn brandde in Rogers keel. Zwijgend gaf hij Kit de brief die Barbara had geschreven. Kit stak hem in zijn zak zonder er zelfs maar naar te kijken en vroeg naar nieuws over Harry. Roger vertelde wat hij wist. Barbara wil je graag zien, zei hij. Ja, antwoordde Kit. Ik wil haar ook spoedig zien, maar niet vanavond. Af en toe zag hij iets van Barbara terug in het opgezette gezicht, in het optrekken van de wenkbrauwen. Het was grotesk.

Blijf je lang in Parijs? had Roger gevraagd. Kit lachte. Ze gingen naar Lotharingen. Van daaruit zouden ze weer een invasie voorbereiden. Kom nu met me mee, zei Roger, Barbara wil je zien. Ze zit te wachten. Kit schudde zijn hoofd. Een andere keer. Vertel eens over Diana, vroeg hij. Is het waar dat ze echtscheiding heeft aangevraagd? Roger knikte. Je zou mijn vrouw moeten zien, zei Kit tegen een van de dronken, slonzige vrouwen naast hem. Ze is een nog grotere hoer dan jullie ooit kunnen zijn. Roger voelde de zak met geld in zijn mantel branden. Hij durfde het niet te wagen hem hier aan Kit te geven; iemand zou hen er beiden om kunnen vermoorden. Hij stond op. Waar ga je heen? had Kit gevraagd met een vage blik in zijn ogen. Roger kon alleen maar denken hoe hij het geld aan Kit moest overdragen. Blijf toch, mompelde Kit. Blijf nog even. Een man als jij kunnen we gebruiken, Roger. Blijf. Roger stond op, het geld nog steeds in zijn jaszak.

Buiten in de donkere straat leunde Roger tegen een muur en braakte alle zure wijn uit die hij had gedronken. Maar wat hij niet kon uitbraken was de smaak van mislukking, nutteloosheid en verspilling die hij van Kit had overgehouden. De herinneringen. Hij en Kit in Londen, samen achter dezelfde vrouw aan. Hij en Kit in de moerassige velden van de Nederlanden, hopend dat er geen kanonskogel door de lucht zou komen gieren om een van hen het hoofd af te slaan. Kit... jonger dan hij, geboren met zoveel meer mogelijkheden dan Roger ooit van zijn familie zou kunnen krijgen. Kits neven waren baronnen en graven terwijl Rogers vader een eenvoudige landjonker was. Kit had alles. Een knap gezicht, een oude naam, goede familie en een mooie vrouw die een nog machtiger familie achter zich had staan.

Er was een tijd geweest, lang geleden, dat Roger zich had verbeeld verliefd te zijn op Diana. Maar ze was getrouwd met Kit, god zij dank. Hij had Diana echter verspeeld met alles wat ze had ingebracht in hun huwelijk, omdat hij werd aangetrokken door dezelfde dingen als Roger: wijn, vrouwen en gokken. Waarom was Kit steeds dieper in het moeras weggezakt terwijl hij, die met zoveel minder was begonnen, succes had gehad?

Voor hem uit zag hij een lantaarn branden. Het leek wel een baken, een symbool van hoop na wanhoop, van licht na duisternis. Hij hoorde voetstappen, stiekeme, voorzichtige voetstappen. Met zijn hand aan zijn zwaard draaide hij zich plotseling om. De voetstappen hielden op. De rest van de weg liep hij met zijn rug naar de muren van de gebouwen en hij bleef luisteren. De voetstappen volgden hem. Ze wisten dat hij geld had. Voor hen stelde een menselijk leven niets voor. Toen hij bij zijn koetsier kwam die de lantaarn omhooghield, met een pistool in zijn andere hand, had hij het gevoel dat hij honderd kilometer had hardgelopen. Maar nu moest hij eerst Kits dochter spreken en haar vertellen dat haar vader geen belangstelling voor haar had. Hij moest het haar nu zeggen.

'Vertel het me maar,' zei Barbara nog eens.

'Hij... was niet in een toestand om hier te komen, Bab. Het spijt me. Ik heb gedaan wat ik kon. Ik heb hem je brief gegeven.' Misschien zou ze niet verder vragen. Maar dat deden vrouwen nou juist wèl.

Ze zat op de grond en aaide de jonge hondjes, met haar gezicht omlaag zodat hij haar uitdrukking niet kon zien.

'Heeft hij de brief gelezen?'

'Nee.'

'Heeft hij naar mij gevraagd?'

'Bab, hij was dronken en...'

'Ik begrijp het.' Ze stond op.

Roger voelde dat hij haar eigenlijk in zijn armen zou moeten nemen, maar hij was moe. Hij had geen zin om een hysterisch kind op te vangen.

'Kijk niet zo, Roger,' zei ze. 'Ik zal niet weer op je jas huilen. Ik heb hem amper gezien in al die jaren dat ik opgroeide. Een enkele keer verscheen hij in ons leven en deed ons allerlei beloften, en dan vertrok hij weer. Hij vertrok altijd. Jij was nog meer vader dan hij ooit is geweest. Maak je geen zorgen over mij. Heb je hem het geld nog gegeven?' Ze had haar gezicht afgewend, zodat hij het niet kon zien. Hij begon een verklaring, maar zij onderbrak hem.

'Wil je er wel voor zorgen dat hij het krijgt?' vroeg ze. 'Hij zal het nodig hebben. Ga nu maar naar bed, je bent uitgeput.' Ze omarmde hem en drukte hem tegen zich aan. Toen deed ze een stap achteruit. 'Dank je wel. Ik had het je niet mogen vragen, maar dank je wel, Roger.'

Dit was wel allerminst de reactie die hij had verwacht. Ze klonk zo kalm, zo zelfverzekerd. Nu moest hij nog vechten met zijn eigen tranen. Tranen die hij niet wilde vergieten, tranen voor wat het leven mensen kon aandoen, voor het feit dat de afgrond zo nabij was.

Zodra hij de kamer uit was, liep ze langzaam naar het bed. Ze hield zich vast aan een van de bedstijlen.

'Ik haat hem,' zei ze.

Ze nam een van de zachte ganzedonzen kussens in haar armen. Hij was niet gekomen.

'Ik haat hem,' riep ze heftig. Toen gooide ze het kussen tegen het bed, met het beeld van haar vader voor ogen... wat ze zich van hem herinnerde. Weer sloeg ze met het kussen tegen de bedstijl en nog eens en nog eens, en telkens zei ze met de tanden op elkaar: 'Ik haat hem!'

Het kussen scheurde in een regen van donzen veertjes. Ze wierp het op de grond en bleef erop stampen. De jonge hondjes kropen onder het bed.

'Ik haat hem!'

Thérèse kwam de kamer inhollen. Als sneeuw vielen de veertjes door de hele kamer heen, rondom Barbara en op haarzelf.

Woedend keek Barbara naar Thérèse, met gespannen kaak en gebalde vuisten, met veren in haar haar en over haar japon.

'Ik haat hem,' zei ze. Toen ontspande haar gezicht. 'Ik wil niet huilen. Hij is het niet waard dat ik huil.'

Ze duwde haar vuisten tegen haar ogen en liet zich op de grond zakken.

Thérèse knielde bij haar neer en legde haar arm om haar schouders.

'De kinderen?' vroeg ze. 'Uw broertjes...'

'Nee. Nee,' zei Barbara. Ze deed haar ogen stijf dicht. Ze wilde niet huilen. Zij die zorgen over hem had gehad met haar plannetjes voor een maaltijd. Ze had willen vragen: Heb je gehoord van Tom, Kit en Baby, ze zijn ziek. Ik heb speelgoed gestuurd. Alsof het hem iets kon schelen. Ze wiegde heen en weer terwijl de tranen over haar wangen stroomden.

Thérèse wiegde met haar mee. Van wie hield madame zoveel? Alleen als je heel veel van iemand houdt zit je zo diep in de ellende. En waarom was lord Devane niet gebleven om zijn jonge vrouw te troosten? Was hij bang voor tranen? Een traan was een druppel uit het hart, uit de ziel. De jonge madame had iets verloren waar ze op gesteld was; iemand van wie ze hield had haar verdriet gedaan. Zij wist wat het was om verdiet te hebben, je teleurgesteld te voelen in de mensen van wie je houdt.

Huil maar, madame, huil maar. De Heilige Moeder wist dat ook zij heel wat had afgehuild. En over een paar dagen zou ze het baby'tje verliezen dat als een kiem in haar groeide. Dit kindje kon ze niet, mocht ze niet hebben. Met Barbara in haar armen begon ze om zichzelf te huilen, om het kleine verloren wezentje, om het leven dat ons allemaal, elke man en elke vrouw, verdriet brengt.

Thérèse betaalde de koetsier van het gehuurde rijtuig. Hij had een verweerd gezicht waar een mottige bontmuts bovenop prijkte tegen de felle kou.

'Weet u zeker, juffrouw, dat ik u hier moet afzetten? Het is een slechte buurt. Ik wil wel wachten.'

De straten waren hier donker en smal. Het was veel te koud om buiten te zijn, maar hier en daar lag een menselijke gedaante, ineengedoken tegen een huis, als een vergeten voddebaal.

Thérèse schudde van nee en de koetsier klakte met zijn tong om de paarden aan te zetten. Ze bleef even staan kijken en huiverde. Over een uur zou het donker zijn. Ze ging op weg door de modder en het vuilnis dat op de straatkeien lag en ze voelde hoe de ogen in die menselijke voddebalen haar volgden. Voor zich uit zag ze het uithangbord van de taveerne van het Rode Everzwijn, maar ze had nog niet genoeg moed verzameld en ze ging eerst naar de overkant van de straat om ernaar te kijken. Vanmorgen was ze voor dag en dauw naar de kerk gegaan op de hoek van hun straat. Daar had ze geknield en de Heilige Moeder gebeden om moed en vergiffenis.

Boven haar hoofd ging er een raam open, en een po vol urine en faeces werd pal voor haar op straat leeggegooid. Ze sprong achteruit maar haar rok was toch geraakt. Ze kokhalsde en hield een gehandschoende hand voor haar mond. Nu was het helemaal pikdonker. Half struikelend stak ze de straat over en duwde de deur open. De enige die ze zag bij het zwakke licht van het haardvuur was de eigenaar van de taveerne. Hij keek op.

'Ik kom voor moeder Marie,' zei ze, met haar hand tegen haar keel.

Hij snoof verachtelijk en wees met zijn hoofd naar een trap aan haar rechterhand. 'Derde etage. En hou je schreeuwen een beetje in. Dat is niet goed voor de klandizie.'

Ze zou gelachen hebben als ze niet zo misselijk was. Ze moest zich aan beide muren vasthouden om niet te vallen. Op de derde etage leunde ze met haar hoofd tegen de deurpost terwijl ze klopte.

Er werd onmiddellijk opengedaan. De warmte sloeg haar tegemoet.

'Kom binnen, schatje.'

Ze deed wat haar werd gevraagd. De kleine kamer stond propvol meubels: een hemelbed met gordijnen, twee leunstoelen, vier tafels en een kleerkast. Op de vloer lag een kleed en op een van de tafels stond een kanarie in een kooi. De overige tafels lagen vol boeken en paperassen en er stonden vuile kopjes en kleine porseleinen hondjes. Thérèse stak haar handen uit naar het vuur en keek moeder Marie aan. Ze was een dikke vrouw van wie de leeftijd moeilijk te raden was en ze droeg een ontelbaar aantal sjaals. Op haar hoofd zat een tulband die eens wit was geweest en die nu roodbruin gevlekt was. Haar gezicht eronder was rond als een meloen.

'Heb je het geld?' vroeg ze Thérèse.

Thérèse haalde een buideltje munten uit de zak van haar mantel. Het was een kwart van wat ze had opgespaard om haar droom te verwezenlijken. De vrouw hield haar hand op en Thérèse legde al haar geld erin. Ze telde de munten — het vuil zat onder haar nagels gekorst — knikte dat ze tevreden was en zei: 'Je tong verloren, schatje?'

'Ik ben misselijk.'

De vrouw liep onmiddellijk naar de kast en schonk een glas brandewijn in. Ze gaf het aan Thérèse, maar die schudde haar hoofd.

'Drink het op, schatje,' zei de vrouw. 'Het helpt tegen misselijkheid. Zo, ben je nu klaar?'

Ondanks het loeiende haardvuur en de sterke drank voelde Thérèse zich door en door ijskoud. Ze knikte.

'Drink nog maar een glas brandewijn, schatje, om moeder Marie een plezier te doen. Ga nu maar op die stoel zitten.'

De stoel was overdekt met roodbruine vlekken.

'Rok omhoog,' zei moeder Marie, 'en nu je voeten op dat bankje. Nee, knieën omhoog en wijd. Kom schatje, het is nu geen tijd om preuts te doen. Moeder Marie heeft dit al duizend maal gezien. Schuif een eindje naar voren. Goed zo, schatje, goed zo. Het is zo gebeurd.'

Ze rommelde in een tas naast de stoel. 'Daar heb ik hem.'

Ze draaide zich om en glimlachte, en hield een lange puntige breinaald omhoog.

Thérèses mond werd droog. Ze sloot haar ogen en greep de armleuningen van haar stoel vast. Heilige Maria, Moeder van God, fluisterde ze, help me.

Barbara las de brief nog eens over die ze aan haar grootmoeder had zitten schrijven toen Roger haar drie dagen geleden had onderbroken met zijn nieuws over haar vader.

'Lieve grootmama,' las ze bij het licht van haar kaars. 'Ik ben zo gelukkig.' Ze glimlachte om het meisje dat die woorden had geschreven. Nou ja, het was ook zo. Ze zou haar vader geen kans geven om kapot te maken wat zij met Roger ging opbouwen. Toen ze nog klein was, had haar vader haar in zijn armen gehouden en gezegd dat hij haar zou komen halen en dat ze altijd bij elkaar zouden blijven. En ze had hem geloofd. Maar hij kwam zijn beloften nooit na. Ten slotte vertrouwde ze hem niet meer. Ze hield van hem, maar ze haatte hem ook. Ze had hem nu niet meer nodig.

Ze hief het hoofd op omdat ze meende iets te horen, een soort gekreun. Ze luisterde maar er was niets. Ze boog zich weer over de brief.

'Het is hier nu carnaval,' las ze, 'en Roger en ik hebben het druk met bals en ontvangsten.' Ze schreef niet dat ze vanavond thuis wilde blijven en dat Roger zonder haar was uitgegaan. De ontmoeting met haar vader had haar zo geschokt. Ze schreef ook niet aan haar grootmoeder dat er overal dronkenschap en liederlijkheid was in de carnavalstijd en dat het onveilig was voor een vrouw om zich alleen in een donkere nis in het operagebouw te begeven.

'Er wordt hier veel gepraat over de hertog van Orléans. Hij heeft een blauw oog en hij beweert dat hij zichzelf heeft geraakt met een tennisracket, maar anderen zeggen dat madame la Rochefoucauld hem in zijn oog heeft gestoken omdat hij zich vrijpostig had gedragen. En de hertog de Richelieu moet naar de gevangenis omdat hij heeft geduelleerd. Ik rijd nu op zijn paard, een prachtige zwarte merrie, een heel levendig beest. U zou haar ook mooi vinden.' Ze had niet aan haar grootmoeder geschreven dat ze het paard door een weddenschap had gewonnen, dat Richelieu kwaad was geweest, maar dat hij geen geld voor het paard wilde aannemen. Ze zou Richelieu in de gevangenis opzoeken. Ze had hem een kans beloofd om zijn paard terug te winnen met kaartspelen. Hij sprak over zijn aanstaande verblijf in de Bastille alsof hij op reis zou gaan. Niemand vatte zijn gevangenschap ernstig op, hijzelf al helemaal niet.

Ik heb het nog steeds erg druk. Ik heb les in Italiaans en tekenen. En binnenkort wordt er een portret van mij geschilderd. Ik heb een nieuwe kamenier. Ze is heel modern en ze maakt dat ik er heel stijlvol uitzie. Ik heb ook een kleine page en twee hondjes, die ik Harry en Charlotte heb genoemd. Ik heb speelgoed, jurken, hemden en boeken voor iedereen opgestuurd. Ik vind het erg naar dat de jongens ziek zijn. Elke avond bid ik voor hen. Kus Baby van me. Ik heb een brief van Harry gehad: hij is nog steeds in Italië. Roger zegt dat we deze zomer naar Hannover en naar Italië gaan. We geven een pannekoekenontvangst op vastenavond en twee ontvangsten de volgende week. U zou trots zijn als u zag hoe ik mijn huishouding doe. U en mijn broers en zusjes zijn dikwijls in mijn gedachten, lieve grootmama. Ik zend u heel veel liefs.

Uw kleindochter Barbara, gravin Devane

Die twee laatste woorden had ze extra zwierig geschreven. Het gaf zo'n voldoening om zich zo te kunnen noemen. Ze vouwde de brief op om hem te verzegelen, toen ze het geluid weer hoorde. Ze stond op. Het was een gekreun. Iemand had pijn.

Hyacinthe kwam haar kamer binnenrennen, zijn ogen wijd van schrik. 'Thérèse,' zei hij, struikelend over zijn woorden. 'Ik hoor haar huilen. Ik ga naar haar deur en ik klop, en ze zegt dat ik weg moet gaan. Ze zegt het met een heel boze stem, madame. Maar ik hoor haar weer huilen. Ik denk dat ze pijn heeft, madame.'

Barbara ging naar Thérèses deur en klopte zachtjes.

'Thérèse,' riep ze. 'Ik ben het, madame. Is alles goed?'

Ze deed de deur open en stak haar hoofd naar binnen. Thérèse lag op haar smalle bed met de dekens hoog opgetrokken. Barbara ging naar binnen in de halfdonkere kamer, waar maar één kaars op het tafeltje een zwak licht verspreidde.

'Hyacinthe zegt dat hij je heeft horen huilen. Ik heb ook iets gehoord. Ben je ziek? Zal ik een dokter roepen?'

Thérèse lag te transpireren. 'O, nee, madame. Het is mijn vloed. Vandaag is het de eerste dag en de kramp is erger dan anders. Ik wilde niet dat Hyacinthe me zou horen. Hij is te klein om het te begrijpen. Ik ben zo weer in orde, mevrouw, echt waar.' Ze glimlachte zwakjes en Barbara sloot de deur.

Thérèse had in haar lakens liggen knijpen, maar nu ontspande ze zich weer. Dank u, Heilige Moeder, dacht ze. De pijn was heel erg geweest. Veel erger dan menstruatiepijn. En er was zoveel bloed geweest. Onder haar bed lag nu een laken, in elkaar gepropt... Het bloed erin was een beetje geklonterd, maar ze zou het begraven en erbij bidden. En ze zou een kaars aansteken voor zijn kleine zieltje. Dat zieltje was niet verdoemd, zoals die van haar nu voor eeuwig zou zijn. Maar nu moest ze rusten. Rusten en wijn en bouillon drinken de komende dagen, had moeder Marie gezegd – Thérèse rilde bij de gedachte aan dat mens. Ze had haar pijn gedaan, vreselijke pijn. Ze deed haar ogen dicht en bad haar rozenkrans.

In haar blauwdamasten kamer drukte Barbara haar zegel in de hete was. Hyacinthe lag al te slapen in zijn kleine bedje. Ze was moe. Zou ze op Roger wachen of vast naar bed gaan? Het zou nog uren duren eer hij kwam en waarschijnlijk zou hij dronken zijn. Richelieu, St.-Michel en Marie-Victorie zouden komen dineren, de eerste keer dat haar eigen vrienden met haar en Roger aan tafel zouden zitten. Ze kon de architectuurboeken die White had gebracht wel bestuderen. Ze was begonnen enkele schetsen te kopiëren. White zei dat haar schetsen goed waren, maar zoiets zou hij allicht zeggen. Ze had ze nog niet aan Roger laten zien uit angst voor zijn reactie. Ze tikte met haar hand op de brief. Nee, ze had niet alles aan haar grootmoeder geschreven.

Bijvoorbeeld dat er nog geen baby in haar groeide. Gisteren was haar vloed begonnen, alsof haar woede tegen haar vader haar lichaam in de war had gebracht en het bloeden aan de gang had gemaakt. Maar toch was het leven goed. Heel, heel goed.

13

Jane Ashford stond een ogenblik stil om twee van haar zusjes de kans te geven takjes rozemarijn met kanten lintjes in haar haar te vlechten. Het was haar trouwdag.

De afgelopen nacht had ze een vreemde droom gehad. Ze zat in een weiland samen met andere meisjes kransen te vlechten van wilde bloemen: sleutelbloemen, madeliefjes, meidoorn en wilde hyacinten. In de verte zag ze een meiboom met linten en bloemslingers. Bijen en vlinders vlogen om haar heen, alsof ze dronken waren van de heerlijke meimaand. Overal waren meidoorns, witte, zachtroze en rode. Ze verspreidden een heerlijke geur. Haar wangen waren vochtig van de dauw, want het was de gewoonte dat meisjes op de eerste mei bij dageraad opstonden en hun wangen met de dauw van de meidoorn wasten. Om de meiboom waren jongens en meisjes aan het dansen. Een van hen was Harry. Hij lachte en wuifde naar haar, en ze stond op en nam haar bloemenkrans mee. Maar toen ze bij de meiboom kwam, waar de violen speelden en alle mensen vrolijk waren, kon ze hem niet vinden. Iemand greep haar en ze werd meegesleurd in de dans. Het was een grote kring en ze zei dat ze Harry zocht. Af en toe ving ze een glimp van hem op en altijd lachte hij naar haar, maar ze kon hem nooit bereiken. Toen ze wakker werd, had ze het vreemde, gedesoriënteerde gevoel dat ze nog steeds naar Harry zocht. Ze lag in het donker onder de dekens, ingeklemd tussen haar twee zusjes, en zag hoe de dageraad door de latjes van het raam naar binnen filterde. Vandaag zou ze met Gussy trouwen.

Het huwelijk had zullen plaatsvinden in de kerk van Tamworth en de receptie later bij haar thuis op Ladybeth Farm, maar in het dorp heersten de pokken en haar ouders vonden dat het veiliger was om naar Londen te reizen, ook al was het winter, om daar de bruiloft te vieren. De pokken waren iets angstaanjagends, net een slang die zich in het gras verbergt; niemand wist wanneer hij zou toeslaan. Haar vader zei dat hij dacht dat de kleinkinderen van de hertogin van Tamworth het misschien ook hadden. Daarom hadden de Ashfords hun rijtuig ingeladen en waren naar Londen getrokken. Het gevolg was dat de bruiloft kleiner zou zijn. Tante Maud kon niet iedereen te logeren hebben, zoals zij het op hun eigen boerderij zouden hebben gedaan, met neven en ooms en tantes op de verschillende zolders en gangen, als ware het een wintervoorraad. Nu zou alleen haar naaste familie erbij zijn en Gussy's vrienden en familie. Zij en Gussy zouden hun huwelijksnacht doorbrengen in tante Mauds huis en de afgelopen twee dagen hadden ze met z'n allen geholpen om de provisiekamer leeg te halen, zodat ze daar het grote bed konden neerzetten dat ze als huwelijkscadeau van Gussy's ouders kregen. Het bed vulde de hele kamer. Ze zouden er bij de deur in moeten kruipen.

Zij en Gussy zouden zelfs voorlopig bij tante Maud blijven wonen, tot hij geschikte woonruimte had gevonden. Gussy woonde in Oxford, waar hij wetenschappelijk medewerker was, en daar zou hij blijven wonen terwijl Jane bij haar tante bleef. Haar moeder en de jongere broertjes en zusjes zouden ook in Londen blijven, waar ze in tante Mauds kostbare salon zouden logeren terwijl haar vader, die in zijn jeugd al de pokken had gehad, terugging naar de boerderij. Hij zou schrijven als het weer veilig was om terug te keren.

'Wat heerlijk dat je er bent, Nell,' had tante Maud tegen haar moeder gezegd. 'We gaan alle dagen winkelen en jurken en handschoenen kopen, dan zie je er tenminste behoorlijk uit als je weer teruggaat.'

Haar vader had bedenkelijk gekeken, maar haar moeder had gelachen. Jane was blij dat haar moeder bij haar was, ofschoon ze de avond tevoren een verward verhaal had gehouden over echtelijke plichten tegenover Gussy en hoe ze zich moest onderwerpen. Jane begreep niet waar ze het over had. Ze wist dat ze haar plicht moest doen tegenover Gussy, en daar was ze toe bereid. De herinnering aan Harry moest ze maar wegbergen als een oude brief, in een doos vol kostbare herinneringen. Gussy was het echte leven. Maar ze was Harry niet helemaal vergeten. Het openen van al die huwelijkscadeaus was een heerlijke afleiding geweest. En het passen van de trouwjapon had ook geholpen.

Haar zusjes gaven haar het bruidsboeket in handen: vergulde rozemarijn, gember en korenaren, bij elkaar gebonden met zilveren linten. Het was bijna tijd om naar de kerk te gaan. Ze kon tante Maud in de andere kamer horen roepen om een lint dat ze kwijt was. Jane voelde zich kalm; ze was rustiger dan haar moeder en tante die zich druk maakten als een vogel over een ei dat uit het nest is gevallen. Ze bleef kalm toen ze met haar vader door de kerk liep naar Gussy, lang en slank in zijn nieuwe kostuum. Ze was kalmer dan Gussy die mompelde bij het antwoorden en die haar ring bijna liet vallen. De inscriptie in de ring luidde 'Twee alleen door God verenigd'. Ze was kalm toen ze haar geloften uitsprak, ook al hoorde ze haar moeder en tante huilen, vooral haar tante.

'Die God verenigd heeft, laat geen mens hen scheiden,' reciteerde de dominee, en ze huiverde. Het was gebeurd. Ze keek op naar Gussy. Hij glimlachte naar haar, en het enige wat ze dacht was hoe vies zijn tanden eruitzagen. Eigenlijk moest hij niet glimlachen.

Toen ze de kerk uitkwamen regende het, en als ratten renden ze allemaal naar haar tantes huis. Haar broers droegen haar over de drempel en de gasten wierpen tarwe als symbool van vruchtbaarheid over haar heen, en Gussy's moeder gaf haar een kus en noemde haar 'dochter'. Tante Maud had een tafel op schragen neergezet in haar zitkamer, waar een overvloed aan voedsel stond. Tante had ook nog een vioolspeler gehuurd, maar iedereen vroeg zich af waar ze straks zouden moeten dansen.

Jane zat op een stoel de hulde van haar gasten in ontvangst te nemen. Haar broers en Gussy brachten haar het ene bord met lekkere hapjes na het andere maar ze at niet veel. Haar zusjes speelden met de tarwe die over haar heen was gestrooid en na zes bekers punch vroeg haar vader tante Maud ten dans. Het was een merkwaardige aanblik: tante Maud, net zo lang als haar vader, met haar uitstekende ellebogen, zoals ze daar door de kamer huppelden terwijl de gasten tegen de muur stonden. Plotseling verscheen de jonge hertog van Tamworth ook nog. Hij had een uitnodiging gekregen, een zet van haar tante om een predikantenplaats voor Gussy te krijgen, maar niemand had verwacht dat hij zou komen.

Hij kwam de zitkamer binnen, groot, dik en verlegen. Hij boog zich over Janes hand en mompelde iets onverstaanbaars, maar haar tante Maud pakte zijn arm en stelde hem aan iedereen in de kamer voor, alsof hij de koning van Engeland was. Haar vader bracht hem een beker punch, en na de tweede beker danste de jonge hertog met Jane en toen met haar moeder.

'Omwille van Barbara gekomen,' vertelde hij toen hij haar door de kamer leidde. 'Schreef dat ik moest komen als ik gelegenheid had. Stuurde beste wensen. Brief komt spoedig. Wat Gussy betreft... zal zien wat ik kan doen. Beste man, Gussy. Lekkere punch is dat. Ik wil nog wel een beker.'

Nu was het avond. De kamers in het Londense huis waren propvol mensen. Gussy's moeder, een lange, rustige vrouw, danste met Janes vader die een van tante Mauds mutsen had opgezet. De kanten linten slingerden om zijn pruik. Oom Edgemont praatte met de jonge hertog alsof er geen volgende dag bestond; ze vergeleken punchrecepten. Tijd om de kousebanden van de bruid los te maken, kondigde haar tante aan met schallende stem. Er ging een gejuich op. Jane ging op haar stoel staan en haar moeder maakte vlug de kousebanden los zodat ze nu op haar knieën hingen. (Jongemannen die wat te veel punch hadden gedronken grepen soms iets te hoog langs de benen van de bruid om de knoop van de kouseband te zoeken. En soms deden ze er te lang over, waardoor dronken en jaloerse bruidegoms kwaad konden worden.) Een bruiloft was geen plek voor een duel, dacht Jane. Ze kon zich niet voorstellen dat Gussy ooit een duel zou aangaan. Hij was te rustig, te lief. Duels waren voor opvliegende, vurige jongemannen... zoals Harry. Ze zette Harry uit haar gedachten.

Nu was ze getrouwd met Gussy. Ze had beloofd hem lief te hebben, te eren en te gehoorzamen, en dat was ze van plan ook. Het was tijd dat ze werd weggeleid en naar bed werd gebracht. De mannen namen Gussy al mee naar een andere kamer waar ook hij uitgekleed zou worden en in een nachthemd naar bed zou worden gebracht.

Ze stond in het halletje tussen de keuken en de provisiekamer. Haar tante, haar moeder en haar zusjes, al de aanwezige vrouwen stonden te praten en te lachen. Haar zusjes maakten haar japon los en zorgden ervoor dat ze alle spelden vonden en weggooiden. Het bracht geen geluk als er ook maar één speld in haar japon of onderrokken bleef zitten, ofschoon Jane daar niet in geloofde. Ze huiverde toen ze de nachtpon over haar hoofd trokken. Ze ging door de deuropening en kroop over het bed. Haar moeder en haar tante stonden bij de deur te huilen. Plotseling klonk een kreet.

'Daar is de bruidegom!'

Een beetje onhandig stond Gussy in de deuropening. Ze giechelde om zijn nachtmuts. Hij klom over het bed heen en nu zaten ze naast elkaar, de dekens tot aan hun kin opgetrokken en keken naar de gasten en familieleden die allemaal voor de deur dromden. Een van Gussy's vrienden zat op de rand van het bed en gooide van de deur af een huwelijkssok van Gussy achter zijn rug. De sok kwam bij Jane terecht maar niet op haar, wat betekende dat hij niet spoedig zou trouwen. Janes zusje deed hetzelfde, maar Janes trouwkous belandde op Gussy's nachtmuts. Iedereen lachte hartelijk en al gauw wisten alle gasten, ook zij die het niet hadden kunnen zien, dat Janes zusje spoedig zou trouwen.

'De kandeel! De kandeel!' riep haar tante.

De mensen in de deuropening gingen opzij en daar kwam oom Edgemont met een grote kom waaruit de damp omhoog steeg. Het was de huwelijkskandeel, gemaakt van melk, wijn, eierdooiers, suiker en kaneel. Zij en Gussy moesten het samen opdrinken.

'Het zal je moeten sterken, Gussy!' riep er een.

'Til zijn nachthemd eens op,' riep een vrouw, 'en laat ons eens zien of Jane iets te vrezen heeft!'

Iedereen lachte. Gussy concentreerde zich op het drinken van de kandeel.

'Ik heb hem geholpen met uitkleden,' zei Gussy's vriend. 'Jane moest maar vast gaan bidden!'

Weer een gelach.

Ze dronken de kandeelkom leeg. Nog even gingen de grapjes en het gelach door, maar toen werd het jonge paar alleen gelaten. Het was donker in de provisiekamer; er kwam alleen een beetje licht van het keukenvuur, dat als een vage gloed zichtbaar was door de kieren van de deur.

'Jane,' zei Gussy aarzelend.

'Ja?'

Hij zocht haar hand en gaf haar een kneepje. 'Ik wil een goede echtgenoot zijn.'

'En ik een goeie vrouw.'

Maar ze was er niet op voorbereid hoe het zou voelen als hij haar kuste. Het was niet erg zijn kussen op haar gezicht en hals te voelen, maar toen hij haar op de mond kuste en ze voor het eerst zijn tong voelde, moest ze zich inhouden om hem niet weg te duwen. Haar lichaam verstrakte. Dit was niet zoals met Harry, wiens mond op honing leek. En Harry's tong had haar helemaal doen wegsmelten. Ze draaide haar mond weg, maar nu tilde Gussy haar nachthemd omhoog. Hij mompelde haar naam en duwde tegen haar aan, tussen haar naakte dijen. Toen hij in haar kwam, voelde ze een ogenblik van verlammende schrik; de pijn toen hij haar maagdenvlies doorboorde, was scherp en hevig. Ze voelde haar hele lichaam nasidderen van de schrik. Hij duwde in en uit haar, kuste haar in haar hals, fluisterde haar naam en kreunde: 'O, o, oh-h-h.' Ze hield haar mond afgewend. Haar handen grepen in de lakens om maar niet te huilen. Het ging niet om de pijn, al voelde ze die wel, maar het was zo'n ontzettende... inbreuk. Juist toen ze dacht dat ze zou gaan gillen, slaakte hij een kreet en zakte neer. Nu lag zijn lichaam als een blok steen boven op haar.

'Jane,' fluisterde hij, 'is alles goed met je?'

'Ja, Gussy.' Tot haar verbazing klonk haar stem kalm en normaal in de duisternis.

Hij ging naast haar liggen en ze voelde een plakkerige nattigheid tussen haar benen; het was pijnlijk daar beneden. Hij kuste haar voorhoofd.

'Welterusten, mijn vrouw. Ik hou van je.'

Ze gaf geen antwoord. Hij woelde en draaide en eindelijk bleef hij tegen haar aan liggen, met een van zijn lange benen over haar heen. Hij begon te snurken en haar lichaam ontspande zich. De tranen die ze steeds had tegengehouden begonnen over haar wangen te biggelen. Nu wist ze wat haar moeder had gestameld over echtelijke plichten. God in de hemel, als vrouwen dit wisten zouden ze nooit trouwen. Ze was grootgebracht op een boerderij waar ze dieren had zien paren. Maar ze had er nooit over nagedacht hoe vrouwen er tegenover zouden staan. De arme zielen. Haar moeder zei dat je er wel aan wende, maar hoe? Het was een binnendringen in haar meest geheime plekje. En Gussy... die scheen het prettig te vinden. Allicht. Niemand stak bij hem iets naar binnen! Geërgerd duwde ze zijn been van zich af. Ze was moe van het huilen en geeuwde. Morgen en de hele volgende week had ze voor elke dag een nieuwe jurk. Wat jammer dat ze niet op Ladybeth was. Ze had zo graag haar jurken en haar trouwring willen laten zien aan de dochters van Squire Dingwitty en aan de hertogin. Ze rilde van de kou en kroop wat dichter naar Gussy. Hij was te mager; ze zou hem goed laten eten. Hij wilde dat ze kwam luisteren wanneer hij preekte. Wat zou ze trots zijn als ze op de voorste kerkbank zat. Jammer dat een huwelijk ook dat andere met zich meebracht, maar misschien zou ze eraan wennen, zoals haar moeder zei. 'Harry,' fluisterde ze een keer in het donker, maar natuurlijk was er niemand die antwoord gaf. Wat leek het lang geleden dat hij haar onder de appelboom had gekust. Lang geleden en ver weg.

Barbara ging aan de ontbijttafel zitten en vouwde haar servet open. Binnenin lag een rozeknop, waarvan twee donkerrode bloemblaadjes zich nog maar net begonnen te ontvouwen. Ze keek naar Roger en hij glimlachte. Vannacht, dacht ze, en haar adem stokte even.

'Ter herinnering aan de afgelopen nacht,' zei hij, en hij zag hoe een ader in haar blanke hals begon te kloppen. Hij herbeleefde hoe het voelde om die hals te kussen, hoe het voelde om in haar te zijn en hoe zij haar zijdezachte benen en armen om hem heen legde en telkens weer zijn naam fluisterde... Hij boog zich over de tafel heen en streek met zijn duim over de ader in haar hals. Ze huiverde; ze nam zijn hand, hield de open palm tegen haar mond en kuste hem.

'Ik hou van je,' fluisterde ze.

Ineens stond hij op, trok haar stoel achteruit en leidde haar de kamer uit met één hand op haar elleboog.

Thérèse was juist bezig het bed op te maken, samen met het kamermeisje. Een blik op het blozende gezicht van haar meesteres, op haar neergeslagen ogen en op lord Devane deed haar meteen het kamermeisje een teken geven om het bed verder onopgemaakt te laten. Zonder één woord te zeggen duwde ze het meisje, Hyacinthe en de hondjes de deur uit, alsof het eigenwijze ganzen waren. Toen de deur dicht was, hief Barbara haar gezicht op en op hetzelfde ogenblik kwam Roger met zijn mond op de hare. Ze had het gevoel dat ze wegzonk in de gevoelens die zijn mond, zijn tong en handen opriepen. Telkens wanneer ze vrijden genoot ze er meer van, voelde ze zich wulps en vrij.

Ze lagen op het bed en kleedden elkaar uit, en tussen het los-
knopen van een hemd of het losstrikken van een japon namen ze
de tijd voor hartstochtelijke kussen. Hij hield haar gezicht in zijn
handen. 'Je gezicht is als een hart,' zei hij, en hij kuste haar ogen,
haar neus, haar mond. Ze knielden tegenover elkaar en ze keek
toe hoe hij haar keurslijfje losmaakte. Toen het openviel, stonden
haar kleine borstjes rond en puntig in het dunne hemdje. Roger
duwde haar voorzichtig achterover, en weer keek ze toe hoe hij
het hemdje omhoogtrok, de kousebanden losmaakte en langzaam
haar kousen omlaag rolde. Toen boog hij zich naar haar toe en
begon haar benen en dijen, haar maag en buik en het plekje tussen
haar benen te kussen. Ze verborg haar gezicht in haar armen, een
beetje beschaamd. Met een teder gebaar trok hij haar armen weg.
Haar ogen waren als saffieren en zijn gezicht stond strak van begeerte; ze had hem nog nooit zo knap gevonden.

'Je hoeft je niet te schamen voor wat twee mensen in een vertrouwelijke omgeving met elkaar doen. Moet ik ophouden?'

'Nee,' zei ze. 'Niet ophouden.'

Hij glimlachte naar haar; ze had nog nooit van haar leven zo
naar hem verlangd. Al haar gevoel scheen op een zachte, bijna
pijnlijke en gezwollen manier geconcentreerd te zijn in haar tepels
en tussen haar benen. Zijn tong was als een vlam die haar brandde waar hij haar maar raakte. Toen hij in haar kwam, was ze
zacht en vochtig als lentemos. Hij kreunde, sloot zijn ogen en
kuste haar hals. Ze kuste hem terug met alle hartstocht, liefde en
bedrevenheid die ze zich eigen begon te maken. Ze kon maar niet
genoeg van hem krijgen en voor hem scheen hetzelfde te gelden
ten opzichte van haar. Zijn mond lag nog steeds op de hare en hij
kreunde; toen ze haar tong tegen de zijne bewoog, kwam haar opwinding tot een climax. 'Ah,' riep ze en ging met haar nagels over
zijn rug, 'ah.' Heftig drukte ze hem tegen haar kloppende hart.
Hij gaf haar het gevoel dat ze mooi was en begeerlijk en wulps.
En als ze bij hem lag, was ze dat ook inderdaad.

Na afloop bleven ze stil bij elkaar liggen, alsof ze niet goed konden scheiden. Hij bleef bij haar tot ze sluimerde, toen stond hij
op en begon zich aan te kleden. Tegelijk viel zijn oog op een boek
van Palladio op een tafeltje naast haar bed, de onlangs vertaalde
Vier boeken over architectuur, met vreemde velletjes papier die
tussen de bladzijden staken. Nieuwsgierig bekeek hij de tekenin-

gen, ruwe schetsen van zuilengangen en tempelgevels en iets dat eruitzag als een openluchtvilla. Hij glimlachte.

Met een van de tekeningen in de hand keek hij naar haar. Haar prachtige haar lag over het kussen verspreid en ze deed geen moeite om haar naaktheid te verbergen. Het ontroerde hem want hij wist dat ze in wezen een kuis meisje was, en het feit dat ze zich niet meer bedekte in zijn bijzijn maakte haar liefde voor hem en haar vertrouwen pas goed duidelijk.

'Ik dacht dat je sliep.'

'Blijf even bij me slapen.'

'Is het nog niet genoeg dat ik al te laat ben voor het ontbijt en voor al mijn afspraken van vandaag? Schaam je je dan niet, Barbara?'

'Nee, voor jou niet. Blijf nog wat.'

Ze zag er heel aantrekkelijk uit zoals ze daar lag. Maar hij schudde zijn hoofd.

'Vertel eens wat dit is,' zei hij en liet het papier zien.

Ze kwam overeind, en toen ze zag wat het was, kreeg ze een kleur. Zonder hem aan te kijken zei ze: 'Het is een schets die ik heb gemaakt.'

Hij moest zich inspannen om het te kunnen horen. 'Een schets waarvan, Barbara?'

'E-een zomerhuis. Voor Bentwoodes. Let er maar niet op, Roger. Het is een idiote tekening.' Ze verkreukelde het papier in haar hand.

'La Rocca Pisana is een zomerhuis hoog boven de Veneovlakte dat door een van Palladio's leerlingen is ontworpen. Jouw tekening lijkt erop.'

'Ja, ik heb geprobeerd hem na te tekenen. Ik dacht dat een zomerhuis wel leuk zou zijn voor de kinderen. Dan zouden we er op warme dagen in kunnen wonen en eten en lesgeven.'

'De kinderen?'

Barbara haalde diep adem. 'Ik hoop dat we kinderen krijgen, en ik zou ook graag willen dat mijn broers en zusjes bij ons kwamen wonen. Ik mis ze zo, Roger. Zouden ze al gauw mogen komen?' Ze zag de uitdrukking op zijn gezicht en sprak snel verder. 'Er zijn wel meer mensen die dat doen. Marie-Victorie heeft twee nichtjes bij zich in huis.'

'Marie-Victorie is niet pas getrouwd.'

Ze keek omlaag, naar de verkreukelde schets. Ze had haar verzoek te vroeg gedaan.

Hij nam de schets uit haar hand en kuste haar vingers. 'Later,' zei hij. 'Misschien later.'

Vol verlangen keek ze naar hem op. 'Blijf nog even.'

Hij streelde haar onder de kin. 'Als ik tien jaar jonger was... Ga nog maar wat slapen, schat. Ik zal Thérèse zeggen dat ze je straks een ontbijt moet brengen.'

Bij de deur draaide hij zich nog een keer om. 'La Malacontenta,' zei hij.

'Wat?'

'Een van Palladio's mooiste villa's. Die zal ik je laten zien wanneer we in Italië zijn.'

Ze ging weer tegen het kussen liggen. Schat. Hij had haar schat genoemd. Gisteravond laat had hij met haar gevrijd en vanmorgen weer. Als hij tien jaar jonger was... Die Roger had ze wel willen kennen, maar het was al heerlijk dat deze Roger steeds meer van haar scheen te gaan houden. Ze zou winnen. Roger zou haar echt gaan beminnen. Ze zouden veel kinderen krijgen in een prachtig huis. Met een zomerhuis. Waar ze zou toezien op de lessen van Anne en Charlotte. La Malacontenta. Die villa zou hij haar laten zien...

Roger bekeek zichzelf in de spiegel. Justin strikte zijn das en borstelde zijn jas alsof het de gewoonste zaak van de wereld was wanneer zijn meester om halfelf in de ochtend voor een tweede maal te voorschijn kwam met een half dichtgeknoopt hemd, zonder jas, hemd en kousen, om weer helemaal opnieuw te worden aangekleed.

Wat een idioot ben ik, dacht Roger. Er bestaat geen groter dwaas dan een oude man met een jonge vrouw. Hij was moe. De vorige avond had hij ook al stevig gedronken. Hij zou vanmiddag een dutje moeten doen. Als een oudere man met een jonge vrouw... Een oud grapje...

Waarom bleef ze hem boeien? Geamuseerd had hij gezien hoe ze pogingen deed om er modieuzer uit te zien. Door haar toedoen ging hij zich als een jonge hengst gedragen. En nu had hij haar ruwe tekeningen gezien en was hij zich er plotseling van bewust geworden dat achter dat kinderlijke gezichtje een jonge vrouw opbloeide, een vrouw met smaak en met hersens.

En ze had een willetje, net zo'n wil als Alice. Ze wilde haar familie om zich heen hebben, maar dat wilde hij niet.

Ze heeft een kind nodig, dacht hij. Een kind dat haar bezighoudt en dat mij wat meer rust geeft. Wat voelde hij eigenlijk voor haar? Hij begeerde haar, maar dat kwam omdat ze jong en nieuw was, en ze aanbad hem. En verder... hij vond haar amusant; soms maakte ze hem dol, maar ze was ook aandoenlijk. Het was toch te gek... dat je verliefd werd op je eigen vrouw. Jezus, wat zou hij gelukkig zijn als Barbara een kind kreeg.

Op haar tenen kwam Thérèse de slaapkamer binnen om naar haar meesteres te kijken. Ze sliep nog. Thérèse trok de gordijnen om het bed dicht, zodat het daglicht haar niet kon storen. Door al dat vrijen van lord Devane met zijn vrouw zou ze wel spoedig zwanger zijn. Een kind. Ze raapte Barbara's kleren van de grond en vouwde ze netjes op. Toen liep ze naar het raam en keek naar beneden in de tuin. Hyacinthe zat met de hondjes te spelen. Ze wist niet wat ze zonder hem had moeten doen de afgelopen week.

Hij had onafgebroken boodschappen voor haar gedaan. Het bloeden was nog niet opgehouden; het was net als een vloeiïng, alleen werd ze er zo moe van. Hyacinthe was trap op trap af voor haar gegaan zodat zij kon rusten. Ze had het bebloede laken in een hoekje van de tuin begraven, onder een seringeboom. En ze had erbij gebeden. Elke morgen ging ze een kaars aansteken in de kerk, en dan bad ze de Heilige Moeder en haar ongeboren zoon om vergeving.

Ze haalde de schouders op en schudde haar hoofd. Misschien zouden haar gebeden vergiffenis brengen, maar ze had nooit gedacht dat ze zichzelf zo oud, zo verdrietig en zo leeg zou voelen. Ze had nooit kunnen denken dat haar gedachten voortdurend naar die seringeboom zouden gaan, naar dat begraven laken. Heilige Moeder, waar was haar vroegere vrolijkheid gebleven? Was die ook begraven samen met het laken dat alles bevatte wat zij ooit van een kind zou kennen? Ze schudde haar hoofd en ging het wasgoed sorteren.

Louise-Anne de Charolais en Henri de St.-Michel zaten te wachten in de gouverneurskamer in de Bastille-gevangenis. Ze kwamen Richelieu bezoeken, die eindelijk gevangen was gezet vanwege zijn duel met De Gacé. Zijn opsluiting op 4 maart, nu een week geleden, was een hele sensatie geworden in Parijs. Al zijn kennissen wilden hem bezoeken om bloemen en lekkers te brengen. In zijn verwaandheid had Richelieu de cel laten meubileren met zijn eigen bed en een tafel en stoelen uit zijn huis. Over de koude stenen vloer lagen tapijten en langs de muren hingen tapisserieën. Zijn bediende bleef bij hem om hem te helpen met kleden. 's Avonds wandelde hij langs de muur en in de tuin met de gouverneur. Parijs vond het prachtig. Nog meer vrouwen dan ooit zwoeren dat ze verliefd op hem waren.

Louise-Anne had genoeg van het wachten en keek door het raam. Ze zag net dat Barbara en Marie-Victorie de Gondrin in een rijtuig werden geholpen.

'Geen wonder dat we moesten wachten,' zei ze tegen St.-Michel. 'Hij heeft nog andere bezoekers gehad!'

Een bewaker bracht hen naar zijn cel. Richelieu was gekleed als op elke andere dag, in een pruimkleurige satijnen jas met zwarte tressen en een bruine broek. Zijn pruik was nieuw. Hij stond bij een vogelkooi en stak een vinger door de tralies terwijl hij floot tegen een klein geelgouden kneutje. Toen Louise-Anne en St.-Michel binnenkwamen, begon zijn bediende meteen wijn in te schenken.

'Welkom,' zei Richelieu. 'Ik ga dood van verveling.'

Louise-Anne ontweek zijn kus. 'Praat niet over verveling. Ik heb net gezien wie je laatste bezoekers waren.'

Louise-Anne trok haar lange handschoenen uit en speldde haar hoed los. Ze gooide ze op het bed en ging de ruimte inspecteren. Voor de vogelkooi bleef ze staan om een paar klokkende geluidjes te maken tegen het kneutje dat meteen begon te zingen.

'Wat leuk! Van wie heb je dit gekregen?'

'Van lady Devane,' zei Richelieu terloops. 'Ze dacht dat het mij zou opvrolijken. Ze heeft de merkwaardige opvatting dat een gevangenis niet genoeglijk is.'

'O? En wat voor opvattingen heeft ze nog meer?'

'Helaas, niets belangwekkends, lieve. Ik heb me alleen maar gespitst op mijn kaartspel met haar. Vandaag heb ik gewonnen. Ze was woedend. Morgen zal zij wel weer winnen.'

Richelieus paard en Barbara's rijkunst waren een onderwerp van veel geklets, evenals hun kaartspel, waarbij ze om de beurt eigenaar van het paard werden. Niettemin wist men ook te vertellen dat de dame in kwestie haar echtgenoot aanbad en geen van haar bewonderaars een kans gaf, zelfs niet die aanhouder van een St.-Michel.

'Ze is eigenlijk heel vervelend,' zei Richelieu, 'behalve dat ze zo goed kan kaarten. Vertel me de waarheid, Henri. Hoe gaat het met jouw avances?'

St.-Michel zweeg. Het ging slecht, zoals heel Parijs wist. 'Ik denk erover haar te laten schieten...'

Richelieu begon te lachen, een wrede, spottende lach. St.-Michel keek stijfjes.

'Wat ben je toch een dwaas,' zei Richelieu. 'Ik zou haar binnen zes maanden in mijn bed weten te krijgen.'

'Waarmee je bedoelt dat ik dat niet kan!'

St.-Michels hand ging al naar zijn zwaard. Richelieu had er geen, aangezien hij juist in de Bastille zat vanwege een duel. Hij grijnsde.

'Ik weet een echte man,' zei Louise-Anne met zachte stem, 'die jullie allebei zou uitlachen en die je in een tel zou doden als je tegen hem zou durven spreken zoals jullie tegen ieder ander doen. Hij zou je niet een wond toebrengen, zoals jij en Gacé, Armand. Jullie hebben je zwaarden al neergegooid bij het eerste beetje bloed. Maar hij zou je doden.'

'Jouw oom Philippe,' zei Richelieu. 'Is hij weer in de stad?'

'De man die verleden jaar d'Arcy heeft neergestoken?' onderbrak St.-Michel opgewonden.

'Ja. En daarvoor heeft hij Montreal gedood.' Louise-Anne huiverde. 'De enige keer dat hij zich menselijk gedroeg, was toen hij en Roger bevriend waren. Ik heb altijd gedacht dat hij Montreal heeft neergestoken vanwege Roger.'

'Roger? Roger Montgeoffrey?' vroeg Richelieu.

'Ja, Roger en oom Philippe waren dikke vrienden maar oom Philippe heeft Montreal gedood en toen is Roger uit Parijs vertrokken, en mijn oom...' Ze zweeg omdat ze het niet kon uitleggen. 'Jullie zouden mijn oom moeten kennen.'

'Nou, ik ben blij dat ik hem niet ken,' zei St.-Michel.

'Jullie krijgen nog een kans. Hij heeft in een brief aan mijn moeder geschreven dat hij naar Parijs komt voor nieuwe kleren, voor de schouwburg en om dat wonder van een John Law te ontmoeten. Maar ik geloof dat hij in wezen voor Roger komt. Misschien duelleren ze wel. Dat zou een opschudding geven. Het zijn twee echte mannen. Een van hen zou daarbij sterven.' Ze huiverde weer. Richelieu keek haar met grote ogen aan.

Het was de laatste middag van een week waarin de hertog en hertogin du Maine de poorten van hun landgoed hadden geopend om de komst van de lente te vieren. De hele week waren gasten de lange laan komen oprijden om het voordragen van gedichten en het opvoeren van toneelstukken bij te wonen, waarvoor de gasten zelf de rollen hadden ingestudeerd om daarna voorstellingen te geven op het privé-toneel in Sceaux. Er waren concerten in de balzaal, uitstapjes te paard en wandelingen in de ontluikende tuinen, en elke avond werd er gegokt en gedanst.

Barbara en Roger slenterden langs de vijver. Hij vertelde Barbara over Bentwoodes en ze luisterde, bijna in aanbidding. Ze was zich ervan bewust, zonder het onder woorden te kunnen brengen, dat hij een plaats in zijn leven voor haar inruimde. Hij hield van de royale gastvrijheid, de discussies over kunst en literatuur, goede wijn en heerlijke gerechten met daarbij de roddelpraatjes en politiek die hij aantrof in Sceaux. Een dergelijke levensopvatting was eerder Frans dan Engels. Ze liepen arm in arm over de grindpaden en hij zei: 'Het zal wel tien jaar duren eer ik het huis heb afgebouwd zoals ik het me voorstel. Het eerste wat ik wil bouwen, Bab, is de tempel der kunsten – stel je voor, een elegant klassiek bouwwerk vol met de mooiste schilderijen, beelden en tekeningen. Daar gaan we dan ontvangsten houden, en de tuinen eromheen moeten prachtig zijn. Het wordt het beroemdste huis van het hele land. Wetenschapsmensen en kunstenaars zullen er altijd welkom zijn. Onze gastvrijheid zal net zo grenzeloos zijn als hier. . .' Hij spreidde zijn armen om de tuinen en het hoofdgebouw van Sceaux te omvatten.

Over tien jaar, dacht Barbara, ben ik bijna zesentwintig. . . en dan hebben we kinderen. Charlotte en Anne zijn dan al getrouwd, en Harry en Tom ook. Roger is dan tweeënvijftig. Ze rilde even; haar grootvader was op zijn tweeënvijftigste gestorven. Haar grootmoeder was nu in de zestig en zij werd als een wonder van gezondheid beschouwd. Stel je voor dat Roger over tien jaar dood was en zij weduwe. Ze keek even naar hem. Hij was knapper dan ooit, het viel iedereen op. Barbara hoopte dat het haar liefde was die hem jonger maakte. Alleen de ontelbare lijntjes om zijn ogen verrieden zijn leeftijd. Ze rilde weer en drukte zijn arm tegen zich aan.

'Kom met me vrijen.'

Hij bleef midden in het pad staan en keek haar aan. Zijn ogen waren nog blauwer dan de lentelucht. 'Nu? In de middag?'

'Ja. Nu.'

De kaarsen in de grote kristallen kroonluchters van de balzaal in Sceaux begonnen te spetteren en heet kaarsvet droop op de schouders van de gasten. Het was bijna middernacht en niets wees erop dat het bal ten einde liep.

Barbara geeuwde achter haar waaier. Zij en Roger waren beiden moe. Zodra hij terugkwam met haar glas champagne zou ze hem voorstellen dat ze zich zouden terugtrekken. Niemand zou hen missen. Een van de aanwezigen was John Law en de mensen drongen om hem heen alsof hij een magneet was. Ze hoorde flarden van gesprekken over zijn nationale bank, een wonder waardoor iedereen rijk zou worden. Ze voelde de opwinding in het vertrek groeien. Maar na twee maanden in Parijs had ze allang ontdekt dat Parijzenaars zich altijd wel ergens over opwonden. En als er niets was, dan bedachten ze wel de een of andere aanleiding.

Iemand tikte haar met een waaier op de schouder en ze draaide zich om. Het was Louise-Anne de Charolais, en dat verbaasde haar. Ze wist dat de prinses haar niet mocht; ze was jaloers op Barbara's vele bezoeken aan Richelieu en op haar plotselinge populariteit.

'Ik liep u al te zoeken,' zei Louise-Anne, en tegelijkertijd nam ze Barbara van het hoofd tot aan de voeten op: haar lila zijden baljapon met de groene en zilveren strikken, de dikke rij parels die ze om haar hals droeg en nog een in haar haar, dat niet gepoederd was zoals bij de andere vrouwen. Louise-Anne met haar krijtwit gepoederde haar, twee felle rode plekken op haar wangen en haar vuurrode mond zag er goedkoop en oud uit naast Barbara, die door Thérèse was geadviseerd bij het kiezen van een heel lichte, jeugdige manier van opmaken.

'Er is iemand die u graag wil ontmoeten,' zei Louise-Anne. 'Lady Devane, mag ik u mijn oom voorstellen, de prins de Soissons. Oom Philippe, lady Barbara Devane.'

Hij boog zich over haar hand. Hij was lang en zwaar zonder dik te zijn, met een trots en knap gezicht dat werd ontsierd door het litteken van een duel, waardoor zijn mond iets scheef wegtrok. Zijn ogen waren bruin, onder zware wenkbrauwen die zijn gezicht een ironische uitdrukking gaven, samen met het litteken. Hij leek een eindje in de veertig. Hij keek haar aan met een merkwaardige blik, half belangstellend half bewonderend, en nog iets anders dat ze niet onder woorden kon brengen. Wanneer hij lachte, zag ze dat hij mooie witte tanden had. Hij was een zeer aantrekkelijke man.

'Ik heb altijd veel bewondering gehad voor uw grootvader. Ik kan u niet zeggen hoezeer ik heb uitgezien naar deze ontmoeting,' zei hij.

Er was iets vreemds in de manier waarop hij sprak, alsof hij haar voor de gek hield. Ze begreep er niets van.

'Hebt u mijn grootvader gekend?'

'We vochten ieder aan een andere kant, maar het was een eer om zijn vijand te mogen zijn. De koning gooide meer dan eens vazen naar de kaart van de veldtocht wanneer uw grootvader een stad belegerde, want dan wist iedereen dat die stad verloren was. Eens ben ik zijn gevangene geweest en hij heeft me keurig behandeld, alsof ik een gast was. Ik had mijn erewoord gegeven dat ik geen poging tot ontsnappen zou wagen, en ik heb mijn woord gehouden, ook al versloeg hij me altijd bij het schaken. Ik verzeker u dat ik vanavond alleen maar ben gekomen om u te ontmoeten.'

'Hoelang blijft u in Parijs?'

'Wie zal het zeggen? Ik ben geneigd om weer naar het platteland te gaan, de stad trekt me eigenlijk niet zo erg. Ik was vergeten hoe lawaaiïg het kon zijn, al die drukte, al die mensen. Ik had vanavond thuis willen blijven maar ik wilde de gelegenheid om de kleindochter van de beroemde hertog van Tamworth te ontmoeten niet voorbij laten gaan. Een jonge vrouw – heel lieftallig als ik het zeggen mag – die bovendien de eer heeft Roger Montgeoffrey's echtgenote te zijn.'

'U kent mijn man dus – maar natuurlijk, als u ook mijn grootvader heeft gekend.'

Hij lachte, een rijke, volle lach, als gesmolten chocolade.

'Ja, lady Devane... Mag ik zo vrij zijn u Barbara te noemen? Dank u... Ja, ik ken hem goed. Hij en ik waren eens dikke vrienden. Daar staat hij, bij de ramen van het terras, en hij ziet er tien jaar jonger uit dan ik. Neem mijn arm, Barbara. Dan gaan we naar hem toe om hem te verrassen. Loop jij maar door, Louise-Anne, mijn kind. Je bent een behulpzaam nichtje geweest. Je moet een beetje langzaam lopen, lieve, want ik ben mank − een oude oorlogswond...'

Weer klonk er ironie in zijn stem. Met een hand op zijn arm liep ze tussen de mensen door. Roger had haar glas champagne in de hand, maar hij dronk er zelf uit terwijl hij met hun gastheer sprak, de hertog du Maine.

'Roger,' riep ze toen ze dichterbij was, 'kijk eens wie ik heb meegebracht!'

Hij draaide zich om, glimlachend in zijn gesprek met de hertog, maar toen hij haar met de prins de Soissons zag, werd hij doodsbleek. Het champagneglas viel uit zijn hand en versplinterde op de grond. Barbara snelde naar hem toe.

'Roger, wat is er? Voel je je niet goed?'

De uitdrukking op zijn gezicht maakte haar bang.

'Roger, beste vriend, is er iets?' vroeg de hertog du Maine. Voor hen lag een bediende op de grond de stukjes glas en de gemorste champagne op te vegen.

'Niets,' zei Roger met een vreemde stem. 'Ik kreeg ineens pijn, maar het is nu weer over.'

Barbara zag dat hij tegen de deur van het terras leunde, alsof hij steun zocht. De kleur van zijn gezicht was beangstigend.

'Op onze leeftijd,' zei de hertog du Maine, 'moeten we voorzichtig zijn. Die jonge vrouw van je neemt veel van je krachten − ah, Soissons, mijn vrouw zei dat je in de stad was. Een onverwachte, aangename verrassing. Je kent lord Devane neem ik aan?'

De prins de Soissons glimlachte over zijn hele gezicht en zijn ogen kregen meer glans. 'Roger...'

Roger zei niets. Barbara keek van de een naar de ander en voelde de spanning. Ze legde een hand op Rogers arm, wat hem wakker scheen te schudden.

'Philippe,' zei hij. 'Ik had niet verwacht je te zien...'

'Maar hier ben ik dus. Klaar om een oude vriendschap te hernieuwen.'

'Roger,' zei Barbara vlug. Iets in zijn gezicht deed haar zijn naam zeggen. 'Ik ben zo moe. Ik wilde je net gaan zoeken toen de prins zich kwam voorstellen. Zou je mij naar mijn slaapkamer willen brengen? Heren, u wilt mij wel excuseren.'

Roger rechtte zijn rug maar Barbara zag dat het hem moeite kostte. Samen gingen ze door de balzaal waarbij zij hem moest ondersteunen.

'Zal ik een lakei roepen?' vroeg ze. Hij zag nog doodsbleek.

Hij schudde zijn hoofd en langzaam gingen ze de trap op. Zweet parelde op zijn voorhoofd; hij moest ziek zijn en hij had iets over pijn gezegd. Toen ze de deur van hun slaapkamer opende, zakte hij tegen haar aan en ze riep Justin en Thérèse, die beiden kwamen aanhollen. Met z'n drieën hielpen ze Roger naar het bed en legden hem neer. Justin maakte vlug zijn das los, terwijl Thérèse een glas brandewijn ging halen. Barbara stond opzij van het bed haar handen te wringen.

'Wat is er aan de hand?' vroeg ze hem. 'Zeg het me! Moet ik een dokter roepen?'

'Nee, nee,' zei Roger buiten adem, en hij probeerde te gaan zitten. 'Ik voelde een plotselinge pijn... in mijn borst. Het gaat nu beter. Laat me even alleen, Bab... Justin weet wat hij moet doen... Laat me alleen.'

Maar het ging helemaal niet beter met hem. Hij kon geen adem krijgen. Ze beet op haar lip, maar ze deed wat hij vroeg en ging met Thérèse in de aangrenzende slaapkamer zitten. Hij zag zo wit, zo bleek. Ze hadden de afgelopen week te veel gedaan. Toen Thérèse haar japon losmaakte, kon ze amper stil blijven zitten. Zodra ze hem uit had, holde ze weer naar de deur en gluurde door een kier naar binnen. Roger zat overeind, tegen Justin aangeleund, en hij dronk een glas brandewijn. Maar toen hij daarna weer op bed ging liggen, kreunde hij.

'Lieve god,' zei Barbara. 'Hij is echt ziek...'

'Madame,' zei Thérèse toen ze de japon had opgehangen, 'ik ga naar beneden en dan laat ik een hartversterking klaarmaken. Ik weet een goed recept. En als hij morgen nog ziek is, laat u een dokter komen die hem kan aderlaten. Dat zal hem zeker opknappen als een goede nachtrust nog niet heeft geholpen. Hij heeft veel te veel gedaan, madame. Hij is niet zo jong als u, hij heeft meer rust nodig.'

'Dat schijnt iedereen beter te weten dan ik. Ga die hartversterking maar klaarmaken, Thérèse. Ik ga nog een keertje bij hem kijken.'

Ze sloop de andere slaapkamer binnen. Justin zat bij het bed en Roger leek te slapen. Ze nam een van zijn handen in de hare.

'Voel je je beter?' fluisterde ze.

'Ja,' antwoordde hij. 'Ik wil graag alleen zijn, Bab. Alsjeblieft.'

Ze knikte en legde zijn hand weer op het bed. 'Thérèse brengt een hartversterking,' zei ze.

Ze ging terug naar de andere kamer. Hij wilde alleen zijn. Dat was best te begrijpen; ze hoefde zich niet gekwetst te voelen en het was belachelijk om nu aan haar vader te denken. Roger was heel anders dan haar vader. Ze zou hier gaan slapen, en morgen zou hij beter zijn. Dan zouden ze teruggaan naar Parijs en ze zou hem verplegen tot hij echt beter was. En ze zou van nu af aan onthouden dat hij niet zo jong was als hij eruitzag. Ze deed haar ogen dicht. Als er iets met Roger zou gebeuren . . . Maar dat zou beslist niet het geval zijn. Alles kwam weer goed.

Roger dronk een paar slokken van het drankje dat Thérèse had klaargemaakt en viel toen weer met gesloten ogen terug op bed. Zijn borst was nog pijnlijk. Het was een gevoel geweest alsof daar iets uiteenspatte toen hij opkeek en Philippe had gezien. Lieve god, Philippe. Hij werd bestormd door herinneringen, als golven die op een kust beuken. Hij zat erin gevangen, met handen en voeten gebonden. De duisternis, de verboden begeerten, de aanmatiging en de liefde. Het bloed dat uit Montreals mond en neus spoot. De doelloosheid en de woede. De wanhoop. En de hartstocht . . .

14

Annie zat in de zitkamer van de hertogin en beschermde de oude dame tegen goedbedoelende maar opdringerige bezoekers. Ze waren allemaal gekomen, één voor één, de hele morgen door: jonker Dinwitty, sir John Ashford, dominee Latchrod, pachters en de belangrijkste dorpelingen. Ze trotseerden de ziekte zodra ze het bericht hadden gehoord. Annie gaf hun bier, luisterde naar hun woorden van medeleven en stuurde hen weg. Alleen dominee Latchrod bleef in een salon, om gebeden te zeggen. Niemand kon iets doen en ze moesten allemaal terug naar hun huishouding, want de plaag lag als een slang in het struikgewas op de loer en sloeg zonder enige waarschuwing toe. In vele huizen was iemand ziek of stervend. Ze konden alleen maar bidden en de almachtige God smeken om de ziekte weer weg te nemen.

Annie kon de hertogin horen snikken. Ze veegde de tranen uit haar ogen en stond op om de deur nog beter te sluiten. In de slaapkamer waar het donker en grauw was − op de tafels stonden vazen met dode bloemen tussen theekopjes en paperassen − klonk geen geluid, behalve het snikken van de hertogin. Het was een helder, hoog geluid, als van een jong meisje, en zij huilde om haar kleinkinderen van wie de laatste vanmorgen was gestorven aan de pokken.

Het geluid vulde de donkere slaapkamer met verdriet, met wanhoop. Aan de andere kant van de deur verborg Annie haar gezicht in haar handen. Soms was het leven niets anders dan een harde, zware last. En er was zoveel te doen. Op het ogenblik was Henley bezig de kleine lichaampjes in met lood gevoerde kistjes te leggen. Niemand anders wilde het doen; iedereen was bang eveneens de pokken te krijgen. Er werd verteld dat de ziekte omhoog sprong uit de kist en je meteen kon doden. Al het beddegoed moest worden verbrand en het huis moest gedesinfecteerd worden met een mengsel van pek en wierookhars. Ze zouden een groot deel van de plechtigheden overslaan; de lichaampjes zouden opgebaard worden maar toch zo spoedig mogelijk worden begraven om de kans op nieuwe infecties te verkleinen. Er zouden geen uitnodigingen voor de begrafenis worden verzonden; de hertogin zou de nodige brieven schrijven aan de familie.

Ergens begon een klok te luiden, de klok van de Tamworthkerk, om aan het dorp en de hele omtrek de sterfgevallen te melden. Annie droogde haar ogen en snoot haar neus. In de kamers moesten zwarte draperieën worden opgehangen. En er moesten brieven worden geschreven. De brief aan lady Diana en vooral die aan juffrouw Barbara... Het schrijven van die brief... dat werd helemaal een beproeving.

Diana lag als een godin uitgestrekt op haar nieuwe canapé. Ze droeg geen crinoline zodat haar gasten, Walpole en Montagu, de vorm van haar benen door de stof van de japon konden zien. Het was de laatste tijd haar gewoonte om Walpole voor een laat souper uit te nodigen, maar alleen wanneer de hertog van Montagu ook aanwezig was. Dan flirtte ze met een van beiden die toevallig die avond haar voorkeur had.

Ze hadden genoten van een goede maaltijd. Ze kon aardig rondkomen van haar moeders toelage, aangevuld door Montagu, en nu dronken ze met hun drieën cognac en bespraken de politieke situatie. Of liever gezegd, de mannen bespraken de politiek terwijl Diana luisterde en wachtte op een gelegenheid om een pleidooi te houden voor haar echtscheiding. Het nieuws ging alleen maar over de poging tot invasie in Schotland, over de vlucht van de troonpretendent en hoe zijn getrouwe Schotse edelen nu alleen stonden tegenover de Engelse en Hannoveriaanse troepen. Diana geeuwde achter haar hand; Kit was in Schotland geweest, maar nu scheen hij in Parijs te zijn. Mooi. Laat Roger zich maar over hem ontfermen. Ze had nu alleen nog maar de behoefte om van hem gescheiden te zijn en weer helemaal zelfstandig te worden.

Clemmie kwam de kamer binnen en gaf Diana een briefje. Ze stond op en liep naar een kandelaar om het te lezen. Walpole en Montagu staakten een ogenblik hun gesprek om haar te zien lopen, wat inderdaad de moeite waard was. Maar ze waren niet voorbereid op haar schelle kreet. Ze zakte in elkaar en plotseling was het een chaos in de kamer toen beide mannen haar wilden oprapen en Clemmie stond te gillen. Walpole droeg haar naar de canapé, Montagu wreef haar handen en Clemmie hield een brandende veer onder haar neus. Walpole goot ook nog wat cognac in haar mond zodat ze begon te hoesten en te proesten en haar ogen weer opengingen.

'Dat is beter,' zei Walpole. 'Je hebt ons laten schrikken...' Hij zweeg want Diana begon te huilen, met haar handen voor haar gezicht, zonder erop te letten dat haar make-up in de war raakte.

Montagu raapte het verkreukelde briefje op. 'Haar kinderen,' zei hij tegen Walpole. 'Ze zijn dood... de pokken. Mijn god!'

Clemmie begon opnieuw te jammeren; Walpole streelde Diana's hand, maar zij merkte het niet eens. Ze huilde maar en wiegde heen en weer; haar rouge maakte grote strepen op haar wangen maar het leek alsof het haar niets kon schelen.

Dit alles, samen met de pokken, was meer dan Montagu kon verdragen. Hij kuste haar hand.

'Lieve, ik geloof dat het beter is om je alleen te laten in deze beproeving. Ik leef heel erg met je mee. Morgen of de dag daarna kom ik weer kijken hoe je het maakt.' Hij was al bijna door de deur verdwenen. 'Ik leef met je mee...'

'Lafaard! Verdomde lafaard!' schreeuwde Diana. 'Denk erom je handen te wassen, er mochten eens pokken aan dat briefje kleven – ik hoop dat jij de pokken krijgt, halfbakken man die je bent. Ze zijn dood! Dood!' Montagu haastte zich weg door de deur. Een woedende Diana was al onmogelijk, maar Diana in een huilbui, dat was meer dan hij kon verwerken.

Diana trok Clemmie naar zich toe en Clemmie ging in al haar omvang op de canapé zitten, waarna de twee vrouwen hun armen om elkaar legden en huilden. Walpole stak zijn pijp op en keek naar hen. Na een tijdje begon Diana haar gezicht af te vegen en ze snauwde hem toe: 'Waarom ben jij nog niet vertrokken? Ben jij niet bang voor de pokken? Of voor verdriet? Of dacht je dat ik je vanavond nog in mijn bed zou ontvangen!'

Hij gaf geen antwoord.

'Ga weg!' riep ze. 'Ik wil alleen zijn. Ik heb mijn kinderen verloren en ik wil naar Tamworth om ze te begraven; misschien ben ik al te laat!'

'Op Tamworth heersen waarschijnlijk de pokken...' begon hij.

'Dat kan me niets schelen. Ze zijn dood! Snap je dat niet! Ik had nooit gedacht dat ze eerder dood zouden gaan dan ik! Ga weg!' Ze begroef haar gezicht in Clemmies wijde schort. 'Clemmie, haal nog een fles. Ik wil me bedrinken en jij, mijnheer, mag meedoen. Ik wil zo dronken worden dat ik niet meer kan denken aan de slechte moeder die ik ben geweest. Zo dronken dat ik in geen dagen meer bijkom, dat ik me niet meer kan herinneren hoe rot ik me voel.'

Clemmie schonk drie grote glazen cognac in. Diana dronk het hare in één teug leeg en hield haar glas op voor meer.

'Ik heb een dochter,' zei Walpole toen ze beiden aan hun vierde glas toe waren. 'Een snoezig meisje, net zo oud als Barbara, maar ze is ziek. De doktoren proberen van alles en doen haar steeds meer pijn, maar niets helpt. In mijn hart geloof ik dat ze doodgaat en ik bid God dat hij haar lijden kort maakt, maar Hij schijnt mijn gebeden niet te willen horen.' Hij sprak nadenkend, treurig.

'Ik heb me nooit om ze bekommerd,' zei Diana langzaam, zorgvuldig haar woorden kiezend. 'Ik heb ze nooit bezocht, nooit aan ze gedacht. Ze waren er gewoon zoals de zon en de bomen. Telkens wanneer Kit met me naar bed ging, werd ik zwanger. Als hij gokte en er was geen geld vervloekte ik ze en dan wenste ik ze dood, opdat ik geen zorgen zou hebben over hun huwelijken en toelagen en zo. En nu zijn ze dood. Geloof jij in God, Robert? Straft Hij me voor mijn zonden? Het zijn er zoveel. En ik heb ervan genoten.'

Ze schudden hun hoofd over hun zonden en dronken nog meer. Naarmate de tijd verstreek, begonnen de kaarsen te lekken. Diana huiverde; ze was nu bijna zo dronken als ze het had gewild en keek Walpole aan.

'Ik voel zo'n krankzinnige neiging opkomen,' zei ze tegen hem. 'Ik wil naar boven en gaan neuken als een loopse teef. Ben ik gek, Robert? Ik ben toch niet preuts, maar nu schrik ik van mezelf.'

'Ze zeggen dat dat een algemene reactie is op de dood. Een behoefte om het leven te vieren te midden van de dood.'

'Wat zeg je dat prachtig. Geen wonder dat je het Lagerhuis uit je hand kunt laten eten. Ik voel me zo bedroefd. Ik ga naar boven,' zei ze tegen hem.

'Diana, dit wordt niet wat je ervan verwacht. Ben je daarop voorbereid?'

Ze lachte naar hem. 'Geen enkele man kan tegen mij op.'
'Ik wel, maar je bent te dronken om mij te kunnen waarderen.'
Ze liep naar de deur, met wiegende heupen en een blik achterom over haar schouder. 'Dit wordt je kans, Robert. Nu of nooit.'
Walpole zette zijn glas neer en volgde haar.
Clemmie bleef in het halfdonker zitten met haar glas in haar handen. 'We zijn slecht,' zei ze hardop. 'De Heer zij ons genadig.'

Als drie zwarte kraaien zaten de hertogin, Annie en nicht Henley in de wintersalon met hun zwarte sjaals over hun zwarte japonnen. Minnaar en vriend hebt gij van mij weggenomen, en mijn bekenden zijn in duisternis gehuld, dacht de hertogin. Ook mijn kleinkinderen zijn in duisternis. Ik ben alleen.

Die gedachte boorde zich door haar hele wezen, zoals de kou zich door haar botten boorde op deze winterse ochtend. Nu had ze niemand meer om voor te zorgen, behalve Henley, die nog verbitterder zou worden met de jaren nu zij ook de kinderen die aan haar waren toevertrouwd had verloren... Het leven van een verarmd, vrouwelijk familielid... Wat voelde Henley nu, met haar betraande, opgezwollen gezicht? Bij de begrafenis had ze zich op de kistjes geworpen. Had ze werkelijk van die kinderen gehouden terwijl ze zich zo dikwijls over hen had beklaagd? Wie kon ooit weten wat er in het hart of in de gedachten van een ander leefde? Laat de kindertjes tot mij komen, had dominee Latchrod met zijn beverige stemmetje gelezen, want hunner is het koninkrijk der hemelen. Pokken. Heer, wees ons genadig.

Tom was de eerste geweest; hij had geklaagd over een vage pijn en ze hadden hem niet naar school gestuurd. En toen de baby, die zo'n hoge koorts had dat hij stuipen kreeg en zij, Annie en Henley dat kleine, schokkende lijfje om de beurt met verkoelend water hadden afgesponst. Op de baby waren geen vlekken te zien geweest, geen uitslag. Na twee nachten van koorts en stuipen was hij gestorven. Ze wisten toen nog niet...

Maar op Toms lichaam was die vreselijke uitslag wel verschenen. En toen was ze doodsbang geworden. Pokken waren genadeloos. Er was nooit een waarschuwing, geen enkele reden waarom de ziekte zou toeslaan en hoe hard. Haar huis was al eens eerder bezocht... (Visioenen van Dicken. En van zijn kind. De uitslag begon op te zwellen tot pukkels, die vervolgens blaren werden met gele pus. Vader en kind zwollen op als monsters. 'Ik sta in brand,' had Dicken geroepen. Telkens weer. Zij, Annie en al hun koortswatertjes, drankjes, hartversterkingen en wijngeest hadden hen niet kunnen redden. Richards gezicht toen ze hun eerstgeborene en hun kleinkind moesten begraven... Hij is het niet meer, had ze gedacht toen ze dat gezicht zag. Zijn zoons waren zijn drijvende kracht. Hij zou hun dood niet ongeschonden overleven. Zij was anders, zij kon alles overleven... zelfs Giles. Haar lieve zoon Giles. Een epidemie in Cambridge. Ze hadden zijn lichaam naar huis gestuurd. Ze had de kist laten openen door Perryman. Niemand werd begraven zonder dat zij een laatste blik op hem had geworpen. De stank toen het deksel omhoog kwam. Perryman die haar wegsleurde. De pokken hadden Giles veranderd in zwarte gal.)

Zo hadden de pokken twee van haar zoons weggenomen, en nu dook de ziekte weer op. Voor de twee kleine meisjes kwam het einde al snel, want ze stierven kort nadat de eerste uitslag werd verschenen. Hun urine was bloederig, en toen ze dat zag, wist ze dat de kinderen niet te redden waren. De pokken zaten binnen in hen. Tom en Kit vochten moedig voor hun leven, net zo moedig als hun grootvader, God hebbe zijn ziel, op het slagveld was geweest. De puisten spanden hun huid tot ze ervan schreeuwden en hun huid viel met grote stukken tegelijk af. Hoe vreselijk om te zien hoe degenen van wie je hield zo moesten lijden. De stank in de ziekenkamer was zo hevig dat iedereen doeken met kamfer voor zijn gezicht droeg om die te kunnen verdragen.

Toen kwam Barbara's kist met cadeautjes. Ze hield het speelgoed voor de koortsige oogjes en de kinderen glimlachten en mompelden de naam van hun zusje. Word maar gauw weer beter, schreef ze... Lieve Jezus, hoe moest ze dit ooit aan Barbara schrijven? Kleine Anne die overeind kwam in bed en op het laatst steeds 'Bab! Bab!' riep. Kit, met zijn mismaakte gezicht door de diepe zweren en de stukken huid die waren afgevallen, bijna niet in staat om te ademen doordat de pokken hem ook van binnen verwoestten, hield tot het allerlaatst een loden soldaatje vast dat zijn zus hem had gestuurd. De hertogin huiverde, ook al brandde er een helder vuur in de haard; ze trilde van ouderdom en verdriet... De pokken...

Dulcinea sprong van haar schoot, nukkig omdat men haar had

opgesloten. Het bracht ongeluk als er katten bij een begrafenis waren, maar daar geloofde Dulcinea niet in en ze vond het een grote belediging. Dulcinea was zwanger en daardoor had ze niet veel geduld met mensen. Ze ging zich midden in de kamer zitten wassen, maar plotseling kwam haar kopje omhoog en de hertogin zag een zwartgesluierde vrouw binnenkomen. Dulcinea blies. Diana, dacht de hertogin werktuiglijk. Maar dat kon toch niet haar dochter zijn met al die zwarte sluiers. Maar nu kwam Diana door de kamer, nog maar half in haar zwarte mantel, en ze wierp zich op de hertogin die van verbazing bijna uit haar stoel viel. Diana lag in haar armen te huilen. Waarom, in godsnaam, dacht de hertogin. Nicht Henley stond op, een en al verontwaardiging. En nu kwam nog iemand de kamer in, Tony, haar kleinzoon. Langs Diana heen boog hij zich naar de hertogin en kuste haar op beide wangen.

'Direct gekomen,' zei hij. 'Zodra ik het hoorde. Ik vind het zo erg, grootmama.' Hij drukte haar hand en de hertogin voelde tranen opkomen. Tony. Tony was naar haar toegekomen.

'Mijn kinderen, mijn kinderen,' jammerde Diana.

Iedereen keek naar haar toen ze met een dramatisch gebaar haar sluier achteroverwierp en een gezicht, dik van tranen, vertoonde. Diana huilde. Diana had gevoel. Het was niet te geloven.

'Ik ben gekomen zodra ik je brief had ontvangen,' zei Diana en veegde haar ogen af met een zwarte zakdoek. 'Ik heb de hele reis gehuild. Vraag maar aan Tony.'

Iedereen in de kamer keek naar Tony. Hij knikte, glimlachte verlegen naar zijn grootmoeder en nam haar hand in de zijne. De hertogin vond het een prettig gevoel, die grote, warme hand op de hare. Van Tony. Ze keek hem dankbaar aan.

'Grootmama ziet er moe uit,' zei hij.

'Ze is ook moe,' zei Annie die dreigend naar Diana keek. Annie en nicht Henley leken wel één brok afkeuring. Het verbaasde de hertogin dat hun blikken Diana niet ter plekke hadden gedood.

'Wanneer worden de kinderen begraven?' vroeg Diana.

'Ze zijn een dag geleden al begraven, lady Diana,' zei Annie met een blik van voldoening. 'U weet hoe het gaat met de pokken. We konden niet wachten.'

'Hebben jullie ze begraven zonder dat ik erbij was?' Diana keek haar moeder aan. Haar stem was nog lager en zwoeler dan anders. 'Hoe kon je!'

'Hoe konden wij weten dat u ons met een bezoek zou vereren!' bitste Annie woedend.

'We hadden geen idee dat je zou komen,' kwam de hertogin tussenbeide. Diana barstte opnieuw in huilen uit.

De hertogin keek haar met grote ogen aan; ze was perplex. Deze nieuwe huilende, liefhebbende Diana . . . ze wist er geen raad mee.

'Hoer!' schreeuwde nicht Henley met trillende stem. Ze liep op de snotterende Diana toe. 'Hoer van Babylon! Hoe durf je hier je gezicht te vertonen!'

Tot verbazing van iedereen sloeg ze Diana pal op haar gezicht.

Diana sloeg Henley terug. Nu werd het een waar pandemonium: Henley die snikkend op de grond viel, Diana die haar stond uit te schelden als een staljongen en Annie die gilde dat iedereen zich rustig moest houden. De hertogin had het gevoel dat ze ging flauwvallen. Ze was te moe, te oud voor dit alles.

'Tante Diana, ga de kamer uit. Annie, breng jij nicht Henley weg. Stop haar maar in bed; ze is overspannen. Grootmama, komt u met mij mee. Ik breng u naar uw kamer.'

Iedereen keek naar Tony. Hij sprak in volledige zinnen, dacht de hertogin, ik wist niet dat hij dat kon. Hij tilde haar op alsof ze niets woog. Ze lag in Tony's armen als een teer kindje en ze dacht: Tony . . . Tony. Hij heeft niets van William, behalve zijn blonde haar. O, Tony.

Hij legde haar op haar bed en dekte haar toe met een deken. Toen bracht hij haar een glas wijn en ging op de rand van het bed zitten. Ze voelde zich zo blij. Des Heren wegen zijn raadselachtig. Hij had haar Tony gezonden. Weer welden de tranen op in haar ogen. Ze was te oud en te zwak. Ze zette een mopperige toon op om haar zwakheid te verbergen.

'Je moeder was zeker kwaad dat je hier kwam, hè? Lieg maar niet. Ik kan het van je gezicht aflezen. Het was gevaarlijk om te komen. Er heersen nog steeds pokken in het dorp, en jij bent zijn erfgenaam.' Ze knikte in de richting van Richards portret boven de schoorsteen. Tony keek er ook naar. Richard staarde hen aan, knap, trots en eeuwig jeugdig.

'Waarom ben je gekomen, Tony?'

'Bab,' zei hij.

Ze begreep het niet. Dulcinea sprong op het bed en ging meteen naar Tony, en ze bleef spinnen tot hij haar kopje streelde. Ze miauwde haar tevredenheid tegen de hertogin en nestelde zich op Tony's schoot. Zoiets deed Dulcinea nooit. Ze had het land aan alle vreemdelingen.

'Bab heeft me over u verteld,' zei Tony zonder haar aan te kijken. 'In Saylor House. Over u en... de anderen. Hou zoveel van u allemaal. Wist dat u me nodig zou hebben toen moeder uw brief had ontvangen. En hier ben ik. Omwille van Bab. Ze houdt van u, grootmama. Net als ik,' voegde hij er zachtjes aan toe.

De hertogin keek hem aan.

'Tante Diana wil naar Parijs gaan om bij Bab te zijn,' zei Tony. 'Dat is niet goed.'

De hertogin streelde zijn hand. 'Trek jij je er maar niets van aan. Ik neem Diana wel voor mijn rekening. Dat heb ik altijd gedaan, en nu jij hier bent, zal ik het ook weer doen.' Toen begon ze te huilen. Wat een dwaze, oude gekkin was ze toch. Wat zou haar kleinzoon wel van haar denken?

Hij trok haar naar zich toe (ook al weigerde Dulcinea van zijn schoot te gaan), streelde haar rug en zei: 'Huil maar niet, grootmama. Ik ben hier en ik zal voor u zorgen. Belofte. Bab heeft gezegd dat ik op u moet passen. Heeft me laten beloven. En dat ga ik doen ook. I-ik hou van u, grootmama. Echt waar. Kom nou. Huil maar niet. Stil maar, grootmama, stil maar...'

15

Montrose schraapte zijn keel. Roger fronste zijn wenkbrauwen. 'En, u hebt vanmiddag een afspraak met de hertog de Guise, mijnheer, en ik heb deze brieven gevonden, nog ongeopend... zoals u ziet... en ik dacht dat u ze misschien over het hoofd... had gezien...' De stem van Montrose stierf weg door de uitdrukking op Rogers gezicht toen hij de brieven zag.

'Ik zie nooit iets over het hoofd, zoals je heel goed weet,' zei Roger kortaf. Barbara nam een van de brieven en bekeek hem. Hij was op roomkleurig papier geschreven en het zegel was rood. In Rogers voorhoofd klopte een ader. Dat herinnerde Barbara aan die avond toen hij haar in die nis had betrapt met Henri. Arme Montrose. Ze wist precies hoe hij zich voelde.

'Roger,' zei ze om zijn boosheid tegen Montrose af te leiden maar ook omdat ze nieuwsgierig was, 'deze zijn van de prins de Soissons. Ik dacht dat jullie oude vrienden waren...'

Roger stond abrupt op en gooide zijn servet boven op zijn onaangeroerde ontbijt.

'Dat waren we, eens,' zei hij op koele toon. 'Nu zijn we oude vijanden. Ik wil niet dat de naam van die man ooit nog in mijn huis wordt genoemd. Is dat iedereen duidelijk?' Hij keek hen alle drie om beurten aan en ze keken allemaal voor zich, als stoute kinderen die iets ondeugends hebben gedaan. Hij pakte de brieven van tafel en hield zijn hand op voor de brief die Barbara had. Ze reikte hem aan. Hij liep naar de haard en gooide de brieven in het vuur, dat brandde omdat het die morgen kil was. Eerst begonnen ze te krullen en de randjes werden bruin, en toen werden ze door het vuur verslonden. De drie keken tersluiks naar hem, maar telkens wanneer hij van het vuur opkeek, ging hun blik snel een andere kant uit. Zodra de brieven waren verbrand liep hij met grote stappen de kamer uit zonder een woord te zeggen. Het bleef stil. Waarom behandelde hij haar zo? Wat is er met hem aan de hand, dacht ze, en meteen excuseerde ze zich, want ze kon geen hap meer door haar keel krijgen.

Zodra zij de kamer had verlaten, zei Montrose: 'Zo is hij nog nooit tegen mij tekeergegaan.'

'En die keer dan toen lady Devane naar St.-James's Square kwam voor hun huwelijk? Weet je dat niet meer?' White porde met een pook in het vuur.

'Wat ben jij aan het doen?' vroeg Montrose.

'Voor zover ik het me kan herinneren, had hij toen een aantal bijzondere krachttermen voor ons,' zei White en roerde in de as.

'Je probeert toch niet die brieven terug te vinden? Hou daar onmiddellijk mee op! Caesar, stel je voor dat hij terugkomt en je ziet? Kom weer aan tafel.'

'Er is geen snippertje heel gebleven,' zei White terwijl hij de pook terugzette en zijn gezonde hand aan zijn broek afveegde. Montrose ging met het servet over zijn gezicht, alsof hij en niet White naar de bewuste snippers had gezocht.

'En dan die keer dat je lady Murray in zijn slaapkamer binnenliet terwijl de hertogin van Beaufort daar al was. Ik weet nog wel dat ik toen versteld stond van de vloeken die hij liet horen.'

Montrose vouwde het servet weer op. 'Toch is het niet hetzelfde. Hij is anders sedert hij uit Sceaux terug is,' zei Montrose. 'Thérèse zegt dat hij daar een soort aanval heeft gehad, de avond voor hun vertrek. Dat zal het wel zijn; hij voelt zich niet goed.'

'Nou, wat mij betreft zal ik blij zijn als hij zich weer wat beter voelt.'

Wat is er toch met Roger aan de hand, dacht Barbara. Ze liep er voortdurend aan te denken want sedert ze uit Sceaux waren teruggekeerd, was hij zo anders dan gewoonlijk, zo kortaangebonden en zo humeurig. Na hun terugkomst was hij ook niet meer naar haar bed gekomen. Geen intieme gesprekken meer na het vrijen over zaken als Bentwoodes, Devane House, spiegels, zuilengaanderijen en marmeren beelden voor de tuinen. Die dingen bewaarde ze tot hij weer beter was. Als hij ziek was of oververmoeid, kon zij wachten. Maar waarom vertelde hij niet wat hem dwars zat?

Ze was er zo met haar gedachten mee bezig dat ze twee dagen achter elkaar van Richelieu verloor bij het kaarten, en Richelieu lachte haar uit. 'Binnenkort raak je Henri kwijt.' Wat bedoel je in godsnaam?' 'Ik bedoel dat je een man als hij niet aan het lijntje kunt houden. Zeg eens, heeft hij je ooit op de mond gekust?' Nee. Maar je hebt er niets mee te maken. 'Merkwaardig. Nou Bab, als hij je laat vallen, dan kom je maar bij mij, dan maak ik je tot de meest bijzondere vrouw van heel Parijs.' Droom jij maar, Armand. Droom maar verder. 'Ik verzeker je dat ik over niets anders droom – verdomme, nu heb jij dit spel gewonnen. Je hebt me afgeleid. Ik wil nog een spel spelen, Barbara, daar sta ik op.'

Ze was mooi... dank zij Thérèse. En ze was zeer in trek... dank zij Richelieu en St.-Michel. Ze studeerde Italiaans, Franse geschiedenis en architectuur. Ze deed alles wat ze kon om te worden zoals Roger dat wenste. Maar er was iets fout gegaan sedert Sceaux. Hij verborg iets voor haar en hij wilde er niet met haar over praten. De afstand tussen hen was nu groter in plaats van kleiner, en ze had zich zo ingespannen om die afstand te verkleinen...

Ze was bijna klaar met zich te verkleden voor een bal in het Hotel Scully. Vanavond, dacht ze. Vanavond wil ik dat hij me vertelt wat hem dwars zit. Ze droeg diamanten in haar haar, en langs de achterkant van haar japon liep een strook van diamanten en donkerblauwe veren omlaag. Thérèse en zij waren tevreden over hoe ze eruitzag. En Roger hield van mooie vrouwen. Ze liet Hyacinthe thuis, zodat ze in het rijtuig konden praten. Misschien nu ze er zo beeldig uitzag en als ze heel charmant was, zou ze zijn stemming kunnen verbeteren en zou hij haar wellicht over zijn moeilijkheden vertellen. Ze met haar delen alsof ze werkelijk zijn geliefde, zijn beminde vrouw was.

Maar in het rijtuig bleef hij zwijgen en zat te piekeren. Hij zag er moe uit en ouder, en plotseling schrok ze van het grote verschil in leeftijd, in kennis, in levenservaring. Al haar nieuw verworven tact vloog het raam uit.

'Ben je ziek?' vroeg ze plotseling. 'Vertel het me toch.'

'Weet je hoe vaak je die vraag hebt gesteld in de afgelopen vier dagen...'

'Ik wil je zo graag helpen, Roger. Ben ik het? Is het Parijs? Ben je ziek? Waar heb je pijn? Hoe kan ik je helpen als ik niet weet wat er aan de hand is? Er moet toch een reden zijn waarom je zo grof tegen mij hebt gedaan...'

'Grof? Wanneer ben ik grof geweest?'

'Vanmorgen was je grof vanwege die brieven, en je hebt me in verlegenheid gebracht in het bijzijn van White en Montrose door tegen me te snauwen. Je bent anders dan vroeger, sedert we uit Sceaux...'

'Waarom zeg je dat?' Hij greep haar arm. Ze schrok van de scherpe toon waarop hij sprak.

Ze rukte haar arm los. 'Ik zeg het omdat het waar is.' Haar stem beefde. Ik wil niet huilen, dacht ze.

Ze bleven allebei zwijgen. Alleen het geratel van de rijtuigwielen over de oneffen keien was hoorbaar.

'In Sceaux,' begon hij langzaam, 'weet je nog dat ik me ziek voelde?'

'Ja.'

'Nou, sindsdien ben ik niet in orde. Ik heb de hele tijd hoofdpijn en ik ben moe.'

Hij liegt, dacht ze. Waarom liegt hij tegen me terwijl ik zoveel van hem houd.

Alsof hij haar gedachten kon raden, trok hij haar naar zich toe en drukte haar tegen zich aan. Haar japon werd gekreukeld, maar het kon haar niets schelen. Ze voelde zich zo angstig, en ze wist niet waarom. Ik wou dat ik ouder was, dacht ze, lieve Jezus, maak dat ik nu ouder word...

'Barbara,' zei hij met zijn mond tegen de diamanten in haar haar, 'er is niets wat jij kunt doen.' Hij kuste haar over haar hele gezicht en ze sloot haar ogen.

'Dans maar, vanavond,' zei hij. 'Je moet genieten. Je kunt me helpen door gelukkig te zijn. Dat moet je van me aannemen, Barbara.'

'Als ik het niet ben...'

Hij kuste haar handen. 'Nee. Jij bent het niet.'

'...dan zal ik je geloven, Roger. Maar ik houd van je, en ik wil je hele leven met je delen. Het slechte en het goede, in ziekte en in gezondheid, dat heb ik toch beloofd? Ik meende die woorden toen ik ze zei.'

Hij zweeg. Hoe jong was ze dat ze zo in iemand geloofde. Wat een vertrouwen had ze in hem, in het leven. Lieve god, was hij zelf ooit zo geweest? Hij was zich nog nooit zo bewust geweest van het leeftijdsverschil tussen hen. Ze was werkelijk nog een kind.

En hij was een man die te veel had meegemaakt en die te veel dingen had gedaan.

Hij liet haar achter in de balzaal, omringd door bewonderaars, en ging zelf naar de kaartkamer om te spelen. Maar hij kon zich niet concentreren en hij verloor geld. Hij slenterde door de salons en kwam uiteindelijk weer terug in de balzaal waar hij, zonder zich ervan bewust te zijn, naar Barbara liep te zoeken. Ze danste met St.-Michel. Hij ging zitten op de middelste stoel van een rij om naar haar te kijken, en het deed hem goed haar te zien. Hij voelde troost in haar onschuld, in de manier waarop ze in hem geloofde. Hij zat te kijken met een melancholieke glimlach op zijn gezicht zodat anderen weer naar hem keken. Daardoor had hij geen erg in de prins de Soissons die rustig twee stoelen verder ging zitten met een gezicht net zo strak als dat van Roger. Tenslotte boog de prins zich over een stoel heen, een arrogante trek op zijn trotse gezicht met het litteken.

'Ze is het evenbeeld van haar grootvader,' zei hij op zachte toon, zodat niemand anders het kon horen. 'Ik heb haar onmiddellijk herkend toen ik haar in Sceaux zag. Wat bof je toch, Roger, dat je zo'n getrouwe kopie hebt gevonden toen je het origineel niet kon krijgen. Maakt ze je gelukkig?'

'Philippe...' Roger begon zwaar te ademen, alsof hij te hard had gelopen.

'Glimlach naar je lieve vrouw, Roger. Ze kijkt jouw kant uit.'

Roger ontblootte even zijn tanden in de richting van de dansers. 'Ga weg, Philippe. Ik heb niets tegen je te zeggen.'

'Niets te zeggen tegen een oude vriend?'

'We zijn geen vrienden. Ik heb er zelfs aan gedacht je te doden. Die gedachte hield me op de been. Niemand heeft me ooit een lafaard genoemd of gezegd dat ik niet eerlijk was. Ik had je moeten doden zodra je die woorden tegen mij had uitgesproken... zoals jij Montreal hebt gedood. Voor niets. Ik hield niet eens van hem...' Hij zweeg. Op heel andere toon zei hij: 'Ga weg. Ik heb nu een ander leven.'

'Met dat kind? Waarover praat je met haar, Roger? Wat kun je met haar delen? Je loopt weg voor jezelf, zoals je altijd hebt gedaan...'

Roger stond op, zijn hand op het gevest van zijn zwaard; hij was bleek geworden om zijn neusvleugels en de blik in zijn ogen was plotseling koel en gevaarlijk. Philippe hoefde nu maar één verkeerd woord te zeggen of hij zou bij dageraad op een open veld tegenover Roger komen te staan waarbij hun zwaarden door de stille ochtendlucht zouden zwiepen tot een van beiden dood was.

'Ik bied je mijn excuses aan, Roger. Voor wat ik heb gezegd... wat ik heb gedaan... daar bied ik je mijn excuses voor aan.'

Roger keek hem strak aan. 'Waarom ben je naar Parijs gekomen?'

Philippe glimlachte langzaam, wat zijn gezicht knapper deed lijken.

'Om opnieuw te beginnen, mijn vriend.'

Roger draaide zich om en liep weg. Hij zag Barbara tussen een menigte jongelui staan en hij liep met grote passen naar haar toe. Mijn god... mijn god, dacht hij.

'Ik zag je praten met de prins,' zei ze; haar ogen keken onderzoekend en zagen te veel; hij voelde zich naakt tegenover haar. 'Je had toch gezegd...'

'Hou je stil!'

Louise-Anne, die achter haar stond, begon te giechelen.

Barbara werd bleek en toen begon ze te blozen. Haar schouders, haar hals en wangen werden helemaal rood.

'Ik ga naar huis,' zei Roger. 'Jij kunt blijven zolang je wilt.' Toen liep hij weg. Ze stond als aan de grond genageld en legde haar handen tegen haar wangen. Aan de andere kant van de zaal stond de prins de Soissons toe te kijken en glimlachte bij zichzelf. Iemand nam haar bij de arm en bracht haar naar het souper.

'Nu klinken ze als een getrouwd stel,' hoorde ze Louise-Anne zeggen tegen de prinses de Condé. De prinses lachte.

Barbara ging aan een tafel zitten met Henri, Marie-Victorie en de hertog de Melun. Ze lachte en praatte en kon zich geen woord herinneren van wat ze had gezegd. Ze danste elke dans na het souper en dronk meer champagne dan ooit. Haar gezicht deed bijna pijn van het glimlachen. Haar hoofd deed pijn van de champagne en haar hart deed pijn van Rogers woorden.

'Ik zal je thuisbrengen,' zei St.-Michel in de vroege ochtenduren. Met zijn ogen taxeerde hij haar stemming en de hoeveelheid champagne die ze had gedronken. Ze haalde haar schouders op.

Het rijtuig was donker. Het ratelde en schommelde over de straatkeien. Ze kon St.-Michels ademhaling horen gaan. Ze voelde zich moe en zwaar door de champagne, alsof er stenen aan haar ledematen hingen die haar neertrokken, steeds verder omlaag.

'Je bent aanbiddelijk,' zei St.-Michel in het donker. Bij een volgende schok van het rijtuig zat hij naast haar. Het volgende ogenblik had hij zijn armen om haar heen en probeerde haar te kussen.

'Nee!' zei ze, tegenstribbelend en hem van zich af duwend. Hij hield haar steeds dichter tegen zich aan. Zijn mond was in haar hals en toen op de bovenkant van haar borsten, waar ze uit haar japon kwamen.

'Nee!' riep ze vol woede en angst, het eerste teken dat ze bang werd.

Hij hief zijn hoofd op om haar mond te kussen, maar ze ontweek hem en klapte toen hard met haar hoofd naar voren zodat ze hem pal op zijn neus raakte. Hij gaf een gil en viel terug in het rijtuigbankje.

Meteen zat ze aan de overkant, haar hele lichaam gespannen, klaar als hij nog iets zou wagen. Haar hart klopte als een tamtam. . .

Het bleef stil.

'Henri?' zei ze aarzelend tegen de schaduw waar zich zijn lijf, zijn mantel en zijn gezicht bevonden.

'Mijn god,' zei hij in het donker, 'ik geloof dat je mijn neus hebt gebroken.' Zijn stem was gesmoord en hij klonk als een klein jongetje, als een van haar broers.

'Henri, je had me niet zo mogen grijpen. . .'

'Lieve god, je hebt mijn neus gebroken! Ik bloed als een rund! Als je een man was, stak ik je neer. . .'

'Als ik een man was, zou dit niet gebeurd zijn. Hou je hoofd achterover. Hier, neem mijn mantel maar om het bloed af te vegen. Zal ik het rijtuig laten stoppen?'

'Ja. Dacht je dat ik nog één seconde hier met jou wilde blijven, jij, jij. . .' Hij zweeg; blijkbaar kon hij het juiste woord niet vinden. Ze klopte tegen het plafond en het rijtuig kwam met een schok tot stilstand.

'Je bent geen dame.' Zijn stem klonk geschokt, alsof hij een vreselijke beschuldiging uitte.

Ze zweeg. Als ze hem zijn gang had laten gaan, was ze dan wel een dame geweest? De lakei hield een toorts omhoog en ze kon zien dat Henri zijn hoofd achterover hield, met een stuk van haar mantel in een prop tegen zijn gezicht. Voorzichtig stapte hij uit. Lieve god, had ze zijn neus gebroken? Ze kreeg een verschrikkelijke neiging om te lachen.

Ze deed het niet, maar zat als een willoze, slappe pop in het hortende en stotende rijtuig. Nou, haar grootste bewonderaar was ze kwijt, al zouden alleen haar broers de manier waarop kunnen waarderen. Nu zou ze niet meer populair zijn. Waarom had Roger zo grof tegen haar gedaan, in gezelschap nog wel? Als hij niet om haar gaf. . .

Ze beet op haar lip. En toen kwam er een andere gedachte bij haar op. Had ze werkelijk St.-Michels neus gebroken? Wat zou Roger daarvan zeggen?

Roger lag half uitgestrekt op een stoel in zijn slaapkamer, en hij keek hoe Justin zijn kleren opborg. Justin had aan één blik op hem genoeg en had hem toen, zonder een woord te zeggen, de cognacfles gebracht. Beste Justin, dacht Roger; hij kende hem beter dan wie dan ook. Justin was al bij hem toen hij nog niemand was. Nog vóór Philippe. Hij dronk uit de fles zoals hij dat jaren geleden had gedaan toen hij nog een onbezonnen, jonge soldaat was.

Justin vouwde zijn mantel op, legde hem weg en bracht Roger zijn pantoffels. Met een enkel gebaar schepte hij as in de beddepan en verwarmde daar het bed mee. Hij deed al die kleine dingen die Rogers leven veraangenaamden, maar hij zei geen woord. Af en toe keek hij even naar Roger. Hij weet het, dacht Roger. Hij weet het al sedert we uit Sceaux zijn teruggekomen. Toen Justin klaar was, ging hij zonder iets te zeggen op een stoel bij het vuur zitten, klaar om Roger met iets anders van dienst te zijn.

'Justin,' zei Roger met dikke tong. Zijn blik was troebel. Mooi. 'Justin. Wat moet ik doen?'

Justin gaf geen antwoord.

'Hij is hier, Justin,' zei Roger.

Het gekef van de hondjes klonk door tot in de slaapkamer. Justin ging rechtop zitten. Hij glimlachte.

'Lady Devane is thuis,' zei hij tegen Roger. 'Gaat u naar haar toe. Ze is een lief meisje, mijnheer. Een goede vrouw.'

Hij ging naar Roger en pakte hem de fles af. Toen knoopte hij

Rogers hemd weer dicht en hielp hem overeind.

'Ga nu, mijnheer,' zei hij. 'Het zal u goeddoen. Ze houdt van u, mijnheer. Toe maar. Goed zo.'

Barbara stond in haar onderrok en Thérèse hielp haar uit haar crinoline.

Roger stond te wankelen in de deuropening. Barbara had hem nog nooit zo dronken gezien. Ze gaf Thérèse een teken en het meisje ging de kamer uit.

'Barbara...?' Roger zei haar naam aarzelend. Hij struikelde de kamer binnen en ze haastte zich naar hem toe, legde één arm van hem over haar schouder en trok hem naar het bed waar hij als dood neerviel.

'Lieve Barbara.'

Ze trok al haar kleren uit behalve haar hemd, doofde de kaars en kroop naast hem het bed in. Hij nam haar in zijn armen. Ze legde haar hand op zijn gezicht; het was vochtig. Ze vergat meteen alles en sloot hem in haar armen met zijn hoofd tegen haar borsten.

'Ik voel me zo treurig.'

'Ik hou van je,' zei ze. 'Ik hou meer van je dan van iets...'

Zijn mond smoorde haar woorden. Ze legde haar armen en benen om hem heen en hij vrijde met haar alsof zijn laatste uur had geslagen. Ze kon niet zo snel meekomen met zijn hartstocht. Nu was er alleen nog het aanraken, het voelen, het onderzoeken en vochtigheid. Er was niets dan zijn begeerte en haar overgave. Ik geef je alles, dacht ze, en overdekte zijn gezicht met kussen. Ze voelde het nat van zijn tranen; hij huilde terwijl hij met haar vrijde. Ze fluisterde zijn naam, haar liefde, en trok hem in haar armen. Hij zonk weg tegen haar aan.

Ze raakte zijn gezicht aan, voorzichtig, aarzelend. 'Zeg me waarom je huilt.'

'Ik ben te oud voor je, Barbara. Ik heb te veel dingen gedaan...' Hij sprak nog met dikke tong, zodat ze niet alles verstond.

'Stil maar,' suste ze hem. 'Stil maar, ik ben hier.' Ineens dacht ze aan St.-Michel en ze kreeg de behoefte om te biechten, om haar zonden te doen vergeven.

'Roger, Roger. Ik heb iets ergs gedaan...' Ze gooide het hele verhaal eruit, en soms wist ze niet of ze moest lachen of huilen.

Roger zou weten wat er nu moest gebeuren. Roger wist alles. Hij gaf geen antwoord. Hij sliep. Ze trok de dekens over zijn schouders, raakte zijn voorhoofd even met haar lippen en streek zijn haar uit zijn gezicht. Hij had geen woord gehoord van wat ze zei.

White zat aan een klein tafeltje bij het raam in zijn zitkamer. Eigenlijk moest hij werken, maar hij keek nu de tuin in. Thérèse Fuseau was daar met de page, Hyacinthe, en de jonge hondjes. Ze plantte viooltjes in een hoek van de tuin onder een seringeboom in knop, terwijl Hyacinthe stokken gooide en de jonge hondjes er met veel drukte en gekef achteraan renden. De tuinen waren klaar om de lente te ontvangen. Op de paden lag nieuw grind en overal staken bolgewassen hun groene kopjes boven de grond.

Thérèse was klaar met het laatste plantje en tevreden keek ze naar het kleine privé-tuintje dat ze had aangelegd. De zon was al heerlijk warm op haar rug. Ze luisterde naar het vrolijke gelach van Hyacinthe en ze moest er zelf van glimlachen. Ze veegde haar handen af en liep naar een bank in de tuin om even te zitten kijken naar het gedartel van het jongetje met de twee hondjes. Ze was naar een dokter gegaan om over haar vloeiing te praten. Toen hij haar had onderzocht, hadden zijn onderzoekende vingers haar doen kronkelen van de pijn. 'Een ontstekingsirritatie van de vrouwelijke organen,' had hij haar later gezegd. Hij gaf haar een poeder om in te nemen en raadde haar aan veel eieren en runderbouillon te gebruiken om haar bloedarmoede te bestrijden, en toen had hij eraan toegevoegd: 'Als die infectie is genezen, zul je geen kinderen kunnen krijgen.' Door de tuin weerklonk het vrolijke gelach van Hyacinthe.

Ze hoorde voetstappen over het grind knersen en keek op. Daar kwam Pierre LeBlanc, de majordomus van het huis naar haar toe. Hij was dik, van middelbare leeftijd en lelijk, met sproeten op zijn gezicht en zijn handen. Wat zou hij willen? vroeg ze zich af, en ze stond op met haar hand boven haar ogen tegen de zon. Kwam hij haar een standje maken omdat ze in de tuin zat? Omdat ze lady Devanes persoonlijke kamenier was, had hij maar weinig over haar te zeggen... en ineens wist ze het. Er kon geen andere reden zijn. Ze bleef kalm en vriendelijk kijken.

'Een mooie dag,' zei hij en beduidde haar dat ze weer moest

gaan zitten. 'U hebt verder geen taken te vervullen?'

'Lady Devane heeft geen klachten over mijn werk,' zei ze. 'Ik geniet van een gestolen momentje in de zon. Dat kan toch geen kwaad?'

'Zeker niet,' beaamde hij vriendelijk en ging naast haar zitten, ofschoon ze hem niet had uitgenodigd. 'Maar andere gestolen dingen zijn niet zo onschuldig.'

'Wat voor dingen?'

'De huishoudster zegt dat ze een stel lakens mist uit uw kamer.' Hij haalde een pennemes te voorschijn en begon zijn nagels schoon te maken. Thérèse gaf geen antwoord. Hij was te kalm. Hij wist alles.

'Kijk eens! Kijk eens!' riep Hyacinthe. Ze wuifde naar hem.

'Wat deed u een paar weken geleden zo vroeg in de tuin, juffrouw Fuseau? Mag ik u Thérèse noemen, ja? Ik kijk uit mijn raam en ik zie de nieuwe kamenier van lady Devane als een gek in de grond scheppen, daar onder de seringeboom. Wat hebt u een beeldige viooltjes geplant. Wat zou ze daar doen? denk ik. Begraaft ze daar juwelen? Ik ben een nieuwsgierige man, juffrouw Thérèse. Heeft ze gestolen van haar meesteres? Dus toen u weg was, ben ik de tuin ingegaan en ben ik gaan graven. En wat vind ik? Ik vind bebloede lakens, Thérèse. Bebloede lakens. Lakens die ik nu in een koffer in mijn kamer bewaar. En ik herinner me hoe dat knappe nieuwe meisje flauwvalt in de linnenkamer. En hoe de dienstmeid klaagt over braaksel in de emmer. En hoe de kok vertelt dat u niets eet van uw dienblad met voedsel. Ik werk zeer nauwgezet; vroeger of later kom ik alles te weten. Over iedereen. En nu weet ik dus wat die knappe, bekakte juffrouw Fuseau heeft gedaan. Ik weet het. En ik denk bij mezelf, Pierre, ze zou ontslagen moeten worden. Dat zou lady Devane moeten weten. Maar ik vind je aardig, Thérèse. En ik denk, waarom zou ik dat meisje niet nog een kans geven? Maar ik denk ook, wat krijg ik als beloning voor mijn vriendelijkheid? Wat denk je, Thérèse?'

Thérèse gaf geen antwoord. Telkens wanneer hij haar naam zei, had hij een verachtelijke toon opgezet. Ze keek hoe Hyacinthe met de hondjes speelde. Het was een kille maar heldere ochtend en de lentezon straalde over de tuin.

'Vanavond,' zei LeBlanc terwijl hij opstond, zijn pennemes dichtvouwde en in zijn zak opborg, 'kom ik over de achtertrap.

Doe je deur niet op slot.'

Hij liep weg. Ze keek hem niet na, maar sloot haar ogen en hief haar gezicht op naar de zon. Ze voelde de warmte in haar doordringen als de aanraking van warme, zachte vingers op haar gezicht. Weer hoorde ze iemands schoenen over het grind knersen. Onwillekeurig huiverde ze, maar toen hoorde ze steentjes opspatten, alsof degene die daar liep, struikelde. Ze opende haar ogen. Caesar White stond een meter van haar vandaan, met zijn goede arm tegen een jonge lindeboom. Hij lachte naar haar.

'Ik ben gestruikeld,' zei hij. Met een knikje naar zijn mismaakte, korte arm met het kleine handje eraan, voegde hij eraan toe: 'Soms verlies ik mijn evenwicht hierdoor.'

Thérèse zei niets.

'Ik zag u vanaf mijn raam,' zei hij. 'U was bloemen aan het planten. Dat stond leuk. U hebt een vreemde uitdrukking op uw gezicht, juffrouw Fuseau. Heeft LeBlanc soms iets gezegd dat u vervelend vindt... of ben ik het?'

Hij herinnerde zich die avond toen ze zo weinig toeschietelijk was geweest, en zij dacht er ook aan. Maar toen was ze zo misselijk. Ze wees met haar hand op de bank.

'Gaat u zitten, monsieur White. En kijkt u niet zo bedenkelijk. Ik was niet aardig tegen u toen we een tijdje geleden met elkaar spraken, maar ik voelde me toen niet goed. Nu maak ik het best. LeBlanc kwam een aanmerking maken omdat ik in de zon zit. Hij had bijna mijn stemming bedorven. Maar u, monsieur White, brengt me weer in een goede stemming.' Ze glimlachte tegen hem; ze had zachtroze lippen.

'Caesar,' zei White verward. 'Noemt u me alstublieft Caesar.'

'Dan moet u me Thérèse noemen.'

Er hing een gespannen stilte. Thérèse glimlachte bij zichzelf.

'Ik ben blij dat het voorjaar wordt.'

'Ja. Ja, ik ook. De – tuin begint mooi te worden.'

'Ja, dat vind ik ook.'

'Thérèse,' begon White in een stortvloed van woorden, 'mag ik je een keer meenemen voor een wandeling of voor een ritje met een rijtuig? Op je vrije dag?'

Hij is een aardige jongen, dacht Thérèse. En hij heeft een leuke lach. Iets aardigs zou wel prettig zijn na LeBlanc. En LeBlanc had niets over haar te zeggen. Ze moest hem zo spoedig mogelijk een zekere superioriteit laten voelen, anders zou haar leven een hel worden. Ze had geen behoefte aan nog meer voorproefjes van de hel.

'Dat zou ik heel leuk vinden.'

'Meen je dat? Dat vind ik geweldig, Thérèse.'

Toen LeBlanc die avond op Thérèses deur klopte, zat ze overeind in bed met de dekens keurig tot aan haar middel gevouwen. Ze had haar haar geborsteld en het hing in twee vlechten over haar schouders. Ze droeg een hooggesloten nachtpon. Ze zag er jong, fris en maagdelijk uit. Maar ze voelde zich honderd jaar oud. Het ergste dat haar ooit kon overkomen was al gebeurd, dus was het leven niet zo ingewikkeld meer. Ze knikte naar Hyacinthe die door de andere deur verdween, de deur die naar lady Devanes slaapkamer leidde. LeBlanc klopte nog eens. Ze kon horen dat hij ongeduldig werd.

'Binnen.' Ze hield haar rozenkrans tussen haar gevouwen handen.

LeBlanc stoof de kamer binnen. Hij trok zijn pruik van zijn hoofd en gooide hem op de grond. Daarop liet hij zijn jas van zijn schouders glijden en probeerde al hinkend één schoen van zijn voet te trekken. Toen hij aan de tweede schoen begon, wierp hij een blik op Thérèse die geen woord had gezegd sedert hij de kamer was binnengekomen. Er was iets in haar gezicht dat hem deed stilstaan.

'Er zijn een paar dingen die we duidelijk moeten afspreken, monsieur LeBlanc.' Thérèse keek hem recht in de ogen. 'Om te beginnen zult u hier nooit een hele nacht blijven. Lady Devanes page slaapt in mijn kamer en ik wil niet dat hij een hele nacht in een hoekje zit te bibberen terwijl u uw eigen bed hebt. Ten tweede zult u mij altijd van tevoren waarschuwen wanneer u mij wilt bezoeken, dan zal ik u zeggen of het gelegen komt. Vanavond komt het niet gelegen, zoals ik u zou hebben gezegd als u mij vanmorgen daartoe de gelegenheid had gegeven. Ik vloei nog steeds. U kunt natuurlijk aandringen, maar dat wordt voor beiden een vies geknoei en bovendien pijnlijk voor mij. Ten derde: de dokter heeft gezegd dat ik rode wijn, runderbouillon en eieren moet hebben om weer helemaal op krachten te komen. Daar zult u voor zorgen. Hoe sneller ik ben genezen, des te eerder kunt u uw plezier nemen. Ten vierde: u moet zich wassen en scheren voordat u mij komt bezoeken. Ik ga niet naar bed met een man die stinkt als een varken. Ten vijfde zult u ervoor zorgen dat er nooit baby's komen van onze verhouding. U mag nooit bij me naar binnen, absoluut nooit. Als u me toch zwanger maakt, vertel ik alles aan lady Devane. Dan word ik ontslagen, maar u ook. Ik ken lady Devane, zij zal dat beslist eisen. Begrijpen we elkaar?'

Op LeBlancs gezicht hadden zich allerlei gevoelens afgetekend die varieerden van woede tot ongeloof en koppigheid.

'Ik zou je hier ter plaatse kunnen dwingen,' bromde hij. Maar Thérèse zag dat hij geen dreigende houding aannam.

'Natuurlijk,' zei ze kalm. 'Maar ik ben sterk. Ik zou gaan gillen en vechten en Hyacinthe zou me zeker horen. Iedereen zou het weten. Ze zouden mij ontslaan, maar u beslist ook.'

Hij keek haar met open mond aan. Ze besloot om toch genadig te zijn nu ze had gewonnen.

'Ik ken uw macht in dit huishouden. Daar heb ik respect voor. Ik zal u niet afwijzen, zo stom ben ik niet. Maar ik vraag u rekening te houden met mijn gevoelens en mijn gezondheid.'

Aarzelend raapte hij zijn pruik, zijn jas en zijn schoen op; hij zag er belachelijk uit.

'Zorg dat die vloeiing niet te lang duurt,' zei hij om iets van zijn waardigheid te redden. 'Ik ben een ongeduldig man.'

'Denk eraan dat je je wast,' antwoordde zij. 'Rode wijn, runderbouillon en eieren. Goed onthouden.'

De deur ging achter hem dicht. Ze ging liggen; haar mond was droog. Het was beter verlopen dan ze had verwacht. Hij was een bullebak, maar niet erg pienter. Ze had hem volkomen verrast met haar aanval. Nu zou hij een andere kijk op haar krijgen. Ze rilde bij de gedachte aan dat grote, naakte lijf boven op haar. Dan zou ze aan iets anders denken of haar rozenkrans opzeggen. En ze zou uit wandelen gaan met White. Zijn verlegen blik zou haar weer een gevoel van reinheid geven. Ze klom uit haar bed en riep Hyacinthe. Het jongetje betekende veel voor haar; misschien was hij wel het enige kind dat ze ooit zou hebben.

'Wat heb je met Henri gedaan?' vroeg Richelieu onmiddellijk, nog voor ze haar mantel had losgeknoopt.

Werd er dan zoveel gekletst in Parijs? (St.-Michel had verteld dat hij door bandieten was aangevallen. Hij had haar genegeerd alsof hij haar nooit had gekend. Zijn neus was inderdaad gebroken.)

'Niets!' zei ze geërgerd. 'Gaan we nu kaarten of geef je je paard een afscheidskus?'

'Ik zou nog liever jou kussen. . .'

Ze maakte meteen rechtsomkeert en liep naar de deur. Ze was niet van plan alles maar goed te vinden. Richelieu kon opvliegen. Thérèse hield haar mantel alweer klaar. Richelieu greep haar arm. Ze trok zich los en keek hem aan. Hij glimlachte.

'Blijf, alsjeblieft,' zei hij en ging tussen haar en de deur staan. 'Ik vraag excuus.'

Hij deelde de kaarten. Ze zweeg en keek kwaad, als een humeurig kind.

'Je moet dat humeur zien te bedwingen,' zei hij langs zijn neus weg. 'Ik begrijp nu hoe het komt dat Henri zo gehavend is bij zijn laatste ontmoeting. Hij vergeeft het je nooit, weet je dat? Je dagen van populariteit lopen ten einde.'

Ze knarsetandde.

'Als ik ooit probeer je aan te randen, lukt het me, humeurig of niet.'

Ze legde haar kaarten op tafel. 'Mijn slag,' bitste ze.

'Alleen in het kaartspel, liefje.'

Ze was weer ongesteld. Er groeide dus nog steeds geen baby. Na het hevige vrijen met Roger had ze gedacht dat ze ditmaal toch wel zwanger zou zijn. Maar er was niets dan bloed. En nu zou hij niet eens thuis komen, naar hun huis. Ze had zin om iets stuk te gooien. Haar grootmama zou hebben gezegd dat ze een flink pak slaag verdiende. Grootmama zou haar buiten aan het werk hebben gezet: de kleden kloppen met een stok of binnen zilver poetsen tot ze er pijn van in haar schouder kreeg. Wat was er toch met Roger? Waarom vermeed hij haar zo?

Thérèse kwam de slaapkamer binnen met brieven. Barbara's humeur werd al beter en ze griste ze letterlijk uit Thérèses handen. 'Ze zijn uit Engeland, madame.'

'Deze is van grootmama,' zei Barbara en scheurde langs het zegel. 'Ik hoop dat de jongens. . .'

Toen ze de bladzij las, stokte haar stem. Vervolgens keek ze

Thérèse aan en probeerde iets te zeggen, maar er kwamen geen woorden uit haar mond. Ze viel als een steen neer, niet bewusteloos, maar gewoon op haar knieën met haar rokken om haar heen.

'Madame? Is er slecht nieuws?' riep Thérèse toen ze Barbara's witte gezicht zag.

'R-Roger,' kon Barbara met moeite uitbrengen. 'Zoek Roger.' Thérèse rende de kamer uit.

Het kan niet waar zijn, dacht Barbara, ik wil niet dat het waar is. Ze wiegde heen en weer waar ze zat, met haar armen om zich heen geslagen. De woorden in de brief spatten als vuurwerk uiteen in haar geest, en bij elke klap begon ze nog erger te trillen. Tegen de tijd dat Thérèse terugkwam met de huishoudster, met achter haar aan Montrose en White, lag Barbara op de grond te jammeren. De mannen kregen er de rillingen van over hun rug. Ze probeerden haar van de grond te tillen, maar ze begon te vechten, te huilen en te gillen.·

Het hele huis stond op stelten toen Roger die middag laat thuiskwam. In een opwelling was hij uit rijden gegaan; hij wilde een uurtje wegblijven tot zijn geest tot rust zou zijn gekomen in de frisse buitenlucht. Maar hij was doorgereden tot hij vlak bij Versailles was. En overal, in de stad en in de bossen, was het hem alsof Philippe naast hem reed. Philippe had zijn verontschuldigingen aangeboden. Die trotse, koele, arrogante Philippe, een Franse prins. Roger lachte hardop. Wat had hij zich op dat moment machtig gevoeld. En wat kende Philippe hem... dat hij hem zo in verleiding kon brengen. Was het mogelijk? Ditmaal zou hij de situatie meester zijn; hij zou er een punt achter zetten wanneer de relatie hem niet langer aanstond. Ditmaal zou hij de voorwaarden stellen. Zijn hart klopte van vreugde over die nieuwe mogelijkheid.

Altijd had hij alles gewild, had hij alles willen beproeven en alles willen doen. Hij was bij zoveel vrouwen geweest, in zoveel bedden. Maar Richard, Richard was de enige mens van wie hij werkelijk had gehouden. Toen hij dat verschrikkelijke feit onder ogen zag, had hij in het donker gehuild als een kind. En hij had altijd een vrouw gevonden die bereid was hem te troosten, die hem kon doen vergeten. Tot Philippe kwam. De enige andere man die hij ooit had begeerd... en van wie hij had gehouden.

Philippe had de bloedende wond die Richard had veroorzaakt, dichtgeschroeid. Ze waren als de oude Grieken, in alle opzichten elkaars gelijken – absolute minnaars.

En nu bood Philippe dit opnieuw.

Barbara. Hij hield de gedachtenstroom tegen. Hij wilde niet aan Barbara denken, aan wat hij haar verschuldigd was, aan wat het voor haar zou betekenen als ze wist waar hij nu aan dacht. Ze hoefde het nooit te weten. Hij wist zelf niet eens wat hij zou doen. Maar ineens voelde hij zich weer jong, krachtig en mannelijk, vol mogelijkheden, zoals hij was geweest toen hij twintig was. De lentelucht was pittig en fris en het zonlicht scheen door de takken van de bomen.

Toen hij zijn eigen binnenplaats opreed, vielen de eerste schaduwen van de avond. Hij maakte plannen voor de komende uren. Hij had zin om naar madame Ramponeau te gaan in de Rue Rouge, een avondje bij de meisjes. Philippe had zijn bloed opgezweept met een heftigheid die zelfs Barbara niet kon temperen. Hij verlangde naar de zachtheid van vrouwen, hun zilte smaak, hun malse borsten. Een jonge vrouw als Barbara. Meerdere jonge vrouwen.

Hij wist nog niet wat hij met Philippe aan moest, maar hij wist wel dat hij van dit moment wilde genieten, dit moment van jeugd, dit gevoel van vernieuwing, van macht, van mogelijkheden en van verleiding; hij wilde ervan genieten zolang het duurde.

Hij rende de trappen op naar de slaapkamers en had er geen erg in dat het stil was in huis. LeBlanc en twee lakeien drapeerden zwarte stof langs een van de ingangen van de salon, maar de betekenis ervan drong niet tot hem door. Pas toen hij in de kamer tussen zijn en Barbara's vertrekken kwam en daar Montrose en White met Justin en Thérèse bij elkaar zag zitten, besefte hij dat er iets mis was. Zijn hart stond stil. LeBlanc met de lakeien, de zwarte stof.

'Barbara!' zei hij. 'Waar is ze? Wat is er gebeurd? Is ze ziek? Geef antwoord!'

'Ze ligt nu te rusten,' zei Montrose. Zijn gezicht was bleek en strak. 'De dokter heeft haar een slaapdrankje gegeven.'

'Het is haar familie, mijnheer,' zei White. Hij had de schok van Rogers gezicht afgelezen, evenals Justin, die meteen een glas cognac inschonk. 'Er is vanmorgen een brief gekomen van de hertogin van Tamworth. Lady Devanes familie, haar broers en zusters zijn allemaal gestorven. Aan de pokken.'

Montrose gaf Roger de verkreukelde brief. Ze hadden hem bijna moeten losscheuren uit Barbara's hand. Ze had gegild. Montrose had het gevoel dat hij zou flauwvallen.

Roger las snel; het handschrift was beverig en de inkt was gevlekt.

Mijn lieve kleindochter, mijn allerliefste kind,
Ik ben zo verdrietig dat ik je nu moet schrijven. Ik weet geen andere manier om het je te vertellen dan eenvoudig: ze zijn dood, lieverd. Allemaal – je broers en zusters. Door de pokken. Tony zal je de bijzonderheden schrijven, die je natuurlijk zult willen kennen maar waar ik de moed niet voor heb. Ik kan niet eens hun namen schrijven, zozeer trilt mijn hand. Mijn tranen vallen over het papier terwijl ik schrijf, zoals ik weet dat nu ook de jouwe stromen. Ik zou mijn eigen ziel willen geven om nu bij je te kunnen zijn, Barbara, en ik kan je alleen maar zeggen dat je moet vertrouwen op de Almachtige God, Zijn kracht, Zijn wijsheid, Zijn genade. 'Ik hef mijn ogen naar de bergen: vanwaar zal mijn hulp komen? Mijn hulp is van de Here, die hemel en aarde heeft gemaakt. Hij zal niet toelaten dat uw voet wankelt, uw Bewaarder zal niet sluimeren. Zie, de Bewaarder van Israël sluimert noch slaapt. De Here is uw Bewaarder, de Here is uw schaduw aan uw rechterhand. De zon zal u des daags niet steken, noch de maan des nachts. De Here zal u bewaren voor alle kwaad, Hij zal uw ziel bewaren. De Here zal uw uitgang en uw ingang bewaren van nu aan tot in eeuwigheid.' Denk goed aan deze woorden, mijn lieve kind. Denk eraan in de komende dagen van verdriet. Ik weet dat onze dierbaren in de hemel zijn bij de Heer. Ze zijn lammeren die Hij aan zijn borst drukt. Alleen die gedachte kan me steunen in deze uren van rouw. Ik bid dat jij gezond bent en de kracht zult vinden om dit bericht te verwerken. Ik ben erg moe. Ik kan niet verder schrijven. Tony is bij me. Ik bid voor je, allerliefste Barbara.

Je liefhebbende grootmoeder

'Er is nog een brief,' zei Montrose.

Roger scheurde langs het zegel en las:

Beste Bab,
Ik zal voor grootmama zorgen. Maak je niet ongerust. Pas maar goed op jezelf. Je bent steeds in mijn gedachten, Bab, en in mijn gebeden.

Grootmama heeft me gevraagd je te schrijven hoe ze zijn gestorven. Ze zei dat je het later zou willen weten, dat het beter was als je het wist. De baby was de eerste, Bab. Hij is niet meer bij bewustzijn geweest...

Roger vouwde de brief op en probeerde zich voor te stellen wat dit nieuws voor zijn vrouw betekende. Ze had zoveel van haar broers en zusjes gehouden; ze had ze naar hun huis willen halen om bij hen te wonen. Hij had dit plan op de lange baan geschoven, want hij had geen zin om zoveel kinderen om zich heen te hebben terwijl zijn bruid ook nog bijna een kind was. Maar dit...

Hij keek op. Iedereen staarde hem aan.

'Hoe reageerde ze?' vroeg hij.

Ze bleven allemaal zwijgen, maar eindelijk zei Justin: 'Ze was volkomen radeloos van verdriet. Toen hebben we de dokter laten komen. Hij – hij heeft haar adergelaten en iets gegeven om te slapen. Ze is nu rustig.'

Montrose zei maar een paar woorden: 'We moesten haar vasthouden.' Hij was zelf nog in shocktoestand.

'Ze was helemaal van streek,' zei White met trillende stem. 'Heel erg van streek.'

Thérèse zei niets.

Roger liep de slaapkamer in. Iemand had de gordijnen dichtgetrokken en het was donker, maar hij kon zien dat de spiegel gebarsten was. Overal lagen flessen en potjes en gebroken glas. Hij haalde diep adem en liep naar het bed. Ze leek te slapen. Haar gezicht en haar oogleden waren opgezwollen. Arme schat, dacht hij. Arm klein schatje. Hij raakte haar gezicht aan; ze opende haar ogen en greep zijn hand. Hij ging op het bed zitten.

'Bab,' zei hij zachtjes. 'Bab, ik vind het zo verschrikkelijk.'

'Blijf bij me,' zei ze.

Hij ging bij haar zitten en streelde haar haar tot ze sliep.

Een week daarna stond Roger vanuit zijn raam naar de tuin te kijken. Op de grond lag zijn pruik en een jas van grijze moirézijde, waar de zwarte mouwband nog omheen zat. Die ochtend was er een herdenkingsdienst gehouden voor Barbara's familie. Het had hem verbaasd dat er zoveel mensen waren gekomen. Maar hij begreep het wel; ze waren eigenlijk gekomen om naar Barbara en naar hem en ook om naar elkaar te kijken.

Onder de vele bloemen die waren gekomen, bevond zich ook een enorm boeket donkerrode irissen, gemengd met takjes rozemarijn. De iris, of fleur-de-lis zoals de Fransen haar noemden, stond op het wapen van de Bourbons, de familie van Philippe. Die bloemen kwamen dus van hem. Iris, fleur-de-lis, betekende vlam, ik brand. Philippe had achter in de kerk gezeten. Vlam. Ik brand. Barbara was tijdens de dienst flauwgevallen. Ze wilde dat hij dag en nacht bij haar bleef. Elke nacht, wanneer ze eindelijk sliep, vluchtte hij in de armen van andere vrouwen, welke hij maar kon vinden, een inschikkelijke hertogin, een operadanseres of een hoer. Hij kon niet anders. Hij kwam thuis op de gekste uren en Justin stopte hem als een kind in bed; meestal was hij stomdronken.

Philippe was daar in de kerk geweest. Vlam. Ik brand... en niets kon die vlam doven. Philippe forceerde een beslissing. Tussen de fleur-de-lis zat een briefje dat iedereen had kunnen lezen: Ik vertrek spoedig, stond er. Zie ik je nog? Verder niets.

Je hebt een jonge vrouw, zei Roger bij zichzelf. Ze houdt van je. Ze heeft je nodig. Je zult samen kinderen krijgen. Dat is niet genoeg. (Wie kan in het hart van een ander kijken? Hoe kan een mens een oordeel hebben over een ander? Dat kan alleen de Almachtige God, en Hij bestaat niet.) Ze zal eraan kapotgaan... Ze hoeft het nooit te weten... Vroeg of laat komt men er toch achter... Mijn arme, arme Barbara...

Roger stond op de stoep van Philippes Parijse huis. Hij klopte op de deur. Een van Philippes bedienden deed open. In de donkere hal stonden koffers en dozen opgestapeld. Philippe vertrok. Het was dus geen bluf, zoals Roger eigenlijk had gedacht. De bediende wees naar boven, naar de groen-met-gouden salon, maar Roger wist de weg. Hij rende de trap op en klopte met zijn stok op de salondeur.

'Binnen.'

Aan de andere kant van de kamer, bij de ramen, kwam Philippe moeizaam overeind. Roger voelde zich merkwaardig kalm toen ze elkaar aankeken. Deze man was eens zijn grote liefde geweest. Het losbandige hoereren van de laatste dagen had zijn geest verhelderd. Hij kwam vaarwel zeggen. Je kon beter niet aan iets beginnen dat je wellicht niet zou kunnen eindigen. Het gevaar was te groot. Voor hemzelf en voor Barbara. Ze bleef hem voor de geest staan met haar bleke gezichtje.

Het duurde even voor Philippe sprak. Het ontroerde Roger. Philippe wist altijd wat te zeggen; hij was nooit in de war.

'Ik had niet gedacht dat je nog kwam.'

Roger zweeg.

'Je vrouw... gaat het wat beter?'

'Ik kom vaarwel zeggen,' zei Roger, en het viel hem niet zwaar. Nu Philippe Barbara had genoemd, was het niet moeilijk meer. 'Ik wens je het beste.'

'Ik jou ook, Roger.'

Roger liep door de kamer om Philippes hand te schudden, zodat Philippe met zijn manke been niet hoefde te lopen. Maar toen hun handen elkaar raakten, sprong er een vonk over. Wat een dwaas ben ik, dacht Roger toen Philippe dichter naar hem toekwam. Wat een ongelooflijke dwaas. En toen dacht hij: Dit is het dus. Dit is werkelijkheid. Dat andere is een droom.

Ze lagen rustig in de slaapkamer en hoorden Philippes bediende in de aangrenzende kamer de tafel dekken voor het souper. Ze konden het glaswerk en het zilver horen rinkelen. Hun eerste vrijen was heftig, hartstochtelijk, onstuimig geweest; hun lichaam, hun tong en hun handen hadden wederzijdse pijn, verlangen en behoefte doen voelen. Philippe ging met zijn vingers langs Rogers profiel, langs zijn jukbeenderen.

'Je bent nog net zo knap als altijd. Word je nooit een dag ouder?'

Roger keek naar Philippes litteken. Hij was erbij geweest toen hij die wond opliep, in een belachelijk duel om de een of andere gravin. Vrouwen hadden toch altijd een rol gespeeld in hun leven. Hij had Philippes bebloede hoofd in zijn schoot gehouden en toen wist hij hoeveel hij van hem hield. Hij hield meer van hem dan hij ooit van iemand anders had gehouden behalve Richard, maar Richard was dood en hij had zijn liefde nooit beantwoord. En nu hield Richards kleindochter van hem, zoals hij van Richard had gehouden. Wat zouden de schikgodinnen lachen bij het zien van de vreemde kronkels in zijn leven. Ja, Richard was dood en Philippe leefde, en deze man was alles wat Richard niet was: trots, arrogant en jaloers. Het was een onvergetelijk moment geweest, dat moment van inzicht. De dokter had Philippe verbonden en Roger had hem naar huis gebracht. Daar zat de gravin te huilen en te jammeren om Philippe. En Philippe had met haar gevrijd met zijn verband, zijn pijn en alles, gewoon waar Roger bij was. Roger was erbij gekomen en toen, plotseling, over haar lichaam heen hadden ze met elkaar gevrijd. Dat was het begin. Merkwaardig hoe ze al zo dikwijls een vrouw hadden gedeeld, maar nog nooit elkaar hadden aangeraakt.

Roger rekte zich uit. Hij voelde zich veel kalmer, ontspannen en vervuld. 'Als je praat over ouder worden, dan kan ik je zeggen dat ik zojuist twintig jaar jonger ben geworden, dank zij jou.'

Philippe lachte, een rijke, volle lach.

'Weet je die gravin nog?' vroeg hij, en Roger lachte mee.

'Zij dacht dat het haar schoonheid was die ons opwond. Maar ik heb altijd naar jou verlangd, Roger, vanaf het eerste moment dat ik je zag. Die keer, toen je de kamer binnenkwam achter de hertog van Tamworth aan. Ik heb jarenlang naar je verlangd. De oorlog scheidde ons, en allerlei andere gebeurtenissen. En toch hebben we elkaar gevonden. We zijn voor elkaar bestemd.'

Roger sloot zijn ogen onder de betovering van Philippes stem, zijn handen die hem streelden waardoor hij weer stijf werd. In hem brandde begeerte, een donker verlangen.

'Weet je nog,' fluisterde Philippe in zijn oor, 'hoe we ervan genoten samen een vrouw te delen? Hoe we haar om de beurt namen en toekeken?' Roger kreunde. 'En hoe we dan zelf vrijden, het heerlijkste vrijen dat er op aarde bestaat. Jouw vrouw, Roger, jouw Barbara... zou zij ooit... met ons...?'

Philippes tong bewoog zich in zijn oor, maar Roger voelde zich alsof hij zojuist in ijskoud water was gedompeld. Hij schoof opzij en kwam overeind.

Philippe steunde nu op één elleboog en keek hem aan. Dat litteken gaf hem een ironische uitdrukking, maar waarom ook niet? Het was toch ironisch, bedacht Roger, dat zijn minnaar zijn vrouw noemde en dat hij zich bezoedeld voelde. Alsof Philippe iets had aangeraakt dat rein moest blijven. Barbara was zijn onschuld, zijn talisman. Wat een dwaas was hij dat hij was gekomen. Dat hij weer was begonnen. Maar het was nog niet te laat om weg te gaan. Om er een punt achter te zetten.

'Ik bied je mijn excuses aan,' zei Philippe, en maakte geen aanstalten om hem aan te raken. 'Ik had zoiets nooit mogen zeggen. Er zijn mannen die het niet erg vinden. Jij wel. Hou je van haar?'

Roger zweeg. Het overviel hem dat Philippe zich excuseerde. De vroegere Philippe zou zich nooit geëxcuseerd hebben. Hij was geroerd... en hij voelde dat hij weer met Philippe wilde vrijen. Hij verachtte zichzelf.

'Kom hier,' zei Philippe en hield zijn armen wijd.

Ze lagen bij elkaar, zonder begeerte, en Philippe streelde Rogers gezicht.

'Het komt wel goed,' zei hij.

'Ik wil niet hebben dat haar verdriet wordt gedaan.'

'Nee, natuurlijk niet. Dat beloof ik. We zijn samen. Dat is het voornaamste.'

16

In het begin leek het of ze door modderwater moest zwemmen. Het lukte haar even met het hoofd boven water te komen: gebeurtenissen, mensen en gesprekken waren helder, die begreep ze. En dan werd ze weer omlaaggetrokken, diep in de donkere wateren van verdriet, waar alles doordrongen was van pijn. Ze herinnerde zich de dienst die was gehouden, maar ze wist niets meer van haar flauwvallen of van Rogers paniek. Het drong tot haar door dat Thérèse een heleboel namen noemde van mensen die kwamen condoleren: de regent en zijn vrouw. Lord Stair, de hertog en hertogin de Saint-Simon en nog wel een dozijn anderen. Ze wilde niemand spreken; de enige die ze bij zich wilde hebben was Roger. Haar man. Soms riep ze zijn naam, dan schoot ze in paniek overeind en dan was hij er. Maar soms was hij er niet.

Ze huilde zich in slaap. Ze zijn dood, snikte ze, en ik heb niet eens afscheid genomen. Ze had zoveel plannen voor ze gemaakt: hun huwelijken geregeld, doopmoeder van hun kinderen had ze willen zijn. Altijd had ze van hen gehouden en voor hen gezorgd. Ze waren een deel van haar jeugd, een deel van haarzelf. Het leek alsof ze tot Rogers komst altijd kleinere handjes had vastgehouden... En nu had ze het gevoel dat ze een deel van zichzelf was kwijtgeraakt, alsof een stuk van haar hart was weggesneden en dat ze haar verdere leven moest slijten met het bloedende restant. De pijn. Had ik er maar op aangedrongen dat ze naar Frankrijk zouden komen, dacht ze telkens, dan zouden ze nu nog in leven zijn. Ze kon niet slapen, daarom nam ze laudanum en sliep weer te lang; ze kon ook niet eten dus bleef ze maar in bed liggen. Thérèse en Hyacinthe waren bij haar, twee trouwe schildwachten. En Roger, hij was er ook. Hij wiegde haar en hield haar in zijn armen. Hij praatte tegen haar. Hij was haar anker, haar ziel. Als hij er niet was, wanneer hij naar een afspraak moest (uiteindelijk waren ze niet zijn vlees en bloed en ze verwachtte niet dat hij zijn leven er te veel door zou laten beïnvloeden) lag zij op de bodem van een modderige zee, en het zonlicht leek heel ver weg boven haar te zijn.

'Wat is het hier toch somber, met al die zwarte crêpe,' zei White aan het ontbijt. Om de deuren en ramen hingen draperieën van zwarte stof. De spiegel boven het buffet was helemaal met zwarte stof bedekt.

'Het is geen wonder dat lord Devane zoveel uitgaat. Hij is in een opvallend goed humeur, vind je niet, Francis? Mijn vierde canto beviel hem. Hij wil dat ik een gedicht maak voor lady Devanes verjaardag – in mei wordt ze zestien. Waar ben jij mee bezig?'

'Lord Devane heeft me gevraagd een inventaris te maken van alle voorwerpen die in het pakhuis bij de Pont Neuf liggen. Voor zijn reis.' Montrose snoof.

White voelde wel aan waarom hij snoof. Ze waren het geen van beiden eens met die reis. Het was een nieuwe gewaarwording in hun leven... dat ze iets afkeurden wat Roger deed. Hij ging naar het landgoed van de graaf de Bourbon, een oudere, excentrieke en buitengewoon rijke oom van de prins de Soissons. Het buitengoed van de graaf was een van de mooiste van Frankrijk en er mochten bijna nooit bezoekers komen. Ze vonden allebei dat hij zijn vrouw nu niet in de steek hoorde te laten, al was het maar voor vier dagen.

Barbara had zich een plaatsje in hun leven veroverd. Haar aanwezigheid aan de ontbijttafel, waar ze hen plaagde en opdrachten gaf en haar man liefdevolle blikken toewierp, was aanvankelijk aanleiding geweest tot spotternijen, maar in wezen dwong zij hun respect af. Haar theeuurtjes in de blauw-met-gouden-salon, de dienbladen vol heerlijkheden zoals koekjes, cakes en taarten die waren gemaakt volgens recepten van Tamworth, dat alles gaf hun het gevoel weer hongerige schooljongetjes te zijn. Thérèse en Hyacinthe waren er ook bij; Hyacinthe liet de hondjes kunstjes vertonen en Thérèse vertelde iets grappigs uit de tijd dat ze bij de Condés werkte. Lady Devane zat achter de theepot en vond alles prachtig; ze vertelde verhalen over haar eigen familie en soms kwam lord Devane bij hen zitten. Ze was een integraal deel van hun leven geworden en nu misten ze haar, want door de schok van het verdriet bleef ze tegenwoordig op haar kamer.

Ze leverden niet openlijk kritiek op Roger, die tegenwoordig druk was en vrolijk, zoals ze hem nog nooit hadden gezien. Het was wel merkwaardig dat hij in zo'n goed humeur was terwijl zijn vrouw onder haar verdriet gebukt ging, maar het was een welkome verandering na zijn sombere buien van de afgelopen weken. Montrose ging dus weer verder met zijn inventaris en White dacht aan het verjaarsgedicht dat hij zou maken... en aan Thérèse, die tegenwoordig dikwijls in zijn gedachten kwam. Hij leefde helemaal voor die keren dat ze met hem in de tuinen wandelde, of hem toestond haar op een maaltijd te trakteren in een drukke, lawaaierige taveerne. Hij droomde van de dag dat hij haar zou mogen kussen... en nog meer.

(Het is maar voor vier dagen, had Philippe aangedrongen. Hij laat bijna nooit iemand op zijn buitengoed toe, en het kan een bron van inspiratie zijn voor jouw Bentwoodes. Roger had geaarzeld, want hij voelde zich schuldig dat hij Barbara in de steek liet. Ze merkt het niet eens dat je weg bent, zei Philippe. Ik weet wat verdriet is. De eerste weken ben je je alleen maar bewust van jezelf. Hoe weet jij wat verdriet is? vroeg Roger. Ik heb jou verloren, zei Philippe. Ik ben er bijna aan doodgegaan. En eens, lang geleden, was er een meisje waar ik van hield. Ik kon niet met haar trouwen; ze was de dochter van een herbergier. Ik hield van haar met die jongensachtige vurigheid die alle mannen hebben voor hun eerste echte liefde. Toen ze zwanger was van mijn kind ging ik met mijn hoofd op haar buik liggen om de baby te voelen, en ik kon wel huilen van geluk. Hoeveel plannen heb ik gemaakt. Ach, jeugddromen. Ze is in het kraambed gestorven. Het was een jongetje. Het kind is ook gestorven. Dat heb je me nooit verteld, zei Roger. En Philippe glimlachte met die droevige glimlach die Roger nog nooit eerder had gezien. Hij dacht: Nu zijn we nog meer verbonden. Ik weet meer over hem en hij over mij. Mijn leven is nu rijker en voller en heerlijker dan ooit. Plotseling huiverde hij, zo'n vreemde kilte, wanneer de schikgodinnen met hun koude hand langs je wang strijken en waarschuwen: wees op je hoede voor zoveel geluk.)

Kleine attenties hielpen wel een beetje. Ze kwamen onverwacht.

White schreef een lofdicht op haar broers en zusjes en zond het haar toe, met een blauw lintje eromheen. Er was een brief van Tony: zijn belofte dat hij voor grootmama zou zorgen want grootmama was nu alleen, en zij had Roger nog. Dan was er de brief van grootmama zelf. Na een tijdje voelde ze dat het overlezen van die woorden: 'Ik hef mijn ogen op naar de bergen, vanwaar mijn hulp zal komen' – mooie bezielende woorden, waarin ze ook haar grootmoeders verdriet en haar kracht herkende – het opnieuw lezen van die brief haar hielp. Ze merkte op dat Thérèse elke dag een vers boeket voorjaarsbloemen neerzette; die kwamen van de hertog de Richelieu, zei Thérèse, en hij stuurde er altijd een briefje bij om te vragen hoe het met haar gezondheid ging. Ze stond ervan versteld dat Richelieu zo attent was. Ook waren er de kleine, zelfgeplukte boeketjes van de huishoudster, een tuinman, een lakei, de kok, Montrose en White.

En dan was er Thérèse. Barbara begon begrip te krijgen voor de bijzondere band die altijd had bestaan tussen haar grootmoeder en Annie. Als een vrouw die uiteindelijk net zo was als je zelf je troostte en kleedde en je zag wanneer je op je slechtst en op je best was, ontstond er een bijzondere band, ook al was die vrouw een bediende. Thérèse borstelde haar haar elke ochtend en avond. (Dat gaf weer herinneringen aan Tamworth, aan haar grootmoeder. Ze zag haar grootmoeders kamer voor zich, met de vele tafeltjes vol boeken, vazen met bloemen en prullaria. Dulcinea die van de ene schoot op de andere sprong. Grootmama en Annie kibbelend als altijd, terwijl een van hen haar haar borstelde. Anne en Charlotte die op het bed lagen te kijken.) Thérèse stond erop dat ze alle dagen een andere jurk aantrok en dat ze bij het raam ging zitten in plaats van op bed te blijven, zodat ze uitzicht had op de tuinen.

En dan was er Hyacinthe. Hij deed zo dapper zijn best om stil te zijn, al lukte het niet altijd. Hij zat urenlang bij haar als ze dat wilde. In het geheim oefende hij met de hondjes om ze een nieuw kunstje te leren waar zij om kon lachen. Hij rende de trappen op en af om boeken voor haar te halen waar ze misschien belangstelling voor had, of bonbons om haar gebrekkige eetlust op te wekken.

Al die attenties ontroerden haar, want het waren tekenen van liefde. Het was een bittere pil te moeten ontdekken dat al die leuke complimentjes die ze te horen had gekregen toen ze nog gezond en gelukkig was, nu waren verdwenen. Maar Richelieu had haar gewaarschuwd. En haar grootmoeder had een keer gezegd: je mag je gelukkig prijzen, Barbara Alderley, als je in je hele leven drie echte vrienden hebt. Je zult veel kennissen hebben en er zullen leuke, lachende mensen zijn die zich je vrienden noemen, maar een echte vriend leer je kennen wanneer je in moeilijkheden zit. Nu ze verdriet had leren kennen en zich voor het eerst ging afvragen wat het leven eigenlijk inhield, nu begon ze iets beter te begrijpen wat haar grootmoeder bedoelde. Niets was zoals je dacht dat het was. Het leven niet, jij zelf niet en andere mensen ook niet.

Doeken tussen haar benen hielden het verse, rode bloed van haar ongesteldheid tegen. Geen kind. Ze verlangde nu meer dan ooit naar een baby. Ze had het gevoel dat alleen een kind haar zou kunnen genezen.

Ze keek naar de tuinen die zich voor haar uitstrekten, in dezelfde stijl als die van Versailles. In de verte zag ze twee mannen over het middenpad lopen van de vijver naar het huis toe. Ze herkende een van hen als Roger; hij praatte geanimeerd en gesticuleerde om hier en daar iets aan te wijzen. De andere man was groter; hij liep mank. Op een gegeven moment, halverwege tussen de vijver en het terras, legde de man met het manke been zijn arm om Rogers schouders en samen keken ze in de richting van het huis. Barbara begon te wuiven vanuit haar raam, maar ze zagen haar niet. Langzamerhand begreep ze dat de manke man de prins de Soissons was die ze in Sceaux had ontmoet – Rogers vijand. Nu waren ze blijkbaar weer vrienden. Ze had wel gehoord dat Roger samen met de prins een of ander buitengoed ging bekijken, maar ze had er niet op gelet; het drong alleen tot haar door dat hij van haar wegging. Nu zag ze hen gearmd rondslenteren, als oude, vertrouwde vrienden, en plotseling voelde ze een steek van jaloezie. Roger zag er zo gelukkig uit. Ze leunde achterover in haar stoel en voelde het bloed uit haar vloeien. Ze moest een kind hebben, en spoedig ook. Ze moest iets van haarzelf hebben om van te houden, iemand die ze niet met jan en alleman hoefde te delen. Iemand die haar niet in de steek zou laten. Maar toen schaamde ze zich omdat ze jaloers was, omdat Roger een vertrouwde vriend had en omdat ze medelijden met zichzelf kreeg. Voor zoiets zou haar grootmoeder minachting hebben. Ba, zou de oude dame zeggen, ik heb niets aan zwakke, zeurende vrouwen. Kom, ga iets doen!

Ze stond op en klapte in haar handen tegen de hondjes. Ze zou naar beneden gaan. Ze zou thee laten klaarzetten in de salon bij het terras, om Roger te verrassen. Dat zou haar goed doen. Zorg dat je die vervelende gevoelens kwijtraakt. Bedenkelijk keek ze naar haar beeld in de spiegel en kneep eens in haar wangen. Ze was zo mager geworden dat ze wel een vogelverschrikker leek in haar zwarte jurk. Alle kleur was uit haar wangen verdwenen. Nou, dan moest de prins maar zien welk een lelijke magere vrouw zijn vriend had. Ze gooide haar hoofd in de nek.

De majordomus was stomverbaasd haar te zien en nog verbaasder bij het horen van haar bevelen. Er waren geen scones gebakken en geen Tamworth-cake, stotterde hij. Ze keek streng; het huishouden werd nu al laks. Hij verzekerde haar dat hij voor passende vervanging zou zorgen. En hij zou natuurlijk zorgen voor thee in de blauw-met-gouden-salon, madame.

Toen ze daar zelf was, keek ze uit het raam en zag Roger en de prins aankomen. Ze waren nu onder aan het terras en ze spraken nog steeds geanimeerd. Met de hondjes achter haar aan liep ze door de salon terwijl de lakeien een tafel met stoelen klaarzetten op een zonnig plekje. Op een lange, lage tafel vond ze ontwerpen, schetsen... Bentwoodes. Zijn droom en ook de hare. Hun toekomst. Het huis voor hun kinderen, die ze zo dolgraag wilde krijgen. Lakeien kwamen binnen met de zilveren theepot, de kan met kokend water, dienbladen vol lekkernijen, koekjes en kruimeltaart. Roger zou verrast zijn, en blij. Ze opende de terrasdeuren op een kier.

'Beste Roger,' kon ze de prins horen zeggen, 'dat is een belachelijk idee. Jij zou toch beter moeten weten. Een werkelijk goed ontwerp is veel decoratiever, meer barok, niet die onzin uit het oude Rome en Palladio. Ik verbaas me dat jij...'

Hij klonk neerbuigend, superieur. Ze werd kwaad. Bentwoodes – Palladio – was van haar. En van Roger. Van niemand anders. En plotseling kwam er een ondeugend idee in haar op. Ze floot zachtjes naar de hondjes, die net in de rand van het kostbare, met de hand geknoopte tapijt zaten te bijten. Ze tilde ze beide op en fluisterde: 'Pak hem. Pak die stoute man. Toe maar!'

Ze piepten en keften in haar handen. Ze deed de terrasdeuren iets wijder open.

'Pak hem.'

De hondjes schoten naar buiten en meteen was er een grote verwarring van lawaai, gegrom en gekef en daardoorheen Rogers 'Verdomme! Koest! Koest, zeg ik! Ik snap niet wat er aan de hand is met... Hyacinthe! Hyacinthe! Kom hier en haal die verdomde honden weg!'

Barbara grinnikte stiekem en ging vlug op de middelste stoel zitten voor de theetafel. Ze schikte haar rok en deed haar best er onschuldig uit te zien. Ze begon kokend water in de theepot te schenken; van het terras klonk nog steeds gegrom en gevloek van Roger. Ze vond zichzelf het toppunt van huiselijkheid en stelde zich een gravure voor in een etalage: 'Trouwe Jonge Vrouw Wacht op haar Heer en Meester (Nadat ze de Honden op Zijn Beste Vriend Heeft Losgelaten).'

Roger kwam de kamer in met in elke hand een hondje dat hij bij zijn nekvel hield, alsof het brokken vieze, stinkende kaas waren. Toen hij Barbara zag, bleef hij staan. Achter hem kwam de prins de Soissons; zijn dikke, trotse gezicht met dat gekke litteken stond bepaald boos. Barbara beet op haar lippen om niet te lachen (ze was verschrikkelijk, had haar grootmoeder altijd gezegd. Hoe had ze het in haar hoofd gehaald? Maar wat was het heerlijk om zo gemeen te zijn.).

'Ik heb thee voor jullie laten klaarzetten,' zei ze met een onschuldig gezicht. 'Goedemiddag, monsieur de Soissons.'

'Die beesten zijn onverbeterlijk. Ze vlogen als helhonden op Philippe af. Kijk eens, Bab, Harry heeft Philippes kous kapotgetrokken. Ze moeten een pak slaag hebben!' Barbara haastte zich ze van hem over te nemen.

'Het spijt me heel erg,' zei ze. 'Ik begrijp niet wat ze hebben. Stoute, stoute hondjes,' bromde ze.

In de hal gaf ze ze aan een lakei, maar eerst aaide ze de beide kopjes en zei: 'Lief hondje, hoor.' Ze stikte haast van de lach.

Zodra haar gezicht weer in de plooi was, ging ze de kamer binnen. Toen ze ging zitten stonden beide mannen op. Ze keek nog even naar de gescheurde kous van de prins en kreeg weer de neiging om te lachen. De prins hield haar in de gaten. Hij weet het, dacht ze, en om de een of andere reden huiverde ze. Ze kreeg hetzelfde gevoel dat ze de eerste keer had gehad toen ze hem ontmoette. Er was iets vreemds achter die blik, of kwam het alleen maar door dat litteken dat hij zo ironisch keek? Ineens wist ze zeker dat hij haar niet mocht (dat kon ze hem niet eens kwalijk nemen, want ze was eigenlijk kinderlijk ondeugend geweest) en dat Roger zenuwachtig was. Waarom?

'Het spijt me van de hondjes,' zei ze zonder hen aan te kijken, druk bezig met het theeschenken.

'Slechte manieren kan ik een dier altijd vergeven,' zei de prins, op zijn gemak achteroverleunend in zijn stoel. 'Het is een gebrek aan discipline, die je een hond niet mag kwalijk nemen. Mag ik nog een koekje? Ik hou van een Engelse thee.'

Hij weet het, dacht ze, en hij is boos op me. Het zijn míjn manieren waar hij het over heeft. Ze wierp haar hoofd in de nek.

'Ik dacht dat ik scones rook. . .' zei Montrose die door de open terrasdeuren binnenkwam maar zich meteen wilde terugtrekken toen hij de prins zag. Roger wenkte hem en stelde hem voor.

'Ik ken uw naam zeer goed, mijnheer,' zei Montrose terwijl hij boog, 'aangezien lord Devane bijna elke dag een afspraak met u heeft.' Hij lachte. (Montrose wilde graag voor geestig doorgaan.)

'Ga zitten,' zei Roger geërgerd.

'Geen frambozenscones?' Montrose overzag de dienbladen. 'Lady Devane, ik vind het fijn u weer beneden te zien.'

'Geen scones. De keuken verwachtte me nog niet.'

'Ik ook niet,' zei Roger met een glimlach, terwijl zij hem zijn thee overhandigde. 'Maar ik ben ook erg blij dat je eindelijk uit je kamer bent gekomen. Weet je zeker dat het niet te vroeg is?'

'Inderdaad,' zei de prins. 'U ziet er niet zo stralend uit als in Sceaux. En dat is ook wel te begrijpen. Mag ik u nog eens persoonlijk condoleren met uw tragische verlies, lady Devane, maar we hadden al afgesproken dat ik u Barbara mocht noemen. Mag dat nog steeds?'

'Ja,' zei ze met een benauwd gevoel. Als kind had ze Charity Dinwitty aan haar vlechten getrokken en toen waren haar twee oudere zusjes op haar afgekomen. Dat was zes jaar geleden, maar ze herinnerde zich dat zware gevoel op haar maag toen die twee voor haar stonden. Ze hadden haar tot bloedens toe geslagen. Zoals de prins nu van plan was. . .

'Ik vind dat lady Devane er heel goed uitziet,' zei Montrose. Ze bood hem nog een koekje aan.

'Ik meende frambozenscones te ruiken,' zei White, die met zijn hoofd om de hoek van de deur kwam. 'O, neemt u me niet kwalijk. Ik wist niet dat u gezelschap had.'

'Kom toch binnen,' zei Roger, 'dan kan ik de prins de Soissons voorstellen.'

White boog. Hij lachte naar Barbara. 'Wat fijn u weer te zien, lady Devane. We hebben geen behoorlijke thee meer gehad, sedert...'

De prins zei: 'Mag ik dat stukje cake? Ik doe mijn eten altijd veel eer aan, zoals u kunt zien. Ik ben gewoon jaloers dat Roger zo slank blijft als een jongeling. Als je hem ziet, zou je nooit vermoeden dat hij meer dan twintig jaar ouder is dan jij, lieve. Oud genoeg om je vader te zijn. Wanneer zijn jullie getrouwd, kindje?'

'In januari, monsieur de Soissons.'

'Uw kous is kapot,' zei Montrose.

'Ja,' zei de prins. 'Inderdaad.' Hij vestigde al zijn aandacht op Barbara. 'Je moet mij Philippe noemen. Daar sta ik op. Als echtgenote van een man die ik als mijn vriend beschouw... Januari. Je bent dus nog een verse bruid. Wat verschrikkelijk dat jullie huwelijk zo spoedig door een tragedie is getroffen. Roger vertelde me dat je broers en zusters aan de pokken zijn overleden. Vreselijk; het is een verschrikkelijke dood.'

'Dat is zo,' beaamde Montrose. 'Mijn oom lag drie dagen lang als een steen in zijn bed, en toen heeft hij nog tien dagen moeten lijden eer hij eindelijk stierf. Alle zweren op zijn lichaam waren opgesprongen.'

'Ik wil nog graag een stukje cake,' onderbrak White met luide stem.

'Vreselijk, vreselijk,' beaamde Philippe. 'Mijn jongste broer is als een worst opgezwollen en toen ging hij uit zijn mond en zijn neus bloeden. Hij heeft niet één vlekje gehad. Maar toen wisten we dat de ziekte dodelijk was. Hoe waren hun namen, Barbara?'

Ze slikte langs de dikke brok die zich in haar keel had gevormd. 'Tom... Kit en Charlotte... en Anne en... de baby, William,' ze eindigde in gefluister. Lieve god, nog even en ze zou in tranen uitbarsten. Ze was niet van plan zich te schande te maken voor deze kille, onnadenkende man door te gaan huilen. Ze stond op, waarbij ze een theekopje omstootte.

'Lady Devane!' riep White.

'Barbara,' zei Philippe, met een bezorgde uitdrukking op zijn gezicht. 'Ik heb je verdriet gedaan! Ik ben een onhandige stommeling! Vergeef me mijn slechte manieren!'

Ze knikte blindelings in zijn richting. Leugenaar, dacht ze. Ze moest de kamer uit voor ze begon te huilen. Hij mocht haar tranen niet zien. In de gang zocht ze steun tegen een muur. De tranen liepen over haar wangen.

'Lieve schat,' zei Roger, die onmiddellijk achter haar aankwam en haar in zijn armen nam. 'Voel je je niet goed? Wat kan ik doen?'

'Help – help me maar naar boven. Dan moet je meteen terug naar je gast. Het spijt me zo, Roger.' Ze snikte in haar handen.

Hij tilde haar op en ze begroef haar gezicht op zijn schouder. Waren ze maar niet dood, dacht ze. Ik wou dat ze niet op zo'n manier waren gestorven. Waarom wilde die man me aan het huilen hebben? Waarom?

In de blauw-met-gouden salon begon White tegen Montrose die opstond en volslagen onthutst naar de deur keek waardoorheen Barbara was weggerend.

'Idioot! Je kon toch weten dat zo'n onderwerp haar verdriet zou doen!'

'Het is helemaal mijn schuld,' zei Philippe. Hij was ook gaan staan en keek eveneens naar de deur waardoorheen Barbara – en Roger – waren weggerend, maar hij zag er niet onthutst uit.

'Ik wilde haar niet aan het huilen maken,' zei Montrose met een gezicht alsof hij zelf ieder ogenblik in tranen kon uitbarsten. 'Ik – ik vond het zo prettig dat we weer theedronken, en ze zag er zo goed uit.'

'Ze maakt het ook goed, verrekte stommeling die je bent, maar het is nog geen maand geleden!'

'Lord Devanes toewijding is roerend,' zei Philippe.

De twee andere mannen keken naar hem en toen naar elkaar.

White boog formeel en liep de kamer uit.

Montrose drukte een servet tegen zijn trillende lippen. 'Ik wilde haar niet aan het huilen maken,' zei hij opnieuw, fluisterend. Toen ging ook hij weg.

Philippe zat alleen. Hardop maar met gedempte stem zei hij: 'Dat wilde ik nu juist wel. En dat is misschien het stomste dat ik ooit heb gedaan.'

Hij ging weer zitten en nam nog een koekje en een portie cake, maar het smaakte hem duidelijk niet meer zoals een paar minuten geleden. Toen Roger een half uur later terugkwam, vroeg hij met oprechte bezorgdheid in zijn stem: 'Hoe gaat het nu met haar?' Roger gaf geen antwoord.

'Roger, ik ben een stommeling. Ik was in de war doordat ze daar onverwachts zat, en die honden hebben me kwaad gemaakt. Ik heb die dingen opzettelijk gezegd, en nu heb ik er spijt van. Je moet me geloven.'

Roger liep langs hem heen, naar een dienblad met cognac en wijn, en schonk een glas wijn voor zichzelf in.

'Ze knapt wel weer op,' zei hij vermoeid. Barbara had een hele tijd gehuild, en steeds herhaalde ze dat het haar speet van die hondjes. Hij deed maar alsof hij niet begreep waar ze het over had. Die verrekte Philippe. Die verrekte wrede neigingen van hem. Jezus, hij maakte zich zorgen over haar. Ze was te mager. Haar verdriet leek hem buitensporig. Ze had hem nodig... hij moest meer voor haar zijn dan hij kon. Op die avond toen Philippe hem probeerde te verlokken, had hij het ook gevoeld. Schuld... liefde... begeerte... was hartstocht alle pijn waard die hij met zich meebracht... hij had in zijn leven zoveel gedaan... niet allemaal goeds... maar nooit had hij zo'n droefheid bij zichzelf bespeurd.

Philippe lette op zijn gezicht waar de emoties nu gemakkelijk af te lezen waren.

'Het is zeker wel vermoeiend,' zei hij, 'om zo'n jonge vrouw te hebben. Als een kind dat je moet grootbrengen.'

Roger keek hem met gefronste wenkbrauwen aan, maar Philippes gezicht stond niet boosaardig.

'Dat is het inderdaad, soms,' zei hij plotseling en dronk zijn glas leeg.

Philippe streek over het litteken dat zijn profiel had geschonden, maar waardoor hij Roger juist had gewonnen.

'Geloof je me als ik zeg dat het me oprecht spijt?' het klonk gemeend. 'Ik heb zitten denken terwijl je weg was. Je hebt het eens gehad over een broer – ouder dan zij...'

'Harry.'

'Ja, Harry – hij zit in Italië, nietwaar?'

'Voor zover ik weet wel. Ik laat geld naar Italië sturen.'

365

'Waarom schrijf je hem niet om hem te vragen hier te komen? Misschien is het beter voor haar om iemand van haar eigen familie om zich heen te hebben. En het zou jou misschien kunnen verlichten.'

Roger zette zijn glas neer; hij was verrast door Philippes zorg. 'Dat is misschien precies wat ze nodig heeft; ze houdt zo van haar familie... en ze is nog zo'n kind... zoals je zegt.'

Hij schonk nog meer wijn in. Philippe wachtte.

'En, Roger, wat heb je nog meer op je hart? Vertel het nu maar. Wat heeft ze boven gezegd? Heeft ze zo erg het land aan me?'

'Integendeel, Philippe. Ze zegt dat jij haar niet mag.'

Nu had hij ze gezegd, de woorden die hen scheidden. Maar in zijn diepste innerlijk wist hij dat ze gelijk had; hij kende Philippes wreedheden en Philippes jaloezie waar zij niet tegenop kon en waar hij haar ongewild aan had blootgesteld. Hij voelde zich verstrikt, verstrikt door haar onschuld en vertrouwen in hem, verstrikt door zijn eigen ijdelheid en zijn noden... Hij had Philippe nodig... hij hield van hem, ook al wist hij waar Philippe toe in staat was. Maar in de eerste plaats had hij toch een gevoel van onwaardigheid. Hij was de gevoelens die zij voor hem koesterde gewoon niet waard. En dat deed hem nog het meeste pijn.

'Haar niet mogen?' zei Philippe. 'Wie zegt dat ik haar niet mag? Ik heb me vanmiddag als een pummel gedragen, schandelijk. Soms lijk ik een oude dwaas. Morgen zal ik haar drie dozijn rode tulpen sturen...'

'Doe dat. Ze houdt van bloemen.'

'...en om vergiffenis vragen. Het is haar verdriet, Roger. Dat geeft haar een verkeerd beeld. Ze heeft mijn nervositeit – en mijn ergernis, dat geef ik toe – voor boosheid aangezien. Voor antipathie. Maar ik vind haar een allerliefst kind. En toen ze vanmiddag naar jou lachte, was ze mooi. Werkelijk mooi. Je boft wel, Roger.'

Het verbaasde Roger dat Philippe zo grootmoedig was. 'Ja,' zei hij. 'De eerste keer dat ik haar zag glimlachen, leek het wel of ik Richard weer zag. Ze heeft wel fouten, maar alles bij elkaar genomen blijkt ze een aangename verrassing te zijn. Haar grootmoeder – en dat is een echte tijgerin – heeft haar goed opgevoed. Je had moeten zien hoe ze mijn huishouding overnam. En ze houdt van me. Over een jaar of twee, als we kinderen hebben en ze is iets rijper geworden, zal ze een fantastische gravin zijn. Ik zie het al voor me, hoe zij straks de leiding neemt over mijn landgoederen, over de kinderen. . . en hoe ik dan loop te strompelen, steunend op een stokje, en een beetje tuinier op Bentwoodes, een leuke tijdpassering voor een oude man. . .' Hij zweeg, want hij besefte dat hij meer had gezegd dan hij van plan was.

Philippe kwam omhoog uit zijn armstoel en hobbelde op zijn manke been tot waar Roger stond.

'Schenk mij eens een cognac in,' zei hij. 'Ik constateer dat het me heeft geschokt dat ik een vijftienjarige aan het huilen heb gemaakt.'

Ze moesten beiden lachen. En toen Roger had ingeschonken, klonken ze met hun glazen en Philippe zei: 'Op het tuinieren, beste vriend. Op het tuinieren.'

Toen haar menstruatie over was, ging Barbara naar Rogers kamer. Hij was zich aan het kleden om uit te gaan. Justin hielp hem met het aantrekken van een prachtige jas, afgezet met goudkleurige kant en hij zag er knap en elegant uit. Justin zag Barbara in haar nachthemd staan, met alleen een sjaal om haar schouders, en hij haastte zich om haar een stoel te geven en een glas wijn voor haar in te schenken. Roger nam haar hand en kuste hem. Ze hield haar adem in. Hij was zo knap. Ze wilde zo graag een kind hebben – hun kind. Hij zag de uitdrukking op haar gezicht. Hij liet Justin papier en pen brengen en krabbelde een briefje (ze hoorde hem Philippes naam noemen) en stuurde Justin weg om het te bezorgen. (Ze was blij dat het een afspraak met Philippe was die nu werd afgezegd.) Roger zette zijn pruik af en ze hielp hem uit zijn jas. Hij trok haar op zijn schoot en streelde haar, maar uiteindelijk lagen ze in bed. Ze huilde tijdens het vrijen, en dat verontrustte hem. Later, toen ze op zijn borst lag en hij haar haar streelde, probeerde ze het hem uit te leggen. Ze voelde zich de laatste tijd zo breekbaar, als heel dun glas. Al haar gevoelens hadden een ondertoon van droefheid tegenwoordig. Wil je naar huis, vroeg hij, naar Tamworth? Dan mag je weer terug. Ze sloot haar ogen. Om weer bij haar grootmoeder te zijn! Om grootmoeders kracht en veiligheid weer te voelen! Maar ze was nu een vrouw met een eigen leven. En ze hoorde nu bij Roger. Ze kwam met haar hoofd omhoog om hem te kussen voor zijn zorgzaamheid, en even zag ze de uitdrukking op zijn gezicht. Hij wilde haar liever weg hebben. Ze ging weer liggen en verborg haar gezicht voor hem. Als hij had gezegd dat hij haar haatte, had hij haar niet erger kunnen kwetsen. En Roger dacht: God vergeve het me, maar ik heb liever dat ze weggaat. Een paar maanden van volledige vrijheid. En ze weet het. Ze heeft het van mijn gezicht afgelezen. Jezus Christus, wat gebeurt er met me? Ik moet veel voorzichtiger zijn. Hij drukte haar steviger tegen zich aan. Ik ga morgen iets voor haar kopen, dacht hij. Philippe moet me helpen iets uit te kiezen. Iets waardoor ze dit vergeet.

Hij denkt dat ik nog een kind ben, dacht ze toen ze in het lange zwartfluwelen etui keek waarin een diamanten en robijnen armband lag. Een kind dat je kunt omkopen met snuisterijtjes. Waarom wil hij me weg hebben? Wat heb ik gedaan?
'Madame!' riep Thérèse uit. 'U moet dit dragen. Ik sta erop. Het is zo ongelooflijk mooi. U boft dat u zo'n attente man hebt!' Maar nu moet u gaan.' Thérèse gaf haar een duwtje. 'Madame de Gondrin wacht beneden, en het zal u goed doen weer eens uit te gaan. Gaat u nou, madame.'
In het rijtuig zat Marie-Victorie de Gondrin, kalm en beheerst als altijd, en ze kuste Barbara op beide wangen toen ze instapte. 'Ik ben zo blij dat je met me meegaat,' zei Marie-Victorie. Ze bleef Barbara's gezicht vasthouden en bekeek haar aandachtig. 'Wat is er aan de hand, Barbara? Ik zie een vreemde blik in je ogen.'
'Ik – ik heb hoofdpijn. Eigenlijk moest ik thuisblijven. Ik heb helemaal geen zin om iemand te ontmoeten.'
Marie-Victorie streelde haar gezicht. 'Lieve kind, verdriet is niet iets dat je na een paar dagen kunt opbergen, zoals je een wintermantel weghangt. Het heeft tijd nodig. Wees nu maar flink, dan voel je je straks beter. Ik weet het zeker. En ik heb Armand gezworen dat ik je zou meebrengen. Hij zegt dat hij nooit meer behoorlijk heeft kunnen kaarten sedert jij niet meer komt...'
Barbara glimlachte.
'Goed zo. Voel je je al niet wat beter? Je moet echt meer uitgaan. Het zal je dierbare Roger ook plezier doen. Mannen vinden het nooit leuk wanneer hun vrouw zich niet goed voelt – maar wat is dat aan je arm? Heb je dat van Roger? Jij boft toch zo, Barbara. Gondrin heeft me nog nooit zoiets moois gegeven.'

In de Bastille kwam Richelieu onmiddellijk op haar af. Zijn lelijke, magere gezicht was nog smaller dan ooit. Zijn merkwaardige ogen schitterden.

'Je ziet er vreselijk uit,' zei hij.

Ze moest lachen. Ze snapte eigenlijk niet waarom ze was gekomen. Hij kuste haar hand.

'Ik heb je ontzettend gemist, Barbara Devane. Ga zitten, dan kunnen we gaan kaarten! Nu meteen!'

Ze won vier van de vijf spellen. Het gaf haar inderdaad afleiding. Marie-Victorie had gelijk; ze moest vaker uitgaan. Door haar rouw kon ze nu niet naar bals en ontvangsten, maar rustige diners en hier en daar een middagvisite zouden haar goed doen. Ze kon toch ook weer beginnen met haar lessen: Italiaans, aquarel, piano en zang. Ze kon weer poseren voor haar portret. Ze kon het boek over Palladio uitlezen. En aan een nieuw boek beginnen. Roger bleef toch nog lang in Parijs om allerlei moois voor Devane House te kopen. Ze zou zich helemaal concentreren op Devane House. Tot er een kind op komst was. En als afleiding had ze Richelieu, die vreselijke Richelieu met zijn kaarten. En ze had Roger... Ze keek naar de armband om haar pols tot Richelieu haar waarschuwde dat zij aan de beurt was om te delen.

Nee, madame, had Justin gezegd, hij is er niet.

Ze probeerde wakker te blijven, maar ze viel toch in slaap. De volgende ochtend verscheen hij niet aan het ontbijt. Ze ging naar zijn vertrekken. Justin stond linnen hemden op te vouwen en weg te leggen in een kast. Waar is hij? vroeg ze. Justin hield zijn aandacht bij het linnengoed. Hij was gaan rijden. Met wie, Justin? Dat heeft hij niet gezegd, madame. Met wie is hij uit rijden gegaan? vroeg ze aan Montrose. Ik geloof dat het de prins de Soissons was, antwoordde Montrose verbaasd. Ze trof Roger later op de dag. Waarom ben je niet komen ontbijten? vroeg ze hem. Hij kuste haar op haar kruin. Geen reden. Vind je de armband mooi? Hij is prachtig. Waarom ben je niet komen ontbijten? Ik wist niet dat jij er ook zou zijn, antwoordde hij en keek haar strak aan. Ik was laat vanmorgen en ik heb bij de prins thuis ontbeten.

Die avond bleef Roger thuis en als anders zat hij aan het ontbijt de volgende morgen, maar dat kon de vermoedens die nu door haar hoofd spookten, niet wegnemen.

'Vind je echt dat ik er zo vreselijk uitzie?' vroeg ze Richelieu een paar dagen later. Thérèse en Hyacinthe waren met haar meegekomen als chaperonnes. Ze voelde zich tot Richelieu aangetrokken, als metaal tot een magneet. Hij was een man van de wereld en hij was eerlijk.

'Ja.'

Ze keek met een bedenkelijk gezicht naar haar kaarten.

'Waarom speel je geen aas?' hielp Richelieu haar toen ze nog steeds geen kaart had gespeeld. Ze stak haar tong tegen hem uit.

'Prachtig, Barbara. Geen wonder dat je man het slechte pad opgaat.'

Ze moest zich geweld aandoen om niets te laten merken. Richelieu was toch een echte adder; hij wist precies iemands zwakke plek te vinden. Ze voelde zich benauwd worden.

'Wie zegt dat mijn man het slechte pad op is?' Ze was er trots op dat haar stem zo kalm klonk. Als hij roddelpraatjes wilde horen, was hij aan het verkeerde adres.

'Alle mannen gaan het slechte pad op,' zei hij en bleef naar haar kijken. 'Je bent ziek geweest; je hebt hem verwaarloosd. Wij mannen zijn wezens met vleselijke lusten. Ik neem aan...'

'Je moet nooit iets aannemen.' Ze sloeg met haar eerste kaart op tafel. Richelieu keek er verbaasd naar. Het was een goeie. Een tijdje zwegen ze. Toen vroeg ze langs haar neus weg: 'Waarom ben jij je vrouw ontrouw?'

Inwendig moest hij glimlachen. Eindelijk. 'Ik ben ontrouw omdat ik destijds gedwongen ben met haar te trouwen. Omdat wij geen liefde voor elkaar voelen. Ik doe wat me zint en dat doet zij ook, en ze heeft mijn zegen. Ik heb haar niet nodig. Laat een ander maar van haar genieten.'

Barbara huiverde.

'Wat zou jij doen als je merkte dat Roger je ontrouw was?'

Ze wist geen antwoord. Richelieu zei spottend: 'Je zou huilen. Alle vrouwen huilen. En verder doen ze niets. Dat is de reden waarom mannen ontrouw blijven.' Zijn minachting stak haar.

'En wat zou jij doen?'

'Ik zou op mijn beurt ontrouw zijn, Bab. Gelijke monniken, gelijke kappen.'

'Wat zou je daarmee bereiken?'

'Niets. Behalve dat de wraak wel zoet is. Heel zoet.'

Zijn ogen schitterden. Het gesprek begon een gevaarlijke wending te nemen. Ze gooide haar hoofd in haar nek.

'Geloof jij dan nergens in?'

'Natuurlijk niet. Ik ben mijn onschuld al heel vroeg kwijtgeraakt. Toen ik tien was en ik aan het hof ontdekte dat mannen en vrouwen – en vooral vrouwen – tot alles in staat zijn.'

Zijn hand lag dicht bij de hare. Ze voelde de neiging opkomen om hem tegen haar wang te leggen – uit medelijden met dat tienjarige jongetje en om iets waar ze zelf van schrok.

'Met mij hoef je geen medelijden te hebben,' zei hij. 'Heb het maar met jezelf. Wanneer jij je onschuld kwijtraakt, doet dat nog veel meer pijn dan het mij ooit heeft gedaan.'

Ze voelde zich kwaad worden. En haar kwaadheid verhulde het feit dat ze zich een ogenblik tevoren had afgevraagd hoe het zou zijn om hem te kussen.

'Ik ben niet onschuldig. Ik ben een getrouwde vrouw. Ik heb niets te verliezen.'

'Barbara, jij hebt alles te verliezen.'

Ze stond op en gooide haar kaarten op tafel. 'Ik vind dit een stom gesprek. Ik heb hoofdpijn en ik ga naar huis.'

'Mooi zo. Ik heb je nog nooit zo slecht zien spelen. Zoek maar iemand om mee te oefenen.' Hij stond op en streelde haar even onder de kin. Ze sloeg zijn hand weg.

'Tot ziens, morgen of een andere dag,' riep hij haar na. 'De groeten aan je man.'

Hij liep naar de vogelkooi en tikte tegen de tralies.

'Lief vogeltje,' zei hij met een glimlach. 'Lief, lief vogeltje. Zing maar een liedje voor me.'

Ze spraken over Barbara. Richelieu zag altijd weer kans het gesprek op haar te brengen. Het leek alsof hij door haar geobsedeerd werd, hij kon niet genoeg verhalen over haar horen. Louise-Anne was aan hem gewend; hij had altijd minnaressen gehad, maar toch was deze bezetenheid haar niet welgevallig, en ze begon Barbara erom te verfoeien.

Ze zat op de rand van Richelieus stoel te mokken, maar de anderen negeerden haar volkomen. Ze waren alle drie al behoorlijk dronken, St.-Michel, Richelieu en zij. Ze hadden de hele middag gekaart en wijn gedronken, maar nu begon het schemerig te worden en het kaarten was afgelopen. Richelieu probeerde St.-Michel uit te horen over zijn gebroken neus en over Barbara.

Waarom heb je haar laten schieten? vroeg Richelieu. Ik vond haar vervelend, antwoordde St.-Michel, maar daar nam Richelieu geen genoegen mee. Ze spraken over haar onbegrijpelijke trouw aan Roger, en Louise-Anne luisterde zwijgend. Roger was naar zo'n berucht souper van de hertogin de Berry geweest met haar oom, de prins. Daar kon van alles gebeuren, en dat gebeurde ook. Ze had geprobeerd Roger te verleiden.

Ze was voor hem gaan staan met een wulpse lach op haar gezicht, en hij had naar haar geglimlacht. Ze had altijd van die glimlach gehouden. Toen ze nog een klein meisje was en haar oom en Roger voortdurend in elkaars gezelschap waren, had ze er al van gedroomd dat hij eens zo naar haar zou glimlachen. Ze kwam een stapje dichter naar hem toe en bood zich aan; de bedoeling was duidelijk. Maar hij had zijn hoofd geschud, in een klein gebaar. Haar begeerte was als as in haar mond en haar trots ook. Haar oom had achter Roger gestaan, zijn trotse, dikke gezicht een en al verachting voor haar.

Ze had hen de rest van de avond scherp in de gaten gehouden. Ze kozen een gravinnetje, een dwaas vrouwtje, en namen haar mee naar een van de slaapkamers die de hertogin de Berry voor haar gasten beschikbaar stelde. Louise-Anne was ineengekrompen van jaloezie, kwaadheid en vernedering. Was zij soms niet goed genoeg? Ze had zin om een anoniem briefje te sturen aan Rogers vrouw – zijn vrouw die hem verafgoodde en overal te koop liep met haar verdriet om haar familie – om haar te vertellen over haar man en zijn vriend, de prins de Soissons, maar ze had het niet gedaan, nog niet.

'Ik wil dronken worden!' zei ze hardop.

'Dat ben je al,' zei Richelieu.

Ze boog zich over hem heen en kuste hem langzaam, met haar puntige tongetje langs zijn kaaklijn naar zijn oor, terwijl St.-Michel zat toe te kijken. Ze keek Richelieu in zijn ogen. Hij begreep haar tenminste.

Richelieu beduidde de bediende dat hij meer wijn moest inschenken en Louise-Anne ging op zijn schoot zitten. Ze stak haar hand in zijn hemd en wreef over zijn blote borst. St.-Michels ademhaling ging sneller.

'Ik wil gewoon vreselijk dronken worden en iets verschrikkelijks doen,' fluisterde ze.

'Henri heeft me net iets verteld,' zei Richelieu. Zijn stem klonk warm en sensueel. Louise-Anne huiverde. Armand was iets van plan.

'We hadden het over zijn gevoelens voor lady Devane. Kijk maar niet zo bedenkelijk, Louise-Anne, ik beloof je dat het de moeite waard wordt. En hij gaf toe – ik moest het uit hem trekken – dat hij soms van haar droomt.'

Louise-Anne legde haar handen over haar oren, maar Richelieu trok ze weg.

'Luister,' beval hij. Hij keek haar aan, en het leek alsof zijn geelbruine ogen haar hypnotiseerden. 'Hij droomt ervan dat hij haar aanrandt. Een steeds terugkerende droom over een aanranding. Ja... ik dacht wel dat je dat interessant zou vinden, Louise-Anne.'

'Aanranding,' fluisterde ze.

'Louise-Anne is helemaal in de ban van aanrandingen,' zei Richelieu tegen St.-Michel, en hij lachte om de gelaatsuitdrukking van zijn vriend.

'Vertel het ons,' zei hij met zachte stem. 'Je zult er geen spijt van hebben, Henri. Dat beloof ik je.'

St.-Michel zweeg, alsof hij niet wist wat hij moest doen of zeggen. Toen slikte hij, nam nog een slok wijn en begon. 'Ik – ik zie haar naar me toekomen... en ze huilt... als een kind... en haar haar hangt los – ik heb altijd al met mijn hand door haar haar willen strijken.'

Louise-Anne had haar hand weer in Richelieus hemd gestoken en ze kon zijn hart voelen kloppen, al verried zijn gezicht geen enkele emotie. Ik haat haar, dacht ze. Waarom wilde hij haar hebben? En niet alleen hij, Roger wilde haar ook hebben. Ze deed haar ogen dicht. 'Je kunt het verhaal beter in bed vertellen,' zei ze. Ze legde haar mond tegen die van Richelieu en verdrong alle gedachten aan Barbara, dat het Barbara was die hij begeerde. Ze kusten elkaar en St.-Michel keek toe.

Richelieu liep naar het bed met Louise-Anne in zijn armen. Hij knikte naar St.-Michel, die bijna struikelde in zijn haast om bij hen te zijn. Louise-Anne lag nu midden op het bed, met haar ogen dicht, alsof ze bewusteloos was. Richelieu zat op de rand met zijn rug tegen het hoofdeinde geleund.

'We willen nog meer horen over je droom, Henri.'

St.-Michel slikte en ging ook op de rand van het bed zitten. Louise-Anne keerde haar rug naar St.-Michel: 'Maak mijn corsage los,' zei ze tegen hem terwijl ze Richelieu bleef aankijken. 'Mijn jurk is te strak.'

Richelieu leunde achterover en keek toe hoe St.-Michel met bevende handen Louise-Annes ingewikkelde korset losmaakte. Ze zuchtte en liet de jurk van haar schouders glijden. Haar borstjes staken wit uit boven haar hemd. Ze haalde de spelden uit haar haar en nestelde zich toen tegen St.-Michel, met haar ogen dicht. Hij raakte haar borsten aan en begon ze al gauw te strelen. Ze glipte van hem weg en trok haar jurk en hoepelrok helemaal uit. Nu had ze alleen nog een hemd aan en haar kousen en kousebanden. Beide mannen keken naar het slanke been, de zachte, blanke dijen en kuiten toen ze de kousen langzaam afstroopte.

'Vertel verder over je droom,' zei Richelieu hees.

St.-Michel bevochtigde zijn lippen en staarde naar Louise-Anne, die nu bij hem geknield zat.

'Ik – ik zie haar naar me toe komen en huilen...'

'Is ze gekleed of naakt?' vroeg Richelieu.

'Nu nog gekleed,' zei St.-Michel. 'Ik neem haar in mijn armen en hou haar heel teder vast zodat ze vertrouwen in me krijgt, maar eigenlijk wil ik haar pijn doen. Ik breng haar naar mijn bed en we gaan liggen...' Hij zweeg en hapte naar adem. Louise-Anne had de voorkant van zijn broek losgeknoopt en haar mond bewoog zich naar hem toe om te zuigen.

'Mijn god!' zei hij.

'Vertel verder,' drong Richelieu aan.

'Ze – ze huilt nog steeds... o, dat is heerlijk... en – en ik kleed haar langzaam uit... God, Louise-Anne, hou nou niet op, harder, harder...'

'Beschrijf het,' zei Richelieu met zijn ogen dicht, geheel ontspannen.

'Ik maak de voorkant van haar jurk los. Louise-Anne, waarom ben je opgehouden...'

Maar Louise-Anne was naar Richelieu gegaan die daar met zijn ogen dicht lag. Ze maakte zijn broek los en begon hem te bewerken. Richelieu bleef roerloos. St.-Michel kreunde; hij trok zijn hemd en broek uit, ging naast Louise-Anne liggen en legde zijn hand onder haar hemd op haar kleine, blanke billen.

'Haar ogen zijn dicht,' zei St.-Michel. 'Ik trek haar jurk omlaag en begin haar borsten te kussen...'

'Beschrijf ze,' fluisterde Richelieu.

'Ze zijn jong en stevig en ze heeft roze tepeltjes. Ik kus ze. En dan trek ik haar jurk helemaal uit, ik trek haar alles uit behalve haar hemd en haar kousen. Ze heeft lange benen, lang en slank. Ik til haar hemd op... ik zie haar geheime delen... wat zijn haar dijen zacht en blank... haar haar... ik trek haar hemd uit. Haar ogen worden groot van schrik want ik ben tot nu toe zo teder geweest, maar voor ze iets kan doen, gooi ik haar op het bed en kom woest bij haar naar binnen...' Louise-Anne kreunde, maar Richelieu duwde haar hoofd weg. Louise-Anne ging naast hem liggen en haar ogen bleven op St.-Michel gevestigd. Ze trok haar hemd omhoog en opende haar benen.

'Nu geen kussen meer,' zei St.-Michel. Hij kroop boven op Louise-Anne en begon te doen wat hij zojuist had beschreven. 'Ze huilt van pijn; ze wringt zich in allerlei bochten, probeert los te komen, maar het helpt niet – God – het gaat alleen om mij, mijn lust, mijn kwaadheid... Ik doe haar pijn, telkens en telkens en God! – telkens weer.' Steunend op zijn armen stootte hij met geweld in en uit Louise-Anne. Ze gaf kleine, zachte gilletjes die langzaam harder werden tot ze het uitschreeuwde. Ze greep Richelieus hand en legde hem op haar borsten. Toen schreeuwde ze nog harder.

De bediende die buiten de cel had gezeten kwam naar binnen hollen, maar hij bleef staan toen hij de kronkelende lichamen op het bed zag, want geen van hen had eraan gedacht de bedgordijnen te sluiten. Hij maakte rechtsomkeert en trok de deur achter zich dicht. Hij sloeg een kruis en ging weer op zijn stoel zitten. De prinses de Charolais bleef nog een hele tijd schreeuwen, maar hij bleef waar hij was. Hij bedacht zich wel tweemaal alvorens hij binnenkwam.

Er was niemand in Rogers vertrekken. Barbara deed de kast open en voelde onder de stapel hemden. Niets. Ze trok laden open en rommelde tussen de kledingstukken. Onder een stapel kousen vond ze een zakdoek. Ze vouwde hem open en zag een geborduurde letter in een van de hoeken, een 'S' omringd door kleine fleurs-de-lis. Ze rook eraan. Er zat geen geur aan. Ze rende naar het studeerkamertje naast Justins kamer en begon net een doos met brieven te doorzoeken toen Justin vanuit de deuropening zei: 'Lady Devane, kan ik u helpen zoeken?'

Blozend van haar schouders tot op haar kruin stamelde ze nee en haastte zich weg uit Rogers vertrekken. Ze hield de zakdoek als een prop in haar hand. Roger kwam die hele nacht niet thuis.

Zodra ze de volgende morgen goed wakker was, haastte ze zich naar zijn slaapkamer en trok de bedgordijnen open, eigenlijk in de verwachting dat hij er niet zou zijn, maar tot haar grote opluchting lag hij daar te slapen. Ze trok aan zijn schouder. Hij draaide zich om en mompelde wat, en na enige ogenblikken opende hij zijn ogen half.

'Jezus Christus, mijn hoofd. Hoe laat is het?'

'Zeven uur.'

Hij kreunde. Na een tijdje keek hij haar weer aan.

'Als – als je vanmorgen gaat paardrijden, zou ik graag mee willen. Mijn zwarte rijkostuum is klaar, en we zouden... zouden... samen kunnen gaan.' Haar stem stierf weg.

'Vandaag niet,' zei hij. 'Het enige wat ik wil is slapen.'

'Nou, dan zie ik je wel aan het ontbijt...'

'Praat alsjeblieft niet over eten.' Hij sloot zijn ogen.

Ze streek met haar voet over het vloerkleed. 'Ja. Nou, dan laat ik je maar slapen.'

Toen ze zeker wist dat hij weer sliep, doorzocht ze de zakken van zijn jas en broek. Niets. Ze rook aan zijn hemd. Zweet, cognac, misschien jasmijn en oranjebloesemwater. Meer niet.

Behaaglijk genesteld in een leunstoel bij het raam van haar slaapkamer zat ze er tijdens het borduren over te piekeren. Fel stak haar naald in en uit de dunne stof. Bedroog hij haar? Toen ze een beetje was bekomen van haar grote verdriet, had ze meteen gemerkt dat er iets tussen hen beiden was veranderd... zo onmerkbaar dat ze soms haar intuïtie begon te wantrouwen... maar ze had die blik in zijn ogen gezien. Hij wilde haar weg hebben. Waarom? Ze dacht dat hij van haar begon te houden en dat had haar zo gelukkig gemaakt. En nu wist ze niet wat ze ervan moest denken.

'S.' De zakdoek zat in de zak van haar jurk. Ze haalde hem twintig maal per dag te voorschijn om ernaar te kijken. Wie was die vrouw? Bedroog hij haar? Buiten in de tuin kwamen Roger en Philippe aanwandelen. Bij de rand van het terras bleven ze staan praten. Philippe, Rogers dierbare vriend. Ze bedacht hoeveel tijd die twee samen doorbrachten. Ze knarsetandde. Philippe stuurde haar bloemen, hij vergat nooit naar haar gezondheid te informeren en hij kwam haar weinig lastig vallen, maar toch mocht ze hem niet. Wat gebeurt er met me? dacht ze. Ben ik de kluts kwijt door dat vreselijke verdriet? Zie ik soms spoken? Eigenlijk was het zielig, walgelijk. Dat ze jaloers was op een man die Rogers vriend was. Roger zou minachting voor haar hebben als hij het wist. Maar niet meer dan ze zichzelf minachtte. Roger en Philippe waren uit haar gezichtsveld verdwenen. Ze leunde achterover in haar stoel. 'S.' Er moest een redelijke verklaring zijn; ze zat zichzelf in de put te werken. Ik moet een kind hebben. Ik moet iets hebben waar ik van kan houden. Waarom wou hij haar weg hebben? Wat had ze gedaan?

'Waarom zit je hier boven zo alleen?'

Ze schrok. Het was Roger die de kamer binnenkwam. 'Je moet hier niet zo zitten piekeren,' zei hij. 'Dat is niet goed voor je. Daarmee krijg je ze niet terug.'

Ze keek hem strak aan; ze voelde zich kwaad worden. Ze was nog nooit opvliegend tegen hem geweest. Altijd had ze haar drift weten te beheersen in zijn aanwezigheid, maar nu hadden het verdriet, de zorg en de angst haar zelfbeheersing gebroken. En het kon haar niets schelen. Ze had zin om eens flink tegen hem te schreeuwen.

'Ik zit niet te piekeren.' Ze zei het met de tanden op elkaar, en haar kaak was strak gespannen van koppigheid. Verbaasd keek hij haar aan. Op dit ogenblik was ze het evenbeeld van haar grootmoeder, of van Diana.

Ze stak haar hand in de zak van haar jurk, en hij bleef naar haar kijken in de hoop iets van haar stemming te begrijpen. Nou, laat hem dit dan maar begrijpen. Ze gooide de verkreukelde zakdoek naar hem toe. Hij viel een paar decimeter bij hem vandaan op de grond.

Op dat ene moment scheen Rogers hart stil te staan om daarna uit elkaar te spatten met een doffe pijn die tot in zijn oren bleef dreunen. Om tijd te winnen raapte hij de zakdoek op en vouwde hem open. De 'S,' de fleur-de-lis staarde hem aan als zijn eigen doodvonnis.

'Justin heeft me verteld dat je tussen mijn kleren hebt gezocht,' zei hij kalm.

Die kalmte maakte haar gek. Het was alsof iemand springstof in haar hoofd had aangestoken.

'Wie is ze!' Ze schreeuwde haar vraag in zijn gezicht.

'W-wat?' Roger keek haar aan alsof hij het niet begreep.

Ze had zin om zijn hart uit zijn lichaam te scheuren. Om het in stukjes te hakken en rauw op te eten. Ze wilde hem in zijn knappe gezicht krabben tot het bloedde... net zo bloedde als haar eigen hart.

'Wie is ze!'

Ze was overeind gekomen en schreeuwde de woorden zo hard dat het bloed naar haar hoofd steeg en ze duizelig werd. Ze voelde zich moordzuchtig.

Roger lachte half. Ik vermoord hem, dacht ze. Ze kwam een stap naar voren, maar zijn volgende woorden deden haar stilstaan.

'Die zakdoek is van Philippe.'

Ze voelde zich als een opgeblazen leren bal vol vuur waar iemand zojuist een mes in had gestoken, waardoor het vuur eruit viel en zij leeg achterbleef. Ze kon hem alleen maar aankijken.

'Ik dacht...' Maar ze kon niet verder.

Toen begon hij hardop te lachen; de ziekelijk bleke kleur van een ogenblik geleden was verdwenen.

'Jij dacht dat ik een minnares had,' vulde hij aan. 'Wie? Een danseres van de opera of een mollig dienstmeisje? Thérèse misschien?'

Hij kwam naar haar toe en sloot haar in zijn armen. Ze voelde zich als een lappenpop waar alle vulling uit is gevallen. De overgang van woede naar opluchting was te plotseling geweest.

'Er is geen vrouw in mijn leven die iets voor mij betekent, behalve jij,' zei hij met zijn mond in haar haar.

Ze barstte in tranen uit en duwde hem weg. 'Ik dacht dat je me bedroog. Ik dacht dat je iemand anders had. Ik wilde haar vermoorden! En jou ook!'

'Barbara,' zei hij, en lachte teder. Maar ze stak haar hand op.

'Nee. Je moet eerst naar mij luisteren. Ik ben niet gedwee of gehoorzaam of goed. Ik ben niet geduldig en eerbiedig. Grootmama heeft wel geprobeerd me zo te maken, echt waar, maar het lukte niet. Ze zei dat ik wel door het leven zou blunderen zoals ik was: onhandig en ongeduldig. Je hebt gelijk dat je me uit je leven wilt bannen. Ik zou het je niet kwalijk nemen als je me wegstuurde. Ik ben niet altijd een goed mens, Roger.' Met een woest gebaar veegde ze haar gezicht af, maar de tranen bleven stromen.

Hij trok haar naar zich toe. 'Barbara,' zei hij teder, en drukte haar tegen zich aan. 'Mijn lieve, lieve kind. Ik aanbid je.'

Ze begon nog harder te huilen. Hij probeerde zijn lachen in te houden. Hij voelde zo'n tederheid tegenover haar dat hij lachte om diepere emoties te verdringen – om haar liefde, haar onschuld en om zijn eigen opluchting. De verademing was zo groot dat hij haar gezicht met kussen bedekte, haar jaloezie hem dierbaar werd. Hij sloot zijn ogen in bitterzoete pijn.

'Ik hou van je,' zei ze. 'Ik heb altijd van je gehouden. Ik weet wel dat ik jong en dwaas ben, maar ik zou alles doen wat je van me vroeg. Je bent echt alles voor me.'

Hij deed een stap achteruit; alle tederheid was verdwenen en ervoor in de plaats kwam schuldgevoel. Zwaar en oneindig.

'Dat moet je niet zeggen,' verbood hij haar, met een harde, koele uitdrukking op zijn gezicht. 'Dat mag je nooit meer tegen me zeggen. Dat ben ik niet waard. Lieve god, Barbara, dat is niemand waard.'

Ze wilde hem slaan. Zijn woorden maakten haar gek. Ze had hem letterlijk alles aangeboden... en hij had geweigerd. Hij kon nog net haar arm grijpen.

'Ik haat je!' gilde ze, worstelend om zich los te maken. 'Ik haat je!'

Ze leek wel krankzinnig. Hij slaagde erin haar armen omlaag te drukken. Ze probeerde hem te schoppen, te bijten. Hij pakte haar beet en hield haar vast. Hij hijgde. Het lukte hem haar al worstelend naar het bed te dragen. De hele tijd schreeuwde en schopte ze. Hij tilde haar op en gooide haar op het bed, waarbij hij zelf ook neerviel.

Ze bleef stil liggen, volkomen leeg en uitgeput. Hij kwam overeind en liet haar voorzichtig los, alsof hij verwachtte dat ze hem ieder ogenblik weer kon slaan. Hij bleef naar haar kijken, alsof ze een ontsnapte uit een gekkenhuis was.

Ze giechelde. De uitdrukking op zijn gezicht toen ze probeerde hem te slaan... Ze lachte hardop.

'Ben je krankzinnig?' vroeg hij.

Ze schaterde het uit. 'Ja! Ja! Ja!'

Lachen was beter dan tranen.

'Jouw g-g-gezicht,' probeerde ze hem uit te leggen.

Hij wierp zijn hoofd achterover en lachte ook, lachte tot het bijna pijn deed. Tenslotte lagen ze naast elkaar en lachten nog zo nu en dan, maar de storm was voorbij. Roger veegde zijn ogen af. Het was op het nippertje geweest, en zelfs Philippe had hem nog nooit zo weten te amuseren. Maar eens zou hij moeten kiezen. Nog niet, dacht hij. Laat ik er nog even van mogen genieten.

Barbara lag ontspannen. Het was een heerlijk gevoel dat alle spanning uit haar lichaam was weggetrokken. Die drift van haar was een fantastische uitlaatklep. Werkelijk een fantastische uitlaatklep.

'Waarom wilde je me slaan?' vroeg hij. 'Omdat het Philippes zakdoek was? Ik weet dat je hem niet mag.'

'Hij mag mij niet.'

Roger zweeg.

Over dit punt zouden ze het nooit eens worden, dacht Barbara, en laat hem zijn vriend maar houden. Ik wilde je slaan, mijn lieve, domme echtgenoot, omdat je zei dat ik niet van je moest houden. En dat doe ik wel. Dat zal ik altijd blijven doen.

'Ik moet vanavond eigenlijk naar de opera,' zei Roger.

'Je moet het nog een keer zeggen.' Barbara's stem was laag, hees en verleidelijk.

Hij kwam half overeind, steunend op zijn elleboog en keek haar aan. Zij keek naar hem met half geopende mond.

'Zeg het nog een keer.'

Hij streelde haar wang. 'Er is geen andere vrouw dan jij.'

Ze hield haar armen wijd. 'Ik wil een kind. Geef me een kind, mijn lieve, lieve Roger. Daarna mag je naar de opera... als je er nog de kracht voor hebt.'

Ze had het druk. Ze maakte haar huis klaar voor de Passieweek en voor Pasen. Er moest volop spek zijn voor Goede Vrijdag en voor Eerste Paasdag. Er moesten traditionele broodjes komen voor Goede Vrijdag en er moesten eieren worden gekookt en in bonte kleuren geverfd met verschillende plantesappen. Ze bestelde schapevlees, bier, vis en brood om aan een bepaald aantal bedelaars uit te reiken (zij en LeBlanc besloten dat het er honderd zouden zijn) van wie zij en haar personeel ook nog de voeten zouden wassen op Witte Donderdag.

Zij, Roger, Marie-Victorie en de gravin de Toulouse reden in een rijtuig naar de kapel in het Bois de Boulogne om te luisteren naar het zingen van de passieweekpsalmen. Marie-Victorie had gezegd dat het mooie muziek was en dat heel Parijs gewend was te komen. Barbara voelde zich als een kraai in haar zwarte japon. Ze zei een stil gebed voor haar broers en zusjes. Ze huilde een beetje tijdens het zingen, maar Roger legde een arm om haar schouders en Philippe streelde haar hand. Zij en Philippe hadden een soort van wapenstilstand gesloten. Ze kon hem wel verdragen zolang ze Roger had. En misschien zijn kind. Ze bad vurig dat er nu eindelijk een baby in haar groeide.

Ze zag Thérèse en White samen lopen, hand in hand als echte minnaars, terwijl Montrose een eindje achter hen aanliep. Ze wees Roger op het drietal.

'Waarom mag ik niet bij je op je kamer komen?' vroeg White aan Thérèse op fluistertoon, opdat de mensen om hen heen het niet zouden horen. Ze zagen de Devanes met hun vrienden in een open rijtuig, en ze glimlachten en bogen. Thérèse nestelde zich tegen zijn goede arm en keek hem stralend aan.

'Caesar,' plaagde ze. 'Er is een tijd voor alles, en nu is het nog niet onze tijd.'

'Ik – ik geloof dat ik verliefd op je ben.'

Ze keek een andere kant uit. Het zonlicht glinsterde op haar zwarte krullen. White zweeg, want hij was bang dat hij te ver was gegaan, bang dat hij haar had doen schrikken.

Op Eerste Paasdag zat Barbara 's middags op een bank in de tuin. De seringen en de tulpebomen waren in volle bloei. Nu zouden er allerlei feestelijke gebeurtenissen zijn geweest op Tamworth: pandverbeuren, handbal, hardloopwedstrijden... Hoe ging het met grootmama in deze paasdagen? Was Tony nog bij haar? Miste ze haar kleinkinderen? Miste ze Barbara? Ze veegde de tranen van haar wangen. Zou er ooit een tijd komen dat ze zonder verdriet aan hen kon denken? Eer aan de Vader, en aan de Zoon en aan de Heilige Geest. Zoals het was in het begin, zo is het nu en zal het altijd zijn, tot in der eeuwen eeuwigheid. Amen.

Thérèse stond in haar dunne nachthemd voor haar open raam naar de daken van Parijs te kijken. Er woei een heerlijk koel briesje. Ze kon de seringen, die bijna waren uitgebloeid, toch nog ruiken. LeBlanc zou vanavond niet bij haar komen. Ze was vrij. Hij was moe van alle paasdrukte van lady Devane, en hij had weer last van zijn maag. Ze had wel gezien dat hij hoopte dat ze bij hem zou komen, om zijn hand vast te houden en hem te bemoederen, maar ze had hem genegeerd. Een man was een man was een man. Niets meer en niets minder. En hij was zo vervuld van zichzelf. Van zijn problemen. Hij was bang dat lady Devane niet tevreden over hem was. Dat hij zijn positie zou moeten afstaan aan de jongere butler van de wijnkelder, die eigenlijk veel geschikter was en op wie lady Devane wel gesteld was. Hij was bang dat hij dood zou gaan aan zijn maagkwaal.

Als hij bij haar was, liet ze hem maar praten. Op zijn manier begon hij van haar te houden. Dat merkte ze. Hij maakte zich zorgen over haar vloeiing en wilde dat ze naar een andere dokter ging. En hij mopperde dat ze zoveel trap op trap af ging. Dat was beslist niet goed voor haar vrouwelijkheid. Hij praatte en zij luisterde, maar ze vertelde niets over zichzelf.

Ze dacht aan Caesar en zijn zenuwachtige halve liefdesverklaring. Waarom kon ze niet van hem houden? Hij was een aardige man, een goeie vent. Hij had haar zijn gedichten voorgelezen en had als een jongetje zitten trillen toen ze hem prees. En toch had ze niets gevoeld toen ze zich door hem had laten kussen.

Ze wreef haar armen tegen de koelte van de wind. Hyacinthe lag te snurken. Dat lieve jongetje. Ze hield van hem. Hij begon al een beetje Engels te leren, en hij kende de eerste antwoorden van de catechismus. Op een dag heb ik genoeg geld, dacht ze, en dan begin ik een eigen winkel. Daar ga ik dan wonen met Hyacinthe en een paar katten. Madame wordt mijn beste klant. Mijn japonnen worden beroemd. Dan heb ik een paar meisjes die onder mij werken. En niemand kan mij dan hebben als ik het niet wil. Dan ben ik vrij. Zo vrij als een vogeltje.

Het was mei. Parijs in de meimaand. De kastanjebomen waren vol en groen; de manden van de bloemenkooplieden puilden uit van de margrieten, de lelies, de maagdepalmen, de lavendel en de munt. De Seine schitterde in de warme zon en op de oevers was het druk van de vissers, bedelaars en naakte, lachende kinderen. Het briesje was zacht en warm als een vrouwenhand. Iedereen die niet in huis hoefde te zijn, was naar buiten gegaan. Het was mei.

Men sprak over John Laws nieuwe nationale bank – een wonder van snelle kredieten waardoor Frankrijks nationale schuld zou worden afgelost. Iedereen haastte zich om in die bank te investeren, en ze hadden spijt dat ze niet net zo verstandig waren geweest als die Engelsman, lord Devane, die ontzettend veel aandelen had gekocht.

'Er bestaan geen schulden meer!' riepen de mensen. Maar ze beseften niet dat er bankpapier werd gebruikt om schulden in goud in te lossen. Iedereen was opgetogen, behalve andere financiers. De prijzen daalden al, de handel bloeide en het geld was goedkoop.

In de enorme bronzen vazen op het terras bloeiden geraniums. Barbara zat bij een van de kleine smeedijzeren tafeltjes op een bijpassende smeedijzeren stoel, allebei donkergroen geverfd. Zij en Roger hadden bezoek ter ere van Laws bank en om de meimaand te vieren. John Law, Marie-Victorie, de gravin de Toulouse, Philippe de Soissons, Montrose, White, Thérèse en Hyacinthe slenterden door de tuin; ze aten haar grootmoeders beroemde citroengebak en dronken thee, vruchtesappen of rozenbrandewijn. Ze had het druk. Ze was weer met Italiaans begonnen en ze had White gevraagd haar Grieks te leren, wat hij heel graag deed (of was het omdat hij dan dichter bij Thérèse kon zijn?) Haar portret was bijna klaar, en ze had een kopie besteld om aan haar grootmoeder te sturen. Ze schreef regelmatig naar grootmoeder, Tony en Mary. Het was nu twee maanden geleden dat ze het overlijdensbericht had gekregen en ze droeg nog steeds zwarte kleren. Maar ze ging weer op visite; ze ging kaarten met Richelieu en zij en Roger gaven rustige dineetjes. Geholpen door White werkte ze aan een plattegrond voor Devane House, gedeeltelijk gebaseerd op La Malacontenta. Het was een combinatie van Palladio, Tamworth en Saylor House. Maar er was opnieuw verdriet in haar leven: er was nog steeds geen kind. Roger was attent en lief, maar er veranderde iets; zij zelf was veranderd. Ze wilde meer van hem. Hij kocht altijd cadeaus voor haar, dure dingen zoals diamanten, een nieuw rijtuig, Richelieus paard. (Richelieu had het moeten verkopen omdat hij zoveel schulden had. Daardoor waren hun kaartmiddagjes niet zo spannend meer, tot Richelieu voorstelde dat ze om Rogers nachtmuts zouden spelen, wat ze prachtig vond.) Ze voelde zich alleen. Dikwijls las ze in haar bijbel en ze deed haar best om geduldig te zijn. De liefde is lankmoedig, de liefde is goedertieren. Zij is niet afgunstig, de liefde praalt niet, zij is niet opgeblazen. Zij kwetst niemands gevoel, zij zoekt zichzelf niet, zij wordt niet verbitterd, zij rekent het kwade niet toe.

Vanaf haar stoel zag ze hoe Hyacinthe stokken gooide voor de honden. (Stoute Harry. Hij gromde nog altijd tegen Philippe, en Barbara had nooit zin om hem tot de orde te roepen.) Thérèse en White stonden ook op de treden van het terras te kijken.

'Er moet iets veranderen,' zei White. 'Ik hou het niet veel langer uit. Ik verlang naar je, Thérèse. Ik hou van je.'

Thérèse gaf geen antwoord. Dat deed ze nooit. White draaide zich om en liep het terras op. Zelfs in zijn eigen teleurstelling kon hij zien dat lady Devane er vandaag een beetje verloren bij zat. Ze was rustiger tegenwoordig, rijper. Maar lord Devane was niets veranderd, bedacht White plotseling terwijl hij keek naar Roger en de prins de Soissons die over het grindpad liepen. Zoals gewoonlijk waren ze in een geanimeerd gesprek gewikkeld en Roger had zeker iets grappigs gezegd, want de prins gooide zijn hoofd achterover en lachte. Vervolgens legde hij zijn hand op Rogers schouder. Een klein ogenblikje slechts. Om de een of andere reden vond White dat een vervelend gebaar. Hij keek naar de twee mannen en toen naar lady Devane. Zij had het ook gezien.

Philippes gebaar bleef in haar gedachten, waar het zich telkens weer herhaalde. Ze voelde zich leeg en ze wist niet waarom. Ze stond op om Roger te roepen.

LeBlanc verscheen bij de terrasdeuren, die naar de blauw-met-gouden salon leidden.

'U hebt een bezoeker, madame.'

Ze draaide zich om. In de deuropening stonden twee jongemannen, beiden gekleed naar de laatste mode met kanten lubben, rode hakken, grote gespen op de schoenen, zware gekrulde pruiken, taches de beauté en wandelstokjes. Een van hen was buitengewoon knap met een donkere huid, violetblauwe ogen en een rechte neus boven een vastberaden mond. Hij glimlachte en zijn glimlach leek op die van Barbara. De andere jongeman viel helemaal in het niet naast hem. Hij was bijna lelijk met zijn jonge, magere gezicht met de donkere ogen en de dikke lippen.

'Harry!'

Ze schreeuwde het uit. Een van de hondjes sprong gehoorzaam op, maar ze rende haar gasten al tegemoet.

Iedereen keek. Iedereen zag haar over het terras hollen, met de twee keffende hondjes achter haar aan, en ze zagen hoe ze zich in de armen van de knapste jongeman wierp, die haar opving en lachte en haar in het rond draaide. Ze kuste hem overal op zijn gezicht en hij lachte naar haar.

'Harry,' zei ze. Ze wendde zich tot haar gasten, die min of meer bij elkaar stonden aan de voet van het terras.

'Dit is mijn broer,' zei ze tegen hen allen. 'Henry John Christopher Alderley – Harry!'

Op het juiste moment sprong een van de hondjes hoog in de lucht, bijna tot aan haar middel, maakte een duikeling en kwam weer op zijn pootjes terecht, vlak voor haar voeten. Iedereen klapte.

17

Gearmd wandelden Barbara en Harry door de tuin. Ze had hem aan iedereen voorgesteld, samen met zijn vriend Philip, lord Wharton of Wart, zoals Harry hem noemde. Wart zat nu op een van de smeedijzeren stoeltjes over Rome te vertellen aan White en Montrose, die gretig luisterden.

Men had heel verschillend op Harry gereageerd. Thérèse bleef staan, ze keek zo geboeid naar hem dat White er zenuwachtig van werd en daarna zelfs een beetje boos. Roger was blij geweest dat hij hem zag, maar Philippe zei koeltjes: 'Ja, ik heb je vader gekend.' Harry was rood geworden en had geërgerd gekeken. Later had Philippe Roger apart genomen en hem gewaarschuwd voor lord Wharton, die in de politiek de kant van de jakobieten scheen te kiezen. De Engelse en de Franse regering hielden hem in de gaten.

'Harry, Harry, Harry,' zei Barbara en drukte zijn arm tegen zich aan. 'Ik kan je niet zeggen hoe blij ik ben.' Ze lachte naar hem. Ze bekeek hem: hij was iets dikker dan toen hij uit Tamworth vertrok, waardoor hij er wat mannelijker uitzag. Hij was hypermodieus gekleed en ze vroeg zich af waar hij het geld vandaan haalde; ze vergat Rogers vrijgevigheid. Hij leek kalmer nu, minder opstandig. In november had ze afscheid genomen van een jongen en nu liep ze met een man.

De twee hondjes draafden en buitelden om hun voeten.

'Hoe kun je ons uit elkaar houden?' vroeg Harry en wees op een van de hondjes.

Barbara lachte. 'Ik zal hem Harry-hond moeten noemen.'

'Ik vind het wel vleiend. Hij is dus Harry-hond. En wie ben ik dan? Harry-man.'

Ze bukte zich op het pad, haar rok in de modder, en greep Harry's voorpootjes.

'Nu moet je goed luisteren,' zei ze tegen de hond. 'Jij bent

Harry-hond. Begrepen? Harry-hond.' Hij piepte en probeerde haar in haar gezicht te likken. Charlotte duwde haar snuitje tegen Barbara's hand en Barbara streelde nu beide kopjes.

'Je bent mager, Bab,' zei Harry terwijl ze naar de vijver liepen. Ze gooide haar hoofd achterover. 'Dat weet ik.'

Ze gingen op de rand van de vijver zitten. Harry nam haar gezicht in zijn hand. 'Het was verschrikkelijk nieuws, hè? Zo plotseling. Ik heb me bezat. En ik ben twee dagen lang dronken geweest.'

Op het lijfje van haar japon viel een enkele traan. Met een teder gebaar veegde Harry hem weg. Hij reciteerde zachtjes:

'k Wil voor uw aangezicht
Mijn tranen laten vloeien;
Hun waarde zal oneindig groeien
Als zij uw stempel mogen dragen,
Want zo zijn zij
Van u en mij. . .

'Zo, Harry,' zei ze verrast. 'Ik wist niet dat jij van gedichten hield.'

'Het was nuttig in Italië. Lady Rising hield van gedichten. Gedichten. . . en andere dingen.'

Ze herkende de klank in zijn stem, die vroegere melancholische ironie die werd opgewekt door drank. Even raakte ze zijn gezicht aan; ze kende hem. In Italië had hij dingen gedaan waar hij zich nu voor schaamde.

De middagzon wierp een zacht licht op het water van de vijver. 'Vertel eens over jezelf,' zei hij. 'Over je huwelijk. Ben je gelukkig?'

'O ja. Roger is goed en lief en heel vrijgevig. Ik ben zo gelukkig.' Ze keek hem niet aan.

Hij wachtte, want ze kon hem niets wijsmaken. Ze maakte een ongeduldig gebaar en meteen brak ze los: 'Er zijn nog geen kinderen. . . hij heeft het zo druk. . . en soms voel ik me zo alleen. . . en o, Harry, ik hou zo van hem!' Ze wierp zich in zijn armen, waardoor ze bijna met hun tweeën in de vijver vielen. Harry streelde haar haar. Ze huilde. De Barbara van vroeger huilde niet zo gemakkelijk. Kwam het door de dood van de kleintjes? Of door haar liefde?

Hij troostte haar. 'Wat is er, Bab? Vertel het me maar.'

Ze zuchtte en droogde haar ogen. Wat was het fijn om Harry hier te hebben.

'Ik weet niet hoe ik het moet uitleggen. Ik – ik voel me nogal eenzaam. Roger heeft het zo druk met – met al zijn plannen. Hij is altijd weg.'

'Geeft hij je niet genoeg aandacht?'

'Jawel. Maar soms heb ik het gevoel dat ik een afspraak moet maken om hem te kunnen spreken, om bij hem te mogen zijn. Ik ben natuurlijk in de rouw en daarom ga ik niet zoveel uit als vroeger. Ik zal het me wel verbeelden . . .'

'Hij is een man, Bab. Mannen en vrouwen hebben verschillende levens, verschillende behoeften.'

'Dat begrijp ik wel. Maar soms kunnen twee mensen samen aan iets bouwen. Met hun tweeën.'

'Je bent te ongeduldig. Wat jij wilt, komt op den duur wel . . .'

'Hoe zou jij dat moeten weten. Sinds wanneer weet jij zoveel over mannen en vrouwen?'

Hij grijnsde naar haar. 'In Italië heb ik een heleboel geleerd over mannen en vrouwen!'

'Ba! Daar heb ik het niet over! Ik wil een man die zijn leven met mij deelt, die met me praat, die . . .'

'Dat doen geliefden.'

'Grootmama en grootpapa hadden dat ook! En jij en Jane! En . . .'

'Jane was iets voorbijgaands. Een eerste liefde, meer niet. Wat ben je toch een romantisch droomstertje. En wat onze grootouders hadden, vind je maar bij heel weinigen, Bab, tenminste bij heel weinig getrouwde mensen.'

Ze sprak haar diepste gedachten uit. 'Ik heb een tijdje gedacht dat hij een minnares had, Harry. Maar toen besefte ik dat het door mijn verdriet kwam en door mijn jaloezie. Nu weet ik het niet zeker. Ik geloof wel dat er andere vrouwen in zijn leven zijn. En ik vind het afschuwelijk! Afschuwelijk!'

'Een vrouw en een minnares zijn twee volkomen verschillende zaken. Roger is jaren ouder dan jij. Je kunt toch niet verwachten dit hij alles voor jou opgeeft?'

'Waarom niet, Harry?'

'Je hebt me nog niet eens naar Italië gevraagd,' zei hij om haar op andere gedachten te brengen. Gehoorzaam informeerde ze hoe hij het had gehad. Hij vertelde over Rome, Venetië, Milaan, de standbeelden, de kerken en de mensen. Hij sprak over de kleuren van de lucht, over de bergen en rivieren. Ze luisterde en dacht: Wie is hij eigenlijk? Hij heeft dingen meegemaakt die ik niet ken. Hij is een vreemde geworden.

Harry vertelde over Wart, welk een goede vriend hij was geworden, hoe hij hem geld had geleend en zijn secondant was geweest in een duel.

'Heb je al geduelleerd?'

'Ja.' Harry keek trots.

Wharton was zeventien en buitengewoon rijk; en hij was tegen de zin van zijn ouders getrouwd. Daarom hadden ze hem naar het buitenland gezonden. Hij en Harry hadden elkaar ontmoet in Rome en ze waren van het begin af aan op elkaar gesteld geweest. Harry voelde zich aangetrokken door Warts geld, zijn achtergrond en zijn goede manieren en Wart werd aangetrokken door Harry's succes bij de vrouwen en zijn temperament. Wart was verlegen en bewonderde Harry's durf. Ze waren echte kameraden geworden. En toen Roger Harry had gevraagd te komen, was Wart meegegaan. Hij zou kamers huren op een adres dat de zaakwaarnemer van zijn ouders voor hem had gevonden.

'Heeft Roger je gevraagd om te komen? Voor mij?' Dat gaf haar een prettig gevoel. Roger gaf meer om haar dan ze dacht. Was ze nu maar eens tevreden met wat ze had.

Er kwamen bedienden om de lantaarns die in de bomen hingen aan te steken.

'Wie is die Soissons?' vroeg Harry, toen ze weer terugliepen naar huis.

Ze kon zijn gezicht niet zien in het donker, maar ze kon de antipathie in zijn stem horen. Nu al. Harry en zij leken soms erg op elkaar.

'Waarom vraag je dat?'

'Ik mag hem niet.'

'Laat Roger je maar niet horen! Philippe is zijn beste vriend.'

'Nou, dan zeg ik dat de vrienden van je man mij niet aanstaan.'

'Harry, ga nu niet zo moeilijk doen. Je logeert bij ons en je kunt geen ruzie gaan maken met de prins.'

'Nou, laat Roger maar tegen de prins zeggen dat hij moet uitkijken met wat hij tegen mij zegt. Ik ben geen doetje meer, Bab.'

Ze voelde dat hij met zijn hand naar zijn zwaard greep. Ze zweeg. Italië had hem veranderd.

De volgende morgen liep hij fluitend naar Barbara's appartement. Er was niemand in de anti-chambre en de deur naar de slaapkamer stond open. Hij liep naar binnen met zijn handen in zijn zakken, maar ineens hiel hij op met fluiten en keek bewonderend naar het achterwerk van een vrouw die op handen en voeten op de grond lag bij het voeteneind van het bed en riep: 'Harry! Kom onmiddellijk te voorschijn! Onmiddellijk, domme hond!'

'Ik ben ertegen dat ik domme hond word genoemd.'

Thérèse draaide zich verrast om en toen ze zag wie het was, ging ze op haar hurken zitten. Ze keken elkaar een ogenblik aan.

Heilige Maria, Moeder van God, dacht Thérèse, hij is de knapste man die ik ooit heb gezien. Niet zo knap en slank als lord Devane, maar van een wellustiger schoonheid. Hij had krachtige, volle lippen, zijn wangen waren glad en blozend van jeugd, zijn ogen waren blauwviolet met lange wimpers en zijn neus was recht.

Volkomen op zijn gemak kwam hij de kamer binnen en reikte haar zijn hand. Ze liet zich door hem omhoogtrekken en een kort ogenblik waren hun gezichten zo dicht bij elkaar dat ze elkaar hadden kunnen kussen.

'Zeg nog eens wie je bent,' vroeg hij. 'Ik heb je gisteren gezien en de hele avond zag ik je gezicht voor me.'

Meteen werd ze keurig netjes. Ze deed een stap achteruit, trok haar witte schortje recht en schikte wat aan haar kanten mutsje. 'Ik ben Thérèse Fuseau,' zei ze kortaf, 'de kamenier van uw zuster.'

'En ik ben Harry Alderley.'

'Dat weet ik.' Ze werd zenuwachtig van zijn stilzwijgen. 'Ik riep de hond. Hij had een doos bonbons van madame te pakken.'

'Madame? Noem je mijn zuster madame? Dat vind ik prachtig. En heet dat hondje Harry?' Hij kwam een stap naderbij. 'Hoe moet ik nu weten wie van ons tweeën wordt geroepen?' Zijn stem klonk plagend en een beetje provocerend.

'U bent monsieur Alderley en hij is Harry. Heel eenvoudig, nietwaar?' Ze wist hoe ze brutale jonge mannen op hun nummer moest zetten.

Hij kwam nog een stap nader. Ze ging niet uit de weg. Ze reikte tot aan zijn kin.

'Hoe zou het nou moeten, als je mij – om de een of andere gekke reden – ook Harry begon te noemen, Thérèse?'

'We kunnen ervan verzekerd zijn dat dat nooit gebeurt, monsieur.'

Richelieu boog zich voorover, met zijn handen op de leuningen van de stoel waarop Louise-Anne was gezeten.

'Weet je het zeker?' Ze werd bijna bang van de schittering in zijn ogen. 'Weet je dat heel zeker?'

'Ik heb ze gezien,' stotterde ze. 'In het huis van De Berry. Ik kwam bij ongeluk de verkeerde kamer binnen. Ze lagen te vrijen. Ze zijn minnaars, Armand.'

Richelieu draaide zich om en ging voor de kooi van het kneutje staan. Het vogeltje zong en de hoge, schelle klank vulde de cel.

'Wat ben je van plan te doen?' Haar stem klonk net zo schril en scherp als het zingen van de vogel.

'Ik ga een gedicht maken.'

'Kwets je er Barbara mee?'

'Ja zeker.'

'Mooi. Ik wil hier blijven. Ik wil. . .'

'Ga weg, Louise-Anne. Ik kan niet werken als jij me afleidt.' Hij keek op en zag haar gezicht. Onmiddellijk had hij haar arm te pakken en draaide hem om. Ze gilde het uit.

'Dit laat je aan mij over, begrepen?' Zijn gezicht was een paar centimeters van het hare. Ze knikte.

'Ga naar huis,' zei hij, en zijn stem klonk nu zacht. Hij hield nog steeds haar arm vast en kuste haar op de mond. Ze huiverde. Ze was bang.

'Mag ik niet blijven?'

'Nee.'

Ze liep naar de deur van de cel en wachtte nog even, maar toen ze zag dat hij papier en pen bij elkaar zocht, glipte ze als een schaduw weg.

'Een rijmpje,' zei Richelieu bij zichzelf. 'Een klein, gemeen rijmpje.' Hij neuriede bij de gedachte aan wat dat teweeg zou brengen. Hekeldichten, scabreuze versjes en obscene rijmpjes werden over iedereen geschreven. Ze werden 's nachts in het geheim gedrukt en 's morgens kon je er honderden aangeplakt zien op standbeelden, muren en gebouwen, overal. Er was een nieuwe schrijver met een bijzonder talent. Zijn naam was Arouet, hij was de zoon van een notaris en zijn verzen waren scherp. Hij had al in de gevangenis gezeten voor zijn schrijverij, maar dat weerhield hem er niet van gewoon door te gaan. De Bourbons verdachten hem ervan dat hij een rijm over Louise-Anne had gemaakt, maar Richelieu vond het te mild om van zijn hand te zijn. Bovendien beweerde men dat Arouet zijn naam had veranderd in Voltaire. Het vers over Louise-Anne luidde:

> Als Charolais dartel wil spelen,
> En 't bed met Richelieu wil delen,
> Valt de appel dicht bij de boom,
> Wat geeft één jongemeisjesdroom?
> Haar moeder was tien keer zo heet,
> Zij versleet minnaars bij de vleet!

Iedereen vond het prachtig want haar moeder, een prinses van Franrijk was berucht om haar vele liefdesaffaires, zoals ook Louise-Anne nu berucht begon te worden.

Richelieu sneed een scherpere punt aan zijn pen en citeerde zachtjes tegen zichzelf: "Een deugdzame vrouw is een kroon voor haar echtgenoot, maar zij die hem te schande maakt, is een ellendige ziekte in zijn botten." Ik heb het op jouw kroon gemunt, Roger.' Hij boog zich over een vel papier en begon te schrijven.

Harry overreedde haar om met hem mee te gaan naar een middagontvangst van Marie-Victorie. Het was de eerste keer dat ze uitging, afgezien van een rustig bezoekje bij vrienden of een wandelingetje in de Tuilerieën met Marie-Victorie en Thérèse en White. Ze was opgewonden. Harry deed haar goed. Thérèse vond een schattige hoed met zwarte linten en roze rozen die zo zacht getint waren dat het bijna grijs leek; die zette ze op.

Zij en Harry waren een knap paar toen ze samen Marie-Victories salon binnenkwamen. Aan de andere kant van de kamer stond Louise-Anne naast St.-Michel, en ze keek naar Harry. Het viel haar op hoe hij een glas cognac naar binnen sloeg alsof het niets was en meteen een tweede glas bestelde. Ze zag hoe zijn ogen door de kamer gingen en hoe zijn blik bleef hangen bij de knappere vrouwtjes. Toen zijn ogen in haar richting keken, zag ze de plotselinge belangstelling. Harry nam Barbara mee naar de andere kant.

Zonder veel animo stelde Barbara haar broer voor aan Louise-Anne en St.-Michel, en ze vroeg zich af waarom Louise-Anne zo merkwaardig keek. En waarom leek het alsof St.-Michel zich verkneukelde? Harry merkte niets, hij had alleen maar oog voor Louise-Anne. Was hij Jane werkelijk helemaal vergeten? Kon je liefde zo gauw van je afzetten? Wat kon het haar eigenlijk schelen? Ze liep weg en ging naar buiten om even alleen te zijn op het terras. Voor het eerst van haar leven voelde ze zich verbitterd. Ze voelde twijfel, teleurstelling en een zekere verharding van haar gevoelens. Had ze maar een kind. In haar behoefte aan troost kwam ze weer terug op dat ene hoofdstuk van Corinthiërs – Paulus' definitie van de liefde die alles verdraagt, alles gelooft, alles hoopt. Ze wilde zo graag geloven dat Roger haar echt zou gaan liefhebben als ze maar geduld had, als ze maar goed was. Ooit had het erop geleken dat hij van haar ging houden. En ze had geen idee wat er daarna was gebeurd. Ze moest geduldig zijn, maar geduld was niet haar sterkste kant en ze voelde zich alweer onrustig worden. Een kind. Ze moest een kind hebben.

Ze was met Hyacinthe en de hondjes aan het spelen in de tuin. Ze deden verstoppertje en het leek nergens op, want de hondjes volgden degene die zich verstopte en dan bleven ze blaffen tot de zoeker hen had gevonden. Maar de zon scheen en Hyacinthe lachte en ze voelde zich weer als een zorgeloos kind. Ze verstopte zich achter een van de hoge vazen op het terras en probeerde die stomme hondjes weg te jagen. Ineens stond Harry stil en gromde. Ze zocht met haar ogen wat hem zo aan het grommen maakte. Philippe stond bij een van de salonramen naar haar te kijken en de afkeer was zo duidelijk van zijn gezicht te lezen dat ze ervan schrok. Een kort ogenblik keken ze elkaar aan en ondeugend stak Barbara haar tong naar hem uit. Philippe verwijderde zich van het raam. Ze sloeg haar handen voor haar gezicht en giechelde. Ze stelde zich voor hoe Philippe bij zichzelf dacht: Arme Roger, getrouwd met zo'n kind. Waarom gedraagt ze zich niet? Waarom wordt ze niet wat volwassener? Ba, ba, ba, dacht Barbara. Ik ben toch al volwassen.

Maar haar vrolijke stemming was bedorven door Philippe. Hij heeft net zozeer het land aan mij als ik aan hem. Waarom spelen we nog komedie?

Later op de avond hadden Roger en zij ruzie.

'Ik heb het land aan die man!' zei ze en gooide haar borstel op de toilettafel. Roger zat in een leunstoel; hij had zitten kijken hoe ze haar haar borstelde. Ze kon zijn gezicht zien in de spiegel en ze holde naar hem toe en legde haar armen om hem heen.

'Het spijt me, Roger. Ik weet niet wat ik heb. Ik meende het niet echt.'

Hij trok haar bij zich op schoot. 'Wat is er Bab? Vertel het maar.'

'Ik weet het niet. Ik voel me zo leeg. Zo nutteloos. Jij bent altijd weg. Ik wil kinderen.'

Hij streelde haar haar. 'Die komen wel. Die komen heus wel. Je bent nog niet over de dood van de anderen heen. Dat is het.'

Ze voelde een bijna onbedwingbare neiging om zijn hand weg te duwen en te gillen. Het gaat om het huwelijk, dacht ze, om mij en om jou. Er is niets uitgekomen van wat ik verwachtte en ik ben niet flink genoeg om er het beste van te maken. Wat zou grootmama zich voor mij schamen.

'Over een maand gaan we naar Hannover,' zei hij en bestudeerde haar gezicht. Hij wist precies welke gedachten er nu door haar hoofd spookten. Hij begon onvoorzichtig te worden. Te veel soupers bij De Berry. Verleden week was hij zo dronken geweest dat hij met Philippe had gevrijd zonder vrouwenmasker, dat ze anders altijd wel bij zich hadden. Dat was een stomme streek geweest. Toen hij de volgende morgen wakker werd, vroeg hij zich even af of Philippe dit expres had laten gebeuren. Philippe. Hij wilde te veel, net als Barbara. De twee uit wie hij moest kiezen. Het begon benauwd te worden.

'Ik denk dat het ons goed zal doen Parijs te verlaten.' Hij trok haar hoofd op zijn schouder. 'Ik ben geen goede echtgenoot geweest, Bab.'

De vroegere Barbara zou meteen geantwoord hebben: Jawel, dat ben je wel. Maar die vreemde die nu in haar huid woonde, zweeg.

'Heb nog wat geduld met me,' zei hij. 'We moeten meer tijd

krijgen om alles goed te maken tussen ons beiden.'

Ze lag in zijn armen. Als je nu één keer, dacht ze, één keer wilde zeggen dat je van me houdt. 'Liefde is lankmoedig... alles gelooft zij, alles hoopt zij, alles verdraagt zij...' Ik zou alles verdragen voor die woorden. Soms denk ik dat je het nooit zult zeggen, Roger, en dat vind ik zo erg. Ik ben bang. 'Toen ik een kind was, sprak ik als een kind, voelde ik als een kind, overlegde ik als een kind. Nu ik een man ben geworden, heb ik afgelegd wat kinderlijk was.' Ik ben geen kind meer, Roger. Ik ben een vrouw. 'Want nu zien wij nog als door een donkere spiegel, in raadselen, doch straks van aangezicht tot aangezicht...' Houd van me, Roger. Hou toch alsjeblieft van me.

In het vroege ochtendlicht haastte Thérèse zich door de tuin en ging toen een zijdeurtje in. Ze bukte zich om de dauw van haar schoenen te vegen, trok de mantilla van haar hoofd en verborg het kanten sluiertje in haar schortzak.

In de gang, op de verdieping van de slaapkamers, keek Thérèse even in de spiegel. Haar gezicht was rood van het hollen en haar haar krulde meer dan anders door de ochtendnevel. In de vochtige kerk was ze door en door koud geworden. Ze had dikke ogen, want ze moest altijd een beetje huilen wanneer ze haar gebeden opzei voor de ziel van het baby'tje. Ineens draaide ze zich om. Ze voelde plotseling dat er iemand anders was, iemand die naar haar keek.

Een eindje verder stond de broer van lady Devane met blote voeten en zonder pruik. Hij droeg een wijde, bontgekleurde ochtendjas in blauw met rood en groen. Ze knipperde met haar ogen. Hij stond naar haar te kijken, ze kende die blik. Heilige Maria, Moeder van God, hoeveel mannen hadden haar al zo aangekeken? Zou hij haar nu bevelen hem in zijn kamer te volgen? Hij was net als de rest, niets beter. Alleen knap, jong en charmant. Wat was ze toch een dwaas. Plotseling voelde ze zich zo teleurgesteld dat ze in elkaar zakte, als een bloem, en hij kwam al aanhollen om haar te steunen. Zijn mond, heel dicht bij haar, was vol en rood. Eens had ze aan een kus gedacht, maar nu zou ze zich geschonden voelen. Nemen... voor zij bereid was te geven.

'Waar ga je elke morgen naar toe?' Zijn vraag was volkomen onverwacht. 'Ik zie je vanuit mijn raam. Ik slaap niet zo goed en elke ochtend zie ik je over het terras hollen en achter een tuindeur verdwijnen. Je blijft een tijdje weg en dan kom je weer. En meestal heb je gehuild, zoals vandaag.'

Wie gaf hem het recht om zich met haar zaken te bemoeien? Als hij de waarheid kende, zou hij haar meteen in de hal aanranden als een gewone hoer. Die vraag van hem was een list waar maar één bedoeling achter kon steken. Ze antwoordde: 'Ik ga naar de kerk. Elke morgen bid ik voor een dierbare.' Gespannen als een kat wachtte ze op zijn volgende zet.

'Een dierbare... gelukkige dierbare die jou zo verdrietig maakt. Je bent zo mooi, Thérèse. Veel te mooi om te huilen. Ik beloof je dat ik je niet aan het huilen zal maken wanneer wij samen zijn.'

Hij liep terug naar zijn kamer en ze keek hem na. Ze was kwaad. Nog kwader dan wanneer hij had geprobeerd een kusje te stelen.

Roger zat in de rijke groene salon van Philippe. Hier was alles smaakvol: de schilderijen, de overvloed aan bloemen op kleine tafeltjes, de bekleding van de stoelen en de bijpassende groene gordijnen met hun weelderige gouden franje, de porseleinen beeldjes en de geuren uit de tuin die door de open ramen naar binnen kwamen.

Ze zaten met hun tweeën bij de vensters waar ze het briesje en de warmte van de zon konden voelen. Zo hadden ze al vele middagen doorgebracht; ze hadden gezien hoe de lente met haar zachte kleuren langzamerhand de bleke winter verdreef en hadden zitten praten over hun verleden, hun toekomst en Bentwoodes. Vandaag zweeg Roger terwijl Philippe voortdurend aan het woord was. Hij sprak over Laws nieuwe bank, over de precaire situatie van Frankrijks economie, over de winst die Roger hoopte te maken en over Devane House. Over het schandelijke gedrag van de hertogin de Berry. Ze had zich gekleed als een gewone burgervrouw en was zo door haar eigen tuinen gaan wandelen, die open waren voor het publiek. Ze wilde horen wat men over haar roddelde, maar wat ze hoorde maakte haar zo kwaad dat ze drie mannen met hun vrouwen had aangevallen waarna ze schreeuwend en vloekend door haar eigen parkwachters was weggesleurd. Hij sprak over van alles en nog wat om de stilte te vullen en het uitspreken van andere woorden te beletten.

'Ze heeft een baby nodig,' zei Roger. Ongemerkt kwam ze toch in hun conversatie.

Philippes vingers sloten zich strakker om de armleuningen van zijn stoel. Het woordje 'zij' behoefde geen uitleg.

'Natuurlijk heeft ze die nodig.' Hij probeerde prettig te glimlachen. 'Ze moet zelfs meerdere kinderen hebben en hopelijk allemaal net zo knap als jij of als haar beroemde grootvader.'

Richard, dacht Roger. Wat zou hij nu van me denken? Zou hij me het verdriet dat ik veroorzaak kunnen vergeven? Zou hij ons kunnen begrijpen? Wie kan ons begrijpen, behalve twee mannen zoals Philippe en ik? Wie zijn wij? Wie ben ik?

'Ze is ongelukkig, Philippe. Ongelukkiger dan ik haar ooit heb gezien. Het is gekomen door het overlijden van haar broers en zusjes, maar het komt ook door mij. Ze is een kind, en voor haar draait de hele wereld om mij.'

'Wat wil je dat ik doe?' vroeg Philippe.

Roger glimlachte met zijn charmante, iets droevige glimlach. 'Wat ken je me toch goed. Alles. Niets. We zouden naar Hannover gaan deze zomer, en dan door naar Italië. Kun je het begrijpen, en kun je het me vergeven als ik met Barbara alleen wil gaan? Voor een paar maanden. Ik heb het gevoel dat ik haar die tijd moet gunnen. En misschien komt daar dan een kind van en heeft ze me niet meer zo volledig nodig.'

De knokkels van Philippes handen zagen wit tegen de groene armleuningen van de stoel. Net zo wit als zijn gezicht. Wat een ironie dat hij de sterkste van ons tweeën is. Dat ik hem meer nodig heb dan hij mij. Hij houdt van haar. Ik geloof werkelijk dat hij van haar houdt. Ik moet mijn trots inslikken. Ik moet doen wat hij me vraagt en bidden dat *zij* niet sterker wordt met de jaren en al zijn liefde voor mij wegneemt met haar jeugd en haar toewijding. Barbara Devane, ik wou dat je bij je geboorte was gestikt. Ik heb nu meer pijn dan toen ik de splinters van een kanonskogel in mijn been kreeg. Ik heb pijn, pijn.

'Neem haar mee naar Hannover, naar Italië. Ik hou me op de achtergrond. Doe wat je wilt en ik zal altijd hier zijn voor jou, mijn lieve vriend. Ik kan niet tegen je op, Roger, en ik ben niet bestand tegen mijn gevoelens.'

Roger sloot zijn ogen. Philippes stem verried zoveel.

'Ze heeft argwaan,' zei hij. Philippe zag dat hij zich zorgen maakte.

'Dan moeten we nog voorzichtiger zijn,' zei Philippe kalm, ofschoon hij in zijn hart koud en hard was als een steen. Ik zal je geen genade schenken, Barbara Devane, dacht hij. Geen enkele genade.

In de vroege morgenuren liep White in gedachten verdiept door het huis. Het was alsof de ochtenddauw alle bomen, struiken en bloemen had versierd met duizenden diamanten druppeltjes. Maar White had geen aandacht voor de dauw en de schoonheid van de tuinen. Hij liep te piekeren over een papier dat hij gisteren had gevonden, vastgespijkerd aan een van de staldeuren, en over het gemene, kreupele gedichtje dat erop stond:

> Devane, Soissons, Devane — vergeefs bijeen,
> oud en jong, en jong en oud,
> Altijd vrienden; goed of fout?
> Devane, Devane — geen mens die het belet,
> Soissons komt ertussen, in leven, in liefde en in bed.

Meteen kwam hem het moment voor de geest, twee weken geleden, toen hij met lady Devane op het terras stond en had gezien hoe de prins lord Devane aanraakte bij zijn schouder. Voor hem, een dichter, was dit als een aardbeving geweest, een gebaar zo belangrijk en toch zo onbegrijpelijk. Hij had het hele voorval verdrongen maar het had zich in het diepst van zijn geest genesteld, als een sluimerende slang, en bij het lezen van die laatste onhandige regel had de slang zijn kop opgeheven en toegeslagen.

Hij had het stuk papier verkreukeld, maar verderop zag hij er nog een aangeplakt en nog een en nog een. Ze waren in de tuin, bij de voordeur, bij de stallen... overal waar lord Devane — of lady Devane — ze zou kunnen vinden. Hij zocht ze allemaal bij elkaar en verbrandde ze. Als zij het las... als zij het las, zou ze dan de werkelijke betekenis begrijpen? Hij voelde zich alsof hij zelf een trap in zijn maag had gehad. Hij bewonderde en respecteerde Roger die alles vertegenwoordigde wat hij zelf niet was: knap, charmant, nobel en grootmoedig. Hij was zijn held, maar was dat nu niet meer zo? Al zijn verzen, het epische gedicht waaraan hij zolang had gewerkt, het betekende niets meer als dit waar was. Een lofzang op een man die geen man was. Een man die van een andere man hield. Hij kon er niet aan denken zonder te rillen. Thérèse boog zich uit een raam om een kleedje uit te kloppen. Ze wuifde naar hem en even later wuifde hij terug. Thérèse. Hij had haar al tweemaal in de late avond zien wandelen met Harry Alderley. Ze lachten en praatten samen als twee mensen die.. Hij durfde de gedachte niet uit te werken. Hij had haar maar een of tweemaal mogen kussen. En nu flirtte ze, zoals hij had gewild dat ze met hem zou flirten. Het was niet eerlijk. Niets was meer eerlijk. Zijn hele wereld brokkelde af.

Uren later zat Harry Alderley in het huis van Louise-Anne de Charolais en keek hoe zij door haar kamenier werd uitgekleed. Hij nam kleine slokjes van zijn wijn en keek haar met een brede glimlach aan. Verleidelijk lachte ze terug. Ze stond nu in haar crinoline, haar borsten hoog opgeduwd in haar korset. Hij greep naar de wijnkaraf op de toilettafel, maar tegelijk viel zijn oog op een naam, op een verkreukeld stuk papier. Devane, Soissons, Devane. . . Hij zette zijn wijnglas neer en streek het papier glad. Zijn hele gezichtsuitdrukking veranderde toen hij het las. Louise-Anne, met alleen haar hemd en kousen aan en een zijden kamerjas over haar schouders, gaf haar kamenier een teken om weg te gaan.

'Wat is dit?' vroeg hij. Ze kwam al naar hem toe, klaar voor zijn omhelzing. Nu haalde ze haar schouders op. 'Het nieuwste straatvers.' Ze keek hem aan, maar wendde haar blik snel weer af.

'Het nieuwste straatvers,' zei hij langzaam. 'Over mijn zuster en de prins de Soissons!' Hij schopte tegen het fragiele stoeltje waar hij had gezeten, zodat het door de kamer vloog. 'Het is een leugen!' schreeuwde hij. 'Wie schrijft zulke vuiligheid?'

'Het gaat niet over je zuster,' zei Louise-Anne, en ze bleef naar hem kijken. 'Het gaat over Roger – en zijn minnaar.'

Hij keek haar verdwaasd aan. 'Roger en zijn. . .'

In twee passen was hij bij haar. Hij greep haar arm en schudde haar door elkaar. 'Verklaar je nader!'

Ze probeerde zich los te rukken. 'Mijn oom is Rogers minnaar Heel eenvoudig, Harry. Ben jij al net zo naïef als je zuster? Weet je niet dat mannen van elkaar kunnen houden? Ben je al die tijd in Italië geweest en heb je er daar niets van gemerkt? Ze noemen het de Italiaanse zonde.'

'Ik geloof je niet. . .'

Ze lachte hem uit. Hij sloeg met zijn vuist op de toilettafel. Tere flesjes en potjes vlogen in het rond. Ze hield op met lachen.

'Heb jij die vuiligheid geschreven? Zeg op!'

Ze schudde haar hoofd.

'Wie dan wel?'

'Ik weet het niet,' fluisterde ze. Ze werd bang van de uitdrukking op zijn gezicht. Hij nam de wijnkaraf en slingerde hem tegen de muur. Ze dook in elkaar van schrik. Als bloed droop de wijn op de grond.

'Ga weg,' zei ze, maar hij was de deur al uit.

Toen hij weer op straat stond, duurde het even alvorens hij zich kon oriënteren. Hij begon in de richting van zijn zusters huis te lopen. Hij had niet eens onmiddellijk erg in de briefjes die waren opgeplakt op de gevels waar hij langskwam. Tenslotte zag hij ze.

'Devane, Soissons, Devane. . .' las hij. Hij rukte het papier van de muur en verscheurde het. Hij liep verder. Ze hingen overal. Hij scheurde ze van de muren en verkreukelde ze tot proppen die hij in de goot wierp. Er was alle kans dat Barbara ze zou zien.

'Barbara,' fluisterde hij. De aderen op zijn voorhoofd waren gezwollen. 'Barbara.'

'Even kijken,' zei Montrose. 'Als ik madame de Gondrin hier neerzet, dan moet ik de graaf de Toulouse daar plaatsen.' Als een kind zat Montrose op de grond met stukjes papier te spelen, waarmee hij de tafelschikking uitdacht voor lady Devanes verjaardagsdiner over twee dagen. Er kon geen bal zijn vanwege de rouw, maar lord Devane had erop gestaan dat er een rijke maaltijd werd gegeven, met daarna een recital. De hele huishouding was ermee bezig. Montrose werkte koortsachtig: hij had Adrienne Le Couvreur weten te engageren, de beroemdste actrice van Parijs, die stukken van Racine zou voordragen. Op het terras zouden violen en gambaviolen komen. Onder de aanwezigen zouden zich de regent en zijn vrouw bevinden en nog vele andere vrienden: een select gezelschap.

'De regent hier, aan een tafel bij lord en lady Devane en haar broer. Maar wie kan ik er nog bij zetten? Caesar, luister je wel naar me? Waar zal ik bij voorbeeld de hertogin de Saint-Simon plaatsen?'

'In een vuilnisbak, wat mij betreft.' White zat te piekeren. Misschien was het niet waar. Misschien was het een politieke zet. Een manier om een oprechte vriendschap te bekladden.

'Wat is er met jou? Je bent de hele tijd al bokkig. Heb je weer ruzie gehad met Thérèse? Of is er iets met je gedicht...'

'Het leven is meer dan gedichten alleen, Francis.'

Pierre LeBlanc, de majordomus, kwam de kamer binnenstormen. 'Vlug,' hijgde hij. 'Kom vlug! Ze vechten! Ze zijn aan het vechten! Het is vreselijk!'

'Wie? Wie?' Montrose, die nog steeds op de grond zat, klonk als een vogel.

'Lord Alderley! De prins! Lord Devane! Hij slaat de hele blauw-met-gouden salon kort en klein. Hij lijkt wel krankzinnig! Kom alsjeblieft helpen!'

Ze renden alle drie de kamer uit. De papiertjes van Montrose vlogen als stof door elkaar.

Harry was niet thuisgekomen met de bedoeling om te gaan vechten. Hij stond in de deuropening van de salon toen hij Philippe zijn hand op Rogers schouder zag leggen en zijn woorden opving: 'Beste jongen, ze zijn overal. Wat moeten we doen?' En toen was er iets uit elkaar gebarsten in zijn hoofd, rood, oranje, afschuwelijk. Het was dus waar. Hij stoof de kamer in, wierp zich op Rogers rug en schreeuwde: 'Jij vuile, gore klootzak van een sodemieter! Je bent het niet waard de zoom van mijn zusters rokken aan te raken!'

Hij gooide Roger met zijn gezicht op de tafel voor hen. Bloed spoot in het rond, rood en donker.

Philippe greep Harry en trok hem weg. Als een woeste stier wankelde Harry achteruit en samen kwamen ze terecht in een porseleinkast, waardoor de vazen en borden rondom hen aan scherven vielen. Harry en Philippe begonnen als twee worstelaars te vechten, hijgend en met strakke gezichten.

'Bastaard!' schreeuwde Harry. 'Smerige Franse klootzak!'

Nog natrillend veegde Roger het bloed van zijn mond. LeBlanc en een lakei kwamen binnenhollen.

'Hou ze tegen!' riep Roger buiten adem. Harry en Philippe lagen over de grond te rollen. LeBlanc holde de kamer weer uit. Roger nam een vaas, kwam een paar stappen naar voren en gooide hem stuk tegen Harry's hoofd. Harry kreunde en bleef stil liggen boven op het lichaam van Philippe.

'Ik vermoord hem,' zei Philippe die zich met moeite bevrijdde. 'Ik zal hem met mijn... eigen... handen... vermoorden.' Er stroomde bloed uit zijn neus.

'Nee!'

Rogers stem klonk bevelend. Hij moest Philippe zien te kalmeren. Er waren genoeg mensen neergestoken om minder dan wat Harry zojuist had gedaan.

'Denk aan het schandaal dat hiervan komt. Laat het, terwille van mij!' Rogers gezicht stond hard, zoals hij in het leger had gekeken wanneer hij zijn troepen aanvoerde. Philippe keek hem aan en Roger zag het gevaar in zijn gezicht.

'Ik laat het niet toe,' zei Roger, en legde zijn hand op het gevest van zijn eigen zwaard.

Philippe trapte met zijn been achteruit en raakte Harry in zijn ribben. Het gaf een doffe klap. De lakei deinsde terug. Harry kreunde.

'Engelse hond,' zei Philippe met de kaken op elkaar geklemd. 'Vanavond eet ik je lever...'

Montrose, LeBlanc en White stormden de kamer binnen. Ze bleven met grote ogen staan kijken naar de doodsbleke lakei, de omgegooide tafels en stoelen, gebroken borden en vazen, Roger en Philippe zonder pruik en bebloed en Harry die daar voor dood op de grond lag.

'Is hij... is hij...' stotterde Montrose.

'Nee! Maar ik zou er wat voor geven als hij het wel was. Dronken idioot! Draag hem naar zijn kamer!'

Rogers stem was hard als ijzer, het enige normale geluid in de kamer. Ze kwamen allemaal weer tot hun positieven. LeBlanc en de lakei tilden Harry op en droegen hem weg.

'Uw gezicht,' zei Montrose tegen Roger. Er kwam bloed uit zijn mond. Montrose reikte Roger een van zijn eigen zakdoeken aan, een keurige witte die nog niet was gebruikt.

'Wat is er gebeurd, mijnheer?' vroeg hij terwijl hij in de kamer rondkeek.

Roger en Philippe wisselden een blik, die werd opgevangen

door White. Mijn god, dacht White, het is dus waar. Ze zijn minnaars. Hij wilde huilen, zoals een kind dat zojuist heeft vernomen dat sprookjes niet bestaan.

'Hij was dronken en hij heeft ons zonder enige aanleiding aangevallen,' zei Philippe, nog steeds met woedende stem. Hij depte zijn bloedende neus.

'Misschien heeft hij dit gelezen.' White kwam van de deuropening de kamer in en reikte Roger een vel papier. Iedereen zweeg.

'Wat? Wat?' riep Montrose, die de spanning voelde.

Roger bloosde en probeerde iets te zeggen. White had hem overrompeld. De jonge dichter draaide zich om en liep de kamer uit. Roger staarde hem na.

'Er wordt gemeen gekletst, Francis,' zei Roger en met een vermoeid gebaar gaf hij het papier aan Montrose. 'Dat geklets is niet waar, maar lord Alderley heeft het blijkbaar geloofd. Wil je er voor zorgen dat de bedienden hier niet over spreken? En wil je het hele huis goed doorzoeken? Ik wil niet dat mijn vrouw met deze vuiligheid wordt geconfronteerd.'

Verbluft boog Montrose en verliet de kamer. Roger liet zich in een stoel neervallen.

'Lieve God,' zei hij. 'Wat moet ik doen?'

'Ik vermoord hem,' zei Philippe. 'Als hij het ooit waagt om mij zelfs maar op een verkeerde manier aan te kijken, vermoord ik hem. En je kunt zeggen wat je wilt, maar je houdt me niet tegen.'

Montrose zocht White. Uiteindelijk vond hij hem in zijn slaapkamer. Hij was bezig hemden in een oude koffer te stoppen. In zijn haard brandde een vuurtje en Montrose kon hele pagina's manuscript zien waarvan alleen de zijkanten waren geschroeid.

'Je gedichten!' riep hij, en rende naar het vuur om ze te redden. 'Mijn god, Caesar, wat ben je nu aan het doen? Het is je gedicht!' Het lukte hem de helft van de bladzijden uit het vuur te halen en hij trapte de smeulende randen uit. White ging onverstoorbaar door met het pakken van zijn koffer. Als laatste stopte hij er zijn haarborstels, zijn scheermes en zijn zeepbekertje in.

'Waar ga je naar toe?' riep Montrose.

'Ik ga weg.'

'Maar waarom? Heb ik iets misdaan? Is het vanwege Thérèse? Ik dacht dat je het allang wist van LeBlanc. Wat kan het in godsnaam zijn?'

White bleef staan met een overhemd in zijn goede hand. 'Thérèse en LeBlanc? Wat is er met Thérèse en LeBlanc?'

'Grote god! Ik dacht – dat – het is niets. Flauw geklets. Je weet hoe de mensen zijn.' Montrose had nooit met overtuiging kunnen liegen.

'Dit schijnt een week van flauw geklets te zijn. Vertel op, Francis.'

Montrose keek ongelukkig. 'Thérèse gaat naar bed met LeBlanc. Al een tijdje. Ik wist niet of je ervan op de hoogte was, daarom heb ik niets gezegd. Ga niet weg om haar, dat is ze niet waard. Lord Devane waardeert je enorm. Caesar, je bent mijn enige vriend.'

'Thérèse gaat naar bed met LeBlanc,' herhaalde White langzaam. Hij ging op het bed zitten alsof zijn benen hem niet langer konden houden. Montrose staarde hem aan; zijn ronde, ernstige gezicht stond bezorgd.

'Ik had het niet tegen je mogen zeggen. Het komt door de schok – dat vechten, alles. Ik weet zelf amper waar ik aan toe ben.'

'Ja... die opschudding beneden. De ruzie. Dat papier.' Whites stem klonk vreemd.

'Je gelooft dat gedichtje toch niet? Lady Devane zou nooit iets dergelijks met de prins te maken willen hebben. Ze houdt echt van lord Devane.'

'Lady Devane en de prins... haal jij dat eruit?'

'Wat zou ik er anders uithalen?'

Wat moest hij antwoorden? 'Inderdaad, wat anders.'

Roger zat naast Harry's bed te wachten tot hij wakker werd. Toen Harry met zijn hoofd schudde, kreunde en probeerde overeind te komen, zei Roger met een stem die geen tegenspraak duldde: 'Je bent een dronken, verdorven stommeling. Je komt mijn huis binnenstormen als de eerste de beste misdadiger en je beledigt mij en mijn vriend, een prins van Frankrijk. Ik zou je moeten laten afranselen, Harry!'

Elk woord kwam aan als een hamerslag, genadeloos. Roger klonk als zijn moeder, of zijn grootmoeder. De pijn straalde door zijn hele lichaam, waardoor het denken hem moeilijk viel. Wat eerst zo zeker leek, stond nu weer op losse schroeven.

'We zijn hier in Parijs,' ging Roger verder en hij zei de woorden bijna knarsetandend, 'en er doen hier altijd gemene praatjes de ronde. Als je die allemaal gelooft, ben je gek. Je bent mij en de prins de Soissons een excuus verschuldigd. Alleen omdat je de broer van mijn vrouw bent, gooi ik je niet op straat, zoals je verdient. Ik kon de prins amper ervan weerhouden je tot een duel uit te dagen. Weet je hoeveel mensen hij al heeft gedood? Je had ongelijk! Wat je ook dacht – en dat wil ik niet eens weten want dan vermoord ik je misschien zelf – je had het bij het verkeerde eind! Als jij geen excuusbriefje schrijft, gooi ik je mijn huis uit, zuster of niet.' Hij keek Harry verachtelijk aan. 'Als je grootvader wist hoe je je vandaag hebt gedragen, zou hij zich schamen.'

Harry bleef liggen waar hij lag en hoorde hoe Rogers voetstappen zich verwijderden. Hij voelde zich net als op Tamworth, toen zijn moeder hem woedend de les had gelezen. In hem leefde nog een sprankje verzet, maar dat werd getemperd door de vreselijke pijn in zijn ribben en door Rogers woorden. Had hij het bij het verkeerde eind? Had Louise-Anne misschien om de een of andere reden gelogen? Hij wist het niet.

'Jij gaat met LeBlanc naar bed!' schreeuwde White. 'En al die tijd moet ik smeken en me voor jou vernederen om één kusje te krijgen!'

Thérèse zweeg, want ze zag hoe kwaad hij was. White greep haar pols en trok haar zo hardhandig uit de hoek waar ze stond dat ze struikelde.

'Waarom heb je het gedaan? Waarom?' Hij draaide haar pols om en ze gaf een gil van pijn. Zijn gezicht was verwrongen van emotie, van woede. 'Ik zou je moeten slaan. Ik zou je in het stof moeten laten kruipen, verdomde slet die je bent!'

'Doe het dan!' zei Thérèse bits. 'Doe het dan! Wees maar net als LeBlanc en dwing me om dingen te doen die ik niet wil! Jullie zijn allemaal hetzelfde! Jullie willen allemaal nemen, nemen en nog eens nemen! En wat ik voor gevoelens heb, laat je koud! Ik wilde jou helemaal niet hebben, Caesar, hoor je me! Ik wilde jou absoluut niet hebben, net zo min als ik LeBlanc wil hebben! Maar ik moet wel! Begrijp je dat dan niet! Ik moet wel! Ik ben een vrouw! Ik moet wel!' De laatste woorden schreeuwde ze hem toe.

Hij liet haar pols los, volkomen verbluft door wat ze zei en door de wanhopige haat die eronder schuilging. 'Thérèse. Ik wilde je niet – toe, huil niet meer. Alsjeblieft.'

Ze wendde zich van hem af terwijl ze haar gezicht met haar schort afveegde.

'Ga weg,' fluisterde ze.

Voor hij de kamer uitging raakte hij zachtjes een van haar zwarte krullen aan. Ze viel neer op een stoel. 'O, Caesar,' riep ze hem na. 'Het spijt me zo verschrikkelijk.'

Harry kwam met moeite zijn bed uit. Zijn gezicht voelde alsof er met houten ballen tegenaan was gekegeld. Elke beweging, elke ademhaling deed hem pijn. Hij strompelde door de gang naar zijn zusters vertrekken. In de slaapkamer zag hij Thérèse op een stoel zitten, bij het raam. Hij strompelde naar haar toe en ze schrok toen ze hem zag. Vlug zette ze hem in haar stoel en begon zijn gezicht af te deppen met een hoekje van haar schort en water uit de lampetkan.

'Wat is er gebeurd?' fluisterde ze.

'O, Thérèse,' zei hij. Hij sloeg zijn armen om haar heen, ook al deed de beweging hem bijna sterven van pijn, en legde zijn hoofd tegen de rok van haar jurk. Ze streelde zijn korte, dikke, zwarte haar.

'Stil maar,' suste ze. 'Het is goed. Hier ben ik.'

Ze gebruikte dezelfde woorden als wanneer ze Hyacinthe suste na een boze droom. Verder zeiden ze geen woord. Ze verbond Harry's rauwe knokkels en waste het aangekorste bloed van zijn gezicht. Voorzichtig hielp ze hem uit zijn jas en hemd en bond repen gescheurd laken om zijn lichaam. Hij werd bleek en kon bijna geen adem krijgen. Toen ze klaar was, stond hij nog te trillen. Heel zachtjes raakte ze met haar vingertoppen zijn lippen, zijn mooie, stevige lippen aan. Hij probeerde niet eens om haar tot iets meer te bewegen. Ze hielp hem overeind en hij strompelde weg.

Ze ruimde de kamer op; ze verstopte de bloederige lappen en de zalf en gooide het vuile water weg. Ze hoefde hem niet na te lopen. Ze wist waar ze hem kon vinden, zoals hij wist waar zij was. Het ging allemaal zo gemakkelijk. Hij was temperamentvol, hij had schulden en hij zou ontrouw zijn. Haar hart was eigenlijk nog niet geheeld van de baby. Maar ze had de tijd. Ineens voelde ze zich beter. Het was goed om jong te zijn en te leven. Ze begon te zingen. Haar stem klonk licht en zangerig als van een vogel.

18

Zodra ze het huis binnenkwam, voelde Barbara het al: er hing een vreemde spanning doordat de lakeien zo achteraf bleven staan als stoute jongetjes die betrapt zijn en nu straf hebben. Er was iets gebeurd, ze voelde het. En het was... Roger... hij is ziek. Ze hoorde mensen bezig in de blauw-met-gouden salon. LeBlanc, de huishoudster en een lakei probeerden de schade enigszins te herstellen. Tegen de muur lag een kapotte stoel en Rogers paperassen lagen door de kamer verspreid, alsof er een orkaan had gewoed. LeBlanc begon al te stamelen nog voor ze om uitleg had gevraagd.

'Ik heb geen permissie om iets te zeggen.'

'Je hebt geen permissie om iets te zeggen!' Ze ging kaarsrecht voor hem staan. 'Dit is mijn huishouding, Pierre LeBlanc, en je geeft me onmiddellijk een verklaring.'

LeBlanc wisselde een blik met de huishoudster. Barbara zag het.

'Wel?' vroeg ze scherp.

'Er is een... onenigheid geweest, madame.'

'Een onenigheid? Wou je me vertellen dat er hier is gevochten?'

'Ja, madame.'

'Door wie?'

'Eh... lord Harry, en lord Devane en de prins de Soissons, madame.'

Ze nam haar wijde rokken over haar arm en rende de trap op. Rogers deur was op slot. Ze hamerde erop met haar vuisten. Justin liet haar in. Lord Devane lag te rusten met een kompres op zijn mond, legde hij uit. Ze liep meteen langs hem heen.

'Wat heb ik gehoord over een gevecht tussen jou en Harry?' begon ze, maar bij het zien van zijn zieke en bleke gezicht sprak ze niet verder.

'Roger!' riep ze en wierp zich op het bed naast hem. 'Wat is er gebeurd? Ik begrijp niets van dit alles.'

Er bestaat een hel, dacht Roger, en die is hier op aarde. Nu, in deze kamer, bij het zien van haar gezicht, een en al onschuld. Dit moet de hel zijn. Zij mag hier niet voor boeten. Hij raakte even haar wang aan.

'Maak je geen zorgen,' zei hij en probeerde te glimlachen. 'Over een paar dagen is alles voorbij.'

'Beneden is een kamer vernield. Je gezicht is gekneusd. Ik hoor dat mijn broer en Philippe ruzie hebben gehad. En jij zegt dat ik me geen zorgen moet maken! Roger, ik wil alles weten. Daar heb ik recht op!'

Hij nam een beslissing en liet daarmee alles aan het lot over.

'Lees dit eens.' Hij gaf haar een papiertje dat hij op zijn kussen had gevonden. Justin had geen idee hoe het daar terecht was gekomen, en Roger begreep dat Barbara de rijmpjes vroeg of laat toch te zien zou krijgen. Waarom moet het nu gebeuren, had hij gedacht, en van woede, wanhoop en angst had hij met zijn vuist tegen een muur geslagen. Vijf jaar geleden was het al even waar. Waarom dan nu, nu er iemand zo vreselijk kon worden gekwetst? Lieve God, wat moet ik doen?

Ze las het vlug door. Devane. Soissons, Devane – vergeefs bijeen... het eindigde met: 'In leven, in liefde en in bed.' Haar uitdrukking veranderde. Mijn god, nu komt het, dacht Roger.

'Ik... begrijp het niet,' zei ze langzaam. 'Wie zou zoiets schrijven?'

Roger haalde zijn schouders op en zijn gezicht verried niets. 'Ik heb veel vijanden. Die heeft elke invloedrijke man.'

'Ja, maar dat ze dit schrijven... deze vuiligheid! Om mijn naam daar neer te zetten alsof ik een gewone hoer ben! Te suggereren dat Philippe mijn minnaar zou kunnen zijn!' Ze sprak steeds harder en op het eind schreeuwde ze haast.

Toen zag ze de uitdrukking op Rogers gezicht. 'Jezus, je gelooft het toch niet! Roger, je bent de enige man in mijn leven! Dat zweer ik je!' Ze wierp zich weer op het bed, boven op hem. 'Zeg dat je me gelooft!'

Ze zag dat hij een innerlijke strijd met zichzelf voerde.

'Ik geloof je,' antwoordde hij, maar hij zei het zo langzaam dat het haar niet overtuigde.

Ze nam zijn hand in haar beide handen en legde hem op haar hart. 'Ik zweer bij alles dat heilig is, bij Onze Heer Jezus Christus in de hemel, dat jij de enige man bent van wie ik ooit heb gehouden en dat ik je nooit heb bedrogen.' Ze wilde niet denken aan die ene keer toen ze zich had afgevraagd hoe het zou zijn als Richelieu haar kuste. Onze Lieve Heer zou haar dat toch zeker niet aanrekenen.

'Je bent een goede echtgenote, Barbara.'

Ze knikte en daar moest hij om lachen. Er was hem weer uitstel gegeven en hij boog zich naar haar toe en kuste haar mond.

'Wie kan dit geschreven hebben?' vroeg ze met zijn mond nog op de hare.

Ineens dacht ze ook aan Harry. Wat had die gedaan?

'Wat heeft Harry gedaan?'

'Hij heeft Philippe en mij aangevallen. Je hebt gezien hoe het er beneden uitzag. Dan kun je je een voorstelling maken. Hij moet gedronken hebben. Als ik hem niet had tegengehouden, had Philippe hem uitgedaagd tot een duel.'

'Lieve god.'

'Juist.'

'Hij verdedigde mijn eer...'

'Praat me niet over eer, Barbara. Hij verloor zijn kalmte en hij is volkomen gedachteloos te werk gegaan. Het gevolg is dat er zeker zal worden geroddeld, waardoor deze afschuwelijke versjes nog enige grond lijken te hebben. Op jouw verjaardagsdiner zal Harry zich voortreffelijk moeten gedragen en jij doet zo charmant mogelijk tegen de prins de Soissons. We zullen die mensen eens aan het denken zetten, als ze tenminste nog iets zien door de verwondingen aan onze gezichten.'

Ze legde haar hand op zijn gezwollen lip. 'O Roger, het spijt me. Doet het pijn?'

'Natuurlijk, maar het is niet zo erg als in je eigen huis in verlegenheid te worden gebracht. Maar je moet wel je broer op het hart drukken dat hij zich behoorlijk blijft gedragen de komende weken.'

Nu begon ze kwaad te worden. 'Hij heeft het toch voor mij gedaan. Wat moest hij ervan denken? Harry vecht tenminste voor de dingen waarin hij gelooft.'

'Als hij had nagedacht, had hij beseft dat jij mij nooit ontrouw zou zijn. Jij bent niet de enige die door dit rijmpje is getroffen, Barbara. Mijn naam wordt ook door het slijk gehaald.' Zijn knappe gezicht stond ernstig. Onmiddellijk schaamde ze zich.

'Roger, ik heb niet goed nagedacht. Het is lief van je dat je niet woedend bent op ons allebei. Ik zal met Harry spreken. Dank je wel dat je hem niet wegstuurt.'

'Vergis je niet, Barbara. Ik ben nog altijd kwaad op hem, maar op mijn leeftijd weet je dat de tijd alle wonden heelt. Dit gaat wel weer voorbij. Over een maand zijn we weg en dan ligt dit allemaal achter ons. Probeer daar maar aan te denken in plaats van aan deze vuiligheid.'

Ze zocht Harry op. Hij was nukkig en opstandig, en hij zat te drinken. Ze schrok bij het zien van zijn verwondingen; hij zag er veel erger uit dan Roger. Zijn gezicht was gekneusd, soms tot bloedens toe, één oog zat volkomen dicht en zag helemaal donkerblauw, zijn handen waren verbonden en hij kon zich amper bewegen. Hij wilde er niet met haar over spreken, behalve dat hij zei dat hij Roger en Philippe zijn excuses zou aanbieden.

'En ik,' vroeg ze met zachte stem. 'Heb ik geen verontschuldiging verdiend?'

'Waarvoor?'

'Omdat jij had gedacht dat ik ontrouw was geweest...'

'Dat heb ik nooit gedacht, Bab.'

'Waarom zou je Philippe dan aanvallen?'

Hij zweeg. In zijn wang begon een spiertje te werken.

Ze liet hem alleen. Arme Harry, hij gebruikte nooit zijn hersens. Maar ditmaal had hij haar te schande gemaakt door zijn gedrag.

In haar slaapkamer dacht ze er nog eens over na. Ze kon zich Harry's kwaadheid wel voorstellen. Het rijmpje spookte nog door haar hoofd. Devane, Soissons, Devane...

Er werd geklopt. Caesar White stak zijn hoofd om de deur. Ze liet hem binnenkomen, al was ze liever even alleen gebleven.

'Lady Devane,' zei hij, pratend en buigend tegelijkertijd. 'Ik kom afscheid nemen.'

'Afscheid? Waar ga je heen?'

'Ik ga weg.'

'Weg?' riep ze uit en keek hem met een vragende blik aan. 'Ga je weg uit ons huis? Wat hebben we gedaan? Je gaat toch niet weg voor mijn verjaardag? Wat is er gebeurd, Caesar? Kan ik het goedmaken?'

Hij nam haar hand en kuste hem. 'Ik vond het heerlijk bij u te werken, lady Devane. Ik zal u nooit vergeten. Ik hoop dat u ook vriendelijk aan mij zult denken...'

'Maar natuurlijk, Caesar. Heb je al met lord Devane gesproken? Hij zal het heel erg vinden. Je moet zo niet gaan... Blijf tenminste tot mijn verjaardag...'

Ze kon zien dat het hem ontroerde, maar toen kwam Thérèse binnen. Meteen keek hij weer strak; hij zei dat hij zijn plannen niet kon veranderen en dat hij haar het beste wenste.

'Hij gaat ons verlaten!' riep Barbara tegen Thérèse.

Thérèse keek naar White en toen keek ze weer voor zich.

'Is het vanwege het gedichtje?' vroeg Barbara.

'Het gedichtje?' stamelde hij in verwarring.

'Ja. Ga je daarom weg? Je weet toch dat het allemaal leugens zijn. Ik zou lord Devane nooit bedriegen.'

Hij nam haar beide handen in zijn ene goede hand. 'Ik bewonder u uit het diepst van mijn hart,' zei hij en keek haar recht in de ogen. 'Ik zou nooit iets slechts van u geloven.'

'Waarom ga je dan weg?'

Hij gaf geen antwoord. Toen wist ze dat ze hem niet van gedachten kon doen veranderen. Er was iets gebeurd, maar zij mocht het niet weten.

'Wacht.' Ze rommelde in een kast tot ze haar buidel met geldstukken vond.

'Neem dit,' zei ze en gaf hem het geld.

'Nee! Dat wil ik niet...'

'Lord Devane zou woedend zijn als je met lege handen van ons wegging. Neem het maar. Ik kan morgen weer meer krijgen als ik wil. Ik wens je het allerbeste, Caesar. Ik vind het afschuwelijk dat je weggaat.'

Hij kon haar niet aankijken. Hij slikte, boog en ging de kamer uit. Barbara ging onmiddellijk op zoek naar Montrose. 'Wat is er gebeurd?' riep ze toen ze hem eindelijk in zijn kamer vond.

Maar hij kon haar niets vertellen.

'Hij citeerde een of ander gedicht,' zei hij, en hij keek haar beteuterd aan.

'Gedicht?' vroeg ze. 'Wat zei hij dan?'

'Hij zei: "Van dageraad tot noen viel hij, van noen tot avonddauw, één zomerdag, en bij zonsondergang kwam hij van de zenit omlaag, als viel een ster".'

'Maar wat betekent dat?'

'Het gaat over Lucifer en zijn val uit de hemel. Dat is alles wat ik weet.'

Lucifer! Ze had zin om te stampvoeten en in het wilde weg te schreeuwen. Wat was er toch allemaal aan de hand? In hun eigen huishouding? Alles leek ontredderd en ze wist niet hoe dat kwam.

Nu was het de middag van haar verjaardag. Buiten hadden lakeien en dienstmeisjes het druk met het ophangen van nieuwe papieren lantaarns, het aanharken van het grind, het wegknippen van uitgebloeide bloemen en het klaarzetten van de tafels. De fonteinen in de tuinen zouden vanavond wijn spuiten. In de keuken stonden de kok en zijn helpers allerlei soorten vlees en vis te braden en in de voorraadkamer stonden zilveren schalen klaar, hoog opgestapeld met fruit, vruchtentaarten en geglazuurde cakes. In de hal hing haar portret, dat eindelijk gereed was, rondom met bloemen versierd, en gisteren had ze gezorgd voor de verzending van de kopie van het schilderij aan haar grootmoeder. Ze dacht veel aan haar grootmoeder; ze had zo graag met haar willen praten. Er was iets mis, het kwam door het rijmpje en ze voelde het aan de sfeer in huis.

Ze zat eraan te denken terwijl Thérèse haar kleedde voor het diner, een schitterende aangelegenheid, aangezien de belangrijkste mensen van heel Parijs erbij zouden zijn. En het kon haar niets schelen. Ze zag ertegenop te moeten lachen en knikken en te doen alsof er niets aan de hand was terwijl iedereen haar en Roger scherp zou observeren. Roger en Harry vermeden elkaar, en dat deed haar verdriet. Ze was toch al in een vreselijke stemming, want die ochtend was ze weer ongesteld geworden. Ze had wel willen huilen van teleurstelling. Maar het was haar verjaardag en ze moest doen alsof alles in orde was, haar naam niet door het slijk was gehaald samen met die van de vriend van haar echtgenoot, dat haar echtgenoot niet was gekrenkt, dat haar broer zich niet belachelijk had gemaakt, dat een van hun meest toegewijde dienaren – en vriend – niet om een onverklaarbare reden was vertrokken. Ze kneep haar handen in elkaar om het niet uit te gillen tegen Thérèse die haar haar borstelde en er witte rozen tussen vlocht. Vanavond ging ze in het zwart met wit: een laag uitgesne den zwarte japon met een onderrok van zwarte satijn, doorweven met zilverdraden en bestikt met paarlen en diamanten. Ze droeg grote diamanten oorbellen, haar verjaarscadeau van Roger, en om elke pols bijpassende armbanden. Hyacinthe was net als zij in het zwart-wit, als een klein harlekijntje. Hij zou haar waaier dragen en een van de vele verjaarsboeketten, dat ze voor vanavond zou uitkiezen.

De meeste van haar cadeaus lagen over haar toilettafel verspreid, tussen haar linten, juwelen en odeurflesjes. Daar lag ook Whites gedicht. Het was toegebonden met een blauw lint, en in die verzen vergeleek hij haar met Aurora, de godin van de dageraad, vanwege haar roodgouden haar en haar levendige geest.

Daar lagen ook de verschillende verjaarsboeketten van vrienden (dat van Richelieu ging vergezeld van een paarlen armband, volkomen ongepast maar wel typisch iets voor hem). Harry had haar een waaier gegeven die geurde naar lavendel en verbena, de twee geuren die haar aan haar grootmoeder herinnerden. Toen ze de waaier had geopend, bleek het tafereel dat erop was geschilderd sprekend te lijken op het uitzicht vanuit het raam van de bibliotheek op Tamworth: de rozentuin en de taxusboompjes, met daarachter het hertenpark. ('Ik heb het hem beschreven,' vertelde Harry, 'en de man heeft het precies zo geschilderd.' Hij zei het langs zijn neus weg alsof het niets was, maar zij kuste hem voor zijn attentie.)

Ze had veel brieven gekregen van familie, maar de twee meest onverwachte kwamen van haar ouders. Haar vader wenste haar geluk met die dag en gaf haar een adres op waarheen ze geld moest sturen, dat hij natuurlijk zou terugbetalen. Ze vouwde de brief weer dicht en verstopte hem in een van haar bijouteriedozen. (Later zou ze hem overlezen en hem het geld sturen.) De brief van haar moeder verbaasde haar nog het meest – vol inktvlekken en spelfouten, want Diana had nooit goed opgelet tijdens haar lessen aangezien ze er meer op uit was te flirten met haar leraren. Haar moeder wenste haar een fijne verjaardag en zei dat ze aan haar zou denken. Ze ondertekende de brief met: 'Je liefhebbende moeder, Diana Alderley.' Harry die bij Barbara op haar kamer was komen zitten, zat nu de brief te lezen.

'Ik heb er ook een gehad,' zei hij, toen hij de brief weer teruggaf. 'Zou ze tot inkeer zijn gekomen?'

Barbara haalde haar schouders op. Haar moeder had nog nooit eerder aan haar verjaardag gedacht.

'Ziezo,' zei Thérèse, terwijl ze een laatste roos vastspeldde. 'Nu bent u volmaakt.'

'Nog niet helemaal,' zei Harry. 'Er ontbreekt nog één sieraad.' Hij zocht in zijn jaszak en haalde er een lange gouden ketting uit met daaraan een diamanten hanger met twee kleine pareltjes. Ze herkende hem onmiddellijk.

'Grootmama!'

Met een brede lach op zijn gezicht gaf Harry haar een brief. 'Die zijn allebei gisteren gekomen.'

'Ik wist wel dat ze me niet zou vergeten!' zei Barbara. Onmiddellijk scheurde ze de brief open om de lieve woorden te lezen waar ze nu zo'n behoefte aan had:

> Ik stuur je mijn verjaardagswensen en heel veel liefs; ik zou er wat voor geven als ik je kon zien maar ik ga niet meer op reis, dus stel ik me tevreden met je brieven in het vertrouwen dat de Heer over je waakt. Zestien. . . je bent een vrouw nu, met de zorgen en de vreugden van een vrouw. Ik kus je op beide wangen en op je ogen en ik wou dat ik je op je verjaardagsfeest kon gadeslaan. Denk vanavond nog eens aan me tussen al dat deftige bezoek, zoals ik jou elke avond gedenk in mijn gebeden. Hou je maar flink. Als Harry bij je is, kus hem dan ook van mij. Zeg tegen hem dat ik een brief van hem verwacht. Pas maar een beetje op hem. Iedereen maakt het goed hier op Tamworth. Dulcinea heeft weer jonge poesjes gehad. Tony is nog steeds bij me, ook als is er nog altijd kans op besmetting met pokken. De Heer schijnt hem te beschermen. Hoe meer ik hem leer kennen, hoe meer ik van hem houd. Onder mijn leiding zou hij nog goed terecht kunnen komen. Je moeder maakt het goed in Londen. Haar echtscheidingsaanvraag is toegewezen. Jane verwacht een baby. Vertel het maar aan Harry als je denkt dat het hem iets kan schelen. Hou je goed, mijn allerliefste kleindochter. Ik sluit een kleinigheidje in uit mijn eigen jeugd, toen ik zestien was – zo lang geleden. Geschreven op deze dag, de 27ste april, in het jaar onzes Heren 1716, op Tamworth Hall.

Zorgvuldig vouwde Barbara de brief weer op.

'Wat schrijft ze?' vroeg Harry.

'Dat jij haar nooit een brief stuurt en dat Jane in verwachting is.'

Harry's gezicht stond zo ernstig dat Barbara bijna spijt kreeg van haar luchtige antwoord. Thérèse, die de ketting om Barbara's hals vastmaakte, dacht: Wie is Jane?

'Nog een cadeautje, nog een cadeautje!' juichte Hyacinthe, die met een langwerpige doos binnenkwam. Het leek op een waaierdoos en er zat een zwart fluwelen lint omheen. Toen Barbara hem opende, vond ze echter niet een waaier maar een stuk papier dat als een waaier was gevouwen. Zelfs voor ze de woorden had gelezen, wist ze wat er stond: 'Devane, Soissons, Devane...'

Harry griste het papier uit haar hand en verkreukelde het.

'Verdomme, Bab, ik zou de vent die dit schrijft willen vermoorden! Voel je je niet goed?'

Ze had haar ogen dicht en met één hand hield ze de hanger van haar grootmoeder vast. Hou je flink. Dat zou ze doen. Ze rechtte haar rug, opende Harry's waaier en koos het boeket rode rozen dat ze van Wart had gekregen.

'Je arm, Harry.'

Hij glimlachte naar haar. Samen gingen ze naar beneden.

Onder aan de trap stonden Roger en Philippe zachtjes met elkaar te praten. Toen Barbara met Harry verscheen, gingen ze uit elkaar. Barbara zag het en ze begreep dat het gemene rijmpje hen allemaal had getroffen. Zelfs Roger en Philippe konden niet meer natuurlijk met elkaar omgaan. Philippe boog zich over haar hand, maar er was zoiets geamuseerds en tegelijkertijd kwaadaardigs in zijn blik dat ze het liefst haar hand had weggerukt. Hij geniet van de situatie, dacht ze. Waarom in 's hemelsnaam?

Het diner was net zo afschuwelijk als ze het zich had voorgesteld. Heimelijke blikken naar haar, Roger en Philippe, pijnlijke momenten van stilte, Rogers charme tegenover Philippes koele houding en Harry's bedekte woede. De spanning tussen die twee was angstaanjagend. Barbara verwachtte ieder ogenblik dat ze hun zwaard zouden trekken en zouden gaan duelleren. Ik moet hierdoorheen zien te komen, dacht ze voortdurend, door dit lange uit zes gangen bestaande diner, door de muziekuitvoering, door de voordracht van Racines verzen. en door het vuurwerk dat te harer ere werd afgestoken. Eindelijk gingen de gasten weg. Slechts een paar mannen bleven na om te kaarten in de bibliotheek. Ze vluchtte naar boven; haar gezicht deed pijn van het gedwongen glimlachen en door haar ongesteldheid had ze pijn in haar lendenen.

Tegen de ochtend had ze een angstige droom. Ze droomde dat ze zich in een kamer vol mensen bevond die allemaal praatten, lachten en dansten en dat ze Roger zocht. Ze keek in een spiegel, de spiegel werd een raam en aan de andere kant stond Roger, en hij sprak met Philippe. Ineens begon ze te huilen en ze sloeg met haar vuist tegen de spiegel; Roger keek haar kant uit, maar hij zag haar niet. Ze had het gevoel dat ze helemaal niets was. Huilend en badend in het zweet werd ze wakker. Het bed en de doeken die ze tegen het vloeien gebruikte, waren doorweekt van het bloed. Ze ging haar bed uit en trok een schoon nachthemd aan. Roger. Ze verlangde naar Roger. Hij zou wel slapen, maar ze zou naast hem gaan liggen zodat zijn lichaamswarmte haar een beetje troost zou geven. Wat was ze toch een dwaas dat ze zich bang liet maken door een droom.

Hij was er niet; zijn bed was onbeslapen. De brandende kaars die Justin had achtergelaten was niet meer dan een stompje. Ze liep zachtjes naar beneden. Het huis was stil en donker. In de bibliotheek stonden de kaarttafeltjes vol lege wijnglazen en opgebrande kaarsen. Ze ging naar de blauw-met-gouden salon. Een zacht ochtendbriesje woei haar tegemoet van de open terrasdeuren. Eerst dacht ze dat iemand had vergeten de deuren te sluiten, maar toen hoorde ze buiten Rogers stem en die van Philippe. Ineens kreeg ze weer haar vroegere neiging tot afluisteren. Ze sloop iets dichter naar de open deuren en moest zich bedwingen om niet te lachen om de gekke situatie. Ze voelde de kilte van de vroege ochtend aan haar voeten.

'De rozevingerige dageraad verscheen,' hoorde ze Roger zeggen. Hij zat op de hoogste tree van het terras en Philippe zat naast hem. Ze hadden hun jas uitgedaan en hun pruiken afgezet, en naast hen lagen twee lege wijnflessen. Philippe dronk uit een derde fles en hij schonk Rogers glas in.

'Bravo, beste vriend! Dat lijkt me... Homerus.'

'Heel goed, Philippe. Op je gezondheid.'

'Nee, laten we klinken op de dageraad.' Ze namen weer een slok.

'Ik zal je missen,' zei Philippe.

Roger legde zijn hand op de schouder van zijn vriend en Philippe raakte hem even met zijn wang aan.

Barbara's ogen concentreerden zich op dat gebaar.

'Je had mij een huwelijkspartner voor jou moeten laten zoeken, een lief, gedwee Frans meisje. Die zou het wel begrepen hebben. En als ze het niet had begrepen, had je haar kunnen terugsturen naar het klooster waar ze was opgevoed.'

'Maar ik ben wel erg gesteld geraakt op mijn Engelse plattelandsmeisje.'

'Tot mijn grote verdriet.'

'En het mijne. Het leven is niet zo eenvoudig.'

'Hindert niet,' zei Philippe, en hij legde zijn arm om Rogers schouders. 'Ze zal nooit ons diepste geheim leren kennen. Je bent veilig. Je kunt haar alles wijsmaken, wat je maar wilt. Ze is als was in je handen – dat zijn we trouwens allemaal. Jij met je onweerstaanbare charme.'

Het begon te suizen in haar oren. Ze maakte een klein geluidje. Philippe draaide zijn hoofd naar haar toe en ze ontmoette zijn blik. Hij zag haar, dat ontging haar niet, en in die ene seconde wist ze hoe hij tegenover haar stond. Hij haatte haar en hij hield van Roger. Lieve God, dacht ze, terwijl Philippe zijn ogen weer op de tuin richtte alsof zij daar niet stond. Alsof ze een geestverschijning was. Of helemaal niets. Roger was zich nergens van bewust. Hij legde zijn hand tegen Philippes gezicht.

'Ik zal je missen,' zei hij.

Philippe glimlachte tegen hem, en toen – haar ogen konden het haast niet geloven – trok Roger Philippes hoofd omlaag en hun lippen raakten elkaar in een kus, die wel een eeuwigheid leek te duren. De morgenzon, die nu net begon te schijnen, omringde hen als een stralenkrans. Ze kon haar gedachten niet meer ordenen... Ze kusten elkaar als man en vrouw... Ze had het in Philippes ogen gezien... Ze waren... Nu schoten haar een paar ontbrekende schakels in gedachten. De dag dat Harry was aangekomen. Gisteren. Devane, Soissons, Devane. Dat betekende niet dat zij en Philippe minnaars waren; het betekende dat Roger en hij...

'Nee,' zei ze en deed een stap achteruit waardoor ze over een stoel struikelde. Het leek alsof ze een stuk glas was dat in duizend stukjes brak. Alles scheen op haar te drukken; het werd donker en toch kon ze hen nog op het terras zien zitten door een smalle tunnel van licht, nog steeds in een omhelzing. Zelfs toen ze in elkaar zakte op de grond had ze nog hun beeld voor zich. Iemand

schreeuwde... telkens weer... het geluid sneed door haar
heen... Roger... o, Roger... Ze viel flauw.

19

De hertogin en Tony wandelden door de grasvelden die langs Tamworth Hall lagen. Het was vroeg in de morgen, de ochtend na Barbara's verjaardag, en de dauw lag op hun schoenen en maakte de rok van de hertogin nat. Dauwdruppeltjes glinsterden op de groene grassprietjes, groen zoals gras alleen in mei kan zijn. De boterbloemen groeiden hoger dan het gras en de hertogin sloeg naar hun kopjes met haar stok, zonder genade, zoals een kind dat kan doen. Ze had wel aanleiding voor buitensporig gedrag – de meimaand zelf was buitensporig. De pokken waren overwonnen of weggeblazen door de aprilwind. Haar Tony was gespaard gebleven. Ze had al een paar bijen gezien die dronken van de bloemenwijn, gulzig heen en weer vlogen van weiland naar heg naar weiland. Koeienbellen rinkelden in de stilte van de ochtend, een paar vogels riepen naar elkaar en de meidoorn pronkte met dikke knoppen, klaar om hun zoete geur te verspreiden.

'Nog één week,' zei ze tegen Tony, 'dan is de meidoorn in bloei. Ik ruik hem al.' Ze zou meidoorntakken afsnijden om overal in Tamworth Hall neer te zetten, zoals alle dorpelingen en boeren dat in hun huizen zouden doen. Al die huizen zouden vervuld zijn van die heerlijke zoete geur en de pracht van de witte, roze of rode bloesems. 'Ik houd het meest van dit jaargetijde,' zei de hertogin, steunend op Tony's arm. Binnenkort moest ze met Annie en een paar dienstmeisjes naar het bos om lievevrouwebedstro te plukken. Het groeide ook in haar moestuinen, tussen de rabarber en de radijzen, tussen kolen en rijen spinazie, maar ze vond dat geen lievevrouwebedstro zo heerlijk rook als de plantjes die onder de bomen in haar bossen groeiden. Daar moesten haar laden, haar koffers en kasten nog maandenlang naar geuren. Wat hield ze van Tamworth; zelfs nu met zijn vogels, bloemen en bijen hielp het haar te genezen. Ze miste de kinderen, ja. Dat ze ze nu niet zag hollen over de weilanden en in de bomen zag klimmen. Maar ze waren er niet meer. Ze waren bij hun grootvader in het familie-graf, en de enige veldbloemen die zij ooit nog zouden zien waren de bloemen die zij voor hen plukte. Maar ze was niet alleen. De Heer was goed voor haar.

'Kijk de lucht eens, jongen. Die is net zo blauw als Barbara's ogen of die van je grootvader. Eens is dit allemaal van jou, en ik zeg je dit met vreugde. Je bent een beste jongen, Tony. Een beste jongen dat je zo voor je grootmoeder zorgt.'

Tony, die hoog torende boven zijn magere, tere grootmoeder, bloosde als een kind. Jammer, dacht de hertogin, dat hij absoluut niet knap is. Helemaal Abigail. Nou ja, we moeten het ermee doen. En we danken de Heer voor zijn zegeningen. Morgen zou Abigail komen, dan zou ze vragen waarom haar zoon zo lang wegbleef. De hertogin glimlachte bij zichzelf; ze was onverbidde-lijk. Abigail zou voortaan minder greep hebben op Tony, want de hertogin eiste hem op. Hij was nu van haar. Ah, ze verheugde zich op een ruzie met Abigail. Met vernieuwde kracht maaide ze nog meer kopjes van de boterbloemen weg.

Dulcinea verscheen uit het niets; door de dauw lag haar zilver-witte vacht glanzend over haar rug. Ze joeg op vogeltjes, en ge-heel naar haar instinct hoopte ze dat er een paar uit het nest waren gevallen.

'Zou graag een van Dulcinea's poesjes willen hebben, grootma-ma. Niet vergeten.'

'Zeg toch eens een keer "Ik" jongen. Je zult het toch eens moe-ten leren. Ik wil niet hebben dat de hertog van Tamworth door het land loopt te stotteren als een idioot! Ik wil het je horen zeg-gen: "Grootmama, ik zou graag een van Dulcinea's poesjes willen hebben". Vooruit, zeg het, anders krijg je niets. Toe maar Tony, je kunt het best.'

Aarzelend zei Tony: 'Ik... wil een van Dulcinea's poesjes.'

De hertogin knikte. Arme Tony. Waarom spaarde hij woorden zoals anderen goud spaarden? Waar was hij bang voor? Wat had hij voor opvoeding gehad dat hij niet voor zichzelf kon opkomen? Ze zag hem voor zich als kind, en ze herinnerde zich hoe altijd ie-mand van Abigails personeel had klaargestaan om hem te verbe-teren, een duwtje te geven, te onderwijzen. Hoe Harry en Barbara hem genadeloos hadden geplaagd. Hoe ze hem zelf had gene-geerd. Abigail had haar plicht gedaan zoals zij die zag, maar ze had een verlegen, onzekere man van hem gemaakt en de hertogin was van plan daar verbetering in te brengen. God had haar deze laatste spruit gegeven toen ze hem het hardst nodig had. Hij was van haar. Ze liepen nog een eindje door het bos, maar ze was nu moe.

'Let maar niet op mij, Tony,' zei ze om de scherpe kantjes van haar woorden weg te nemen. 'Ik ben een knorrig oud mens vanmorgen. Ik heb niet goed geslapen. Ik dacht aan Barbara, en ik was niet gerust. Annie zegt dat de theeblaadjes narigheid voorspellen. Dat staat me niet aan!' Ze stampte op de grond met haar stok. 'Ik hoop dat ze gelukkig is. Ze moet gelukkig zijn. Ik bid voor haar. Soms heeft een mens zo'n hulpeloos gevoel... daar hou ik niet van, Tony. Ik geloof niet in hulpeloosheid.'

Hij zweeg. Ze wist wat dat stilzwijgen betekende. Hij hield nog altijd van Barbara. O, wat was het leven toch soms een warboel. Ze had nog een heleboel goed te maken tegenover deze jongen – deze lieve jongen. Ze kneep even in zijn arm.

'Je kunt haar niet krijgen. Ze is getrouwd, en zelfs als ze dat niet was, dan heeft ze een veel te sterk willetje voor jou. Dan zouden jullie allebei ongelukkig zijn. Ik zie het met de ogen van een oude vrouw, en ik heb gelijk. Kom jongen, trek me maar voort. Nog een paar stapjes en we zijn op Tamworth. Ik moet even rusten. Kijk eens, een van je grootvaders rozen – ze heten de Duke of Tamworth, naar hem – bloeit al. Moet je die kleur zien. Ah, er is niets heerlijkers dan een vroege morgen op Tamworth, vind je ook niet?'

Hij glimlachte. Het trof haar dat ze een glimp – niet meer dan een glimp – van Richard zag in die glimlach.

'Ba!' zei ze en glimlachte naar hem terug. 'We zijn allemaal taaie rakkers, wij Tamworths. Je zult het zien. Je bent een van ons. God zegene je, jongen, dat je een van ons bent. Pluk eens een roos, Tony. Ik wil naar binnen gaan met de geur van een van je grootvaders rozen in mijn neus...'

DEEL TWEE

Het einde

Engeland

1720-1721

20

'Bab,' riep een stem zachtjes haar naam om haar uit de diepe vergetelheid van de slaap te wekken, 'wakker worden.'

Ze wilde de hand die haar blote schouder aanraakte niet voelen en ze klampte zich vast aan het veilige duister in haar geest, maar de hand bleef trekken en aandringen. Net zo hardnekkig als het heldere zonlicht dat door de open ramen naar binnen kwam. Ze deed haar ogen nog stijver dicht en nestelde zich in de verkreukelde lakens. Toen kuste iemand haar schouder.

'Lieveling,' zei een zachte, verlegen jonge stem, 'ik moet gaan. Word nu even wakker om me te groeten. Alsjeblieft, Bab...'

Allerlei gedachten schoten door haar hoofd, donker en snerpend. Als vleermuizen die op een zomernacht in hun grot worden verschrikt. Lieve Jezus, dacht ze met haar gezicht in haar kussen, dit is een nachtmerrie. Maak me maar wakker als hij voorbij is.

'Ik zie Wart straks bij Garraway's. South Sea heeft weer een nieuw fondsenaanbod voor houders van annuïteiten, en ik moet de mijne converteren voor het te laat is,' zei de stem, 'anders zou ik nooit op deze manier weglopen. Maar ik heb tegen John gezegd dat hij thee moet brengen. Wakker worden... lieverd.' Dat laatste woord werd aarzelend, verlegen gezegd.

Nu draaide ze zich om en deed één oog open. Ze zag Jemmy Landsdowne (zeventien jaar en geen nachtmerrie) op de rand van haar bed zitten terwijl hij haar met een aanbiddende blik aankeek. O, lieve, genadige God, dacht ze, en toen hij zich vooroverboog om haar mond te kussen, draaide ze haar gezicht weg. Vlug sloot ze haar ogen weer. Hij raakte een lok van haar lange, verwarde, roodgouden haar aan.

Toen hij de kamer uitging, luisterde ze naar de geluiden: het geritsel toen hij zijn jas aantrok, het tikken van zijn hakken over de vloer en het vrolijke valse deuntje dat hij floot terwijl hij de deur dichttrok. Ze voelde zich misselijk worden. Dat kwam door het drinken van gisteravond, maar ook door dit. De deur ging weer open, maar ze bewoog zich niet. Ze hoorde het gerinkel van porselein en zilver op een dienblad. Wat heb ik gedaan? vroeg ze zich af. Dit gebeurt niet echt. De deur ging dicht.

Ze ging zitten en schudde haar haar los. Het hing wijd om haar heen als leeuwemanen. Ze wikkelde een laken om haar naakte lichaam, klom uit het bed en schonk zich een kopje thee in. Haar handen trilden zo dat ze morste, maar het hete vocht brandde de gal uit haar maag. Ze ging naar het open raam en keek naar buiten. De hitte van een augustusdag in Londen viel over haar heen als een deken. Ze rook de stank van de Theems; het paste precies bij het gevoel dat ze in haar maag had. Langzaam reed een wagen voorbij, geladen met tonnen met water; er waren gaten in geboord om de straten vochtig te houden tegen het opwaaiende stof. Aan de overkant zat een stoelenmatter met zijn gereedschap en zijn verse biezen een stoel te repareren terwijl de eigenares hem vanuit haar raam gadesloeg. Je kon de schelle roep van straatventers op de hoofdweg horen: 'Vers rivierwater!' 'Rijpe aardbeien!' 'Messen, kammen en inktpotjes!' Ergens in de buurt waren een man en een vrouw aan het ruziemaken. Barbara ging in het open raam zitten, als een zigeunerin of een lui dienstmeisje, en bleef naar de stoelenmatter kijken terwijl ze haar thee dronk.

Ben ik met Jemmy Landsdowne naar bed geweest? vroeg ze zich langzaam af, want van denken kreeg ze pijn in haar hoofd. En meteen kwam de misselijkheid weer op. Je moet de waarheid onder ogen zien... Dat was haar grootmoeders stem in haar achterhoofd. Ze had al heel wat preken gehad in haar leven...

Je moet de waarheid onder ogen zien, want je draagt haar altijd bij je en op een dag kijkt ze met haar lelijke kop in je gezicht en roept: 'Boe.' Een lesje dat haar grootmoeder haar altijd voorhield als zij en Harry hadden gelogen over hun kattekwaad. Maar de waarheid over het stelen uit de Tamworth-keuken of uit de boomgaard van sir John was heel wat anders dan de waarheid als je wakker bent geworden in het bed van een jongeman waar je niets bijzonders voor voelt (Genegenheid... ja... omdat hij haar aan Kit deed denken... maar genegenheid was geen reden om... Boe... Dank u grootmama, ik kan zelf ook boe zeggen.)

Hoe kan dit ooit gebeurd zijn? dacht ze. Was ze maar weer vijftien! Toen wist ze precies wat goed en fout was, maar nu was ze

twintig en ze wist niets. Behalve dat ze in een raam zat, naakt onder Jemmy's laken als een hoer uit Covent Garden. En ik weet
ook dat dit me helemaal niet aanstaat. Evenmin als wat er in het
voorjaar en in de zomer met me is gebeurd. Ik ben bang. Hoor je
me grootmama? Hoort iemand me? Ik ben bang. Maar haar grootmoeder gaf geen antwoord. Kleine, lelijke waarheden kwamen
voor haar ogen dansen als duiveltjes. Boe, zei ze tegen hen. Boe.

Vermoeid probeerde ze zich iets te herinneren van de vorige
avond. Ze was vroeg in de middag vertrokken uit Richmond Lodge, met Charles. Bij de gedachte aan Charles verstrakte ze. Er was
een nieuw, gevaarlijk element toegevoegd aan haar toch al hache-
lijke situatie. Wist hij het? Hij mocht het eenvoudig *niet* weten...
dat was het beste voor allemaal. Maar nu de rest. Iedereen zat in
een rijtuig: Charles, Harry, Pamela, Wart en Judith, en ze dronken wijn uit zilveren karaffen en hadden pret, behalve zij. Zij was
weer in zo'n sombere stemming die ze de laatste tijd steeds vaker
kreeg (ze dacht dat ze die in Frankrijk had achtergelaten) waarbij
ze het gevoel had dat ze haar plaats in de wereld kwijt was, zodat
het leven van de ene dag in de andere niet meer voldoende was.
Maar hoe kon je zulke gevoelens aan een ander uitleggen wanneer
ze die niet kenden? Je kon het niet uitleggen.

Zij en Charles waren begonnen te ruziën, en natuurlijk hadden
ze haltgehouden bij taveernes op de weg naar Londen. Ze zag het
weer voor zich: de rokerige ruimten, het schuimende bier, Harry
die een kaartspel verloor. Het stupide gelach van de meisjes, haar
verveling en haar walging. Ze was begonnen te drinken om bij
hen te kunnen horen, om mee te lachen. Ten slotte was alles vaag
geworden, en ze had geen idee wanneer Jemmy erbij was gekomen. Ze wist alleen dat hij ergens in een taveerne was, met zijn
eigen vrienden. Ze waren allemaal drie of vier jaar jonger dan zij
en een van de jongemannen begon haar te vleien – dat deden wel
meer jongemannen die wilden meetellen in de maatschappij, want
zij was 'goudblonde Aurora, zoete koningin der dageraad...'

In gedachten kon ze nog horen hoe Harry en Wart hadden ge-
bruld als hyena's toen ze elkaar die regels voorlazen, regels uit
Caesar Whites laatste gedichtenbundel die haar al beroemd had
gemaakt nog voor ze één satijnen schoentje op Engelse bodem zette... dat gedicht... en Richelieu. Ze sloot haar ogen bij de gedachte aan Richelieu en haar mondhoek trilde. Je houdt nog

steeds van hem, had hij gezegd, en zijn gezicht stond toen heel anders dan die eerste keer, toen hij had gefluisterd: Ik heb al zo lang gewacht... raak mij eens aan, Barbara... Maar ze was te zeer verdoofd en verward om zijn vaardigheid te appreciëren. Ze had alleen maar aan wraak gedacht... wraak. Ze schudde haar hoofd om de gedachten die haar alleen maar verdriet hadden gebracht, te verdrijven. Het had geen zin om te huilen.

Ze legde een hand tegen haar gezicht bij de gedachte aan die tijd – en wat daarna kwam. Dat stond in haar geheugen gegrift, net zoals het moment toen ze Roger Philippe had zien kussen, want wat er daarna gebeurde, was dat Roger van haar wegliep alsof ze niets was. Zomaar uit haar leven verdween. Dat was het moment waarop ze niet meer huilde. Ze was te diep gekwetst voor tranen. Het raakte haar kern, haar hele wezen. Ze had gedacht dat ze doodging. (Wat een kind om te denken dat je kon sterven aan een gebroken hart, maar zo had het wel gevoeld.) Ze was niet gestorven. En ze had niet meer gehuild. Zelfs niet toen zij en Harry naar Italië waren gegaan om haar vader te begraven. De houten kist was langzaam neergelaten, omlaag, omlaag, omlaag in het stof, en er was niemand om te rouwen behalve de pastoor... en zij... en Harry. Ik zal hem naar huis halen, had Harry beloofd met zijn gezicht naar de donkere hemel. Ik zweer je dat ik hem naar huis zal halen. Maar hij deed het niet. Zij had zelf alles geregeld en Roger had betaald, zoals hij alles betaalde. Elke maand kwam er een zak met goudstukken, waar ze zich ook bevond. Ze herinnerde zich de eerste keer toen het goud aankwam en ze de zak in woede tegen de muur had geslingerd waardoor hij scheurde en de goudstukken overal rondvlogen. Ze zag nog voor zich hoe Harry en Wart op handen en voeten naar het geld zochten. Twee jaar later bekeek ze een nieuw aangekomen zak en vroeg zich af of Roger hem had aangeraakt, of er een teken van zijn hand op kon zijn, en ze had hem zelf aangeraakt alsof er iets van zijn warmte was meegekomen om haar te genezen. De Heer geeft, had de pastoor gezongen, en de Heer heeft genomen: gezegend zij de naam van de Heer.

Ze zag hoe een broodmagere straatkat plotseling in de schaduw van een huis verdween en even later triomfantelijk te voorschijn kwam met een spartelende rat in zijn bek. De stoelenmatter was klaar met zijn werk en pakte zijn gereedschap in zijn mand. 'Oude satijn, oude tafzijde, oud fluweel!' klonk het van dichtbij in haar oren. Gedachten tuimelden in haar geest over elkaar: haar vader, het graf, de wind die die dag om haar heen loeide, haar wegtrok, Richelieu die van zijn stoel opstond en met zijn vleiende stem zei: Ah, daar hebben we het jarige meisje eindelijk; Charles en Jemmy die de vorige nacht in die taveerne over haar ruzieden als twee honden om een been. Ze was pas twintig, en als ze van alles nu al zo moe werd, hoe moest het leven dan zijn op je dertigste. . .

'Juffrouw! Juffrouw!'

Ze keek naar beneden. De stoelenmatter lachte omhoog naar haar met zijn anderhalve tand in zijn mond, en hij zwaaide met iets in zijn hand.

'Hoeveel, juffrouw!'

Het zonlicht viel op hetgeen hij in zijn hand hield. Een geldstuk. Waarschijnlijk het geldstuk dat hij net had verdiend. Ze stikte inwendig van het lachen. Met een glimlach antwoordde ze: 'Vandaag niet. Misschien een andere keer.'

Hij zuchtte, knipoogde en stak het muntstuk weer in zijn zak. Harry zou dit moment hebben kunnen waarderen. Of Richelieu. Maar Charles niet. Het lachen in haar stierf weg.

Charles had gisteravond een glas punch in iemands gezicht gegooid om heel wat minder. Ze herinnerde zich geschreeuw en Pamela's gegil, stoelen die omvielen en Charles en een van Jemmy's vrienden die samen over de grond rolden, door het zand, de pruimtabak en het gemorste bier. En gelachen dat ze had, als een gek had ze gelachen, en Jemmy (die lieve Jemmy die haar vleide met zijn jongensachtige bewondering en die haar herinnerde aan haar broer Kit van wie ze hield. . . maar nu niet meer) nam haar mee naar buiten en begon haar te kussen. Ze herinnerde zich nog dat ze nee zei. Maar toen zat ze in een rijtuig en Jemmy probeerde haar weer te kussen, en ze was in de war omdat ze aan Roger dacht. . . Beste Barbara, had Richelieu tegen haar gezegd met zijn ironische gezicht, ik kan niet op tegen een spookbeeld. En ik ben ook niet van plan het te proberen. . .

Ze rilde zo dat het theekopje uit de vensterbank op de grond viel. Ze keek naar het plasje thee, de theebladeren en de stukken porselein op Jemmy's vloer. Annie geloofde in theebladeren. Wat hadden deze over haar toekomst te vertellen? Toen ze opstond, kwam haar hele maaginhoud in opstand. Struikelend rende ze naar de po en kokhalsde. Ze kreeg een afschuwelijke smaak in haar mond en haar hoofd voelde alsof het ieder ogenblik uit elkaar kon barsten. Als ze me nu eens zagen, dacht ze. Tante Abigail, de Kikvors, al die mensen die denken dat ik zo deftig en stijlvol ben... en zo slecht. Ze had wel willen lachen, maar ze voelde zich zo ziek en ongelukkig.

Toen ze weer kon staan, begon ze haar kleren aan te trekken. De spiegel boven een oude Hollandse kist gaf een beeld van al haar bewegingen. Wat een idioot ben ik, dacht ze, dat ik hier ben gekomen. Ze zag haar spiegelbeeld. Een vrouw met prachtig maar slordig opgestoken haar staarde haar aan. Een jonge vrouw in de eerste bloei van haar schoonheid, met een hartvormig gezicht en grote blauwe ogen maar met een gespannen blik. Een vrouw die er niet modieus uitzag omdat ze te slank was in een tijdperk waarin de hele wereld de voorkeur gaf aan volle, vlezige blanke armen, borsten en dijen, terwijl zij alleen maar een bekoorlijke slanke gestalte te bieden had. Maar ze had ook nog haar glimlach en haar stem. Ik weet niet waarom ik je begeer, had Charles die eerste keer in haar oor gefluisterd toen ze onder hem lag. Maar eigenlijk weet ik het wel, zei hij, en beet in haar blanke hals. Ik weet het wel. Je bent zoet als honing...

Ze zuchtte. Charles dacht op het ogenblik beslist niet aan begeerte. Of aan honing. Alleen maar aan woede. En ze gaf hem geen ongelijk. Ze was niet eerlijk tegen hem geweest. Ze was zichzelf niet meer sedert die eerste keer dat ze Roger weer zag... en Philippe. Charles kon niet weten wie zij was. Hij zag alleen het beeld dat ze aan andere mensen vertoonde maar achter dat beeld bevond zich een schaduw en die was *zij* en de hele zomer had ze gezweefd tussen het beeld en de schaduw. Ze wist dat ze voorzichtig moest zijn, want ze was bang dat ze iets zou doen waar ze later spijt van zou hebben. Ze leefde op de rand. In Parijs was er genoeg geweest om spijt van te hebben, ruimschoots voldoende. Ze was daar van de rand af gevallen en het terugklimmen was zo moeilijk geweest en had heel lang geduurd. De wraak was niet zoet geweest. Richelieu had gelogen.

'Boe!' zei ze tegen de vrouw in de spiegel, de vrouw met een schaduw achter zich, oude spoken, oude herinneringen, oud schuldgevoel. Ze opende Jemmy's deur en holde naar beneden, als een kind zo vastbesloten om zo ver mogelijk weg te lopen van het toneel van haar ondeugendheid. Haar geest rende voor haar voeten uit. O ja, grootmama zou volop aanmerkingen hebben over deze escapade, ofschoon ze natuurlijk niet van plan was geweest haar hierover in te lichten. . . Schaam je, Barbara. . . Heb je geen trots, Barbara. . . Hij is nog maar een jongen, Barbara. . . Maar ze was wel zo wijs – of zo dwaas – om niet op Tamworth te gaan logeren en naar haar grootmoeders preken te luisteren. O nee, een kort bezoekje na haar aankomst in Engeland was voldoende geweest. Ze was de mondaine vrouw van de wereld. Ze verstopte zich achter een masker van grapjes, vrolijkheid en luchthartige spot waar ze om bekend stond (dank je wel, Richelieu) en liet zich door Harry meeslepen waarheen hij maar wilde, met hun gevolg – een kamenier, een page en twee keffende hondjes – en ze vertrokken naar Londen nog voor het stof van de heenreis van hun kleren was gevallen. Ik kom u gauw opzoeken, grootmama, had ze gerateld, maar ze had haar grootmoeder niet aangekeken. Haar grootmoeder mocht niet zien wat er in haar ogen te lezen viel, want als zij zelf nog geen vrede had gevonden met alles wat er na Rogers vertrek was gebeurd, wat moest haar grootmoeder dan wel niet denken? Die scherpe oude ogen konden door elk masker heen boren, en dat wilde ze niet hebben. Nu nog niet. Boe. . .

Buiten zwaaide ze met haar dunne zomersjaal en weldra stopte er een huurrijtuigje.

'Devane House,' zei ze tegen de koetsier en zakte neer op de muffe, versleten, leren zitplaats. Ze zag nog steeds voor zich hoe ze bij haar grootmoeder was vertrokken. Ze had gezegd dat ze spoedig terug zou komen en ze had een laatste keer gewuifd, zittend op haar paard. Naast haar stond Harry's paard ongeduldig te dansen, maar het kon niet ongeduldiger zijn dan zij inwendig was. Ze voelde zich weer vijftien en Londen was haar bestemming, haar uiteindelijke bestemming. Dat was het enige waar ze aan dacht. In alle brieven van Mary, Tony en grootmama had Londen haar geroepen. Want Roger was in Londen en ze verlangde ernaar hem te zien, te zien wat de tijd met hem had gedaan. Het was een verlangen dat haar trots niet kon onderdrukken. En dan haar dromen. . . dromen die niet diep in haar geest begraven bleven maar die 's nachts bovenkwamen en haar in haar slaap achtervolgden als oude, witte spoken. Ze legde haar hand tegen haar voorhoofd. Tussen de vele mensen in de koepelsalon van Rogers nieuw gebouwde kunstpaviljoen zag ze in de verte Philippe naar haar glimlachen. O, ja, Philippe had wel degelijk haar dromen doen vervliegen; flarden van niets vervlogen in niets... Zelfs Rogers verbaasde welkomstglimlach, dat *iets* dat ze in zijn ogen had zien opleven, kon niet opwegen tegen het feit dat Philippe daar was. Ze had zich verraden gevoeld. Opnieuw. Niet door Roger, want hij had haar nooit enige belofte gedaan. Maar door haarzelf. Door het dwaze kind dat ze zelf nog was. Het meisje dat ze probeerde niet te zijn. Je moet de waarheid onder ogen zien want je draagt haar altijd bij je, en op een dag kijkt ze met een lelijke kop in je gezicht en roept: Boe. Nou, de waarheid had inderdaad op die dag haar lelijke kop voor haar gezicht gehouden. En ze had het weer niet willen zien. Ze kon Harry de schuld geven. Harry was met haar meegekomen maar hij en Philippe mochten elkaar niet ontmoeten. Niet nog een keer. Niet na Parijs. Maar in wezen had het niets te maken met Harry. Het had te maken met de manier waarop haar hart klopte toen ze Roger voor het eerst weer zag na vier jaar. En toen zag ze Philippe ook, en dat kon ze niet verdragen.

Ze trok de leren bekleding in het rijtuigje bijna stuk met haar nagels. Ik wil het verdragen, ik wil het.

In gedachten zag ze Charles, hoe hij die dag had gekeken, naar haar had gestaard met zijn arrogante, zoekende blauwe ogen. Dezelfde kleur blauw als Rogers ogen. Ik ben alleen maar naar Parijs gegaan, om u te ontmoeten, had hij gezegd, en toen was u weg. Nou, hier ben ik dan, had ze geantwoord, en meteen had ze zich omgedraaid, niet wetend tegen wie ze het zei. Ze had alleen die vreselijke, verlammende schok gevoeld bij het weerzien met Roger, en daarna Philippe. Ze had met Charles geflirt omdat hij toevallig binnen bereik was. Arme Charles; hij hield van iemand die niet bestond. Hij begreep haar niet. Maar hoe zou hij dat ook kunnen? Ze nam niet de moeite hem iets over zichzelf te vertellen. Richelieu had haar begrepen, maar Richelieu had haar ook voor die tijd gekend, voor ze een kunstmatig wezen werd, opgebouwd uit leugens en roddelpraat... lachend, modern, ad rem... met dat harde Parijse vernisje dat iedereen zo modieus vond terwijl de echte Barbara... ja, wie was ze eigenlijk? Een vijftienjarig meisje met haar armen wijd geopend en nog gelovend in liefde, eer en waarheid... terwijl ze wel beter wist? O, Jemmy, het spijt me zo. Ach Charles, het kwam door de drank. Ineens werd ze zich weer bewust van de werkelijkheid. Waar bevond ze zich nu, in godsnaam? Zo reed je toch niet naar St.-James's Square.

Driftig, als de eerste de beste visvrouw, stak ze haar hoofd uit het raampje.

'Hé daar!' riep ze tegen de koetsier. 'Waar ga je nou heen?'

'Devane House,' antwoordde hij, en hij raakte haar bijna met zijn uitgekauwde tabakspruim terwijl hij sprak.

'Nee! Nee! Dat is niet goed,' riep ze naar hem.

Hij draaide zich om. 'U hebt wel Devane House gezegd,' zei hij koppig, maar hij begon toch aan de teugels van zijn paarden te trekken.

Ze ging weer zitten in het rijtuig. Die verdomde brutaliteit! Ze woonde niet op Devane House. Roger woonde daar. Ze had zijn vroegere Londense huis op St.-James's Square tot haar beschikking, tot vreugde van de Londense roddelaars die speculeerden over het feit dat ze apart woonden en die vol verwachting keken wanneer zij en Roger elkaar toevallig ontmoetten. Maar ze hadden Rogers hoffelijkheid en zijn gevoel voor stijl onderschat. Hij trad haar altijd opvallend beleefd tegemoet, zelfs wanneer ze in gezelschap was van Charles. Hij complimenteerde haar over haar haar en haar japonnen en informeerde naar haar gezondheid, naar haar familie. En in zijn ogen was nog altijd een blik waardoor haar hart ineenkromp. Ja, de roddelaars hadden Roger onderschat, net als zijzelf. Als ze woede en razernij van hem had willen zien, dan was ze zijn façade van hoffelijke distinctie vergeten. Hij kon onder alle omstandigheden glimlachen... Nee, er was nooit een woedeuitbarsting van Roger geweest. Dat paste niet bij zijn stijl. Alleen toen hij de blauwe plekken in haar hals had gezien, plekken die waren veroorzaakt door Richelieus kussen, had ze woede gezien in zijn ogen, in de plotselinge verstrakking van zijn houding. En het had haar goed gedaan. Nu wist hij het ook eens. Nu zou hij voelen wat zij voelde. Oog om oog. Maar hij zei niets. Hij draaide zich om en liet haar staan. Dat hij geen emotie toonde, kon ze nog wel verdragen. Maar dat hij wegliep, maakte haar kapot. Ze konden onmogelijk nader tot elkaar komen: Het duel tussen Harry en Philippe lag nog te vers in hun geheugen en op ieders tong. Wat had Parijs die zomer moeten beginnen zonder roddels over hen? Ze sloot haar ogen. Ze wilde niet herinnerd worden aan het meisje dat ze eens was geweest, het meisje dat uren op haar bed had liggen snikken omdat ze haar man ontrouw was geweest, en nu... nu... Richelieu, je hebt gelogen. Wraak was niet zoet. Maar schatje, had hij geantwoord met een grijns op zijn gezicht, het was voor mij.

De koetsier zuchtte wanhopig. Hij had het rijtuig aan de kant gezet, was afgestapt en stond nu naar haar te kijken met die levensmoede blik op zijn gezicht die alle Londense koetsiers schenen te hebben. Ze opende haar ogen. Hij wachtte. Ineens kreeg ze een opwelling.

Er is niemand, dacht ze. Roger is in Richmond. Iedereen was in Richmond, waar het hof was. Wie zou het ooit weten als ze ernaar toe ging? Uiteindelijk was het ook *haar* huis. Ze had het volste recht het te zien. Iedereen in Londen sprak erover en zij was er nog nooit geweest, behalve die ene, eerste keer. Waarom zou ze geen bezoek brengen aan haar eigen huis dat eens haar droom was geweest, net zo goed als die van Roger? Hij hoefde het niet eens te weten. Ze kon de huishoudster zwijggeld geven. Ja, één klein bezoekje. En als men het te weten kwam, kon ze zeggen dat het een gril was geweest.

Ze glimlachte tegen de koetsier. Haar grootvaders glimlach.

'Toch maar Devane House,' zei ze.

De koetsier keek haar een ogenblik aan, klom toen vermoeid weer op de bok en klakte met zijn tong.

Binnen in het rijtuig zuchtte Barbara. Die koetsier dacht natuurlijk dat ze gek was, of verwend. Ja, dat was het: een verwende, luie adellijke dame die niet genoeg te doen had en die in haar verveling hardwerkende koetsiers het leven moeilijk maakte. Ze begon haar haar op te spelden, haar japon recht te trekken en in haar wangen te knijpen voor een kleurtje. Ze mocht Devane House niet onverzorgd binnengaan.

Het rijtuig bevond zich nu op Tyburn. Er was daar nooit een druk verkeer behalve op die dagen, één keer per jaar, wanneer misdagers werden berecht en de veroordeelden, soms wel twintig mannen en vrouwen, moesten worden gehangen bij Tyburn Tree, een schavot iets verderop de kant van Hyde Park uit. Dan stond het vol mensen op Tyburn en New Bond Street en op de wegen naar Oxford en Edgeware, wandelaars, mensen te paard en in rijtuigen die naar het ophangen kwamen kijken. De veroordeelden werden vervoerd op een wagen, de strop reeds om hun nek. Sommigen kleedden zich speciaal voor die gelegenheid en het publiek bewonderde hun stijl en bravoure, de mannen in mooie fluwelen of tafzijden jassen, de vrouwen in het wit, met manden vol sinaasappels en bloemen die ze naar de menigte gooiden. Vrienden en familieleden renden mee langs de wagen; dikwijls droegen ze de doodkist waarin hun geliefde zou komen te liggen, maar hun belangrijkste taak was dat ze aan de voeten van de gehangenen trokken opdat de dood sneller zou intreden. Soms hielden de veroordeelden een toespraak die later zelfs werd gedrukt en uitgedeeld, als souvenir.

Het rijtuig draaide van Tyburn naar Montgeoffrey Road, die evenwijdig liep met de weg naar Hampstead. Aan Barbara's linkerhand was Devane Square, nog niet volgebouwd, Richard Street tegenover Tyburn Road en Alice aan de andere kant tegenover Montgeoffrey. Er was pas één rij herenhuizen klaar (Philippe woonde in het grootste en duurste; Wart was dat voor haar te weten gekomen). Al die huizen waren gelijk, met hun ingangsdeur op de eerste verdieping onder een klassiek portiek met tempelzuilen, bereikbaar via een elegante trap. Van andere huizen was alleen de houten constructie klaar en ze zag werklieden hameren, zagen en planken dragen. De tuinen van het plein met hun fonteinen, groene grasvelden, bomen en bloemen die Roger van over de hele wereld had verzameld, begonnen al naam te maken als botanische curiositeit. Londenaren kwamen hier in de avondkoelte wandelen om de vorderingen van de huizen te aanschouwen en bewonderend te kijken naar de voorgevel van Wrens kleine kerkje, dat verrees aan het andere einde van het plein.

Het rijtuig reed nu om het terrein van Wrens kerk heen, tot het een korte weg in draaide die Barbara Lane heette, haar laan, en kwam tot stilstand voor Devane House. Ook haar huis. Ze gaf haar naam op aan de portier, die even nieuwsgierig in het rijtuig keek voor hij de zware smeedijzeren hekken opende. Ze reden nu over een ronde oprijlaan die aan weerskanten met lindebomen was beplant. Barbara liet het rijtuig stilstaan en stapte uit. Ze liep tussen de jonge bomen door naar de fontein tegenover het toegangshek. Overal waren tuinlieden bezig met graven, hijsen en planten.

De fontein had haar bekendheid nog vergroot, want uit het water steeg een naakte zeenimf omhoog op een reuzenschelp en iedereen zei dat dit beeld met los haar en een slank lichaam een opvallende gelijkenis met haarzelf vertoonde. De fontein werkte niet. Ze bleef op de rand staan en bekeek het gezicht van de zeenimf. Charles had gelijk. Het leek op haar. Waarom had Roger dat gedaan? Ze draaide zich om en keek voorbij de vijvers en de tuinlieden door een rechte laan heen naar Devane House, waarvan alleen de eerste woonlaag was afgebouwd. Het zag er schitterend uit in zijn omlijsting van bomen en tuinen tegen de blauwe achtergrond van de augustuslucht. Ze herinnerde zich haar primitieve schetsen van jaren geleden, van La Malacontenta. Ze had die villa uiteindelijk nooit bezocht met Roger, maar wel met Harry. En met weemoed in haar hart had ze de schoonheid en de perfectie ervan gezien. La Malacontenta. Roger.

Opzij, half verborgen door bomen, bevond zich het kleine paviljoen der kunsten, door een loggia met het huis zelf verbonden. Dit had ze al eerder gezien, ofschoon ze zich er niets van herinnerde. Ze zag alleen nog Roger voor zich... en Philippe. Dat paviljoen was ook een belangrijk onderwerp van gesprek in Londen, want nog nooit had iemand een apart gebouw ingericht om zijn kunstcollectie in onder te brengen, ofschoon het gerucht ging dat lord Burlington dat nu ook deed. Roger had een nieuwe mode geïntroduceerd. De mensen raakten niet uitgepraat over de klassieke bouwstijl, de weelderige inrichting van de vertrekken, de zeldzame schilderijen en beelden die het bevatte en over de achthoekige koepel van de middelste salon. Het hele voorjaar door had Roger hier ontvangsten gehouden, waarbij iedereen zijn goede smaak, zijn rijkdom en zijn gastvrijheid had kunnen bewonderen. Barbara was ook elke keer uitgenodigd. Altijd kwam er een persoonlijke boodschapper naar St.-James's Square met een uitnodiging voor de volgende ontvangst. Maar ze was nooit meer gegaan. Noch zij, noch Harry. Charles was wel naar het huis gaan kijken en Wart ook. En beiden hadden haar de schoonheid van de gebouwen en de tuinen beschreven. Maar nu stond ze zelf in de hete zon om alles te zien en ze voelde zich trots, trots dat Roger uiteindelijk had bereikt wat hij wilde, trots dat ze met hem getrouwd was, ook al stelde hun huwelijk niet veel voor.

Ze liep terug naar het rijtuig en liet zich door de koetsier over de oprijlaan tot voor de ingang van het huis rijden. Ze stapte uit en liep snel de prachtig versierde dubbele trap op naar de portiek: een portaal dat op een tempelgevel leek. Het geheel paste precies bij de portieken van de kleinere tempel en van de herenhuizen die ze zojuist had gezien. Op die manier bracht Roger eenheid in de verschillende gebouwen. Ze moest een hele tijd kloppen op de dubbele deuren alvorens iemand kwam opendoen, en toen kon de huishoudster haar alleen maar met open mond aanstaren.

'Ik ben lady Devane,' zei Barbara zonder veel plichtplegingen. 'Ik zou graag willen dat iemand de koetsier betaalt en ik wil wat eten en een kop thee drinken, en daarna wil ik graag een rijtuig om me naar St.-James's Square te brengen.' De huishoudster bleef volkomen verbluft kijken. 'Ik ben lady Devane,' zei ze nu wat langzamer, 'de echtgenote van lord Devane.'

'O... ja. Ja. Volgt u mij, mevrouw,' zei de huishoudster die eindelijk een glimlach vertoonde. 'Deze kant uit, mevrouw.'

Ze bracht Barbara door de enorme koele hal door nog een groot, koel vertrek naar een lange gaanderij die langs de hele zijkant van het huis liep. Barbara voelde dat de vrouw haar stiekem opnam en ze had spijt dat ze aan haar impuls had toegegeven. Ineens voelde ze een flauwte opkomen en ze moest even gaan zitten in een van de vensterbanken in de gaanderij. Ze voelde zich misselijk worden.

'Alstublieft,' zei ze tegen de huishoudster. 'Gaat u nu eerst de koetsier betalen. En kijkt u dan of u iets te eten hebt. Alles is goed. Ik – ik was in de buurt en – ik wilde graag even rusten.'

De vrouw glimlachte tegen haar. 'Let u maar niet op mij, mevrouw. Ik was zo verrast dat ik me gedraag als een kip zonder kop. Blijft u nu maar zitten om wat uit te rusten. Ik zal overal voor zorgen. Wat kan ik u brengen? Ik heb niets bijzonders nu lord Devane niet aanwezig is. O, wat zal lord Devane boos zijn als hij dit hoort...'

'We houden het gewoon geheim,' zei Barbara vlug. Ze hoopte de woordenvloed te stuiten en eindelijk alleen gelaten te worden. 'Een geheim tussen u en mij. Dan komt hij het niet te weten en kan hij ook niet boos worden...'

'Hij heeft ons zo dikwijls gezegd dat we klaar moesten zijn voor uw komst. Maar doordat er zoveel tijd overheen ging, zijn we laks geworden. Ik kan mezelf wel door elkaar rammelen. Maar ik heb wel brood,' zei ze iets monterder. 'Vers gebakken brood. En gebraden kip...'

'Kip lijkt me heerlijk,' zei Barbara vlug. 'En trek het u niet aan. Ik beloof u dat ik niets tegen lord Devane zal zeggen.' Ze glimlachte om de ironie van die woorden.

De vrouw maakte een buiging. 'En ik heb me nog niet eens voorgesteld. Ziet u, ik ben zo verbaasd. Elmo, mevrouw. Juffrouw Lettice Elmo, tot uw dienst. Maar wilt u hier blijven zitten of gaat u liever wat rusten in uw vertrekken? Ik zou het bed kunnen opmaken...'

'Mijn vertrekken?'

'O, ja. Prachtige kamers. Lord Devane heeft ze verleden jaar ingericht toen het huis voldoende bewoonbaar was. Het zijn de enige kamers die helemaal klaar zijn. Die van hem zijn nog niet zover.'

'Ik blijf hier zitten, juffrouw Elmo, maar misschien wil ik die kamers straks wel bekijken. Maar als u het niet erg vindt, ik heb honger...'

Tot haar grote opluchting haastte Lettice Elmo zich naar haar keuken.

Barbara leunde met haar hoofd tegen het kozijn en keek uit over de tuinen, zonder ze werkelijk te zien. Ze moest weer aan Jemmy denken. En aan Charles. Ze hield haar hand tegen haar mond. Hij mocht niet te weten komen wat er was gebeurd. Ze zou Jemmy een briefje schrijven en hem vragen heel discreet te zijn. Ik moet toch wel wat in mijn leven veranderen, dacht ze. Jemmy. Lieve god, hij is nog maar een jongen. En hij betekent niets voor me. Wat zal Charles kwaad zijn. Opstandig schudde ze haar hoofd. Ze moest zich altijd schikken naar zijn wensen en dat wilde ze niet. Hij zei dat hij van haar hield. Ik heb jou uitgekozen, Barbara, zei hij. Jij had geen keus. Ze had zich vergist toen ze dacht dat ze hem kon besturen. Haar hele leven was één grote janboel op het ogenblik. Wat zou Philippe dat prachtig vinden als hij het wist.

Door de kip en het warme, versgebakken brood ging ze zich beter voelen, sterker. Ze plukte grote witte brokken uit het binnenste van het brood, alsof ze een uitgehongerde bedelaar was. Ze kloof de laatste beetjes vlees van de kippebotjes en waste ten slotte haar vette vingers in een fijne porseleinen schaal met citroenwater

440

(waarin twee kleine rozeknopjes dreven) die Lettice Elmo tegelijk met het eten had gebracht. Ze zag weer Rogers smaak in alles: de porseleinen borden waarvan ze had gegeten en het met kant afgezette servet waar ze haar handen aan kon afvegen, maar ook de rijk bewerkte muren en plafonds, de symmetrie van de hoge ramen in de kamer waar ze nu zat.

Ik moet gaan, dacht ze, en stond op. Maar Lettice Elmo wilde haar maar al te graag het huis laten zien, en ze stemde toe. Overal herkende ze Rogers persoonlijke toets en ze voelde zich door hem omringd, alsof hij haar in zijn armen had genomen. Geen van de kamers die ze zag was klaar. Hier ontbraken schilderingen op het plafond, daar was de schoorsteen nog niet aangebracht, ergens anders waren nog geen gordijnen opgehangen. Maar dat hinderde niet. Wat klaar was, was prachtig. Volmaakt. In een grote salon hing haar portret dat was geschilderd in Parijs. Het gaf haar een schok om het hier te zien. Zij en de huishoudster keken naar het gezicht van dat meisje (geschilderd voor de dood van haar broers en zusters), naar de levensvreugde en de onschuld die ervan uitstraalden.

'Ik had u meteen moeten herkennen,' zei Lettice Elmo. 'Er gaat geen dag voorbij dat ik niet naar dat portret kijk.'

'Hoezeer veranderen we met de tijd,' zei Barbara met zachte stem.

'U bent nog mooier geworden,' zei de huishoudster.

Barbara zweeg.

Lettice Elmo bracht haar bij een deur. 'Dit zijn uw vertrekken,' zei ze met een stralend gezicht. 'Ik heb het mooiste voor het laatst bewaard.'

Met een lichte aarzeling ging Barbara de eerste kamer van het appartement binnen. Het was de antichambre, een zitkamer. Achter dit vertrek zou de slaapkamer zijn. Het was een beeldige kamer met een dik Turks tapijt op de parketvloer; langs de muren en rondom de spiegel boven de haard waren slingers gebeeldhouwde bloemen aangebracht. Er stonden kleine elegante meubeltjes: tafels, stoelen, krukjes, een klein schrijftafeltje. De gordijnen en de bekleding van de meubels waren in een frisse lichte kleur zeegroen uitgevoerd. De schilderijen aan de muur waren allemaal lievelingsstukken van haar. Lang geleden had ze Roger gezegd welke ze mooi vond. Ze liep de slaapkamer in. Boven de haard hing een portret van haar grootvader. Op de gordijnen rondom het bed waren honderden rozen geborduurd. In een vaas bij het raam stonden verse bloemen en buiten bloeide een klimroos tot voor haar venster. Ze kon de zoete geur ruiken vanaf de plek waar ze stond.

'Ik zet hier alle dagen bloemen neer,' zei de huishoudster. 'Dat is een opdracht van lord Devane.'

Barbara voelde een brok in haar keel. Ze opende een volgende deur. Hier was een kleinere kamer, en toen ze binnenliep, voelde Barbara zich er meteen volkomen thuis. Het was een klein, intiem vertrek om in te zitten lezen, te borduren of brieven te schrijven. De wanden waren met damast overtrokken en op het lage plafond waren kindertjes en ronddartelende cherubijntjes geschilderd. Er stonden geen meubelen behalve een lange, lage bank en een wieg die helemaal met gaas was omhuld. Barbara liep er meteen naar toe; ze raakte de rand van de wieg met één vinger aan waarop hij zachtjes begon te schommelen. Lieve god, dacht ze, en sloot haar ogen. Ze voelde hete tranen opwellen. Lieve, lieve god.

'Ik wist niet waar ik die moest neerzetten,' zei de huishoudster achter haar. 'Hij hoort natuurlijk in de kinderkamer, maar die is nog niet klaar, dus ik dacht, ik zet dat mooie wiegje hier neer. Moet ik het weghalen?'

'Nee.'

Ze stonden allebei naar het wiegje te kijken. Lettice Elmo zuchtte. 'Kinderen geven je pas echt een idee wat het leven betekent. Ik heb er zelf zeventien gehad en er zijn er nog tien in leven. Ik zie mijn dochters elke zondag. Elke zondag. Het zijn lieve meisjes. Zo, lady Devane, wilt u nu deze kant uit komen. Deze deur geeft weer toegang tot de grote salon. . .'

Toen ze weer in het rijtuig zat, verlost van het drukke gepraat van Lettice Elmo, zakte ze volkomen uitgeput tegen de rugleuning. Allerlei gedachten, beelden en herinneringen vlogen door haar hoofd als merels tegen een heldere lucht. Charles. Jemmy. Roger. De wieg. Ze werd weer misselijk, maar dit keer kwam het niet door het drinken. Dit kwam uit haar hart. Uit haar geest. Of wat het ook wezen mocht.

Op St.-James's Square opende Dawdle, haar majordomus, de deur alsof hij haar al verwachtte.

'Uw moeder is hier geweest,' riep hij haar na toen ze de trap al op rende. 'Twee keer. En sir Charles Russel.'

Meteen bleef ze staan en draaide zich om. 'Wanneer?'

'Vanmorgen. Heel vroeg, lady Devane. Hij heeft me gewekt met zijn gebons op de deur.'

Ze rende de trappen op naar haar slaapkamer (niet Rogers kamer... nooit die van Roger, maar een andere kamer die ze zelf had uitgekozen). Ze bestelde een zitbad en trok een stoflaken van een van de stoelen om daar te kunnen zitten terwijl Dawdle en één kamermeisje dat dienst deed, emmers water naar boven droegen om het te vullen.

Ze gooide haar kleren uit en liet zich zo diep mogelijk in het water zakken. Het voelde heerlijk koel. Ze waste haar lichaam, schepte water over haar borsten, haar hals en haar gezicht en probeerde rustig te ademen. Dit was zalig... was het van je af... Charles was dus hier geweest? Langs Dawdle heen gestormd om zelf in haar slaapkamer te gaan kijken? Ze had dat van Dawdle begrepen, ook al had hij het niet gezegd. En haar moeder. Wat moest die in godsnaam? Nou ja, het deed er niet toe. Ze zou hier nog wat langer in het koele water liggen tot ze weer kalm en zichzelf meester was. Tot die afschuwelijke dromen uit een hoekje van haar geest waren weggevaagd. Dan zou ze uit het water komen, zich aankleden en een briefje aan Jemmy schrijven (dat ze zelf bij zijn huis zou aanreiken op weg naar Tamworth, of dat ze aan Harry zou meegeven) om hem te zeggen dat hij alles moest ontkennen, om harentwil. Dat het allemaal een grote vergissing was. Dat ze hem graag mocht, maar niet meer dan dat. Daarna zou ze naar Richmond gaan om Thérèse en Hyacinthe en de hondjes op te halen (voor Charles haar had kunnen vinden). En dan zou ze naar haar grootmoeder gaan. En als Charles haar dan nog achterna wilde komen, zou hij haar grootmoeder tegenover zich vinden.

Ze sloeg haar handen voor haar gezicht. Het wiegje. De pijn. Het verdriet dat ze daar dat lege wiegje had zien staan... O, ze had bij haar grootmoeder moeten blijven om zich te ontdoen van al haar emoties die uit Parijs waren meegekomen samen met haar koffers, in plaats van hals over kop naar Londen te reizen... Nu zou ze zich terugtrekken. Ja, daarmee zou ze Charles bezweren. Tegen de tijd dat hij wist waar ze zich bevond, zou zijn woede al wat zijn bedaard. Dan kon hij alleen nog geërgerd zijn.

Ze kon zelfs nog glimlachen, door haar verdriet heen, bij de gedachte aan Charles die haar verwenste maar toch naar haar liep te zoeken. Want ze wist dat hij dat zou doen, en dat wilde ze ook. O, Charles, dacht ze, je zult dan toch niet meer boos op me zijn. Dan zul je me toch willen kussen om het weer goed te maken tussen ons, maar lieve Charles, ik geloof dat het daar te laat voor is. Te laat voor ons. Ze kon niet steeds op de vlucht slaan. Haar verdriet overweldigde haar. Ze snakte als een vis naar adem in haar leed. Ze voelde zich als een prooi in de bek van een kat terwijl ze heen en weer werd geschud, heen en weer tot ze zo goed als dood in zijn bek hing. Spookbeelden van haar broertjes en zusjes dansten om haar heen, spookbeelden van de kinderen die ze niet had gebaard, de dromen die geen waarheid bleken te zijn. Ze bevond zich op de rand, een scherpe rand. En nu moest ze een stap achteruit doen. Ze moest de moed opbrengen om een stap terug te doen voor het te laat was. Voor ze zo was veranderd dat het meisje in haar nooit meer kon worden bevrijd, het meisje dat binnenin haar leefde en dat haar soms aankeek door haar eigen ogen wanneer ze voor de spiegel stond. Boe. Zie de waarheid maar onder ogen. Hoe lelijk die ook was, ze was altijd beter dan leugens. Leugens verstikten de ziel langzamerhand wanneer ze je in hun greep hadden. Dat wist ze zeker. Ze had vanmiddag haar ziel gevoeld.

Ze greep de zijkant van het bad om het trillen van haar lichaam te bedwingen. Om de tranen die in haar ogen opwelden terug te dringen. Beheers je. Beheers je. Lopen. Verstoppen. Verstop je op Tamworth. Bij grootmama. Grootmama zal maken dat alles weer goed komt... Ze glimlachte bij die gedachte maar tegelijkertijd verschenen zweetdruppeltjes op haar bovenlip van de inspanning om de baas over zichzelf te blijven. Wat leek Tamworth nu een vredig oord om in te verblijven. Niemand die ruzie over haar maakte. Jemmy, Charles, de Kikvors. Niemand die op haar inpraatte wat ze allemaal moest doen. Geen Philippe met zijn wrede glimlach om haar te herinneren aan de dingen die voorbij waren. Ja, Tamworth. Daar kon ze rusten. Daar zou ze vrij zijn... Haar ademhaling werd rustiger. Voorzichtig liet ze de zijkanten van het bad los; het trillen was opgehouden. Ze veegde de transpiratie van haar voorhoofd en bovenlip. Ze voelde zich zo zwak, alsof ze hoge koorts had gehad. Wat zou haar kunnen genezen? De waarheid? Ze zonk terug in het water met haar hoofd op de rand van het bad, haar ogen gesloten, volkomen uitgeput. Ze was blij dat ze alleen was, blij dat het hier rustig en stil was. Nu had ze tijd om tot zichzelf te komen. . .

De slaapkamerdeur zwaaide open.

In de deuropening stond Diana. Haar beroemde violetblauwe ogen, precies als die van Harry, keken bedenkelijk bij het zien van haar dochter, naakt in het zitbad.

'Nou,' zei ze, en haar lage, hese stem gaf Barbara kippevel op haar rug, 'het is een aardig tafereeltje, maar dat hoef je niet aan mij te verspillen. Charles Russel was vanmorgen al voor zonsopgang bij mij aan de deur, en ik heb nog nooit iemand zo kwaad gezien. Het lijkt me goed als je nu uit je bad komt en hem gaat zoeken. Anders komt er nog meer narigheid dan wij beiden ooit aankunnen.'

21

'Moeder,' zei Barbara effen, 'hoe ben je hier binnengekomen? Ik dacht dat je in Norfolk zat met Walpole.'

Diana stond al de japon te inspecteren die Barbara had uitgetrokken; ze beschouwde haar dochters garderobe en haar juwelenkistje als een verlengstuk van haar eigen spullen, en dit hier was veel interessanter.

'Norfolk is vervelend,' zei ze. 'Robert is vervelend. Hij denkt alleen aan het bouwen van zijn huis en aan het kopen van nog meer grond. Ik zou beslist bij hem weglopen als hij niet opnieuw tot minister was benoemd. Is deze nieuw?' Ze hield de japon omhoog. 'Waar zit de taille aan de voorkant?' Het was een jurk zonder model, die als een tent van de hals af omlaag viel.

Barbara haalde diep adem om haar drift te onderdrukken. Echt iets voor haar moeder om zomaar binnen te vallen, iets ongehoords te zeggen en dan over mode te praten. Je kon haar niet vertrouwen. Ze was egoïstisch en hebzuchtig. Ze had niet eens gevraagd wat er in Parijs was gebeurd. Ze had nooit geïnformeerd naar de geruchten die de ronde deden over Roger, over Philippe, over Harry en over Barbara. Dat kon Barbara haar niet vergeven. Ze was niet van plan zich vandaag of in de komende dagen met haar moeder in te laten. Ze ging naar Tamworth. Charles kon barsten. En haar moeder ook.

'Het is de nieuwste mode uit Frankrijk, en ze noemen het een zakjurk. Ik heb gehoord dat een Franse hertogin hem heeft ontworpen om haar zwangerschap te verbergen, en dat madame niemand aan het hof toelaat met zo'n jurk. Ze schijnt het een onzedige kledij te vinden, net of iemand zo uit zijn bed komt. Ga nu weg, moeder, ik zit in het bad...'

'Hij zal wel makkelijk zitten. Ik ga er ook een laten maken...'

'Doe dat. Doe dat meteen. Neem mijn jurk maar mee – dat zul je trouwens toch wel doen – dan heb je het patroon. Ik moet je waarschuwen dat ik mijn juwelen in Richmond heb achtergelaten, maar misschien ligt er nog iets op de toilettafel. Neem die ook maar mee. Neem alles wat je wilt, maar ga dan weg.'

Diana keek haar dochter aan. Barbara had zich veel eigen gemaakt in Parijs, onder andere de grove, arrogante manieren van Franse prinsessen, maar toch kon ze niet tegen haar moeder op.

'Uitstekend,' zei Diana koel. 'Het feit·dat Charles Russel mijn deur vanmorgen bijna uit zijn hengsels trok, zal jou wel niet interesseren. Net zo min als dat hij mij zelfs bang maakte, en je kunt ervan op aan dat ik me niet gauw bang laat maken door een woedende man. En ook niet dat hij vermoedelijk van plan is om degene met wie je vannacht naar bed bent geweest te doden. Goeiedag, Barbara.'

'Doden? Doden!' Barbara spartelde overeind in het ondiepe zitbad. 'Ik geloof je niet!'

'Zo je wilt. Maar nu ga ik naar huis, aangezien je me er toch zo ongeveer hebt uitgegooid...'

'Moeder! Blijf hier en vertel me hoe je op zo'n vreselijk idee komt!' Ze voelde de angst als een veelkoppig monster in haar borst opkomen. Charles had al eens eerder geduelleerd; hij was in staat iemand te doden als hij kwaad genoeg was. Ik ben een jaloerse man, had hij gezegd. Ga bij me weg als je dat beslist wilt, als je niet genoeg van me houdt, maar bedrieg me niet. Niet zolang je bij mij bent. Dat is een van de weinige dingen die ik niet kan vergeven. 'Wat heb je tegen hem gezegd?'

'Wat moest ik zeggen? Ik had geen idee waar jij was. Tussen twee haakjes, waar was je eigenlijk?'

Barbara gaf geen antwoord.

Diana liet zich plotseling op een stoel neervallen. Haar gezichtsuitdrukking veranderde. 'Het is dus waar,' fluisterde ze, en keek Barbara aan. 'Je was met een andere man. Ik had nooit kunnen denken dat je zo stom zou zijn! Charles vermoordt hem. En door het schandaal vallen al onze plannen in duigen...'

'Jouw plannen, moeder, nooit de mijne! Als je het nu waagt om één woord over de Kikvors te zeggen, begin ik te gillen...'

'Noem hem geen Kikvors!' zei Diana scherp. 'Hij is je prins en je bent hem eerbied verschuldigd...'

'Hij ziet eruit als een kikker, hij doet als een kikker en hij is een kikker, en ik ga nog liever naar bed met een echte kikker dan met hem. Je kunt niets, maar dan ook niets zeggen waardoor ik van gedachten zou veranderen...'

'Hoe durf je zo tegen mij te spreken!' Diana's stem klonk arrogant en minachtend. 'Ik ben je moeder en ik heb alleen het welzijn van de familie op het oog. Jij egoïstisch wezen! Harry kan wat jou betreft barsten! Jij denkt alleen aan jezelf. En daar heb ik schoon genoeg van...'

'Eruit!'

Diana keek haar dochter met grote ogen aan.

'Mijn kamer uit! Mijn huis uit! Verdwijn uit mijn leven! Je hebt niets over me te zeggen. En jij bent wel de laatste die een oordeel over mij mag vellen! Eruit!'

Bij die laatste woorden schreeuwde Barbara buiten zichzelf, staande in het bad, terwijl het water van haar afdroop. Dit was te veel; dat haar moeder ook nog kwam zeuren over Harry terwijl er een kans was dat Charles met Jemmy ging duelleren, dat ging te ver. Een duel. Niet nog een keer. En niet om haar. Die gedachte kon ze niet verdragen. Weer een schandaal, leugens, roddelpraat. Dat kon ze niet meer verwerken en dat verdiende ze ook niet. Evenmin als Jemmy het verdiende om te sterven. Hij was nog maar een jongen, een kind. Wat er tussen hen was gebeurd, was toeval. Begreep iemand wel hoe ernstig de toestand was? Een man zou kunnen sterven – onterecht – terwille van haar. Duels waren geen erezaken, zeker niet als er kwaadheid en wraak achter stak. Duels betekenden bloed, dood en angst. Duels betekenden vrouwen die huilend achterbleven. Net als ik – ik ben ook alleen, dacht ze. Ze begon weer te trillen van angst en kwaadheid op haar moeder en alles wat er vandaag op Devane House naar boven was gekomen.

Er kwam iets van medelijden op Diana's gezicht, ook al zou Barbara op een ander ogenblik hebben gezworen dat haar moeder niet tot een dergelijke emotie in staat was. In ieder geval pakte ze een handdoek, gooide hem over Barbara's schouders en hielp haar van het bad in een stoel. Daar zat Barbara met de handdoek dicht om zich heen terwijl haar moeder een glas cognac inschonk en het haar aanreikte. Ze keek ernaar alsof ze niet wist wat ze ermee moest doen en bibberde zo dat de cognac over haar vingers droop.

'Drink op,' zei Diana. Haar stem had een vreemde, ruwe klank.

'Helemaal opdrinken. Dan ga je je wat beter...'

Er werd op de deur geklopt. Diana's woorden bleven in haar keel steken. Zij en Barbara keken elkaar aan.

'Charles,' fluisterde Barbara.

Ze kon hem niet onder ogen komen. Ze was niet bang voor hem, maar het zou zoveel kracht van haar vergen om zijn woede te weerstaan en op het ogenblik was ze leeg.

Diana's gezicht werd hard en arrogant. Zij had genoeg kracht om een heel regiment woedende mannen het hoofd te bieden. Ze liep naar de deur en trok hem wijd open. Daar stond Dawdle, en bij het zien van haar gezicht deed hij een stap achteruit.

'Een – een briefje, eh – madame,' stotterde hij, 'voor lady Devane...'

Diana griste het uit zijn vingers.

'Idioot! Je hebt je meesteres laten schrikken! Geef maar aan mij. En verdwijn.' Elk woord klonk als een zweepslag. Dawdle stond als met stomheid geslagen.

'Stomme bedienden,' zei ze, terwijl Dawdle het nog kon horen. 'Kunnen nooit iets goed doen!' Ze scheurde het briefje open.

'Het is van Harry. Hij vraagt of je zo spoedig mogelijk naar zijn kamers komt...'

Harry. Hij zou haar helpen. Hij zou geen duel willen, evenmin als zij; hij zou zich Parijs herinneren met al zijn gevolgen... Ineens kwam Tony in haar gedachten, groot en blond. Was Tony maar in Londen. Hij had zijn positieven bij elkaar, hij zou alles tegenhouden. Hij kon Charles wel aan. Blijf hier, Bab, had hij haar laatst gevraagd, en hij had haar aangekeken met zijn grote, lichtblauwe ogen. Hij wist toen wat zij niet wist, maar ze had niet willen luisteren...

'Harry!' snauwde haar moeder bij het zien van haar gezichtsuitdrukking. 'Harry betekent net zoveel hulp als je nichtje Mary. Luister nou maar naar mij, ik weet alles van duels af. Je hebt maar twee mogelijkheden: ga die man opzoeken en laat hem uit de stad verdwijnen of zoek Charles en probeer hem van gedachten te doen veranderen. Want als die twee elkaar ontmoeten, ben je verloren. Dan gaat het alleen maar om hun eer. God, Barbara, ik zou je eigenhandig een pak slaag kunnen geven! Ik heb je toch gezegd dat Charles Russel geen man is die je kunt bedriegen...'

'Ik was helemaal niet van plan hem te bedriegen...'

'Breng hem dat maar eens aan zijn verstand!'

Barbara nam met een vermoeid gebaar de zakjurk van een stoel. 'Moeder, ga naar huis. Ik heb jou nu niet. . .'

Diana pakte de jurk van haar weg. 'Je hebt me meer nodig dan je zelf weet. Denk je dan helemaal niet na? Je moet een jurk aantrekken die je borsten goed doet uitkomen, niet zo'n model als dit. Een blik op een stukje borst zal de stemming van een man meer beïnvloeden dan een heleboel woorden. Je moet er verleidelijk en berouwvol uitzien.'

Ze was al in de aangrenzende kamer en zocht tussen de japonnen. Barbara kon haar horen mompelen: '. . .luistert nooit naar mij. . . hun begeerte opwekken. . . een man is als een. . .'

Ze ging zitten om haar kousen aan te trekken. Ze zag weer allerlei beelden voor zich. Parijs. 's Morgens vroeg in het donker toen zij en Thérèse wachtten op bericht over het duel. Om de beurt zaten ze te huilen. Die vreselijke uren, de zekerheid dat Harry zou worden gedood. En toen werd Harry binnengedragen, zijn gezicht overdekt met bloed. Ze was als verlamd geweest. Thérèse had de kracht om naar zijn bloedende hoofd te gaan kijken en met bevende stem te zeggen: 'Hij leeft, Heilige Maria, Moeder van God, hij leeft. Zijn oor. . . is eraf. Maar hij leeft. . .' Dit moet niet nog eens gebeuren, Charles, zei ze in gedachten. Dat hebben we niet verdiend. . .

'. . .maar je kunt nooit voorspellen wat ze gaan doen,' zei Diana, die weer voor haar stond met een japon in haar hand. Het was een laag uitgesneden model met een strakke taille. 'Hij is wel ouderwets, maar wie ziet dat? Geen korset eronder. En je moet vaak genoeg voorover buigen om hem goed te laten zien wat er in de jurk zit, Barbara. Zo komt hij wel op andere gedachten.'

Barbara ging staan om de jurk over haar hoofd te laten glijden.

'Ga zitten,' zei Diana. 'Ik zal je opmaken. Je zit nog steeds te trillen. Probeer je te vermannen. Straks mag je huilen. Kun je dat wel? Tranen maken een man weekhartig.' Diana schroefde een pot rouge open. 'En nu maar hopen dat Charles en die andere – vertel eens hoe hij heet. Nee? Nou ja, dat hoor ik nog wel – zit nu even stil! Is dit een nieuwe rouge? Mooie kleur. . .'

'Neem maar mee.' Ze was allerminst met haar gedachten bij haar moeder.

Diana begon de rouge met een veer aan te brengen, opdat Barbara er verfijnd en knap zou uitzien. Ze maakte haar wenkbrauwen en oogharen donkerder, parfumeerde haar armen en hals en het bovenste deel van haar borsten. Op haar gezicht plakte ze kleine, zwartzijden figuurtjes; hartjes en sterretjes. Ze werkte net zo vlug en handig als Thérèse. Barbara keek in de spiegel en herkende amper de opgedofte, modieuze vrouw die haar met een lege blik aanstaarde.

Diana bewonderde haar werk. Toen viel haar oog op een paarlen armband. 'Hoe kom je daaraan? Mooi ding.'

'Die heb ik van Richelieu,' zei Barbara en deed hem met een trillende hand om. 'Jaren geleden. Voor mijn zestiende verjaardag. Op de dag dat ik erachter kwam dat mijn man verliefd was op een andere man. Dat was een andere tijd, en ik was een ander mens.'

'Richelieu? Ik heb altijd gehoord dat hij heel goed was in bed...'

Barbara stond op. 'Dag moeder.'

Ze raakte Diana's wang even aan met de hare. Ze dacht aan heel andere dingen. Visioenen van rood: bloed, dieprood, dat zich overal verspreidde, over Harry's gezicht, zijn handen en over zijn kleren terwijl zij en Thérèse als gekken in de weer waren om de stroom te stelpen. Het bloed zat overal. Op hun handen, hun jurken, hun gezichten en in hun haar. Dat mocht nooit meer gebeuren. Dat kon ze niet verdragen.

'Als je Charles vindt,' riep Diana haar na, 'probeer hem in bed te krijgen. Dat is je enige kans...' Maar haar dochter was al weg.

Diana ging op het bankje voor de toilettafel zitten en staarde, louter uit gewoonte, naar haar spiegelbeeld. Ze was geen volmaakte schoonheid meer; de tijd was af te lezen in de diepere lijnen van haar gezicht, in de duizenden rimpeltjes om de ogen en in de slappere lijn van haar kaken. Maar de vrouw die haar aankeek in de spiegel zag er nog altijd bijzonder uit. Ineens glimlachte ze.

'Niet gek voor een vrouw van vierendertig,' zei ze hardop. (De volgende maand zou ze veertig worden.) Ze stond op. Bij de deur wachtte ze even. Toen ging ze terug naar de toilettafel. Ze nam de pot rouge, en op haar weg naar de deur nam ze ook de zakjurk mee en vouwde hem over haar arm.

Harry's bediende deed de deur open. Barbara stormde naar binnen, door de zitkamer, regelrecht naar de slaapkamer waar Harry, zonder pruik en in zijn kousen en onderbroek, in de laden van een kast rommelde.

'Charles was hier nog geen half uur geleden,' zei hij, met zijn rug naar haar toe. 'Hij heeft me wakker gemaakt met zijn gebons op mijn deur – verdomme, zijn er geen schone hemden! Marchpane! Waar zijn mijn hemden? Hij wilde weten waar Jemmy woonde. Ik heb het hem niet verteld.'

Ze kon geen adem meer krijgen. Slap liet ze zich op het bed vallen. Harry zocht nog tussen de troep van zijn la. Hij was in vier jaar weinig veranderd, behalve dat hij nu geen jongen meer was.

'Het scheelde maar een haar of we hadden gevochten,' zei hij. 'Hij was de hele nacht naar jou aan het zoeken geweest. En hij was stomdronken. Er staat je wat te wachten – ah, hier heb ik er een.' Hij hield het hemd omhoog. Toen zag hij Barbara's gezicht en het hemd viel op de grond. Hij kwam naar haar toe en nam haar koude hand in de zijne.

'Ben je niet lekker, Bab? Geef antwoord. Marchpane! Marchpane! Ga water halen voor mijn zuster...'

'Nee! Nee.' Ze slikte. 'Ik kan niet tegen nog een duel.'

Ze keken elkaar aan; beiden dachten aan hetzelfde. Hij streelde haar hand en ging toen bij het raam staan. De geluiden van Londen drongen tot hun oren door, de kooplieden die lavendel en bezems venten, het gerammel van karren en wagens, het gevloek van koetsiers. Met een afwezig gebaar wreef hij over zijn verminkte oorschelp, het litteken dat de pistoolkogel op zijn schedel had achtergelaten. Philippe had opzettelijk verkeerd gericht en hem bij ongeluk geraakt, òf hij had gericht om hem te doden en had hem bij ongeluk gemist. Toch was hij in zoverre geslaagd dat er met het bloed een zekere jongensachtige, zorgeloze roekeloosheid uit Harry was weggevloeid. Hij was nog altijd jongensachtig en roekeloos, maar nu was het toneelspel om de leegte in hem te verbergen. Hij wist het zelf heel goed, en Barbara wist het ook. Maar ze spraken er nooit over.

'Ik heb zitten denken, Bab. We moeten Jemmy of Charles zien te bereiken voor ze elkaar op het spoor komen. Want als het zover is, kunnen we niets meer doen...'

'Dat zegt moeder ook. Maar ik zou Jemmy kunnen bepraten...'

'Een man van eer loopt niet weg voor een duel, lieverd. Dat moet je kunnen inzien. Maar als Charles de tijd krijgt om te ontnuchteren, heb je kans dat hij kalmeert. Hij is niet de man die misbruik maakt van andermans onervarenheid. Dat weet ik zeker.' Ze wist dat hij nu aan Philippe dacht. Gevaarlijke herinneringen. Philippe had meer genomen dan alleen zijn oor. Hij had hem zijn zelfvertrouwen ontnomen. Harry was als een jonge prins de strijd ingegaan, ook al kende hij alleen het zwaard en niet het pistool. Philippe had de wapens mogen kiezen. En hij koos pistolen.

'Waar kunnen we Charles vinden?' vroeg hij haar.

'Garraway's. Hij eindigt altijd met naar Garraway's te gaan. Altijd.'

'Dan geef je daar een briefje voor hem af.'

'Wat moet daar in godsnaam in staan?'

'Dat je hem wilt spreken – je moet het hem smeken. Zo'n verzoek kan hij niet negeren; tenslotte is hij verliefd op je.'

'Een mooie manier om dat te tonen.' Ze zag er uitgeput uit. 'En Jemmy?'

'Schrijf hem ook een briefje, met ongeveer dezelfde tekst.'

'En dan?'

'Dan moet je maar hopen dat ze antwoorden. Jij neemt Charles voor je rekening en ik neem Jemmy. Ik laat hem desnoods stiekem uit Londen verdwijnen. Die jonge dwaas. Ik wil niet hebben dat hij tegenover Charles komt te staan.' Zijn gezicht stond strak.

Hij herinnert zich Parijs, dacht ze. God sta ons bij. Ze strekte haar armen uit en hij nam haar handen in de zijne. Hij gaf haar een bemoedigend kneepje.

Terwijl Harry zich verder aankleedde, ging zij de briefjes schrijven. Op zoek naar een blanco papiertje rommelde ze tussen de paperassen op zijn tafel en ongewild zag ze dat het rekeningen waren. Ze opende er meer: de ene rekening na de andere, speelschulden, pandbewijzen, aanmaningen, rekeningen van hoeden, snuifdozen en wandelstokken met gouden knop. O, Harry, dacht ze. Je hebt gezegd dat je alles zou afbetalen. Harry leefde op de rand van een financiële ramp; het spookbeeld van de gevangenis begon al vorm te krijgen. En als je hem geld leende, werd het altijd verkwanseld. Altijd wist hij ergens aandelen te koop die hem erbovenop zouden helpen of het volgende paard dat beslist zou winnen... Ze pakte een rekening van enkele maanden geleden voor twee paar zachte leren handschoenen. Groene handschoenen. Een overbodige uitgave. Aan wie had hij die gegeven? Pamela? Judith? Een hoertje?

'Ik heb een idee,' riep hij vanuit zijn slaapkamer. 'Als jij het goed vindt, vraag ik Wart om ons te helpen. Hij weet vast waar Jemmy is.'

Wart. Ja, Wart zou het wel weten. Zoals hij ook wist waar de volgende paardenrennen werden gehouden en waar een hanengevecht zou zijn. Wart gaf nog meer geld uit dan Harry, maar als hertog had hij meer mogelijkheden om op terug te vallen. Soms had ze de neiging om Harry's vrienden de schuld te geven van zijn roekeloosheid, maar alle jongemannen die ze kende hadden schulden. Altijd gokten ze, gaven geld uit aan kleren, snuif, gouden tandenstokers en toneelspeelsters. Zo was Richelieu ook. En Charles. En Wart, die zijn erfenis erdoor jaagde alsof er geen volgende dag bestond. Zijn pasgeboren zoontje was in maart aan de pokken overleden en Wart, die op zijn eigen landgoed een geregeld leven was gaan leiden met zijn vrouw en kind, had zich in de totale losbandigheid gestort. En Harry was een gewillige kameraad. Maar ze begreep hem wel; het kwam door zijn verdriet. Zij was de laatste die Wart of Harry mocht veroordelen. De vijf grafjes op Tamworth hadden haar ook veranderd, net zo goed als haar liefde voor Roger die ze had begraven. IJdelheid der ijdelheden, zegt Prediker, alles is ijdelheid. Tegenwoordig wendde ze zich niet meer tot de Heer voor troost, maar in die eerste dagen van haar schrijnende verdriet om Roger had ze antwoorden gezocht en alleen maar ironie gevonden in de woorden van Prediker: Welk voordeel heeft de mens van al zijn zwoegen, waarmee hij zich aftobt onder de zon? Het ene geslacht gaat en het andere komt, maar de aarde blijft altoos staan... altoos... anders dan Liefde of jeugd... altoos...

'Sprenkel maar wat water op die briefjes,' zei Harry, die over haar schouder meekeek. 'Het is beter als het lijkt alsof je hebt gehuild. Maak die van Jemmy maar drijfnat. Hij is nog jong en ontvankelijk – lach eens tegen me, Bab. Misschien is er niets tussen jullie gebeurd. Jullie waren beiden zo dronken...'

'Ik ben niet in de stemming voor jouw ordinaire grapjes,' zei ze geërgerd. 'Als je had gezien hoe hij vanmorgen naar me keek...'

'Zo kijkt hij altijd naar jou. God mag weten waarom.'

Ze moest om hem lachen. Lieve Harry. Hij was bij haar geweest toen Roger wegging, toen zij van Richelieu was weggegaan, toen ze hun vader in Italië hadden begraven en toen ze Roger voor het eerst weer had gezien. Harry maakte zich geen illusies over haar. Dat gaf een veilig gevoel. . .

'Harry. . . die rekeningen. . .'

'Dat geeft niet.' Hij sprenkelde water over haar jurk en over de twee briefjes. 'Die betaal ik binnenkort. Zodra ik een paar fondsen heb verkocht. Wacht maar, Bab, over een paar dagen lachen we om deze hele kwestie. Dat beloof ik je.'

Nu zat ze te wachten in een taveerne in de buurt van Garraway's koffiehuis in Cornhill Street, in het financiële hart van Londen. De taveerne lag op de hoek van een korte, doodlopende steeg met nog meer kleine taveernes en handelaren in munten, en sedert afgelopen zomer kantoortjes van beursagenten die aandelen kochten en verkochten voor eigen rekening. In het algemeen kwamen er geen adellijke dames in dit deel van Londen, want het was hier de buurt van de kooplieden en de bankiers. Maar sedert een tijdje kwam iedereen hiernaar toe, uit Westminster en uit de voorsteden, uit het hele land en zelfs uit het buitenland om South Sea en andere aandelen te kopen, en nu zag men hier wel adellijke dames komen in hun rijtuigen en vergezeld van hun kamenier. Ze wilden al even graag investeren als hun echtgenoten, en ze verpandden juwelen en andere erfstukken om aan geld te komen. Ze had al menig uurtje in deze taveerne zitten wachten op Harry of Charles. Men was eraan gewend haar hier te zien.

Ze keek uit het raam naar Garraway's aan de overkant. Het was daar druk, niet alleen met klanten, maar ook met kopers en verkopers van aandelen. In dit deel van Londen heerste een stemming van koortsachtige activiteit. Er was een vierde inschrijving op South Sea-aandelen geopend, en de mensen verdrongen zich om te kopen of te verkopen. In april was de prijs van een aandeel nog £ 300 geweest, in juni was hij gestegen tot £ 1050. South Sea. De naam leek wel een toverspreuk.

Lloyd's, Jonathan's, Garraway's, Virginia's en andere koffiehuizen waren overdag en 's avonds overvol mensen die bij de klerken aan hun tafeltjes kwamen beleggen in South Sea, maar ook in andere maatschappijen die waren opgekomen om mee te profiteren van de rage om te investeren. De straten zoals Cornhill, Threadneedle en Leadenhall waren de hele dag vol mensen, rijtuigen en paarden. Investeren. Investeren. Wat voor aandelen heb jij gekocht? Het deed Barbara denken aan de vorige zomer in Parijs, toen rijtuigen en mensen te paard of te voet samendromden voor John Laws kantoor om John Laws bankbiljetten om te ruilen tegen die nieuw opgerichte Mississippi Maatschappij. Het nieuws uit Frankrijk was nu niet zo optimistisch. John Law was ontslagen uit zijn hoge positie van algemeen controleur van Frankrijk, maar sommigen zeiden dat het een politieke zet was. Men wist hier dat John Law een financieel genie was. Hij had uiteindelijk Frankrijk gered van het bankroet en dat fantastische nieuwe idee 'krediet' ingevoerd. Nu wilde iedereen in Engeland kennismaken met dat wonder: geld werd goedkoop en het werd beschikbaar. En de South Sea Company was er het eerste lichtende voorbeeld van. South Sea leende geld uit om haar aandelen en zo kwam er nog meer geld om nog meer aandelen te kopen. De regering stond achter het hele plan; de koning was gouverneur van de maatschappij en de directeur was een graaf.

'Nou, het staat mij niet aan,' hoorde Barbara een van de twee mannen aan het tafeltje achter haar luid fluisteren. 'Wacht maar tot de bom barst. Ze staan al onder de negenhonderd.'

South Sea. Ze hadden het over South Sea. Waar sprak men tegenwoordig nog anders over? De vorige week was Harry nog kwaad geweest dat zijn naam niet op de lijst stond van degenen die de eerste optie hadden om bij de vierde inschrijving te kopen. De klerk had gezegd dat er ditmaal geen lijsten waren, had Harry haar verteld, maar ik geloof het niet, zei hij kwaad, met een ondertoon van wanhoop in zijn stem. Het is Rogers schuld... Maar toen hij de uitdrukking op haar gezicht zag had hij zich ingehouden; Harry en Roger waren nu vijanden, sedert dat ogenblik dat hij de blauw-met-gouden salon was komen binnenstormen omdat hij haar gegil had gehoord. Daar had hij haar aangetroffen, worstelend en snikkend in de armen van haar echtgenoot. Toch had zijn naam nog steeds op de vroegere lijsten gestaan... een genereus gebaar... van iemand. Wat hadden zij en Roger tegen elkaar gezegd toen Harry bloedend op haar met kant afgewerkte lakens lag in het huis in Parijs dat een hel was geworden? Ze wist het niet meer. Ze herinnerde zich alleen het tegenstrijdige verlangen om ergens veilig te schuilen, en de veiligste plek die ze kende, waren de armen van haar echtgenoot... Ze legde haar hand tegen haar hoofd. Daar wil ik nu niet aan denken.

'Doe maar niet zo voorzichtig,' zei zijn metgezel. 'De prijs gaat wel weer omhoog. John Law zegt dat een goed beheerd krediet tienmaal zoveel waard is als het aandelenkapitaal. De stijging zou oneindig kunnen doorgaan.'

'Maar ze hebben geld uitgeleend dat ze niet eens bezitten. Miljoenen ponden. Ieder weldenkend mens weet dat een huis dat op zand is gebouwd, uiteindelijk zal instorten...'

Ze hield haar adem in. Charles stond bij de deur en knipperde met zijn ogen in de schemerige ruimte, op zoek naar haar.

'De hertog van Marlborough heeft zijn geld al in mei teruggenomen. In mei! Wat weet hij dat wij niet weten?'

Ze hief haar kin op en keek in zijn richting. Hun blikken ontmoetten elkaar. Zijn gezicht was bleek en moe, en toen hij haar zag, werd het onverbiddelijk. Terwijl hij naar haar tafeltje begon te lopen, bestelde hij een glas wijn. En hoe meer hij in haar buurt kwam, hoe beter ze kon zien dat hij niet had geslapen; zijn ogen waren bloeddoorlopen en onvriendelijk, de ogen van een vreemde.

'Nou goed. Laat het zo zijn dat de waarde daalt, maar dan toch niet voor november.'

Barbara draaide zich om. 'Sst! Praat u wat zachter!' siste ze.

De twee mannen staarden haar niet-begrijpend aan, maar zij keek reeds een andere kant uit.

Hij was nu bijna bij haar tafeltje. Ze kon haar hart voelen bonzen. Er was zo'n gelijkenis met Roger; Charles had een minder knappe, veel grotere broer kunnen zijn, afgezien van zijn neus en zijn mond die breed en sensueel was, en nu stond hij voor haar. Hij is dronken, dacht ze. Ik kan niets met hem beginnen. Ineens was het of het noodlot haar in zijn greep kreeg. Ze sloot haar ogen om het weg te denken.

Hij plofte neer op een stoel. Een bediende kwam hem zijn wijn serveren, maar dorst geen woord te zeggen toen hij Charles' gezicht zag. Charles dronk zijn glas leeg. Drink nou niet meer, dacht ze, maar ze zei niets. Ze kreeg kippevel in haar hals en op haar armen.

'Waar was je vannacht?' Het was een botte vraag.

'Ik had te veel gedronken...' Het was alsof ze haar moeder hoorde zeggen dat ze zich meer voorover moest buigen om hem haar borsten te tonen, maar ze kon zich er niet toe brengen het ook te doen. Het leek haar oneerlijk en onwaardig.

'Zullen we weggaan?' zei ze zachtjes tegen hem. 'We kunnen naar mijn huis of het jouwe, wat je maar wilt. Dan maak ik iets te eten voor je en dan kunnen we daarna praten. Als vrienden. Maar niet hier, Charles. Niet zo...'

Hij onderbrak haar. 'Ik weet waar je was.'

Het was alsof zijn schouders alle licht, lucht en ruimte wegnamen.

'Als je dat weet,' probeerde ze kalm te zeggen, 'dan weet je ook dat je geen reden hebt om boos te zijn...'

'Ik kan een hoer veel vergeven, Bab, maar niet een leugenaarster.'

Ze had het gevoel alsof hij haar in het gezicht had geslagen. Ineens leek alles vergeefs. 'Je weet dat ik geen hoer en geen leugenaarster ben.'

'Dat ben je wel,' zei hij, en hij was bleek van ingehouden woede. 'Dat hebben ze me in Frankrijk gezegd, en toch wilde ik je ontmoeten. Ik droomde van je. En toen ik je zag, wist ik dat ik je wilde hebben. Ik hield niet van je, destijds, en verwachtte ook niet dat ik van je zou gaan houden, maar ik wilde je hebben. Ze hadden ongelijk, dacht ik. Leugenaars. Roddelpraat. Nu houd ik van je... en ik dacht dat jij van mij hield.' Zijn stem klonk zacht. Gevaarlijk. Ze vond het afschuwelijk zoals hij naar haar keek, alsof ze hem had teleurgesteld en hij haar daarom verachtte.

'Ik geef wel om je, Charles...'

'Waarom ben je dan naar bed gegaan met Jemmy?'

Wat kan ik antwoorden? Ik weet niet waarom ik met Jemmy naar bed ben gegaan. En ook niet waarom ik met jou naar bed ben gegaan. Ik weet niet eens waarom ik het met Richelieu deed. Maar dat is een leugen – mijn leven schijnt vol leugens te zijn, Charles – ik ben met Richelieu naar bed gegaan om Roger te kwetsen. Maar ik heb mezelf er veel meer mee gekwetst. De waarheid? Wil je de waarheid horen? Goed, dan kun je haar krijgen. Hoe lelijk ze er ook uitziet. Misschien is het het enige dat ons kan helpen.

'Ik was dronken, erger dan ik ooit ben geweest. Zoals jij *nu* bent. Het was een vergissing. Een vreselijke vergissing. Maak het niet nog erger...'

Maar ze had verkeerd gegokt. Hij sloot zijn ogen en zijn gezicht vertrok van ellende. Hij knipperde met zijn ogen, alsof hij zou gaan huilen. Maar in plaats daarvan zei hij: 'Hij is ten dode opgeschreven.'

De woorden galmden door haar oren.

'Nee! Hij is nog maar een jongen. Luister, het zou beschamend zijn om met hem te duelleren...'

'Het was beschamend voor jou dat je met hem naar bed ging. De jongen gedroeg zich als een man.' Zijn gezicht glom van de transpiratie. Hij leek wel ziek. 'Hij zal ervoor moeten boeten. Ik sta niet toe dat iemand aanraakt wat van mij is.'

'Van jou! Ik ben niet van jou! Ik ben niet met je getrouwd...'

Hij stond op en zijn stoel viel om. De taveerne was stil: iedereen keek naar hen. Iemand hield zelfs een glas halverwege omhoog. De hand van de bediende bleef roerloos op de tafel die hij aan het afvegen was.

'Wacht!' riep ze.

Ondanks haar woede kwam er een stortvloed van woorden uit haar mond.

'Ik bedoelde het niet zo. Echt waar niet. Luister naar me. Jij bent kwaad en ik ook. Wij zijn niet goed in ruziën. Je hebt te veel gedronken en geen slaap gehad. Laten we ergens heen gaan waar het rustig is, dan leg ik je alles uit. Dat mag ik toch van je vragen, Charles...'

Maar hij liep al weg.

'Charles!'

Ze schreeuwde zijn naam. Iedereen staarde haar aan.

'Charles!'

Het kon haar niets schelen wat de anderen dachten.

'Charles!'

De deur gaf een doffe klap toen hij achter hem dichtviel. Buiten boog hij zich voorover en braakte midden op straat.

Ze had al een uur in Harry's kamer zitten wachten. Het is mislukt, dacht ze telkens weer. De middag liep ten einde; spoedig zou het beginnen te schemeren. Ze ijsbeerde voor Harry's raam; ze had Harry's bediende al met een nieuw briefje naar Jemmy gestuurd. Hij moest het onder de deur schuiven als hij geen antwoord kreeg. De meest wilde plannen spookten door haar hoofd. Als Harry Jemmy vond, zou ze hem bewusteloos laten slaan, dan zou ze hem kidnappen en hem ergens op het platteland verbergen tot Charles wat kalmer was geworden. Ze wilde erachter zien te komen waar ze gingen duelleren en dan zou ze op het laatste nippertje voor hun pistolen of zwaarden springen, zodat ze elkaar niet konden doden. Ze zou de politie waarschuwen en ze allebei laten arresteren. Als Jemmy stierf, zou ze het zichzelf nooit kunnen vergeven. Of Charles. Jemmy's dood zou een enorm schandaal geven. Ze zou zich moeten terugtrekken van het hof. De Kikvors zou een strenge preek houden. Roger zou van haar scheiden. Gemakkelijk genoeg. Wat zou Philippe dat prachtig vinden. Ze kon zich voorstellen hoe hij als een zwarte raaf op Rogers schouder gezeten hem zijn raadgevingen influisterde. Onbegrijpelijk dat ze vanmorgen nog in haar bed zat en plannen maakte om naar Tamworth te gaan, om daar wat orde in haar leven te brengen. Haar leven rafelde nu helemaal kapot. Ze had het in haar handen, maar de draden glipten bij tientallen tussen haar vingers door. Laat Jemmy niet doodgaan, bad ze onder het heen en weer lopen. Alsjeblieft. Alsjeblieft. Ze had in die taverne op haar knieën moeten vallen; ze had moeten smeken.

De deur ging open en daar stond Harry naar haar te kijken. Ze moest gaan zitten, wetend wat hij zou gaan zeggen nog voor hij het zei.

'Ik kon hem niet vinden...'

Lieve genadige Jezus, bid voor ons nu in het uur van onze nood. Ze stak haar handen uit, en Harry kwam snel naar haar toe om ze in de zijne te nemen.

Er werd op de deur geklopt. Ze hadden beiden maar één gedachte. Ze stikte haast toen Harry naar de deur ging. Jemmy...

Harry opende de deur. Diana kwam de kamer binnen.

'Ik kon geen seconde langer in mijn eigen huis wachten,' zei ze en liep regelrecht naar haar dochter, waarbij ze Harry volkomen negeerde. 'Ik ben minstens zeven keer bij jouw huis geweest. Wat gebeurt er?'

'Het duel is vastgesteld op morgenochtend,' zei Harry met een blik op zijn zuster. Hij hield de deur nog steeds open, alsof hij zijn moeder door de deur kon wegkijken.

'Morgenochtend!' riep Diana. 'Heb je Charles gesproken?'
Barbara gaf geen antwoord.

'Ik wist het wel!' zei Diana. 'Ik wist wel dat dat temperament van jou alles zou bederven. Hoeveel keer heb ik je niet verteld hoe je mannen moet behandelen. Maar je luistert nooit. Nee. Jij weet alles. Je moet ze met vleierij bewerken, je moet ze smeken, je moet ze het idee geven dat je zwak en bang bent wanneer ze kwaad worden. Er zijn momenten waarop je je kalmte kunt verliezen, Barbara Alderley, en er zijn momenten dat je je kalmte moet bewaren, en een verstandige vrouw weet . . .'

'Hou je mond!' riep Barbara met haar handen over haar oren. 'Hou je mond!'

Haar stem kreeg een hogere klank. Toen hij dat hoorde, kwam Harry naar haar toe en legde zijn hand op haar schouder. Ik ben hysterisch, dacht Barbara, alsof ze er zelf niet bij was.

'Het is niet waar,' hoorde ze zichzelf zeggen. 'Harry, zeg dat het niet waar is.'

'Bab,' zei hij zachtjes. 'Ze hebben bij White's al weddenschappen afgesloten op het duel, en dat betekent dat Jemmy de uitdaging van Charles heeft aangenomen . . .'

'Waar wordt het gehouden? Kun jij daarachter komen . . .'

'En wat wou jij dan doen?' onderbrak Diana sarcastisch. 'Met je rijtuig daarnaar toe, gillen en hysterisch doen terwijl hun secondanten je vasthouden en zij uiteindelijk elkaar doden alleen omdat jij erbij was? Je kunt dat duel niet tegenhouden, Barbara. En als je het waagt erbij aanwezig te zijn, is je reputatie voorgoed naar de maan.'

Barbara zweeg; ze keek van Harry naar haar moeder en van haar moeder naar Harry. 'Graaf Camden,' zei ze. 'Ik zou naar hem toe kunnen gaan.' Hij was de vader van Jemmy.

'En wat wil je daar doen?' vroeg Diana.

'Ik – ik zou hem uitleggen wat er is gebeurd en zeggen dat het mijn schuld is, en ik zou hem smeken om Jemmy ergens naar toe te sturen.'

Diana keek bedenkelijk. 'Het is niet waarschijnlijk . . . en toch . . .'

'En toch?'

'Is het de moeite waard het te proberen. Ik ken die oude man; ik zal hem een briefje schrijven en vragen of hij je wil ontvangen.

Jemmy zou onmiddellijk weggestuurd kunnen worden, ergens op een landgoed van zijn vader; dan kan Charles bekoelen en jij zou kunnen verdwijnen...'

'Naar Tamworth.'

'Ja. Naar Tamworth. En dan zou ik de prins vertellen dat jouw vriendschap met Jemmy helemaal verkeerd is voorgesteld, dat je alles in het werk hebt gesteld om Jemmy te redden, en als je dan weer terugkeert aan het hof zal hij weer net zo verliefd op je zijn als eerst.'

'Harry.' Barbara kon haar stem bijna niet beheersen. 'Zeg tegen haar dat ik niet naar bed ga met de Kikvors. Naar mij luistert ze niet.'

'Moeder, ze gaat niet naar bed met de Kikvors.'

'En waarom niet? Je schijnt wel met alle anderen naar bed te gaan.'

Harry bloosde. 'Eruit,' zei hij tegen Diana. 'Mijn kamer uit.'

Diana ging zitten en spreidde met zorg haar rok om zich heen opdat de mooie rand langs de zoom niet zou kreuken.

'Het is mijn schuld,' zei Harry tegen Barbara, 'dat ik de deur heb geopend zonder te vragen wie er buiten stond. Zal ik haar er met geweld uitwerken?'

'Geef eens een stuk papier,' beval Diana, zonder zich aan een van beiden te storen. Ze wachtte. 'Wat zitten jullie me aan te gapen? Ik dacht dat de tijd nu kostbaar was.'

'Ik ga even liggen,' zei Barbara, met haar hand voor haar ogen. 'Bemoei jij je maar met haar.' Ze ging de kamer uit.

Harry zette zijn moeder aan de rommelige tafel en gaf haar pen en papier en een inktpotje.

Diana concentreerde zich op haar taak. Harry zweeg en keek toe. Eén keer vroeg ze hem hoe een woord werd gespeld, en een andere keer vroeg ze hem naar de weddenschappen bij White's.

'Drie tegen één dat Charles hem doodt,' zei hij kortaf.

Ze tekende haar naam met een sierlijke krul; het was wellicht het enige woord dat gemakkelijk uit haar pen kwam, behalve dan het woord 'geld'.

'Goeie kans,' zei ze. 'Denk jij dat ook?'

'Ja.'

'Wat een idioot toch. Verliefde mannen zijn idioten. Vrouwen trouwens ook. Alsjeblieft, ik ben klaar.'

Hij wuifde het velletje, dat vol inktvlekken zat, droog.

'Wat denk jij dat er gebeurt als dit niets oplevert?' vroeg hij aan zijn moeder.

'Dan sterft Jemmy en wordt het een enorm schandaal. Maar tegen het voorjaar zal men zich amper meer herinneren waarom ze tijdelijk niet aan het hof is verschenen. Dan komt ze terug, en als we geluk hebben, zal ze na haar korte verbanning iets ontvankelijker zijn voor de avances van de prins.'

Ze keek Harry met een veelbetekenende blik aan. Hij kleurde. Ze wist hoe gemakkelijk het voor Harry zou worden als Barbara de minnares van de prins van Wales werd. Er zou geld zijn, en ook lucratieve baantjes waar hij maar om hoefde te vragen.

'Barbara!' riep hij kwaad. Zijn moeder had hem maar al te goed door. 'Jij geeft het ook nooit op, hè?' zei hij tegen haar.

Ze glimlachte. 'Nee.'

In het rijtuig zei Barbara tegen hem: 'Weet je, ik heb vandaag twee mannen horen praten. Een van hen zei dat de South Sea Company ondergefinancierd is. Ik dacht dat jij dat toch ook moest weten.'

Hij schudde zijn hoofd. 'Ik heb een voorgevoel dat de aandelen weer omhoog gaan, Bab. Ik moet toch wel eens één keer geluk hebben, nietwaar?'

Tijdens de lange, vermoeiende reis naar Islington, waar de graaf en zijn vrouw in hun zomerhuis verbleven, telde ze de heggen, de sloten en de vijvers. Ze zag melkmeisjes die de koeien naar de boerderij dreven, lachende, zingende groepjes die haar aan Tamworth herinnerden. Daar zouden ze nu aan het oogsten zijn. In gedachten zag ze de zonverbrande gezichten van de arbeiders, de oogstmaaltijd bij zonsondergang, het koren dat hoog en geel lag opgestapeld op de wagens, de kinderen die tussen de stoppels speelden en de zware takken van de appel- en perebomen die weldra ook leeggeplukt zouden worden. En haar grootmoeder die haar bevelen gaf aan de voormannen, koren en fruit verdeelde over de keukens, de droogkelders en de distilleerkamer, en ook een deel gaf aan de armen die er gedurende de koude winter behoefte aan zouden hebben.

'We zijn er,' zei Harry en schudde haar aan haar schouder. 'Bij je positieven komen.'

Het gesprek met de graaf ging moeizaam. Harry hield haar hand vast terwijl zij probeerde de situatie uit te leggen. Bij elk woord dat ze sprak werd het gezicht van de graaf grauwer. Ten slotte stond hij met zijn rug naar haar toe uit het raam te kijk en terwijl het krakerige gezang van de krekels zich vermengde met het geluid van Barbara's lage, hese stem.

'Doet u alstublieft iets,' eindigde ze met trillende stem. 'U bent de enige die nog wat kan doen. Het is van begin tot eind een misverstand. Lord Russel is soms driftig en opvliegend, maar ik weet zeker dat hij spijt heeft als hij over de hele zaak heeft nagedacht. En ik wil niet dat er iets met uw zoon gebeurt, als ik het op de een of andere manier kan verhinderen. Alstublieft, edelachtbare...'

Het duurde even voor de graaf zich naar haar omdraaide. Toen zei hij: 'Hij beschouwt zichzelf als een man. Hij is een man. Hij zal vinden dat dit een erezaak is...'

'Over een jaar of twee is dit een erezaak. Nu niet. Doet u alstublieft wat ik u vraag. Niemand zal hem – of u – slecht beoordelen als hij wordt gered. Hij is te jong om – om tegenover lord Russel te staan.'

De graaf wachtte een hele tijd eer hij antwoord gaf. Tenslotte zei hij: 'Ik zal het briefje schrijven. Wat er is gebeurd kan ik niet door de vingers zien, maar ik zal doen wat ik kan. Hij is nog jong, zoals u zegt. Wacht u hier op me, lady Devane.'

Hij ging naar een kleine aangrenzende kamer. Toen hij terugkwam, hoorde Barbara een vrouw huilen.

'Mijn vrouw,' zei de graaf eenvoudig. 'Hij is onze jongste, ziet u.'

De graaf gaf Barbara een verzegeld briefje en liep met hen naar het rijtuig.

'Lady Devane,' zei hij en legde zijn hand op Barbara's arm, juist toen ze zou gaan instappen. Harry ging een eindje opzij om hen niet te storen. 'Er was heel wat moed voor nodig om naar mij toe te komen, zoals u hebt gedaan. Daar dank ik u voor. En als u de tactloosheid van een oude man kunt vergeven, dan zou ik willen zeggen dat u een betere vrouw bent dan men in deze situatie zou denken.'

Nu wachtte ze in haar slaapkamer in St.-James's. Met het briefje gewapend was Harry erop uitgetrokken om Jemmy te zoeken en hij had gezworen dat hij hem zou vinden, al moest hij de hele nacht op zoek gaan. Haar moeder zat bij haar. Ze had het niet gewild, maar ze was niet tegen te houden, of ze zou er met geweld door Dawdle uitgegooid moeten worden. Diana lag volledig aangekleed op het bed en sluimerde af en toe. Barbara zat op een stoel bij het raam. Het was stil buiten. Alleen de roep van de nachtwaker klonk om het uur over het plein. Ze probeerde niet ongerust te worden over het verglijden van de uren; ze wilde geloven dat het een goed teken was. Door haar hoofd ging een soort van klaagzang: Heer, erbarm U over ons, maak dat Harry Jemmy vindt, maak dat Jemmy het briefje leest, Heer, erbarm U over ons. Ze huiverde, maar tenslotte dommelde ze in.

Tegen dageraad kwam Harry op zijn tenen de kamer binnen, gevolgd door de hertog van Wharton. De gezichten van beide jongemannen waren bleek en vertrokken. Barbara lag in haar stoel te slapen, maar een luide snurk van Diana deed haar opschrikken. Ze was wakker en meteen zag ze Harry met Wart direct achter hem.

'Zeg het!' vroeg ze hun beiden. 'Hebben jullie hem gevonden? Heeft hij het briefje gelezen? Harry...'

Toen ze zijn gezicht zag, stierf haar stem weg. De pupillen van haar ogen werden groot.

Harry trok haar omhoog bij haar armen.

'Luister. Ik heb hem het briefje gegeven, maar hij wilde niet naar rede luisteren. Hij zei dat het net zo goed om jouw eer ging. Dat hij jouw goede naam zou verdedigen met zijn leven. Hij wilde niet luisteren, Bab. Het is jouw schuld niet. Hoor je me? Je hebt alles gedaan wat je kon.'

'Hij is niet...'

'Hij is dood,' zei Wart vermoeid, 'maar ik moet eerlijk zeggen dat Charles waarschijnlijk niet van plan was hem te doden. Jemmy heeft op het laatste nippertje bewogen.'

Barbara zei niets. Ze zakte neer op de grond.

Met een luide snurk werd Diana wakker. Ze zag Harry en Wart kijken naar Barbara die in haar nachthemd op de grond lag, slap als een lappenpop.

'Hij heeft hem gedood, hè?' zei ze. 'Nou, dat was dan dat. Daar gaat de prins.'

22

Philippe zat in de prachtige tuin van het huis dat Roger voor de zomer had gehuurd van de gravin van Dysart. De tuin strekte zich uit tot aan het glinsterende water van de Theems. Van zijn plaats af, onder een schaduwrijk prieel, kon hij de zwanen op de rivier zich langzaam en majesteitelijk zien voortbewegen. Het was een rustige, ontspannen dag; bijen vlogen op hun gemak van roos naar anjer en van anjer naar duizendschoon, onverzadigbaar, tot ze waren volgezogen met nectar, als kleine gestreepte tonnetjes.

In deze streek stonden maar weinig grote huizen en het was moeilijk een onderdak te vinden, maar dank zij zijn charme en zijn geluk was Roger erin geslaagd dit kleine huis te huren. Voor zijn maaltijden moest Philippe naar een taveerne. Het huis lag in Richmond, een slaperig dorpje dat op het punt stond te ontwaken aangezien de prins en prinses van Wales hier hun zomer doorbrachten, in een jachthuis in Richmond Park. Er werd zelfs over gesproken dat het jachthuis vernieuwd zou worden en dat er een rij moderne herenhuizen zou komen om de hofdames van de prinses te huisvesten. Het enige waar Richmond met recht trots op was, behalve het feit dat de prins er woonde, was een heuvel in een bocht van de Theems. Het uitzicht vanuit Richmond Hill was een van de mooiste die Philippe ooit had gezien. Vanaf de top kon men genieten van het glanzende, bochtige lint van de Theems omringd door weilanden, bossen en velden, en in de verte waren de middeleeuwse torens van Harrow en Windsor te zien. Rijke kooplieden en edellieden begonnen hier al stukken grond te kopen, niet zozeer vanwege het uitzicht, maar omdat de toekomstige koning van Engeland hier verbleef. Er werden reeds grote zomerhuizen gebouwd en Roger, die dat ook van plan was, had nog meer geld opgenomen op zijn South Sea-aandelen om landerijen in deze streek op te kopen.

Philippe gaf geen commentaar op al die plannen. In deze dagen was Rogers enthousiasme niet te stuiten. Alles wat hij bezat werd geïnvesteerd in de bouw van Devane House en het plein daarvoor. Toch bleef hij ook nog geld lenen om in grond te investeren en nieuwe schilderijen, meer meubilair, meer zeldzame boeken en manuscripten te kopen. Philippe werd soms angstig bij het zien van de hoeveelheid geld die Roger uitgaf.

In vroeger dagen zouden hij en Roger het nieuws hebben besproken dat Philippe uit Frankrijk ontving: Laws rijtuig was omgegooid en hij was aangevallen door de menigte, waarbij hij ternauwernood aan de dood was ontsnapt; hij had zijn toevlucht gezocht in het Palais Royal en men zei dat hij sprak als een man die zijn verstand heeft verloren. Kon het zijn dat Laws theorie was mislukt? Zou de Engelse economie op dezelfde manier in elkaar kunnen storten als in Frankrijk? Sir John Blunt, de grote kracht achter de overname van de nationale schuld door South Sea, had zijn theorieën gebaseerd op het succes van Law in Frankrijk. Moeten we onze aandelen verkopen? Al die vragen zou Philippe vroeger hebben gesteld, maar Roger wilde van geen twijfel horen. Sedert de maand juli had Philippe nu aandelen verkocht, maar hij had het niet tegen Roger gezegd. Als hij het wel had verteld, had het Roger waarschijnlijk niets kunnen schelen. Philippe keek uit over het landschap voor hem. In vier jaar tijd was hij verouderd; zijn gezicht en zijn lichaam waren zwaarder geworden en zijn mond stond bitter.

Gisteren, op Richmond Lodge, had hij het nieuws gehoord van het duel; hij liep te wandelen met de jongedames Bellenden en Lepell, twee hofdames van prinses Caroline, de leukste en knapste van het hof... totdat gravin Devane verleden voorjaar was verschenen. Groepjes mensen op de terrassen fluisterden met elkaar; hun gezichten stonden geheimzinnig en ernstig maar met een ondertoon van vrolijkheid, zoals altijd wanneer mensen kwaadaardige roddels doorvertellen. Jemmy Landsdowne dood... Hyde Park... Charles Russel... de graaf en gravin van Camden teruggetrokken op hun landgoed om te rouwen... en telkens, telkens weer... Barbara Devane... Barbara Devane... Barbara Devane. Iedereen sprak over haar en dacht aan haar: dat lachende, pittige vrouwtje dat altijd modieuzer kleren droeg dan anderen, die de prins om haar vingertje wond, die dwaze gedichtjes aan jongemannen ontlokte, van wie men zei dat ze de volgende minnares van de prins van Wales zou zijn en die zulke prachtige, helderblauwe ogen had. Ogen waaraan jongemannen verzen wijdden, die echter nooit de hoogte bereikten van Caesar Whites laatste epische gedicht: 'Het sterven van de jonge Aurora.'

Barbara had een zekere zwier gegeven aan een tamelijk saai hof. De hele zomer had Philippe die adder, Rogers schoonmoeder, haar web zien weven rondom de prins van Wales. En hij had ironisch gelachen bij de gedachte dat hij en Diana misschien een zelfde doel nastreefden, want ook hij wilde graag dat Barbara de minnares van de prins van Wales werd. Rogers trots zou hem nooit toestaan zich te verzoenen met de publieke minnares van een lid van de koninklijke familie, en vooral niet van zo'n saaie, stomme prins. Daarom had het hem erg aangegrepen toen hij het nieuws van het duel hoorde. Hij moest een ogenblikje rusten, terwijl de snoezige dames Bellenden en Lepell om hem heen fladderden als zachte vlinders in hun pastelkleurige jurken. Hij had vertrouwen gehad in Diana maar nu, door één moment van woede tussen twee jaloerse mannen, was zijn hoop vervlogen. En in gedachten zag Philippe weer de uitdrukking op Rogers gezicht toen hij Barbara dit voorjaar had gezien... Roger verlangde weer naar haar...

Een eenzame bij, die helemaal dronken leek te zijn van de zoete geuren, was zo dik van alle nectar dat hij amper naar een andere bloem kon vliegen. 'Pluk rozen, lief, nu niet gewacht,/De tijd dringt voor ons allen,/En deze bloem, die nu nog lacht,/Is morgen reeds vervallen.' Roger had zijn rozen geplukt in Hannover, zonder vreugde te vinden in die willekeurige paringen. De tijd dringt voor ons allen. Engelse dichters zeiden de dingen soms heel raak, maar niet met zo'n glans als de Fransen, dacht Philippe terwijl hij de bij gadesloeg. Toen Roger eindelijk genoeg had van Hannover, had hij meteen genoeg van alles. Hij was leeg, en voor het eerst had Philippe gezien dat Roger door het verdriet was veranderd. De bij zoemde dicht langs Philippes hoofd en dreef al lager en lager naar de grond omdat hij door zijn zwaarte niet meer kon vliegen. Ten slotte kwam hij neer bij de teen van Philippes schoen.

'Je bent te gulzig geweest,' zei Philippe in vlekkeloos Engels dat hij jaren geleden had geleerd toen hij hield van de knappe jonge adjudant van de hertog van Tamworth. Nu was die taal als as in zijn mond. Hij was een vreemdeling in een vreemd land. De bij gonsde instemmend. Philippe bukte zich en zette hem voorzichtig op een tapijtje van afgevallen bloesems. Sterf in vrede, dacht hij, omgeven door wat je liefhebt. Je hebt je verrukkelijke ogenblikken in de zon gehad. Sterf dan nu in vrede. Dat zal ik doen, gonsde de bij.

Roger kwam het huis uit en stond even stil in de zon. Hij wist ook van het duel af, maar het was niet Philippe die het hem had verteld. Philippe dacht er niet over haar naam te noemen omdat hij daarmee wellicht de band die hen nog uit vriendelijkheid bond, in gevaar kon brengen. Ofschoon vriendelijkheid soms heel wreed kon zijn, zoals Philippe had ondervonden. Roger schermde zijn ogen af voor het zonlicht; hij zag Philippe, glimlachte en kwam naar hem toe lopen. Philippe volgde hem met zijn ogen. Het bouwen van Devane House had Roger goed gedaan. Philippe had gezien hoe het verdriet dat zo duidelijk op zijn gezicht te lezen stond na Hannover, was verdwenen. En deze zomer, nu Devane House bijna af was en heel Londen over niets anders sprak – en inderdaad was er niets zo mooi als dit – waren alle sporen van veroudering bij Roger vervaagd. Hij was slanker, fitter, bruiner verbrand en vrolijker, vol nieuwe energie en elan. Er kwam weer een lach over zijn knappe gezicht. De jaren waren verdwenen. Hij had weer een minnares genomen en dat was voor het eerst sedert de excessen van Hannover. Op elk feest, elk bal, elk concert keken alle vrouwen naar hem. Toen Roger rustiger en grijzer werd, had Philippe gedacht dat nu eindelijk zijn zon ter kimme neeg en dat hij misschien bij hem zou terugkeren om warmte te vinden in zijn laatste jaren. Maar plotseling was Roger weer stralender dan ooit. En de oorzaak daarvan – want het was meer dan Devane House alleen – was op het ogenblik waarschijnlijk op terugreis uit Londen met een nieuw schandaal op haar naam en een echtgenoot die vanwege dit feit een stralende glimlach vertoonde. Waarom zou hij glimlachen? Philippe kon de uitdrukking op Rogers gezicht zien. Hij was gelukkig. Waarom? Almachtige God, waarom? En weer had hij met zijn trots een bittere pil te slikken. Hij was een prins van Frankrijk; hij stamde af van koningen en hij was geleerd, verfijnd, een produkt van de hoogste beschaving. Zijn trots was onmetelijk, en die lag nu vernederd in het stof. Eens hadden ze geen geheimen voor elkaar gehad. Waren ze ooit samen jong geweest? Waren ze ooit minnaars geweest? Het kwam nu voor dat hij zich afvroeg of zijn geheugen hem bedroog. We boeten voor onze zonden in dit leven, dacht hij terwijl hij Roger naar zich toe zag komen – niet langer zijn minnaar maar nog steeds de man van wie hij hield – Roger met zijn slanke, krachtige gestalte als van een twintigjarige... en hij, Philippe, die hier dik en zwaar op zijn bank zat. Met elke ademhaling, dacht hij, betaal ik voor mijn zonden van trots en liefde. Ah, Roger...

'Ik begin oud te worden,' zei Roger. De kraag van zijn hemd stond open en zijn mouwen waren opgerold, en hij zag eruit als een jongeman die te vroeg grijs is geworden. 'Ik heb pijn hier,' zei hij en wees op zijn borst.

'Je moet ook meer rusten,' zei Philippe geërgerd. De hele zomer had Roger gedaan alsof hij twintig was. In een tijdsbestek van vier maanden had hij een nieuwe minnares genomen en weer afgedankt. Geen wonder dat hij ergens pijn had.

'Ik heb besloten om mijn terugkeer naar Londen een paar dagen uit te stellen.'

Philippe keek hem vragend aan. 'In het briefje stond dat de vergadering dringend was...'

'Die directeuren van South Sea zijn een paar oude wijven, kooplieden en bankiers die beginnen te trillen als ze denken één stuiver te verliezen.'

'Maar de koers daalt.'

'En die gaat wel weer omhoog ook. Het is een klein schommelinkje, meer niet.'

'Roger, neem nou even de tijd om mijn brieven uit Frankrijk te lezen. Ik heb een akelig voorgevoel...'

Hij zweeg. De ongeduldige blik waarmee Roger naar hem keek, maakte hem ziek van ellende. Eens was hij de leider geweest, en Roger de volger. Nu was dat allemaal veranderd. Maar hij was niet van plan een onheilsboodschapper te zijn, iemand die klaagt en zeurt. Hij slaagde erin te glimlachen en zijn schouders op te halen. 'Zo je wilt.'

'Mooi!' zei Roger meteen. En Philippe begreep dat hij nooit van plan was geweest de zaak serieus onder ogen te zien. 'Zullen we vanavond een boot nemen naar Spring Gardens en daar wat lekker Engels bier drinken, en dan zien hoe Monty zich belachelijk maakt met zijn nieuwe minnares? Wat vind je?'

Philippe glimlachte instemmend, maar hij dacht: Restjes van je maaltijd, Roger, die je de trouwe hond toewerpt.

Francis Montrose kwam haastig het huis uit.

'Lady Alderley is hier, mijnheer,' riep Montrose toen hij wat dichterbij was.

'Wat?'

'Je schoonmoeder,' zei Philippe, alsof Diana nog uitleg behoefde. 'Ze zal wel weer geld willen hebben.'

'Nou, nou. Bestel maar thee in de tuin voor onze gast. En Francis, breng er ook maar wat cognac en rode wijn bij. Lady Alderley heeft graag iets sterkers tegen het eind van de middag. En ik dacht nog wel dat het een saaie dag zou worden, Philippe, met alleen jou en mij.'

In de schaduw van het prieel was amper te zien dat een spiertje in Philippes wang bewoog.

Montrose ging nog niet weg. Hij schraapte zijn keel. 'Misschien is het niet zo... u, eh, bent in hemdsmouwen, mijnheer.'

'Is dat zo? Wat erg. Daar zou lady Alderley aanstoot aan nemen, en anders Justin wel die een rolling zou krijgen. Ga je gang maar. Laat mijn jas maar brengen.' Hij glimlachte en Montrose grijnsde terug. De charme werkte weer.

Philippe observeerde hem, hoe hij zich over een bloem boog, die afplukte en hem in zijn knoopsgat stak toen hij zijn jas aan had. Waarom was hij zo gelukkig?

Diana kwam naar hen toe lopen met een grote zonnehoed op, waardoor haar schrille make-up enigszins werd verzacht. Ze droeg een japon in het model dat Barbara had geïntroduceerd; Barbara zag er in haar japon uit als een nimf en Diana leek op meerdere tegelijk, maar ze had een maximum aan zelfvertrouwen dat sommige mooie vrouwen hebben, ondanks de vele lijnen en rimpeltjes. Voor haar eigen gevoel was ze nog altijd mooi.

'Diana,' zei Roger die haar tegemoet was gelopen, 'je bezoek is onverwacht en aangenaam. Kom bij ons zitten. Je kent Philippe natuurlijk.'

Philippe en Diana knikten elkaar koel toe; beiden wisten dat ze een waardige opponent tegenover zich hadden. Diana had nooit het duel tussen Philippe en haar zoon ter sprake gebracht.

'Ik had gehoopt onder vier ogen met je te kunnen spreken,' zei ze tegen Roger.

Eén wenkbrauw van Philippe ging omhoog. 'Wilt u me excuseren, lady Alderley, ik heb zin om langs de rivier te gaan wandelen.'

'Prins,' zei Diana, bijna spinnend van tevredenheid, 'hoe tactvol. U bent erg vriendelijk. Haast u vooral niet.'

Ze ging op Philippes plaats zitten. Iets verderop waren lakeien bezig een theetafel klaar te zetten. Een paar zwanen kwamen langsdrijven aan de oever van de rivier. Diana zag hoe Philippe in zijn handen klapte tegen ze.

'Dat is een prachtig halssnoer.'

Ze schrok op van Rogers woorden. Instinctmatig kwam ze met haar hand naar haar hals. 'Ik mocht het lenen van Barbara,' zei ze defensief. Toen keek ze hem aan en spreidde haar armen wijd uit, als een toneelspeelster in een tragedie.

'Roger, je ziet iemand voor je die volkomen is verpletterd.'

Maar de vrouw die hij voor zich zag, was mollig, nog knap, hard en amoreel als een tijgerin. Hij zei niets, maar keek haar ernstig aan.

Ze zuchtte dramatisch. 'Mijn moeders hart is gebroken. Je hebt het nieuws natuurlijk gehoord. Ik word verteerd door akelige voorgevoelens. Ga je van haar scheiden?'

De vraag kwam als een kanonschot. Ze lette scherp op zijn reactie.

'Je begrijpt mijn zorg,' zei ze snel. 'Ik moet weten...'

'Waarom? Wat heb jij ermee te maken?'

Op dat moment ontdekte hij een emotie in haar gezicht die niet werd verdrongen door de valse gevoelens waar ze zo graag gebruik van maakte.

'Diana...' Hij staarde haar aan, stomverbaasd. Toen verscheen een glimlach op zijn gezicht en in dat ene ogenblik was hij volmaakt mooi, zoals een kunstenaar zich een aartsengel voorstelt.

'Je houdt van haar... Ja, dat effect heeft ze op mensen.'

Plotseling voelde Diana zich onzeker, alsof hij haar had betrapt in een compromitterende situatie.

'Ze is koppig en eigenzinnig, en ze wil niet naar me luisteren!' zei ze op verongelijkte toon.

'Dat weet ik.'

Ze keek hem met grote ogen aan. Hij keek in de richting van

de rivier en de uitdrukking op zijn mooie profiel was kwetsbaar, verlangend en hartstochtelijk.

'Nee,' zei hij zacht. 'Ik ga niet van haar scheiden... nooit.' Hij wendde zich tot haar. 'Grappig hè? Maar het leven is merkwaardig, als men maar de moeite neemt het te zien.'

'God mag me verdomme...' zei ze langzaam.

'Dat zal Hij waarschijnlijk doen ook. En mij erbij. Maar hou jij voorlopig je charmante mondje over dit onderwerp. Ik praat er niet meer over. Kom, drink wat thee. Ik heb ook nog cognac of rode wijn voor je. Hoe is het met Robert?'

Ze spraken over koetjes en kalfjes in de schaduw van de bomen, bijna alsof Diana een gezelligheidsbezoek bracht, alsof hun zenuwen niet waren geraakt, van geen van beiden. Roger gooide kruimeltjes voor drie hongerige eekhoorns, terwijl Diana hem de laatste roddels vertelde en verscheidene glazen rode wijn dronk. Ten slotte viel er een stilte. Roger gooide een laatste kruimel.

'Wanneer komt ze terug?' vroeg hij spontaan.

En op heel natuurlijke wijze was Barbara opnieuw onderwerp van hun gesprek.

'Vanavond.'

'Wat zijn haar plannen?'

'Ik weet het niet. Zich terugtrekken op Tamworth, denk ik. Ze wilde niets met mij bespreken, ook al heb ik mijn best gedaan om haar te helpen. Ze is meer ondersteboven van het hele gebeuren dan ik had gedacht. Ze is...' Ze wist geen woorden te vinden om haar dochter te beschrijven.

'Te gevoelig?' opperde Roger. 'Beschaamd? Gekrenkt?'

'Wat het ook mag zijn, ik begrijp haar niet. Zij heeft die jongen niet gedood. Weet je, Roger, ik ben toch zo opgelucht dat je niets overhaast gaat doen. Het wordt tijd dat ze tot rust komt en een paar kinderen krijgt. Jullie zouden elkaar toch wel een tijdje kunnen verdragen om één of twee kinderen te maken. Ik heb zo'n idee dat ze gelukkiger zou zijn als ze een kind had... God mag weten waarom. Je raakt je figuur kwijt, je borsten lekken, het baren is ontzettend pijnlijk en de eerste paar jaar zijn ze lelijk met hun rode gezichten. Maar soms veranderen ze wanneer ze opgroeien. Barbara is de enige van mijn kinderen die pit heeft. Ze is in wezen keihard. Mijn arm deed me vroeger pijn wanneer ik haar sloeg, tot ze eindelijk wilde huilen. Ik wou dat Harry haar geestkracht had. Bij hem is alles een feest, maar hij heeft geen geestkracht. Hij heeft schulden, weet je.'

'Welke jongeman heeft die niet?'

'Het is meer dan ik had gedacht. Veel meer. Ik maak me zorgen, Roger.' Ze keek hem aan, maar hij ging er niet op in. 'Ik heb je ruim een maand geleden een briefje gestuurd met het verzoek mijn aandelen terug te kopen. Heb je dat ontvangen?'

'Ik zit kort bij kas op het ogenblik, Diana.'

'Stuur dan een briefje naar je bankier, dan kan hij me betalen. Ik heb het geld nodig.'

'Vertrouw je de markt niet, Diana?'

Ze haalde haar schouders op. 'Wat omhoog gaat, zal ook een keer dalen. En ik heb niemand die ik kan vertrouwen.'

'Je hebt Robert Walpole.'

Ze zweeg.

Ze had met geen woord over het duel gesproken, over de verwijdering tussen hem en Harry. Als ze dat wel had gedaan, had hij het haar kunnen weigeren.

'Ik zal dat briefje schrijven. Maar het is een grote gunst, Diana, want ik zal me in allerlei bochten moeten wringen om die aandelen te betalen. Dus ik waarschuw je, ik vraag jou ook een keer een gunst.'

Ze gaf hem een kneepje in zijn hand. 'Je kunt me vertrouwen. Wat je maar wilt hebben is van jou. Maar ik zit nu moeilijk. Ik heb al geleend van Barbara, en moeder wil me geen stuiver voorschot geven op mijn toelage. Er zit misschien niets anders op dan dat ik hertrouw.'

'Ik sta versteld. En Robert?'

'Wat maakt een huwelijk nou voor verschil? O, daar komt de prins. Ik ga maar. Ik heb nooit begrepen waarom je hem tolereert – ah, Philippe, ik zei net wat jammer dat je zo ver bent gaan wandelen. Ik had je nog even willen spreken, maar ik heb zo met Roger zitten praten dat ik een andere afspraak ben vergeten. Daarom laat ik jullie nu maar alleen. Nee Roger, sta niet op voor mij. Wat dat briefje betreft. . .'

'Montrose zal het bij je afgeven.'

'Uitstekend.'

Even raakten hun wangen elkaar. Philippe boog zich over haar hand. Hij en Roger keken haar na toen ze terugliep naar het huis.

De rode wijn had haar een sensuele gratie gegeven. Beide mannen sloegen haar waarderend gade.

Philippe ging zitten. 'Wat moest ze?'

'Wat wil ze doorgaans?'

'Dat dacht ik al. Waar rent ze nu weer naar toe?'

'Ik vermoed dat ze op weg is naar de prins van Wales. Diana speelt graag mensen tegen elkaar uit, zoals ik heb gemerkt voor ik trouwde. Maar de Kikvors zal geen gemakkelijke zijn. Hij zal wel kwaken van angst en de schone jonkvrouw beledigen.'

Philippe keek naar hem. De prettige stemming was verdwenen, maar dat was te begrijpen na Diana's bezoek. Wat hij niet had verwacht, was de plotselinge rusteloosheid, de hunkering die op Rogers gezicht verscheen.

Roger keek op naar de hemel en citeerde zachtjes:

> Blijf bij mij, lief, dat mij verheugt,
> Wij vinden saam een nieuwe vreugd
> Van goudgeel zand, kristallen beek,
> Met zijden lijn', en zilvren steek'. . .

Ineens stond hij op en wreef over zijn borst. 'John Donne, een belangrijk dichter die we aan de Kerk hebben verloren en die ik in mijn jeugd zeer bewonderde. Ik ga even langs de rivier wandelen. Nee, liever alleen. Bestel nog maar wat thee. Dan gaan we later naar de Spring Gardens om naar de vogels te luisteren – niet dat ze deze hier zullen overtreffen.' Hij wreef weer over zijn borst.

'Wat heb je toch?'

'Ik heb pijn hier. Zeker liefdespijn.'

Het klonk spottend en hard, en terwijl hij sprak, liep hij weg, alsof hij het niet langer kon uithouden op de plek waar hij zich zojuist nog bevond. Philippe keek hem na in de schemering, dat uur wanneer alles zo mooi en zo zacht wordt belicht, en over zijn gezicht kwam de verschrikkelijke, grijze schaduw van smart.

In de greppel die langs het weggetje van Richmond naar het kleine, naburige dorpje Petersham liep, speelde een klein jongetje van een jaar of vier. Jane Cromwell, die het wassen in de gaten hield – het was wasdag vandaag – veegde haar gezicht af en merkte op dat haar zoon niet op de binnenplaats speelde met zijn broertje en twee zusjes. Amelia en Thomas zaten met een touw vast aan een boom en de baby, Winnifred, zat in de veredelde kippenren die Gussy had geknutseld om haar ook buiten te kunnen zetten. Maar Jeremy was vier en hij hoefde niet aan een boom vastgebonden te worden of in een kippenren te zitten. Hij was oud genoeg, en je kon hem vertrouwen. Toch schrok ze even toen ze hem niet zag. Hij was haar eerste kind en als ongeborene had dat kleine wezentje in haar buik haar gedachten afgeleid van het verleden en haar geholpen zich op de toekomst met Gussy te richten. Jeremy had een teer plekje in haar hart.

'Je moet steeds blijven roeren,' zei Jane tegen haar dienstmeid die met een eikehouten stok het wasgoed omroerde in een grote ijzeren pot vol kokend water. Betty was afkomstig van Ladybeth Hall. Ze had een hazelip maar het was niet zo erg; haar gehemelte was niet gespleten, alleen haar bovenlip en het was moeilijk om haar te verstaan. Ze was een goed, gehoorzaam meisje, maar de andere bedienden op Ladybeth beweerden dat ze ongeluk bracht en ze weigerden met haar samen te werken. Ten slotte stuurden de Ashfords haar naar Jane, in de overweging dat Gussy met zijn gebeden een eventueel ongeluk kon bezweren. Jane kwam langs Cat, haar andere dienstmeid, die in de veranda boter stond te karnen. Ze kon Cat horen mompelen: 'Kom boter, kom. Kom boter, kom. Petrus aan de poort wacht op geboterd brood. Kom boter, kom.' Het was een oude toverspreuk om boter te karnen. Jane zuchtte. Cat had lieve, rode lippen die niet gespleten waren tot haar neus, maar ze was lui en eigenzinnig. Toverspreuken voor boter, terwijl ze pas een uur had gewerkt! Cat was Gussy's Maria Magdalena, maar al haar duivels moesten nog uitgedreven worden. Op Betty kon ze vertrouwen wanneer die op de kinderen lette maar niet op Cat, want die keek alleen naar mannen.

Ze liep naar het witte houten hek dat haar tuin en erf omringde en zag Jeremy in de greppel langs het weggetje spelen. Ze glimlachte bij het zien van zijn slordige haar en zijn ernstige gezichtje. Ze riep zijn naam, en na een tijdje keek hij op.

'Voorzichtig zijn, hoor,' riep ze. 'En de volgende keer moet je het zeggen als je van het erf gaat.'

'Ja, mama.'

Petersham was niet groot; er waren maar zo'n vijftien huizen en naast hen het kerkje, St.-Peter, maar wanneer het hof in Richmond verbleef, kwamen er veel rijtuigen langs op weg naar Kingston, zes mijl verderop. Ze was altijd bang dat Jeremy zou worden overreden door een rijtuig. Zijn gehoor was niet helemaal goed. Vanaf zijn geboorte had hij aan oorpijn geleden, en ze had vele nachten met hem omgetobd wanneer hij schreeuwde van de pijn. Nu was ze bang voor de kleinste verkoudheid.

'Jeremy, ik heb je direct nodig. Loop niet te ver weg.'

'Nee, mama.'

Ze glimlachte weer bij het horen van die heldere, hoge stem. Die klank paste bij zijn karakter. Hij was een goeie jongen. Vandaag bijvoorbeeld zou hij haar helpen met het uithangen van de was. Voor de dag ten einde liep, zou er geen struik, boom of paal zijn waar geen wasgoed aan hing. Ze had een hekel aan wasdag: het dragen van ketels water van de pomp naar de stookplaats in de keuken, naar de ijzeren pot, het stoken van het vuur – ofschoon Jeremy zonder mopperen hout aandroeg – het spoelen van de kleren in koud water, het wringen en dan het uithangen. Nooit waren er genoeg struiken en palen voor de volgende lading, en ze zou zelfs kleren over de taxusbomen van St.-Peter moeten hangen. Ze was moe en ze had pijn in haar rug, maar dat kwam niet alleen door de wasdag. Ze was weer in verwachting.

Thomas huilde. Amelia had zijn lappenbal afgepakt (een cadeautje van Barbara, die de kinderen verwende met haar vele presentjes). Jane tilde hem op en maakte hem los. Hij had aarde en gras in zijn mond gestopt en ze veegde zijn gezichtje af met haar schort. Hij kreeg tandjes en hij stak alles in zijn mond.

'Ik begrijp het wel, schatje,' zei ze. 'Ik begrijp het wel.'

Ze begreep het inderdaad. Ze wilde dat iemand haar optilde en in zijn armen wiegde. Weer een kind op komst... weer een bevalling, maar daar wilde ze nu niet aan denken. Er kwamen nog maanden genoeg om zich zorgen te maken, om op te zien tegen dat moment wanneer ze werd meegesleurd in die kloppende pijn, en de herinneringen eraan verbleekten bij wat de werkelijkheid was. Ik zal zeer vermeerderen de moeite uwer zwangerschap; met smart zult gij kinderen baren... Dan werd de pijn al erger en erger en je lichaam leek niet meer van jezelf te zijn; het zwoegde en perste zonder jou. De druk werd steeds groter tot je het gevoel had dat je in tweeën werd gespleten; het zwoegen van je lichaam werd het centrum van de wereld, tot je omlaag geslingerd werd in niets dan pijn, bloed en schreeuwen... Later lag ze daar dan en dacht: Nooit weer, alstublieft, lieve genadige Heer, nooit weer. Maar het baren was het levenslot van een vrouw, haar erfenis na Eva's zonde, en het was Gods gebod om vruchtbaar te zijn en zich te vermenigvuldigen. En Gussy was zo goed. Bij alle bevallingen had hij de hele tijd gebeden. Wanneer het voorbij was lag hij te snikken in haar armen, en zei: 'Kon ik de pijn maar van je overnemen, Jane,' en ze dacht: Ja, kon je dat maar...

'Cat!' riep ze op scherpe toon. 'Ik zie je wel!'

Cat, die naar een voorbijtrekkende boer had staan kijken, wierp een blik van afkeer naar Jane en pompte iets sneller met haar arm op en neer. Jane sloot haar ogen en telde tot tien. Gussy had Cat bij hen gebracht. Haar ouders hadden haar het huis uitgegooid en Jane wist wel waarom! Gussy hoopte dat hun christelijke gedrag een goed voorbeeld zou zijn voor Cat, want ze hield ervan met jongemannen uit te gaan en met hen achter de struiken te liggen. Jane begreep niet waarom Cat nooit zwanger werd, terwijl zij in verwachting raakte elke keer dat Gussy zijn onderbroek aan de haak naast het bed hing. Misschien gebruikte Cat wel tovenarij, zoals Betty beweerde.

Ze zuchtte. Ze voelde weer zo'n sombere bui aankomen. Gussy moest vanavond maar weer met haar bidden. Het was een soort wanhoop die ze had gekregen na de geboorte van Thomas. Ze trok Gods wil niet in twijfel en ze hield van haar kinderen, maar haar leven bestond uit niets dan jaarlijks terugkerende bevallingen en ze was zo bang. Zo bang voor de pijn.

Ze zouden het Onze Vader bidden vanavond. Die woorden troostten haar, net als de psalmen van David. Gussy zou haar verwennen omdat hij haar angsten kende, die steeds erger werden naarmate de baby in haar groeide. Ze zouden samen gaan wandelen; het was mooi hier zo dicht bij de Theems en Richmond op zo korte afstand voor een wandeling langs Richmond Park, een koninklijk park dat langgeleden door Hendrik VIII was aangelegd. Voor ze te dik werd, zou Gussy tochtjes met haar maken: naar Kew om de botanische tuin van prinses Caroline te bekijken en naar Fulham, waar Gussy om de twee weken drie dagen werkte in de bibliotheek van de aartsbisschop van Canterbury. Ze zouden naar Kingston gaan waar de rechtbank 's winters zitting had; Gussy was daar benoemd tot kapelaan voor de gevangenen die voor de rechters moesten verschijnen.

Gussy werkte zo hard. Hij was parochiehoofd van St.-Peter's hier; hij moest de diensten leiden en alle plichten vervullen voor vrouwen in hun kraambed, en hij moest de zieken bezoeken. Dat gevoegd bij al zijn werk in de bibliotheek van de aartsbisschop en het werk aan zijn boek maakte dat hij weinig tijd voor zichzelf overhield, laat staan voor haar en de kinderen, maar hij maakte tijd. En hij dankte de Heer elke avond voor Zijn vrijgevigheid. Er waren volop hulppredikanten die bijna van honger omkwamen, maar dank zij de edelmoedigheid van de jonge hertog van Tamworth had hij drie posities, waardoor hij alles kon betalen wat ze nodig hadden en ze zelfs een beetje konden sparen. Bovendien gaven de parochianen hun altijd manden met eieren, verse melk en vette kippetjes omdat ze Gussy een goed mens vonden, een lichtend voorbeeld van Gods werk. En dat was hij ook. O, ja.

Hij had haar een klok van goud met glas gegeven om in hun salon te zetten. En toen ze merkte dat ze van Winnifred in verwachting was, had hij een zwartzijden jurk voor haar gekocht met een rood-met-witte onderjurk, een kersenrood keurslijfje en gedurfde zwartzijden kousen. Ze was zo blij met die jurk. Ze bewaarde hem voor heel bijzondere gelegenheden. Ze had hem gedragen die eerste keer dat ze Harry weer terugzag, en ofschoon ze heel erg haar best deed om niet toe te geven aan de zonde van de ijdelheid, was ze toch erg blij dat ze hem aan had. Heel erg blij.

Bij die gedachte fronste ze haar wenkbrauwen over zichzelf en Cat, die toevallig in haar richting keek, stak nog wat meer energie in het boterkarnen. Jane ging op de bank zitten die om de eik was getimmerd. Ze wilde even rusten. Ze maakte Amelia los, die haar meteen grassprietjes kwam brengen. Over elk sprietje moest ze haar bewondering uiten en dat deed ze ook telkens weer, maar haar gedachten dwaalden af. Zij en Gussy waren naar Ham House geweest, het grote huis van de graaf van Dysart, dat voor het publiek toegankelijk was. Ze hadden door de tuinen geslenterd, prachtige tuinen die omlaagglooiden naar de Theems, en Jane had de prins en prinses van Wales gezien. En toen was daar Harry, zo onverwachts, die naast Barbara liep. Barbara had haar naam geroepen en was naar haar toe gehold, en ze was zo blij dat ze de zwart-met-rode jurk aan had omdat Barbara er zo beeldig en modieus uitzag. En Harry was naar haar toe gekomen. Ze voelde dat hij verrast was en ontroerd, net als zij. Hij kuste haar op haar wang, gaf Gussy een hand en vertelde aan iedereen dat zij zijn vroegere vriendinnetje was. Toen was de jonge hertog van Tamworth erbij gekomen en ze hadden met z'n allen door de tuinen gewandeld, maar ze was zich er voortdurend van bewust hoe haar hart klopte en hoeveel mooier Harry's ogen waren dan ze zich herinnerde. . .

'Opzij, Thomas,' zei Amelia humeurig en duwde tegen haar slapende broertje. Amelia was moe en wilde ook in haar moeders schoot liggen. Harry zei dat Amelia in sommige opzichten op zijn tante Abigail ging lijken. Jane bloosde. Harry kwam haar wel eens opzoeken. Niet dikwijls. Dan keek ze uit haar raam en daar stond hij, over het hek geleund, met een brede lach op zijn gezicht. Gussy wist het. Ze vertelde het hem elke keer. En het was heel onschuldig. Hij zat bij haar in de tuin te praten terwijl de kinderen om hen heen speelden, en hij vertelde over Italië en Frankrijk en bergen en steden, rivieren en paleizen die zij nooit zou zien. En zij vertelde over haar kippen, over het gerstemeel dat ze hun voerde om ze vet te mesten en dat ze knoflook tussen haar slaplanten wilde zetten om het ongedierte weg te jagen, over Thomas die tandjes kreeg en over Jeremy's oorpijn. En hij lachte haar niet uit. Het was een heropbloeien van hun kindervriendschap, zonder het verdriet en met een ander soort liefde. Dan begon een van de kinderen te huilen, of Gussy kwam erbij om over politiek te praten met Harry. Ze luisterde, glimlachend, en was blij dat ze Gussy en Harry samen zag. Je hebt een goede invloed op hem, Jane, zei Gussy dan later. Jij bent het goede voorbeeld van het soort vrouw dat elke man zou moeten hebben. Lieve Gussy. . .

Een goed voorbeeld. Er was één ding dat ze Gussy niet had verteld. In een doos onder de losse vloerplank in de zitkamer lag een paar zachte, donkergroene leren handschoenen. Van Harry. Hij had haar niets anders gegeven en ze zou ook niets anders hebben aangenomen, maar ze kon die handschoenen die ze zomaar had gekregen, zonder enige aanleiding, midden in de zomer niet weigeren. Soms, wanneer ze zeker wist dat er niemand thuis was, haalde ze ze voor den dag en legde het zachte leer tegen haar gezicht. Dat vertelde ze niet aan Gussy. Toch had hij niets te vrezen; de vier kinderen bonden haar aan Gussy op een manier die Harry nooit kon delen. Gussy's leven was nu haar leven en ze hield van hem, misschien niet op zo'n romantische manier als vroeger van Harry, maar om het praktische, veilige gevoel dat zijn rug 's nachts lekker warm was en dat hij gelukkig was van een avond werken aan zijn boek. Misschien waren de handschoenen een bewijs van haar ijdelheid, een herinnering aan het feit dat er ooit een knappe, wilde jongen was geweest, die haar in zijn armen had genomen onder de appelboom en had gefluisterd dat hij van haar hield. Maar ze wist niet of ze dat allemaal aan Gussy kon uitleggen...

'Mama! Mama! Mama!' schreeuwde Jeremy.

Ze schrok op van zijn stem, en meteen was Thomas wakker en begon te huilen. Betty liet haar eikehouten stok vallen en rende naar het hek. Cat hield op met karnen. Hij is gevallen en heeft zijn arm gebroken, dacht Jane, en ze struikelde over haar lange rok en over Amelia, die met haar mee wilde komen. Het lukte haar het hek te bereiken zonder Thomas te laten vallen en zonder op Amelia te trappen. Betty wees met haar hand en lachte. Jeremy klauterde omhoog naar de koetsiersplaats van een prachtige koets, met een groen-en-gouden wapen op de zijkanten. Barbara! Amelia begon in haar dikke handjes te klappen.

'Bab! Bab!' zei ze.

Barbara stak haar hoofd uit het raampje; ze droeg een strohoed met lange groene linten en roze zijden rozen, en Jane was er zich onmiddellijk van bewust dat ze een oude jurk aan had, waar Thomas ook nog op had gespuugd. Barbara lachte naar haar en zwaaide, en Jane kon haast niet geloven dat dit dezelfde vrouw was die zojuist een duel had veroorzaakt tussen Jemmy Landsdowne en lord Charles Russel. Een vrouw in ongenade, die volgens de geruchten van het hof zou worden gestuurd (ook al was de prins van Wales zelf verliefd op haar). Gisteren had Gussy het nieuws meegebracht uit Fulham en hij had zijn hoofd geschud. Hij las hardop voor uit de bijbel voor Jane: 'Wie kan een deugdzame vrouw vinden? Want haar prijs is hoger dan robijnen...' Jane had gezucht en ze had geprobeerd niet in te dommelen, want ze was de hele nacht op geweest vanwege de tandjes van Thomas... Geen wonder dat ze deugdzaam was, dacht Jane voor ze werkelijk in slaap viel tijdens de bijbellezing, als je geen tijd had om het niet te zijn.

De koetsier, met Jeremy op zijn schouders, hielp Barbara bij het uitstappen. Ze had een grote mand aan haar arm, en bij het zien daarvan raakte Jane bijna net zo opgewonden als haar kinderen. Ze vergat Gussy's vermaning om koel te doen tegen Barbara, opende het hek, en met Thomas in haar armen en Amelia aan haar rok begroette ze haar vriendin.

Barbara kuste haar op de wang en zette meteen haar mand neer om Amelia op te tillen.

'Lief meisje,' zei ze en gaf Amelia een kusje op haar dikke wang. 'Breng jij de mand naar binnen, Jeremy. Betty, hoe gaat het met jou? Ik heb taarten meegebracht. Wil je wat thee zetten voor mevrouw Cromwell en mij? Jane, je bent aan de was. Ik kom volkomen ongelegen, maar ik was zo dichtbij en ik had zo'n behoefte om jullie allemaal weer te zien. Kom hier Jeremy en geef me een kus, anders krijg je geen stukje taart en er is citroentaart bij, waar jij zo van houdt.'

Met Jeremy en Amelia aan de hand en Jane achter haar aan met Thomas en de mand die Jeremy had laten vallen, ging Barbara op de bank om de eik zitten, dicht bij Winnifreds kippenren.

'Winnifred, lieverdje,' zei Barbara en tilde het kind op. Winnifred kwam met haar handje aan Barbara's ketting.

'Pas op,' zei Jane. 'Straks breekt ze hem.'

'Ik heb een heleboel kettingen en geen baby's. Ze mag doen wat ze wil. Nee Amelia, niet huilen. Je mag mijn armband om. Hier. Kijk eens hoe mooi, aan je armpje. Wat een grote meid ben je, Amelia.'

Jane glimlachte toen ze zag hoe haar lastige Amelia met een list weer in een goed humeur werd gebracht. Ze vroeg zich af hoe Barbara de armband weer zou terugvorderen wanneer ze wegging. Op dat moment kwam Betty naar buiten met een hete pot thee waarna de mand werd geopend en daar kwamen – natuurlijk – speeltjes uit voor de kinderen: loden soldaatjes voor Jeremy, die een kreet slaakte en Barbara nóg een zoen gaf, een porseleinen pop voor Amelia, die geen woord kon uitbrengen van vreugde, een stel houten kralen voor Thomas en ook een voor Winnifred, en voor Jane waren er nog drie jurken die Barbara niet meer droeg. Twee daarvan waren bijna nieuw, van fluweel en zijde, die Jane kon vermaken voor zichzelf of voor de kinderen. Toen konden ze de citroentaart gaan eten en thee drinken, en voor ze het wisten zaten Jane en Barbara op de grond, Barbara in haar mooie japon, met de kinderen om hen heen. Jane keek naar haar vriendin en kon maar niet geloven dat twee mannen om haar hadden geduelleerd en dat een van hen dood was.

'Je tuin ziet er mooi uit,' zei Barbara, met haar hoofd tegen de achterleuning van de bank. Winnifred lag in haar armen te slapen, met de ketting stevig in haar ene knuistje en de houten kralen in het andere.

'Mijn stokrozen en leeuwebekjes doen het goed dit jaar. Nee Amelia, blijf van Winnifreds kralen af. Jij hebt je pop. Ik moet binnenkort de kruiden oogsten.'

'Wat doet Jeremy daar? Jane, hij heeft een lieveheersbeestje. Jeremy, breng eens hier. Je moet heel voorzichtig zijn met lieveheersbeestjes. Als je ze beschadigt, brengt het ongeluk. Jane, weet je nog... Vlieg, lieveheersbeestje, noord, zuid, west of oost...'

'Vlieg naar de man die ik verkoos,' eindigde Jane. Ze lachten. Jeremy rende weg met zijn lieveheersbeestje in zijn handen.

'Hoe gaat het met zijn oren?'

'Tot nu toe goed, deze zomer.'

'Ik heb gehoord dat er een etterige keelziekte in Londen heerst. Hou hem maar goed warm, Jane, als de herfst begint.'

'Dat zal ik zeker doen.'

Ze zwegen en keken hoe Amelia met haar dikke beentjes naar Jeremy liep om te proberen een paar van zijn soldaatjes te pakken. Het was laat in de middag en een vogel begon te zingen. Cat schraapte boter van de koudere zijkanten van de karnton en Betty hing een nieuwe lading wasgoed op de struiken van de kerktuin. Mieren droegen de kruimels van de citroentaart weg, die de kinderen overal hadden laten vallen.

'Eigenlijk zou ik Betty moeten helpen,' zei Jane loom. Ze had een gevoel dat ze zo op de grond kon gaan liggen slapen. De nieuwe baby nam al haar krachten weg. Zo was het altijd in het begin.

'Ik had je niet mogen storen op wasdag. Maar ik vind het hier zo heerlijk, met jou en de kinderen,' zei Barbara rustig. Er was iets in haar stem waardoor Jane haar aankeek. Ze zat naar Winnifred te kijken en Jane werd getroffen door de uitdrukking van haar gezicht.

'Je kunt komen wanneer je wilt,' zei Jane een beetje verdedigend. Als Gussy zijn Maria Magdalene had, mocht zij de hare hebben.

Barbara glimlachte naar haar. 'Je zult wel trots zijn op Jeremy. Hij is een echte gentleman. Hij doet me denken aan Kit. Kit was ook zo lief.'

'Hij is de trots en de vreugde van zijn vader. En van mij. Gussy leert hem nu al Latijn.'

'Denk je dat Gussy kwaad wordt als hij hoort dat ik hier ben geweest?'

Jane bloosde.

'Hij heeft het zeker gehoord, hè?' zei Barbara. 'En jij natuurlijk ook.'

Jane wist niet wat ze moest antwoorden.

Barbara zette Winnifred voorzichtig naast Jane neer; ze kuste haar vriendin op de wang en stond op. De stemming was niet langer ongedwongen. Jane peuterde de ketting uit Winnifreds handje. Barbara deed hem om en liep naar Amelia om haar armband terug te nemen. Het lukte haar zonder het kind aan het huilen te maken. Jeremy en Amelia kwamen haar allebei een kusje brengen. Jane voelde de tranen in haar ogen komen. Dank U, genadige Heer, voor Uw vrijgevigheid, dacht ze. Ze zette Thomas naast Winnifred en haastte zich naar Barbara.

'Kom vooral nog eens,' zei ze. 'Wanneer je maar wilt.'

Ze omarmden elkaar.

'Hoe gelukkig ben jij,' fluisterde Barbara in haar oor, 'dat je nooit iets doet waarvoor je je later moet schamen.'

Ze klom in haar rijtuig, en toen de koetsier keerde op de weg hing ze uit het raampje om te zwaaien naar Jeremy, die erachteraan holde. Thomas was wakker geworden en keek met plechtige oogjes naar Winnifred die lag te slapen. Amelia had de kralen uit Winnifreds hand getrokken en speelde ermee. Cat sloeg de kanten van een mooie berg boter plat. Betty roerde de volgende was en zong een deuntje. Jane dacht aan de groene handschoenen onder de losse plank in de zitkamer. Het was zo'n kleine zonde...

Wat is Janes leven toch heerlijk eenvoudig, dacht Barbara toen ze achteroverleunde in het rijtuig. Ze wilde dat ze in het rijtuig kon blijven tot ze was aangekomen in Tamworth, waar ze in haar oude bed zou kruipen en de dekens over haar hoofd zou trekken. Maar dat ging niet. Ze moest toezien op het inpakken van haar huisraad en morgen afscheid nemen van de Kikvors en zijn prinses, waarbij het hele hof zou toekijken, alert om een blik of een woord op te vangen waaruit het misnoegen van de Kikvors kon blijken. Het hof zat te wachten op het moment dat ze in ongenade viel. Als Philippe er was, zou ze het bijna niet kunnen verdragen.

Het rijtuig stopte voor het huis dat ze had gehuurd. Ze liep snel de treden van de ingang op.

'Madame!' Hyacinthe kwam haar tegemoet in de hal, een en al armen en benen, als een echte opgroeiende jongen. Charlotte en Harry kwamen achter hem aan keffen. Ze bukte zich om ze te aaien; het was een troost om weer thuis te zijn.

'Ik was ongerust, madame,' zei Hyacinthe. 'En Thérèse ook. Er zijn veel briefjes voor u gekomen. De adjudant van de prins is vanmorgen geweest. Er is een briefje van lord Russel, madame, en ook een briefje van lord Devane.'

Van Roger. Haar hart stond stil. Het duurde even voor haar benen haar weer verder wilden dragen. Ze ging naar de slaapkamer, trok de hoed van haar hoofd en ging op de eerste de beste stoel zitten. Thérèse was bezig japonnen in keurige stapeltjes te vouwen.

'Ik ben zo blij dat u terug bent, madame,' zei ze met een opgelucht gezicht. 'Hyacinthe en ik maakten ons bezorgd. U ziet er moe uit. Hyacinthe! Haal eens een glas wijn voor madame.'

'Ben ik nu al in ongenade?' vroeg Barbara, wijzend op de stapel japonnen. 'Heb ik al een briefje dat ze me wegsturen?'

'Ik – ik dacht alleen maar dat we misschien spoedig zouden vertrekken...'

'Weet iedereen het, Thérèse?'

Thérèse knikte. Ze wees naar de stapel briefjes op de tafel bij het raam. Barbara ging ze bekijken. Dat van Charles verkreukelde ze zonder het te lezen. Een excuus van hem zou ze nooit accepteren. Die van haar tante legde ze apart. Ze was niet van plan een preek van tante Abigail te lezen. Het briefje van de Kikvors maakte ze wel open. Ze werd morgenochtend om elf uur verwacht. Hij had ondertekend met zijn voornaam, en eronder had hij gekrabbeld: 'Je hebt mijn hart gebroken.' Ze zuchtte. Hij had geen hart, alleen ijdelheid. Hij zou morgen onmogelijk zijn. Hoe kon ze naar zijn verwijtende woorden luisteren? Even raakte ze het briefje van Roger aan terwijl allerlei gedachten door haar hoofd flitsten. Was het nu helemaal uit tussen hen? Zouden de banden tussen hen uiteindelijk worden verbroken? Merkwaardig hoe ze in Parijs niets liever had gewild... en nu... het duurde even eer ze zich genoeg had vermand om het te openen. Thérèse bleef naar haar kijken terwijl ze doorging met vouwen. Langzaam opende Barbara het briefje en begon te lezen.

Lieve Barbara,
Ik zal je morgenochtend begeleiden wanneer je naar het hof gaat. Dat is mijn plicht, maar ook mijn wens. Ik geloof dat ik je goed genoeg ken om te weten dat je jezelf een heleboel verwijt. Dat moet je niet doen. Niemand die echt van je houdt zal je iets verwijten. Ik kom je om tien uur halen. Tot dan verblijf ik, of je het wilt of niet, als altijd je

Roger

Ze staarde naar het briefje.

Thérèse lette op haar en ze had het gevoel dat haar hart een sprongetje maakte.

'Hij komt morgen om me te escorteren,' zei Barbara langzaam tegen Thérèse. En even langzaam kwam er ook een glimlach op haar gezicht. Haar grootvaders glimlach. Ze hield het briefje een moment tegen haar boezem en vouwde het toen zorgvuldig op, alsof het van glas was en ieder ogenblik kon breken.

'Monsieur Harry? Gaat hij met u mee?' vroeg Thérèse.

'Hij is in Londen gebleven. Hij heeft zo zijn best gedaan om me te helpen, Thérèse...'

Hyacinthe kwam de kamer in met de wijn. Barbara glimlachte tegen hem.

'Ze maakt het weer beter,' zei hij tegen Thérèse. 'Kijk maar.'

Thérèse keek hem dreigend aan. Barbara lachte. Charlotte en Harry blaften bij het horen van haar lach en gingen op hun achterpoten staan.

'Stoute hondjes!' zei Thérèse. Ze blaften nog luider.

Later, toen Barbara had gegeten, zat ze bij het open raam terwijl Thérèse haar haar borstelde. Charlotte lag op haar schoot en Harry lag op haar voeten. Hyacinthe zat op een krukje voor te lezen uit *Robinson Crusoë,* de literaire rage van verleden jaar. Een paar weken geleden waren ze met het boek begonnen en ze genoten alle drie van zijn avonturen. Ze hadden afgesproken dat geen van hen voor de anderen uit zou lezen.

' "Ik liep over het strand, met mijn handen omhoog, en met mijn hele wezen ging ik op in het overdenken van mijn bevrijding. Ik maakte duizenden gebaren die ik niet kan beschrijven, en bedacht hoe al mijn kameraden waren verdronken en dat er geen levende ziel was gered, behalve ik. . ." ' las Hyacinthe, die af en toe moest stoppen als er een moeilijk woord kwam.

Barbara ontspande zich, gesust door het geluid van zijn heldere stem. Buiten kon ze de krekels horen en het ruisen van de takken, een hek dat piepte en kraakte in de wind. Haar haar knisperde toen Thérèse er met die bekende, kalmerende slagen met haar borstel doorheen ging. Roger kwam haar morgen halen. Hij zou bij haar zijn wanneer ze voor het hof verscheen. Nee, ze kende niet de troost van eigen kinderen; misschien kreeg ze ze wel nooit. Maar ze had dit rustige moment, deze mensen en hun liefde, Hyacinthe, Thérèse en de twee hondjes. Die hoorden voor altijd bij haar. En morgen kwam Roger haar halen.

23

'Schiet op, Thérèse! Hij kan zo hier zijn!'

Thérèse zuchtte en in haar eigen tempo reeg ze Barbara's keurslijf dicht. Hij kon helemaal niet zo hier zijn. Ze hadden nog een half uur de tijd, maar het had geen zin dat te zeggen.

'Thérèse! Wat ben je langzaam! Schiet op!'

De hondjes waren ook al zenuwachtig geworden van Barbara; ze renden om Thérèses voeten en blaften in koor.

'Koest!' zei ze.

Het keurslijf zat. Nu hing ze een losse kamerjas over Barbara's schouders en reikte haar een grote papieren kegel waar Barbara haar gezicht in stak. Hyacinthe keek op van zijn boek, en toen hij zag wat ze deden, ging hij naar de verste hoek van de slaapkamer. (Ja, hij had zitten lezen, en inderdaad, het was *Robinson Crusoë*, maar Thérèse had hem niets te verwijten aangezien ze zelf ook stiekem vooruit las.) Thérèse opende de doos met poeder dat geurde naar viooltjes en iriswortel, en doopte er een grote poederdons in.

Rondom Barbara's hoofd ontstonden kleine wolkjes wit poeder toen Thérèse haar haar luchtig begon te poederen. Hyacinthe kroop achter een gordijn. Toen ze klaar was, liep Thérèse om Barbara heen. Ja, het was volmaakt. Madame Barbara zag er ouder uit maar zonder hardheid, want haar gezicht was nog jong en zacht genoeg om er dat spierwitte poeder bij te dragen. Barbara maakte de kamerjas los om zich verder aan te kleden en Harry en Charlotte kwamen te voorschijn van onder het bed om te grommen tegen het naar poeder geurende kledingstuk, tot Hyacinthe erin slaagde het weg te pakken en op te vouwen. Thérèse speldde een zwarte band om de mouw van Barbara's grijze japon, en terwijl Barbara haar sieraden omdeed, bracht zij rouge en taches de beauté aan op haar gezicht.

'Ik wou dat deze dag voorbij was,' zei Barbara.

Ik ook, dacht Thérèse. We hadden op Tamworth moeten blijven bij je grootmoeder; je was nog niet sterk genoeg om naar Londen te gaan en hem weer te zien. En nu is dit gebeurd – maar het briefje van lord Devane heeft je het meest in de war gebracht. Ik voel dat je in gedachten voortdurend loopt te zoeken en je afvraagt waarom, en eigenlijk niet durft te hopen. Ah, lord Devane, u moet mijn lieve Barbara weer wat leven inblazen. U hebt haar liefde niet verdiend, maar wat heeft dat ermee te maken? Ze moest een kind hebben. Als u bij haar terugkomt, zal ik alle dagen tot de Maagd Maria bidden dat ze haar van haar onvruchtbaarheid bevrijdt en haar een kind geeft... En toen trok ze een vreemd gezicht, want ze herinnerde zich haar eigen kleine droefheid.

Hyacinthe zag haar gezicht. 'Thérèse, wat is er? Heb je je met een speld gestoken?'

'Nee,' zei ze. 'Met het leven zelf.'

'Ga eens naar het raam en kijk of je het rijtuig van lord Devane ziet,' zei Barbara tegen Hyacinthe. Maar voor hij kon gaan, klopte er iemand op haar deur en Barbara schrok. Het was een lakei met een briefje. Thérèse herkende het handschrift; het kwam van lord Russel, maar Barbara legde het op haar toilettafel zonder het te openen.

Weer werd er geklopt, en weer was het dezelfde lakei. 'Lord Devane is beneden.'

Barbara stond zo plotseling op dat haar toiletbankje omviel. Harry en Charlotte wachtten vol verwachting bij de deur, hun tongetjes uit de bek; ze wilden met haar mee naar beneden gaan. Ze bukte zich om hen te aaien terwijl Thérèse drie zwarte veren in haar haar stak en ze met een paarlen speld vastmaakte.

'Komt monsieur Harry met u mee naar Tamworth?' vroeg ze.

'Dat denk ik zeker, Thérèse, al was het maar om zijn schuldeisers te ontlopen. Zul je klaarstaan wanneer ik terugkom? Ik wil onmiddellijk vertrekken.' Barbara stond op. 'Hyacinthe, ga jij naar beneden en zeg tegen lord Devane dat ik eraan kom. En wacht dan in de hal tot ik je roep.' Ze klapte in haar handen om de hondjes naar de aangrenzende kamer te lokken en deed de deur vlug achter hen dicht, waarna ze onmiddellijk begonnen te janken en te krabben.

'Ga met God,' zei Thérèse zachtjes. 'Ik zal voor u bidden.'

'Doe dat. God komt niet veel voor in mijn leven tegenwoordig.

Ik geloof dat ik Hem nodig heb.' Barbara was de kamer al uit. Thérèse bleef in de deuropening om haar naar beneden te zien gaan. De honden waren begonnen te jammeren. Midden op de trap bleef Barbara even staan, haalde een paar keer diep adem en liep toen snel verder tot ze uit het gezicht verdween.

Wees gegroet Maria, vol van genade, de Heer is met u; gij zijt de gezegende onder de vrouwen, en gezegend is Jezus de vrucht van uw schoot. Heilige Maria, Moeder van God, bid voor ons, zondaars, nu en in het uur van onze dood. Amen. Thérèse haalde diep adem. Ze voelde zich beter. Barbara was nu in de handen van de Heilige Maagd, en zodra Thérèse straks klaar was met inpakken, zou ze knielen en haar rozenkrans een paar maal opzeggen om er zeker van te zijn dat de Heilige Moeder doorging met haar bemiddeling zolang dat nodig was. Gezegende Maria, altijd maagd, was zelf eens een sterfelijke vrouw geweest. Zij zou het begrijpen. De honden blaften nu heel hard. Thérèse opende de deur en ze sprongen naar buiten. Ze keken Thérèse hoopvol aan, maar ze negeerde hen, waarna de honden besloten overal te gaan liggen waar zij juist haar voeten wilde zetten.

'Stoute hondjes!' bromde ze, en maakte een waarschuwend gebaar met haar vinger. Ze bleven naar haar kijken, en hun ogen glansden als zwarte knoopjes. Ze begon juwelen te sorteren en zorgvuldig weg te leggen in Barbara's juwelenkistje. Onderwijl dacht ze aan Barbara... Sommige vrouwen hadden kinderen nodig, en andere, zoals zijzelf, niet. Nooit zou ze het kiempje dat in haar was gegroeid vergeten, noch de manier waarop het was gestorven. Ze sloeg een kruis. Altijd zei ze gebeden voor zijn zieltje en voor haar eigen ziel, die in het vagevuur zou moeten boeten. Maar ze geloofde nog steeds dat de Heilige Maagd bij de Heer zou bemiddelen wanneer het haar tijd werd om te boeten. En werkelijk, Hyacinthe, madame Barbara en Harry waren genoeg voor haar. Ze vormden haar familie. Ze had geen behoefte aan een kind, en hoe ouder ze werd, hoe meer ze besefte dat haar leven op aarde gezegend was, ook al was haar ziel verdoemd. Nooit hoefde ze zich meer zorgen te maken over het baren van een kind dat ze zelf niet kon opvoeden, dat haar tot armoede zou veroordelen. Ze hoefde maar door een straat in Londen te lopen om de vrouwen te zien, honderden zoals zij maar smerig, onverzorgd en veel te vroeg oud, die keken hoe hun kinderen in de goot speelden, even smerig en verworden als hun moeders. Werkelijk, de Heer in Zijn genade en de Gezegende Maagd beschermden haar; zij was haar eigen baas.

Had Harry haar niet dikwijls genoeg gesmeekt of hij kamers voor haar mocht inrichten? Ze moest haar betrekking opzeggen en de zijne worden, vond hij. En wanneer ze in zijn armen lag, voelde ze de verleiding. Ze hield zoveel van hem. Maar zodra ze weer thuis was en Barbara hielp bij het aankleden, de kamermeisjes commandeerde of Hyacinthe leerde lezen, wist ze dat hij niet langer van haar zou houden wanneer ze aan hem toegaf. Als ze een vrouw van dezelfde stand was geweest, had ze misschien toegegeven. Maar zou ze met hem zijn getrouwd? Hij verwaarloosde zijn bezittingen, hij gokte en hij smeet met geld dat hij niet eens bezat... En dan zijn ontrouw. Zoals het nu was, en Gods wijsheid was oneindig, waren ze beiden vrij. Toch wist ze dat ze hem niet wilde verliezen. Het was haar eigen keus geweest om van hem te houden. Na het duel had ze niet anders kunnen kiezen. Hij had haar niet gedwongen. Daarom hield ze zo van hem. En ook vanwege die behoedzame, tedere hoffelijkheid en verrukking waarmee hij de eerste keer met haar had gevrijd...

Wanneer zou ze hem nu weerzien? Er waren tegenwoordig maar zo weinig ogenblikjes waar ze van kon genieten. Ze had een keer een hele dag met hem doorgebracht op Mayfair. Ze glimlachte bij die herinnering... gestreepte tenten, worstjes, bier, acrobaten, monstermensen, pantomimespelers, de harlekijnen, de zomerse lucht, een paar zachte groenleren handschoenen die hij als souvenir voor haar had gekocht. Wat was ze die hele dag gelukkig geweest. Dat was ook de dag dat ze Caesar White had teruggezien. Ze stond te lachen bij een poppenkastvoorstelling, en plotseling was hij daar. Ze had naar hem gelachen en zijn naam geroepen, maar hij had zich afgewend. Het had haar verdrietig gemaakt dat hij haar nog steeds niet had vergeven na al die tijd. En ze had naar Harry gekeken, die nooit iets vroeg over LeBlanc of over Caesar, en ze had de Heer gedankt voor al haar zegeningen. En nu moest ze wachten tot hij naar Tamworth kwam. Ach, ze had veel te doen en de tijd ging snel genoeg voorbij; voor ze het wist zou hij weer staan te lachen in de deuropening van haar kamer en ze zou hem in haar armen nemen. Ze sloot het juwelenkistje, en voor ze het besefte, neuriede ze een deuntje onder het inpakken van Barbara's laatste bezittingen. Midden onder het neuriën zweeg ze plotseling en zei hardop: 'Het ga je goed, Caesar.' Ik zal zijn naam ook noemen in mijn gebeden, bedacht ze, en die gedachte gaf haar rust. Vrolijk ging ze verder met neuriën en met haar plichten.

Roger stond bij het open raam, met één voet op de lage vensterbank, toen Barbara de deur opende. Ongedwongen liep ze naar binnen, maar halverwege de kamer bleef ze staan en kon geen voet meer verzetten. Ze keken elkaar strak aan en toen, heel langzaam, begon hij te glimlachen. Waarom is hij altijd zo knap, dacht ze, en ze had een gevoel dat haar hart uit haar lichaam zou springen. Haar gedachten waren volkomen in de war, als een vogel die uit het nest is gevallen en die in razend tempo over de grond rondfladdert. Het viel haar op dat hij ook een zwarte band om zijn arm droeg, net als zijzelf en Hyacinthe, en dat deed haar goed. Hij gaf aan de buitenwereld te kennen dat Jemmy Landsdowne een vriend van hen beiden was en dat ze samen om hem rouwden. Het was het gebaar van een edelmoedig en zelfverzekerd man.

Hij ging rechtop staan en kwam naar haar toe. Hij ziet vast dat mijn hart bonst, dacht ze. Op een meter afstand bleef hij staan.

'Je bent mooi,' zei hij, en zijn ogen waren als saffieren die brandden met een zachte gloed. Hij kwam één stap dichterbij. Instinctmatig ging zij een stap achteruit. Alsof ze nog nooit eerder met hem alleen was geweest. Hij was een vreemde voor haar, en toch was dit dezelfde man van wie ze met heel haar jonge hart had gehouden. Als hij mij kust, dacht ze... maar ze kon niet verder denken.

'Barbara,' zei hij. 'Je beeft. Voel je je niet goed? Zal ik je kamenier roepen?'

Het was alsof er koud water in haar gezicht werd gesmeten.

'Nee,' zei ze kalm. 'Het zijn de zenuwen. Dank je wel dat je bent gekomen, maar ik ben ervan overtuigd dat je me niet hoeft te escorteren. Ik kan zelf...'

'Dat denk ik ook,' zei hij. Zijn stem klonk koel, zakelijk en zelfverzekerd. Hij overrompelde haar. 'Wat er ook tussen ons is gebeurd, Barbara, je bent toch nog mijn vrouw. Ik zou een schoft zijn als ik je niet de bescherming van mijn naam en aanwezigheid bood op zo'n moeilijk moment. Ben je klaar? Mooi. Je ziet er prachtig uit. Mijn rijtuig wacht buiten.'

Hij ging de kamer uit om Hyacinthe te waarschuwen dat het rijtuig kon voorkomen. Ze keek hem na. Hoe durfde hij zo koel en beheerst te doen. Hoe durfde hij. Toen hij weer binnen kwam om haar te halen, liep ze zonder een woord te zeggen langs hem heen.

Geërgerd – zeer geërgerd – observeerde Abigail Tommy Carlyle, de enige andere bezoeker die in de antichambre van Richmond Lodge zat. Dit was het vertrek dat de prins en prinses van Wales gebruikten voor hun ontvangsten. Carlyle zat zich met een enorme waaier koelte toe te wuiven; in zijn oor droeg hij de bekende grote diamant en hij had een krankzinnige pruik op. Zelfs Lodewijk XIV zou nooit zo'n pruik hebben gedragen, dacht Abigail, die haar ogen niet van hem kon afhouden. Carlyle glimlachte naar haar en voor Abigail wilde die glimlach zoveel zeggen als: Ik weet waarom je hier bent, en ik ben hier om dezelfde reden. Het was helaas beneden haar waardigheid om hem te vertellen dat ze hier alleen was vanwege haar dochter Mary, nu zestien jaar oud, die hofdame van de prinses van Wales was geworden en dat ze wachtte tot Mary klaar was met haar dagtaak. Ze voelde er niets voor getuige te zijn van Barbara's vernedering (ook al zou ze die verdienen), want uiteindelijk was het haar nichtje.

Vanzelfsprekend was ze ontzet geweest toen ze van het duel hoorde, zozeer dat ze aan haar schrijftafel ging zitten en een spontane brief van verontwaardiging aan de hertogin had geschreven. Laat de hertogin maar zien wat haar lieveling nu deed, had ze gedacht. Barbara was bezig een kopie van haar moeder te worden, had ze met boze halen en onderstrepingen geschreven, en dat had ze hun vier jaar geleden kunnen voorspellen toen ze haar met alle geweld wilden laten trouwen met Roger Montgeoffrey. Had toen iemand naar haar geluisterd? Nee. De tijd had uitgewezen dat ze gelijk had. Gedeeltelijk had haar woede te maken met het feit dat haar nichtje die ene, allergeschiktste huwelijkskandidaat had weggepikt, een man die Abigail al jarenlang in gedachten had gereserveerd voor Mary. Ze had haar plannen zo zorgvuldig voorbereid. Als altijd. De moeder van Charles en zij waren oude vriendinnen, en ze waren het erover eens dat dat huwelijk in alle opzichten ideaal zou zijn. Het wachten was tot Mary zestien werd, waarna de twee dames aan de slag zouden gaan. En wie was een maand na Mary's zestiende verjaardag komen opdagen? Telkens wanneer ze Charles Russel als een smoorverliefde idioot naar haar slechte, verdorven, brutale, koppige en reeds getrouwde nicht zag grijnzen, kreeg ze lust om iets stuk te gooien, het liefst boven op Barbara.

Barbara. De verhalen die hen hadden bereikt vanuit Parijs. Stuitend. Ze kon er soms niet aan denken zonder te blozen, zoals het verhaal dat Roger en zijn gedistingeerde vriend, de prins de Soissons, minnaars zouden zijn. Roger had zijn fouten, zij was de eerste die dat zou toegeven, maar hij was niet zo'n verwijfde griezel als Tommy Carlyle, die op dit ogenblik naar haar zat te glimlachen met zijn lelijke opgemaakte gezicht. Bovendien hoorde hij bij de familie. (Ze had hem Bentwoodes vergeven, toen ze zelf de omliggende landerijen had opgekocht en voor een goede prijs aan de Cavendishes had verkocht.) En wat de prins de Soissons betrof, ze had nog nooit van haar leven zo'n charmante, verfijnde en mannelijke man ontmoet. Philippe was evenwichtig en goedgemanierd, en hij had een voortreffelijke achtergrond, ook al was hij een Fransman. Toch jammer dat ze niet nog een dochter had om aan hem uit te huwelijken. Mary was veel te jong; God wist dat het leeftijdsverschil tussen Roger en Barbara ook narigheden had gebracht. Werkelijk, Philippe was een zeer aantrekkelijke man... een uitstekend danser en een welkome aanwinst bij een langdurig diner. Er was zoveel goeds over hem te zeggen, en ze was blij dat tenminste één van Rogers vrienden enige verfijning had. Roger Walpole bijvoorbeeld gedroeg zich steeds ordinairder naarmate hij ouder werd.

Op dat moment kwam Diana de kamer binnenschrijden. Zij en Abigail knikten elkaar koeltjes toe en Abigail constateerde kritisch dat haar schoonzuster een strakke japon van purper fluweel droeg met een belachelijke bijpassende tulband, en natuurlijk te veel rouge op had. En helaas zag ze er veel beter uit dan ze verdiende. Abigail zuchtte en staarde naar de ringen aan haar mollige vingers. De natuur geeft je het gezicht dat je hebt op je twintigste, herhaalde ze altijd tegen haar dochter Fanny. Het leven gaf je het gezicht dat je hebt op je dertigste, maar het gezicht dat je op je vijftigste hebt, is het gezicht dat je verdient. Diana was nog tien jaar van de vijftig verwijderd, en als ze het gezicht moest krijgen dat ze verdiende, zou de natuur nog haast moeten maken, vond Abigail. Zijzelf had zich neergelegd bij haar matrone-achtige uiterlijk. Zij sloeg niet op de vlucht voor de waarheid. Bovendien kwam het karakter van een vrouw er eerder op aan dan haar gezicht, zoals Philippe haar altijd voorhield. Hij had toch zulke charmante manieren. Ze glimlachte en streek de kraag van haar japon glad; het was een laag uitgesneden japon. Haar boezem had haar in ieder geval niet in de steek gelaten.

Abigail zag hoe Diana hooghartig op de deur van de privé-vertrekken van de prins klopte en meteen werd toegelaten, alsof ze een koningin was. Mary vertelde dat Diana gisteren het grootste deel van de avond bij de prins had gezeten in zijn privé-vertrek, en Abigail wist wel wat ze daar deed. Ze probeerde de schade die haar dochters laatste schandaal had veroorzaakt een beetje te beperken, zo dat al mogelijk was. Zo moeder, zo dochter. Barbara ging de kant van haar moeder op, en zij, Abigail, had de hertogin gewaarschuwd. Ze had haar gezegd dat Roger te oud was en dat zijn vrienden ongeschikt waren. En had dat koppige oude wijf geluisterd? Nee. Abigail trof geen schuld. Zij had haar plicht gedaan. Als altijd.

Ze fronste haar wenkbrauwen. Tony en zijn vriend, lord Charles Russel, waren buiten op het terras verschenen, verdiept in hun gesprek. Carlyle, die tegenover haar zat, dat walgelijke reptiel, zag haar bedenkelijke gezicht en draaide zich om om te zien waar zij naar keek. Toen hij weer recht zat, glimlachte hij naar haar met een uitdrukking van begrip. Ze had zin om hem een klap in zijn gezicht te geven. Natuurlijk schokte het haar dat ze Charles hier zag. Hij was als een zoon voor haar, want zijn moeder was een oude vriendin. Hij behoorde nu op een van zijn vaders landgoederen te zitten zodat men het duel een beetje kon vergeten. Niet dat het zijn schuld was geweest; het was Barbara's schuld. Wat er niet allemaal aan geruchten uit Parijs was overgewaaid. Nou! Geen wonder dat Charles verliefd was geworden. Maar nu kon hem niets overkomen, want niemand zou het wagen de zoon van een hertog te beschuldigen. De prins had hem hier ontboden om hem een reprimande te geven. Had hij Charles maar op een ander tijdstip laten komen dan Barbara! Maar het vorstenhuis had weinig tact. Dat kwam door hun Duitse bloed.

Ze gluurde nog eens naar het terras. Charles en Tony liepen

nog wat te praten. Of liever gezegd, Charles sprak en Tony luisterde. Abigail voelde zich trots als ze haar toekomst bekeek: een zoon was hertog en een mogelijke schoonzoon was erfgenaam van een hertogdom, zodat een dochter van haar hertogin zou worden. En dan was er nog Fanny. Ze had een hogere titel voor haar moeten zoeken. Maar ze zou ervoor zorgen dat Fanny's kinderen goed trouwden. Hield Fanny maar eens op met kinderen krijgen... Maar nu moest ze zich op Mary concentreren. Fanny was alweer zwanger, dus die moest maar wachten.

Als zwager zou Charles een goed voorbeeld zijn voor Tony. Ze bekeek hem met instemming. Hij was groot, misschien zelfs groter dan Tony, en ze hield zo van lange mannen. Zo degelijk, zo betrouwbaar... Ook Philippe was lang. En William was lang geweest. Ze hoopte dat Charles zijn hart zou uitstorten over Barbara en spijt had van zijn vergissing. Het werd tijd dat Tony's ogen wat zijn nicht betrof werden geopend, zoals Charles nu ook ongetwijfeld wijzer was geworden, want Tony was nog altijd verliefd op Barbara, ofschoon hij er nooit een woord over zei. (Eigenlijk zei hij nooit veel.) Maar Abigail wist het wel. Men kon haar niet voor de gek houden. Dat was haar moederlijk instinct.

Tony keek op en zag haar. Langzaam verspreidde zich een glimlach over zijn gezicht, waardoor hij er bijna knap uitzag. Ze glimlachte terug. De hertogin had wonderen verricht met hem; Abigail gunde haar die eer. En al werd ze verteerd door jaloezie, toch moedigde ze zijn contact met zijn grootmoeder aan. Die oude heks was goed voor hem. Hij sprak tegenwoordig in volledige zinnen, die bovendien blijk gaven van een goed verstand. Misschien was hij altijd al verstandig geweest en had ze zich alleen maar te druk gemaakt om hem te veranderen, waardoor ze het niet had opgemerkt. Ach, ze zou ook wel fouten hebben gemaakt. Maar wie deed dat niet? En altijd was ze door moederliefde gedreven, altijd. Tony was erg vooruit gegaan...

Ze zag dat hij zijn hoofd schudde over iets dat Charles zei en dat Charles begon te argumenteren. Ze zuchtte. Charles zou niets verder komen. Tony had een eigen mening gekregen. En soms wist ze niet of ze daarom moest lachen of huilen. Kortgeleden, bijvoorbeeld, had hij het in zijn hoofd gekregen geen pruik meer te willen dragen. Ze waren te heet, zei hij, en hij moest ervan zweten. Ze was niet verrukt van zijn woordkeus. Ze herinnerde hem eraan dat pruiken in de mode waren. Dat niemand zijn eigen haar droeg. Ik wel, zei Tony. Hij liet zijn blonde haar lang groeien en droeg het achterover gekamd met een lint bij elkaar gebonden. Het kon wel zijn dat Tony's lange haar hem een fijner gezicht gaf, mannelijker, maar pruiken waren nu eenmaal in de mode. En hij had met een glimlach geantwoord: Misschien luid ik wel een nieuwe mode in. Tony en excentriek. Misschien net zo excentriek als de hertogin. Goddank was hij een hertog en kon hij zich iets permitteren. En nu had ze ook nog gehoord (via Fanny van Harold) dat hij een minnares had genomen. Niet een rustig naaistertje of een winkelierster, maar een toneelspeelster. Duivelsgebroed was het, allemaal. Hoeren. Natuurlijk wilde ze wel graag dat haar zoon enige ervaring opdeed, maar niet met een toneelspeelster. Maar ze kon er niets van zeggen. Hij was net zo koppig als zijn grootmoeder.

Op het terras kwam de prins de Soissons moeizaam lopend met zijn manke been langs Tony en Charles. Dat been had hij te danken aan een oorlogswond. Ze huiverde. Ze had een zwak voor militairen. William was uiteindelijk ook militair geweest. Ze wuifde met een zijden sjaal en riep Philippes naam. Een ogenblik stond hij stil en toen kwam er een glimlach op zijn gezicht. Hij had van die mooie witte tanden en Abigail vond het litteken op zijn gezicht aantrekkelijk en tegelijk een beetje griezelig. Hij kwam langzaam naar haar toe, steunend op zijn stok. Toen hij langs Carlyle kwam, knikte hij koeltjes, en Carlyle meesmuilde. Abigail snoof. Afschuwelijke man.

'Wat zie je er charmant uit,' zei Philippe, en boog zich over haar uitgestrekte hand. 'Wacht je op je dochter? Ik zoek Roger. Heb je hem vanmorgen gezien? Ik ben langs zijn huis geweest, maar zijn butler zei dat hij hierheen ging.'

'Laat een boodschap achter bij een van de adjudanten en kom met mij mee lunchen. Ik heb vers gestoofd schapevlees en het is zo lang geleden dat ik met je heb kunnen praten.' Ze kon zichzelf er niet van weerhouden. Ze knipperde met haar ogen tegen hem.

Hij glimlachte, alsof hij haar volkomen begreep. Ze hield haar adem in. 'Het klinkt verleidelijk, maar ditmaal moet ik nee zeggen.'

Ze zuchtte. 'Kom dan tenminste even bij me zitten. Ik houd het niet uit in een ruimte met die Carlyle. Je zou haast denken dat hij naar een rariteitenshow is komen kijken.'

'Is hij dat dan niet?'

Ze fronste haar wenkbrauwen. Meestal was hij niet zo bot. Misschien was hij ook overstuur van het duel. Uiteindelijk was Roger zijn vriend. 'Barbara is geen rariteitenshow, ze is gewoon een ongedisciplineerde, verwende vrouw zoals jij en ik al zo dikwijls hebben geconstateerd. Ik hoop dat de prins haar voor een jaar wegstuurt van het hof.' (In die tussentijd kon zij een hoop voor elkaar krijgen.)

'Een jaar,' zei Philippe. 'Ja. Dat zou een goeie tijd zijn. Kijk, Abigail, er komt meer belangstelling. Carlyle was alleen maar te vroeg.'

De kamer werd voller. Verschillende leden van de prinselijke huishouding kwamen in groepjes binnen. Ze gingen zitten.

Ja, dacht Abigail, er zijn er hier heel wat die belang zouden hebben bij Barbara's ongenade. Ze had bijna medelijden met haar nicht, maar toen zag ze Tony en Charles binnenkomen en de uitdrukking op Charles' gezicht zoals hij daar tegen de muur leunde, deed al haar gevoelens van medelijden onmiddellijk verflauwen.

De deur naar de privé-vertrekken van de prins van Wales ging open. Het beetje conversatie dat er was verstomde, maar werd onmiddellijk hervat toen Mary de deur sloot en naar haar moeder toeging. Abigail zuchtte. Mary was niet knap en er was ook niet veel aan te doen. Bij Tony gaf het niet dat hij lichte wenkbrauwen en oogharen had (Barbara, brutaal als ze was, kleurde de hare donker) maar bij Mary die ongetrouwd was en daarom geen make-up mocht dragen terwijl ze ook nog een vierkant gezicht had, waren ze rampzalig. Ze had wel een goed figuur en grote, blauwgrijze ogen, net als Tony, maar vergeleken bij andere hofdames (vooral Barbara), zag ze er onvoordelig uit. Niet dat dat zo erg was. Ze was de zuster van een hertog en dat was het belangrijkste pluspunt dat een mens kon hebben. Maar Abigail was knap geweest op Mary's leeftijd en Fanny was het ook nog steeds. (Je kunt geen zijden beursje maken uit een varkensoor, kon ze de hertogin horen zeggen.)

'Ach, hou je mond toch!' snauwde Abigail.

Philippe boog zich naar haar toe. 'Neemt u me niet kwalijk.'

'O, niets. Een losse gedachte...'

De deur naar de privé-vertrekken ging weer open en weer verstomden de gesprekken. Dit keer was het Diana; ze wierp één blik op al die mensen en zei hardop: 'Verdomme!'

Iedereen had het gehoord, maar dat kon haar niets schelen. Dat komt ervan als je met Robert Walpole omgaat, dacht Abigail die verstijfde, alsof iemand haar een klap had gegeven.

Carlyle lachte achter zijn waaier. Hij zag Diana naar haar schoonzuster lopen, en stond langzaam op om haar te volgen.

'Waarom ben jij nog hier?' zei Diana die niet eens de moeite nam zachtjes te praten. 'Als jij was weggegaan, waren anderen je gevolgd. Ik had nooit gedacht dat jij je over Barbara zou verkneukelen, Abigail, maar ze heeft natuurlijk wel een paar plannen van jou in de grond geboord, hè?'

'Ik verkneukel me nooit!' reageerde Abigail zonder behoorlijk na te denken. Ze liet zich niet door Diana tot een onverkwikkelijke ruzie verleiden, niet hier in Richmond Lodge.

'Ik zat op Mary te wachten,' eindigde ze kalm, 'en ze is zojuist verschenen. We gaan weg. Ik heb er geen behoefte aan getuige te zijn van de vernedering van mijn nicht, dat verzeker ik je.'

'Ze wordt helemaal niet...'

'Dames,' zei Carlyle poeslief. 'Mag ik me bij uw kringetje voegen? Ik voelde me daar zo eenzaam, en ik moet zeggen dat het me goed doet te zien hoe families elkaar steunen in moeilijke tijden.'

Diana keek stuurs en wilde juist antwoord geven, maar toen viel haar mond open. Iedereen zag het, zag haar uitdrukking van stomme verbazing vermengd met spijt, en iedereen draaide zich om om te zien waar zij naar keek. Er klonk een hoorbare zucht.

Barbara stond in de deuropening, één hand op de arm van haar echtgenoot, de andere op de schouder van haar page. Ze droegen alle drie een teken van rouw.

'Prachtig,' mompelde Carlyle. 'Absoluut schitterend.' Hij zuchtte en legde zijn grote hand op zijn hart.

Toen Barbara langs hem kwam, kon Charles zijn ogen niet van haar afhouden, en hij stond als versteend, evenals Philippe.

'Mama!' zei Mary opgewonden. 'Roger is bij haar!'

'We hebben allemaal ogen in ons hoofd,' zei Abigail zuur. Ze ergerde zich dat hun verschijning zelfs haar lichtelijk had overdonderd. Maar toen dwaalde haar blik toevallig af naar Charles, en de boosheid en wanhoop die van zijn gezicht te lezen waren, schokten haar tot in haar ziel. Hij was dus nog altijd verliefd op haar. Ze streek haar japon glad en kwam naar voren. Waar Roger mee begonnen was, kon zij afmaken. En dat zou ze doen ook, terwille van Mary. Ze kwam hen halverwege het vertrek tegemoet, kuste Barbara op de wang en glimlachte vastberaden naar Roger.

'Het doet me zo'n genoegen jullie hier beiden te zien,' zei ze met luide stem (iedereen luisterde toch al. Het was eenvoudiger om duidelijk te spreken, dan kon er later niets verkeerd worden herhaald). 'Barbara, mijn schat, ik leef zo met je mee.'

'Abigail,' zei Roger, en leidde zijn vrouw handig langs haar heen, 'je medeleven en steun worden in dank aanvaard.'

Bij het zien van Philippe, die haar met een bleek, nors gezicht aankeek, kon Barbara even niet verder lopen. Ik weiger om met hem te praten, dacht ze. Ze begon te beven. Roger duwde haar naar voren en toen bevond ze zich te midden van haar familie.

'Barbara,' zei Diana, haar violetblauwe ogen op Roger gericht. Ze probeerde haar dochter apart te nemen. 'Het zou veel beter zijn als je de prins alleen sprak. Ik heb een gesprek met hem gehad en . . .'

'Diana,' zei Roger, 'zonder het te willen heb ik je woorden gehoord. Ik laat mijn vrouw niet alleen naar de prins gaan. Hyacinthe, ga jij naar de secretaris van de prins en zeg dat lord en lady Devane beiden hun opwachting maken.' Hij nam Diana's hand en kuste hem. 'Je zult het wel begrijpen,' zei hij. Diana zweeg.

Iedereen in de kamer lette uitsluitend op Roger en Barbara, die de hoofdpersonen leken te zijn in een drama dat niemand goed begreep.

'Mis jij wel eens wat?' vroeg Roger aan Carlyle.

Carlyle grijnsde, maar toen keek Roger naar Philippe, en de glimlach die steeds op zijn gelaat was geweest, sedert hij daar binnen was, vervaagde.

'Ik verwachtte je hier niet vandaag,' zei hij.

'Ik jou ook niet.'

Abigail hield de adem in bij het zien van Rogers gezichtsuitdrukking.

'Je kent me,' zei Carlyle snel en kwam tussen Roger en Philippe staan, overdreven zwaaiend met zijn waaier, waardoor hij alle aandacht kreeg. 'Ik volg het drama, op het toneel en daarbuiten. Jullie binnenkomst was fantastisch! Zoiets hebben we in jaren niet gehad. Die rouwbanden geven er een fijn tintje aan. Mijn complimenten. Vind je ook niet, Philippe, dat dit zeer geslaagd is?'

'Zeer geslaagd.'

Hyacinthe kwam terug uit de privé-vertrekken. Roger bood Barbara zijn arm.

'U zult ons wel willen excuseren,' zei hij tegen iedereen in het vertrek, 'we hebben een afspraak.'

Niemand zei een woord tot de deur achter hen was gesloten.

'Schitterend,' zei Carlyle, en sloot zijn waaier.

Diana keek bedenkelijk naar de gesloten deur.

'Philippe,' zei Abigail, 'bedenk je je niet? Kom toch maar bij mij lunchen – o, Philippe, wat is er? Ben je ziek?'

Blindelings boog hij in haar richting. Het duelleerlitteken stak rood af tegen zijn doodsbleke gezicht. 'Wil je me ditmaal excuseren, Abigail. Ik heb plotseling hoofdpijn. Ik ga even in de tuin wandelen . . .' en met een klakkend geluid van zijn hakken liep hij weg door de deuren van het terras en de paar treden omlaag naar de tuin.

Andere mensen verlieten het vertrek nu ook. Abigail nam haar dochters arm.

'Kom mee, kind. Ik was helemaal niet van plan zo lang te blijven. Ik moet zeggen dat Barbara boft dat Roger zo'n plichtsgevoel heeft. Ik wil nog even met je broer en lord Russel praten voor we weggaan . . .'

'O nee,' zei Mary, en wilde zich al losmaken.

'Ik kan niet tegen onnodige verlegenheid. Wees flink, Mary,' snauwde Abigail. 'Gaat u even opzij, lord Carlyle! Charles zal verrukt zijn je weer te zien.'

'Vandaag niet,' zei Mary. Maar haar moeder sleepte haar mee . . . zoals altijd.

'Een verstandige vrouw,' zei Abigail zachtjes, terwijl ze al in de richting van Tony en Charles glimlachte, 'negeert de verliefdheid van een man voor een vrouw met wie hij toch niet kan trouwen. En zelfs Charles Russel kan niet tegen Roger Montgeoffrey op als die heeft besloten zich te verzoenen. Niet dat ze dan een goede vrouw voor hem zal worden, maar daar hebben we het nu niet over. We hebben het nu over jouw toekomst – Tony, beste jongen, geef je moeder eens een zoen. Charles . . . wat prettig je weer te zien. Ik heb pas een brief van je moeder gehad. Voor al dit gedoe, natuurlijk. Je kent mijn dochter Mary toch nog wel? Ik zei net tegen haar dat het eeuwen geleden is dat je bij ons bent geweest. Je moeder en ik zijn zulke oude vriendinnen...'

Carlyle glimlachte achter zijn waaier om Abigails strijkages. Schitterend. Charles Russel kon zijn ogen amper van de deur naar de privé-vertrekken afhouden, maar Abigail dwong hem te glimlachen en te doen alsof alles normaal was. Wat een geluk dat ik had besloten vandaag te komen, dacht Carlyle. Er lagen zoveel stukjes van een puzzel door elkaar, zonder enig verband, en in tien minuten werd alles duidelijk, als je genoeg benul had om het te zien. Ach, wat is het allemaal vermoeiend. Hij sloot zijn waaier en slenterde de kamer uit. Abigail en Mary volgden uiteindelijk ook.

Alleen Tony en Charles bleven achter. Ze staarden allebei naar de deur van de privé-vertrekken en in Charles' wang bewoog een spiertje.

Na ongeveer een kwartier ging de deur weer open. Roger en Barbara kwamen weer te voorschijn met Hyacinthe. Zodra de deur weer dicht was, nam Barbara haar hand van Rogers arm. Met een boos gebaar veegde ze haar gezicht af terwijl Tony en Charles naar haar keken. Heel even vertrok haar gezicht. Toen rende ze naar Tony, die zijn armen wijd open hield.

'Ik wil niet huilen,' fluisterde ze tegen zijn borst. Ze verkreukelde zijn revers in haar toegeknepen handen. Zijn hand maakte al de beweging om haar haar te strelen, maar hij hield zich in. Roger keek naar Tony's gezicht bij dat ingehouden gebaar. Charles stond opzij, met een norse en tegelijk onzekere uitdrukking op zijn gezicht.

'Lord Charles Russel.'

Charles keek in de richting van de lakei die bij de deur van de privé-vertrekken stond. Hij wilde zijn hand naar Barbara uitsteken, maar ook hij hield zich in. Toen liep hij naar de deur. Hij en Roger keken elkaar recht in de ogen. De gelijkenis tussen hen beiden was opvallend. Charles had zijn zoon kunnen zijn. Hij bleef staan voor de oudere en toch nog knappere man.

'Ik moet u mijn verontschuldigingen aanbieden,' zei hij plotseling. Zijn gezicht zag rood, maar hij wendde zijn ogen niet af.

'Dat moet je inderdaad,' zei Roger. 'Maar er is al genoeg schandaal geweest, en daarom zal ik ze aanvaarden terwille van mijn vrouw.' De nadruk waarmee hij 'mijn vrouw' zei, was opvallend. 'Ik hoef je er niet aan te herinneren dat een heer zich niet meer komt opdringen waar hij niet langer gewenst is. Is het wel, Charles?' Rogers stem was zacht, maar snijdend.

Charles' neusvleugels stonden wijd. Hij zag eruit alsof hij iemand wilde vermoorden, maar hij boog en ging weg door de deur naar de privé-vertrekken.

Barbara zei in Tony's jas: 'Ik schaamde me zo dat hij me een standje gaf. Als Roger niet bij me was geweest. . .'

'Het is nu voorbij. Helemaal voorbij.'

Ze deed een stap achteruit en keek hem in zijn gezicht. 'Dat is zo. Alles is voorbij. Zeg eens eerlijk, Tony, schaam je je voor me?'

Heel langzaam verscheen een glimlach op zijn gezicht en één ogenblik zag hij er bijna knap uit. Hij schudde zijn hoofd.

'Je moet me niet aan het huilen maken. . .'

'Ga naar Tamworth, Bab. Het is daar beter voor je.'

'Ja, dat is precies wat ik van plan was.' Ze drukte hem tegen zich aan. 'Zul je me schrijven? Kom je me opzoeken?' Ze drukte hem nogmaals tegen zich aan. 'Ik hou van je, Tony.'

Hij maakte zich los van haar, knikte naar Roger en verliet de kamer.

'Je hoeft me niet thuis te brengen. . .' begon Barbara.

'Laat mij maar beslissen wat ik wel en niet doe. Ik zal je naar het rijtuig brengen, en dan − als je dat wilt − kun je alleen naar huis gaan.'

Ze zweeg en bijna gedwee ging ze voor hem uit naar de deur.

Buiten, bij het rijtuig, stond hij nog met één voet op de treeplank en keek naar haar. Waar ze geen rouge had opgebracht, was haar gezicht lijkbleek. En ze hield Hyacinthes hand vast alsof ze een kind was dat zojuist straf heeft gekregen. Hij glimlachte, of hij wilde of niet, en zij keek naar hem maar onmiddellijk keek ze de andere kant uit want ze zag de brandende hartstocht in zijn ogen. En daar was Philippe. Altijd Philippe die tussen hen beiden kwam.

'Ik was trots op je,' zei Roger. 'Je hebt je beleefd en veel beschaafder gedragen dan de prins. Je moet maar proberen te begrijpen dat hij geërgerd was. Een man van zijn leeftijd die zich verbeeldt verliefd te zijn, is dikwijls een grote dwaas.'

Haar andere hand lag in haar schoot. Voorzichtig nam hij hem op en streek de palm glad tegen zijn knie. Hij keek ernaar. 'Ik hou erg veel van je,' zei hij. Hij bracht haar handpalm naar zijn lippen en kuste hem. Ze voelde de druk van zijn lippen door haar hele lichaam stromen. Eens, lang geleden, had hij op dezelfde manier haar handpalm gekust op St.-James' Square, toen ze nog jong en dwaas was en had gehuild. Nu was ze ouder en net zo dwaas, maar er waren geen tranen. Ze legde haar hand om zijn wang. Ik hield ook van jou, dacht ze. Lieve god, wat hield ik van je.

'We zouden het nu beter hebben samen dan ooit tevoren,' zei hij op wrange toon, en zijn ogen waren zo blauw als de zomerlucht. Wat erin te lezen stond en wat in haar zelf leefde, maakte haar bang. Ze trok haar hand weg. Hij scheen het niet erg te vinden.

'Ga meteen door naar Tamworth, Barbara. Ik moet naar Londen. Maar ik zal je schrijven. Ik heb een heleboel te zeggen, en sommige dingen gaan gemakkelijker per brief. Je kunt niet altijd van me weglopen.'

'Rijden, John,' zei ze, en Roger ging achteruit en sloot het portier. Ze stak haar hoofd uit het raampje maar keek hem niet aan. 'Bedankt voor vandaag.' Het rijtuig zette zich in beweging.

Hij keek het rijtuig een tijdje na, maar toen liep hij weg en onder het lopen begon hij zachtjes te fluiten. Alsof hij tevreden was...

Philippe zat in de schaduw van een paar bomen en keek uit over de fijne, zachtgroene gazons van Richmond Lodge. Vanaf het ogenblik dat hij Roger naast Barbara had gezien vanmorgen, had hij zich verdoofd, verlamd gevoeld. En onder die verdoving was hij zich bewust van een verschrikkelijke pijn. Ik begrijp alles, dacht hij. Elk detail had nu betekenis gekregen: het groen van het gazon, het zonlicht dat door de bomen filterde en de duizenden lijntjes op zijn handen die rustig in zijn schoot lagen. Hij verlangt naar haar, zoals naar alles wat mooi is. En hij zal haar krijgen. Ik word opgeofferd en zij heeft gewonnen. Ze weet het zelf niet eens, maar zij heeft gewonnen.

Aan het eind van het landweggetje kwam Barbara's rijtuig plotseling tot stilstand. Ze keek door het raampje en zag het rijtuig van haar tante stilstaan langs de kant en Mary die eruit sprong, haar lange rokken bij elkaar nam en naar haar toe kwam hollen. Niet nu, dacht Barbara. Ze leunde achterover en sloot haar ogen.

'Bab, ik moet even met je praten. Doe je deur eens open.'

Ze gaf Hyacinthe een teken en Mary klom naar binnen. Maar in plaats van iets te zeggen, frunnikte ze aan een strik van haar jurk. Barbara keek door half gesloten ogen. 'Vlucht je met me mee naar Tamworth?' Hoe normaal klonk haar stem. 'Doe het maar, dan zal ik Thérèse vragen je te leren hoe je je moet opmaken zodat je alle jongemannen in vervoering brengt. Ik zal je leren hoe je moet lachen en flirten. . .' Verder kwam ze niet.

Mary keek haar niet-begrijpend aan.

'Let maar niet op mij. Het is niet zo'n beste dag vandaag en ik heb al meer slechte dagen achter de rug.' Het klonk spottend en Mary kromp ineen. Ga weg, dacht Barbara. Ga toch weg, voor ik je pijn doe.

'Ik ben een dwaas,' zei Mary en keek naar de gerafelde strik op haar jurk. En ineens barstte ze los: 'Ik moet het weten. Hou jij van Charles Russel?'

Barbara sloot haar ogen. Ze kreeg ineens de neiging om haar nichtje in haar gezicht te krabben. Ze had zin om tegen haar te gillen en op de grond te stampen als een klein kind.

'Grote god, nee,' zei ze, en haar stem was snijdend. 'Hij was leuk. . . voor een tijdje. Ik vind het lief van je dat je je zorgen om mij maakt. Maar ga nu weg, Mary, voor ik begin te gillen en er niet meer mee kan ophouden.'

Mary boog zich naar haar toe en omarmde haar. Haar blauw-grijze ogen, licht en helder als die van Tony, keken Barbara aan. 'Ik moest het weten. Ik hou van je. Het allerbeste, Bab.'

Ik wil niet huilen, dacht Barbara toen het rijtuig zich in beweging zette. Ik wil niet huilen.

Carlyle stond op het stalerf van Richmond Lodge te wachten tot een knecht zijn paard had gebracht toen hij ineens zag dat Roger, die op een paard wilde klimmen, in elkaar zakte. Hij rende naar hem toe, vergat al zijn aanstellerij en pakte Roger bij zijn arm.

'Roger! Wat is er? Ben je ziek? Waar is je rijtuig?'

Roger hief zijn hoofd omhoog en Carlyle schrok toen hij zijn doodsbleke gezicht zag.

'Dat. . . heeft. . . Barbara,' zei hij langzaam, alsof het uitspreken van elk woord pijn deed. 'Het gaat wel weer. Ik – ik had een beetje pijn.'

'Zal ik een ander rijtuig voor je bestellen? Ga hier op die treden zitten, dan zal ik...'

'Nee, Tommy. Het is al over. Ik... ik voel me echt beter.'

Met enige inspanning en tot Carlyles afgrijzen hees hij zich in het zadel. Zijn gezicht was bleek en het glom van de transpiratie. 'Ik... word zeker oud,' zei hij.

'Jij niet,' zei Carlyle vlug. 'Jij nooit, Roger. Je gaat nu toch wel naar huis om te rusten? Beloof je het?'

Roger glimlachte maar het was meer een grijns. 'Dat zal ik doen.' Carlyle huiverde en keek hem na, tot iemand tegen hem vloekte omdat hij in de weg stond.

Het rijtuig slingerde over de gedroogde moddersporen van de weg naar Tamworth. Barbara zat stilletjes in een hoekje, en de hondjes lagen te slapen op haar schoot en Hyacinthe zat bij de koetsier op de bok. Thérèse, die tegenover haar zat, begreep dat ze geen zin had om te praten. Ze zouden over een uurtje halt houden bij een taveerne om daar de nacht door te brengen; ze waren te laat van Richmond vertrokken om voor morgenmiddag op Tamworth te arriveren. Barbara leunde met haar hoofd in een hoek van het rijtuig. Wat ben ik moe, dacht ze. Allerlei fragmenten van de dag spookten door haar hoofd, de uitdrukking op het gezicht van de Kikvors toen hij haar met Roger had zien binnenkomen, hoe ze zich had gevoeld toen ze vanmorgen Roger in haar salon had zien staan, de korte flits waarin ze Charles' gezicht had gezien, hoe ze pijn in haar hart kreeg bij het zien van Philippe, Mary's vraag... Het had veel beter moeten lopen dan het nu is gegaan, dacht ze... o, Charles. En dan het verlammende feit dat Jemmy dood was. Zijn dood achtervolgde haar... hij was nog zo jong.

'Hallo! Stop! Halthouden!'

De woorden drongen eindelijk tot haar door. Thérèse keek uit het raampje. 'Drie mannen,' zei ze. 'Te paard. Een van hen probeert het rijtuig tot stilstand te dwingen.'

Barbara begon haar ringen en armbanden af te rukken en zocht een plek om ze weg te stoppen.

'In uw schoen!' riep Thérèse. 'Stop ze in uw schoen...'

Toen keken ze elkaar aan. 'Hyacinthe!' Als John zijn pistool afschoot en de rovers vuurwapens hadden – Barbara duwde de honden van haar schoot. Het rijtuig reed al langzamer. Ineens verscheen het hoofd van Hyacinthe ondersteboven voor het raampje. Hij was ver naar voren gebogen en grijnsde naar hen.

'Lord Russel,' zei hij. 'Het is lord Russel.'

Barbara rukte het portier open en stapte uit in de modder van de weg. Een van de ruiters had de paarden bij de teugels. De andere twee kwamen al naar haar toe rijden. Ze herkende Charles direct.

'Hoe durf je mijn rijtuig zo tegen te houden!' schreeuwde ze naar hem. Door de angst klonk haar stem schril. 'Je mag blij zijn dat John jullie niet door je kop heeft geschoten!'

Charles boog zich naar haar toe. Zijn gezicht stond gespannen.

'Luister. Ik moet met je praten. We kunnen niet zo uit elkaar gaan.'

'Er valt niets meer te zeggen . . .'

Haar woorden stierven weg en ze snakte naar adem; hij legde één arm om haar middel en terwijl ze zo tegen hem aan hing, draafde hij weg naar een eikenbosje. Door de draf van het paard en de manier waarop Charles haar om haar middel geklemd hield, kon ze nauwelijks adem krijgen.

Toen hij haar losliet, viel ze bijna op de grond. Hij klom van zijn paard en probeerde haar in zijn armen te nemen. Ze deed een stap achteruit.

'Vergeef me,' zei hij, zijn mooie, sensuele mond grimmig vertrokken in een dunne streep terwijl zijn ogen nog grimmiger keken. 'Zeg dat je me vergeeft.'

'Je hebt hem gedood . . .'

'God, Barbara, dacht je dat ik aan iets anders heb kunnen denken vanaf het moment dat ik hem zag vallen? Dacht je dat ik helemaal geen gevoel had? Ik ga de rest van mijn leven in met de wetenschap van wat ik heb gedaan. Maar ik kan niet leven als ik denk dat jij mij haat.'

'O Charles, ik haat je niet.'

Hij kwam weer een stap dichterbij, maar ze wendde zich van hem af en leunde tegen een dikke boomstam, met haar wang tegen de ruwe schors.

'Hoe kon je het doen, niet alleen tegenover Jemmy, maar ook tegenover mij?' vroeg ze, en haar stem beefde. 'Snap je het niet? Het is voorbij.'

'Dat wil ik niet geloven,' zei hij vlug. 'Er is een hoop gebeurd waar we allebei spijt van kunnen hebben. Maar we kunnen nog veranderen, Barbara. Als we het maar proberen...'

Hij legde zijn armen om haar heen. Ze leunde niet tegen hem aan, zoals ze vroeger zou hebben gedaan, maar ze maakte zich ook niet los. Hij steunde met zijn kin op haar hoofd terwijl hij op zachte toon probeerde haar te overreden.

'Ik hou van je. Ik hou van je op een manier waar ik bijna bang van word. Ik kon de gedachte niet verdragen dat een andere man je had aangeraakt. Ik had ongelijk. Ik was dronken en buiten mezelf. Nog nooit heb ik me zo nederig opgesteld als nu. Zeg dat je het me vergeeft, Barbara, zeg dat je van me houdt. Ik moet die woorden horen...'

Ze draaide zich om en keek hem aan. Het is te laat, dacht ze. Ik geef wel om je, maar Roger heeft altijd tussen ons gestaan, al wist jij dat niet. Er is zoveel dat je niet weet, Charles, en nu is er Jemmy... en het verdriet en de schaamte daarover is zo diep... boven nog zoveel meer ellende... Het is te laat voor ons... O, god, ik ben precies als Roger dat ik je de kans gaf van mij te gaan houden zoals hij mij toestond van hem te houden... O, god...

'Er is iemand anders,' zei ze langzaam, haar gezicht zo wit alsof alle bloed eruit was weggetrokken. 'Er is steeds iemand anders geweest...'

Hij deed een stap achteruit. Zijn gezicht kreeg een heel andere uitdrukking, zodat het even leek alsof ze werkelijk tegenover Roger stond. Maar hij was Roger niet. Hij zou nooit Roger zijn.

'Wat een dwaas ben ik,' zei hij, nu met een woedend gezicht. 'Ik beteken niets voor je. Helemaal niets. Godverdomme...'

Bij het zien van de uitdrukking op zijn gezicht deed ze een stap achteruit, maar achter haar was de boomstam, en hij schudde haar woest bij de schouders.

'Ik zal moeten leven met de wetenschap dat ik hem heb gedood, maar jij zult de herinnering houden aan het vrijen met hem en wat dat van je heeft gemaakt! Vooruit, ren maar weg naar waar je ook heen mag gaan, en als er voldoende tijd voorbij is, kom dan maar terugkruipen naar die man van je, want daar rekent hij op. Maar je zult mij missen, en bij god, je zult me nodig hebben! Want ik ben jong, net als jij. En hij is oud. Ik hou van je, evenveel of meer dan hij. God, ik zou je kunnen wurgen!' Minachtend liet hij haar los, en bijna viel ze. Hij keek op haar neer.

'De hele zomer heb je een gevaarlijk spel gespeeld, Barbara. Ja, je haat me nu omdat ik de waarheid zeg. Maar ik kon niet anders dan van je houden, en dat stempelt mij nu tot een idioot. Maar wat ben jij na deze zomer?'

Zijn woorden waren als vlammen in haar geest, en ze benaderden zo dicht de waarheid dat ze ze niet kon verdragen. Ze had hem wel kunnen doden. Ze was niet van Richelieu weggelopen om zo te worden, en nu ze hier stond zag ze de schittering van Philippes witte tanden voor zich zoals hij zou glimlachen bij de gedachte aan hoe je de dingen voor elkaar kon krijgen, als je maar lang genoeg wachtte. Ze greep Charles' jas, wrong hem in haar hand en trok hem naar zich toe.

'Ik heb maar vier mannen gekend in mijn leven. Een van hen is om die reden gestorven en misschien ben ik daardoor een hoer, maar dat geloof ik niet. In feite wil ik heel anders zijn! En Roger, die jij zo veracht, zou nooit een jongen hebben gedood, wat ik ook had gedaan. Jij zult nooit de man zijn die hij is, nog in geen duizend jaar. En ik zal nooit van jou houden zoals ik hem heb liefgehad.'

Hijgend liet ze de jas los. Charles bleef haar strak aankijken met een uitdrukking op zijn gezicht die haar ontzettende pijn deed. Maar ze kon niet ophouden. De woede, de wanhoop en zijn woorden waren haar te veel.

'Ga maar weg,' zei ze tegen hem. 'Ga maar weg en trouw, zoals je moeder zo graag wil. Met een lief, gedwee meisje dat geen angsten en zwakheden kent en dat je nooit zou teleurstellen! Zoals ik. In één opzicht heb je gelijk, Charles! Ik haat je omdat je de waarheid hebt gezegd! En ik zal je altijd blijven haten!'

Haar woorden waren duidelijk verstaanbaar. De twee mannen die met Charles waren meegekomen, keken naar de grond. Thérèse hield haar hand voor haar mond en leunde tegen het portier van het rijtuig waardoor het openging en Harry en Charlotte eruit sprongen, keffend en blaffend, en regelrecht naar hun meesteres holden. Ze snuffelden aan Charles' benen, en ofschoon ze hem kenden, begonnen ze toch te grommen, zodat hij naar ze ging schoppen.

'Godverdomme!' schreeuwde Barbara. 'Laat mijn honden met rust!'

Hij draaide zich om en liep weg. Ze knielde en trok de hondjes

in haar schoot. Ze jankten en likten haar gezicht.
'Lieve hondjes,' fluisterde ze. 'Lieve hondjes.'
Ze veegde haar gezicht af, huilend. Die verrekte Charles.

24

De hertogin inspecteerde haar bijenkorven, of liever ze keek hoe haar strompelende imker (die al even oud was als zijzelf) de bijenkorven inspecteerde. De korven stonden beschut, in speciale hoekjes in de tuinmuur. Het was een koud voorjaar geweest, en zij en de imker hadden de echte, beproefde methoden gebruikt om bijen in een goede toestand te houden. Ze hadden ze honing gekookt in rozemarijn te eten gegeven in kleine houten trogjes die ze bij de bijenkorven hadden neergezet en verder toost geweekt in bier. De hertogin had ook nog extra tijm en lavendel laten planten, en zeepkruid, worteltjes, munt en viooltjes, meer dan genoeg om de eetlust van de grillige bijtjes op te wekken. Maar de koningin was nieuw, en de hertogin en haar imker wilden er zeker van zijn dat de kolonie zich behoorlijk zou uitbreiden en die zoete, naar munt geurende honing zou blijven maken. Het was immers een specialiteit van Tamworth.

De bijen waren haar nieuwe hobby, een hobby die ze de laatste jaren wel nodig had. Ze had Tony om haar aandacht af te leiden, wat hij inderdaad had gedaan, vooral toen Barbara niet terugkeerde na al die vreselijke geruchten uit Frankrijk en Hannover. Maar Tony was een man, en de hertogin moedigde hem aan om van niemand afhankelijk te zijn, van haar wel het allerminst. Daarom had ze haar bijen, maar liever had ze haar aandacht aan Barbara geschonken. Elke gek met maar één oog kon zien dat het niet goed met haar was toen ze dit voorjaar was komen opdagen. Maar Barbara was nu een vrouw en ze ging haar eigen gang. Er was iets met haar gebeurd in Parijs, maar was ze naar huis gekomen, naar Tamworth waar ze thuishoorde en waar de hertogin voor haar had kunnen zorgen? Nee. Ze had erop los geleefd in Parijs met de hertog de Richelieu, die deugniet en ze was over ieders tong gegaan. En een jaar later had ze zonder de familie te berichten bij de dood van haar vader helemaal alleen diens begrafenis afgehandeld, afgezien van een klein briefje achteraf waarin ze zijn overlijden meldde. Maar ze was weggebleven. En daarom bemoeide de hertogin zich met haar bijen, kleine veeleisende en temperamentvolle wezentjes die desnoods met hun hele zwerm zouden verhuizen als de kruiden en bloemen in de buurt hun niet aanstonden. Ze moesten met zorg worden behandeld, met een speciaal dieet wanneer het voorjaar te koud was. Bijen gedijen niet als er over hen werd geruzied; ze moesten het weten wanneer iemand van de familie was overleden. Het waren nerveuze, bezige diertjes die je onmiddellijk staken als je ze op de verkeerde manier stoorde, zelfs wanneer dat hun eigen dood betekende.

De laatste tijd had ze veel aan de dood gedacht. Aan al die doden: Kit, Richards zuster, Elizabeth, nicht Henley, maar ook aan haar eigen dood, want die was in aantocht. Ze was nu een stuntelig, bijna tandeloos oud mens. Ze wist nooit precies wanneer haar benen het zouden begeven, en dan moest ze door een lakei overeind worden geholpen, als een invalide. Op dit moment bijvoorbeeld stond zo'n man op gepaste afstand, in opdracht van Annie, over haar te waken. Ze vond het afschuwelijk, maar haar lichaam liet haar meer en meer in de steek en ze kon er niets aan doen. Ze voelde zich als een gevangene binnen zichzelf. Ze was gewoon ontzettend oud. Het werd tijd om geleidelijk aan te verdwijnen. Niemand had haar meer nodig, dat was een feit. Nog onlangs had ze het er met Richard over gehad, en dat alleen was al een teken van ouderdom. Ze sprak tegenwoordig hardop met hem en het kon haar geen zier schelen wie het hoorde.

Richard, had ze gezegd, gezeten op zijn marmeren grafsteen, ik denk erover om bij je te komen. Alle kinderen zijn weg en Barbara, Harry en Tony – en God weet het, Diana – hebben mij niet meer nodig. Ik ben oud, mijn benen doen pijn en soms kan ik helemaal niet meer lopen. Mijn geheugen wordt zelfs vaag, lieverd, en dat had ik nooit gedacht. Ik wil bij jou zijn en bij de jongens. Ik heb genoeg van die bijen. En toen vertelde ze hem het nieuwste schandaal over hun kleindochter, dat in alle onsmakelijke bijzonderheden was beschreven in de laatste brief van Abigail. De lakei in een hoekje verderop – ze weigerde zichtbaar aan haar gebrekkigheid herinnerd te worden – had zijn hoofd afgewend bij het zien van de tranen die over het oude gerimpelde gezicht van de hertogin rolden.

Zwaar steunend op haar stok liep de hertogin van de tuinmuur naar Richards rozentuin. De iemker, die haar net stond uit te leggen wanneer hij de honing zou wegnemen, wisselde een blik met de lakei. Het leek of de geest van de hertogin steeds meer ging dwalen. Ze stond te praten of te luisteren en zonder enige waarschuwing liep ze weg. Maar wee degene die daar een aanmerking over durfde te maken, want dan kwam ze plotseling terug.

De rozestruiken zijn nu schitterend, dacht ze, in hun laatste bloei; het einde van de zomer is nabij. Ze kon in haar botten voelen dat de herfst naderde en ze kon het ook om haar heen zien. Elke avond ging de zon iets vroeger onder, en soms steeg 's morgens een nevel op uit het beekje dat door het bos stroomde. Er waren al heel wat vogels vertrokken – ze miste hun zoete, doordringende gezang – en de varens in het bos begonnen al roestbruine vlekken tussen hun groene waaiers te vertonen. De herfst was een prettige tijd. Een drukke tijd ook. Er zou niet veel tijd zijn om stil te zitten, want ze moest toezien op de oogst. Het plukken van pruimen, peren en appels, en daarna onmiddellijk het maken van gelei, jam en andere inmaak. Haar voorraadkamer zou drukker zijn dan een bijenkorf, wanneer zij en Annie en extra helpsters het drogen van de kruiden verzorgden, en het bereiden van rozenbrandewijn, citroenzuurtjes en aardbeien in wijn, en versterkende drankjes tegen koorts, hoest en pijn. Er moesten kaarsen worden gemaakt en zeep. Er moest bier gebrouwen worden en er zouden varkens worden geslacht. Allemaal voor de winter. Voor de winterslaap. Rust. Dood. Ja, ze wilde van alles genieten dit najaar, van het donkerblauw van een braam, van het hoge gegil van een stervend varken, de geur van bijenwas en wasgagel-essence in de kaarsen, de perfectie van een gedroogde rozeknop. Elk onderdeel was zoet. Bitterzoet. Zoals het leven dikwijls was.

Voor haar zat een klein, pluizig wit poesje zich te wassen op de brede plavuizen van het terras. De nieuwe Dulcinea. De vorige was snel achteruit gegaan na haar laatste nest jongen, waarvan dit er een was. Ze had zelfs haar oude poes overleefd. Ze zuchtte en hobbelde de treden op. Het werd tijd om na te gaan of er genoeg in de voorraadkast lag voor de komende oogstmaaltijd, wanneer het laatste koren was binnengebracht en de knechts, de pachters en boeren en iedereen op Tamworth feest vierde met een enorme maaltijd op het gras. Richard wilde dat er volop goed bier was voor de harde werkers en Giles hoefde nog niet naar school, dus die kon haar helpen... Nee, Richard was dood. Al een hele tijd. En Giles ook. Dat wist ze, en toch leek het verleden soms werkelijker dan het heden. Dulcinea sprong op toen ze langs haar liep en klauwde naar haar lange rok.

'Bah!' zei ze. 'Je kunt toch niet tegen je moeder op.'

'Mevrouw!'

Dat was Annie die haar riep. Annie en haar butler Perryman, die vroeger altijd twistten over de leiding van haar huishouding, hadden de laatste tijd een onzalig verbond gesloten om over haar te waken. Annie was een zeurderige ouwe kip die altijd liep te kakelen. En Perryman was een dwaas die alleen geen bellen aan zijn zotskap droeg. De hertogin keek dreigend bij het horen van Annie's stem. Die wilde haar natuurlijk naar bed sturen, wat ze zelf ook al van plan was, maar ze wilde er niet aan herinnerd worden. De lakei die ze achter haar aan hadden gestuurd, een grote, brutale jongen met een vrolijk rond gezicht en een onbeschaamde lach, niettegenstaande zijn gebroken voortanden, moest een glimlach onderdrukken bij het zien van haar gezicht.

'Jij daar!'

Ze had zich zo plotseling naar hem omgedraaid dat hij ervan schrok. Hij verstijfde.

'Jij daar. Jim! Of is het John?'

'Tim, mevrouw.'

'Tim? Nou, ga jij maar aan Annie zeggen waar ik ben voor ze het hele huis bij elkaar schreeuwt. Ga dan. Doe wat ik je heb gezegd. Ik val heus niet van dit stoepje af, en als ik wel val, ben ik binnen een maand weer genezen... Hoe zei je ook alweer dat je heette?'

'Tim, mevrouw.'

'Wat is er met John gebeurd?'

'O, John moest... een ander karweitje doen in huis, mevrouw.'

'Hield het zeker niet bij mij uit, hè? Stommeling. Nou, Jim, ga maar...'

'Tim, mevrouw.'

'Val me toch niet in de rede, jongen! Ga nou maar en doe wat ik je zeg. Ik kan niet de hele dag met lakeien blijven praten!'

Ze ging op een van de stenen banken zitten. Dulcinea sprong op haar schoot, ging op haar rug liggen en sloeg met haar pootjes naar haar handen. De hertogin krabde haar buik. Je bent nu al dik, dacht ze. Je wordt dikker dan je moeder. Arme Dulcinea. Door die laatste worp was ze doodgegaan. Ze was te oud geweest om jongen te krijgen. Wat jammer dat ik niet lang genoeg zal leven om deze hier groot te zien worden. Nou ja, Tony wil je hebben. Tony is een beste jongen die me vaak komt opzoeken, en dan liegt hij en beweert dat Barbara naar mij informeert, terwijl ik weet dat ze geen seconde meer aan me denkt. Wat is er toch gebeurd in Parijs? En was het soms mijn schuld, Dulcinea?

Annie, magerder, bruiner en baziger dan ooit, kwam naar buiten. Te bazig. Maar de hertogin had dezer dagen geen kracht om ongehoorzaamheid de kop in te drukken. Emoties vermoeiden haar. En kwaad zijn ook. Lieve Jezus, zelfs van het opstaan uit het bed werd ze doodmoe! Wat zou er met Annie gebeuren als ze doodging? Wie zou een humeurige, magere, oude bruine lat willen hebben die elk tovermiddel van heel Oost-Engeland kende en die bijna alle recepten voor brouwsels van de hertogin uit haar hoofd kon opzeggen? Ach, Tony zou haar wel onder zijn hoede nemen. Ik hoop maar dat dat toneelspeelstertje hem gelukkig maakt, dacht de hertogin, en grinnikte. Haar schoonzuster, Louisa, had haar die roddel geschreven, en ze had gelachen tot ze er bijna in stikte.

'Hij komt van Barbara,' herhaalde Annie ongeduldig.

Ze moet meer geduld hebben, dacht de hertogin. Ik ben oud. Toen drongen de woorden tot haar door. Ze hield haar klauwachtige hand op en scheurde het zegel los. Dulcinea sloeg naar het velletje perkament.

Lieve grootmama,
Ongetwijfeld hebt u het nieuws van mijn laatste schandaal al vernomen, maar wat u nog niet weet, is dat ik naar u toe kom. Ik was het al van plan voor het schandaal. U kunt mij een dag na deze brief verwachten.
Uw liefhebbende kleindochter,

Barbara, gravin Devane

Annie keek naar het gezicht van de hertogin, maar er was niets op te lezen.

'Help haar naar haar slaapkamer,' beval ze Tim, de lakei.

Tim legde zijn hand op de benige elleboog van de hertogin.

'Hé!' snauwde ze en gaf hem een tik. 'Haal je handen van me af. Ik ben geen invalide!'

Verschrikt deed hij een stap achteruit.

Ze stond op. Zonder een woord te zeggen strompelde ze het huis in, met Dulcinea achter haar aan.

'Ik wist wel dat die brief haar zou opvrolijken,' zei Annie.

Dienstmeisjes waren druk aan het werk; ze boenden en poetsten plekken die allang geboend en gepoetst waren, maar vandaag werd lady Barbara verwacht, zei Annie, en dus was de hertogin vandaag veeleisend. De ramen van de slaapkamer van wijlen de hertog werden opengezet om het vertrek te luchten. Voor het eerst sedert zijn dood zou het weer gebruikt worden. Voor lady Barbara. De hertogin was de hele morgen in de tuin geweest waar ze bevel had gegeven rozen, leeuwebekken, anjelieren en dahlia's te plukken. Staljongens werden naar het bos gestuurd om violieren, grasklokjes en varens te halen. In elke kamer die in gebruik was stond een vaas met bloemen, met daaromheen slierten donkergroene klimop.

Ze waren al voor dageraad begonnen met het klaarmaken van het diner: een groot stuk rundergebraad, spinazietaartjes, kalfshersenpasteitjes, een konijnenfricassee, een salade van radijs en sla en gekookte zomererwtjes. En als extra traktatie een kruisbessen-appeltaart zo groot als een wagenwiel, met geconfijte bloempjes langs de korst. Zelfs nu stond Perryman, samen met een lakei die genoeg verstand had om de verantwoordelijkheid te dragen, de beroemde Tamworth-punch klaar te maken. Ze schilden citroenen, roerden suiker met brandewijn en rum door elkaar en twistten over de hoeveelheid nootmuskaat en gin. Niet dat ze dit allemaal verdient, kon men de hertogin horen mompelen overal waar ze zich bevond, in de tuin, de keuken, de grote hal en de slaapkamer van de hertog, met een scherp oog voor elk onderdeel terwijl Dulcinea in haar arm hing en zijzelf op Tim steunde.

's Middags ging ze rusten; ze weigerde een lunch te gebruiken en liet zich door Annie in haar op een na mooiste japon helpen, met een zwarte kanten muts op haar hoofd. Nu zat ze in de salon, opzij van de grote hal, en keek uit over de laan met lindebomen waarlangs Barbara's rijtuig zou komen aanrijden. Haar handen gingen open en dicht boven de gouden knop van haar stok, terwijl Dulcinea op haar schoot lag te dommelen en af en toe met de kant aan haar mouwen speelde (waarvoor ze dan ook een tik kreeg).

Halverwege de middag kwam ineens een jonge stalknecht de weg op hollen; op blote voeten sprong hij over het grind van de binnenplaats en dook via een zijdeur het huis in. Perryman en Annie zaten net thee te drinken in de bediendenhal en schrokken zich dood.

'Ze is er! Ze is er! Ik heb het rijtuig gezien!'

Perryman stond majesteitelijk van zijn stoel op. 'Heel goed. Ik zal de hertogin meedelen. . .'

Annie keek hem woedend aan. De rivaliteit tussen hen was al even oud en fel als tussen wilde volksstammen. 'Ik ben haar kamenier en ik zal haar de mededeling doen. Haar gesteldheid verdraagt geen grote schokken.'

'Ze heeft de lichamelijke conditie als een rots, en mijn nieuws kan bezwaarlijk een schok worden genoemd aangezien lady Barbara wordt verwacht. Ik hoor al tot dit huishouden sedert de hertogin hertogin werd. Mijn vader heeft bij de hare gediend! Ik meen dat ik mijn verantwoordelijkheden ken.'

Als een vorst schreed Perryman weg. Op zulke ogenblikken vergaten hij en Annie al hun waardigheid. Ze tilde haar rokken hoog op en liep langs hem heen de grote hal door. Hij zette het op een hollen, en samen bereikten ze de salon. Ze worstelden nog om de deurknop en trokken de deur samen open. Perryman wist Annie nog net voor te komen, maar ineens stond hij stil. Annie botste tegen zijn rug.

Tim en de staljongen stonden voor de hertogin.

'Het is een prachtig rijtuig met een familiewapen op de deur,' zei de staljongen. 'En er lopen vier paarden voor. Deftig genoeg voor een koning.'

'Ja, dat moet het rijtuig van Roger zijn. Hier is een geldstuk voor je, jongen. John, geef die jongen een geldstuk.'

'Tim, mevrouw.'

'Mijn stok,' zei de hertogin. Annie en Perryman stonden op een afstandje te wachten. De hertogin bleef voor Perryman staan.

'Het is toch wel erg,' zei ze tegen zijn borstkas, 'dat ik van een staljongen en een lakei het nieuws over de aankomst van mijn kleindochter moet horen.'

Perryman staarde ijzig naar Tim. 'Ik zou juist de hertogin informeren . . .'

'Het is mijn plicht de hertogin te berichten . . .' viel Annie hem in de rede.

'Ik zag hem langsrennen,' zei Tim, en hij grijnsde brutaal naar hen tweeën. 'En ik dacht dat hij misschien nieuws had. Het ouwe mens wachtte met zoveel spanning.'

'Noem haar niet het ouwe mens,' begon Annie, maar in de kamer was duidelijk het geluid van een koets, paardehoeven op het grind, en het gerinkel van het tuig te horen. Annie en Perryman, bang dat ze de aankomst zouden missen, renden samen door de salondeur. Verscheidene staljongens, een paar lakeien en dienstmeisjes kwamen naar buiten hollen en dromden achter de hertogin aan, als kuikens achter moeder kip.

De paarden kwamen tot stilstand en de stalknechten haastten zich om de teugels te grijpen. Perryman kwam de deur van het rijtuig openen. Twee mopshondjes kwamen naar buiten rollen en begonnen meteen schril te blaffen. Dulcinea sprong uit de arm van de hertogin naar Tim en naar een nabije struik, met haar staart recht omhoog van angst. Hyacinthe steeg uit en boog voor de hertogin. De staljongens herinnerden zich zijn zwarte huid en zijn mooie kleren van het vorige korte bezoek, en ze wierpen hem dreigende blikken toe. Thérèse stapte elegant uit waarbij ze haar mooie enkeltjes toonde, tot verrukking van de stalknechts die nog dikwijls over haar hadden gesproken na de glimp die ze van haar hadden opgevangen in het voorjaar. Ze maakte een revérence voor de hertogin. En eindelijk, geholpen door Perryman, kwam Barbara uit het rijtuig.

Wat is ze mager, dacht de hertogin. Toen ik haar de laatste keer zag, zat er nog een beetje vlees op haar botten. Deze zomer heeft haar geen goed gedaan. Ik zie het aan haar gezicht.

'Hé, jochie!' snauwde ze tegen Hyacinthe, die opnieuw boog en haar zijn naam gaf.

'Ga jij die honden zoeken en sluit ze op. Ik kan niet tegen blaffende, onopgevoede beesten. De honden van de hertog waren altijd goed getraind. Jij, koetsier!'

Barbara's koetsier verroerde plotseling geen vin.

'Let op waar je die paarden ment, op weg naar de stal. Ik laat mijn bloembedden niet verknoeien door iemand die niet kan mennen. Zeg, lakeien, haal die koffers eens van het rijtuig! Zijn jullie allemaal versteend?'

Iedereen begon zich druk te maken en heen en weer te rennen. Alleen zij en Barbara bewogen zich niet.

'En jij, Fransoos!'

Met een glimlach herhaalde Thérèse haar naam, en je kon zien dat sommige lakeien en stalknechts die geluidloos over hun tong lieten gaan.

'Volg jij mijn Annie; zij zal je de kamers van mijn kleindochter wijzen!'

Wat ziet ze er oud uit, dacht Barbara. Ik was het vergeten, of misschien heb ik er nooit erg in gehad. O, grootmama. U kunt nog wel blaffen, en u kunt vast ook nog wel bijten. Wat ben ik blij dat ik weer thuis ben. Ze glimlachte.

Brutaal wicht, dacht de hertogin. Sprekend haar grootvader. Ik zou haar stokslagen moeten geven. O, Richard, ons meisje is weer thuis. Ze opende haar armen en zonder een woord te zeggen kwam Barbara naar haar toe.

Barbara at niet veel van het diner dat te harer ere was klaargemaakt, ofschoon ze glimlachte toen ze de kok met twee lakeien de vruchtentaart zag binnendragen. Maar toen de bedienden van het huis erbij kwamen voor een stuk taart en een beker Tamworth-punch, glipte ze weg te midden van al het gelach en klom langs de achtertrap naar boven naar de zolderverdieping, waar ze de deur van haar oude kamer opende. Maar daar was niets dat haar aan haarzelf herinnerde. Het bed stond er kaal en de Hollandse kist was leeg. Haar vogelnestjes en andere schatten waren allang weggegooid. Ze ging bij het raam zitten en keek uit over Tamworth. Ze probeerde zich het meisje te herinneren dat hier eens had gezeten, maar ze zag alleen de gelaatsuitdrukking van Charles toen hij op haar neerkeek en zij tegen hem zei dat ze hem haatte. In de kinderkamer bleef ze een hele tijd op de grond zitten. De zon kwam door het raam naar binnen en kleine stofjes dansten in het licht. Boven op lage tafeltjes stonden kleine houten stoeltjes opgestapeld en een wieg stond leeg en verloren in een hoekje. De bleke schimmen van haar broertjes en zusjes gleden vaag door haar herinnering. Hier was alles stil: de tijd was opgehouden te bestaan.

Jakkes, zei de dode Charlotte in haar gedachten, je moet niet weggaan. Het handje van de kleine Anne greep de mantel van een vijftienjarig meisje dat naar Londen vertrok. Ik ben een bruid, zei Anne die met de schoenen van haar grote zuster door de kamer kloste, moet je kijken, Bab. Tom en Kit bewonderden haar in haar bruidskleren. Ik hou van je, Bab, zei Charlotte. Ik hou van je. Lieve, verlegen, moeilijke Charlotte. Er was niets meer van over. Wormen en vergaan gebeente. O, Charles, ik wou dat we geen ruzie hadden gemaakt. Ze keek naar het lege wiegje. Baby glimlachte een spookachtige, tandeloze glimlach. Een spin had haar web gemaakt in een hoekje. Jemmy lag dood te bloeden op de grond. Het doet alleen pijn als ik lach, zei Richelieu. Roger dacht ze. Het doet pijn. Het doet zo verschrikkelijk pijn.

Die avond liep ze met haar grootmoeder naar de kerk van Tamworth. Alles leek nu zacht en mild in de schemering. Over een uur zou het donker zijn; de avond was koel en stil afgezien van de landelijke geluiden zoals het loeien van het vee op het veld en het kwaken van de kikkers. Harry en Charlotte draafden om haar voeten; hun vacht was bedekt met zaad van boomheide en allerlei onkruid. In de Tamworth-kapel las Barbara de gedenkplaten aan de muur: voor haar ooms, haar broers en zusters en voor nicht Henley. Ze vulde de basalten vazen in de hoeken met de veldbloemen die ze onderweg had geplukt, terwijl haar grootmoeder stond te mompelen tegen de eeuwig jonge marmeren gestalte van haar grootvader die uitgestrekt lag op zijn eigen grafsteen.

Toen ze terugkwamen, zat het gezamenlijke personeel te wachten in de grote hal op het avondgebed. Perryman bracht de bijbelkist, opende hem en haalde er de enorme Tamworth-bijbel uit. Hij legde het zware boek op de schoot van de hertogin die klein en gerimpeld op de massieve eiken stoel van de hertog zat. Met de donkere balken langs de zoldering had de hal zelfs iets weg van een kerk.

'Schenk ons genade, O God, goedertieren Vader,' begon ze te lezen met bevende stem, en Barbara sloot haar ogen om te luisteren. Ze was opgevoed met het avondgebed, en nu kwam haar hart tot rust omdat de woorden herinneringen opriepen aan dergelijke avonden, lang geleden. Na het lezen voegde de hertogin nog een paar persoonlijke verzoeken toe: dat het weer mild mocht blijven en dat een van de keukenmeisjes – die niet werd genoemd maar die het zelf wel zou begrijpen – niet zo onbeschaamd zou zijn tegen de stalknechten. Iedereen boog zijn hoofd om zachtjes te bidden.

'Heer, wees ons genadig,' eindigde de hertogin.

'Christus, wees ons genadig,' herhaalde het personeel. 'Amen.'

De dag was voorbij.

Barbara lag in haar bed. De hondjes aan haar voeten lagen al te snurken, doodmoe van hun eerste dag op het platteland, van hun ontdekkingstochten en van hun vruchteloze pogingen om Dulcinea in een hoek klem te zetten en daarna te doden.

Vanuit haar bed kon ze de maan zien. Als ik in Richmond was, of in Londen of zelfs in Parijs, dacht ze, zou de avond nu pas beginnen. Dan was ik me nog aan het kleden om naar het theater te gaan of naar een kaartavond in de privé-vertrekken van de Kikvors. Dan moest ik nog door lange, vervelende uren heen waarin ik zou kaarten of flirten. Charles zou naar me kijken en aan zijn ogen zou ik kunnen zien dat hij naar me verlangde. En ik zou misschien met hem in de tuin gaan wandelen en me door hem laten kussen tot mijn benen helemaal slap werden. Of ik zou met iemand anders flirten. Om hem kwaad te zien. Zoals Richelieu het me heeft geleerd...

De mensen om me heen zouden zitten te roddelen en te drinken, en ze zouden steeds harder gaan praten naarmate de nacht vorderde. Ik zou pas in de vroege uurtjes naar bed gaan en als ik nuchter was, zou ik denken: alweer een nacht voorbij. Zo gaat mijn leven verder en er gebeurt niets. O, Charles, er zijn tijden geweest dat ik bijna van je hield. Ik heb je niet eerlijk behandeld. Roger, jij glimlacht naar me met je knappe gezicht en je verwacht dat ik me aan je voeten zal werpen... kon ik het maar... maar ik kan het niet...

Ze klom haar bed uit en opende de krakende deur naar haar grootmoeders kamer. Grootmama lag daar tegen een hele berg sneeuwwitte kussens, maar ze sliep niet. Op het nachtkastje flakkerde een eenzame kaars en een hand ging regelmatig over een spinnend witbonten balletje, de nieuwe Dulcinea... terwijl haar grootmoeder in de bijbel las. Barbara glimlachte. Er was niets veranderd, en toch was alles anders.

De hertogin keek op en zag haar kleindochter naar haar toe komen. Niets is veranderd, en toch is alles anders. Hier is mijn Bab weer, maar niet de Bab die ik kende. Dit is een vrouw die haar moeilijkheden niet aan de hele wereld toont maar naar mij toe komt, net als vroeger, het oude, geliefde ritueel. Dank U, hemelse Vader, voor Uw overvloed aan weldaden... Richard, ons kind is weer thuis.

Barbara kroop in het bed, duwde Dulcinea een eindje weg en ging liggen. Zonder een woord te zeggen strekte de hertogin haar hand uit en streelde de roodgouden krullen. Barbara sloot haar ogen. Er heerste een weldadige stilte. De hertogin begon te dommelen. Een warme, vertrouwde herinnering werd weer werkelijkheid want de jonge Barbara had menige nacht op deze manier doorgebracht toen ze ook was onderhouden over haar slechte gedrag... Wat was ze toch een ondeugend, koppig kind geweest... En wat had ze ditmaal gedaan... Hadden zij en die ondeugd van een Harry de varkens haar kostbare rozenbrandewijn gevoerd, zodat die stakkers als dronken tonnetjes door hun hok waggelden terwijl de stalknechts stonden te kijken en huilden van het lachen... Was zij met Harry in John Ashfords oranjerie geslopen om zijn rijpe vruchten te stelen? Nou, ze zou er morgen met John over spreken...

'Weet u van het duel?'

Haar woorden wekten de hertogin uit haar slaap, en ze keek plotseling in de blauwe ogen van haar kleindochter.

'Duel?' vroeg ze, om tijd te winnen. 'Is Harry weer van school gestuurd vanwege een duel?'

Barbara steunde op één elleboog om haar beter aan te kijken. 'Nee, grootmama. Dat was lang geleden. Ik bedoel het duel tussen Charles Russel en Jemmy Landsdowne.'

'O, ja, dat duel... Natuurlijk weet ik daarvan af! Ik ben nog niet seniel! Je tante Abigail heeft twee goeie pennen gebroken in haar haast om mij al het nieuws te melden.' Ze ging wat meer rechtop zitten en trok haar kanten muts naar voren over haar hoofd. 'Wie was die Jemmy?'

'Een bewonderaar... een vriend... een jongen nog. Hij deed me denken aan Kit. Ik heb met hem geflirt. En nog meer. En daarvoor is hij gestorven.'

Ah, ja, dacht de hertogin. Nu weet ik het weer. Ik weet alles wat ze over je zeggen. Daar zorgt Abigail wel voor. Tracht liever een goede naam te hebben dan grote rijkdom, en liefde is beter dan zilver en goud... Als een gouden juweel aan een varkenssnoet, zo is een mooie vrouw zonder tact... O, er waren heel wat regels die ze voor haar kleindochter kon opzeggen, maar ze kon er zelfs niet een over haar lippen krijgen. Ze kon ze niet zeggen tegen dit meisje, deze vrouw van wie ze zoveel hield. En aan de andere kant, hoe gemakkelijk had ze ze tegen Diana gezegd en zich minachtend van haar afgewend. Zou alles anders zijn gelopen als ze ze nooit tegen Diana had gezegd? Die gedachte zat haar dwars. Oud, zei ze bij zichzelf. Ik ben nu te oud om spijt te hebben. Te oud om te veranderen. Zachtjes en met een aarzelende stem die zó ongebruikelijk was dat Barbara ervan opkeek, zei ze: 'In dit leven gebeuren een heleboel dingen waarin we een beschamende rol spelen. De sterken kunnen het zichzelf vergeven en gaan verder. De zwakken zwelgen in hun schaamte en laten zich erdoor verteren. Niemand van ons is zonder zonden, kind. Daar moet je troost in kunnen vinden.'

Verrast glimlachte Barbara naar haar.

Wat ziet ze er lief uit, dacht de hertogin, ook al is ze dan te mager. Geen wonder dat een man voor haar de dood is ingegaan. Maar ze kon het hart van haar kleindochter niet zo gemakkelijk meer doorgronden als vroeger. Barbara sloot haar ogen en de hertogin streelde haar over haar haar. Roger, dacht ze. Houdt ze nog van hem, of houdt ze van Charles Russel? Wat is er in Parijs gebeurd? Zou ik het ooit te weten komen... en kan ik het verwerken, als het ogenblik komt?

O, grootmama, dacht Barbara, wat ben ik blij dat ik hier ben, hier bij u. Ik weet precies wat u de hele dag doet van 's morgens tot 's avonds wanneer u naar bed gaat. Uw wereld is als een ritueel en u blijft standvastig in uw kracht; u en Tamworth zullen me kunnen genezen. Dat weet ik. Weer sloot ze haar ogen en viel in slaap.

Het was middag, en ze zat met haar grootmoeder in de schaduw van een paar oude eiken niet ver van het huis, op een klein heuveltje waarvandaan je het huis en de korenvelden kon zien. Er waren brieven gekomen; er waren altijd brieven. De hertogin onderhield een heel netwerk van correspondentie en uit het hele graafschap kwamen mensen naar haar toe om het nieuws uit haar brieven te vernemen. Meestal las ze ze in de middag en schreef ze een antwoord in de ochtend of ook wel de hele dag door waar ze zich ook bevond, in de voorraadkamer, in de keuken, in de salon of in de tuin. En altijd kon men haar naar Annie horen roepen dat ze de een of andere gedachte moest opschrijven die ze in een brief wilde gebruiken.

'Van Tony,' zei de hertogin terwijl ze het zegel verbrak. Er kwam een klein briefje uit fladderen. Ze gaf het aan Barbara en vouwde toen haar eigen brief open. Met veel plezier begon ze te lezen.

'Het is heet in Londen... allicht! Het is eind augustus... Hij zegt dat South Sea na één dag is opgehouden met de overdracht van aandelen; er waren zoveel gegadigden... en hij zegt dat de voorwaarden voor een nieuwe inschrijving veel strenger zijn. Het staat hem niet aan, en hij vindt dat ik mijn aandelen moet verkopen, ongeacht het verlies... Nou ik heb in mei alles al weggedaan! Stelletje hebberige goudsmeden en beursagenten! Die John Blunt is een pennelikker en meer niet; hij mag dan honderd maal geridderd zijn, daarmee was je niet de inkt van zijn vingers of de cijfertjes uit zijn hart! Wat schrijft mijn jongen nog meer... Alexander Pope en lady Mary Wortley Montagu flirten nog steeds met elkaar op hun poëzie-avonden... Hm... ik hou niet van Pope. Hij is kleingeestig. Caesar White vind ik een betere dichter. Stommeling dat hij jullie huishouding heeft verlaten. Een schrijver heeft een beschermheer nodig. Wat doet hij tegenwoordig?'

Barbara keek op van haar brief. 'Ik heb geen idee. Ik heb hem maar één keer gezien – om hem te bedanken voor het Aurora-gedicht. Ik had toen andere dingen aan mijn hoofd.'

'Daarom juist moet een schrijver een beschermheer hebben,' herhaalde de hertogin koppig, maar Barbara luisterde niet. Haar grootmoeder opende een tweede brief.

'Abigail zegt dat iedereen het heeft over de South Sea, die de English Copper Company wil dagvaarden. Hé, wat staat hier? Ze schrijft zulke hanepoten. En ook nog de Welsh Copper Company, nou ja, ik kan het niet goed lezen. Roger heeft een persoonlijk briefje aan Tony gestuurd om hem te adviseren zijn aandelen ook te verkopen. Netjes van hem...'

'Ja,' mompelde Barbara afwezig. In haar brief had Tony het niet over aandelen of over Alexander Pope, maar hij schreef hoe hij haar miste. Gravin Camden – Jemmy's moeder – was ziek geworden, schreef hij. Een ogenblik keek ze uit over de korenvelden voor ze verder las. Charles was uit Richmond vertrokken naar een van zijn vaders landgoederen. De prins van Wales stond niet toe dat haar naam werd genoemd in zijn bijzijn, maar haar moeder liep voortdurend in en uit zijn privé-vertrekken. Tony had Roger gezien; hij zag er goed uit en hij had gezegd dat ze binnenkort een brief kon verwachten. Een brief, dacht Barbara, en ze las die van Tony nog eens over.

'Ja,' zei de hertogin, 'de eerste de beste dwaas kan begrijpen dat het mis moet gaan met al die ongedekte kredieten. Het lijkt wel een zeepbel, en natuurlijk barst die op een gegeven ogenblik.'

Oogstfeest... Op Tamworth was men klaar met het oogsten van het graan en de maaiers bereidden zich voor om het te vieren voor ze naar de volgende boerderij trokken. De wagen met de laatste lading koren was versierd met bonte zakdoeken van de maaiers, bloemen en goudgele aren. De korenbaby, een menselijke gedaante gemaakt van korenschoven, zat boven op de wagen. Ze hadden hem in wit linnen gewikkeld met in een uitgestrekte arm een zeis gebonden en op zijn hoofd prijkte een van de oude strooien hoeden van de hertogin, versierd met winde en korenaren. De wagen rammelde over de weg naar Tamworth en de boeren uit de buurt lieten hun velden in de steek en liepen met de vrolijke optocht mee. De maaiers, met bloemen en korenaren op hun hoeden, speelden fluit en sloegen op trommels.

De Tamworth-bedienden haastten zich om alles klaar te hebben voor de wagen met de maaiers en de buren was aangekomen. De hertogin zat met Dulcinea naar alle drukte te kijken vanuit de zware eiken stoel van de hertog, die men voor de gelegenheid naar buiten had gebracht. Later zou ze haar plaats afstaan aan de korenbaby en dan zou ze de eerste dronk uitbrengen op het harde werk en de geslaagde oogst met een pul van haar beste bier, dat de hele avond en tot laat in de nacht vrijelijk zou vloeien. Op het grasveld waren ruwe tafels uitgezet bedekt met haar beste tafellinnen en de bedienden brachten nu al schalen vol gekookte aardappelen en kool, raap en wortelen. Perryman en de lakeien droegen gebraden en gestoofd runder-, schape-, kalfs-, en varkensvlees aan. Dagenlang had de kok pudding staan koken en appeltaarten gebakken, en die werden nu ook al naar de tafels gebracht. Er was bier, thee en cider. De dorpsfiedelaar zaagde op zijn viool om wat ingespeeld te raken voor een hele avond volksdansen. De hertogin glimlachte bij het zien van al die drukte om haar heen, een bewijs van haar goede leiding en een teken dat Tamworth genoeg voorraden bezat om een lange koude winter door te komen.

Sir John Ashford van Ladybeth Farm kwam naar haar toe. Het volgende oogstfeest zou bij hem zijn. Hij was vroeg gekomen om haar laatste brief van Abigail te lezen (en om haar bier te proeven).

'Het bier is bitter, dit jaar, Alice.'

Ze keek hem dreigend aan. Haar bier was altijd uitstekend. Hij had een waanidee dat het bier van Ladybeth zoeter was.

'Abigail en Maud schijnen dezelfde mening te hebben over de situatie. Maud schreef ons ook al dat de hele stad op hete kolen zit over de prijs van de aandelen. Royal Assurance is gekelderd. En South Sea ook,' zei hij.

'Ik heb in mei alles verkocht,' antwoordde de hertogin. 'Ik heb het niet begrepen op al dat losse papier. Geef mij maar een flinke zak met goudstukken.'

Sir John fronste zijn wenkbrauwen. Ze waren het niet met elkaar eens over economische problemen, maar ze waren het eigenlijk nergens over eens, bedacht de hertogin. Sir John liep weer verder. Na een of twee biertjes zou hij wel weer bij haar terugkomen om zijn theorieën uiteen te zetten. Het ging hun uiteindelijk meer om de discussie. Nou, ze had de hele morgen gerust, dus ze kon hem wel aan.

Ze zag lakei Tim uit het dorp terugkomen. Hij bracht haar haar brieven, maar vandaag moest ze het plezier van het lezen even uitstellen want ze moest eerst luisteren naar de toespraak van de hoofdmaaier en de korenbaby bewonderen, en dan moest ze iedereen verwelkomen met haar eigen toespraak. Ze zag Latchrod, de hulppredikant, stiekem een glas bier pakken en ze moest lachen toen hij merkte dat ze hem in de gaten had. Drink maar op, dominee, dacht ze. Misschien kan het bier je langdradige gebeden wat inkorten. Barbara en Thérèse kwamen langs lopen met een groot dienblad vol vers gebakken brood. Barbara lachte en de hertogin glimlachte toen ze haar zag. Ze is nu al wat dikker geworden, in minder dan twee weken, dacht ze. Ze ziet er goed doorvoed uit, dank zij mijn zorgen en dank zij Tamworth.

Tim gaf Barbara een brief en de hertogin zag haar gezicht toen ze hem aanpakte. Zonder een woord tegen iemand te zeggen draaide Barbara zich om en liep weg, weg van de tafels en de vrolijke, bedrijvige bedienden – van wie er al velen van het bier hadden geproefd – naar de eikebomen op het kleine heuveltje. De fluiten en de trommels waren nu goed hoorbaar; de maaiers kwamen de lindenlaan al op. De hertogin wierp nog een blik op Barbara, een kleine gestalte gezeten op een van de banken die om een boom waren gebouwd, het hoofd gebogen alsof ze las...

Het was een brief van Roger... Hij had geschreven... zoals hij had gezegd. Ze kon hem wegbergen... Ze hoefde hem niet te lezen... Ze kon altijd zeggen dat ze hem niet had ontvangen. Ze scheurde het zegel open.

> Liefste Barbara,
> Ik was allang van plan je te schrijven, maar mijn salon is van 's morgens vroeg tot 's avonds laat vol directeuren van de South Sea, Bank of England, East India Company, en mensen van het ministerie en vrienden die hulp komen zoeken omdat de beurs zo grillig is. Je ziet zelfs hoe ik de brief begin... Ik schijn vergeten te zijn hoe ik een liefdesbrief moet schrijven. Ik verveel je met nieuws over aandelen, terwijl ik alleen maar mijn hart voor jou wil openen. En dat ga ik doen ook. In de afgelopen vier jaar heb ik zo dikwijls aan je gedacht en ernaar verlangd je bij me te hebben, maar dan dacht ik weer aan je laatste woorden tegen mij en ik was bang dat een bericht van mijn kant misschien juist een grotere verwijdering tussen ons zou geven.

Ze hief haar hoofd op. De heldere klank van de fluiten en de trommels trok haar aandacht en ze keek omlaag naar het grasveld dat nu vol mensen was: mannen, vrouwen en kinderen en een wagen die was opgetuigd als voor een bruid. Plotseling werd er geklapt en de hoofdmaaier ging voor haar grootmoeder staan en sprak. Ze kon zijn woorden niet verstaan, maar het was elk jaar hetzelfde. Ze voelde een brok in haar keel. Ik wil niet huilen, dacht ze. Hij is mijn tranen niet waard. Ze keek weer naar de brief.

Ik dacht dat we ieder onze eigen weg zouden gaan, maar toen ik je dit voorjaar weer zag, zo dichtbij en toch zo ver van mij vandaan, toen wist ik dat ik van je hield en dat ik je bij me wilde hebben. Ik wist dat ik altijd van je had gehouden, zelfs in Parijs. Ik zag je, ouder geworden, niet meer als het lieve kind uit mijn herinnering. Je was zo mooi geworden; ik voelde dat ik alles tot op die dag voor dat ene moment voor jou had opgebouwd en mijn leven, dat toen zo leeg was, vulde zich weer. Ik heb op je gelet afgelopen zomer, Barbara, en als ik had gedacht dat je gelukkig was, had ik je met rust gelaten. Maar je bent niet gelukkig. Ik weet het. En ik voel dat er nog altijd een plekje voor mij is in je hart. Ik betrap mezelf erop dat ik als een jongeman droom, dat ik de vrouw van wie ik houd in mijn armen zal mogen nemen, haar mag liefhebben en er getuige van mag zijn dat zij mijn kinderen baart. Ik verlang naar je en ik heb je nodig. Ik geloof dat we ditmaal gelukkig zouden kunnen zijn. Kom weer bij me wonen op Devane House. Het is een groot huis en we zouden net zo ver van elkaar, of zo dichtbij, kunnen leven als jij wenste. Neem de ereplaats weer naast mij in. Ik zal je het hof maken zoals geen vrouw ooit het hof is gemaakt. Ik zal je koesteren tot het einde van ons leven samen.

Ik ben geen dwaas. Ik begrijp dat er heel wat uitgepraat moet worden tussen ons. En ik zal je overal antwoord op geven, hoe pijnlijk het ook mag zijn. Niet in een brief, maar onder vier ogen, zodat je in mijn ogen kunt lezen hoeveel ik van je houd. Je moet weten dat ik elk uur van de dag aan je denk, en 's nachts, voor ik ga slapen, verbeeld ik me dat je weer in mijn armen ligt. Denk nog eens aan wat we hebben gehad en weet dat het weer iets heel moois zou kunnen worden.

Ik blijf voor altijd, je man.

Roger Montgeoffrey, graaf Devane

'Barbara,' zei haar grootmoeder. 'Ben je ziek?'

Het geluid van een viool, gelach en geklap bereikte haar vaag, alsof ze heel ver weg was.

Hoe durft hij, dacht ze. Hoe durft hij me zo'n mooie brief te schrijven. Ze sloeg haar handen voor haar gezicht en de brief fladderde op de grond. Een blauwe vlinder zette zich op een van de omgekrulde hoeken van het papier voor de hertogin zich bukte en de brief opraapte. Haar ogen gingen over de letters en ze keek naar haar kleindochter die nog steeds haar gezicht verborg. Ze ging op de bank zitten en vouwde de brief dicht. Beneden op het grasperk danste Perryman met Annie. Verbazend wat vier pullen Tamworth-bier vermochten. Ze wachtte. Wat is er in Parijs gebeurd, vroeg ze zich af, dat ze het hem nu nog niet kon vergeven? Barbara nam haar handen van haar gezicht; ze zag bleek en ziek en haar ogen schitterden. 'Ik heb geprobeerd te krijgen wat ik het liefst wilde hebben, maar het is niet geworden wat ik verwachtte. En nu is er zoveel boosheid, zoveel ellende geweest dat ik niet net zoals dat meisje van vijftien probeer te krijgen wat ik graag wil hebben. Ik kan hem niet vergeven. Hij verlangt naar me, ik heb het in zijn ogen gezien. Maar ik kan niet vergeven...'

'En waarom niet?'

Ze wilde zo graag alles opbiechten, maar ze kon het niet. Ze wilde het ook niet, want dan zou ze Roger verraden. En ze was nooit tot dat verraad – de waarheid – in staat geweest.

'U zou het niet begrijpen. Uw leven was zo verschillend van het mijne. U had grootvader, en kinderen, en dromen die niet tot stof uiteen vielen. Ik heb alleen maar verdriet.'

'En wiens schuld is dat? Wat is er in Parijs gebeurd, juffertje, dat je hem niet kunt vergeven? Wat is er gebeurd dat hij je zo'n mooie brief schrijft, waarvan het hart van elke vrouw zou smelten maar het jouwe niet? Jij met je eigen minnaars! Jij met je schandalen! Wat is er gebeurd?'

Barbara's ogen werden steeds groter toen ze haar grootmoeder aankeek.

Hij heeft haar bedrogen, dacht de hertogin. Dat kan het alleen maar zijn. Ik wist dat het zou gebeuren, maar ik had niet gedacht dat hij zo onhandig zou zijn dat zij het merkte. Tja, ze wilde hem hebben, en ze heeft hem gekregen. Ze moet nu maar eens open kaart spelen. Mijn geduld is op.

'Wat een zeurderige, rancuneuze dwaas ben je geworden, Bab Devane! Als je van hem hield, had je voor hem moeten vechten...' Ze aarzelde even toen ze Barbara's uitdrukking zag. Even maar.

'Goeie hemel!' Ze stampte opzettelijk met haar stok op de zachte aarde onder hun voeten. 'Dacht je dat iedereen uit het leven ontvangt wat hij graag wil? Dat we mensen zijn, zo verheven boven de rest van Gods schepselen dat we geen onrechtvaardigheden, geen ellende op onze weg zullen vinden? Je moet de wereld nemen zoals hij is, Barbara Devane. Je bent een dwaas geworden, en ik heb nooit veel geduld gehad met dwazen.'

'Verdomd nog aan toe, wat bent u toch een bemoeizuchtige, intolerante oude vrouw!' riep Barbara uit. 'Ja, mijn man heeft me inderdaad bedrogen! Maar niet met een andere vrouw! Aha, nou luistert u wel! Dan zult u het horen ook, grootmama! Hij heeft me bedrogen met een andere man! Ja, nu ik het zeg, hebt u geen antwoord meer klaar hè? Nu zijn er ineens geen preken, geen bijbelteksten meer voorhanden! Nu weet u geen wondermiddeltje om mijn leven weer zin te geven! Of wel, grootmama? Of wel soms?'

Ineens raasde het in de oren van de hertogin. Ze hoorde Barbara van heel ver weg, want van binnen werd ze gegrepen door een pijn die haar met zijn scherpe klauwen verlamde. Richard, dacht ze. Ik wist het. Van lang geleden. En ik kon het niet onder ogen zien. Wilde het niet. Heer, erbarm U over ons. Christus, erbarm U. Ze keek naar haar kleindochter die dingen begon te zeggen die ze niet had willen horen, die niet gezegd moesten worden, woorden van verraad, vernedering en van een verschrikkelijke pijn – o, ze werd inwendig verscheurd door pijn. Ik ben te oud, dacht ze zwakjes. Ik had de zaak moeten laten rusten. Maar ze kon niet tegenhouden wat ze zelf in beweging had gezet...

Barbara veegde de tranen weg die over haar gezicht liepen. Ze kon niet ophouden met praten, zoals men ook de zon niet kan tegenhouden op zijn weg. Ze had te lang gezwegen, ze had te lang als een verdwaald kind gezworven door de doolhof van andermans wensen. Ze was moe maar ook boos en bang. De brief was zo mooi. Zo veelbelovend. Maar ze had geen vertrouwen; ze vertrouwde niemand meer. Niet eens zichzelf. Iemand moest het verdriet met haar delen. Haar moeder wilde niet luisteren en Harry kon het niet. Er was niemand geweest tegen wie ze kon praten, want ze had ontdekt dat ze Roger niet kon verraden, zelfs niet toen haar woede op z'n hevigst was. Verraden door de waarheid te zeggen. Laten ze maar gissen, laten ze maar roddelen, zij zou er niet mee voor de dag komen. Want het was haar jeugd, haar trots en haar gevoel van eigenwaarde als vrouw die door Philippe waren vernietigd op die ochtend. En ook haar droomwereld van Roger, de knappe ridder, de held. De man die meer moest zijn dan alle andere mannen. Ze had niet gedacht dat ze het ooit te boven zou komen. Daarom moest ze haar verdriet spuien, ze moest iemand de waarheid vertellen, zijn waarheid en de hare, ook al zouden ze er beiden aan ten onder gaan, haar grootmoeder en zij... Met een woest gebaar veegde ze haar ogen af.

'Ik dacht dat ik doodging, maar dat was niet zo. Ik wilde het zo graag. Ik kan er nu nog niet eens over praten zonder weer te huilen. Moet u mij eens zien! Harry had een vermoeden. Ik heb geen woord tegen hem gezegd, maar hij vermoedde het. Hij is bijna zelf gestorven doordat hij probeerde mijn eer te redden, maar die heb ik allang niet meer. Er is zoveel over mij gezegd dat niet waar is. Maar een heleboel is wel waar. Ik heb minnaars gehad, ja, maar alleen Richelieu en – en Charles...' Bij zijn naam kon ze niet verder spreken. 'Voor Jemmy heb ik geen excuus. Ik was dronken, het was een vergissing. Deze hele zomer was ik zo onrustig. Ik begrijp het zelf niet. O, grootmama, ik heb geprobeerd Roger te vergeten. Om niet van hem te houden. Maar ik houd nog steeds van hem. Ik zit te huilen als een kind omdat hij me een liefdesbrief heeft geschreven! God, help me. Ik ben zo bang. Als je houdt van een man die geen man is, een man die...' Ze kon niet verder spreken. Ze sloeg haar handen voor haar gezicht en huilde als een kind.

De hertogin hoorde haar aan en ze wist geen raad. Ze had een gevoel alsof iemand haar op de grond had gegooid en alle adem uit haar had geslagen. Zwakjes dacht ze: Goddank is ze opgehouden met praten. Elk woord is als een mes door mijn hart. Laat haar maar huilen. Dat is goed om het gif uit te bannen. Gif is dodelijk... Abigails fantastische prins de Soissons... de wegen van de Heer zijn raadselachtig. Christus, erbarm U over ons. Als ik niet zo oud was, zou ik met haar gaan zitten huilen. Lieve God in de hemel, ik had ongelijk vijf jaar geleden. Het was fout. Richard, door mijn schuld heeft ons kleine meisje pijn. Door mijn trots en mijn aanmatiging. Als as in mijn mond. Kom terug en troost me. Ik heb je nodig, liefste. Waar ben je?

Hyacinthe en Perryman kwamen naar hen toe, de heuvel op. Perryman had de hoed van de korenbaby op zijn hoofd. Ouwe gek, dacht de hertogin zwakjes.

'Madame.' Hyacinthe zwaaide. 'Komt u bij ons?'

Barbara sprong op van de bank en rende langs de andere kant van de heuvel omlaag. De hertogin slaagde erin overeind te komen.

'Perryman, begeleid jij me maar naar de anderen. En, Hyacinthe, laat je meesteres maar even met rust. Ze heeft pijn.' Het kostte haar al haar krachten om het te zeggen. Ze zag de brief op de bank liggen. Ze raapte hem op en stak hem in de zak van haar onderjurk. Ze wenkte Perryman, die zijn arm uitstak om haar te steunen. Ze zou bijna zijn gevallen.

'Ouwe gek,' zei ze zonder veel gevoel. 'Zet die hoed toch af!'

De hertogin lag in haar bed en zweefde. Ze zweefde boven de pijn in haar hart en in haar benen. Ze was gevallen bij de oogstmaaltijd en Annie, Tim, Thérèse, Perryman en Hyacinthe en ze wist niet hoeveel meer mensen het waren geweest, waren om haar heen komen staan. Maar ineens lag ze in Tims sterke armen en ze dacht er gelukkig aan om te glimlachen en zich naar het raam van haar slaapkamer te laten dragen zodat ze naar de mensen beneden op het grasveld kon wuiven, waarna ze de viool weer hoorde inzetten. Laten ze genieten van hun feest. Thérèse en Annie hadden haar benen met een smeersel gewreven maar ze bleef kreunen want de pijn zat overal, en ze had het gevoel dat ze eraan doodging. Wijn, hijgde ze, wijn. Ze trilde en morste over haar kleren toen ze eindelijk een paar slokjes van de kalmerende paardebloemenwijn dronk. Het zou de pijn verdoven, het zou alles verdoven, en dan zou ze het wel weer verdragen. Door haar raam hoorde ze het feestgedruis, de viool, de fluiten, gelach en gegil. Ze had Annie en Thérèse weer naar beneden gestuurd. Ze wisten alleen dat de hertogin zich te veel had ingespannen en dat ze nu lekker sliep. Misschien heb ik een beetje te veel wijn gehad, dacht ze.

'Richard,' zei ze hardop. 'Je had op me moeten letten. Ik kan niet goed tegen wijn.'

Ze hield op met praten omdat er iemand in de kamer was. Kwam het van de wijn of was het Barbara die naar haar bed kwam zweven? Het leek op haar kleindochter, ofschoon het gezicht zo was opgezet dat je moeilijk kon zien wie het was. Nou, hier ben ik, en ik kan er wel tegen. Je kunt me alles vertellen, al ga ik er misschien later nog aan dood in mijn slaap. Barbara, het was een brief, een klein stukje roddelpraat, en ik wilde niet geloven dat het waar kon zijn. Ik wist het en ik wist het niet. Ik kon het niet verwerken. Ik heb jou ermee opgezadeld. Vergeef me. Richard, ik heb ons meisje pijn gedaan.

'Ik kom u mijn excuses aanbieden voor wat ik vanmiddag heb gezegd.'

Haar stem was zo hees dat ze hem bijna niet herkende. Ze ging op de rand van het bed zitten. 'U bent niet bemoeizuchtig en intolerant. Ik heb vreselijke dingen tegen u gezegd. Ik – ik was in de war. Ik heb de hele middag zitten huilen en ik voel me verschrikkelijk.'

'Vijf jaar is een lange tijd om zoiets bij je te moeten dragen,' zei de hertogin vanaf haar veilige, zweverige afstand. Ze beet op haar lippen om er weer gevoel in te krijgen. Richard had haar te veel wijn laten drinken. Bezorg me niet nog meer verrassingen, Barbara, dat is alles wat ik je vraag, dacht ze. Ik ben wel degelijk bemoeizuchtig en intolerant en veel te oud om nog te veranderen.

'Ik wil niet huilen,' zei Barbara.

'Dat wilde je nooit. Het is de schuld van Harry. Hij heeft je ermee geplaagd tot je huilend met hem hebt gevochten toen je nog een meisje was. Maar het is niet zwak om te huilen. Als we geen verdriet hebben over iets dat ons pijn doet, hoe moeten we er dan overheen komen? Ik heb zelf heel wat tranen gestort, Barbara Devane, over wat het leven mij heeft gebracht. Medeleven kan ontstaan uit een groot verdriet. Maar medeleven vraagt ook moed. Bitterheid is veel gemakkelijker.' Hoe verheven klonk dat. . . en wijs.

'Ik voel op het ogenblik niet veel medeleven, grootmama.'

'Nee, dat had ik ook niet verwacht.' Ze gaf een kneepje in Barbara's hand en keek haar liefdevol aan.

'Er is nog meer,' zei Barbara. 'Hij heeft gezegd dat ik naar Devane House moet komen. Hij heeft het over onze kinderen.'

Ze keek haar kleindochter in de ogen. Zoveel droefheid, dacht de hertogin, en ze was alweer vergeten dat ze het niet wilde weten. Wat? Wat kon haar meisje nog meer verdriet doen? Wat kon er nog meer zijn, behalve Roger?'

'Ik denk dat ik misschien wel onvruchtbaar ben.'

De hertogin opende haar armen en Barbara kwam bij haar liggen. Haar grootmoeder drukte haar tegen zich aan, streelde haar haar en veegde de tranen van haar jonge wangen terwijl ze ook af en toe een traan van haar eigen wang veegde. Ze wiegde haar en troostte haar alsof Barbara weer het kind was geworden en zij de sterke, alwetende vrouw die ze eens was geweest. Ze wiegde haar lange tijd en eindelijk kwam Barbara overeind, snoot haar neus en schonk een groot glas wijn in voor hen beiden. Haar jonge gezicht was opgezwollen en alleen zij en de hertogin en de Heer in de hemel kenden al haar zorgen. Het leven, dacht de hertogin, terwijl ze haar paardebloemwijn in grote teugen opdronk. Het leven zal nog eens mijn dood zijn. Ik ben te oud.

'Ik wil vannacht graag hier slapen.'

Natuurlijk mag je vannacht hier blijven, dacht de hertogin. Ik ben zeker niet van plan om alleen te gaan slapen. Als ik vannacht doodga, en dat is bijna zeker, dan wil ik dat iemand het weet. Ze probeerde iets te zeggen maar er was iets met haar lippen en haar tong. Ze moest oppassen dat ze niet uit bed rolde.

'Ik wil nog meer wijn,' zei ze nukkig.

Voorzichtig nam Barbara het glas uit haar hand. 'Geen wijn meer. Gaat u nu maar liggen en doet u uw ogen dicht. Toe maar. Ik ben er, grootmama.'

Achter de gesloten ogen van de hertogin was het één grote werveling. De wereld stond op zijn kop. Haar kleindochter zorgde nu voor haar. Vroeger was het andersom. Het leven, met zijn eindeloze verwikkelingen. Onvruchtbaar. Ze kon niet onvruchtbaar zijn. Dat was te wreed. Diana baarde kinderen zoals een kat een heel nest wierp, en ze gaf er niets om. Maar haar kleindochter, die zo van kinderen hield, werd niet zwanger. Het leven doet pijn, Richard. Roger hield van je. Dat begrijp ik nu. Ik heb de honger in zijn ogen gezien, maar ik begreep het niet destijds. Het zaad voor wat er later met onze Bab zou gebeuren was er toen al. Maar we begrepen het niet. En toch, als hij naar mij keek, was er soms dezelfde honger. Hij was een knappe man, Richard. Alle vrouwen wilden hem hebben en hij hen. Hij is een heel gecompliceerde man. Het zou heel wat gemakkelijker zijn voor ons allen als hij niet zo gecompliceerd was.

Haar grootmoeder had de brief bewaard en hem zonder een woord te zeggen aan haar teruggegeven; ze las en herlas hem tot hij versleten raakte langs de vouwen. Ik ben geen dwaas, schreef hij, ik begrijp dat er heel wat uitgepraat moet worden tussen ons. Philippe die naar haar glimlachte van onder de koepel van Rogers paviljoen der kunsten. Als Roger soms dacht dat ze haar koffers zou pakken en hals over kop naar Londen zou draven om zich in zijn armen te werpen, dan had hij het mis. Bovendien was ze al een keer hals over kop naar hem toe gekomen, in het voorjaar, en hij had het niet eens begrepen. Ze was alleen maar tegen Philippes glimlach opgelopen, alsof ze tegen een muur liep. Ze zou wachten. Ze zou aan haar gevoel overlaten wat ze moest doen en ze zou niet eerder van Tamworth vertrekken dan wanneer ze zich helemaal zeker voelde. Roger kon wachten... zoals ze zelf had gewacht. Ze had nog zoveel te verwerken. De sombere herinnering aan haar vader en Jemmy. Aan Charles en Richelieu die hun armen voor haar geopend hielden maar die ze op de een of andere manier nooit kon bereiken. Ze moest het allemaal begrijpen en ook begrip krijgen voor zichzelf. Wacht jij maar, Roger, het meisje dat in Parijs van je hield bestaat niet meer en haar hart is nog niet genezen. Het moet eerst zachter worden. Kon ik maar vergeven en vergeten...

Buiten, in de bossen en velden van Tamworth, was het najaar in aantocht. In de heggen werden de haagdoornbessen al rood en de bramen die in de zon hingen, werden al zwart. De bloemblaadjes van de rozen vielen voortdurend af, als regen − of tranen, tot alleen de oranjerode rozebottels over waren. Terwijl ze uit het raam keek, kwam een tekst in haar herinnering, een tekst die ze eens goed had gekend, net zo goed als haar eigen naam. Liefde is lankmoedig... zij is goedertieren... niet afgunstig... alles gelooft zij, alles verdraagt zij... Toen ik een kind was, sprak ik als een kind, voelde ik als een kind. Nu ik een man ben geworden, heb ik afgelegd wat kinderlijk was. Want nu zien we nog door een spiegel, in raadselen, doch straks van aangezicht tot aangezicht...

Wat was Tamworth mooi. Over een paar weken werd het tijd om hazelnoten te zoeken. De bladeren waren dan allemaal al gekleurd en de lucht was pittig en koud... Kom weer bij me wonen op Devane House... Medeleven kan ontstaan uit een groot verdriet... Al ware het dat ik met de tongen der mensen en der engelen sprak, maar had de liefde niet, ik ware schallend koper, of een rinkelende cimbaal... Ze zou morgen een brief schrijven aan Jemmy's moeder. Het zou een moeilijke, pijnlijke brief zijn, maar ze wilde het toch doen... Een handje zocht een plaats in de hare.

'Hebt u weer pijn?' vroeg Hyacinthe. 'Is het heel erg?'
'Ik geloof dat mijn pijn al beter gaat.'
Ze kuste hem op zijn wang.

Een woedend gegak verbrak de stilte. Beneden waggelden drie van grootmoeders Sint-Michielsganzen zo snel als hun platte, brede poten hen konden dragen over het grasveld, onder een voortdurend luid kabaal, even later gepaard met een schel geblaf. Harry, Charlotte en Dulcinea sprongen achter een struik vandaan en renden achter de ganzen aan, een echte jacht en een bundeling van krachten.

'Hyacinthe! Ze zitten achter de ganzen aan die grootmama aan het vetmesten is voor Sint-Michielsdag! Hol erachteraan en jaag ze weg. Grootmama vermoordt ons allemaal!'

Ze moest lachen bij de gedachte wat haar grootmoeder zou zeggen als haar dit ter ore kwam, en misschien had het haar oren al bereikt. Wat een herrie maakten ze allemaal! Ze zag Hyacinthe rennen en springen over het grasveld en toen was hij uit het gezicht verdwenen. Even later hoorde ze haar grootmoeder:

'Ik laat die honden afmaken! Perryman! Perryman!'

Nu lachte ze hardop. Binnenkort zou het hof terugkeren naar Londen. En dan zou er net zoveel geblaf en gesnater zijn om een plaats in de nabijheid van de Kikvors te veroveren. Wat was ze blij dat ze op Tamworth was en niet daar. Blij en dankbaar. Hier zou ze in alle rust haar weg kunnen zoeken. Daar zou ze alleen maar chaos vinden.

25

Het economische kaartenhuis van Engeland begon in te storten. In februari, toen de South Sea Company een deel van de nationale schuld had overgenomen, dacht iedereen aan het voorbeeld van John Law en de ongelooflijke stijging van de inflatie, en van de uitgaven in Frankrijk. Maandenlang hadden de Britse regering en Britse maatschappijen toegezien hoe Engelsen hun goud over Het Kanaal brachten om in Laws nieuwe Mississippi Company te investeren. Krediet kon eindeloos groeien wanneer het door de staat werd gesteund, predikte de profeet John Law. In Engeland groeide de South Sea Company nog steeds en begon zelfs te wedijveren met de Bank of England; South Sea wilde net zo'n groot succes behalen als de Mississippi Company. Er kwamen nieuwe emissies van aandelen zonder de benodigde volmacht en er werd geld uitgeleend op ondeugdelijk onderpand en door middel van omkoperij in de juiste kringen. Toen de koersen enorm stegen, gingen andere Britse aandelen mee omhoog. En niemand besefte dat die cyclus tot een rampzalig einde zou leiden, een einde dat Frankrijk nu al meemaakte: gebrek aan geld, hoge prijzen van alle goederen, geen kredieten en het algehele vertrouwen in geldsystemen in duigen.

Toen speculanten South Sea-aandelen gingen verkopen om verliezen in andere investeringen op te vangen, begonnen die aandelen te zakken. En omdat hun stijging was gebaseerd op luchtkastelen, kon niets de val tegenhouden. Andere aandelen, zelfs wanneer ze steunden op solide zekerheden, zakten eveneens. In de eerste week van september kregen de banken in Parijs en Amsterdam lucht van een komende catastrofe en gaven hun agenten in Londen opdracht om South Sea te verkopen. De markt, die toch al onstabiel was, werd overspoeld met paniekerige mensen die bleven verkopen terwijl de waarde voortdurend daalde. Tegen 16 september begrepen zelfs de meest optimistische directeuren van

South Sea dat ze voor een afgrond stonden en ze hoopten nog te kunnen onderhandelen met hun rivaal, de Bank of England – een rivaal die hun val zou toejuichen – om het vertrouwen van het publiek te herstellen en het verkopen tegen te houden.

Op 17 augustus had South Sea nog op 900 gestaan. Eind september haalden de aandelen niet meer dan 190. In één maand tijd stonden mensen verbijsterd en failliet tussen de ruïnes van een financiële chaos die later bekend zou worden als de South Sea Bubble.

Ba, dacht de hertogin die op het terras tegenover de uitgebloeide rozentuin zat met Dulcina op haar schoot. Haar handen, op de knop van haar stok, bewogen zich ongeduldig open en dicht. Ze zag hoe een dikke, groene rups zich een weg zocht tussen de witte bloemblaadjes van een chrysant in een pot, en plotseling hief ze haar stok op en sloeg er met een zwaai de bloem mee af. Tim, die net achter haar stond, bukte zich. De bloem kwam op de grond terecht maar de rups (en Tim) waren ongedeerd. Daar lag de rups roerloos op de gevallen stengel. De hertogin overwoog of ze zou opstaan om erop te trappen. Het feit alleen dat ze dat moest overwegen, ergerde haar. Ba. Vette slak. Gulzige worm. Haar herfstbloemen op te eten!

'Trap daar eens op.' Ze wees met haar stok naar de rups die nu langzaam wegkroop.

'Toe dan. Goed zo. Trap er nog maar een keer op. Uitstekend.' Ze glimlachte wreed en Tim grijnsde. De grijns verdween zodra hij haar woedende blik opving.

'Waar is mijn kleindochter?'

'In de keuken, mevrouw, ze maakt gelei, samen met Thérèse en de kok. Zal ik u nu binnenbrengen? Wilt u thee...'

'"Wilt u thee?"' aapte ze hem na. 'Nee, ik wil met rust worden gelaten. Blijf niet zo om me heen draaien. Ga weg!'

Ze zette zich wat gemakkelijker in haar stoel. Ze voelde zich niet zo geïrriteerd meer nu ze de rups had gedood en Tim had weggejaagd. Brutale idioot die haar als een invalide behandelde. Dat deden ze allemaal – Annie, Perryman en Barbara. Sedert het oogstfeest was dat al zo. Nou, ze was geen invalide. Lieve Jezus, ze was alleen maar oud. Barbara had haar genoeg schrik bezorgd om haar te doden, maar het was een onmiskenbaar teken van haar kracht dat ze vandaag nog in leven was, hier zittend in de zon. En er was meer voor nodig om haar dood te krijgen dan Barbara's bekentenissen. Meer ook dan Abigails paniekerige brieven over South Sea-aandelen. Ba! Ze had alles in mei verkocht. Ze had niet veel op met zulke zaken. Law met zijn eindeloze krediet. Richard was de gokker van de familie geweest, zij niet. Vette slak die haar bloemen opat. Invalide. Ba. Ze hief haar gezicht naar de zon en sloot haar ogen. Barbara maakte gelei... Een goed teken... Ze hoopte maar dat het pruimengelei was... Ze was dol op verse pruimengelei op een klein knapperig broodje... Ze moest niet vergeten Richard vanavond te vertellen dat Barbara het veel beter leek te maken... Hij was ook benieuwd... Ah, de zon was warm... dikke... gulzige... slak... die haar bloemen... at...

Een eenzame man te paard kwam de lindenlaan oprijden tot op de binnenplaats van Tamworth Hall. Hij bond de teugels van zijn paard aan een struik en liep om het huis heen. Op het terras zat de hertogin te dommelen. Hij stond een tijdje naar haar te kijken; toen kriebelde hij Dulcinea in haar buik waarop zij luid begon te miauwen, zodat de hertogin wakker werd.

'Tony!' riep ze. Ze lachte naar hem maar toen verdween de lach van haar gezicht. 'Wat is er?' vroeg ze op scherpe toon. 'Vertel op.'

Hij knielde voor haar neer en zijn gezicht stond zo treurig dat ze zijn hoofd tegen haar borst drukte en hem zo bleef vasthouden. Ze streelde zijn dikke blonde haar dat hij met een lint bij elkaar had gebonden. Net als Richard. Toen zij en Richard jong waren, was het de mode dat mannen lang haar droegen, zoals Tony het nu had. Zijn haar rook naar zweet, munt, naar zon en man. Ze hief zijn hoofd op.

'Vertel het me. Meteen.'

In de keuken gooide Barbara een pot met meel om zodat het overal overheen viel, over de grote eiken tafel waar ze aan werkten, over haar schort, haar jurk en haar schoenen, over haar handen en de blauwe pruimen die nog doorgesneden moesten worden. Barbara giechelde, ze duwde een verdwaalde lok haar weg en Thérèse, aan de andere kant van de tafel, wees naar haar met een houten lepel en zei: 'Nu zit het ook op uw gezicht,' waarna beiden in lachen uitbarstten. Ze hadden de kok al de hele ochtend geïrriteerd met hun gegiechel, als een stel ondeugende schoolmeisjes. Er waren allerlei redenen voor: buiten was het herfst, de haarden werden weer gebruikt en de houtblokken knapperden gezellig als ze 's avonds voor het vuur zaten en luisterden naar Hyacinthe die *Robinson Crusoë* voorlas. Iedere week kwam er een brief van Roger voor Barbara, een vurige, dwingende brief die haar hart verzachtte en haar het gevoel gaf weer een jong meisje te zijn.

Annie kwam de keuken binnenrennen. 'Je grootmoeder! Grote genadige God, opschieten!'

Met hun tweeën renden ze met Annie mee, gevolgd door de kok die achter hen aan slofte door de grote hal, langs de wintersalon en langs de kamer die als bibliotheek werd gebruikt naar het terras. Nog voor ze daar waren, konden ze door de open deuren de hertogin zien en haar horen. Ze worstelde, worstelde in de armen van een lange man, wrong zich in allerlei bochten om los te komen en huilde, en steeds weer herhaalde ze: 'O nee, o nee.'

Barbara bleef staan waar ze was bij het zien van Tony en haar grootmoeder, maar de anderen liepen door en toen was er Tim, en ze grepen de hertogin vast – ze verzette zich hevig – en droegen haar langs Barbara. Ze huilde, huilde als een kind, en haar gezicht was zo oud, zo gerimpeld en gekweld, dat Barbara al het bloed uit haar hoofd voelde wegtrekken.

Ze keek Tony aan. Roger, dacht ze. Het is Roger. Ik heb te lang gewacht. Ze zou als een steen op de grond zijn gevallen als Tony haar niet had gegrepen en haar naar de treden van het terras had gebracht, waar hij haar neerzette. Het was een prachtige dag, helder en fris en de bomen toonden hun herfstkleuren.

'Roger,' zei ze en keek Tony aan. Hij nam haar handen in de zijne en hield ze stevig vast. 'Roger,' zei ze weer, en haar stem werd hoger.

'Luister naar me,' zei hij dringend, kortaf. 'Luister. Niet Roger. Roger maakt het goed. Maar – ik heb slecht nieuws. Heel slecht nieuws. Je moet flink zijn. Hoor je me, Barbara? Omwille van ons allemaal. Het is Harry. Hij – Barbara, ik weet niet hoe ik het moet zeggen. Hij is dood. Drie dagen geleden. Wart heeft hem gevonden. In zijn kamer. Hij – god, Barbara – hij heeft zich door de keel gesneden met een scheermes...'

Ze keek niet-begrijpend naar de tranen in zijn ogen. Hij huilde met die grote, blauwgrijze ogen van hem. Niet blauw als een zomerlucht, zoals die van Roger of Charles. Niet violet als die van Harry... Harry! Ze zakte in elkaar en Tony ving haar op in zijn armen. Hij drukte haar tegen zich aan, streelde haar haar en mompelde iets; ze dacht dat hij zei dat hij van haar hield maar ze wist het niet; ze was zich van niets meer bewust behalve van de pijn...

Thérèse knielde bij haar bed en herhaalde voortdurend de ave's, de gloria's en de Onze Vaders, maar de kralen van haar rozenkrans gleden telkens uit haar handen, zoals de woorden uit haar gedachten gleden en er alleen pijn overbleef, een zwarte en verstikkende pijn. Ze had geholpen de hertogin naar haar slaapkamer te brengen. Ze zag Annie geluidloos de woorden 'master Harry' vormen tegen Perryman, en plotseling werd ze gegrepen door een naamloze, onbekende angst en ze moest die kamer uit. Ze had een gevoel alsof haar maag plotseling was uitgehold in haar lijf. Half struikelend rende ze de gang in. Twee dienstmeisjes holden naar elkaar toe en een van hen zei iets en begon te huilen, en de andere gooide haar schort over haar hoofd en begon te jammeren. Nee, dacht Thérèsa. Ze liep weg, ze wist zelf niet waarheen. Hyacinthe vond haar. Zijn gezicht was nat van de tranen, hij hield haar rozenkrans in zijn hand en de mopshondjes, zijn trouwe kameraadjes, liepen achter hem aan.

'Thérèse, o, Thérèse,' zei hij met een snik. 'Ga zitten.'

Hij gaf haar haar rozenkrans in de hand; de hondjes keften en hij probeerde ze bij haar op schoot te leggen, en toen wist ze het. Ze wist het voor hij iets zei.

'Monsieur Harry,' zei hij met een trillend stemmetje en hij huilde als een kind, want dat was hij tenslotte. 'Monsieur Harry is dood. Ze zeggen – o, Thérèse, ze zeggen dat hij zijn keel heeft doorgesneden.'

'Stil nou,' zei ze. 'Stil.' Ze opende haar armen en trok hem naar zich toe, en zijn magere jongenslijfje schokte van het snikken. Maar zij kon niet huilen, nog niet. Het verdriet ging te diep. Pas nu, nu ze neerknielde, kwamen de tranen. En ze zei de gebeden waar ze altijd troost uit had geput maar ditmaal zaten daar grote hiaten in. Toen kwam de vreselijke smart omhoog, onophoudelijk, als een bron. Onze Vader, die in de hemelen zijt, Uw naam worde geheiligd... Harry... Harry... Harry... je was mijn allerliefste.

Tony had voor alle details gezorgd. Hij had een speciale boodschapper naar Norfolk gestuurd om Diana het bericht te brengen; zijn moeder, zijn zusters en zwager reisden met Harry's lichaam uit Londen naar Tamworth. Hij had het voor elkaar gekregen dat de lijkschouwer in Londen de uitspraak 'niet toerekeningsvatbaar' deed, zodat Harry in gewijde grond te ruste kon worden gelegd. Zelfmoordenaars werden op de openbare weg begraven, met een spies door hun hart. Er mocht geen geestelijke bij komen om een begrafenisdienst te houden. Zo was de wet. Ontoerekeningsvatbaar. Dat woord prentte zich in Barbara's gedachten terwijl ze in de wintersalon zat met Tony en een klein mannetje uit Maidstone, een kruiperig type, dat zijn lijkkleden kwam laten zien en de souvenirs voor de rouwdragenden zoals handschoenen, geëmailleerde ringen en hoedelinten. De man moest de bijzonderheden van de plechtigheid met hen bespreken, aangezien hun grootmoeder niet bereid was op te staan. Ze lag in haar bed als een verkreukelde, angstige, slappe lappenpop en riep om Harry. En Barbara vroeg zich telkens af: Waarom? Waarom heeft hij het gedaan? Tony zei iets over dalende koersen, over paniek in Londen, en ze keek hem alleen maar sprakeloos aan. Ze zou Harry haar laatste stuiver hebben gegeven, ze zou haar juwelen hebben verkocht, ze zou hem in de gevangenis voor schuldenaren hebben opgezocht, ze zou plannen hebben gemaakt om hem vrij te krijgen. Hij was haar broer. In Parijs had híj haar opgevangen voor ze krankzinnig werd van ellende.

Het mannetje liet een staal zien van zijn flanel; er was een wet die voorschreef dat lijken in wol moesten worden begraven, maar Barbara schudde haar hoofd en snoot haar neus. Voor Harry zou Tamworth-flanel worden gebruikt. Annie had al een lap gekocht van de beste wever van het dorp en zij en Thérèse zouden er een doodskleed uit snijden. Daar zouden ze hem in wikkelen wanneer zijn lichaam was aangekomen, en de stof zou doorweekt zijn van tranen van liefde en smart. Van de familie. Ze zouden hem wassen en kleden in zijn nieuwe lijkwade en zijn handen vouwen, waarna hij in de familiegrafkelder zou worden bijgezet, weggedragen door allen die van hem hadden gehouden. Haarlokken, zei de man. Het haar van de overledene in een klein krulletje gedraaid, onder helder glas. Kransjes met een zinnespreuk in het midden: 'Wees bereid, dra is het uw tijd.' Witte handschoenen. Zwarte handschoenen. Alles wat ze nodig hadden. Waskaarsen. Uitnodigingen voor de begrafenis, met schedels en dijbenen erop gegraveerd. Doodkisten. Wat mevrouw maar wenste. Voor een dierbare broer. Tamworth zou voor alles zorgen, dacht Barbara, en ongeduldig stond ze op en liep naar het raam. De dorpstimmerman was al een doodkist aan het maken. De rozemarijn die in de kist zou worden gestrooid zou uit grootmoeders voorraadkamers komen. De bloemen. De liefde.

Tony begeleidde de man de kamer uit, en toen hij terugkwam, ging hij achter Barbara staan. Hij legde zijn armen om haar heen en ze leunde met haar hoofd tegen hem aan. Ze paste precies onder zijn kin. Ze keek uit over het herfstige landschap, zo kleurig met al die herfstbladeren. Maar over een paar weken zou het winter zijn. Kou. Vorst. Sneeuw. Dood.

'Waarom heeft hij het gedaan, Tony? Zeg me toch waarom?'

Harry was thuis. De zwarte lijkwagen uit Londen was aangekomen, met zwarte en witte veren aan het hoofdtuig van de paarden. Haar tante en Mary, Fanny en haar man Harold en haar grootvaders oude zuster, tante Shrewsborough, waren in een paar rijtuigen gevolgd. Harry was al in een achterkamer, waar de vrouwen die zijn grootvader en grootmoeder altijd hadden gediend hem nu wasten en in de lijkwade legden, onder het mompelen van gebeden. Daarna zou hij een dag lang in de hal liggen, in een Tamworth-doodkist, met brandende kaarsen bij zijn hoofd en bij zijn voeten, een bord met zout boven zijn hart, als symbool van de onsterfelijkheid van de ziel. Ze omhelsde haar tantes en Fanny en Mary, en opnieuw was het niets dan tranen, zwarte sluiers en crèpe. Toen ging ze Harry zoeken. Ze waren net bezig hem te wassen, en Annie bedekte vlug zijn gezicht, maar Barbara trok de doek weg. Ze wilde het zien. Zijn gezicht was zo roerloos, en witter dan ze ooit iets had gezien, zelfs witter dan sneeuw. Dit was dus de dood. Dit roerloze, dit witte. En onder zijn kin was de dodelijke rode streep, scheef dichtgenaaid met een zwarte draad.

Een paar dienstmeisjes huilden. Thérèse snikte, maar zij had ook veel van Harry gehouden, bedacht Barbara. De nieuwe droefheid van het zien van Harry, maakte haar helemaal duizelig. Ze waren met hun drieën – vier als je Hyacinthe meetelde – als een gezinnetje geweest in Parijs en in Italië. Harry had het altijd leuk gevonden om Thérèse te plagen, tot ze hem dwong op te houden. Thérèse had hem goed aan gekund. Er schemerde iets in haar geest nu ze naar Thérèse keek, maar ze had nu de kracht niet om er verder over te piekeren. Er moest nog zoveel worden gedaan. Zorgen voor het begrafenismaal. Erop toezien dat alle logeerkamers schoon en gelucht waren. Dat deuren, ramen en bedden werden gedrapeerd met zwarte stof en de spiegels werden bedekt. Dulcinea keek in protest een andere kant uit. Daarna moesten ze nog tellen of er genoeg herinneringskransjes, handschoenen en hoedelinten waren voor de rouwdragers.

Morgen zou Harry worden opgebaard en morgenavond zou hij bij alle anderen komen in de donkere grafkelder onder de kleine Tamworth-kerk. Er moest een gedenkplaat worden besteld en een marmeren borstbeeld. Ter nagedachtenis aan haar laatste broer. Tot stof zult gij wederkeren, Tom en Kit, as, Anne en Charlotte, stof, Baby en Harry, zoals het was in het begin, is het nu en zal het altijd zijn, tot in der eeuwen eeuwigheid. Amen.

Ze liep langs de wintersalon.

'Ze vallen dood als vliegen,' hoorde ze haar tante Shrewsborough zeggen. 'Je kunt tegenwoordig geen krant inzien of je leest over een zelfmoord.'

'Er is een run op de Bank of England,' antwoordde haar tante Abigail.

'Mijn bankier zegt dat ik ruim vijftienduizend heb verloren,' zei tante Shrewsborough.

'Vijftienduizend?' vroeg een mannenstem. Harold, dacht Barbara. Fanny's Harold. Ze hoorde nu weg te gaan. Ze hoorde daar niet staan af te luisteren als een kind. Harry had haar altijd gezegd dat die gewoonte van haar meer narigheid dan goeds zou brengen...

'Ik heb meer dan dertigduizend verloren,' zei Harold, en Barbara kon aan de klank van zijn stem horen dat hij bang was. 'Ik begrijp nu waarom Harry het heeft gedaan...'

'Stil, Harold,' zei tante Abigail. 'Zo mag je niet denken. In het belang van Fanny en de kinderen niet.'

'Ik verwijt het mezelf,' zei tante Shrewsborough. 'Hij is nog bij me geweest voor zijn dood...'

'Hij is bij ons allemaal geweest,' zei tante Abigail.

Niet bij mij, dacht Barbara.

'... hij had geld nodig en ik heb hem wat gegeven, maar ik was kwaad op hem. De goudsmid met wie mijn bankier samenwerkt, was er 's nachts vandoor gegaan met al het goud dat hij kon dragen. Ga maar naar je zwager, zei ik tegen Harry. Die is schatrijk. Het is zijn maatschappij die deze krach heeft veroorzaakt. Vraag hem maar om geld, zei ik.'

'Heb je dat echt gedaan?' zei tante Abigail.

'Ja, en ik zal er tot mijn dood spijt van hebben. Ik wist dat hij en Roger niet met elkaar spraken. Het komt door mijn opvliegendheid. En door die verrekte goudsmid.'

'Ik heb gehoord dat Roger hier een fortuin uit heeft gesleept,' zei Harold, en Barbara huiverde van de onverwachte vijandschap die ze in zijn stem hoorde.

'En ik heb gehoord dat hij bijna failliet is,' zei tante Shrewsborough. 'Hetgeen veel waarschijnlijker is dan al die geruchten die de ronde doen...'

Barbara opende de gordijnen, en ze keken haar alle drie aan met een verbaasde, schuldige uitdrukking op hun gezicht, zoals altijd wanneer mensen roddelen. Abigail herstelde zich het eerst.

'Kom hier zitten,' zei ze, en met een vriendelijke glimlach wees ze op het bankje naast haar. 'We hadden het net over je lieve broer Harry. Niemand wist hoeveel schulden hij had, Barbara. Niemand.'

Hij was alleen in Londen, dacht Barbara, en keek hen allemaal aan met een strak en hard gezicht. Alleen met jullie, die niets om een ander geven. Alleen en bang. Geen wonder dat hij zelfmoord heeft gepleegd. O, Harry, waarom ben je niet bij mij gekomen? Waarom? Ik had je geholpen. En nu ben ik alleen. Je hebt niet aan mij gedacht... en tot haar eigen afschuw barstte ze in huilen uit, in hun bijzijn.

Barbara lag op haar bed, zo moe dat ze zich amper meer kon bewegen. Haar moeder was gekomen. Ze had gehuild en geschreeuwd; ze had zich op Harry's lichaam in de kist geworpen als een rouwdrager in een Griekse tragedie tot ze haar hadden weggetrokken terwijl ze vocht tegen iedereen. Ze was hysterisch.

Zo hysterisch dat Fanny was flauwgevallen van alle opschudding die Barbara's moeder veroorzaakte. Fanny was aan rustiger families gewend. Het gillen, het huilen. Waarom is hij niet naar mij toe gekomen, jammerde Diana, zich op de borst slaand en zich de haren uitrukkend. South Sea, gilde haar moeder. South Sea is hem noodlottig geworden. Waar is Roger? Waar is Roger Devane? Ik krab hem zijn ogen uit. Ik snijd hem zijn hart uit het lijf en eet het zelf op. Waar is hij, Barbara? Ik weet het niet, moeder. Waar ben je Roger? Kom alsjeblieft naar Tamworth. Ik heb je nodig.

Het was nu ochtend. De ochtend voor de middag dat Harry zou worden begraven. Vandaag zou iemand het laatste lapje flanel over zijn gezicht leggen, daarna zou ze moeten toekijken hoe ze het deksel op de kist neerlieten en dan zou hij voor altijd weg zijn. Haar hart was als een steen in haar borst en haar keel deed pijn van de tranen die ze nog niet had vergoten. Aan Thérèse had ze niets. Die snikte maar en struikelde over de meubels, en daarom stuurde ze haar weg en kleedde ze zichzelf. Hoe overleef ik deze dag?

Beneden verzamelden de mensen zich: dorpelingen, vrienden, familie, in kleine groepjes om de kist heen. Ze begon rouwhandschoenen uit te delen. Gussy greep haar hand. Lieverd, ik vind het zo verschrikkelijk. Jane had ook willen komen maar onze kinderen zijn ziek en ze kon ze niet alleen laten. Ze stuurt je haar liefste groeten. Wart en een paar andere Londense vrienden stonden om haar heen en ze rook de wijn in hun adem toen ze hun medeleven betuigden. Kolonel Campbell vertegenwoordigde de prins van Wales. De prins had zelf willen komen, maar de situatie in Londen was zorgelijk en plotseling herinnerde ze zich dat ergens anders ook een crisis was, namelijk de South Sea Company, waardoor Harrry nu in een houten kist lag.

Bab, je moet wat eten, zei Tony. Laat me met rust, antwoordde ze. Je bent mijn broer niet, of mijn echtgenoot. Met een steelse blik volgde ze hem zoals hij door het huis liep. Waar was die verlegen, dikke man die ze vroeger had gekend? Ze ergerde zich aan zijn bezorgdheid, aan zijn kalmte. Je zou haast denken dat dit zijn huis was, dacht ze toen ze zag hoe hij zijn gasten begroette. Maar eens zou het zijn huis worden en dan zou alles van hem zijn. Ze bleef naar Tony kijken. Hij begon er steeds beter uit te zien: zijn lengte, zijn ogen, zijn innemende glimlach. Het was onredelijk dat ze zich aan hem ergerde, maar vandaag kon ze er niets aan doen. Tony was nog in leven maar Harry werd vandaag begraven. Zijn leven hield vele beloften in terwijl haar broer voorgoed in een houten kist lag.

Daar stond Charles, aan de andere kant van de kamer. Ze zag dat mensen naar hem keken en dan weer naar haar; ze zag Janes moeder, lady Nell, het woord 'duel' zeggen tegen een van de dochters van Squire Dinwitty. Ze voelde dat er iets in haar barstte, maar ze liet zich niet gaan. Ze stak haar kin naar voren en liep naar hem toe.

'Ik verwachtte niet jou hier te zien vandaag,' zei ze. 'Dank je wel dat je bent gekomen.' Ze gaf hem het rituele paar zwarte handschoenen.

'Hij was ook mijn vriend. Ik wil je oprecht condoleren, Barbara.'

Ze wilde niet huilen. Niet nu, met al die mensen erbij. Als ze begon, kon ze niet meer ophouden.

'Heb je – heb je hem nog gezien voor hij... daarvoor, Charles? Heeft hij nog iets gezegd? Wat dan ook? Ik wil het begrijpen, zie je. En ik begrijp het nog niet.'

Hij schudde zijn hoofd. 'Londen is een krankzinnige stad tegenwoordig, Bab, zoals je je het niet kunt voorstellen. Het lijkt wel een belegerde vesting. De mensen hamsteren goud. Ze eisen onmiddellijke terugbetaling van leningen, of ze weigeren te betalen wat ze schuldig zijn. De mensen zijn bang. Er zijn al rellen geweest. Iedereen heeft wel iets verloren, en niemand vertrouwt zelfs zijn buren. Je moet niet slecht over Harry denken.' Hij keek haar aan. 'We kennen allemaal een afgrond waar we ingeduwd kunnen worden.'

Ze bloosde.

'Ik heb je wel honderd briefjes geschreven.' Hij sprak nu zachter, op dringende toon. Ze huiverde bij dat geluid. 'Maar ik heb ze allemaal verscheurd. Ik moet met je praten. Waar kunnen we dat rustig doen? Ik moet je uitleggen...'

'Er valt niets uit te leggen.' Plotseling werd ze bang, bang voor de emoties die weer naar boven kwamen.

'Toch wel. Meer dan je denkt. Waar is Roger?'

Die vraag overrompelde haar.

'Ik – ik weet het niet,' stotterde ze. 'Hij is vast al – al onderweg. De – de crisis in Londen heeft hem opgehouden.'

'Jullie hebben je toch niet verzoend?' vroeg hij en deed een stap naar voren. Plotseling kon ze geen adem krijgen.

'Daar ben je.'

Ze schrokken beiden van haar tantes stem. Abigail, in het zwart, rond, mollig en vastberaden, glimlachte naar hen, ofschoon haar glimlach iets zuiniger werd toen ze naar Barbara keek.

'Kom eens bij me zitten, Charles. We hebben zoveel tegen elkaar te zeggen. Barbara zal je wel willen excuseren. Zij heeft nog meer gasten.'

Barbara vond het best dat haar tante hem wegleidde. Het was een adempauze. Ze voelde zich kwetsbaar, verdoofd. Roger, dacht ze. Kom alsjeblieft. Ik heb je nodig. Ze liep terug naar de anderen.

'Er zou een onderzoek moeten komen,' hoorde ze sir John Ashford zeggen. 'Een openbaar onderzoek. De directeuren moeten verantwoording afleggen over hun daden.'

Er klonk een instemmend gemompel.

'Komt Devane ook op de begrafenis?' vroeg iemand.

Sir John haalde zijn schouders op en toen zagen ze haar, en ze knikten allemaal plechtig en hielden zich rustig tot ze voorbij was gelopen. Lady Nell Ashford kwam naar haar toe en omhelsde haar. We hielden erg veel van Harry, fluisterde ze. Hij was als een zoon voor ons. En toch was je blij dat hij niet met Jane kon trouwen, dacht Barbara. Harry. De verloren zoon, alleen toen hij dood was.

Waar is grootmama? vroeg ze aan Annie. In bed waar ze behoort te blijven. En mijn moeder? Annie glimlachte stug. Een drankje om haar zenuwen te kalmeren; ze zal wel niet te voorschijn komen tot vanmiddag. Goed, zei Barbara. Heel goed. Ze voelde zich niet goed en ging buiten staan in de kou, Wart stond daar, met een vriend van Harry.

'De prijs van de kolen is laag, en de verkoop van schepen bij Lloyd's is opgeschort bij gebrek aan bieders,' zei Wart tegen iemand naast hem.

'Ik heb mijn bestelling voor een nieuw rijtuig moeten afzeggen,' zei de andere man. 'En de rijtuigbouwer zei dat zijn hele werkplaats vol afgezegde rijtuigen staat. Denk je dat Devane komt?'

'Ik betwijfel of hij het zal durven,' zei Wart.

De woorden klonken nog een tijd na in haar hoofd.

In het begin van de middag kwam Perryman naar haar toe. 'Er komt nog een gast aan.'

Ze ging naar buiten op de binnenplaats. Twee ruiters kwamen de laan oprijden. Een van hen reed op een prachtige zwarte hengst. Het paard liep in handgalop en gooide met zijn hoofd, maar zijn berijder beteugelde hem met elegant gemak. Barbara hield haar adem in. Ze liep tot aan het begin van de laan. De berijder van de hengst keek op. Vanwaar ze stond kon ze zien dat zijn ogen de kleur hadden van een zomerlucht en dat hij hoge jukbeenderen had als een aartsengel. De knapste man van de wereld.

Ze kreeg een brok in haar keel. Roger. Ze tilde haar zwarte rokken op en rende als een jongen de laan af. Hij sprong van zijn paard, opende zijn armen en ze wierp zich erin. Zijn armen, zijn dierbare armen lagen stijf om haar heen en zijn gehandschoende handen streelden haar haar. Steeds weer zei hij haar naam en ze begon te huilen terwijl hij haar gezicht met kussen bedekte. Eindelijk was ze veilig. Nu kon niets haar meer deren.

'Ik proef zout,' fluisterde hij, en ze huilde nog harder en klemde zich vast aan de revers van zijn jas. Ze vertelde hem dat Harry dood was, haar Harry was dood en nu had ze niemand meer in de wereld, maar hij zei dat ze stil moest zijn en kuste haar en toen hield hij haar in zijn armen.

Montrose, op het andere paard, pakte zijn teugels en draafde langs hen heen. Hij knikte naar de jonge hertog van Tamworth die op de binnenplaats stond, met zijn hand boven zijn ogen om tegen de zon in te kijken. Zijn gezicht stond ernstig. In de laan stonden Roger en Barbara nog bij elkaar en toen ze eindelijk terugliepen naar het huis, zag zij Tony bewegingloos op de binnenplaats staan. En iets in de manier waarop hij daar stond, de manier waarop hij keek, deed haar hart pijn.

'"Zie, ik deel u een geheimenis mede. Allen zullen wij niet ontslapen, maar allen zullen wij veranderd worden, in een ondeelbaar ogenblik, bij de laatste bazuin, want de bazuin zal klinken en de doden zullen onvergankelijk worden opgewekt en wij zullen veranderd worden. Want dit vergankelijke moet onvergankelijkheid aandoen en dit sterfelijke moet onsterfelijkheid aandoen. En zodra dit vergankelijke onvergankelijkheid aangedaan heeft, en dit sterfelijke onsterfelijkheid aangedaan heeft, zal het woord werkelijkheid worden, dat geschreven is. De dood is verzwolgen in de overwinning. Dood, waar is uw overwinning? Dood, waar is uw prikkel?"'

De kerk van Tamworth was vol; de bedienden van de eigen huishouding en die van naburige huizen moesten staan in de zijbeuken, het hoofd gebogen en in hun handen verwelkte takjes rozemarijn terwijl dominee Latchrod de schriftlezing hield. Harry's kist was nu in de grafkelder, ergens beneden hen. De laatste gebeden waren al bij de kist uitgesproken en er waren klonten aarde op gegooid; dit was het enige wat er van de begrafenis overbleef – de psalmen en de schriftlezing. Waar is de prikkel van de dood, dacht de hertogin. In mijn hart. De mens die uit een vrouw wordt geboren heeft weinig dagen en hij is vol ellende. Hij komt op als een bloem en wordt neergemaaid... Harry... waarom ben je niet naar mij toe gekomen? Naast haar zat Diana onbeheerst te huilen en in gedachten zag de hertogin het witte gezicht van Harry in zijn lijkwade. In juni had dat gezicht nog gelachen. Hij was bij haar gekomen, vol plannen en vol ambitie. Hij wilde geld lenen om op de markt in te spelen. Hij had de eigendomsakte van een koloniale plantage die hij bij het kaartspelen had gewonnen, en die wilde hij haar geven als onderpand voor de lening. Ditmaal wordt het echt wat, grootmama, had hij gejuicht, en lachend had hij haar op de wang gekust. Ik win, daarna betaal ik mijn ergste schulden af en dan ga ik me vestigen als een keurige hereboer. Dat beloof ik u. Ik vertrouw de markt niet, had ze gezegd. In mijn jeugd was het hard werken, een goed huwelijk, land, goud, een paar investeringen in solide firma's, dat was de manier om een fortuin op te bouwen. U zult zien... u zult zien... Ze legde haar hand voor haar ogen... ik ben te oud om nog meer kleinkinderen te begraven, dacht ze.

'De genade van onze Heer Jezus Christus, en de liefde van God, en de gemeenschap des Heiligen Geestes zij met ons allen, tot in eeuwigheid. Amen,' sprak dominee Latchrod.

In de stilte die op zijn woorden volgde, klonk het laatste klokgelui. De hertogin huiverde toen de gemeente opstond.

Roger liep naar buiten; de middag was koud en donker geworden. Aan de horizon hingen lage wolken. Hij keek om zich heen.

Ja, daar was Montrose met de gezadelde paarden, klaar om te vertrekken. Nu moest hij alleen nog afscheid nemen van Barbara, die het niet zou begrijpen. Verscheidene mannen spraken hem aan en hun gezicht stond al net zo zorgelijk als van die in Londen.

'Ik ken landeigenaren, en daar hoor ik ook bij, die met aandelen zijn betaald voor hun land, toen die nog hoog genoteerd stonden,' zei sir John. 'Aandelen die nu waardeloos zijn. Wat gaan de directeuren daaraan doen?'

'Ik heb het volste vertrouwen,' zei Roger vermoeid – hij was het zo beu telkens hetzelfde tegen iedereen te moeten zeggen – 'dat het plan om de aandelen te incorporeren in de Bank of England zal doorgaan. Ik weet dat Robert Walpole en anderen hiermee bezig zijn.'

'Als South Sea op tweehonderd staat,' zei Wart, 'waarom zou de bank dan inkopen voor vierhonderd? Walpole houdt zich schuil in Norfolk met al het goud dat hij uit Londen kon meenemen. Zeg nu eens de waarheid, Roger.'

Op dat moment kwam Diana de kerk uit, half gedragen en half gesleept tussen Tony en Harold. 'Harry!' schreeuwde ze, haar gezicht één toonbeeld van ellende. Iedereen keek haar kant uit.

'Wilt u me excuseren,' zei Roger. 'Ik zie mijn vrouw.'

Barbara stond bij de lage takken van een cipres, haar haar roodgoud glanzend tegen de groene achtergrond van de boom.

'Wat wilden ze allemaal? Ik heb het koud, Roger, jij ook? Zou je denken dat Harry het koud heeft in die grafkelder?'

'Nee, Barbara,' zei Roger met vriendelijke stem, en hij nam een van haar gehandschoende handen in de zijne. 'Harry zal het nooit meer koud hebben. Loop je een eindje met me mee?'

'Lord Devane,' zei Charles, die plotseling voor hen stond. 'Ik ga weg en ik wilde van jullie beiden afscheid nemen.'

Ze staarde hem even aan en keek toen omlaag. Wat zijn ze nog jong, dacht Roger. Ben ik ooit zo jong geweest? Hij wreef over zijn borst. Dat branderige gevoel had hij tegenwoordig steeds weer. Het brandde als vuur in zijn maag. Toen Charles van hen wegliep begon Barbara te trillen en Roger leidde haar naar het kerkhof, waar ze even alleen konden zijn. Hij keek op. Ja, daar was Montrose met de paarden.

Charles stond hulpeloos bij het hek. Hij had geen idee waar hij was.

'O, ben je daar?' riep iemand. Hij draaide zich om en Abigail kwam op hem af, wuivend met haar zwarte zakdoek.

'Waar ga je heen, Charles?'

'Ik dacht dat ik maar weer naar Londen moest gaan, lady Saylor. Ik – ik hoef hier niet langer te blijven.' Achter haar kon hij Barbara en Roger met elkaar zien praten. Hij sloot zijn ogen.

'Maar ik wilde dat je morgen met ons zou meerijden. We hebben twee rijtuigen, dus is er ruimte genoeg.'

'Nee, dank u, ik moet vandaag terug.'

Waar heb ik mezelf mee ingelaten, dacht Charles.

'Ik begrijp het niet.'

Roger deed zijn ogen dicht. Wees lief en zacht, zei hij tegen zichzelf. Blijf kalm. Ze begrijpt het niet. Ze is niet in Londen geweest. Ze weet het niet. Ze is in een heleboel opzichten nog een kind. Hij nam haar handen en bracht ze naar zijn mond.

'Ik moet terug naar Londen. Als er maar één mogelijkheid was dat ik bleef, zou ik het doen. Maar het kan niet. Probeer het alsjeblieft te begrijpen.'

Ze keek hem met grote ogen aan. Hij zag de opstandige uitdrukking op haar gezicht verschijnen, en hij verloor zijn zelfbeheersing.

'Verdomme, Barbara,' barstte hij los. 'Ik zit in moeilijkheden! Ik sta op het punt alles kwijt te raken. Begrijp je dat? Ik had gedacht jou een mooi huis en geborgenheid te kunnen bieden maar nu bevind ik me op de rand van een afgrond!'

Haar mond trilde. 'Blijf dan tenminste één nacht . . .'

'Dat kan ik niet! Ik moet teruggaan. Je moet dat aanvaarden.'

Hij liep van haar weg, daarmee een risico nemend zoals hij altijd had gedaan, en hopend dat zijn geluk hem niet in de steek zou laten. Ze hield van hem of niet; de keus was nu aan haar.

Hij zat al op zijn paard toen ze kwam aanhollen onder het roepen van zijn naam. Iedereen op het kerkhof keek naar haar, zelfs Diana hield zich een ogenblik stil. De pijn in zijn borst zakte een beetje. Ze was zijn toverkracht, die hem het gevoel gaf dat hij weer jong was. Ze hield van hem; ze was nog altijd de zijne. Het was nog maar een kwestie van tijd; maar hij had geen tijd meer. Hopelijk zou zijn geluk hem niet in de steek laten. Met haar aan zijn zijde kon het leven weer nieuwe vorm krijgen, minder angstig, minder absoluut. Hij keek omlaag naar haar.

Ze stond daar met haar hand aan zijn stijgbeugel, met gebogen hoofd, als een kind. Barbara, dacht hij. Mijn liefste. Hij boog zich voorover en nam haar kin in zijn hand. Haar ogen, Richards ogen, glansden van de tranen.

'Kus me,' zei hij en nog eens: 'Kus me. En kom naar Devane House.'

Ze legde haar lippen tegen de zijne en de zachtheid van zijn mond, de pijn en het verlangen van de kus raakten haar diep.

'Ik hou van je,' fluisterde ze tegen zijn mond.

Hij glimlachte, met ontelbare rimpeltjes in zijn ooghoeken. Ze legde haar hand tegen zijn gezicht. Hij kwam weer rechtop in het zadel. Hij was zo knap als een god, zoals ze zich hem altijd herinnerde, knap als in haar dromen, alles waar ze ooit van had gehouden, dacht ze toen ze naar hem opkeek. Roger, je bent mijn hart. Dat ben je altijd geweest.

'Ik wacht op je,' zei hij. Toen gaf hij zijn paard de sporen en galoppeerde weg met Montrose terwijl zij achterbleef op het kerkhof tussen de graven, de scheve grafstenen en de verdorde bloemen.

In het kerkportaal stonden Tony en Mary samen te kijken.

'Heeft Charles het gezien?' vroeg Tony.

'Ik weet het niet. Toch heeft hij genoeg gezien, want hij vermoedt dat ze zich hebben verzoend.'

'Dat is ook zo.'

Mary keek haar broer aan. 'Tony...'

Zijn gezicht verried niets. Sommige mensen dachten dat hij er dom uitzag, maar Mary wist wel beter. Hij dacht na, dacht na over dingen waar niemand een vermoeden van had.

'Wil jij je terugtrekken?' vroeg hij haar. 'Nu kan het nog.'

'Nee,' zei ze. En met zachte stem voegde ze eraan toe: 'Zij kan niet met hem trouwen. Ik wel.' Ze keek haar broer aan. 'En jij?'

'Rabelais zegt dat wie geduld heeft, alles kan bereiken.'

'Maar kende hij Roger?'

Tony glimlachte. 'Nee.'

'Kom, grootmama, nog één hapje.'

Barbara voerde haar grootmoeder warme soep, maar de hertogin deed lastig; de dag met al zijn emoties eiste zijn tol in de vorm van knorrig geklaag: ze had geen honger, de soep was te heet en ze was moe.

De begrafenis had hen allemaal uitgeput. Annie zat lusteloos op haar stoel bij het bed en bemoeide zich met haar meesteres, dat ze zich stil moest houden en eten. Diana zat rustig bij het vuur. Ze had nog een tijdje gehuild en gejammerd, maar niemand schonk haar enige aandacht en nu zat ze maar in de vlammen te kijken. Dulcinea en de hondjes lagen in een kluwen aan de voeten van de hertogin.

'Lady Nell vraagt uw recept voor peperkandeel,' zei Annie.

'Wie is er ziek?'

'Nog één hapje,' zei Barbara. 'Alstublieft.'

'Twee van de kinderen.'

'Welke twee?'

Annie wist het niet.

De hertogin keek naar Barbara. 'Binnenkort ga je terug.' Het was geen vraag.

'Wie?' vroeg Diana, en hief haar hoofd op. Haar gezicht was opgezet. Niemand zou deze avond de mooie Diana Alderley in haar hebben herkend. 'Wie gaat er weg? En waarheen?'

'U bent een irritant oud mens, grootmama. Ik dacht dat u zo overmand was door verdriet dat u niets zou merken.'

'Ik ben niet blind. Dat was een mooi toneel dat jullie daar opvoerden vandaag, op het kerkhof. Dat heeft zelfs de South Sea-praatjes naar de achtergrond verwezen.'

'Jij?' vroeg Diana, en met haar opgezwollen violette ogen keek ze naar haar dochter. 'Waar ga je heen?'

'Zul je een gedenkplaat bestellen in Londen?' vroeg de hertogin. 'En laat er dan op zetten: "De nacht straalt als de dag: de duisternis en het licht zijn beide gelijk aan u..."' Haar stem, die dun en helder door de kamer had geklonken, stierf weg. Een traan gleed over haar wang en verdween tussen haar rimpels.

'O, grootmama,' zei Barbara, ze kuste haar hand en legde hem tegen haar wang.

'Je gaat toch niet...' Diana wendde zich tot haar moeder. 'Zeg dat ze niet naar Londen teruggaat. Waarom? Waarom in 's hemelsnaam...' Haar gezicht veranderde. 'Roger!' zei ze. 'Je gaat naar hem terug!'

'Het komt niet helemaal onverwacht,' zei de hertogin nuchter.

Barbara zweeg.

Diana stond op. 'Hij heeft je broer gedood!'

'Moeder, dat is niet waar. Ik wil niet dat je dat nog eens zegt.'

'Nou ja, het komt er wel op neer! Doe niet zo stom...'

'De hele zomer,' zei Barbara, die al driftig begon te worden, 'heb je me gezegd dat ik bij hem moest terugkeren. De hele zomer raadde je me aan van twee walletjes te eten. Geniet toch van Devane House. Profiteer van wat Roger te bieden heeft. Wees toch niet zo stom, zei je toen ook nog.'

'Van de zomer was het iets anders. Toen was Roger nog rijk. Maar nu is alles veranderd. Je bent niet in Londen geweest, Barbara. De bewindhebbers zijn bang voor hun hachje. Heb je niet gezien hoe de mensen vandaag naar hem keken? Hij kan ieder ogenblik in ongenade vallen. Als je ook maar een beetje verstand had, bleef je hier...'

Ineens stond Barbara op, zodat ze soep over haar jurk morste. Ze kuste haar grootmoeder op de wang. 'Overmorgen ga ik,' zei ze. 'Zal ik vanavond bij u komen zitten voor u gaat slapen?'

'Alsjeblieft.'

Diana bleef stil tot de deur achter Barbara dichtviel. Toen zei ze bitter: 'Nou, ik ben wel gezegend met mijn kinderen. Ze is een eigenzinnige, impulsieve, obstinate dwaas.'

'Niet met je kinderen.' De hertogin sprak zachtjes vanuit haar bed. 'Met je kind. Je bent gezegend met je kind. Alle anderen zijn dood.'

Diana hield haar adem in; plotseling begon haar mond te trillen.

'Harry heeft zich het leven benomen,' ging de hertogin verder. 'Hij heeft met een scheermes zijn keel doorgesneden. Jij was er niet. Jij vertoefde buiten de stad.'

Diana begon te huilen, niet zachtjes, zoals ze dat zo goed kon, maar op een nare manier, met veel lawaai en een hoop misbaar. Annie, die naast de hertogin zat, keek onvriendelijk.

'Waar – waarom doe je z-zo wreed tegen me?' huilde Diana. 'Ik hield van hem. En ik-ik hou ook van haar. Z-zij is de enige die-die overblijft.'

'Dat weet ik.'

Het was stil in de kamer. Alleen Diana's snikken en het knapperen van het vuur waren te horen.

'Wat ben ik oud,' zei de hertogin zachtjes bij zichzelf. 'En moe...'

'Ik ben hier,' zei Annie, en boog zich over haar heen.

Diana ging bij de rand van het bed staan. Ze leek op een groot, mokkend kind. 'Ik-ik ben ook hier, moeder,' zei ze. 'Als je me nodig hebt.'

De hertogin klopte met haar hand op het bed en Diana ging zitten. Ze keek naar haar moeder, zo klein en zo broos tegen haar stapel kussens. Tot Annies verbazing legde ze haar hoofd tegen haar moeders borst en begon weer te huilen.

'Ik weet het,' zei de hertogin en streelde haar hoofd. 'Ik weet het.'

Het rijtuig wachtte op de binnenplaats, met Thérèse erin en de koffers erachter en erbovenop gebonden terwijl Barbara en haar grootmoeder nog een laatste wandelingetje maakten. Het was koud zo vroeg in de ochtend en de hertogin was heel zwak, maar ze had het beslist gewild. Ze liepen langs het terras en stonden te kijken naar de verlaten rozentuin van de hertog.

'Eigenlijk moest ik rozebottels plukken. Om Jane rozebotteldrank te sturen tegen de koorts als de kandeel niet helpt,' zei de hertogin.

'De kandeel zal wel helpen. Uw drankjes helpen altijd. Ik zal u elke week schrijven. Dat beloof ik u. Geeft u Hyacinthe maar veel te doen. Zeg hem dat ik hem ook zal schrijven.'

Barbara had besloten om Hyacinthe voorlopig op Tamworth achter te laten. Hij had gehuild, maar ze had beloofd dat ze hem zo spoedig mogelijk zou laten overkomen. Hij moest voor haar grootmoeder zorgen en hij mocht in de stallen slapen bij zijn nieuwe vriendjes. En hij mocht *Robinson Crusoë* houden. Ze fluisterde dat ze Harry en Charlotte ook achterliet, maar dat hij niets tegen haar grootmoeder mocht zeggen tot ze een flink eind op weg was. Als hij het haar dan had gezegd, moest hij weghollen en zich verstoppen, en tegen dat het donker werd zou de hertogin te moe en te ongerust zijn en veel te blij dat ze hem zag om er nog aanmerking op te maken. Zo ben ik altijd met haar omgegaan, zei Barbara tegen hem, en hij moest lachen door zijn tranen heen.

'Ga je regelrecht naar Devane House?'

'Ik weet het niet, grootmama. Waarschijnlijk wel.'

'Londen is nu geen prettige stad, heb ik gehoord. Beloof me dat je voorzichtig zult zijn. Je koetsier heeft toch een geladen pistool?'

'Ja.'

'Ik wilde nog twee dingen zeggen...'

'Twee maar?'

'Dat doet er niet toe. Ik wil ze zeggen voor ik ze vergeet. Het eerste heeft betrekking op vergeving. Het is nooit goed om bij kleine beetjes te vergeven. Je moet het helemaal doen en nooit meer terugzien, anders kun je het beter laten. Dat zijn de woorden van je grootvader, niet van mij. En het tweede gaat over veranderen. Iets willen veranderen is gemakkelijk, maar het uit te voeren is wat anders. Het is de strijd van elke dag die de mensen de das om doet. Wanhoop niet als oude gewoonten je goed lijken. Je mag pas wanhopen als je je daar te dikwijls aan vastklampt.'

Barbara sloeg haar armen om haar grootmoeder heen. Wat is ze klein, mager en broos. Hoeveel van haar levenskracht was met Harry mee begraven? 'Zult u goed op uzelf passen?' vroeg ze teder.

Gearmd liepen ze terug naar de binnenplaats. Ik vind het afschuwelijk om hier weg te gaan, dacht Barbara. Annie, Tim, Perryman en haar moeder stonden bij het rijtuig te wachten. Annie fronste haar wenkbrauwen toen ze zag hoe moe de hertogin was.

Barbara omhelsde haar moeder. Diana zag er een stuk ouder uit; ze had holle wangen en donkere kringen onder haar ogen. Ze heeft verdriet, dacht Barbara, echt verdriet. Harry zou erom lachen als ik het tegen hem zei.

'Je bent een dwaas,' zei Diana.

'Jij ook het allerbeste, moeder.'

Ze klom in het rijtuig, waarna het zich in beweging zette. Haar grootmoeder deed een paar stappen achteruit, Annie en Tim pakten ieder een elleboog en de hertogin zei niets maar steunde op hen beiden. Ze zag Hyacinthe van achter een van de lindebomen te voorschijn komen en achter het rijtuig hollen, met Harry en Charlotte fel blaffende achter hem aan. En achter de honden kwam nog een pluizige, wille bal, Dulcinea. Het rijtuig hield stil, en Barbara en Thérèse stapten beiden uit om Hyacinthe te omhelzen terwijl de honden om hen heen sprongen en jankten en Dulcinea zich in de buurt schuil hield.

'Ze heeft haar honden achtergelaten,' zei de hertogin. Ze zuchtte. 'Tim, let jij een beetje op die jongen in de komende dagen. Ik wil niet dat hij ziek wordt van verdriet. En zeg tegen de staljongens dat ik de eerste die hem durft te plagen flink wat stokslagen zal geven.'

'Het is tijd om naar bed te gaan,' zei Tim en pakte haar stevig bij haar arm.

'Ik bepaal zelf wanneer ik naar bed ga!' snauwde de hertogin.

Tim sprong van schrik achteruit, alsof een van de hondjes hem in de neus had gebeten.

Diana lachte.

De hertogin keek dreigend in haar richting. 'Geef me je arm, Diana. Ik ben moe,' zei ze. 'Het is bedtijd.'

Philippe stond een ogenblik voor het raam van zijn Londense huis, dat uitkeek over de tuin. Alles was klaar: zijn koffers waren gepakt. Zijn butler had nauwkeurige instructies met betrekking tot zijn boeken, zijn meubels en zijn kleren. Zijn rijtuig wachtte buiten. Over een uur kon hij in Gravesend zijn, waar een schip lag dat hem naar Frankrijk zou brengen.

Merkwaardig genoeg was de enige spijt die hij voelde het feit dat hij Abigail verliet. Het briefje dat hij haar had geschreven zou haar gekwetste gevoelens niet verzachten, maar na enige tijd zou ze hem vergeven en met genegenheid aan hem terugdenken, en ook met het heerlijke gevoel dat ze aan een gevaar was ontsnapt. Ze zou een goede minnares zijn geweest, beschaafd, discreet en beheerst, en vurig in bed zodra hij haar het een en ander had geleerd, maar hij voelde zich niet fit genoeg om een minnares te nemen. Nog niet. Hij moest eerst genezen van Roger, en dat zou een hele tijd duren.

Roger.

Abigail had het toneeltje buiten de kerk levendig beschreven. De verzoening was dus tot stand gekomen. Nu was het nog maar een kwestie van tijd voor ze zich ook lichamelijk zouden verzoenen. Hij kende Roger en de manier waarop hij zijn charme aanwendde bij het veroveren van een moeilijk te krijgen vrouw. Hij had hem in vroeger jaren vaak genoeg geobserveerd en zijn techniek bewonderd: zijn charme, altijd weer zijn charme.

Hoe stond het ook weer in de bijbel? Er zijn drie dingen te mooi voor mij, ja vier die ik niet doorgrond: hoe een adelaar gaat door de lucht, hoe een slang gaat over een rots, hoe een schip gaat midden door de zee en hoe een man gaat met een vrouw. Het was inderdaad verbazend hoe Roger met vrouwen omging, alleen moest het niet Barbara zijn. Als hij Abigail goed had beluisterd, lagen zijn keuzemogelijkheden nu duidelijk voor hem. Hij kon weggaan en zijn trots en waardigheid bewaren of hij kon blijven en doen alsof het hem niets kon schelen, en de ontknoping afwachten.

Hij had bijna zin om het laatste te kiezen, want de ontknoping stond nog lang niet vast. Er bestond geen twijfel aan dat Roger als Barbara er eenmaal was, erin zou slagen haar terug te brengen in zijn bed en haar te bevredigen. Maar het was de vraag hoelang ze zou willen blijven. En, zoals het in een toneelstuk zou kunnen staan: er waren nog andere oplossingen mogelijk. Een daarvan was lord Russel. En de andere was de jonge lord Talworth, hoe vreemd dat ook mocht lijken. Hij was een rustige, ernstige en ook een uitermate vastberaden jongeman. Zelfs Abigail, hoe pienter ook, onderschatte hem. Ja, er waren interessante mogelijkheden in de ontwikkeling van de intrige, als je de moed had ernaar te blijven kijken en de ontknoping af te wachten. Maar die moed had hij niet. Hij had helemaal geen moed meer. Soms, als hij 's nachts niet kon slapen, had hij het gevoel dat er niets meer in hem was. Niets dan een donkere leegte.

Hij had het briefje aan Abigail geschreven en ook een aan Carlyle, waarin hij vroeg of hij hem nieuws over Roger wilde schrijven als hij dacht dat het hem kon interesseren. En ten slotte was er een laatste gebaar, een soldaat en een prins waardig. Aan een andere soldaat, een die zijn laatste strijd streed, liet hij twee zakken met goudstukken na. Ze zouden anoniem naar Rogers bankier gaan. Een geschenk van de goden. Een uitstel van het onvermijdelijke, ofschoon Roger met zijn geluk misschien toch de financiële crisis te boven zou komen. Maar hij zou niet meer degene worden die hij ooit was geweest, hij zou nooit meer die schitterende rijkdom weten te verwerven die hij eens had bezeten. Maar uiteindelijk kon je niet weten hoe alles zou lopen. Wellicht zou Roger toch nog uit de as herrijzen met zijn jonge vrouw naast zich en de machtige Tamworth-familie als bondgenoten en met de koning van Engeland als persoonlijke vriend. Maar hij zou geen kinderen hebben. Barbara was onvruchtbaar, dat was duidelijk. Er zouden geen kleine Montgeoffrey's komen waar ze vreugde aan konden beleven.

In die genoegdoening zat echter een klein angeltje verborgen, want in het diepst van zijn hart had hij dolgraag een kind van Roger willen zien. Welk een genoegdoening, welk een vreugde zou het zijn geweest het stempel van Roger in zo'n klein gezichtje terug te zien. Maar zo was het leven nu eenmaal. Zijn rijtuig wachtte en zijn schip ook. Zijn geliefde Frankrijk, zijn landgoed met de vele bossen waar het koel was in de zomer. Zijn tuinen. Zijn boeken. Zijn schatten. Het was een heel andere wereld dan hier. Een ander leven.

Jacombe, de bankier, schraapte zijn keel en keek Roger aan. 'Voor zover ik het kan overzien,' zei hij. 'bedragen de schulden £250 227.'

Het bleef korte tijd stil terwijl Roger hem ontzet zat aan te kijken. Het bedrag was zoveel hoger dan hij had gedacht.

Er was een onverwachte toevoeging van £200 pond in goudstukken, zei Jacombe. Twee dagen geleden hier afgegeven voor uw rekening. Behalve dat geld waren er geen contanten. Wel uitstaande leningen tot een totaal van ongeveer £70 000. Jacombes stem klonk droog; zelfs hij als bankier schrok van het bedrag. £70 000 dacht Roger. Geld voor de een of andere vriend, speelschulden, paardenrennen, persoonlijke leningen, een krabbeltje op een stuk papier met een toezegging van betaling, erewoord van een gentleman. Dat waren de heren die nu zeiden dat ze geen penny konden terug betalen. Ze waren allemaal failliet. Ik voel me slap, dacht hij en veegde het plotselinge zweet van zijn voorhoofd.

Achterstallige betalingen aan de aannemers, die al dateerden van voor augustus. De timmerlieden, metselaars, schilders, arbeiders, vaklieden, meubel- en gordijnenmakers, een rekening ten bedrage van £15 000 voor Frans damast, zacht zeegroen met borduurwerk, Barbara's slaapkamer, dacht Roger. Barbara's bed. Hij had een visioen voor zich gezien van Barbara, naakt, blank en roodgoud tegen dat zachte groen.

Jacombes stem zeurde eindeloos door. Duizenden aandelen in de Mississippi Company die volstrekt waardeloos waren geworden, in South Sea en allerlei andere maatschappijen waarin hij de afgelopen zomer had gespeculeerd en die nu geen enkele waarde meer hadden of waarvan die snel dalende was. Had hij werkelijk £20 000 besteed aan Venetiaans marmer?

Achterstallige betalingen van lonen die hij was verschuldigd voor de bouw van Devane House en Devane Square. En hypotheken, toen zijn beginkapitaal niet toereikend was. De meeste huizen op zijn plein stonden leeg. Maar weinigen konden zijn huizen huren en hij had geen contanten om de arbeiders die het plein moesten afbouwen te betalen. In de Londense straten kon je mensen tegenkomen die van alles te koop aanboden: rijtuigen, gouden horloges, diamanten oorbellen; op de markt voor tweedehands kleren werden naast vodden en tweedehands jurken ook rijkgeborduurde vesten en onderrokken aangeboden, de kleren van de rijken. Maar niemand kocht iets. Nu hadden de directeuren van de Bank of England ook nog gezegd dat ze geen aandelen overnamen. Ze hadden maar ternauwernood de run op hun contanten overleefd en het kon hun niets schelen wat er met anderen gebeurde als ze het maar overleefden.

Londen was totaal veranderd, het was een meedogenloze stad geworden. Mensen die je gisteren glimlachend tegemoet traden, eisten vandaag terugbetaling van een lening. Vrouwen die vroeger verleidelijk hun ogen neersloegen, vroegen je nu ronduit of je hun diamanten en paarlen wilde kopen. Banken in Amsterdam hadden voorschotten in contanten teruggeëist en weigerden krediet te geven. De prins van Wales weigerde Roger te spreken. Als hij nu aan het hof verscheen, leek het alsof om hem heen een open ruimte ontstond waarbinnen niemand durfde te komen. Had hij zich te veel op Devane House geconcentreerd, en op Barbara? Hij trok zijn das los; hij voelde weer de bekende ademnood. Die zou gevolgd worden door pijn, door een brandend gevoel in zijn buik en borst. Hij moest zorgen dat hij kalm bleef, dat hij rust nam. Er moest een oplossing zijn. Er was altijd een oplossing geweest. Als je maar niet in paniek raakte.

Wat zei Jacombe allemaal? Iets van een lijst van bezittingen maken, een lijst van verkoopbare dingen, ofschoon hij als bankier en zakenman wist dat dit de allerslechtste tijd was om iets te verkopen. Roger stuurde hem weg en bleef even bij zijn schrijftafel staan, een fijn bewerkt Frans meubelstuk met ingelegd hout, parelmoer en marmer. Hij probeerde diep adem te halen. Hij kon zichzelf horen en de geluiden die hij maakte waren beangstigend. Hij kreeg niet genoeg lucht. Hij opende een raam dat uitkeek over zijn tuin en zijn paviljoen der kunsten. Er kwam een mist opzetten. De lucht die hij inademde, was vochtig... Hij schudde zijn hoofd. Het was alsof er een mist over zijn geest hing. Hij zag Philippe. En Richard. In de mist. Het was verstandig van Philippe dat hij wegging. Hij had hem niet goed behandeld. Het brandende gevoel werd erger. Nu geen paniek. Hij was moe; hij had te hard gewerkt. Van de ene vergadering naar de andere, de ene ruzie na de andere, de reis naar Tamworth, de schande, de zorgen over zijn rekeningenboeken. Zijn gedachten raasden verder, al probeerde hij nog zo kalm te blijven.

£250 000. Een ongelooflijke som geld. Die kon hij nooit betalen. Hij zou zijn bezittingen moeten verkopen. Als hij zijn schuldeisers nog even van zijn lijf kon houden — en dat kon hij inderdaad. Hij was geparenteerd aan de Tamworth-familie, de koning van Engeland was zijn vriend... Als hij zijn schuldeisers nog even op een afstand kon houden, tot de markt gekalmeerd was, zou hij daarna discreet beginnen te verkopen. Hij wreef over zijn borst. De pijn breidde zich uit. Misschien zou hij Devane House moeten verkopen. Er waren wel mogelijkheden, maar welke? Het gouverneurschap van een kolonie. Zo'n post zou de koning hem zeker verlenen. Barbados. Jamaica. Hij glimlachte, maar de glimlach veranderde in een grimas. Hij kreunde van pijn. God, hij hield het niet meer uit. Hij moest gaan liggen. Barbara zou met hem meegaan. Haar jeugd was zijn talisman. 's Nachts droomde hij van haar, van haar lange, slanke lichaam, het dikke roodgouden haar los over haar schouders, haar naakte borsten, het roodgoud tussen haar benen. Binnenkort zou hij dat roodgoud kussen; hij zou haar weer bezitten, helemaal en ze zouden opnieuw beginnen.

De pijn werd twee, drie keer zo erg. En nu werd het helemaal vreselijk. Hij viel op zijn knieën voor het raam, probeerde het nog te grijpen. Een rotsblok, het machtigste rotsblok van de wereld lag op zijn borst, verpletterde hem. Omlaag, omlaag, omlaag. Hij vocht ertegen. Richard. Hij worstelde om het van zich af te duwen. Philippe. Hij worstelde om te kunnen ademen. Barbara. Hij had geen kracht. Nee, dacht hij toen de mist bezit nam van zijn geest. Niet nu. Ik ben nog niet klaar. Ik ben nog jong. Barbara. Jong genoeg om — en toen veranderde de grijze, koude mist in een zachte duisternis, zacht als een vrouw, heel zacht. En zijn laatste bewuste gedachte was hoe blij hij was met die zachtheid, want dat andere, die pijn, het leven was ondraaglijk.

26

'Nee, mama,' zei Jeremy.

Hij had koude rillingen, en zijn stem klonk hoog en schril door de kamer toen hij de dokter herkende met zijn zwarte tas vol pijn. Jeremy keek Jane aan met smekende, koortsige ogen.

'Nee, mama. Alstublieft.'

De baby in haar buik schopte, uit medeleven met Jeremy en met haar eigen gevoelens. Telkens wanneer de dokter kwam, bracht hij nog meer pijn in de vorm van bloedzuigers die Jeremy zo bang maakten dat hij ervan gilde, in de vorm van gloeiende, brandende kompressen en in de vorm van vieze medicijnen en hete vloeistoffen die in zijn keel en oren werden gegoten. Ze nam het Jeremy niet kwalijk; de aanblik van de dokter was voor haar ook verschrikkelijk, maar Jeremy werd nog niet beter. Na weken van verpleging lagen de anderen bleek en zwak maar genezen in hun ledikantjes en bedjes. Maar Jeremy niet.

Zijn hoest was erger geworden. Hij klaagde over een nieuwe, scherpe pijn in zijn borst. Het doet pijn als ik adem, zei hij. Zijn koorts ging niet over. En gisteren was er bloed in het gele slijm dat hij had opgehoest. Toen ze naar hem stond te kijken, naar zijn veel te magere lijfje en zijn veel te schitterende ogen, met dat reuteltje in elke ademhaling, dacht ze: lieve genadige Heer Jezus, peperkandeel en gerstewater en koortsdrankjes helpen niet meer. Lieve genadige Heer Jezus, maak hem weer beter.

'Mama! Mama!'

Jeremy probeerde uit zijn bed te klimmen maar Gussy greep hem en hield hem tegen, en zijn magere armpjes en beentjes sloegen wild naar zijn vader. De dokter had zijn tas geopend en haalde er een pot uit, gevuld met zwarte bloedzuigers die op het lichaam werden gezet om de kwade sappen uit het bloed te zuigen.

'Nee! Nee! Nee!' gilde Jeremy. 'Mama, papa, het hoeft toch niet!'

Jane hield haar hand voor haar mond. Het kleine beetje avondeten dat ze had binnengekregen, kwam alweer omhoog in haar keel.

'Mama! Nee! O, nee-ee.'

Jeremy gilde, sloeg en schopte op het bed, en zijn gezicht was helemaal verwrongen, tot hij een bijna dierlijke uitdrukking kreeg. Grote druppels zweet parelden op Gussy's voorhoofd en rolden over zijn gezicht, terwijl hij probeerde zijn zoon vast te houden die angstig gilde en worstelde om los te komen.

Kleine stemmetjes begonnen met Jeremy mee te huilen, want door zijn gegil waren de anderen wakker geschrokken. De baby in Janes buik schopte opnieuw, nu harder. Ze kreeg de smaak van gal in haar mond. Jeremy draaide met zijn ogen en er kwam schuim om zijn mond. De dokter verdeelde de bloedzuigers over zijn borst, heel zorgvuldig, één voor één. De jongen schreeuwde om zijn moeder, telkens weer. Blindelings opende ze de deur en liep de donkere gang in. Nu hoorde ze hoe hard de anderen lagen te huilen, al even angstig als Jeremy. Haar keel kneep dicht en ze leunde tegen een muur. Haar maag kwam weer in opstand.

'Jane!' hoorde ze Gussy roepen, maar haar naam werd overschreeuwd door Jeremy: 'Mama, mama, mama.' En toen dat vreselijke, hijgende snikken waar ze niet meer tegenop kon.

Ze holde de trap af. Een ogenblik stond ze in de hal, hijgend, met wilde ogen, en keek toen de keuken in. Cat en Betty zaten bij het vuur hazelnoten te roosteren; ze hadden helemaal geen erg in het geschreeuw van boven maar fluisterden en lachten.

'Zie je wel,' zei Cat, en met haar knappe gezichtje keek ze lachend naar de haard waar de noten lagen te roosteren. 'Die van Jonathan gloeit het helderst. Jonathan is mijn echte geliefde.' Naast haar zat Betty te knikken. Het was de avond voor Allerheiligen, en volgens een oud plattelandsgebruik voorspelden ze wie hun geliefde zou zijn. Dan legde je hazelnoten in het vuur en gaf ze elk de naam van een jongen, en degene die het helderst brandde was je geliefde. Lang geleden hadden Barbara en zij dit ook gedaan.

'Verdomme!' zei ze.

Ze draaiden zich om en keken haar met open mond aan.

'Verdomme nog aan toe, luie, waardeloze meiden die jullie zijn!' Ze hoorde zichzelf schreeuwen, maar ze kon niet meer ophouden. 'Jullie krijgen beiden slaag! Ik gooi jullie het huis uit, midden in de nacht! Ik . . . Ga voor de kinderen zorgen, vooruit!'

Ze hoorde zichzelf hysterisch worden. Ze hield haar handen over haar oren en rende de keuken uit, het donker en de kou in. En de hele tijd ging de baby tekeer in haar buik, met onrustige schopjes. De baby gaat dood, dacht ze, en rende in het wilde weg de duisternis tegemoet. Hij gaat dood. En even later: Het zal vast wel gemakkelijker zijn een baby van vijf maanden te baren dan een van negen maanden. Wat een zegen zou dat zijn. En toen: God, vergeef me, ik meende het niet. En toen: Jeremy, Jeremy, gil toch niet zo. Ga alsjeblieft niet dood. Ik hou zo ontzettend veel van je. Toen struikelde ze; ze viel over een boomstronk, klapte op de grond en kon nog net de val stuiten met haar armen. Het gewicht van haar lichaam deed haar armen trillen van de pijn en ze zakte langzaam tot op de koude, donkere aarde. Ze lag helemaal opgekruld en voelde het geagiteerde geschop van het kind in haar buik, maar ze kon alleen maar denken: Ik heb het gedood. Het is beslist doodgegaan. En als verdoofd bleef ze daar liggen.

Wat ben ik moe, dacht ze na een tijdje. Er was nooit tijd om te rusten; iedereen was ziek, ze lagen in hun bed te schudden van de koorts. En toen was het bericht over Harry gekomen. Ze kon het niet bevatten, niet Harry. Ze geloofde het nu nog niet. In de loop van de dag keek ze nog altijd een paar keer op in de hoop dat ze hem zou zien aankomen op zijn paard, met een brede lach op zijn gezicht. Wat heb ik ze beetgehad, Janie, zou hij dan zeggen met een ondeugende schittering in zijn blauwviolette ogen. Ik heb ze wijsgemaakt dat ik zelfmoord heb gepleegd.

Ze wilde zo graag rouwen om hem, ze wilde even rustig kunnen zitten en de zachte leren handschoenen vasthouden die hij haar had gegeven. Dan zou ze ermee over haar wang strijken en zich herinneren hoe ze eens onder de appelbomen hadden gezeten en elkaar eeuwige liefde hadden gezworen. Maar Harry was dood. Ze had misschien naar de begrafenis moeten gaan, dan had ze het beter kunnen aanvaarden. Maar ze had geen tijd. Geen tijd voor Harry. South Sea, had Gussy haar uitgelegd voor hij vertrok, en door haar verdoofde stilzwijgen had hij begrepen dat het verdriet dieper was dan ze wilde tonen. Hij had het over concurrentie tussen grote maatschappijen, Bank of England, East India Company, South Sea, over aandelen die stegen en daalden. Hij vertelde dat ook hij geld had verloren, al hun spaargeld, maar hij zou weer van voren af aan beginnen. Ze keek hem verdwaasd aan. Boven lag een kind te huilen. Altijd was er wel een kind dat huilde. Harry kon niet dood zijn. Harry niet. Toch zei Gussy dat het zo was...

En nu was er Jeremy. Toen de anderen genazen, bleef hij koorts houden. Hij hield zijn kleine borstkas vast en huilde wanneer hij moest hoesten. Ze baadde hem met citroenwater, ze voerde hem alle medicijnen tegen hoest en koorts die ze kende, maar niets hielp. Hij woelde en draaide en rilde van de koorts, ook al was ze bij hem in bed komen liggen. Ze transpireerde onder het aantal dekens dat over hen heen lag, maar ze hield hem in haar armen, neuriede oude liedjes en vertelde hem over haar avonturen met Barbara en Harry toen ze allemaal nog kinderen waren. Nog een keer vertellen, bedelde hij tussen de koude rillingen door. Vertel nog eens. En dat deed ze dan, tot haar stem er hees van was geworden.

Maar hij werd niet beter. En gisteren, haar hart stond bijna stil, zag ze dat hij bloed had opgehoest, bloed gemengd met slijm. Bloed. De vreselijkste gedachten gingen door haar hoofd: tering, jarenlang wegkwijnen, de kinderen gescheiden, weggestuurd opdat de anderen het niet zouden krijgen, tering. Niet Jeremy. Niet haar lieve Jeremy die onder haar hart was gegroeid en die haar had geholpen over Harry heen te komen. Haar eerstgeborene. Haar zoontje. Haar dappere, lieve jongen. Wat had je eraan zulke pijnen te moeten doorstaan als het kind dat je had gebaard niet bleef leven? Het kind was de beloning als het daar hulpeloos in je armen genesteld lag. God mocht haar beloning niet van haar afnemen. Dat zou ze niet overleven. Nooit.

Ze rilde van de kou. Ze was een dwaas dat ze hier nu in het donker lag. Boerenmensen dachten dat de geesten van de doden op de avond voor Allerheiligen rondzwierven. Harry, dacht ze, zwerf jij daar nu ook rond? Neem een kaars, ga voor een spiegel staan, eet een appel en kam je haar, dan is het gezicht van je geliefde zichtbaar, het kijkt over je schouder heen. Lang geleden, toen ze nog een meisje was, hadden zij en Barbara aan al die tovenarijen gedaan, Barbara lachend en voor de grap, zijzelf in de volle overtuiging dat het waar was. Harry. Ze had zijn gezicht nooit in die spiegel gezien, maar ze hield toch van hem. Hij had zijn keel doorgesneden, had Gussy gezegd. Harry was een wildebras geweest, een echte jongen. Een droom. Het bloed had natuurlijk verschrikkelijk gestroomd toen hij zijn keel had doorgesneden. Harry. Het bloed. Ook in Jeremy's keel kwam het omhoog, samen met het slijm. Jeremy.

Iemand tilde haar van de grond en fluisterde haar naam. Hij wikkelde een wollen mantel om haar heen, knielde bij haar neer en wreef haar ijskoude handen. Gussy. Haar lieve Gussy.

'Jane,' begon hij en in het donker hoorde ze dat zijn stem brak. Ze legde haar hand tegen zijn gezicht. Hij huilde. Haar rots. Haar onwankelbare echtgenoot huilde, net als een van de kinderen. Ze luisterde; uit het huis kwam geen geluid meer. Cat en Betty waren zeker geschrokken toen ze hen naar de kinderen had gestuurd, nog wel op de avond voor Allerheiligen, want dan waren de bedienden vrij en mochten spelletjes doen. Jeremy hoorde ze ook niet. Wat had de dokter gezegd? Wat had hij gevonden waardoor Gussy, met zijn grote vertrouwen in de Heer, nu zo huilde? Ze wist het. Jeremy ging dood. Ze wist het zeker.

Gussy lag nog naast haar geknield. In het donker vond ze zijn hand en ze trok hem naar zich toe zodat zijn hoofd in haar schoot lag, tegen de baby aan die kleine, fladderende beweginkjes maakte. Gussy huilde en huilde in haar schoot. Hij had geen pruik op en zijn eigen haar werd al zo dun. Ze streelde dat dunne haar, de hoge welving van zijn voorhoofd, en dacht aan alle kennis en alle goedheid die ze onder haar vingertoppen had. Ze glimlachte. Cat en Betty stonden waarschijnlijk boven voor een raam naar hen tweeën te kijken en ze zouden fluisteren dat de heksen hen zeker hadden betoverd vanwege de nacht van Allerheiligen.

'Wat heeft de dokter gezegd?'

'Hij zei dat Jeremy longontsteking heeft.'

'En . . .'

'Hij zal hem een medicijn geven om de koorts te drukken, maar . . .' Gussy kon niet verder.

'Maar er is een kans dat hij sterft,' zei Jane voor hem, op rustige toon. De wetenschap dat hij doodging, drong rustig en zeker tot haar door. Dit is echt verdriet, dacht ze. Echt verdriet. De dood van mijn kind. Mijn kind . . .

Gussy trok haar omhoog en nu stonden ze naast elkaar, en ze voelde zijn tranen op haar gezicht vallen. Lieve Gussy. Hij zou de

Heer de komende weken nodig hebben en zij ook. Alleen de liefde van God, de gedachte dat na dit aardse leven een vredig leven volgde – laat de kinderkens tot mij komen – zou haar kunnen verzoenen met Jeremy's dood. Maar de verzoening zou niet gemakkelijk zijn. Nu al voelde ze zich opstandig worden. Ze zou de dood met alle macht bestrijden, met elk recept, watertje, drankje dat er maar bestond. Met al haar moederliefde.

'Ik hou van je,' zei Gussy.

'Ik ook van jou,' zei ze.

Samen liepen ze terug naar huis.

Met een ruk kwam Barbara's rijtuig tot stilstand op de binnenplaats van Saylor House in Londen. Op de monden van de paarden lag schuim doordat de koetsier hen zo hard had opgejaagd. Het kon hem niets schelen dat zijn meesteres had gezegd dat ze wel wat later in Londen konden aankomen; hij wilde voor geen goud na donker op de weg zijn op de avond voor Allerheiligen.

In het rijtuig viel Barbara tegen Thérèse aan. Verdomde koetsier, dacht ze, maar ze wist wel dat het niet zou baten als ze hem een standje maakte. Op de avond voor Allerheiligen was bijgeloof sterker dan boze woorden. Wat ben ik moe, dacht Barbara. De opwinding over het feit dat ze naar Londen ging was allang vervlogen naarmate het rijtuig voortrolde. En Thérèse zat ook al zo stil naast haar. . . Ongewild kwam Harry weer in haar gedachten. Ze wilde niet aan hem denken, maar het ging vanzelf. Ze wilde ook niet om hem huilen, maar niettemin stonden de tranen haar in de ogen. Roger, dacht ze steeds. Ik zal het tegen Roger zeggen, en hij zal me in zijn armen houden en het verdriet wegnemen. Harry.

Ze liep het brede bordes van Saylor House op, met Thérèse achter zich aan. In de grote salon, waar de enorme wandschilderingen van haar grootvaders veldslagen om haar heen opdoemden, kreeg ze plotseling een visioen van Harry die op die tafel lag en de smalle, rode streep in zijn hals. Ze voelde de hysterie in haar keel opkomen, met een onbeheerste drang om te huilen, te schreeuwen, aan haar haar te trekken, haar tante en Tony te shockeren die daar in hun gemakkelijke fauteuils zaten en die haar nu zagen binnenkomen en haar aanstaarden alsof ze een geest was.

'Wat ben je hier al gauw,' zei haar tante Abigail met een vreemde klank in haar stem.

'Het ging net zo snel als anders. We hebben geen regen gehad. De wegen zijn nog begaanbaar. Hebben jullie scones? Ik ben uitgehongerd.'

Ze kuste Tony en haar tante, plofte neer op een stoel, ook al bleven de andere twee staan, en smeerde boter op een scone.

'Heb je mijn brief niet ontvangen?' vroeg Abigail.

'Wat voor brief?'

'Roger heeft een ernstige aanval gehad. Hij is ziek, Barbara. Tony en ik komen net terug uit Devane House. Ik heb je geschreven. Ik heb de brief gisteren met een speciale koerier meegegeven, maar...'

'Roger ziek?' Ze keek haar tante aan. De woorden waren nauwelijks tot haar doorgedrongen.

'Grote hemel, en niet zo'n klein beetje ook. De dokter vreest voor zijn leven...'

'Moeder!' viel Tony haar in de rede, maar Barbara stond alweer overeind. In de haast gooide ze een kopje thee om. 'Thérèse!' Ze rende de kamer uit. Abigail en Tony hoorden haar in de hal roepen. 'Thérèse!'

'Het was niet mijn bedoeling...' begon Abigail, maar Tony liep langs haar heen.

'Ik ga met haar mee.'

'Nee, Tony!'

Abigail volgde hem in de hal. Barbara was nergens te zien. Tony rende naar de voordeur en rukte hem open. Barbara klom al in haar rijtuig en Thérèse kwam achter haar aan. Hij riep haar naam, maar ze sloot het portier en het rijtuig zette zich in beweging. Tony rende het bordes af met Bates en Abigail achter hem aan. Hij draaide zich om naar Bates.

'Laat onmiddellijk een paard zadelen!'

'Wacht, Tony,' zei Abigail. 'Op dit ogenblik heeft ze je niet nodig...' Ze zweeg; ze zag zijn gezicht. Het stond vastbesloten, onverzettelijk en wanhopig verliefd. Ze bleef zwijgen toen ze met hem terugging het huis in. Ze liet hem in de hal staan en ging zelf terug naar de grote salon. Ze keek naar de wandschilderingen, de kabinetten vol kostbaar porselein, de mooie meubels. Alles was zoals het behoorde te zijn. Alles ademde haar – Tony's – rijkdom en macht. Ze ging weer bij de theetafel zitten en begon een kopje thee in te schenken, maar de hand die de theepot vasthield trilde zo dat ze thee over de tafel goot waarop het hete vocht zich snel verspreidde en weldra op het kostbare tapijt onder haar voeten drupte. Ze greep een servet en weer ging een kopje over de grond nog voor ze op haar knieën lag om alles op te deppen. Zo, dat was dat. Alles was weer netjes maar nu stootte ze haar hoofd tegen de tafel en viel achterover, en toen barstte ze in huilen uit. Ze kon er niet meer mee ophouden, zodat haar poeder en rouge helemaal door elkaar liepen.

Er was zoveel tegelijk gebeurd. Londen was somber en akelig. Neem nou dat geval met South Sea. Waar je ook kwam, men sprak over niets anders. Ze had de helft van haar privé-vermogen verloren. De helft. Harry had de hand aan zichzelf geslagen vanwege South Sea, Roger had een aanval van apoplexie gehad en Harold verhuisde naar zijn landgoed in het noorden. Londen is me te duur geworden, zei hij. En Fanny was weer zwanger. In het noorden was het woest en koud en er waren moerassen die Abigail afschuwelijk vond. Charles Russel had op het punt gestaan een huwelijkscontract te tekenen toen het bericht van Rogers attaque de ronde had gedaan. Ineens was Charles afstandelijker geworden, ongrijpbaar, en ze wist wat er in zijn hoofd omging. Barbara. Als Barbara spoedig weduwe werd, wilde hij wachten. Ze had gisteren het liefst alle onderhandelingen erover afgebroken, maar wat had Mary gedaan? Die rustige, gehoorzame Mary? Ze werd hysterisch. Het duurde uren eer Abigail haar weer gekalmeerd had. Ik pleeg zelfmoord, had ze gegild. Ik hou van hem. Abigail snoot haar neus. Mary deed haar denken aan hoe Barbara zich had gedragen, vijf jaar geleden. En Tony, die van zijn zuster hield en op wie je altijd kon rekenen om de juiste beslissing te nemen, was ditmaal al even obstinaat als zijn zuster. Als Mary Charles wilde hebben, zei Tony, kon ze hem krijgen. En ineens had Abigail, onder het schreeuwen door, begrepen waarom. Tony wilde Barbara hebben. En als Mary met Charles trouwde, zat Charles hem niet meer in de weg.

Jij dwaas, wilde Abigail roepen (maar gelukkig deed ze dat niet). Barbara zal nooit van je houden, nooit. En als Abigail haar zin kreeg, zou dat ook nimmer gebeuren. Ze ging liever dood dan dat ze Barbara als schoondochter accepteerde. En wat het ergst van alles was: Philippe was er niet om zich tegen te uiten. Het was zo'n troost om met hem te praten. Het was in geen jaren gebeurd dat een man haar een gevoel gaf zoals Philippe de Soissons dat soms deed. Philippe had haar aan het denken gezet... denken aan heel andere dingen. En wat deed hij nu? Hij ging naar Frankrijk met een smoesje dat hij dringende persoonlijke zaken moest afhandelen en hij was niet eens afscheid komen nemen. Mannen. Tony was op weg zijn hart te breken, en ze kon er niets tegen doen. En Charles was een egoïstische idioot. Harold hield nooit rekening met andermans gevoelens. Nu nam hij haar lieve Fanny mee naar een moerassige streek en het leven was akelig, troosteloos en moeilijk. Ze stond op, schudde haar jurk recht en ontdekte dat er theevlekken op zaten. Ze haalde diep adem. Rustig en waardig ging ze zitten en pakte de theepot om een nieuw kopje thee in te schenken. Een ogenblik bleef ze naar de theepot kijken. Toen, in een zeldzame opwelling, gooide ze het ding naar de haard. Hij kwam niet in het vuur terecht, maar brak aan gruzelementen tegen de schoorsteen. Ze keek naar de stukken, naar de thee die overal heen liep en naar de theebladeren die ongetwijfeld vlekken zouden achterlaten op het houtwerk. Het was een porseleinen theepot geweest, uit China, heel apart en duur. Nu ze hem kapot had gegooid voelde ze zich niets beter, en bovendien was er een goeie theepot stuk.

Barbara sprong uit het rijtuig en rende de trappen al op nog voor het rijtuig goed en wel stilstond bij Devane House. Ze snelde langs Craddock, langs de verbaasde lakeien in de hal en door de bibliotheek naar Rogers kamer. Ze gooide de deur open maar er was niemand in de kamer. Ze keek naar het lege bed en haar ogen werden groot van angst. Hij was toch niet – meteen draaide ze zich om en rende door Rogers vertrekken, door de verbindingskamer tussen zijn afdeling en de hare, naar haar eigen slaapkamer met het prachtige beeldhouwwerk en het zachtgroene damast. Ze haalde diep adem en opende de deur. Justin stond net een nachthemd op te vouwen en toen hij haar herkende ontspande zijn gezicht zich in een glimlach. Tante Shrewsborough kwam overeind uit een stoel naast het bed.

Barbara liep ernaar toe. Ze kreeg een gevoel alsof ze door een donkere laan liep waar alleen het bed, aan het eind, was verlicht.

Ze keek naar de man die erin lag, naar Roger. Zijn gezicht was rood en zijn ogen waren gesloten. Ze legde haar wang tegen de zijne. Hij was te warm, maar warmte was in ieder geval een teken van leven.

'Je ziet eruit alsof je een geest bent tegengekomen,' zei tante Shrewsborough. 'Hij is nog geen geest, maar ik wil niet tegen je liegen, Barbara, hij vecht voor zijn leven.'

Ze deed haar mond open om iets te zeggen, maar plotseling had ze geen kracht meer in haar benen en ze zou op de grond zijn gevallen als Justin haar niet had opgevangen. Die goeie Justin, altijd zo geruststellend – hoezeer was ze in Parijs afhankelijk van hem geweest – zei dat lord Devane nog in leven was en hij gaf haar iets te drinken. Ze sloeg het in een keer naar binnen en het brandde als vuur in haar keel, tot het als een vuurbal in haar maag terechtkwam. Maar het deed haar goed en ze voelde zich al wat beter. Roger leefde. Het was nog niet te laat. Niets was te laat.

Tante Shrewsborough liep met haar mee de kamer uit naar de salon.

'Koorts,' zei ze. 'De koorts is het ergst. Hij wil maar niet zakken. We geven hem het koortsdrankje dat de dokter heeft achtergelaten. Justin en ik wassen hem om de paar uur met lavendelwater maar toch is hij nog altijd koortsig. Hij gloeide helemaal toen ze hem vonden.'

'Wanneer was dat?'

'Drie dagen geleden. In de bibliotheek, bij een open raam. Niemand weet hoelang hij in die vochtige lucht heeft gelegen. Vochtige lucht is het allerergste voor een lichaam. Ik zeg dat hij daar koorts van heeft gekregen, maar de dokter geeft de apoplexie de schuld.'

'Apoplexie...'

Tante Shrewsborough snoof. 'Dokters. Hij denkt dat het apoplexie is, maar ik ben het daar niet mee eens. Mijn eerste man is daar ook aan gestorven, aan zo'n apoplexie. Het is slecht bloed dat in de hersenen komt. Dat probeerde de dokter me te vertellen. Hij stierf in de armen van een hoer. Ik zeg dat het de opwinding was waaraan hij is gestorven. Maar mijn tweede man heeft een aanval gehad die op die van Roger leek, met flauwvallen en een lange periode van koorts. Hij is er weer bovenop gekomen en hij heeft nog vijf jaar daarna mijn leven verzuurd. Jammer dat we niet op Tamworth zijn, Barbara. Jouw grootmoeder en haar Annie zouden van alles kunnen genezen. Ik vertrouw die doktoren niet. Heb ik ook nooit gedaan. Zal ze ook nooit vertrouwen.'

Zonder verder iets te zeggen stond Barbara op. 'Nu ga ik bij hem zitten.' Ze kuste de gerimpelde wang van haar tante. 'Dank u wel dat u bij hem hebt gezeten.'

'Onzin. Hij hoort toch bij de familie. Je mag je tante Abigail, Fanny en Tony ook wel bedanken. We zijn hier met z'n allen geweest.'

Tony kwam de salon binnenlopen net toen de slaapkamerdeur achter Barbara dichtviel. Hij had zijn hoed en mantel nog aan. Hij keek naar zijn tante.

'Barbara,' zei hij. 'Waar is ze?'

Tante Shrewsborough keek hem aan; zijn gevoelens waren duidelijk van zijn gezicht af te lezen. Ze schudde haar hoofd, stond op en liep naar hem toe.

'Ze is bij haar man,' zei ze. Ze nam zijn arm en zei op vriendelijker toon: 'Kom, jongen. Dit is niet het ogenblik voor jou. Breng je me thuis, dan drinken we een paar glazen brandewijn samen. Dat is precies wat we nodig hebben. Ze is nu bij haar man, en daar hoort ze ook te zijn.'

Vijf jaar, dacht Barbara toen ze plaatsnam op de stoel waar haar tante zojuist had gezeten. Over vijf jaar ben ik vijfentwintig... dat is niets. Niets. Ik wil zoveel meer... en toen kwam een herinnering in haar gedachten. Parijs. En Richelieu die zei: je bent te gulzig, jij wilt alles hebben, al zijn liefde, al zijn toewijding; jij verwacht te veel, Barbara. Ze herinnerde zich duidelijk wat ze had geantwoord. Ik wil alles hebben of niets... Dan zal het ermee eindigen dat je niets hebt, Bab. Niets. Net als Harry. Ze verdrong de gedachte aan Harry. Later zou ze aan hem denken, wanneer Roger weer beter was. Ik neem die vijf jaar, zei ze bij zichzelf. Of één jaar. En ik zal er blij mee zijn.

Roger opende zijn ogen. Ze boog zich over hem heen, maar hij zag haar niet. Zijn ogen stonden dof en wezenloos en zijn oogleden waren rood omrand. 'Achter,' fluisterde hij. 'De Fransen hebben zich achter ons verzameld....' Zijn ademhaling ging stroef; het kostte hem de grootste moeite om te spreken.

'Stil,' zei ze en legde haar hand op zijn voorhoofd. Wat voelde hij warm. 'Ik ben hier. Ik ben er nu.'

Hij sloot zijn ogen, maar zijn ademhaling ging nog steeds gepaard met dat schorre geluid. Het maakte haar ongerust. Nog meer dan de koorts.

Over welk slagveld liep hij nu in gedachten? De Fransen waren geen vijanden meer. Nu was de dood zijn vijand. De dood. Zoals die dunne rode streep onder Harry's kin. Wat een angsten, twijfels en vragen had ze gehad tijdens haar rit van Tamworth... Vertel me over Philippe... Dat was het eerste wat ze hem had willen vragen. En nu was Philippe onbelangrijk. Niets was belangrijk, behalve het feit dat Roger hier in bed lag, met een korte, hijgende ademhaling, warm en droog van de koorts. Misschien ging hij dood. Maar dat zou ze niet toestaan. Ze had haar jeugd, haar kracht en haar vastberadenheid om haar bij te staan. Je moet vergeven en nooit meer achterom kijken, had haar grootmoeder gezegd. En zij had gedacht dat dat gemakkelijk praten was, maar nu wist ze dat die uitspraak de hoogste wijsheid bevatte. Haar grootmoeder wist dingen die zij nog niet wist. Zoals altijd. Ik vergeef je, Roger, dacht ze. Ik zweer je dat ik nooit meer achterom zal kijken.

De volgende morgen liep ze door de tuinen van het huis om zich een uurtje te verpozen na al haar zorgen. Thérèse, mevrouw Elmo en Justin waren bij de hand als Roger iets nodig mocht hebben. Zijn toestand was nog niets verbeterd. De koorts hield aan en de dokter was weer langsgekomen. Zijn pols is nog te zwak, zei hij. Hij zal nog sterven aan de koorts als we die niet gauw weten te bedwingen. Hoelang kan hij het zo nog uithouden? had ze gevraagd, en de dokter had zijn schouders opgehaald. Dat kon niemand zeggen. Er was al een boodschapper onderweg naar Tamworth met een brief van haar waarin ze haar grootmoeders sterkste koortsdrankjes en hartversterkers vroeg. Onder het schrijven waren haar tranen als regen op het papier gedropen. Tante Shrewsborough had gelijk; kon ze Roger maar naar Tamworth vervoeren. Daar zou hij wel beter worden. Beslist. Annie en grootmama konden iedereen genezen.

Ze huiverde onder het lopen, maar dat kwam niet alleen van de kou. De tuinen waren zo leeg. Door heel Londen werd gepraat over het legioen tuinlieden dat hier werkte, maar nu was er niemand. Het was alsof de tijd was stilgezet; hier en daar lag een omgekieperde kruiwagen en planten met de wortels in een jutezak die men niet meer had gepoot en die nu verdroogd waren. Achter haar rees Devane House op, massief en onvoltooid, met stapels bakstenen, ladders en steigers. . .het lag allemaal te wachten. Gisteravond had Craddock tegen haar geklaagd over mopperende lakeien die hun achterstallig loon wilden hebben en over kooplieden die weigerden voedsel te bezorgen omdat hun rekeningen niet werden betaald. Mevrouw Elmo nam haar apart om te zeggen dat de dienstmeisjes kleine voorwerpjes stalen, een boek, een porseleinen beeldje, een medaille uit de verzameling. Zij hadden ook al geen loon ontvangen. En dan was er nog een gebroken afvoer in de keuken en een lek in het dak die beide gerepareerd moesten worden, zei mevrouw Elmo. Rekeningen, zei Montrose vanmorgen tegen haar, niets dan rekeningen. Hij liet haar de stapel papieren zien, aanmaningen tot betaling voor de aanschaf van kaarsen, eten, haver, kleren en rijtuigen, allemaal dingen waarvan ze de betaling altijd vanzelfsprekend had gevonden.

Niet alleen het personeel van Devane House maar ook dat van St.-James's Square had recht op achterstallig loon, zei Montrose. Dan waren er nog hypotheken en verzekeringen waar iets op gevonden moest worden. Montrose maakte al een lijst van alle bezittingen, zoals lord Devane hem had opgedragen voor hij ziek werd; daar moest ze maar eens naar kijken en beslissen wat er verkocht kon worden. Misschien moest ze persoonlijk naar de schuldeisers gaan om een beroep te doen op hun geduld. Een vrouw zouden ze niet kunnen wegsturen, dacht Montrose. In de geldkist zaten alleen twee zakken met goudstukken, de enige contanten die we bezitten, zei Montrose. Zegt u maar wat ik moet doen, zei hij. Zegt u maar wat ik moet doen, zei Craddock. En zegt u maar wat ik moet doen, zei ook mevrouw Elmo.

Haar oog viel op vierkante stukken papier die op het hek waren vastgemaakt en ze scheurde er een af. Het was een grof gedrukte prent, nagemaakt van een betere houtsnede; de mooiere exemplaren zouden in boekwinkels te koop zijn. Onder de titel 'Brittania uitgekleed door een van de S. Sea-directeuren' stond daar Brittania uitgekleed als een Romeinse matrone die zich losrukte van een South Sea-directeur. En die directeur leek op Roger. Onderaan waren een paar regels afgedrukt:

Hier wordt Brittania's zak gemeen gerold
Door een bedrieger die met South Sea dolt;
Brittania's rijkdom slinkt onder de maat,
Ze wordt bedrogen met vals resultaat;
De schoft neemt veel, laat weinig over;
Geeft mooie woorden, maar hun zin is pover;
Verscheept haar rijkdom naar een verre kust,
en daaglijks zeurt hij dat hij nog meer lust.

Achter de karikatuur van Roger was een schip afgebeeld. Barbara verkreukelde het papier. Hoe durfden ze? Hij was ziek, misschien zelfs stervend, en zij schreven gemene leugens en gaven hem de schuld van alles. Door het hek keek ze naar Wrens half voltooide kerk aan de andere kant, met de dichtgetimmerde ramen en deuren. Ik vind het afschuwelijk hier, dacht ze. Ik moet hem hiervandaan halen. Het wordt zijn dood nog hier.

De hertogin hield haar hand op en Hyacinthe gaf haar het boek *Robinson Crusoë*.

'Defoe, hè?' zei ze toen ze het had bekeken. 'Dat is een derderangsschrijver, niets bijzonders. De gevangenis in en uit vanwege zijn schulden. En bovendien is hij niet van de Staatskerk, een presbyteriaan, nota bene.'

Hyacinthe knikte mat.

De hertogin zuchtte. Barbara was nu twee dagen weg en het huis leek wel een grafkelder zonder haar. Hyacinthe zat in een hoekje te treuren; zijzelf bleef in bed en huilde. Ze was nog niet naar de kerk geweest en ze had geen gebedsbijeenkomst gehouden voor het personeel na Harry's dood. Ze voelde zich te zwak en te moe. Ze klopte op de rand van het bed. Aarzelend kwam Hyacinthe bij haar zitten. Ze gaf hem het boek terug, en Harry en Charlotte sprongen op het bed en nestelden zich bij Dulcinea op de dekens. Ze keek naar de honden, en Harry kwispelde en blafte vrolijk naar haar. Ze was zelfs te moe om hem te vermanen over zijn brutaliteit.

'Lees eens voor,' zei ze tegen Hyacinthe; ze sloot haar ogen en ging achterover liggen in de kussens. 'Laat maar eens horen wat die Defoe te vertellen heeft.'

'"Voorwoord,"' begon Hyacinthe. '"Als ooit de geschiedenis

van de avonturen van een particulier persoon het waard was openbaar te worden gemaakt en aangename lectuur vormde, dan meent de uitgever dat dit verslag zulks is.

De wonderen in het leven van deze man overtreffen alles wat bekend is; het leven van één man kan in feite nauwelijks groter verscheidenheid bieden."'

'Ba!' zei de hertogin, haar ogen nog steeds gesloten.

'"De geschiedenis wordt met bescheidenheid, met ernst en met religieuze toewijding..."'

'Ongetwijfeld een presbyteriaanse toewijding,' snoof de hertogin.

'"Toegepast zoals wijze mannen haar toepassen..."'

Diana kwam de slaapkamer binnenstormen, met een brief in haar hand.

'Roger is ziek,' zei ze dramatisch, en haar violetblauwe ogen schitterden van opwinding, 'misschien is hij wel stervend.'

'Wat? Wat?' zei de hertogin en probeerde rechtop te zitten in haar kussens waarbij haar kanten muts steeds over haar ogen viel en Dulcinea en de honden protesteerden tegen haar onrustige bewegingen. 'Geef mij die brief.'

Het kostte haar enige tijd om er iets van te begrijpen, en pas toen ze de brief had overgelezen, besefte ze dat hij aan Barbara was geadresseerd en dat Diana hem had geopend.

'Je hebt haar brief opengemaakt,' zei ze tegen Diana.

Diana keek haar niet-begrijpend aan. 'Je begint seniel te worden. Wat heeft dat ermee te maken? Ik dacht dat hij misschien belangrijk was...'

'Dat heb je helemaal niet gedacht...'

'Ga je me daar liggen uitfoeteren omdat ik een brief heb opengemaakt terwijl de man van mijn dochter ziek is? Misschien zelfs al dood? God, dit komt wel onverwacht. Ik moet duizenden dingen doen...'

'Dood! Dood? Wie zegt er iets over dood?'

'Abigail zegt – heel duidelijk, moeder – dat hij een ernstige aanval heeft gehad en dat Barbara onmiddellijk moet komen.'

'Ze schrijft helemaal niet dat hij misschien dood is. *Aqua Mirabilis*. En keizerwater. Ja, keizerwater en een stroop van viooltjes, klaverzuring en citroen tegen de koorts. Ik heb nog een recept voor drank bij verlammingen... Ze moet hem hier brengen. Annie! Waar is die vrouw als je haar nodig hebt? Hyacinthe, ga jij Annie eens gauw voor me halen. En Tim. En Perryman.'

Ze gooide de dekens van zich af, ging op de rand van het bed zitten en haalde diep adem ter voorbereiding van de krachttoer om overeind te komen. Haar benen waren niet te vertrouwen.

'Ben je gek geworden?' vroeg Diana. 'Wat doe je nou?'

'Doen? Doen? Ik wil naar Londen. Met Annie. Met ons tweeën kunnen we alles genezen wat Roger Montgeoffrey mankeert. . .'

'Je bent krankzinnig! Je kunt niet eens staan. Die reis zou je dood zijn. Kijk nou! Kijk nou eens!' zei Diana, want de hertogin had geprobeerd op te staan, maar ze was op het bed teruggevallen. Dulcinea protesteerde luid en de honden sprongen van het bed en blaften tegen Diana.

'Ga weg!' commandeerde ze. 'Moeder, luister naar me. Je gezondheid is niets meer. Ik zal naar Londen gaan. Ik zal je koortsdrankjes en hartversterkers meenemen. En ik zal voor Barbara zorgen.'

De hertogin keek Diana met toegeknepen ogen aan. Ze was nu vergeten waar ze het precies over hadden gehad, maar ze wist dat het belangrijk was en dat het iets te maken had met Barbara. Diana maakte haar in de war, zo plechtig met haar zwarte jurk en een gezicht dat niets dan bezorgdheid uitdrukte. Ha, dacht de hertogin, ze wordt opstandig.

'Ik weet wat je denkt,' zei Diana. 'Maar ze is mijn dochter, het enige kind dat ik nog over heb en ik denk alleen maar aan haar welzijn, dat zweer ik je. Ik ben niet van plan om hier met jou te staan ruziemaken. Ik ga mijn koffer pakken en ik laat mijn rijtuig voorkomen.' Ze kwam naar voren en gaf haar moeder een kus op de wang. 'Rogers welzijn gaat mij net zo goed ter harte; je zult me gewoon moeten vertrouwen.' Haar jurk ruiste over de vloer toen ze de kamer verliet.

Roger, dacht de hertogin. Nu herinner ik het me. Abigail heeft geschreven dat hij erg ziek is. Heel erg ziek. Ze krabde Dulcinea onder haar kin.

'Ik vertrouw haar niet. Jij wel, Dulcinea?' Dulcinea miauwde luid en sloeg haar lange nagels in de dekens.

Hyacinthe, Annie, Perryman en Tim kwamen de kamer binnenrennen en Hyacinthe ging opzij van het bed staan terwijl de hertogin, nu weer helemaal helder, haar bevelen gaf. Annie moest de nodige watertjes inpakken en met lady Diana naar Londen gaan. Lord Devane was ziek. Breng hem hierheen, als je kunt, zei ze. Perryman en Tim moesten ervoor zorgen dat Annie met de watertjes, de drankjes en Diana zo snel mogelijk van Tamworth vertrokken. Nog sneller. Buiten adem maar triomfantelijk nestelde de hertogin zich weer in de kussens toen de drie de kamer uitgingen. Annie zou een hinderpaal vormen voor Diana's eventuele plannen. Ze glimlachte vol leedvermaak maar toen ze opkeek zag ze een traan over Hyacinthes wangen rollen en haar glimlach verdween.

'Gaat lord Devane dood?' vroeg hij.

Ze klopte op het bed en onmiddellijk sprongen Harry en Charlotte op de dekens.

'Jij en ik gaan samen bidden zodra je me nog wat meer van die Robinson Crenso...'

'R-robinson Crusoë.'

'Ja. We gaan daar nog een stukje uit lezen. Een klein stukje. En dan gaan we bidden voor lord en lady Devane...'

'En Thérèse?'

'En Thérèse. Onze gebeden helpen misschien beter dan viooltjesstroop. We moeten op de Heer vertrouwen, Hyacinthe. We doen wat we kunnen, maar we moeten op de Heer vertrouwen.'

Voorzichtig draaiden Justin en Thérèse Roger om en Barbara doopte een lap in lavendelwater en waste zijn rug. Het leek of zijn huid in brand stond. De koorts leek eerder nog hoger dan vanmorgen voor ze een klein ommetje ging maken. Roger mompelde en kreunde, en zijn handen grepen in de lakens toen Justin hem een schoon nachthemd aantrok. Barbara legde hem terug in zijn kussen en waste toen zijn gezicht met lavendelwater.

'Tommy Carlyle heeft je bloemen gestuurd,' vertelde ze hem. Naast het bed stond een enorm boeket rozen, hulst en klimop. 'Hij zegt dat hij je direct komt opzoeken als je weer wat beter bent en bezoekers kunt ontvangen. Hij spaart roddelpraatjes voor je op.' Roger reageerde niet.

Barbara zuchtte en ging weer rechtop staan. Toevallig viel haar oog op Thérèses gezicht. Haar huid was vaal en er was een verslagen uitdrukking in haar ogen. Het is te veel geweest, dacht Barbara. Harry, de begrafenis en de reis en nu dit weer.

'Je moet gaan rusten,' zei ze op bevelende toon. 'Neem de rest van de middag vrij. Ik red me wel.' En ze meende het. Ze had het gevoel dat ze kracht voor tien had nu ze weer een doel had om zich op te richten. Roger zou in leven blijven. Ze zou hem niet de kans geven om te sterven.

Als versuft begaf Thérèse zich naar de keuken. Ze vond dit een akelig huis. De hele dag en de nacht dat ze hier nu was geweest had ze overal argwaan en wantrouwen ontmoet. De dienstmeisjes waren stuurs en de lakeien gedroegen zich wrevelig. Hun loon was al in geen twee maanden uitbetaald en velen van hen hadden ook geld verloren in de South Sea; eigenlijk verdachten ze lord Devane ervan ergens hopen geld te hebben verstopt. Ze fluisterden als een troep gakkende ganzen. Ze negeerde hen. Ze voelde niets; alles wat ze aan gevoel had, was bij Harry. Ze ging de dag door met een grote ruimte tussen haar en de rest van de wereld.

Zachtjes opende ze de keukendeur, maar ze was van plan onmiddellijk weer weg te gaan als de kok er was. Gisteravond had hij haar heel voorzichtig ondervraagd over de gezondheid van lord Devane en over de uitgaven van lady Devane. Ze wou maar dat hij wegging, dat alle bedienden weggingen zoals ze hadden gedreigd te doen toen ze gisteravond verboden cognac namen in hun thee, de cognac van lord Devane. Hij bezit duizenden, zei een lakei zonder erg te hebben in Thérèse. Hij heeft ons geld ergens verstopt. Ik hoop dat hij doodgaat, zei een ander. Thérèse schudde haar hoofd. Ineens zette ze grote ogen op. Montrose was bezig een mand met voedsel in te pakken, en door zijn stiekeme gebaren kreeg ze kippevel op haar armen. Was hij nu ook al aan het stelen?

'Ze zou je van alles geven als je het haar vroeg!' zei ze met luide stem. 'Waarvoor moet jij stelen?'

Montrose schrok en liet een halve gebraden kip op de grond vallen. Thérèse keek er met walging naar.

'Het – het is niet voor mezelf,' stamelde hij verontschuldigend. Meteen bloosde hij.

Ze liep de keuken in met haar handen op haar heupen. 'Nou, laat je het nu ook nog op de grond wegrotten? Vanmorgen nog heeft ze me opgedragen haar juwelen te poetsen. Ze denkt dat ze ze zal moeten verkopen. Die verachtelijke meesteres van ons. Die South Sea-hoer. Heilige Maria, Moeder van God, hoe kun je van haar stelen en van hem?'

'Ik steel niet. Ik neem een heel klein beetje. Voor iemand die het nodig heeft! Lord Devane zou het niet erg vinden! Hij zou willen dat ik meer meenam als hij wist voor wie. . .'

'Nou, voor wie dan? Voor wie neem je dit beetje mee?'

Montrose gaf geen antwoord.

'Misschien wel voor een hoer,' zei Thérèse. 'Of een levensmiddelenkoopman, die het weer doorverkoopt en jou de helft van het geld geeft, een. . .'

'Caesar! Het is voor Caesar White.'

Toen zweeg hij alsof hij meer had gezegd dan hij van plan was. Thérèses mond viel open. Montrose keek nadenkend, hij raapte de kip op en stopte hem in de mand. Thérèse zag dat er ook nog een fles wijn inzat en wat brood. Hij hing de mand aan zijn arm en liep de keuken uit met een uitdrukking van gekwetste trots op zijn gezicht.

'Wacht!' riep ze en holde achter hem aan. Ze greep zijn arm. 'Vertel me. . .'

'Wat zou ik je moeten vertellen? Waarom zou je me geloven? Misschien lieg ik wel. Iemand als ik, die lord Devane zes jaar heeft gediend. Leg het zilver maar achter slot en grendel, Thérèse. Dat wordt mijn volgende buit.'

'Vertel me alsjeblieft hoe het zit.'

'Er valt niets te vertellen. Caesar heeft alles verloren toen de aandelenmarkt in elkaar stortte. Hij woont in een zolderkamertje in Covent Garden en hij heeft geen geld voor kolen of voedsel. En hij is zo wanhopig dat ik soms denk dat hij. . .' Hij zweeg, toen keek hij naar Thérèse en gaf een andere draai aan het gesprek. 'Hij had wat geld verdiend afgelopen zomer en ik zei nog tegen hem dat hij niet verder moest speculeren maar hij was ervan bezeten, en toen de koers omlaag ging, zakte zijn kapitaaltje mee. Een verhaal dat je tegenwoordig meer hoort.'

Thérèse sloeg een kruis. Toen pakte ze een mantel van een haak. 'Ik ga met je mee.'

Terwijl ze naast hem voortliep, gingen allerlei gedachten door haar hoofd. Wanhopig, zo wanhopig dat. . . de smalle rode streep onder Harry's kin stond haar nog duidelijk voor de geest. De flits van een scheermes. Het witte, het stille van een geliefd gelaat. Haar eigen gezicht stond vastberaden. Ze zou ervoor zorgen dat niet nog iemand die zij kende zich het leven benam. Geen tegenspoed was zo'n wanhoopsdaad waard. Het liet zoveel verdriet, zoveel schuldgevoel na bij de mensen die achterbleven. En het was een zonde voor de Heer.

Ze holde de donkere trappen op waar het rook naar kool en urine. Ze liep voor Montrose uit en keek alleen achterom om aan zijn gezicht te zien of ze voor de juiste deur stond, toen ging ze naar binnen, als een wraakgodin van de huiselijke haard. Caesar lag op een brits naar buiten te staren door een klein raam dat uitzicht gaf op de grauwe lucht. Zijn ongelukkige arm met het kleine handje eraan lag boven op de dekens. Toen de deur openging, draaide hij zich lusteloos om.

'Ja ja,' zei Thérèse, en liep meteen naar hem toe. 'Zo vergaat het mensen die niets meer met hun vrienden te maken willen hebben. Arm als een kerkrat en nog medelijden met jezelf ook. Ik hoor dat je alles hebt verloren. Nou, ik ook. Maar zie je mij als een invalide in mijn bed liggen en in mijn kussen huilen? Nee. Waarom? Omdat er nog zijn die van mij houden. Ik heb God, en onze lieve Heer Jezus en zijn Heilige Moeder, en meer heb je in het leven niet nodig, niets...' Ze zweeg ontzet en er kwam een snik in haar keel. Ze had die dingen niet willen zeggen. Ze waren vanzelf gekomen.

'Thérèse! Ik vond het zo erg toen ik hoorde over Harry... O, Thérèse, wat fijn om je te zien,' zei Caesar langzaam. Ze barstte in tranen uit, en ze huilde om haarzelf en om het leven dat soms zo moeilijk leek, ondanks het feit dat er een God was.

'Er zijn heus wel mensen die van je houden,' snikte ze. 'En dat is belangrijker dan al het andere in de wereld.'

Hij kwam zijn bed uit en nam haar in zijn gezonde arm. Ze snikte tegen hem aan. Hij streelde haar over haar hoofd en mompelde haar naam; hij zei dat hij het zo erg vond en ze wist dat hij Harry bedoelde. Montrose stond als aan de grond genageld bij de deur. Maar eindelijk herstelde hij zich en kwam de kamer in. Hij opende de mand.

'Een beetje eten, wat wijn,' zei hij. 'Dat hebben we nodig.'

Thérèse snoot haar neus.

Caesar glimlachte. Niet de glimlach van vroeger, met een binnenpretje erin, maar in elk geval een glimlach. 'Eten, wijn en jullie tweeën,' zei hij. 'Dat wordt een godenmaaltijd. Werkelijk.'

Doodmoe ging Barbara die avond naar haar slaapkamer waar haar koffers stonden, om wat papier te halen voor een brief aan haar grootmoeder. Thérèse zat daar op een stoel met allemaal poetsdoeken en juwelen op haar schoot. Ze keek naar iets dat ze in haar hand hield en huilde. Ze huilde tranen met tuiten.

'Thérèse!' zei Barbara en kwam naar haar toe, maar Thérèse sprong overeind waardoor de lappen en de sieraden op de grond vielen, en rende de kamer uit. Barbara bukte zich om de juwelen op te rapen en ze zag Harry's trouwring. Ze nam hem in haar hand en keek ernaar. Harry... Er ging haar een licht op.

Ze vond Thérèse in de slaapkamer van de dienstmeisjes. Twee meisjes zaten in bed te lachen en te praten alsof Thérèse, die dwars over een ander bed lag, niet bestond. Ze hielden op met lachen toen ze Barbara zagen, keken haar eerst nogal stuurs aan, kwamen toen van hun bed af en maakten een buiginkje. Waarom werken ze niet? dacht Barbara. Ze keek hen met koele blik aan, want er schoten haar andere dingen te binnen die ze in deze huishouding had ontdekt en gehoord.

'De kamer uit,' zei ze.

Ze verdwenen. Thérèse ging zitten en veegde haar ogen af. Ze begon verontschuldigingen te stamelen. Barbara stak haar hand uit en opende haar vingers. 'Hier,' zei ze.

Thérèse keek. In Barbara's handpalm lag de ring.

'Moet – moet ik hem voor u schoonmaken?'

'Je mag hem hebben.'

Thérèse staarde naar de ring. Ze opende haar mond, maar Barbara onderbrak haar.

'Nee! Zeg maar niets. Daar kan ik niet tegen. Ik – ik hield zo van hem.'

Plotseling legde ze de ring op het bed en ging de kamer uit.

Voorzichtig nam Thérèse hem in haar hand. Ze zou hem aan een gouden kettinkje hangen, aan het kettinkje waar ook haar crucifix aan hing. Dan zou hij tussen haar borsten liggen samen met het kruisje, dicht bij haar hart, een herinnering aan iemand van wie ze zoveel had gehouden... Ze had Caesar beloofd dat ze morgen weer zou komen, en dat zou ze doen. Als een mens zo aan de rand van de afgrond staat, is het goed dat hij ziet hoe anderen van hem houden. Had Harry maar iemand in Londen gehad... Tranen gleden weer over haar wangen. Ze begon te bidden. Wees gegroet Maria, vol van genade, de Heer is met u . . .

Beneden gooide Barbara de deur van de bibliotheek open.
Montrose zat verschanst achter zijn paperassen en zijn inktpotten. Hij keek op.

'Ik wil een lijst van alle bedienden in dit huis, en van de achterstallige lonen van elk. Morgen.'

'Lady Devane. Lady Devane!'

Justin maakte haar wakker. Onmiddellijk stond ze op van het
veldbed, en haastte ze zich naar de zieke. Hij is dood, dacht ze.

'De koorts is weg,' zei Justin achter haar.

Ze voelde Rogers voorhoofd. Het was klam. Zijn haar zat geplakt van de transpiratie. Ze raakte zijn wang aan met de hare.
Hij voelde koel aan; de koorts was weg.

Justin glimlachte, ze sloeg haar handen in elkaar en hield ze
toen voor haar mond om niet hardop te lachen. De koorts was
weg. Justin boog en zij maakte een revérence. Ze dansten de horlepijp, één keer de kamer rond, in het donker, en ze stootten tegen
meubels en hielden hun lachen in, als kinderen die iets verbodens
doen. De koorts was verdwenen.

Die ochtend voelde de dokter Rogers pols en keek bedenkelijk.
Hij is nog erg ziek, zei hij, maar het kon Barbara niets schelen wat
hij zei. Rogers koorts was weg. Hij zou leven. Ze zou hem geen
kans geven om te sterven. Ze verliet de dokter terwijl hij nog bezorgd bij Roger stond, deed een sjaal om en ging naar buiten. Hij
zou blijven leven. Als hij wakker werd, zou ze hem zeggen hoeveel
ze van hem hield en ze zou hem zorgzaam verplegen. Als het maar
enigszins mogelijk was, zou ze hem naar Tamworth brengen. Ze
keek naar de lucht. Er was niet veel tijd meer. Nog een of twee
flinke regenbuien, of sneeuw, en de wegen zouden onbegaanbaar
zijn. Dan zou het te erg hobbelen over de modderige sporen. Ze
wilde hem weghalen uit dit huis met z'n aanmatigende bedienden.
Weg, naar Tamworth. Veilig tussen liefhebbende mensen, en tegen het voorjaar zou hij beter zijn.

Over de oprijlaan naar het huis kwam een ruiter aangereden en
ze dacht eerst dat het Tony was. Maar het was Charles die met
één soepele beweging van zijn paard sprong en haar handen nam
nog voor ze iets had gezegd. Hij glimlachte naar haar, en ze zag

zichzelf zoals hij haar moest zien: geen make-up, in een verschoten oude jurk en met een oude wollen sjaal om. En het kon haar niets schelen.

'Hij zal in leven blijven, Charles,' zei ze, en maakte haar handen los uit de zijne. 'De koorts is gezakt.' Ze keek op naar de loodgrijze lucht en lachte plotseling hardop. 'Hij blijft leven!'

Charles bestudeerde haar gezicht. Alles wat ze voelde was er duidelijk op af te lezen. Wat een dwaas ben ik, dacht hij terwijl hij haar bleef aankijken. Door haar stel ik me aan als de eerste de beste idioot.

'Kom bij me theedrinken,' zei ze met haar grootvaders glimlach op haar gezicht.

Hij schudde zijn hoofd. 'Ik ben blij dat jij zo gelukkig bent, Barbara. Ik ben alleen gekomen om te zien hoe het met Roger ging – en met jou. En dat weet ik nu. Maar ik heb zelf ook goed nieuws. Ik denk dat ik ga trouwen.'

Hij sprak kalm, alsof hij haar vertelde dat hij een nieuw paard ging aanschaffen, volkomen op zijn gemak en met zijn armen gekruist over zijn borst.

Ze zweeg. Eindelijk zei ze heel gevat, helemaal de Barbara die ze daarvoor was geweest om haar werkelijke gevoelens te verbergen: 'Dan mag ik de bruid wel condoleren.'

Hij gooide zijn hoofd achterover en lachte. Ze had hem een klap in zijn gezicht willen geven. Hij kwam een stap naar voren.

'Geef me een felicitatiekus, als herinnering aan vroeger. We hebben nu allebei wat we graag wilden, nietwaar?'

Hij keek haar spottend, half uitdagend aan en ze had weer lust hem een klap te geven. Ze kwam naar hem toe en kuste hem snel en hard op de mond, maar hij greep haar bij de schouders en zei met een stem die al net zo spottend was als zijn blik: 'Niet op die manier, dat nooit, Barbara. Ik zie dat je de oude tijden bent vergeten. Ik zal je eraan herinneren.' Hij legde zijn lippen langzaam en heel bedaard op de hare en ze voelde een schok van zijn warme aanraking door haar hele lichaam gaan. En ze dacht: Charles... we hadden misschien... we waren er zo dichtbij, maar ik kon je nooit mijn hele hart geven... Toen raakte zijn tong de hare en ze rukte zich los, en met een afkeurende blik zei ze: 'Roger! Roger heeft me nodig! Ik wens je oprecht geluk. Werkelijk! Vaarwel, Charles.'

Ze rende het hele stuk naar huis zonder om te kijken. Eenmaal binnen gluurde ze door een kier van de gordijnen en ze zag dat hij nog steeds stond te staren. Toen kwam een mist opzetten die langzaam door de hekken over de laan naderde, waardoor hij ten slotte aan het zicht werd onttrokken.

Toen Roger wakker werd, was ze bij hem. Hij deed zijn ogen open en toen hij haar zag wilde hij zijn hand oplichten, maar hij kon het niet. Ze nam zijn hand in de hare, kuste hem en zei: 'Hier ben ik. Ik hou van je. Je bent nu bij me en ik zal voor je zorgen.'

'Barbara.' Hij zei haar naam met een schorre stem. 'D-doet pijn.'

'Stil nou. Ga maar slapen. Rust uit. Je moet rusten, dan word je weer beter. Als je maar rust.'

Een rijtuig kwam de oprijlaan op en stopte voor Devane House. Diana en Annie stapten uit en liepen met vastberaden tred het bordes op en het huis in.

'Waar is mijn dochter?' vroeg Diana terwijl ze haar zwarte handschoenen uittrok en de hal inkeek.

'In de bibliotheek,' zei Craddock met een buiging.

'En lord Devane?'

Craddock glimlachte. 'De koorts is weg.'

'O,' zei Diana.

In de bibliotheek namen Barbara en Montrose de lijst van bedienden door.

'Er is gisteren een rel geweest in de lobby van Westminster,' zei Montrose.

Barbara huiverde. 'Ik wil hem hiervandaan halen. Ik dacht erover het huis te sluiten en alleen jou en Craddock achter te laten. Als ik mijn paarlen tiara verkoop, moet er meer dan genoeg zijn om de lonen van de andere bedienden uit te betalen. Wat mij betreft is niet een van hen het waard om. . . .'

De deur van de bibliotheek vloog open en Diana schreed naar binnen, gevolgd door Annie die met een stug gezicht achter haar aan kwam.

'Annie!' zei Barbara en sprong van haar stoel. 'Annie!'

'Ik ben gekomen om die man van jou te verplegen. Je grootmoeder heeft me gestuurd.'

'Ik wil naar Tamworth, Annie. Ik wil hem hiervandaan halen. De dokter zegt dat hij niet tegen die reis kan, maar ik wil hem zo graag hier weg hebben. Ga maar naar hem kijken. Daar, door die deur. Heb je grootmama's medicijnen bij je? O, Annie, ik kan je niet zeggen hoe blij ik ben je te zien. Francis,' zei Barbara en wendde zich tot Montrose, 'Annie kan iedereen weer beter maken.'

Montrose kuchte en keek in de richting van Diana die een beetje aan de kant stond en met verwijtende en tegelijk spottende ogen naar Barbara keek.

'Moeder,' zei Barbara. 'Ik ben ook blij jou te zien.'

'Ja,' zei Diana. 'Dat merk ik.'

Ze keek naar Montrose die nog eens kuchte en toen de kamer verliet. Diana ging zitten. Ze pakte het papier met daarop de namen van de bedienden. Haar gezicht stond hard en koud.

'Ben je al naar het hof geweest?'

'Nee, moeder.'

'En ben je nog van plan te gaan?'

Barbara zette een vastberaden gezicht. 'Nee, moeder.' Ze bereidde zich voor op de ruzie die nu ongetwijfeld zou volgen.

'Zo.'

Diana stond op en trok haar handschoenen weer aan. Bij de deur zei ze: 'Doe me een genoegen en laat me weten wanneer je uit de stad vertrekt.'

Thérèse gaf White nog een lepel soep, onderwijl druk pratend. '. . . en zijn koorts was vanmorgen weg. We waren zo blij! Madame Barbara danste door de kamer als een klein meisje. En vanmiddag zijn haar moeder en Annie − zij is de kamenier van de hertogin en ze weet alles van verpleging − die zijn aangekomen. Madame Barbara zegt dat Annie lord Devane zal genezen.' Ze glimlachte en White glimlachte terug.

Ze boog zich voorover om de soepkom neer te zetten en haar kettinkje viel uit haar jurk.

'Mag ik?' vroeg White, en hij hield de trouwring tussen duim en vinger.

'Van Harry,' zei Thérèse. Ze kuste de ring, sloeg een kruis en stak het kettinkje weer in haar jurk. 'Zo,' zei ze, 'nu kom ik je nog een voorstel doen.'

Whites wenkbrauwen gingen omhoog.

'Zodra we kunnen vertrekken, sluiten we Devane House en alleen Montrose en nog een bediende blijven achter. Ik heb lady Devane over jou verteld – nee, Caesar, kijk me maar niet zo aan. Ik heb alleen gezegd dat je in Londen was en toen heeft zij voorgesteld dat je in het huis kwam wonen bij Montrose.'

'Ik heb geen behoefte aan iemands liefdadigheid. . .'

'Hou je mond. Ik heb een hekel aan misplaatste trots. Ze heeft dat aanbod gedaan uit achting voor jou. Ze heeft geen idee van – van dit alles,' zei Thérèse en ze maakte een gebaar naar de armoedige kamer. White keek bedenkelijk.

'En waarom niet? dacht ik. Dan heeft Montrose gezelschap en jij bent ergens waar je kunt aansterken. Misschien begin je dan weer te schrijven. Nou ja, misschien. In elk geval kun je mij eens een brief sturen. En in het voorjaar kun je naar Maidstone gaan, dat is dicht bij Tamworth, en daar verder aansterken.'

Thérèse stond op. 'Denk er maar over na. Ik kom morgen terug.'

Ze stopte de lepel en kom weer terug in haar mand, trok de dekens recht over Whites lichaam en schudde zijn kussens op. Hij keek naar haar en zijn ogen stonden niet meer zo lusteloos als de vorige dag. Ze kuste hem op zijn voorhoofd en liep naar de deur. Daar bleef ze nog even staan.

'Ik heb iemand horen zeggen dat Alexander Pope de helft van zijn vermogen is kwijtgeraakt en John Gay heeft alles verloren.'

White fronste zijn wenkbrauwen.

Ze glimlachte naar hem. 'We zijn nooit de enigen die tegenslagen hebben, Caesar. Soms lijkt het alleen maar zo.' En toen sloot ze de deur, voor hij een antwoord kon bedenken.

Annie ging aan tafel zitten in de kamer die Barbara haar had gegeven en ze stak haar pen in de inktpot. Ze moest beslist een brief schrijven aan de hertogin die erop zat te wachten en die beslist niet behoorlijk zou kunnen rusten of slapen zolang ze niets had gehoord. Ze zouden lord Devane naar Tamworth brengen zodra juffrouw Barbara het huis had gesloten en de bedienden had weggestuurd. De hertogin moest maar alles klaarmaken voor hem. En ze schreef nog meer. Annie schudde haar hoofd onder het schrijven. Lord Devane was stervende. Juffrouw Barbara wilde het niet zien, maar het was wel zo. Als ze het heel zorgvuldig klaarmaakte, als ze voorzichtig de alruin voegde bij het vingerhoedskruid, kon ze de pijn van de reis een beetje verdoven. En wie weet? Het vingerhoedskruid kon misschien zijn leven verlengen . . . voor een korte tijd. Juffrouw Barbara had gelijk dat ze hem naar Tamworth wilde vervoeren. Een man moest sterven omringd door mensen die van hem hielden. In een huis vol traditie en herinneringen waar anderen ook al waren gestorven zodat de dood daar niet onbekend was, niet zo angstaanjagend binnen die muren. Ze kon hem wel de kracht geven om de reis te overleven. Ja, dat zou ze doen. Maar meer ook niet. Er was geen medicijn, geen kruid, geen kracht — behalve die van de Heer hierboven — die hem nu nog kon redden.

27

Robert Walpole gooide een groot bloot been boven de dekens en ging zodanig met zijn hoofd liggen dat hij naar Diana kon kijken terwijl ze haar haar borstelde. Helemaal geconcentreerd op het beeld dat ze in de spiegel zag, liet ze de borstel op en neer gaan, en hij moest flauwtjes glimlachen om de intensiteit van haar bewegingen. De toilettafel en de grote spiegel waren helemaal omhuld met gaas en kant en bovenop stond een batterij kristallen potten en flessen die zich verdrongen tussen rougepotjes, borstels en linten in kersenrood en primulageel. Waarom ze die linten had, wist hij niet. Ze droeg nu alleen maar zwart, vanwege Harry. Maar zwart stond haar goed, zoals ze zelf ook wel wist. Clemmie schoot in en uit zijn gezichtsveld, dik en op versleten satijnen pantoffels die aan Diana hadden toebehoord. Ze raapte hier en daar kleren op en ruimde de tafel af waar hij en Diana aan hadden zitten eten. Vanuit haar ooghoek gluurde ze naar Walpole en stak toen haar hand in een van de zakken van zijn vest om er een paar munten uit te stelen. Walpole deed alsof hij het niet had gezien. Met haar anderhalve tand in de mond glimlachte ze, klemde het geld in de ene hand en het vuile tin in de andere en slaagde er ook nog in de deur te openen en achter zich te sluiten. Diana's pantoffels klosten onder haar blote hielen.

'Steelt ze altijd?'

'Altijd,' antwoordde Diana met haar blik op de spiegel gericht. Ze was magerder geworden na Harry's dood en daardoor was haar gezicht harder en koeler.

'En jij?' vroeg hij.

'Als ik de kans krijg.' Ofschoon hij het als een grapje had bedoeld, gaf Diana serieus antwoord; ze concentreerde zich nu op het inwrijven van l'eau de Ninon in haar wangen en vooral in de diepe lijnen aan weerskanten van haar mond.

'Denk je dat Barbara al op Tamworth is aangekomen?' vroeg

hij met zijn gedachten bij schoonheid, leeftijd en vergankelijk-
heid, waardoor hij vanzelf op Roger kwam.

'Wie zal het zeggen?'

'Het schijnt je niet veel te interesseren.'

Diana wreef het water met snelle, harde streken in haar gezicht.
'Integendeel, het interesseert me buitengewoon, maar heeft ze ooit
naar me geluisterd? Ze doet precies wat ze zelf wil. Nu zeggen de
mensen dat zijn ziekte is voorgewend. Dat hij uit de stad is gevlucht en duizenden ponden heeft meegenomen, en dat zijn reis-
doel niet Tamworth is maar Brussel. Ik had haar kunnen voorspellen dat dat zou worden gezegd, maar ze zou toch niet hebben
geluisterd.' Geërgerd schroefde ze de dop op de l'eau de Ninon en
rommelde tussen haar vele andere potten en flessen voor iets anders. 'Zou je denken dat het Lagerhuis een onderzoek laat instel-
len?'

'Ik weet het niet. Ik zal alles doen wat ik kan om dat tegen te
houden. De beste manier om een eind te maken aan deze crisis is
de economie te stabiliseren en niet om directeuren te straffen...'

'Dat klinkt als een zin uit een toespraak die je in het Lagerhuis
gaat houden.'

'Dat is het inderdaad,' zei Walpole. 'God, ik wou dat ik Roger
had gesproken voor hij wegging. Carlyle zei dat hij erg ziek was.
Roger Montgeoffrey ziek. Zolang ik hem ken is hij nooit veranderd, behalve dat hij op de een of andere manier knapper is geworden. Ik ben steeds dikker geworden met de jaren en ouder, en
hij alleen maar knapper. Hij is een goede vriend voor me geweest,
Diana. Ik zal hem beschermen wanneer het parlement begint.'

'Je moet er zoveel in bescherming nemen: het ministerie, de koning, de prins. Een paar zullen door de kieren vallen.'

'Roger niet. Dat beloof ik je.'

'Ik hoop bij God dat je je belofte kunt houden. Ik ben deze hele
morgen met Harry's schuldeisers in de weer geweest. Ik heb geen
zin in nog een bankroet in de familie. Wie is Alexander Pendarves?'

Die vraag verbaasde hem. Argwanend keek hij haar aan, steunend op zijn ellebogen. Zij echter scheen helemaal op te gaan in
iets wat ze zojuist op haar kin had ontdekt.

'Dat is een parlementslid voor Newcastle,' zei hij langzaam,
'een rijke, ellendige oude vrek die al twintig jaar niet in het parle-

ment is geweest, maar die nu wel verschijnt omdat hij zich wil wreken op de mannen die hem een halve guinje hebben doen verliezen op de beurs. Waarom vraag je dat, Diana?'

'Robert, wat zou dit toch zijn op mijn kin? Kijk eens!' Ze draaide zich om en stak haar kin uit, maar er was niets te zien. 'Het lijkt enorm!'

'Welke kin, Diana?' En toen ze hem woedend aankeek: 'Plak er een tache de beauté op. Het is waarschijnlijk zo'n heksenwrat.'

Grinnikend ging hij weer in de kussens liggen. Alle argwaan was vergeten door het plezier dat hij had om zijn geestigheid.

Toen twee rijtuigen de Tamworth-oprijlaan met zijn lindebomen opreden, stroomde het van de regen. Barbara veegde haar ogen uit, gaf haar paard de sporen en kwam naast het eerste rijtuig met daarin Annie en Roger. Ze klopte op het portier met haar rijzweepje. Annie rolde het leren gordijn op.

'We zijn er,' zei Barbara terwijl de regen over haar gezicht en haar hals stroomde, ondanks de capuchon van haar mantel. Annie knikte.

In het rijtuig boog ze zich over het geïmproviseerde houten bed dat voor Roger was gemaakt en voelde zijn pols. Hij was heel zwak. Hij lag met dichte ogen en een ingevallen mond. Ze voelde aan zijn voorhoofd, maar hij had geen koorts.

' "Het was een vreselijke aanblik; vooral toen ik me op de kust begaf, kon ik de sporen van gruweldaden ontwaren," ' las Hyacinthe, knus genesteld naast de hertogin in haar grote bed, samen met de hondjes en Dulcinea, ' "die waren overgebleven na hun ellendig werk, te weten het bloed, de beenderen en stukken vlees van menselijke lichamen, gegeten en verslonden door . . ." ' Hij zweeg en hief zijn hoofd op om te luisteren. Vervolgens legde hij het boek neer en kwam het bed uit om naar het raam te rennen. Hij keek achterom met stralende ogen.

'Ze zijn er! Ze zijn er!'

De hondjes sprongen van het bed alsof ze het hadden verstaan. De hertogin dacht niet meer aan wilden, bloed en beenderen.

'Ga naar beneden en kijk of ze er inderdaad zijn. Schiet op, jongen, rennen. En zeg tegen die deugniet van een Tim dat hij me moet komen halen.'

Ze leunde achterover in de kussens en voelde zich al moe van het beetje opwinding dat ze zojuist had meegemaakt. Ze schudde haar hoofd en sloot haar ogen. Tim kwam de kamer in. Ze deed haar ogen weer open.

'Daar heb je lang over gedaan,' zei ze fel. 'Schiet op. De jongeheer Giles komt thuis van kostschool en het lijkt eeuwen geleden dat ik. . .' ze hield op met praten, want ze zag aan Tims gezicht dat er iets niet in orde was met wat ze zei.

'Het is lady Devane, mevrouw,' zei Tim vriendelijk, 'met haar man, die ziek is. De jongeheer Giles is. . .' Hij maakte zijn zin niet af.

'Hij is dood.'

Zij en Tim zwegen beiden een ogenblik na die woorden. Maar Tim herstelde zich het eerst.

'Toe maar. Lady Devane is die hele lange weg gekomen om bij u te zijn. Gaat u hier dan zitten piekeren of komt u met me mee naar beneden?' En tot haar stomme verbazing knipoogde hij naar haar.

'Onbeschaamde – je hebt geen manieren! Absoluut geen manieren! In mijn tijd zou een lakei levend gegeseld zijn als hij zich zo gedroeg! Mijn huishouding stort helemaal in terwijl ik hier boven lig weg te teren!' Ze zuchtte. Ze voelde zich beter, gesterkt. Ze keek hem dreigend aan. 'Breng me naar beneden.'

In de grote hal was het een drukte van belang. Perryman commandeerde de andere lakeien met luide stem. Hyacinthe en de schril keffende honden renden van Barbara naar Thérèse en konden maar niet besluiten bij wie ze wilden blijven. In een druipnatte mantel en capuchon stond Barbara de lakeien aanwijzingen te geven hoe ze Roger voorzichtig naar binnen moesten dragen. Hij lag op een brede plank, bedekt met dekens, en Annie en een keurige slanke man – de hertogin vermoedde dat dat zijn persoonlijke bediende was – hielden een mantel over hem heen om hem te beschermen tegen de regen die buiten nog in stromen neerviel.

De hertogin wees op Roger, en Tim droeg haar naar hem toe. Annie trok een strak mondje toen ze een blik van de hertogin opving en ze keek dreigend naar Perryman die dreigend terugkeek (ze hadden elkaar toch gemist) maar de hertogin had alleen maar ogen voor Roger. Hij zag er slechter uit dan ze had verwacht, en ze verwachtte al het ergste uit Annies brieven. Hij kreunde en opende zijn ogen die opvallend blauw waren tegen de bleke kleur van zijn gezicht.

'Alice...' fluisterde hij, en hij deed een poging om te glimlachen, maar het kostte hem te veel moeite en hij sloot zijn ogen weer.

De hertogin ving een blik op van Annie. Ze ontmoette ook de ogen van de man die Rogers bediende was en vervolgens die van Thérèse. Toen keek ze naar Barbara die droop van de regen, maar zij glimlachte stralend naar haar. Ze hield de hele tijd Rogers hand vast.

'Ik heb hem thuisgebracht zodat u hem kunt verzorgen. Roger,' – ze boog zich naar hem over – 'je bent op Tamworth. Hier zul je beter worden.'

Toen begon ze zich actief met alles bezig te houden, nog actiever dan Perryman. Ze gaf instructies aan de lakeien om vooral voorzichtig te zijn toen ze Roger de trap opdroegen, ze gaf Thérèse, Annie en Justin allerlei opdrachten en ze knuffelde Hyacinthe. Ze bukte zich om de hondjes te aaien die telkens tegen haar rok opsprongen, schudde haar natte mantel van haar schouders en ging met haar vingers door haar natte haar. En ze bleef de hele tijd glimlachen.

'Breng me naar boven,' zei de hertogin tegen Tim, en ze volgden direct achter Roger. Ze voelde zich slap. Slap en diep bedroefd. Ik heb de kracht niet om hier iets aan te doen, dacht ze. Harry's dood had te veel van haar geëist.

In de slaapkamer van de hertog was Barbara druk bezig alles in orde te brengen voor Roger. De kamer rook naar schoon linnengoed, citroen en lavendel en het vuur knisperde in de haard, maar Roger huiverde en kreunde toen hij op het laken werd neergelegd. Justin stopte de dekens zorgvuldig in terwijl Barbara zijn koude handen wreef, om Annie riep en tegen Roger zei dat ze hem eigenhandig zijn thee met toost zou voeren.

'Je bent thuis,' zei ze tegen hem. 'Nu word je gauw beter. Dat beloof ik je. Tamworth kan alles genezen.'

Annie kwam boven en stond even met Barbara naar hem te kijken.

'Geef hem maar meer van die medicijn,' zei Barbara. En toen: 'Annie, was het verkeerd dat ik hem hier heb gebracht? Hij ziet er zo...' Ze kon haar zin niet uitspreken.

'Hij zou overal zo zijn geweest.' Annie gaf Justin een teken.

'Help me eens hem omhoog te tillen op de kussens...'

Barbara liep de kamer uit en in de gang bleef ze tegen de deurpost leunen. Er kwam een vreselijke, donkere angst in haar op. Ze slikte en haalde een paar maal diep adem, tot het nare gevoel voorbij was. Ze streek haar haar glad en ging de slaapkamer van haar grootmoeder binnen. De hertogin lag in bed, gesteund door een stapel kussens; ze had haar ogen gesloten en met een hand streelde ze Dulcinea. Barbara ging op het bed zitten en hield de andere knokige hand van de hertogin tegen haar eigen zachte wang. Bestendigheid. Wat een troost gaf haar dit ogenblik in haar grootmoeders bestendigheid. Daar kon ze op rekenen... zoals op niets anders. De hertogin opende haar ogen.

'Hij is moe van de reis, grootmama. We hebben twee dagen aan één stuk door regen gehad. Stromende regen. We hebben warme bakstenen om hem heen gelegd omdat Annie zei dat hij beslist geen kou mocht vatten. Ik weet zeker dat er in die receptenboeken van u een drankje staat dat hem wat verlichting kan geven, waardoor hij tot rust komt...'

'Dat is er ook wel.'

'Daar rekende ik al op. Ik moest hem uit Londen weghalen. Die nieuwsberichten. Ze schreven zulke vreselijke dingen over hem. Ze waren...'

'Stil nou maar.'

Als een kind legde Barbara haar hoofd tegen haar grootmoeders borst. Ze voelde het brokaat van haar kamerjas tegen haar wang prikken. De hertogin streelde haar over de natte krullen. Nu, dacht ze. Nu ik er nog een beetje kracht voor heb. Nu.

'Ik denk dat hij in het voorjaar beter wordt,' zei Barbara.

'En ik denk van niet. Luister Barbara, je moet heel flink zijn. Roger...'

'Zeg het niet!'

De hertogin was verbaasd dat ze het zo fel zei. Barbara ging overeind zitten in haar armen. Haar ogen schoten vuur.

'De vorige keer dat iemand zoiets tegen me zei, was Harry dood. Ik luister niet. Niet weer! Hoort u me? Ik luister niet!'

Er zat een zweem van hysterie in die stem. De hertogin voelde het duizelen ergens achter in haar geest. Hoort dit, o dwazen die het niet begrijpt; gij die ogen hebt en niet ziet; gij die oren hebt en niet hoort... Barbara wil niet horen... ze wil niet zien...

Richard... ze sloot haar ogen en een grauwe mist dwarrelde door haar hoofd, bracht haar vergetelheid... gezegende... ze dronk de wateren van de rivier de Lethe, die vergetelheid schonk aan hen die uit haar koele diepten dronken... Lethe... in Hades... hemel en hel... Iemand schudde haar zachtjes bij haar schouders... haalde haar weer terug... Ze wilde niet terugkomen... hier was pijn... nog meer dood... Richard...

'Ik meende het niet zo, grootmama. Doet u alstublieft uw ogen open! Praat alstublieft tegen me. Maar niet over Roger. Later praten we over hem. Alstublieft, grootmama.'

De hertogin opende haar ogen. 'Ik moet naar je moeder schrijven over Harry en Jane,' zei de hertogin. 'Dat huwelijk is niet...'

Barbara hield haar adem in en de hertogin voelde dat er iets niet goed was. En toen wist ze wat het was. Maar ze kon er niet tegen zoals Barbara keek.

'Ik weet het weer, Bab. Ik weet het weer. Harry...' Haar gezicht schrompelde ineen als dat van een kind, en ze begon te huilen. 'Harry is dood. Dat weet ik. Dat herinner ik me. Ik ben oud. Dat is alles. Oud.' En jij wilt niet naar me luisteren en ik heb zo'n medelijden met je.

Lieve god, dacht Barbara; ze hield haar grootmoeder in haar armen en wiegde haar. Ik denk dat ik breek. Als glas. In honderden scherpe stukjes. Ze haalde diep adem. Ik wil niet breken. Ik ben sterk. Ik kan voor mezelf zorgen. En voor hen die mij nodig hebben.

'Ik hield zoveel van hem,' snikte haar grootmoeder. 'Ik had hem meer geld moeten geven toen hij erom vroeg, maar dat heb ik niet gedaan. Ik begreep het niet.'

'Nee, grootmama,' zei Barbara; ze voelde de tranen om Harry in haar eigen keel omhoogkomen, maar ze wilde niet huilen omdat ze wist dat ze nooit meer zou ophouden nu Roger daar lag, in de kamer daarnaast. 'Niemand van ons heeft het begrepen.'

'Ik ben blij dat je hier bent,' zei de hertogin en drukte haar tegen zich aan. 'Zo blij dat je hier bent.'

De novemberregens brachten natte sneeuw en vorst, een voorspel voor de sneeuw in december. Barbara had nu de leiding van het avondgebed. Ze zag toe op de laatste werkzaamheden voor de winter: het maken van kaarsen en de varkensslacht. Ze besliste of het weer mooi genoeg was om de hertogin naar de kerk te dragen. Ze bestelde een speciaal boek in Londen voor de kleine Jeremy die nog altijd ziek was, een boek met vrolijk gekleurde platen en taferelen die rechtop gingen staan als je het boek opende. Ze zat urenlang in de voorraadkamer tussen oude recepten te zoeken, en als Annie het ermee eens was, maakte ze iets voor Roger klaar. Ze wist de kok over te halen om pruimen gestoofd in wijn klaar te maken en het borstvlees van kapoenen, lichte soep en bouillon voor Roger en voor haar grootmoeder.

Barbara luisterde naar klachten van het personeel en nam beslissingen over wat er moest gebeuren. Naarmate de dagen kouder werden, droeg ze Hyacinthe op om weer voor te lezen – voor iedereen van de huishouding die zin had om te luisteren – uit de wonderbaarlijke en fantastische avonturen van *Robinson Crusoë*. Stalknechten, dienstmeisjes en lakeien hadden het over niets anders tijdens hun saaie winterse werkzaamheden. Het enige nieuws dat hen nog bereikte uit de rest van de wereld kwam via brieven die met moeite werden bezorgd, soms een week of meer te laat, en daarom des te meer gewaardeerd...

De hertogin herkende noch het handschrift noch het zegel van de brief die voor haar lag, en ze gaf Dulcinea een tik omdat ze er telkens mee wilde spelen. Dus sprong Dulcinea hooghartig naar Barbara's schoot en gluurde met haar groengouden spleetoogjes naar de hertogin. Ze las:

> Mevrouw,
> Ik veroorloof me een grote vrijheid door u te schrijven, maar ik heb veel gehoord over uw rechtvaardigheid en uw kracht, en ik heb uw echtgenoot lang geleden gekend. Hij was de grootste generaal tegen wie ik ooit heb mogen strijden. Daarom hoop ik dat u mij zult willen beschouwen als een kennis en mijn verzoek zult inwilligen. Onlangs heb ik vernomen dat lord Devane ernstig ziek is en op Tamworth verblijft. Het zou heel vriendelijk van u zijn als u mij wilde schrijven om me te laten weten hoe hij het maakt. Ik sluit mijn adres in, in de hoop dat u dat zult willen doen, en verblijf uw gehoorzame dienaar Philippe Henri Camille Louis de Bourbon, prins de Soissons.

Wel, dacht de hertogin. Wel, wel, wel.

Ze keek met een schuldige blik naar Barbara en vouwde de

brief weg voor zij hem kon zien. Barbara zat met gefronste wenkbrauwen haar eigen brief te lezen en de hertogin herkende het handschrift. Die keurige lettertjes konden alleen van Francis Montrose komen. Elke week schreef hij een lange brief, waarna Barbara de hele dag bezorgd liep te kijken en tot laat in de nacht een antwoord zat te schrijven. Zij en Montrose probeerden Rogers schulden af te handelen.

'Mijnheer Jacombe raadt ons nu aan Devane House te verkopen,' zei Barbara geërgerd. Mijnheer Jacombe had elke week weer iets nieuws aan te raden. 'Ik doe het niet. Ik breek het nog liever eigenhandig af dan dat ik er een ander in laat wonen. In het voorjaar gaan we er weer naar toe, wanneer Roger weer beter is.'

De hertogin gaf geen antwoord. Ze wist dat ze met Barbara niet over Rogers ziekte hoefde te praten en ze probeerde er maar niet aan te denken wat er zou gebeuren als Roger stierf. Elke avond bad ze tot de Heer om kracht wanneer dat ogenblik zou zijn aangebroken. Want dan zou ze kracht nodig hebben en Barbara zou die helemaal niet meer hebben.

Ze las vluchtig wat Abigail in haar brief te vertellen had – haar hoofd stond er nu niet naar om van haar roddelpraatjes te genieten – de opening van het parlement, de toespraak van de koning, Neville en Pitt die een motie indienden om de directeuren van South Sea te dwingen hun boeken voor het Lagerhuis te openen en nog veel meer.

Ze eindigde met te informeren naar Rogers gezondheid en toen, alsof ze het bijna was vergeten, schreef ze dat Charles en Mary de huwelijksovereenkomst hadden getekend. 'Ze zijn van plan alleen voor de burgerlijke stand te trouwen, over een paar dagen al, aangezien we nog in de rouw zijn voor Harry. Je zult wel begrijpen waarom ik je vraag het nieuws aan Barbara door te geven. Mary en Charles sturen haar hun hartelijke groeten, waar ik de mijne aan toevoeg, en we bidden allemaal voor Rogers herstel.'

Ik kan me voorstellen dat je dat doet, dacht de hertogin en vouwde haar brief op. Maar hoe zal ik het aan Barbara vertellen?

'Ik heb hier een brief voor Roger van Tommy Carlyle,' zei Barbara lachend. 'Die zal ik hem voorlezen als hij wakker wordt.' Ze wilde naar buiten kijken maar het raam was helemaal beslagen van de kou. Ze kon er niet doorheen zien en het was net of ze naar niets keek. Alsof er verder niets bestond achter deze ramen. 'Afgelopen voorjaar, toen ik Roger weer voor het eerst zag, ben ik naar een groot feest geweest dat werd gehouden in zijn paviljoen der kunsten en heel Londen was daar aanwezig, grootmama. Ze hingen aan zijn lippen, ze volgden hem met hun ogen en ze bewonderden zijn rijkdom en zijn smaak. De prins en de prinses waren er ook en ik was zo trots, ook al was ik kwaad...' Ze zweeg. 'Alleen Carlyle en Walpole hebben hem een brief geschreven. Ik geloof niet dat ik het die anderen ooit zal vergeven.'

'Dat is politiek, Barbara. Degenen die plotseling hun macht verliezen worden altijd gemeden. Alleen een paar echte vrienden blijven over. Het is ons overkomen en de Marlboroughs, en zelfs Walpole heeft zijn donkere uren gekend. Een jaar geleden had hij niets...'

'Niets dan mijn moeder. Nu we haar toch ter sprake brengen, ik heb een brief van haar. Eens kijken wat ze schrijft.'

'...en vandaag wordt Walpoles naam door iedereen genoemd, en hij heeft weer een positie op het ministerie...'

'Grote god.' Barbara keek naar haar grootmoeder met een verslagen uitdrukking op haar gezicht. 'Charles en Mary gaan trouwen... Mary... Ik had nooit aan Mary gedacht!'

'Geef mij die brief eens.'

Ze las Diana's korte, tactloze krabbeltje, zonder datum, zonder groeten, enkel de woorden:

> Je mag jezelf feliciteren, Barbara. Ik doe dat in ieder geval wel. Charles Russel gaat over een paar dagen trouwen met je nicht Mary. Abigail kraait van trots, en dat mag ook wel. Het had niet behoeven te gebeuren, zoals je heel goed weet.
>
> Je moeder, Diana Alderley

Vervloekt, dacht de hertogin, dat ze me nu toch weer voor is en het nieuws als een kanonskogel op het hart van Barbara doet neerkomen. Voor Dulcinea was het te veel; ze miauwde luid en sprong op de vensterbank.

'Het doet me wel pijn,' zei Barbara. 'Ik had nooit aan Mary gedacht.' En ze verliet de kamer.

Een week voor Kerstmis, toen er een lage grijze lucht hing waaruit waarschijnlijk sneeuw zou vallen, reed Barbara naar alle naburige boerderijen om met de hand geschreven uitnodigingen te brengen voor het toneelstuk van kerstavond waarin zijzelf een rol zou spelen, net als in vroeger dagen. De hertogin was blij dat ze eens de deur uit was, weg van Roger en van diens verpleging. Van zo'n uitstapje kwam ze altijd terug met rode wangen, een nog rodere neus en in een opgewekte stemming. Ze heeft het nieuws van Charles en Mary goed verwerkt, dacht de hertogin trots toen ze haar naar Ladybeth Farm zag rijden om de laatste uitnodigingen af te leveren.

Een uur later kwam Barbara de Tamworth-keuken binnen. Thérèse en Hyacinthe waren pasteitjes aan het maken voor het kerstdiner. Ze keken op van hun werk en Thérèse vroeg: 'Hebt u lady Ashford nog het recept gegeven voor Jeremy's hoest? En de nieuwjaarscadeautjes...'

'Jeremy...' begon Barbara, maar haar keel zat dicht. Ze ging de deur weer uit en liep regelrecht naar haar grootmoeders slaapkamer. Ze hadden allemaal zitten huilen op Ladybeth, de dienstmeisjes, Janes jongere broers en zusjes, lady Nell en sir John. Er was een briefje van Jane. Jeremy was dood. Hij was twee dagen tevoren gestorven. En gisteravond waren zij en Thérèse bezig geweest met het inpakken van nieuwjaarscadeautjes voor Janes kinderen, haarlinten met spreuken erop, houten beesten en een hoepel met stok voor Jeremy wanneer hij weer beter was. Ze had een briefje in haar hand. Een briefje van Jane. Er stond op:

> Je zult nu wel weten dat mijn Jeremy dood is. Hij is vredig in onze armen gestorven. Het is de wil van God, en hij heeft zo geleden dat ik op het laatst dankbaar was dat hij heenging. Hij vond het gekleurde boek dat jij hebt gestuurd erg mooi. Ik heb het hem vele malen voorgelezen. Hartelijk bedankt daarvoor, Barbara. De anderen maken het goed. Meer kan ik niet schrijven, niet vandaag.

'Zullen we het toneelstuk van kerstavond maar afzeggen?' vroeg de hertogin terwijl ze Barbara tegen zich aandrukte.

'Nee,' fluisterde Barbara, 'laten we dit kerstfeest samen vieren zoals we het vroeger ook deden.'

Ze zaten allemaal in de grote salon die was versierd met dennegroen en hulst en in de haard brandde een enorm houtblok. Er werd gefluisterd, geritseld en gewacht. Hyacinthe zat dicht bij de hertogin, zijn ogen glinsterend van verwachting, en de jongere bedienden giechelden en wiebelden onrustig op hun stoelen. Dit jaar speelde lady Devane voor de zoveelste maal voor een lui, ongehoorzaam dienstmeisje, tegenover Perryman als hertogin. De oudere bedienden fluisterden tegen de jongeren dat een mens nog niets had gezien als hij niet een keer lady Devane en Perryman tegenover elkaar had zien spelen. Dominee Latchrod beaamde dit; hij had een rode neus want hij had al van de kerstpunch geproefd.

De hertogin was op z'n allermooist gekleed, zoals ze elk jaar deed voor het toneelstuk dat te harer ere werd gespeeld – een parodie op haarzelf – een van de hoogtepunten van het jaar op Tamworth. Ze droeg een zwartfluwelen japon en aan haar vingers, om haar hals en zelfs op haar kanten muts schitterden diamanten. Haar benen deden pijn en ze was moe, vreselijk moe. En dood, te veel dood. Men wist nooit waar de dood nu weer zou toeslaan. De kleine Jeremy was gestorven aan een ontsteking van de longen. Harry door zijn eigen hand. Richard aan een gebroken hart. Dicken en Giles en haar kleinkinderen aan de pokken. Maar het hadden ook de mazelen kunnen zijn, tering, jicht, bloedvergiftiging, koorts, rachitis, verlamming, een snee of wond of een kou die niet wilde genezen... Ze keek naar Roger die rechtop zat in een bed dat men voor hem naar beneden had gebracht. De lakeien hadden heel voorzichtig gedaan om hem niet te bezeren. Hij lag nu achterover in zijn kussens met zijn ogen dicht. Zijn mond was ingevallen en op zijn wangen had hij een blosje dat de hertogin niet vertrouwde; hij was zoveel gewicht kwijt geraakt dat hij niet meer op zichzelf leek.

Hij opende zijn ogen en toen hij haar zag, wilde hij glimlachen. Je bent altijd de knapste man geweest die ik heb gekend, met uitzondering van Richard, dacht de hertogin. Ze knipperde met haar ogen. Vanavond wilde ze niet huilen. Dit was Barbara's avond. Ze had er zo hard voor gewerkt. De hertogin dacht aan alle kerstmissen die zij met Richard had beleefd toen haar zoons om haar heen opgroeiden, lang en knap, met hun jonge vrouw en hun gezin. Roger maakte een onrustige beweging en ze boog zich naar hem toe.

'Bewaar je kracht maar voor het toneelstuk. Als meisje kon ze zelfs een heilige de lachkrampen bezorgen wanneer ze daarvoor in de stemming was – Roger, wat is er?'

Ze boog zich nog verder naar hem toe, tot dicht bij zijn gezicht. 'Zorg... zorg goed voor haar,' fluisterde hij.

'Voor haar zorgen,' zei de hertogin fel. 'Je bent me een mooie, om mij dat op te dragen. Op kerstavond. Jij bent stervende, en ik ben oud. Wat kan ik doen? Zorg jij maar goed voor jezelf! Doe dat maar eerst eens!'

Hij lachte zwakjes, een schaduw van wat hij eens was geweest. 'Ik had... met jou moeten trouwen, Alice...'

Hij bleef charmant, tot het laatst. 'Ba!' zei ze om haar gevoelens te verbergen. 'Ik had je niet eens willen hebben. Nog niet op een zilveren dienblaadje! En wees nou stil. Het stuk begint.'

Barbara was fantastisch. De dienstmeisjes en lakeien gilden van het lachen. Ze was schaamteloos en uitgelaten; ze kwam plotseling naar de dominee, griste zijn pruik weg om hem zelf op te zetten, danste met St.-Joris en de draak en parodieerde Heer Wandeleer, zodat zelfs haar tegenspelers in lachen uitbarstten. Hyacinthe huilde van het lachen en moest de tranen van zijn gezicht vegen. Toen Barbara Perryman in de gedaante van de hertogin met een bezem op zijn achterwerk sloeg, kreeg de hertogin zo'n lachbui dat ze ervan hoestte en het spel even werd afgebroken tot ze weer in orde was. Zelfs Annie grinnikte af en toe op haar stijve manier. Toen het toneelstuk uit was, stond iedereen op en floot, juichte en klapte en riep haar naam. Barbara maakte een revérence naar het publiek, peuterde toen in haar neus en probeerde het aan Perryman af te vegen. Hyacinthe hinnikte van het lachen, Justin nam zijn pruik af en zwaaide ermee, Thérèse lachte en klapte en de hertogin veegde in haar ogen met een zakdoek. Hyacinthe maakte de honden los, en ze renden naar Barbara en sprongen hoog in de lucht. Ze waren het er allemaal over eens: dit was het allermooiste stuk geweest.

'Punch en bier,' zei de hertogin, en stampte met haar stok op de grond. 'Punch en bier.'

Barbara liep naar Roger. Ze was buiten adem en transpireerde van het acteren.

'Hij ziet er moe uit,' zei ze tegen Justin die knikte en een paar lakeien ging halen om hem boven te brengen. Barbara bukte zich.

'Vond je het leuk?' vroeg ze. 'Heb ik je aan het lachen gemaakt?'

Roger keek haar strak aan, met toegeknepen mond. 'Ik... heb... pijn...'

Ze beroerde zijn voorhoofd met haar hand en toen met haar lippen. Voelde hij nu toch weer te warm aan?

'Annie!' riep ze, met een dringende klank in haar stem. 'Ik had je boven moeten laten,' zei ze tegen hem.

Zijn ogen schitterden; ze waren heel blauw in zijn bleke gezicht. Een helder, gloeiend blauw.

Ze kwam met haar oor dicht tegen zijn mond. Hij wilde iets zeggen.

'Ik... hou... van je,' fluisterde hij. De hele weg naar boven hield ze zijn warme, droge hand vast.

Uitgeblust zat ze op het vensterzitje in Rogers slaapkamer. Eindelijk was het opgehouden met sneeuwen. Het had die hele kerstdag gesneeuwd. Ze waren niet naar de kerk gegaan en niemand was de traditionele kerstliedjes komen zingen. Zelfs het kerstdiner was een rustige, zwijgende aangelegenheid geworden want de hertogin voelde zich niet goed genoeg om beneden te komen, en Barbara was om de paar minuten van tafel opgestaan om bij Roger te kijken. Daar kon ze zichzelf niet van weerhouden.

Wat zou ik graag naar de Tamworth-kerk willen lopen, dacht ze, om daar even te zitten. Een gebed te zeggen voor Jeremy, voor Harry. En voor Roger. De sneeuw buiten was al net zo wit als Harry's gezicht toen hij dood was. Ze sloot haar ogen. Charles en Mary zouden nu al getrouwd zijn. Ze dacht aan haar eigen witte bruidsjapon. Wat was ze opgewonden geweest, en gelukkig. En wat ben ik nu moe, dacht ze. Het leek alsof ze met het kersttoneelstuk haar laatste krachten had opgebruikt. Jeremy's dood en toen toch het toneelstuk, niettegenstaande Rogers koorts. Ze zou een briefje schrijven aan Jane en Gussie. Die lieve Jeremy. Morgen zou ze buiten een sneeuwpop maken samen met Hyacinthe. Precies voor Rogers raam. Dat zou hij leuk vinden. Over vier weken zou het hun huwelijksjubileum zijn. Dan waren ze...

Justin maakte een geluid. Ze keek op.

Hij stond naar het bed te staren. Ze voelde haar hart zo snel kloppen dat ze er hoofdpijn van kreeg en stond op. Justin keek haar aan.

'Hij...' Hij maakte zijn zin niet af.

Ze wilde naar hem toe rennen maar het leek een eeuwigheid te duren eer ze er was. Roger lag op het bed, niet onrustig meer; hij draaide en woelde niet zoals hij de hele nacht had gedaan, tot 's morgens toe. Hij lag stil en vredig.

Aarzelend raakte ze zijn gezicht aan, zijn geliefde gezicht dat veel te mager was. Hij zou er beter uitzien als hij weer wat dikker werd. De koorts was over. Hij voelde koel aan.

'Lady Devane,' zei Justin, en zijn stem stokte in zijn keel toen hij haar bij de arm nam. 'Hij is. . .'

'Zeg het niet, Justin.'

Ze hoorde zelf hoe kalm dat klonk. Hoe koel. Net zo koel als Rogers voorhoofd. Ze ging op het bed zitten en nam Rogers hand in de hare. 'Zeg het nog maar niet, dan is het niet waar.'

Ze voelde iets breken in haarzelf, maar ze wist niet wat het was. Ze hoorde Justin de kamer verlaten en ze was blij dat ze voor een ogenblik met Roger alleen was, enkel zij tweeën, omdat het nog niet waar zou zijn zolang niemand de woorden had gezegd, gehuild of geschreeuwd. Hij leefde zolang niemand had gezegd dat hij dood was en niemand begon te treuren.

'Ik heb zo van je gehouden,' zei ze tegen Roger maar hij gaf geen antwoord, bewoog niet en haalde niet eens adem. Hij lag daar zo stil, zo vredig, zo knap zelfs in zijn ziekte en in zijn dood. Ze wiegde heen en weer met zijn hand tegen haar borst. Er welde een begin van droefheid in haar op, een donkere, bodemloze droefenis die als een zwarte afgrond voor haar lag. 'Al vanaf dat ik een klein meisje was,' zei ze tegen Roger, en in haar gedachten kwam plotseling de herinnering hoe stralend knap hij was geweest, hoog op zijn grote zwarte paard, hoe hij omlaag had gekeken en geglimlacht had naar haar, het kind dat van hem hield, hoe hij zich naar voren had gebogen en haar had opgetild, hoog in de lucht leek het wel, haar voor zich op het zadel had gezet en haar met een sterke arm had vastgehouden waarna zijn paard was vooruitgesprongen: als ze haar ogen sloot, kon ze nog die sprong voelen die hen voortdreef, steeds sneller, langs tuinen, boerenhuisjes en heggen waarbij haar haar wuifde in de wind en hij lachte, en ze voelde – toen reeds, als kind – dat er nooit een heerlijker moment kon komen dan dit. Nooit. Zo met Roger Montgeoffrey die haar vasthield op zijn grote zwarte paard galopperend over de lieflijke groene velden en weiden van Tamworth. . .

28

De sneeuw viel onophoudelijk. Het was onmogelijk om Tamworth te bereiken of te verlaten, zelfs met een slee, want de paarden zouden in de sneeuwjacht geen weg vinden. Roger lag in de grote hal, waar enorme kaarsen aan het hoofd- en aan het voeteneinde van de haastig getimmerde kist waren ontstoken. Het was een kist gemaakt van ruwe planken. Hij lag in sneeuw gepakt, maar toch begon hij te veranderen; zijn gezicht viel in, alsof het al naar de aarde werd getrokken. We moeten het deksel sluiten, zei de hertogin zacht tegen Barbara, als de sneeuw morgen maar even wil ophouden, moeten we hem begraven. De dominee is er al klaar voor. Maar ik niet, dacht Barbara. De briefjes waarmee zijn dood werd bericht aan familie en vrienden lagen keurig opgestapeld op tafel. Tot laat in de nacht hadden zij, Thérèse en Annie ze zitten schrijven; de kaarsen brandden op tot kleine stompjes terwijl hun pennen krasten over het papier om die woorden, die verschrikkelijke laatste woorden aan het papier toe te vertrouwen... En nu maakte de sneeuw de verzending onmogelijk, zoals ook het bestellen van een prachtige doodkist, rouwkleden, uitnodigingen, rouwringen en handschoenen onmogelijk was geworden. De kerkklok zou luiden, het geluid gesmoord door de sneeuw die het hele landschap had veranderd, en alleen zij, haar grootmoeder, de bedienden en die buren die de sneeuw trotseerden, zouden de rouwdienst bijwonen. Hij zou worden bijgezet in de grafkelder van Tamworth; er was geen andere plaats waar hij kon worden begraven.

Het is niet eerlijk, dacht Barbara terwijl ze met haar behuilde gezicht tegen de beijzelde ruit van een raam leunde. Hij wordt begraven zonder pracht, zonder plechtigheid, en dat is niet eerlijk. Ze had er veel mensen bij willen hebben; ze had gewild dat hij opgebaard lag en dat er veel rouwdragers langs zijn kist zouden lopen. Ze had een grote rouwstoet willen hebben, de rijtuigen zwart gedrapeerd, zwarte hoofdtuigen voor de paarden; ze had gewild dat er werd gehuild, gejammerd en geknarsetand. Ze zat op de kussens van een vensterzitje en keek naar buiten, naar de sneeuw die alles onmogelijk had gemaakt. Hij zou in de grafkelder van Tamworth komen te liggen, maar zelf had hij beslist wel plannen gemaakt om te worden bijgezet onder de stenen vloer van Wrens kerk aan Devane Square. Ze hadden er nooit over gesproken, maar dat was zeker zijn plan geweest. En niet om terecht te komen in de grafkelder van haar voorouders, dicht bij de kist van haar broer. Hij en Harry hadden de laatste jaren niet met elkaar gesproken, en nu waren ze toch elkaars gelijken in de dood. Zouden hun geesten uit de doodkisten omhoog komen en koeltjes buigen en vrede met elkaar sluiten?

Onverwachts sprongen de honden op haar schoot en begonnen haar in haar gezicht te likken.

'Kom,' zei iemand.

Thérèse. Haar lieve Thérèse. En Hyacinthe die daar plechtig stond en haar hand nam, die haar wegleidde alsof zij een kind was en hij een volwassene. U moet nu rusten, zei Thérèse. Met hun tweeën brachten ze haar naar haar slaapkamer, of eigenlijk met hun vieren, want de hondjes bleven zich in haar rokken verstrikken omdat ze wisten dat er iets mis was, en ze wilden op haar schoot zitten en haar handen likken om hun aanhankelijkheid te betuigen nu Roger er niet meer was.

'Huil maar niet,' zei Thérèse. 'Stil, madame. We blijven bij u terwijl u probeert te slapen.'

En dat zouden ze doen ook. Haar familie. Geen broers en zusters meer. Geen Roger. Geen kind... Maar nog wel twee honden, een page en een kamenier.

Rozemarijn ter gedachtenis, en alle hulst die ze maar kon vinden terwijl ze zich een weg baande door de diepe sneeuw, haar handen blauw van de kou, en klimopbladeren. Er was niets anders om op zijn kist te leggen. Geen zwarte handschoenen. Geen rouwringen. Geen enkele manier om eraan te komen. Geen mensen om ze aan uit te delen. Kijk wie zijn kist kwamen dragen: Squire Dinwitty, Tim, Perryman, Justin en twee stalknechten. Roger Devane die dineerde met prinsen, omging met koningen en diende onder generaals. De kerk was ijskoud. Ze bibberden allemaal in hun mantels. Dominee Latchrod klappertandde toen hij gehaast de teksten van de rouwdienst voorlas... Ik ben de wederopstanding en het leven, zegt de Heer: hij die in mij gelooft, al ware hij dood, hij zal leven... Roger had nooit in God geloofd... Er was een gemompel van condoleances en er waren vage gezichten. Iedereen had haast om thuis te komen, om bij het vuur te zitten, en ze kon het hun niet kwalijk nemen... Toen ze de kerk uitkwam, scheen de zon. De laarzen knarsten door de sneeuw. Aan de kale bruine takken van de bomen hingen ijspegels. Als de zon lang genoeg blijft schijnen, gaan ook zij huilen, dacht Barbara. We zullen vandaag de brieven versturen, zei haar grootmoeder met een blik naar de lucht. In het voorjaar, zei ze, zou je een herdenkingsdienst voor hem kunnen houden. In Londen. Ja, zei Barbara, en haar gezicht veranderde en werd iets levendiger. Dat zou ik kunnen doen. Ik wil een marmeren borstbeeld en een gedenkplaat en... Ze keek haar grootmoeder aan. Ik mis Harry, zei ze, en haar gezicht veranderde weer. Hij was bij me in Parijs, grootmama, toen Roger me de eerste keer alleen liet; haar grootmoeder gaf een bemoedigend klopje op haar hand. Het moet een mooie dienst worden, zei ze. Een die past bij zijn positie. Je moet het zorgvuldig voorbereiden. Ja, zei Barbara. Ja, dat zal ik doen.

Montrose kwam de kleine kamer in Devane House binnenstormen, die White als slaapkamer gebruikte. Zijn gezicht was rood van de kou buiten, en hij had zijn mantel en handschoenen nog aan.

'Is er een brief voor me?'

Zonder een antwoord af te wachten, snuffelde hij tussen de papieren op Whites tafel, vond wat hij zocht en scheurde het zegel open.

'O, god,' zei hij. 'O, god, het is waar...'

'Wat is waar? Francis, wat is er aan de hand?' White stond op uit zijn gemakkelijke stoel bij het vuur.

'Lord Devane is dood.'

'Dat geloof ik niet!' White kwam met grote stappen naar hem toe en griste de brief uit zijn handen, terwijl Montrose met een verdwaasde uitdrukking op zijn gezicht op het bed ging zitten.

'Ik heb het gehoord in White's koffiehuis,' zei hij. 'Iemand had het erover, en ik zei: herhaalt u dat eens, mijnheer, en toen hij dat deed, heb ik hem een kop koffie in zijn gezicht gegooid, Caesar. Dat heb ik gedaan, en toen ben ik hierheen gehold, en onderweg heb ik steeds herhaald: het is niet waar, het is niet waar... O, god...' Hij keek White aan. 'Misschien moet ik nog duelleren ook!'

Niettegenstaande de schok moest White nu lachen, en Montrose lachte mee.

'Lord Devane zou het schitterend vinden...' Montrose zweeg plotseling. Ineens begon hij te snikken.

White staarde langs hem heen, naar de ramen die beslagen waren van de kou, wazig, zoals de omtrekken van een herinnering ook wazig kunnen worden. Vele dappere mannen leefden voor Agamemnon, maar allen slapen in eindeloze duisternis, onbeweend en onbekend, want zij hadden geen dichters om hun heldendaden te bezingen, had lord Devane gezegd. Ga maar schrijven in mijn bibliotheek. Hij kende zijn gebrek aan geld en hij kende zijn trots. Schrijf je gedichten maar en ik zal me over je ontfermen. Ik zou wel graag iemands beschermheer willen zijn en waarom jij dan niet, en hij had gelachen en zijn hoofd in de nek geworpen. Hij was de knapste man die White ooit had gezien en Roger had hem bekoord met zijn verschijning, zijn vrolijkheid, zijn hartelijkheid en zijn complimenten. En met zijn vriendelijkheid. Vriendelijkheid jegens een eigenzinnige dichter met een gebrekkige arm en een ziel die brandde om te mogen schrijven. Ik heb hem niet eens kunnen vertellen hoeveel hij voor mij heeft betekend, dacht White, en keek nog eens naar de woorden van de brief. En nu is het te laat. Hij is dood.

Zorgvuldig, de zwarte wenkbrauwen gefronst in opperste concentratie, schonk Walpole de drie glazen op tafel opnieuw vol cognac. Tegenover hem zat de hertog van Montagu, al behoorlijk dronken. En links zat Carlyle zonder zijn pruik; hij had hem aan een gordijnroe opgehangen. De vier cognacflessen die ze al hadden geleegd stonden midden op tafel, met brandende kaarsen in de dunne halzen. Ter herdenking, zei Carlyle toen hij de eerste kaars in een fles zette, ter herdenking aan een afwezige vriend.

'Op de fijnste... vriend die een mens ooit kon hebben,' zei Walpole, die veel moeite had zijn glas vast te houden en het naar zijn lippen te brengen. 'Ik was hem vijfduizend schuldig... en hij... heeft er nooit... om gevraagd – om geen cent... Niet dat ik het had kunnen betalen.'

Montagu maakte een geluid, en de andere twee keken hem aan.

'Spreek, gij hertog,' brulde Walpole met de stem die hij in het Lagerhuis gebruikte.

Montagu opende zijn mond en boerde, een lange, luide, rommelende boer. Toen viel hij zonder waarschuwing over de tafel heen waardoor de cognacflessen met hun brandende kaarsen, de halfvolle fles en de glazen ook omvielen. Onmiddellijk verschenen twee bedienden; ze stampten het vuur van de kaarsen uit, veegden het gebroken glas weg, dweilden de grond en zetten een nieuwe fles met nieuwe glazen op de tafel. Ze keken naar de hertog van Montagu die nog over de tafel lag, met zijn pruik half over zijn neus gezakt, maar Carlyle gaf hun een teken dat ze moesten verdwijnen.

'Gaat heen,' zei hij plechtig. Hij stond op en tegen de rug van Montagu, die was begonnen te snurken, gaf hij een voordracht met zijn hand op zijn hart en gevaarlijk wankelend naast de tafel:

> Was dit de vrouw die duizenden deed strijden?
> En 't onverwoestbaar Ilium versloeg?
> O, zoete Helena, één kus maakt mij onsterflijk.
> Uw lippen nemen van mijn ziel bezit!
> Gij zijt nog schoner dan de avondluchten
> Gehuld in veler sterren pracht...

Hij wachtte.

Walpole hield op met neuriën en vroeg geërgerd: 'Helena wie?'

'Helena van Troje.'

'Helena van... wat heeft dat te maken met Roger? Goeie god, man, mijn beste vriend is zojuist gestorven en jij staat onzin te reciteren over Helena van Troje!' Hij snoot zijn neus in de kanten lubben van zijn mouw en keek Carlyle woedend aan.

'"Nog schoner dan de avondluchten,"' herhaalde Carlyle. 'Daar ging het om.' Hij begon te huilen waarbij zijn tranen sporen trokken door de rouge en de poeder op zijn gezicht.

'Helena, Helena, Helena,' zong Walpole zachtjes, terwijl hij met zijn stoel op en neer wipte. 'Helena, Helena, Helena...'

Buiten begon de natte sneeuw tegen de ramen te slaan. Abigail luisterde ernaar. Natte sneeuw tegen haar raam, natte sneeuw die de bloembedden bedekte met een nieuwe laag ijs. In zulk weer was Tony op weg naar Tamworth, naar Barbara. Ze keek omlaag naar haar handen, opgezet rondom haar diamanten ringen. Roger Montgeoffrey, leeftijdloos, op wie de tijd geen vat scheen te hebben, was gestorven. Al had ze hem in Devane House gezien en was ze getuige geweest van de ernst van de aanval, ze had de brief uit Tamworth niet kunnen geloven. Dood. De giftige lianen van South Sea hadden hem gegrepen en hem het leven benomen. Nu hoefde hij geen verantwoording af te leggen voor het Hogerhuis en boze vragen te beantwoorden. Anderen zouden de lasten dragen die hij had achtergelaten. Barbara... en Tony... en anderen. Wat zal ik doen, had Mary gisteren tegen haar staan snikken. Ze zal hem nu terugpakken. Eén sterfgeval en al haar plannen, haar kinderen, waren kwetsbaar geworden. Ze sloot haar ogen. Door het knapperen van het haardvuur kwam ze weer tot zichzelf. Ze moest Philippe schrijven. Hij zou het willen weten. Ze legde haar hand op haar borst, die goed tot zijn recht kwam in de laag uitgesneden zwarte japon die ze droeg. Ze voelde daar pijn. Hij zou het willen weten.

'Jane,' zei Gussy toen hij haar donkere slaapkamer binnenkwam. 'Ik heb treurig nieuws.'

Treurig nieuws, dacht Jane. Haar geest was zo dof, alsof hij in flanel was gepakt, als een lijkwade, zoals de witte lijkwade waarin een dood kindje werd gewikkeld. Jeremy lag buiten in de sneeuw. Ze had hem zijn warmste kleren aangetrokken en zorgzaam een sjaal om zijn halsje gebonden zodat hij niet koud zou worden in zijn doodkist. Het was dwaas, maar het gaf haar toch een gevoel van troost te weten dat hij het warm zou hebben. Zijn lichaampje was zo mager geweest, zo teer onder haar handen toen ze hem die laatste keer waste. Haar moeder had haar geholpen. En haar tante Maud. En haar zusters en haar vrienden. Ze hadden haar verdriet met haar gedeeld. Ze kenden dit verdriet. Velen van hen hadden hetzelfde meegemaakt als zij, hadden een geliefd kind gewassen en gekleed voor zijn begrafenis. Waar is Jeremy, had Amelia gevraagd, met haar handjes op haar heupen. Wanneer komt hij terug? Nooit, nooit, nooit, nooit. Ik wil dat Bab komt, had Amelia gegild. Bab verpleegde haar man op Tamworth. Hij was stervende, zei haar vader. Stervende, had Jane dof gedacht. Dit is een winter van de dood.

'Barbara's echtgenoot is gestorven,' zei Gussy.

Hij hield haar hand vast en begon te bidden. Ze wist niet eens of Barbara nog van haar man had gehouden. Vroeger was dat wel zo geweest. Ze wist dat ze bedroefd hoorde te zijn voor haar, maar ze voelde niets. Het verdriet om Jeremy verdrong alles. Grazige weiden, dacht Jane. De Heer moest wel grazige weiden hebben voor haar Jeremy. Het was de enige manier waarop ze zijn dood kon verdragen. Als ze dat kon geloven...

Barbara lag tegen een raamkozijn geleund, op een van haar geliefde vensterzitjes, met de hondjes op haar schoot. Telkens weer krabde ze hun halsjes en hun ruggetjes. Een begin van een lijst met namen van degenen die ze wilde uitnodigen voor de herdenkingsdienst, was op de grond gevallen. Men zei dat nieuwjaarsdag al voorbij was, maar ze had het niet gemerkt. Driekoningenavond was nu in aantocht. De kok zou pruimentaartjes bakken en in twee daarvan zou een harde zwarte boon zitten, en wie die in hun taart vonden zouden koning en koningin zijn... voor één avond. Ze sloot haar ogen. Ze kon niet slapen. Ze kon niet eten. Ze kon niet lang denken. Ze had een verloren gevoel dat haar niet meer losliet en waardoor ze helemaal verdoofd was. Ze was met een lijst begonnen voor de herdenkingsdienst. Ja, ze vond elke naam die ze opschreef weer moeilijker dan de vorige, omdat elke naam haar eraan herinnerde dat hij dood was. Tranen rolden over haar wangen en vielen zachtjes in de stof van haar jurk.

Buiten bouwden Hyacinthe en twee staljongens een sneeuwpop voor haar. Maar ze had er geen interesse voor. Toen een man te paard in zicht kwam, vermoeid een weg zoekend tussen de opgewaaide sneeuw op de lindenlaan, hielden de kinderen op met spelen en renden naar hem toe. De man zat recht en slank in het zadel en hij droeg een grote slappe hoed die zijn gezicht gedeeltelijk bedekte. Toen Barbara haar ogen weer opende, zag ze hem afstappen en toen verdween hij uit haar gezichtsveld. Charles, dacht ze heel even, maar meteen herinnerde ze zich dat hij nu getrouwd was en niet meer vrij was om zo'n spontaan, grootmoedig gebaar te maken, zoals hij vroeger onverwachts kon doen. Wat ben ik moe, dacht ze. Ik doe de hele dag niets en ik ben nog nooit van mijn leven zo moe geweest.

De hondjes renden naar de deur, zo snel dat hun nagels over de vloer gleden. Ze blaften toen de deur openging en een lange man zijn grote hoed afzette en langzaam, verlegen, naar haar glimlachte. Tony. Hij was de hele weg komen rijden, door sneeuw en hagel, voor haar.

Ze holde naar hem toe, struikelend over haar lange rokken en over de honden; hij ving haar op in zijn armen, tilde haar van de grond en hield haar tegen zich aangeklemd, met een hand in haar haar zodat ze met haar wang tegen de zijne rustte. Zijn wang was zo koud, zo stevig, zo levend. Roger, dacht ze. Het had Roger moeten zijn die me zo vasthield, en toen klemde ze haar vingers om de natte plooien van zijn mantel en begon weer te huilen. Met een ernstig gezicht gaf hij haar zijn zakdoek en ze snikte, diepe, schorre snikken die haar hele lijf deden schokken, zodat het voelde alsof er hele stukken van haar hart uitgescheurd werden, gestolde stukken hart. Roger, Roger, Roger. Hij hield haar vast en wiegde haar, en zijn liefde was warm om haar heen als een bontgevoerde mantel. Het was goed, het was lief, het was Tony... maar het had Roger moeten zijn.

'Hoe is ze eronder, denkt u?' vroeg Tony.

'Naar omstandigheden goed.' De hertogin gaf een kort antwoord.

'Ik heb brieven voor haar meegebracht. Van de notarissen en van Montrose. Ze moet heel wat beslissingen nemen, want ik ben er bijna zeker van dat Roger haar executeur van zijn nalatenschap heeft gemaakt, en daar is het het Lagerhuis om te doen. Ze hebben een commissie benoemd die vergrijpen moet onderzoeken, en velen eisen herstelbetalingen van de directeuren.'

'Is Rogers dood niet genoeg?'

'Bij lange na niet.'

Geschrokken, verward door dit onverwachte bezoek van Tony, zat de hertogin Dulcinea te aaien. Tony zat voor haar, slanker dan ooit; in een van zijn wangen was zelfs een kuiltje ontstaan doordat hij nog meer gewicht had verloren, een heel flatteus kuiltje. Hij moest zich nodig scheren en daardoor had zijn gezicht iets mannelijkers, iets sterkers gekregen, iets wat haar een beetje bang maakte. Hoe hij door de sneeuw was gekomen, was haar een raadsel. Zijn paard moest wel half dood zijn. Maar Barbara was nu weduwe en er lag iets in die blauwgrijze ogen, ogen die haar meer en meer aan Richard herinnerden. Hij was urenlang bij Barbara geweest, dat wist ze. Er kon niets in haar huis gebeuren dat ze niet wist. Op zijn schoot had ze gezeten, had Annie nors meegedeeld, en dat nieuws had ze van een kamermeisje dat het vuur in Barbara's slaapkamer was komen opporren. Barbara sliep nu, zei Annie, als een baby, haar eerste lange slaap sedert Rogers overlijden. Ze lag in elkaar gekruld in de mantel van haar neef op het grote bed van de hertog. Op Tony's schoot! De hertogin herinnerde zich dat ze eens, lang geleden, op Richards schoot had gezeten. Er kon veel gebeuren op een mannenschoot, vooral als het een vastberaden man was. Heel veel.

Ze keek nu hoe Tony in zijn ogen wreef en zich uitrekte. Ze deed alsof ze sluimerde, net als haar kat. Hij zou eraan kapotgaan als hij echt van Barbara hield. Het maakte haar bang. Die groeiende kracht van hem. Zijn mannelijk voorkomen. Zijn vastberadenheid. Ze had nooit gedacht dat hij sterker kon zijn dan zij maar daar lag ze nu, oud, broos en moe in haar bed, en hij had kilometers door de sneeuw en door bijtende kou gereden om zijn hartewens te zien. Het was fout dat hij zich zo blootgaf en er bleek ook uit hoe jong hij nog was... Hij zou een geducht persoon worden als er nog wat jaartjes voorbij waren, heel wat geduchter dan ze ooit had gedacht... Ze huiverde en Tony, die het opmerkte, boog zich voorover om de dekens op te trekken. Ze deinsde voor hem terug, ofschoon ze niet wist waarom ze bang was maar ze was het wel degelijk.

'Grootmama, hebt u het koud?' Hij glimlachte, die lieve, ernstige glimlach waar een vrouw verliefd op zou kunnen worden.

'Ga weg!' zei ze bars in haar verwarring. 'Laat me alleen!'

Haar boosheid gleed van zijn rug als water van een eend. Hij boog zich naar haar toe en kuste haar wang, en ze rook hem: leer, paarden, zweet en jongeman. Ze raakte zijn ongeschoren gezicht aan met haar knokige hand – ze kon het niet laten – en lachte naar hem.

'Rust u maar uit,' zei hij. 'Ik zal nu wel voor Barbara zorgen.'

Ze trok haar hand met een ruk terug. Weer was ze bang, maar ze wist niet meer waarom. Iets met Barbara. Iets van het feit dat ze zijn jonge, mannelijke ongeduld kon voelen. Hij ging de kamer uit.

'Annie,' riep ze zwakjes, want haar benen deden pijn, en toen Annie niet kwam, greep ze naar een zilveren bel op haar nachtkastje. En doordat ze moest reiken – de pijn was plotseling veel erger geworden – gooide ze een vaas met hulst en klimopbladeren om zodat het water de boeken en paperassen op haar tafel doorweekte.

Ze duwde Dulcinea opzij en kwam verstijfd overeind om haar papieren te redden... veel te veel... geen idee wat ze voorstelden... maanden oude brieven... een akte. Een akte?

Ze wuifde ermee, maakte hem open en blies op de uitgelopen inkt. 'Ondergetekende, Harry Christopher Alderley, draagt het volgende in eigendom over aan Alice Margaret Constance Saylor, hertogin van Tamworth, als ik haar de lening van 6 juni in het jaar onzes Heren 1720 niet binnen zestig dagen zou terugbetalen...'

Nou, het was al veel langer dan zestig dagen – ze deed moeite om het zich te herinneren – dat Harry haar met die violetblauwe ogen had aangekeken, één keer in zijn leven ernstig... gun me mijn waardigheid... ja, dat had hij gezegd... en zij had zijn papier getekend. Zonder erbij na te denken, nooit van plan om het te houden. Feitelijk tot op dit ogenblik vergeten. Ze las de akte met turende ogen. Ze was eigenares van ongeveer twee- of drieduizend acres in Henrico County, Virginia, waar dat ook mocht zijn. Wat moest ze daar in vredesnaam mee doen? Bij Diana's erfdeel voegen? Of bij dat van Tony. Misschien aan Barbara nalaten. Toen kreeg ze een ingeving, als een donderslag bij heldere hemel. Een wilde, gekke, dwaze gedachte.

'Richard,' zei ze hardop.

Ze keek naar zijn portret boven de schoorsteen. Ik ben sterker dan Tony, dacht ze, en herinnerde zich nu wat de reden was van haar angst. Hij zal kwaad zijn. Richard keek naar haar vanaf het portret, sterk, jong en kalm, en hij kwam nooit meer terug. Hij zal het mij niet vergeven. Ze sloot haar ogen. Ze was oud en dwaas. Maar hun tijden kwamen niet overeen... van hem en Barbara... en ze kon er niets aan doen; het was het leven.

'Ik zal de gevolgen moeten dragen,' zei ze tegen Richard. 'Hij zal me haten. En ik hou zo van hem. Zoveel.'

Haar onderlip trilde. Ze keek nog eens naar de akte. Zij zou de beslissing niet nemen... ze bood alleen de gelegenheid... ze voelde zich oud en zwak.

Ongeduldig rinkelde ze met de zilveren bel.

'Pen en papier,' snauwde ze toen Annie eindelijk haar slaapkamer binnen kwam hollen.

'Zoals u met die bel tekeerging. Ik dacht dat uw benen...'

'Mijn benen kunnen barsten. Ze doen pijn. Ze doen altijd pijn. Ik ben oud. Breng pen en papier, Annie. Meteen.' En toen tegen het portret: 'Waak over me. Ik ben van jouw zorg afhankelijk.'

Een slee, getrokken door twee paarden waarvan het hoofdtuig was versierd met rinkelende belletjes, kwam de laan met lindebomen oprijden. De koetsier en zijn twee passagiers waren tot vormeloze figuren ingepakt tegen de kou. Toen hij bij het bordes stilhield, stapte een ervan majesteitelijk uit, klopte ongeduldig op de deur, schreed langs Perryman toen die had opengedaan en zei met een onmiskenbare stem, laag en hees zoals die van Barbara: 'Betaal de koetsier en help Clemmie bij het uitstappen. Ze is te dik om zich te kunnen bewegen.'

Onder het afpellen van sjaals, bouffantes, dassen en mantels liep Diana door het huis. Voor de deur van haar vaders vertrekken veegde ze een paar grijze lokken van haar voorhoofd en streek over haar wangen. Ze haalde diep adem, opende de deur en trof daar een rustig, huiselijk tafereeltje: Barbara die voor haar schrijftafel was gezeten met Hyacinthe en de twee honden die onder de tafel aan haar voeten lagen terwijl Tony, lang en slank, op zijn gemak op een van de vensterzitjes een boek zat te lezen.

Ze schrok bij het zien van Tony, die onmiddellijk opstond, maar liep meteen naar Barbara die haar pen neerlegde.

'Moeder.'

De honden blaften en kwamen van onder de tafel te voorschijn om tegen Diana's rokken op te springen. Ze schopte ze, en Hyacinthe riep ze zachtjes en pakte ze op.

'Ik ben gekomen zodra ik kon,' zei ze. 'De reis heeft een week geduurd. Dat vreselijke weer.'

'Het is erg aardig van je, maar je hoefde niet te komen. Hij is – hij is al begraven. Twee weken geleden. Tony en ik werken aan de gastenlijst voor zijn herdenkingsdienst. Die wil ik in Londen houden zodra ik daarheen kan, over een maand of zo. Hij – hij is rustig gestorven, moeder. In zijn slaap. . . ' Haar stem brak, en plotseling stond ze op en liep naar het raam, met haar rug naar Diana. Diana keek met gefronste wenkbrauwen naar Tony, met een blik die hem moest beduiden weg te gaan, maar hij bleef waar hij was en keek haar recht in de ogen.

Diana maakte een ongeduldig gebaar. Ze deed een paar stappen en legde haar hand op Barbara's schouder.

Met een ruk draaide Barbara zich om. 'Jij hebt nooit gewild dat we weer bij elkaar kwamen, zeker niet toen je die South Sea-affaire zag aankomen. Ik weet dat het zo is. Nou, nu heb je je zin!'

Diana boog haar hoofd en begon te huilen. Barbara keek haar aan.

'Waar huil je om? Jij hield niet van hem!'

'Maar jij wel!' zei Diana met een verwrongen gezicht. 'En jij bent de enige die ik over heb. Als ik jou verlies, heb ik niemand meer. Ik huil om jou.' Ze verborg haar gezicht in haar handen en haar schouders schokten. 'Ik hield van Harry. En ik hou ook van jou.'

Aarzelend nam Barbara een van haar moeders handen en Diana begon nog harder te huilen. Arme moeder, dacht ze. Het is te laat, te laat voor jou en mij. Maar ze bleef haar hand vasthouden. Wat had haar grootmoeder haar eens gezegd: medelijden komt na een groot verdriet. . . en dat was zo.

'Ik heb b-brieven voor je meegebracht,' huilde Diana. 'Condoleancebrieven. De prins heeft er ook een geschreven, hij was erg g-geschokt. En anderen ook. Veel mensen waren op hem gesteld.'

Maar ik hield van hem, dacht Barbara. En dat zal altijd zo blijven.

'Wat moet dat in godsnaam met die herdenkingsdienst?' Diana snoot haar neus. Haar gezicht en ogen waren helemaal opgezwollen. Vanuit haar bed keek de hertogin naar haar met half gesloten ogen, net als Dulcinea.

'Het is iets om haar bezig te houden deze eerste maanden. De dood is een schok voor haar geweest. Ze heeft behoefte aan de troost van zo'n dienst om haar eroverheen te helpen.'

'Nou, ze heeft een mooi tijdstip uitgekozen, dat moet ik zeggen.'

De hand die Dulcinea streelde hield daar niet mee op, maar de ogen van de hertogin sloten zich even. Ze voelde zich vermoeid. Het schrijven van de brieven over de plantage had haar uitgeput, maar ook opgewonden. Ze was te oud voor opwinding. En nu was Diana hier, onverwachts...

'Een mooi tijdstip?'

'In het Lagerhuis is een verhitte discussie aan de gang. Ze willen de directeuren een jaar lang verbieden het land te verlaten...'

'Roger komt wel aan die wens tegemoet.'

'Het is nu geen tijd voor macabere grapjes. Ze eisen een borgsom van honderdduizend pond van elke directeur, en geloof maar niet dat ze Roger zullen vergeten, of hij nu dood is of niet. Barbara moet zich een beetje koest houden.'

'Een eenvoudige herdenkingsdienst...'

'Herinnert hen eraan dat ze Devane House niet over het hoofd moeten zien.'

'Gaan ze de directeuren nog voor het gerecht dagen?'

'Ja.'

'Lieve Jezus.'

'Ja. Ik weet zeker dat Roger de minnares van de koning enig discreet smeergeld heeft toegestopt om de South Sea-wet aangenomen te krijgen. En nog een paar ministers.'

'Nou ja. Dat wordt toch overal gedaan. Waar maak je je druk over?'

'God allemachtig, moeder, wie wil er nog met haar trouwen als ze geen nalatenschap heeft? Wat moet ze dan doen?'

'Trouwen? Heb je nu al iemand op het oog? Diana, je shockeert me.' De hertogin kon even geen adem krijgen; ze had het gevoel dat ze weer vijf jaar terug was geplaatst. Hadden ze niet al eerder precies zo'n gesprek gehad over Roger?

'Nu nog niet, natuurlijk. Ik maak me zorgen om haar. En ik kijk vooruit. Ik maak plannen. Weet je nog hoe vader moeilijkheden voorzag? Het is de enige manier om je vijand te verslaan, moeilijkheden voorzien.'

De hertogin sloot haar ogen. Het was in feite nog waar ook. Maar ze moest Diana wel in de gaten blijven houden.

'Ze gaan beneden Robinson Crusoë lezen, mevrouw,' zei Annie, die de kamer binnenkwam met Tim achter haar aan.

De hertogin duwde Dulcinea weg.

'Roep Tim! Roep Tim! Ik wil het niet missen.' En toen ze Tim zag staan: 'Waar was je de hele tijd?'

'Het is maar een boek. . . .' begon Diana.

'Het is niet enkel een boek!' reageerde de hertogin fel vanuit Tims armen. 'Het is een avontuur!'

'Ploegmaandag', het eerste plattelandsfeest na Driekoningena-vond, was alweer voorbij. Dan maakten de jonge ploegers hun ge-zichten zwart, trokken hun jassen binnenstebuiten aan en versier-den hun ploegen met linten, om dan van het ene huis naar het an-dere te dansen en bij elk huis een gift te krijgen, die ze besteedden aan eten en drinken in een taveerne. Tamworth deelde de nodige giften uit.

De dag voor Sint-Agnes brak aan. Barbara huilde toen ze aan haar bruiloft terugdacht en Tony wandelde met haar door de ver-se sneeuw naar de kerk opdat ze dicht bij Roger kon bidden. Af en toe kwamen er brieven die hardop werden voorgelezen voor het haardvuur. In Londen was het een heksenketel, schreef Abi-gail. De kassier van South Sea was met alle boeken gevlucht. Er werd een beloning uitgeloofd. Verscheidene directeuren waren gearresteerd. Een van hen was zelfs een minister, en hij moest zijn ontslag nemen. Degenen die lid waren van het Lagerhuis werden geroyeerd.

Ze beseft het niet, dacht de hertogin toen ze Barbara gadesloeg tijdens het lezen van de brief, maar ze mag van geluk spreken dat ze geen getuige hoeft te zijn van een dergelijk eerverlies van Ro-ger. Ze zuchtte. Over een maand zou Barbara naar Londen gaan. Montrose schreef haar in verband met de notarissen. Ze moest naar Londen komen. Ze werkte met alle macht aan de organisatie van de herdenkingsdienst en de hertogin was blij te zien dat Bar-bara op deze manier wat afleiding had. Nu had ze geen tijd om te piekeren. Dat kon ze rustig aan haar grootmoeder overlaten. Ze zag hoe Tony naar Barbara keek; ja, zij zou beslist wel pieke-ren.

Philippe zat Engelse gedichten te lezen voor het haardvuur in zijn groen-met-gouden salon van zijn huis in Parijs. Hij vond het een bijzonder plezierige bezigheid.

Dood, wees niet trots, al noemt u menigeen
Zo ontzagwekkend groots; dat zijt gij niet,
Want allen die gij meent te vellen, ziet,
O, arme dood, zij sterven niet.
Zelfs ik zal niet bezwijken.
Aan rust en slaap, die op uw beeld gelijken,
Zoveel genoegen wordt ontleend, dus ook aan u . . .

Hij zweeg even, huiverde en boog zich voorover om het vuur op
te porren. John Donne was een bijzondere man, zoals Roger zo
dikwijls had gezegd.

Zijn lakei kwam binnen met een zilveren blaadje vol brieven en
uitnodigingen. Philippe legde zijn boek opzij en keek het stapeltje
even door. Toen hij de brief van Abigail vond, fronste hij zijn
wenkbrauwen. Hij scheurde het zegel los en bedacht dat dit wel
heel onverwacht was.

'Lieve Philippe, het is met veel leedwezen dat ik je schrijf om
je mee te delen dat Roger op Tamworth is gestorven aan de aanval die hij in november in Devane House heeft gehad. . .' Hij
hield op met lezen.

Hij las de regels nog eens over en bij de woorden 'is gestorven'
voelde hij een rilling door zich heen gaan. Carlyle had hem bericht
over een aanval, en hij had de hertogin van Tamworth een brief
geschreven waar hij nooit antwoord op had ontvangen. Roger zal
wel weer genezen zijn, had hij gedacht, geërgerd door dat stilzwijgen. Zijn geluk zal hem niet in de steek laten. Hij sloeg met zijn
vuist op een nabijstaande tafel waardoor een vaas met camelia's
omviel. Het water droop over zijn boek, maar hij bewoog zich
niet en bleef roerloos zitten. Hij voelde een pijn die zich net zo van
hem meester maakte als destijds de splinters van de kanonskogel
die hem had verminkt. Hij kneep Abigails brief in elkaar tot een
prop en gooide die in de verste hoek van de kamer. Dood, wees
niet trots. Nee, in tegendeel, dacht hij, wees maar wel trots want
je hebt de beste, de knapste man weggenomen die ik ooit heb gekend. En door zijn pijn heen herinnerde hij zich die eerste keer dat
hij Roger had gezien toen hij naast de grote hertog van Tamworth
liep, verliefd maar dat wist hij toen zelf nog niet want hij was nog
onschuldig, een jong soldaat wiens gezicht straalde van liefde. En
nu lag hij in de armen van die andere minnaar wiens omhelzing

het vlees van zijn botten zou vreten en slechts stof zou overlaten. Roger. Dood. Hij legde zijn handen voor zijn ogen om het beeld niet te zien.

'"Maar al deze dingen, met een verslag hoe driehonderd Cariben kwamen, zich van hen meester maakten en hun plantages vernielden en hoe zij tot tweemaal toe met hen vochten,'" las Hyacinthe voor alle huisgenoten die in de grote hal om hem heen zaten. '"En hoe zij eerst werden verslagen waarbij drie van hen werden gedood en ten slotte een storm de kano's van hun vijanden vernielde, ze de anderen uithongerden en opnieuw bezit van hun plantages namen waarna ze op het eiland bleven wonen.

Al deze dingen en nog enige zeer opvallende gebeurtenissen in nieuwe avonturen van mijzelf, gedurende nog eens tien jaar, zal ik wellicht later verhalen."' Hyacinthe keek naar al die ogen die op hem waren gericht. 'Finis,' las hij en sloot het boek. Thérèse keek op van haar verstelwerk, Perryman zuchtte, twee of drie stalknechten knipperden met hun ogen en Annie snoof.

'Brandewijn!' zei de hertogin, en sloeg met haar stok op de grond. 'Dit einde vraagt om een slokje brandewijn – een slokje, Perryman – voor iedereen die hier zit.'

Lammetjestijd. Regen, sneeuw en kou. Enkele sneeuwklokjes die hun groene kopjes boven de sneeuwlaag omhoogstaken. Nieuws uit Londen. Een brief van Montrose. Hij moest een inventaris van de nalatenschap bij het parlement inleveren. Barbara moest naar Londen komen. Wind en regen. Een krokus tussen de dorre planten in een bloembed. Een merel en een roodborstje zingen hun eerste lied.

De hertogin ontving een groot pakket uit Londen. Ze jammerde tegen alle huisgenoten over haar benen, bleef drie dagen in bed en bekeek toen alle kaarten, brieven en bladzijden uit boeken gekopieerd die Caesar White haar had toegezonden. Alleen Annie mocht haar storen.

Er was een begeleidende brief van White:

'Alexander Spotswood, die nog onder uw man heeft gediend, is de huidige gouverneur van Virginia, maar er wordt gefluisterd dat hij spoedig zal worden vervangen. Hij heeft een prachtig gouverneurshuis laten bouwen in de stad Williamsburg.

Er bestaan niet veel boeken over die kolonie. De drie die ik wist te vinden zijn: *De Geschiedenis van de Staat Virginia,* in vier delen, Robert Sherwoods *Het Koninklijk Dominion van Virginia, een waar en levendig verslag,* en van captain John Smith *De Historie van Virginia.* Ik heb uit alle drie de werken een paar bladzijden gekopieerd en ook een kaart ingesloten, zodat u kunt zien waar het ligt.

De plantage, die naar koloniale maatstaven klein is, ligt aan James River, een rivier die van ver in het binnenland komt. De plantage was in het bezit van een verre neef van een zekere Robert Carter, bijgenaamd 'King' die hier veel plantages bezit. Zijn zoon studeert rechten in Londen.

Het belangrijkste gewas is tabak waar de grond snel door uitgeput raakt, reden waarom de meest welvarende planters meerdere plantages hebben. De velden worden bewerkt door negerslaven die gevangen zijn genomen op de kust van Afrika.

Ik heb gedaan wat u mij vroeg en niemand iets verteld over uw opdracht aan mij, en ik dank u voor het royale bedrag dat u bij uw brief insloot. Ik zal u nog meer sturen, waarbij ook de boeken die ik noemde, als ik ze kan vinden. Ik brand van nieuwsgierigheid om te weten waarom u zo'n belangstelling hebt voor zo'n verre kolonie.'

Barbara droomde dat ze tegen Roger aan lag, naakt. Ze kuste zijn hals en hij maakte een geluid en ging in de kussens liggen, waarbij hij haar meetrok. Zijn handen streelden haar blote rug, haar billen en de bovenkant van haar dijen. Ze trok zijn hoofd op haar borst en huiverde toen zijn handen haar aanraakten en zijn mond haar kuste.

'Ik wil een kind van je,' zei ze, en zijn tong raakte haar borst even aan voor hij zijn hoofd ophief en zijn mond op de hare bracht. Hun tongen ontmoetten elkaar en ze verlangde naar hem; zijn handen bewogen zich door haar haar, om haar hals, over haar borsten en heupen, en ze mompelde zijn naam, telkens en telkens weer.

Toen werd ze wakker. Ze hoorde het hevige kloppen van haar hart en haar snelle ademhaling. De enige geluiden in de stilte.

'Een droom,' zei ze hardop.

In het donker kwam ze overeind zitten en voelde haar borsten.

De tepels waren hard. Ze legde haar handen om haar gezicht. Hij was dood. Hij zou haar nooit meer in zijn armen houden.

De primula's bloeiden langs de lanen en heggen; ze hielden een belofte van de lente in en soms werd het iets warmer in die koude wintertijd, en de wegen en greppels ontdooiden en werden modder. Aan de kale takken van de bomen waren kleine groene bolletjes te zien, het begin van een blad, een knop, een bloesem.

Barbara's gezicht en handen waren rood van de kou toen ze handenvol primula's in de kerk van Tamworth bracht en in de basalten vazen schikte. Met zorg legde ze een paar bloemen op de liggende marmeren gestalte van haar grootvader.

'Van grootmama,' zei ze. 'Als het weer wat warmer wordt, komt ze zelf.'

Met evenveel zorg legde ze enkele bloemen op de grond, boven de plek waar Harry en Roger in de grafkelder lagen. Ze ging op de marmeren bank zitten en wreef haar handen warm.

'Ik ga naar Londen,' zei ze. 'Ik zal je daar een mooie herdenkingsdienst geven, Roger. Dat beloof ik.'

In Londen nam ze afscheid van haar moeder buiten Diana's huis in Haymarket Street. Ze hing uit het raam van haar rijtuig en keek hoe haar moeder en Clemmie de treden beklommen; bij Clemmie was het meer waggelen.

Tony boog zich omlaag van zijn paard. 'Zal ik met je meekomen?'

Ze schudde van nee, waarop hij weer rechtop ging zitten en zijn paard de andere kant uitwendde. Hij ging naar Saylor House en zij was op weg naar Devane House. In het rijtuig waren ze allemaal stil, zij, Thérèse, Hyacinthe en Justin; zelfs de hondjes hielden zich rustig. Ik kom naar huis, dacht Barbara, alleen is daar geen meester meer.

In de tuin van Devane Square bloeiden narcissen maar het plein, de tuin en de huizen zagen er op de een of andere manier verlaten en onverzorgd uit. Ze reden over de oprijlaan naar het huis dat groot was maar niet afgemaakt. Net als mijn leven met Roger, dacht Barbara toen ze uit het rijtuig stapte met de hondjes die om haar voeten sprongen en Craddock het bordes afkwam om haar de hand te schudden, met tranen in zijn ogen, alsof zij nu zijn meesteres was.

'Lady Devane,' herhaalde hij telkens, en hij volgde haar de brede trappen op, de grote, koude hal in. Daar stonden Montrose en White op haar te wachten. Beiden bogen zich over haar handen; Montrose had tranen in zijn ogen. In hun ogen vertegenwoordig ik nu Roger, dacht ze.

'De notarissen willen u zo spoedig mogelijk spreken en u het testament voorlezen. Ik heb St.-James's Church voor u gereserveerd, zoals u vroeg. Er zijn drie data waaruit u kunt kiezen. Het borstbeeld is aangekomen...' Montrose hield niet op met praten. Ze zag de portretbuste staan op een tafel bij het raam en ze liep ernaar toe. Roger. Zijn schouders en hoofd rezen omhoog uit het niets. Ze raakte zijn marmeren wangen aan. Wat koud. Het marmer kon het blauw van zijn ogen of de warmte van zijn huid niet weergeven. Dit was Roger niet, dit was hem helemaal niet.

'...en ik moet u zeggen dat dit eerste rapport van de geheime commissie aan het Lagerhuis er bepaald slecht uitziet. Roger is genoemd samen met vele anderen vanwege wandaden. Er is een resolutie aangenomen in het Lagerhuis om de nalatenschap in beslag te nemen in verband met zijn schulden.'

'En wat betekent dat?'

'Dat de nalatenschap niet meer van u is, maar van hen.'

'Aha...'

'Een tweede rapport wordt morgen aangeboden.' Montrose kuchte. Barbara kende dat kuchje. Ze keek hem aan.

Hij trok wat aan zijn das. 'Hebt u erover gedacht een kleinere dienst te houden? Iets rustiger. Aislabee wordt gerechtelijk vervolgd wegens corruptie. En het gerucht gaat dat Charles Stanhope ook zal worden vervolgd.'

'En dacht jij dat mijn herdenkingsdienst aanleiding zal zijn om Roger te vervolgen? Hij is dood.'

'Ze zouden... eh... hem bij verstek kunnen vervolgen.'

'Hij is eenzaam gestorven, Montrose. Ik wil dat men zich hem herinnert. Wanneer kan ik de uitnodigingen bestellen?'

Het bleef even stil. 'De graveur zal morgen zijn opwachting maken.'

De lijst van namen in haar koffer was zorgvuldig uitgekozen gedurende de afgelopen maanden op Tamworth. Ze had alles geregeld: de muziek en de bloemen en ze had Walpole geschreven om te vragen of hij de grafrede wilde houden. Dit mocht niemand haar ontnemen. Dat zou ze niet toestaan. Ze had toch al niets meer. Nu wilde ze dit.

'Hoe houdt ze zich?' vroeg White, die met Thérèse door het huis liep.

Thérèse haalde haar schouders op. 'Het kost een hele tijd om over de dood van een geliefd persoon heen te komen.' Haar hand bewoog zich naar haar hals, naar een klein bobbeltje onder haar jurk, de rouwring die aan het gouden kettinkje hing, samen met haar crucifix.

Barbara hield haar weduwensluier voor haar gezicht. Niemand hoefde naar haar te kijken wanneer de heer Cravens van Rogers notariskantoor het testament voorlas aan degenen die bij elkaar waren geroepen om het te horen: zij en haar moeder, Tony en de bedienden en Cradock, Justin en Montrose.

Het was wel ongeveer wat ze verwachtte. Roger liet alles aan haar na als ze geen kinderen hadden en het gebruikelijke derde deel als er wel nakomelingen waren. Maar die waren er natuurlijk niet. Het kwam als een verrassing dat hij verzocht de nalatenschap vast te zetten op haar eerstgeboren zoon in het geval dat hij kinderloos zou sterven en zij zou hertrouwen en alsnog kinderen zou krijgen. En als zij kinderloos zou sterven liet hij alles na aan de tweede hertog van Tamworth 'ter nagedachtenis aan zijn grootvader en mijn vriend, Richard Saylor'.

Er waren legaten voor de trouwe bedienden: Cradock, Montrose en Justin, voor vrienden: Walpole, Carlyle en Montagu en voor de prins de Soissons. Barbara kneep haar handen tot vuisten. Ze was blij dat ze een sluier droeg.

Cravens kuchte. Cradock en Justin bogen zich over haar hand en verlieten de kamer, terwijl Cravens de paperassen voor zich verschoof.

'Nu,' zei hij, 'zijn er nog bepaalde zaken waar u rekening mee moet houden, lady Devane. In de eerste plaats is er beslag gelegd op de nalatenschap. We hebben een brief van het parlement ontvangen. Dat betekent dat u niets kunt verkopen ter leniging van lord Devanes particuliere schulden zonder hun toestemming...'

Bankroet, dacht Barbara. In werkelijkheid betekent het dat ik failliet ben. Nu begrijp ik waarom Harry zijn keel heeft doorgesneden.

'Het land zelf,' zei Tony, 'is ingebracht als lady Devanes bruidsschat. Kan dat niet worden vrijgesteld van inbeslagname, van de schulden?'

Diana keek met een verraste blik naar Tony.

'Er bestaat een precedent,' zei Cravens opgewonden. 'Het weduwenrecht. Ja, ja, lord Tamworth! Een uitstekende opmerking.'

Later, toen ze allemaal waren vertrokken en Barbara in haar slaapkamer naar het zachtgroene damast op haar muren zat te staren, zei Diana: 'Ik geloof dat een privé-audiëntie bij de prins van Wales een goed idee zou zijn. Hij zal toch wel invloed hebben op beslissingen van het parlement.'

'Ja,' zei Barbara afwezig. Ze maakte een diamanten broche los. 'Waar moet ik naar toe om dit te belenen?'

'Waarvoor in hemelsnaam? Je kunt jarenlang op krediet leven.'

'Ik moet de legaten aan Montrose, Justin en Cradock beslist waarmaken...'

'Onzin! Laten ze het retentierecht toepassen. Ze krijgen het geld uiteindelijk heus wel.'

Barbara zei niets. Diana keek naar haar profiel dat niet kwaad, koppig of iets anders leek en alleen maar sereen was.

'Je gaat hem in ieder geval belenen, hè?'

'Ja.'

Diana zuchtte en stak haar hand uit. 'Geef maar aan mij. Als er iets is waar ik verstand van heb, is het wel het belenen van juwelen.'

Ze wachtte met haar moeder in de salon van het St.-James' paleis en weer gebruikte ze haar weduwensluier als schild. Niemand zou haar nu herkennen, en mocht iemand toch ontdekken wie ze was, dan zouden ze haar verdriet respecteren en haar met rust laten. Haar moeder was die ochtend naar Devane House gekomen om toezicht te houden op de manier waarop ze zich kleedde. Barbara had haar haar zin gegeven wat betreft rouge, poeder, taches de beauté en sieraden, want ze wist wel dat haar moeder nog altijd hoop had dat de Kikvors in haar bed zou springen.

Een lakei opende de deur naar de privé-vertrekken en knikte naar hen. Barbara liep langs de mensen die ze de afgelopen zomer zo goed had gekend. Ze hield haar sluier voor haar gezicht. Deze lieden stelden niets voor. Het was de Kikvors die ze moest zien te vangen. Als ze hem had gestrikt, zouden de padden wel volgen.

De prinses van Wales kwam naar haar toe, dik, blond en volgesmeerd met make-up, met vorsende blauwe ogen die dolgraag achter haar sluier hadden willen kijken. We vonden het zo verschrikkelijk, mompelde ze toen Barbara haar revérence maakte. Roger nam bij ons een heel bijzondere plaats in. En toen kwam eindelijk de Kikvors. Hij had lichtblauwe, koude ogen die als altijd een beetje uitpuilden; hij was oud genoeg om haar vader te zijn. Hij droeg een van zijn militaire uniformen, waar hij dol op was. Hij boog zich over haar hand, geprikkeld door de geheimzinnigheid van haar sluier. Toen leidde hij haar naar een raam; haar moeder meende slim te zijn en begon een gesprek met de prinses. De Kikvors drukte zijn mond op haar hand. Hij beefde. Hij zag er bleek en pafferig uit in het licht van het raam. Ongeveer Rogers leeftijd, maar wat een verschil! Mijn lieve, arme Barbara, we treuren met je mee; hij was onze vriend, we missen je aan het hof. Ze liet hem haar hand vasthouden. Wilt u naar de herdenkingsdienst komen? vroeg ze. Hij zweeg. Ze boog haar hoofd. Het zou zoveel betekenen, hoogheid. Ze sloeg haar sluier weg en gaf hem een glimp van haar gezicht te zien, van haar grote, betraande ogen die nu zoveel groter leken omdat ze mager was geworden. Ik zou uw vriendelijkheid nooit vergeten, zei ze. Ze liet de sluier weer voor haar gezicht vallen en ging terug naar haar moeder, nagekeken door de prins. Er werd nog meer gemompeld, gefluisterde condoleances, handdrukken.

Barbara glimlachte onder haar sluier. Hoe vangt men een Kikvors? Gemakkelijk genoeg. Ik geloof dat ik hem heb. Voor jou, Roger.

'Heb je nog gesproken over de inbeslagname?' vroeg Diana.

'Ja.'

'Maar je hebt niet te veel gezegd?'

'Nee, ik heb precies genoeg gezegd.' Ze dacht aan het onderhoud, morgen, met de koning. Dat zou zoveel gemakkelijker zijn. Ze hoefden niet te veinzen, want Roger was zijn vriend geweest en ze wist dat hij om die reden naar de herdenkingsdienst zou komen.

Ze stond in het voorportaal van St.-James's Church om haar gasten te ontvangen. Kun je me mooi maken? had ze Thérèse die morgen dringend gevraagd toen ze naar haar broodmagere spiegelbeeld keek. Maak me alsjeblieft mooi ter herinnering aan hem, en dat had Thérèse gedaan. Ze had getoverd met poeder, taches de beauté, rouge en potlood. De klanken van Händels *Chandos Anthems* stegen op naar de hoge gewelven van de kerk en zwelden aan tot bij de ingangsdeur. Rogers borstbeeld stond bij het doopvont, omkranst met klimopranken en witte rozen. Tony en haar moeder stonden aan weerszijden van haar. Hyacinthe hield haar zwarte waaier vast en hij droeg een mand waarin zwarte handschoenen lagen die aan de gasten moesten worden uitgedeeld. De mensen begonnen te komen en Barbara hield precies de tel bij volgens de lijst die ze uit haar hoofd kende. De hertog en hertogin van Montagu, Tommy Carlyle; de hertogen van Chandos, Newcastle, Leeds, Devonshire; de lords Townshend en Kent en Scarborough... Sir John Ashford van thuis was er ook. Hij was naar Londen gekomen om het parlement bij te wonen en ervoor te zorgen dat de directeuren van de South Sea Company werden gestraft. Hij boog voor haar. Hij kwam uit eerbied voor haar grootmoeder. De prins en prinses van Wales waren in aantocht met hun gevolg.

'Het is je gelukt,' zei haar moeder en gaf haar een kneepje in haar arm. 'Ze zijn gekomen, niettegenstaande het schandaal. Dat had ik nooit gedacht.'

Toen arriveerden Alexander Pope en lady Mary Wortley Montagu, sir Christopher Wren, sir Hans Sloan en een oude man die haar moeder scheen te kennen, maar die zijzelf niet had uitgenodigd.

'De heer Pendarves.' Haar moeder glimlachte terwijl de oude man zich over haar hand boog. Hij had oude levervlekken op zijn gezicht en handen en vuil onder zijn nagels, hij miste een stel tanden en hij had vlekken van snuif in zijn mondhoeken. 'Hij is mijn gast.'

'Mijnheer Pendarves is nooit getrouwd geweest,' zei Diana, en teder keek ze hem na toen hij langs haar heen de kerk inliep. Haar blik leek op die van een kat die zojuist een schotel room heeft leeggedronken.

Haar tante Shrewsborough kwam de kerk binnen, tussen Charles en Mary. Charles boog zich over haar hand, en zijn ogen gloeiden als twee saffieren. Ze bleef hem even nakijken.

'Philippe. Deze kant uit, Philippe.'

Ze stond als versteend. Ze kon haar ogen niet geloven toen ze haar tante Abigail het hek zag binnenkomen, waarna ze het hek openhield voor Philippe de Soissons. Hij liep nog meer mank dan anders. Hoe is hij hier gekomen? vroeg ze zich verwilderd af, maar toen kwam de koning van Engeland het kerkhof op met zijn hele gevolg om hem heen. Aan zijn arm hing Melusine von Schulenburg, nu de hertogin van Kendall; Barbara maakte een diepe revérence en kwam pas overeind toen de koning haar hand nam en haar daarna meteen op beide wangen kuste. Diana stond glimlachend naast haar. Met trillende vingers sloeg Barbara haar sluier weer voor haar gezicht. Philippe! Maar ze kon geen aandacht aan hem besteden want haar gasten wachtten op haar en Rogers herdenkingsdienst zou beginnen, en hij kwam in de eerste plaats, tot het laatst aan toe.

Iedereen stond op toen de koning naar de voorste kerkbank liep en daar bleef wachten, terwijl Barbara volgde aan Tony's arm. Händels koraal zwol aan tot een dreunend slotakkoord en de predikant, plechtig uitgedost in zijn witte overkleed, boog zijn hoofd om een gebed uit te spreken.

Toen volgde een stilte die slechts werd onderbroken door het geruis van japonnen, waarna Robert Walpole met zware stappen naar de preekstoel liep.

'Wij zijn vandaag te zamen, in een tijd van crisis, van beschuldigingen, van morele en geestelijke malaise, om de nagedachtenis te eren van een man die een vriend was voor ons allen hier. Een man over wie veel kwaad is gesproken en aan wie veel wordt verweten. Maar toch een man die ik niet genoeg kan prijzen, een man die in alle opzichten het toppunt van fatsoen en waardigheid vertegenwoordigde...'

Het wordt goed, dacht Barbara toen ze naar de gezichten om haar heen keek. Walpole herinnerde aan de tijd dat Roger als soldaat had gediend onder de grote hertog van Tamworth, tijdens de oorlogen van koningin Anne, en zijn diensten aan het huis van Hannover. Hij bracht Rogers grootmoedigheid en zijn vriendelijkheid in herinnering. Het rapport van de onderzoekscommissie bracht hem in verband met steekpenningen, in de vorm van aandelen, aan de hertogin van Kendall en andere Hannoverianen, maar Walpole herinnerde de verzamelde gemeente aan zijn leven voor South Sea.

'Ik besluit met de verzen van een dichter die ook de kerk heeft gediend. "Geen mens is een eiland, alleen voor zichzelf; ieder mens is een deel van het continent, een deel van het geheel. De dood van elke mens neemt ook iets van mij weg, omdat ik met het hele mensdom verweven ben. Vraag daarom nooit voor wien de klok luidt; hij luidt voor u." De klok luidt voor Roger Mont-geoffrey die mijn vriend was, en de uwe, die zich op de een of andere manier aan elk van ons hier heeft gegeven. Wij worden armer door zijn dood.'

Hoog boven hen zetten de stemmen van het koor de drieën-twintigste psalm in, De Heer is mijn Herder. Walpole verliet de preekstoel, bleef voor Barbara staan en bood haar zijn arm, en terwijl ze met hem de kerk doorliep, dacht ze: Je hebt een passend vaarwel gekregen, mijn lief.

Ze wachtte in een hoekje van het kleine kerkhof op haar rijtuig, alleen onder een boom. Bij het horen van een ongelijke stap draai-de ze zich om; alle gasten waren al vertrokken en daar stond Phi-lippe op korte afstand, steunend op zijn stok, zijn gezicht smaller en bitter. Hij is magerder geworden, dacht ze, net als ik. Verdriet. Het verdriet heeft ons allebei aangepakt. Ze had het gevoel dat ze al eeuwen op dit ogenblik had gewacht.

'Het was een mooie dienst. Je hebt zijn nagedachtenis eer bewe-zen.'

'Ik heb je niet uitgenodigd.' En toen, als vanzelf, zonder het te willen vroeg ze: 'Heeft hij van je gehouden?' Ze moest het begrij-pen. Ze moest het weten. Zeker weten. Haar woorden leken als een echo door te klinken en te weergalmen op het kerkhof; haar hele hoofd was ervan vervuld. 'Is het zo?'

Op zijn gezicht was geen enkele uitdrukking af te lezen, alsof hij moeite had een antwoord te formuleren, en op dat moment haatte ze hem meer dan ze hem ooit had gehaat.

'Het doet er nu niet toe . . .'

'Je moet het zeggen.'

Ze hoorde de arrogante felheid van haar stem, maar ze kon het niet laten.

Eén wenkbrauw ging omhoog en op zijn gezicht verscheen weer die bekende ironische uitdrukking. 'Nog altijd zo'n koppige dwaas . . . Ja. Liefde. Het was liefde. Voor jou en na jou. Voel je je nu beter, of beroerder? Doet het er nu nog iets toe?'

In haar oren ontstond een hevig gesuis, en toen dat een beetje was weggetrokken, was hij verdwenen. Inwendig voelde ze zich verdoofd, alsof ze van een grote hoogte was gevallen en nu verpletterd en verminkt op de grond lag zonder dat iemand het wist of het zag. Wat een dwaas ben je toch, zei ze tegen zichzelf. Zoals het eerst was, was het beter.

'Het doet me goed,' zei Walpole op de receptie in Saylor House, Tony's bijdrage tot de herdenkingsplechtigheid, 'dat we hier weer als vrienden bij elkaar zijn. Die South Sea-ramp heeft verdeeldheid onder ons gezaaid.'

Barbara stond in de grote salon haar gasten te begroeten en te luisteren naar hun complimenten over de dienst, naar hun condoleances en naar een enkele herinnering aan Roger. Carlyle stond naast haar, heen en weer wiebelend op zijn hoge rode hakken, commentaar leverend op de gasten, hun stijl of hun gebrek aan stijl.

Diana kwam de kamer binnen, elegant in haar zwarte japon, aan de arm van de heer Pendarves. Carlyle bracht zijn monocle voor zijn oog, een vergrootglas dat met een rood lint aan zijn geel-met-witte vest hing.

'Wat is dat?' vroeg hij.

'Barbara,' zei haar moeder met een glimlach, en ze trok Pendarves met zich mee, 'mijnheer Pendarves zei net tegen me hoe geroerd hij was door de dienst, door jouw waardigheid...'

'Lumpy!'

Carlyle schrok en Diana en Pendarves draaiden zich beiden om toen tante Shrewsborough parmantig naar voren kwam, met een air alsof ze zestien jaar was in plaats van zeventig. Ze duwde Diana opzij, bleef staan voor Pendarves en begon flirterig met haar waaier te wuiven.

'Lumpy Pendarves, ben jij het? Ik zag je in de kerk, en ik kon mijn ogen niet geloven. Hoeveel jaar is dat geleden...'

'Minstens honderd,' zei Carlyle, maar tante Shrewsborough deed of hij niet bestond.

'Ik ben het, Lou. Jouw Lou. Weet je niet meer?' Ze kakelde onafgebroken en de poeder en rouge die in haar rimpels gekorst zaten, vielen in kleine vlokjes op haar japon.

Pendarves maakte een smakkend geluid. 'Lou?' vroeg hij aarzelend. Tante Shrewsborough kneep een vouw in zijn wangen.

'Ja, Lou! Lumpy is een vriendje van me geweest,' zei ze tegen Barbara. 'Hij heeft gezworen dat hij nooit met iemand zou trouwen als hij mij niet kon krijgen. Ik hoor dat je nu zo rijk bent als Midas. Geef me je arm, dan gaan we een glas wijn drinken op Roger Montgeoffrey. Die schelm. Door hem heb ik duizend pond verloren, maar dat zou je niet denken als je Robert Walpole hoort praten. Het was een mooie dienst, Barbara. Diana, ga eens opzij.'

Diana keek hen na.

'Ongelooflijk,' zei Carlyle, die door zijn monocle naar hen bleef kijken.

'Ik ben niet van plan ooit met hem te trouwen,' zei Barbara.

Diana en Carlyle keken Barbara aan.

'En hij zal nooit met mij trouwen. De schuld, moeder. Mijnheer Pendarves lijkt me niet een man die veel schuld op zich wil nemen. En bovendien ben ik aan knappere mannen gewend. Hij lijkt niet erg op Roger, wel?'

Carlyle barstte in lachen uit.

'Barbara . . .'

Maar ze liep al weg.

'Ze is volwassen geworden,' zei Carlyle. 'Je zult er je handen aan vol hebben.'

In een andere kamer zag Barbara Charles en Mary bij het buffet staan. Charles vulde een bord voor Mary. Ze was modieus gekleed in het zwart met parels, en haar wenkbrauwen en oogharen waren aangezet met potlood. Maar ze zag er jong uit en keek met liefhebbende ogen naar haar man. Charles keek op, hij zag Barbara en in zijn blik kon ze lezen wat hij dacht. Een vergissing. Ik ben getrouwd uit kwaadheid en uit trots. Ik hou nog altijd van je. Maar de prins en prinses van Wales kwamen eraan en ze ging hen begroeten, en daarna moest ze door de kamers van Saylor House lopen aan de arm van de prins en naar zijn complimentjes luisteren. Tegen de avond stond ze in de hal; de bedienden hadden de kaarsen nog niet aangestoken. Het was er donker en ze dacht: Ik wil naar huis, en daarmee bedoelde ze niet Devane House, maar Tamworth. Liefde. Het was liefde. Voor jou en na jou. Ze voelde dat er tranen over haar wangen liepen.

'Barbara.'

Charles nam haar hand en liep met haar naar de schaduw onder de trappen van het wijde trappehuis. Hij droogde haar wangen met zijn zakdoek en omarmde haar.

'Schat,' zei hij. 'Mijn lieve, lieve schat. We zijn zo dom geweest. Maar we beginnen opnieuw, en ik beloof je dat het beter wordt tussen ons. Ik beloof het je.' Het was heerlijk om door hem omhelsd te worden. Het was heerlijk om in de armen van een man te zijn die wist hoe hij je tranen moest drogen, die haar zo stevig vasthield alsof ze bij elkaar hoorden. Ze wilde dat hij niet was getrouwd, dat Roger niet was gestorven en dat ze Philippe die vraag niet had gesteld. Charles kuste de binnenkant van haar hand, zijn mond werd gretiger en ze huiverde van verlangen, van eenzaamheid die ze in zich voelde opkomen.

'Kom naar mijn kamers in de stad,' zei hij en zijn stem was als zijde tegen haar huid. 'Vanavond. Ik wil je troosten. Ik verlang naar je...'

'Barbara.'

Ze kwam uit de schaduw de hal in. Tony stond in de deuropening. Charles kwam achter Barbara te voorschijn en Tony's gezicht kreeg een heel andere uitdrukking.

'De gasten vertrekken,' zei hij bruusk.

En toen waren de laatste gasten vertrokken. Haar moeder raakte langzaam aan beschonken. Tante Shrewsborough was al vroeg weggegaan met de heer Pendarves en Walpole was met de koning naar het St.-James's paleis gereden.

Het is voorbij, dacht Barbara toen ze de vuile borden, de verwelkte bloemen en de druipende kaarsen om zich heen zag. Alles was voorbij.

Ze pakte haar hoed, sluier, handschoenen en mantel. Thérèse was al naar Devane House vertrokken met Hyacinthe, Montrose en White.

'Zal ik je thuisbrengen?'

Tony deed bruusk en ze wist wel waarom. Ze schudde haar hoofd, en buiten rilde ze in de koude lucht.

'Naar Devane House?' vroeg haar koetsier. Ze aarzelde. Kom naar mijn kamers vanavond, had Charles gevraagd. En als ze dat deed, als ze op die deur klopte, wat stond haar dan te wachten?

'Rij maar... waarheen je wilt. Blijf maar rijden tot ik zeg dat je moet stoppen.'

Het rijtuig hobbelde door de straten. Op sommige plaatsen was het donker en op andere hingen lantaarns aan de huizen. Ze kwamen langs St.-Paul's Cathedral en ze liet het rijtuig stoppen om er even naar te kijken. Dit is het gebouw waar ik het meest van houd, in heel Londen, had Roger gezegd. Toen beval ze de koetsier haar naar Londen Bridge te rijden. Ze stapte uit, leunde over de stenen balustrade en luisterde naar het water dat beneden haar ruiste. Aan het eind van de brug was het grote waterrad dat de hele stad van water moest voorzien. De kamers van Charles waren hier dicht in de buurt. Hij hield zijn appartement dus nog altijd aan. Voor een toevallige toneelspeelster of operadanseres – of weduwe – waar hij zin in had. Toen ze hem pas kende, had het haar een onaangenaam gevoel gegeven en dat deed het nu ook. Niets was veranderd, en tegelijk was alles anders geworden. Haar gedachten waren helder als deze maartse nacht. Ze wilde niet opnieuw beginnen. De vrouw van afgelopen zomer bestond niet meer en zelfs Philippes woorden die voortdurend door haar hoofd spookten, mochten haar niet doen herleven.

'Naar huis?' vroeg de koetsier, die haar graag zo gauw mogelijk thuis wilde brengen omdat hij het niet begrepen had op nachtelijk Londen.

'Naar huis,' zei ze.

Cradock zat te dommelen in de hal en schrok wakker toen ze hem bij zijn schouder schudde.

'Je had niet moeten opblijven voor mij...'

'Lord Tamworth is hier, mevrouw, hij is er al enige tijd.'

Hij stond bij een raam van de galerij; zijn gezicht was in de schaduw want er brandde maar één arm van de grote kandelaber.

Ze liep naar hem toe en besefte hoe blij ze was dat hij hier wachtte.

'Waar ben je geweest?'

Ze bleef stokstijf staan.

Hij kwam op haar af en volkomen onverwacht greep hij haar bij de schouders en schudde haar door elkaar, zijn gezicht hard en woedend.

'Waar ben je geweest? Bij god, Barbara, als je bij Charles bent geweest, zweer ik je dat ik hem vermoord.'

Met een vermoeid gebaar maakte ze zich los uit zijn greep. 'Ik ben niet bij Charles geweest.'

Hij bleef haar strak aankijken, met het hoofd omlaag, als een stier die op het punt staat aan te vallen.

'Niet op zijn kamers, maar misschien wel ergens anders bij hem, Bab? Waar? Waar ben je dan wel met hem geweest?'

'Hoe weet je dat ik niet op zijn kamers was?'

'Omdat ik daar heb staan wachten.'

Ze keek hem aan. Hij keek een andere kant uit en in zijn kaak bewoog een spiertje.

Haar hoofd deed pijn. Ze had zin om te huilen, maar dat had ze al meer dan genoeg gedaan. Wanneer had een mens afgerekend met zijn verdriet en kon hij weer verder gaan met leven? Liefde. Het was de liefde. Nou, ze had erom gevraagd en ze had antwoord gekregen, en het zou een hele tijd duren eer ze hiervan hersteld was. Een lange tijd. Ze ging in de vensternis zitten.

Hij knielde voor haar neer en zijn gezicht was ernstig, maar ook opvallend knap. Merkwaardig hoe ze wekenlang met Tony kon omgaan waarbij ze er nooit erg in had hoe hij eruitzag, en dan ineens opkeek en dacht: Hij begint knap te worden. De strakke vlakken en hoeken van zijn gezicht. Zijn neus. Zijn mond, de heldere ogen, waarin nog geen verdriet te lezen was. Zoals bij haar... Het was liefde.

'Trouw met me, Barbara. Laat mij voor je zorgen.'

Ze kon hem alleen met grote ogen aankijken. Hij wilde zijn mond openen maar zij legde snel haar hand eroverheen. 'Stil, Tony. Als je nog één woord zegt, begin ik te huilen, en als ik vanavond huil, kan ik misschien nooit meer ophouden. Je hebt te veel wijn gehad op de receptie...'

Hij kuste de palm van haar hand.

'Nee!' zei ze gedecideerd.

Het woord trilde nog na tussen hen, het brak iets. Ze zag het gebeuren, ze zag een verandering komen in hun relatie en ze voelde een verschrikkelijke droefheid opkomen. Ik heb mijn liefste vriend verloren, dacht ze. Hij stond op en liep van haar vandaan. Met zijn rug naar haar toe vroeg hij: 'Wat ga je doen?'

'Ik heb de aanvragen getekend voor mijn toelage, voor het land dat als bruidsschat is meegekomen. Cradock en Justin hebben hun deel gekregen. Zij zoeken wel een nieuwe betrekking. Montrose gaat nog door met zijn werk aan de nalatenschap. Ik sluit het huis en ga weer terug naar Tamworth.'

'Dat klinkt intelligent en vastberaden.'

Ze schrok van zijn sarcasme.

'Welterusten, Barbara.'

Ze bleef kijken tot hij weg was.

Buiten, in de koude duisternis, nam hij de teugels van zijn paard over van de koetsier maar hij steeg niet op. De koetsier wachtte met een lantaarn in zijn hand.

'Laat me alleen.'

De man aarzelde, maar toen hij het gezicht van de jonge hertog zag in het schijnsel van zijn lantaarn, deed hij wat hem was bevolen.

Tony bleef naast zijn paard staan. Hij hief zijn vuist op en sloeg ermee op het leer van het zadel. Het paard hinnikte en trok aan de teugels.

'Ik wist dat het te vroeg was,' zei hij in het donker. 'Ik wist het.'

Thérèse was niet in de slaapkamer en Barbara ging haar niet zoeken. Ze pakte een kandelaar en liep ermee naar de kleine, aangrenzende kamer waar ze volgens Rogers plannen brieven had moeten schrijven en kleedjes had moeten borduren. En met hun kinderen had moeten spelen. Ze ging op de grond zitten, haar knieën strak tegen haar borst. Daar stond nog altijd de wieg in zijn hoekje. Voorzichtig, met één vinger, raakte ze de rand aan waardoor hij begon te schommelen. Ze legde haar hoofd op haar knieën.

'Waarom huilt u?'

Thérèse knielde bij haar neer.

'Dat weet je wel,' zei Barbara.

29

De hertogin bevond zich geruime tijd in een halfwakende, halfslapende toestand en toen ze eindelijk haar ogen opende, stond Annie daar, bruin, mager en nors.

'Lady Devane is er.'

'Is ze hier? Hier? Waar is ze dan geweest?' En toen Annie haar mond opende: 'Ik weet het wel. Hou je preken maar voor je. Ik was het vergeten. Ik ben oud. Sta daar niet zo te staren en stuur haar naar me toe! Vooruit!'

Ze hees zichzelf overeind tegen de kussens en zette haar grote kanten muts recht, want die zakte altijd helemaal scheef tijdens het slapen. De linten van haar fluwelen bedjasje waren losgegaan en ze strikte ze één voor één vast. Tegelijkertijd ontdekte ze dat *De Geschiedenis van de Staat Virginia* open en bloot naast haar lag waar iedereen het boek had kunnen zien. Ze schoof het onder een kussen. In de verte klonk het geluid van blaffende honden. Dulcinea, die naast haar had liggen dommelen, kwam met haar kopje omhoog en spitste haar oren. Het blaffen veranderde in schril gekef en Dulcinea gaf een miauw, sprong van het bed en rende de deur uit. De hertogin nam haar die wispelturigheid niet kwalijk. Ze streek haar bedjasje glad, wachtte... en wachtte... maar Barbara kwam niet naar haar toe.

Ze keek bedenkelijk; ze werd onrustig en ze trok een pruimemondje. Ten slotte rinkelde ze haar zilveren bel en ze voelde zich intens voldaan dat er zo'n luide, hoge, dwingende klank uit kwam. Buiten adem kwam Annie de kamer binnenhollen en de hertogin keek haar dreigend aan.

'Roep Tim voor me.'

'Wacht u nou rustig af...'

'Heel goed. Dan roep ik hem zelf. Tim! Tim! Kom hier, Tim!'

'Ze heeft behoefte om alleen te zijn...'

'Jij hoeft me niet te vertellen waar ze behoefte aan heeft!' Ze had zich naar de rand van het bed gewerkt en haar benen bungelden ernaast, mager en spichtig. Ze stak haar voeten in de geborduurde pantoffeltjes uitdagend naar voren. 'Zo, ben je daar eindelijk, Tim. Waar zat je? Breng me naar lady Devane.' Tim tilde haar op en droeg haar de kamer uit, en ze keek nog eens achterom naar Annie die hen met haar handen in de zij stond na te kijken.

'Bemoeizuchtige ouwe tang. Wil me zeker de wet voorschrijven. Ik ontsla haar,' zei ze tegen Tim. 'Ik doe het beslist. Hoe ouder ze wordt, hoe onmogelijker ze is in de omgang.' Tim was zo verstandig geen antwoord te geven.

Ze klopte op de deur van Barbara's slaapkamer, en al kwam er geen antwoord, ze liet Tim toch de deur openmaken en haar naar binnen dragen. Hij zette haar op een stoel en toen stuurde ze hem met een handgebaar weg. Haar ogen gingen met een taxerende blik door de kamer. Barbara stond bij het raam naar buiten te kijken; ze had haar reiskleren nog aan. De hertogin zag een bepaalde trek in Barbara's profiel en ze keek naar Thérèse die een koffer zat uit te pakken, maar Thérèse wendde vlug haar blik af. De hertogin kneep haar ogen half toe. Ze schraapte haar keel.

'Grootmama,' zei Barbara vanaf het raam, en de hertogin hoorde hoe moe haar stem klonk, maar ze hoorde ook nog iets anders. Iets dat ze niet begreep... nu nog niet. Ze maakte een nieuwe strik in een van de linten van haar bedjasje en bleef onderwijl naar Barbara kijken. Barbara zei niets, niet één woord over de herdenkingsdienst, over Londen, over het testament, helemaal niets. Als de vijand lijkt te aarzelen, val hem dan aan, had Richard altijd gezegd. Deel je eerste klap uit met je infanterie. Ze had dat altijd een goed principe gevonden, ook buiten de oorlogvoering.

'Heb je het testament gehoord?' Haar stem klonk hard en zakelijk, zonder emotioneel gedoe.

'O, ja.'

'En...?'

'Ik krijg de hele nalatenschap. Met een schuld van £ 250 000.'

De mond van de hertogin viel open.

Barbara glimlachte bij het zien van de uitdrukking op haar grootmoeders gezicht, en ze keek weer naar buiten. Het voorjaar op Tamworth deed haar bijna de problemen in Londen vergeten.

'De nalatenschap zit zo ingewikkeld vast, dat er niets mee valt te beginnen. Het is wel zeker dat het parlement er een deel van neemt om de slachtoffers van South Sea schadeloos te stellen. Hoe groot dat deel wordt weet ik niet, maar ik mag niets verkopen en geen stuiver gebruiken zolang er geen besluit is gevallen. Ik heb mijn juwelen in Londen verpand om wat contant geld te hebben. Het zou kunnen zijn dat ik Bentwoodes mag houden. Tony heeft de notarissen erop gewezen dat het mijn bruidsschat is geweest.'

De hertogin spitste haar oren zoals Dulcinea had gedaan bij het horen van geblaf. Tony. Er was iets gebeurd. Met Tony.

'Hij had geen zin om met je mee te komen?'

'Hij had geen zin om met me mee te komen.'

Het stond de hertogin niet aan zoals ze dat zei. Zet meteen daarna de cavalerie in, zei Richard. In een snelle aanval. 'Die herdenkingsdienst... is die goed verlopen? Was iedereen er?'

Barbara lachte, en de ogen van de hertogin gingen snel naar Thérèse, die opnieuw haar blik ontweek. In een snelle aanval.

'Was lord Russel er ook?'

'Maak u geen zorgen over lord Russel!' zei Barbara fel. 'Hij en ik, we hebben ruzie gehad. En moeder en ik hebben ook ruzie gehad. En Tony en ik...' Ze zweeg. 'Ik ben moe van de reis, grootmama. U moet me maar vergeven dat ik zo onhebbelijk ben. Ik ben bij Jane langsgegaan in Petersham, daardoor duurde de reis een dag langer en ik was al zo moe.'

'Gaat het goed met Jane?'

Barbara zuchtte. 'We zijn naar Jeremy's grafje geweest. Het is... zo klein.'

'De dood van je kind, daar kom je moeilijk overheen.'

'Daar heb ik geen verstand van. Ik heb haar Harry's gedenkplaat laten zien.'

'Vond ze hem goed?'

'Ja.' De hertogin hoorde de hapering in haar stem.

'Wat heb je nog meer uit Londen meegebracht?'

Verdriet, dacht Barbara. Een bitter, hard verdriet. En spijt. En een half dozijn wegen die plotseling voor me openstaan, maar ze zijn geen van alle goed.

Montrose had de ontwerpen voor Devane House gevonden. Schetsen van Roger, een paar van Wren en enkele — hoe was het mogelijk — van haarzelf. Hij had ze gevonden in een kistje dat Roger altijd op slot had. Er zat ook nog een paar handschoenen in, leren handschoenen van haar die ze in Parijs had gedragen. Wat zal ik met dit alles doen? had Montrose haar gevraagd. Ze had ze meegenomen. Dromen, dacht ze, die in onze handen tot stof zijn vergaan. Hij zou nu nooit in zijn Devane House wonen, de grote heer die zich wilde omringen met schoonheid, met zijn kinderen. Ze had bijna gezegd dat hij ze maar moest verbranden, maar ze kon die woorden niet over haar lippen krijgen. Ze had alles teruggelegd in het kistje en het meegenomen naar Tamworth. De rest mocht het parlement hebben, maar dit niet.

'Ik heb het marmeren borstbeeld van Roger meegebracht.'

'Ah. Lijkt het op hem?'

Eindelijk wendde Barbara zich van het raam af en keek haar grootmoeder aan. Ze schudde haar hoofd en haar ogen stonden vol tranen. 'Nee.'

Thérèse en Hyacinthe stonden opzij van het bed van de hertogin te wachten, terwijl zij haar ondervraging even onderbrak om een kussen naar Dulcinea en de honden te gooien. De drie dieren lagen aan het voeteneind te vechten en te grommen. Het hoge bed gaf haar een voordelige positie, want hiervandaan kon ze op hen neerkijken als een vorstin.

'Dus,' zei ze met een scherpe blik op hen beiden, 'er was geen onverwachte gast bij die herdenkingsdienst. Er gebeurde niets ongebruikelijks.' Ze gaf een harde klap met haar hand op het nachtkastje zodat het trilde en een heel pak papieren op de grond viel. 'Ik geloof dat jullie liegen!' zei ze streng.

Thérèse en Hyacinthe keken elkaar aan en keken toen weer een andere kant uit. Hyacinthes onderlip begon te trillen. Thérèse keek omlaag.

'Jullie liegen,' zei de hertogin. 'Weet je wat ik met leugenaars doe?'

'De prins de Soissons,' zei Hyacinthe, en hij slikte. 'Hij was er. Maar hij was niet uitgenodigd. Ik heb lord Tamworth tegen madame Barbara horen zeggen dat zijn moeder hem had uitgenodigd, en lord Tamworth vroeg aan madame Barbara wat daar verkeerd aan was en later – ach!'

Hyacinthe keek Thérèse dreigend aan.

'Hebben ze met elkaar gesproken? Ja?'

'Ik heb er niets van gezien,' antwoordde Thérèse vlug, en ze keek omlaag naar Hyacinthe met een blik die zoveel wilde zeggen als hou je mond, want anders... 'Er waren daar zoveel mensen, begrijpt u...'

De hertogin hield haar blik gericht op Hyacinthe. Hij kromp bijna in elkaar. 'De waarheid.'

'Ik heb ze samen gezien. Ze spraken met elkaar.'

'En heb je gehoord wat ze zeiden?'

'Nee. Maar ik heb wel gehoord wat lord Russel zei.'

'Lord Russ... Wat zei hij dan? Wat? En wanneer?'

'Hij is bij madame Barbara geweest, even voordat we naar hier vertrokken. Zij en lady Alderley hadden ruzie gehad. Zo'n vreselijk geschreeuw dat je het door het hele huis kon horen. Lady Alderley wilde niet dat madame Barbara hiernaar toe kwam...'

'Lady Alderley doet er nu niet toe. Er wordt altijd geschreeuwd wanneer zij in de buurt is. Vertel liever over lord Russel.'

'Nou, hij kwam madame Barbara opzoeken. Ik ga naar de galerij en ze zien me niet, en ze kussen elkaar. Heel lang. En ik probeer weg te komen voor ze mij zien, maar madame Barbara ziet mij, en ze wil niet dat ik wegga. Ik moet blijven. En lord Russel is boos. Op mij. En op haar. Ik zie zijn gezicht. En hij zegt dat ze weg kan lopen, maar dat hij haar zal komen halen wanneer hem dat goeddunkt – Thérèse! Hou op! Hou toch op!'

'Klikspaan,' siste Thérèse in het Frans. 'Verrader.'

Hyacinthe bleef naar de hertogin kijken. Ze schudde haar hoofd. 'Je hebt goed gedaan. Ga maar naar Annie en zeg tegen haar dat ze je een stuk zoethout geeft. Zeg maar dat ik het heb gezegd.' De hertogin keek hem na toen hij de kamer uitrende. Toen ging haar blik naar Thérèse, die alweer naar de grond stond te kijken, met een frons op haar voorhoofd.

'Heb jij hier nog iets aan toe te voegen?'

Thérèse schudde haar hoofd.

'Jij houdt je mond. Dat kan ik waarderen. Dat is een zeldzame en kostbare eigenschap voor een kamenier.'

Thérèse keek op, en haar donkere ogen schoten vuur.

'Ik hou ook van haar,' zei de hertogin. 'Nog meer dan jij. Ga nu maar. Ik wil graag alleen zijn.'

De vasten waren voorbij en het werd alweer bijna Pasen, de plechtigheid, het ritueel van de wederopstanding en de wedergeboorte.

Sir John Ashford kwam van Ladybeth Farm naar hen toe om te zeigen dat Jane een jongetje ter wereld had gebracht dat ze de namen Harry Augustus hadden gegeven. Ik begrijp geen donder van die Gussy, zei sir John, want het was zijn idee. Daar zou ik niet over gepiekerd hebben. Maar Barbara en haar grootmoeder glimlachten naar elkaar. Harry Augustus. Gussy was niet bang geweest voor de man, en hij was niet bang voor de herinnering. Het was een lief gebaar. We zullen apostellepeltjes sturen (lepeltjes met de beeltenis van een apostel op de steel), voor zijn doopfeest, ook al zijn we zijn doopouders niet, zei de hertogin tegen Barbara. Toen kwam Goede Vrijdag, en de hertogin zat te kijken hoe de dorpelingen, de buren en bedienden de graven schoonmaakten op het kerkhof van de Tamworth-kerk. Er mocht geen onkruid groeien, de kruizen werden gewit en de grafstenen werden met kalk behandeld, allemaal ter ere van Pasen. Uit Londen kwamen berichten over een van de directeuren van South Sea die was vrijgesproken, een andere was schuldig bevonden en de minister van Posterijen had zelfmoord gepleegd toen ook hij zou worden ondervraagd over de ondergang van South Sea. Het gaat maar door, dacht de hertogin, we krijgen er allemaal mee te maken. Ze had gemerkt dat Barbara brieven kreeg van Montrose, over de nalatenschap. Maar geen brieven van haar moeder of van Tony. Er was één brief gekomen in een nogal opvallend handschrift dat de hertogin niet kende, maar Annie had toevallig een ondertekening gezien... Charles... lord Russel, die had gezegd dat hij Barbara zou komen halen wanneer het hem goeddunkte... Maar nu was hij Mary's echtgenoot... Abigail zou wel net zo bedroefd zijn over Rogers dood als Barbara. Ze stond op en liet zich door Tim de kerk in helpen. Daar ging ze op de marmeren bank zitten en overlegde met Richard, die haar geen antwoord kon geven. Ze keek naar het borstbeeld van Roger dat met bloemen was overdekt. Ze zat er zolang naar te staren, volkomen bewegingloos, dat Tim haar ruw bij de schouders pakte en door elkaar schudde, en toen ze hem met haar stok wilde slaan voor die brutaliteit, stotterde hij dat hij dacht dat ze dood was.

Zij en Barbara zaten op het kleine heuveltje in de schaduw van de grote eikebomen; ze genoten van de geur van de viooltjes en van de aanblik van de eigenwijze madeliefjes die aan hun voeten groeiden. Boven hun hoofden zongen merels en lijsters.

'Wat voor berichten krijg je van Montrose, Bab?'

'Er is nog geen beslissing gevallen over de nalatenschap. Het zal wel mei of juni worden eer we iets weten. Montrose denkt dat ze alleen die bezittingen in beslag zullen nemen die na 1 december 1719 zijn verkregen, maar er is nog heel wat getouwtrek tussen de commissie en Rogers notarissen. Mijnheer Jacombe, met zijn bankiersmentaliteit, heeft voorgesteld Devane House af te breken en alles stuk voor stuk te verkopen, waardoor Bentwoodes weer vrij zou komen en de boetes van het parlement kunnen worden betaald.'

'Een nalatenschap kan je een hoop narigheid bezorgen. Ik moet ook bepaalde beslissingen nemen over mijn nalatenschap.'

Barbara keek op van een madeliefje, waarvan ze net alle bloemblaadjes één voor één had uitgetrokken. 'Over Tamworth? Wat voor beslissing moet u over Tamworth nemen?' De hertogin zuchtte, een diepe, hartgrondige zucht. 'Het andere land dat ik bezit.' Ze zei het opzettelijk vaag.

'Wat voor land? Ik dacht dat Tony heel Tamworth erfde.'

'Dit niet. Dit is veel later gekomen. Dit is geen deel van de erfenis.'

Barbara wachtte, nieuwsgierig.

'Beslissingen...' zei de hertogin, opnieuw heel vaag.

'Grootmama!'

'Wat? Wat? Ben ik weer ingedommeld? Mijn gedachten...'

'Over welk land moet u een beslissing nemen?'

'O! O ja. Ik moet beslissen of ik een plantage in Virginia wel of niet verkoop.'

Barbara keek haar met open mond aan. De hertogin streek een lok haar weg die was losgeraakt vanonder haar muts.

'Harry heeft hem aan mij nagelaten. Toen ik hem in de zomer geld had geleend, heeft hij mij het bewijs van eigendom gegeven als onderpand. Ik was hem helemaal vergeten — je weet hoe mijn geheugen is, tegenwoordig, Barbara — en het schijnt dat neven van de oorspronkelijke eigenaar belangstelling hebben om hem terug te kopen. Maar ik weet het niet, ik heb die plantage niet gezien. Ik hou er niet van iets te verkopen dat ik nog niet eens heb gezien. Dat is niet zakelijk.'

'Waar is Virginia in 's hemelsnaam? En wat is een plantage?'

'Een boerenbedrijf. Ze verbouwen hennep – nee! Tabak. Ja, ze verbouwen tabak. Het is over zee, een kolonie in Noord-Amerika. Ik heb een landkaart.' Ze zag belangstelling en nieuwsgierigheid op Barbara's gezicht, maar ze praatte door alsof ze niets in de gaten had. 'Ik weet niet wie ik erheen moet sturen. Ik kan zelf niet gaan. Er is niemand...' Ze zweeg, sloeg met een hand op haar borst en keek naar Barbara. 'Bab! Jij zou voor mij kunnen gaan! Jij hebt geen banden. Jij zou kunnen gaan als mijn vertegenwoordigster, en dan zou jij alles kunnen bekijken en me vertellen wat ik moet doen...' Ze zweeg toen ze de uitdrukking op Barbara's gezicht zag.

'Over zee gaan naar een plek die Virginia heet, en daar een plantage voor u inspecteren?' herhaalde Barbara langzaam.

'Ik dacht... ik dacht dat het misschien de moeite waard was die plantage te houden. Misschien is het zelfs goed daar nog meer bezittingen aan te kopen. Ik heb geld dat werkeloos op Hoare's bank staat, uit de South Sea overgehouden, en daar heb ik ook rente van getrokken. Misschien staat het jou daar zo aan dat je voor mij wilt onderzoeken...'

'Dat meent u niet!'

'Dat meen ik wel!' reageerde de hertogin fel, en ze kwam plotseling rechtop zitten. 'Heb jij soms betere plannen?'

'Zeker wel!' antwoordde Barbara al even fel. 'Ik kan de minnares worden van Charles, of van de Kikvors. En dan is er nog mijnheer Pendarves, als tante Shrewsborough tenminste niet eerst mijn ogen uitkrabt. Heb ik u verteld over Pendarves? Hij is mijn moeders meest recente huwelijkskandidaat voor mij, en hij is wel heel wat anders dan Roger Montgeoffrey, dat kan ik u wel vertellen.'

'Het geeft niet,' zei de hertogin. Ze zakte weer terug in haar stoel en zag er ineens klein en broos uit. 'Het was waanzin van me om zoiets te bedenken. Ik ben oud en ik heb het idee dat ik soms niet goed meer kan denken. Ik stuur iemand anders of ik verkoop de plantage gewoon.'

'Het was waanzin,' zei Barbara vol overtuiging.

Barbara legde een boeketje madeliefjes en grasklokjes op het voetstuk van Rogers borstbeeld en ging op de marmeren bank zitten, met haar handen gevouwen in haar schoot. Ze haalde zich Philippes woorden voor de geest en nog veel meer dingen. Ik heb zo van je gehouden, dacht ze, van mijn vijftiende jaar af was jij het middelpunt van mijn leven. Ik heb je gehaat en geprobeerd je te kwetsen, maar daar heb ik alleen mezelf mee pijn gedaan. Ik heb je verpleegd, ik heb je begraven, een herdenkingsdienst voor je georganiseerd, en nu is alles voorbij. Je bent weg, en ik voel me helemaal leeg van binnen. Charles schrijft dat hij van me houdt en zijn brief is wel hartstochtelijk, maar niet half zo mooi als jouw brieven vroeger waren. Ik zou best van hem kunnen houden, Roger, maar ik wil niet weer zijn minnares zijn, niet alleen vanwege Mary, al is zij reden genoeg, en ik weet precies wat er gebeurt als ik hem weer zie. We maken ruzie, we kussen elkaar en dan gaan we naar bed. Dat is onvermijdelijk. We verlangen dan zo naar elkaar. Was dat ook zo tussen jou en Philippe? Liefde, zei Philippe. Het was liefde. Ik wist het en toch had ik nooit die woorden uit jouw mond gehoord. Je weet dat je in Parijs niet over hem wilde praten met mij, en daardoor kon ik nog altijd twijfelen. Het doet nu pijn, Roger. Mijn verdriet om jou wordt erdoor verdrongen, en dat maakt alles veel moeilijker. Er zijn zoveel dingen van jou die ik niet wist, dat ik het nu niet kan begrijpen.

Ze wachtte, bijna alsof het borstbeeld zijn koude lippen zou openen om haar antwoord te geven, maar toen ze na een tijdje besefte wat ze zat te doen, schudde ze haar hoofd. Ik ben te jong om me net zo te gedragen als mijn grootmoeder die een praatje houdt tegen een beeld op een graf en die houdt van een portret, dacht ze. Ze stond op, liep langs alle gedenkplaten, las de namen en raakte sommige met haar vingertoppen aan, alsof ze de persoon kon voelen wiens naam hier was ingegrift, maar de aanraking was alleen maar koud. Met haar wang tegen Harry's bronzen gedenkplaat dacht ze: Ik mis je zo. De stilte van de kapel was haar antwoord. Ik ben alleen, dacht ze. Helemaal alleen.

Een paar dagen later kwam ze haar grootmoeders slaapkamer binnen met de hondjes die om haar voeten liepen te draaien en te keffen. Dulcinea kwam van het bed om de honden aan te vallen en met hun drieën stoven ze onder het bed en gingen daar tegen elkaar zitten grommen.

'Wat weet u eigenlijk van dat Virginia?' zei Barbara plotseling.

De hertogin probeerde te denken boven het plotselinge lawaai in haar oren. 'Ik heb boeken en landkaarten...'

'Mag ik ze eens zien?'

Ze maakte een onverschillig gebaar naar het nachtkastje. 'Kijk daar maar eens. Of daar. Ze zijn hier ergens. Of daar misschien.'

'Heb jij wel eens van een plek gehoord die Virginia heet?' vroeg Barbara aan Thérèse toen die haar haar stond te borstelen. De ramen stonden open en lieten de nachtelijke geluiden van Tamworth door: het gepiep van een hek, takken die langs elkaar schuurden en krekels. Maar ook de geuren van Tamworth: de verse aarde van de omgeploegde velden, mest van de stalpaarden en de zoete geur van bloeiende wingerd.

Thérèse hield op met borstelen. Harry had een plantage in Virginia gewonnen. In het begin van de zomer, nadat hij drie dagen en nachten had gekaart in een achterkamer van een taveerne. De verliezer was teruggegaan naar zijn kamers en had zich een kogel door zijn hoofd geschoten. Dat had Harry haar verteld. Kom met me mee naar Virginia, had hij gezegd, en hij had haar middel omvat en haar stijf tegen zich aangedrukt. Ze hadden gelachen en een beetje gedroomd over hoe ze daar zouden leven. Maar er kwam een volgende dag, en Harry praatte er niet meer over.

'Daar heb ik wel van gehoord.'

'Grootmama heeft me gevraagd daarheen te gaan. Harry heeft haar een plantage nagelaten; dat is een . . .'

'Boerderij . . .'

'Ja, een boerderij, en ze wil dat ik erheen ga om te kijken of ze hem moet verkopen of niet.'

Thérèse hoorde een ondertoon van opwinding in haar stem, maar ze begreep nog niet alles . . . Nu toch weer Virginia . . . Barbara stond op en liep naar het raam, waar ze in haar dunne nachthemd ging zitten als een zigeunerin.

'Eerst zei ik nee. Ik vond het een krankzinnig voorstel. Maar hoe meer ik erover nadenk, hoe meer ik me afvraag: Waarom eigenlijk niet? Ik heb hier niets meer, Thérèse. Montrose kan alle bijzonderheden van de nalatenschap afhandelen en er zijn mensen die ik niet graag wil ontmoeten. En misschien doet het me wel goed' – ze zweeg even en lachte – 'om een avontuur te beleven.'

Thérèse drukte haar handen stijf op elkaar opdat Barbara niet kon zien hoe ze beefde. 'Het is over de zee.'

'Ja, een reis van zes weken, heb ik begrepen.' Ze keek uit het raam de duisternis in. 'Wat zou jij doen als ik ging?'

'Ik... ik zou een andere betrekking zoeken. Of hier blijven werken, of teruggaan naar Frankrijk.'

'Zou je met me mee willen gaan?'

Thérèse keek haar met grote ogen aan. Barbara glimlachte, en ze deed Thérèse denken aan een klein meisje dat iets ondeugends gaat uithalen.

'Het is krankzinnig,' zei Thérèse.

'Volslagen waanzinnig,' beaamde Barbara.

'Ons schip zou kunnen vergaan.'

'Er zijn daar wilden. Die zouden ons kunnen opeten.'

'Wat zouden we met Hyacinthe doen en de honden?'

'Meenemen, natuurlijk. Dan hebben de wilden nog meer te eten.'

Thérèse glimlachte. 'U bent stapelgek,' zei ze tegen Barbara.

Barbara sprong van de vensterbank, rende door de kamer en begon een wilde rondedans te maken.

'Ik ben stapelgek. En ik heb behoefte aan een avontuur. Een onschuldig klein avontuurtje,' zong ze. 'Daarna zal ik me weer keurig gedragen. Dat beloof ik.'

Ze zat op haar grootmoeders bed; Dulcinea en de honden hadden zich gezellig tussen hen in gewrongen en zij en haar grootmoeder zaten als samenzweerders te fluisteren.

'Ik wil alles weten,' zei de hertogin. 'Wat dat bezit opbrengt, hoe vruchtbaar het land is, wat voor oogsten je binnenhaalt, de winst en het verlies. Of ik nog meer grond zou moeten kopen en wat ik daarvoor zou moeten betalen. Misschien vind je het afschuwelijk als je daar eenmaal bent, maar ik verwacht wel dat je je werk afmaakt voor je weer terugkomt. Kijk maar of het de moeite waard is dat bezit aan te houden. En ga ook bij andere grondbezitters langs. Kijk naar hun velden. Vraag wat hun opbrengst is. Praat over hun problemen. Probeer te weten te komen of zij ook meer land kopen. Misschien kun je daar geld verdienen, en een deel van wat ik verdien, is dan later voor jou. Als je het zorgvuldig aanlegt, Bab, kun je misschien een nieuw vermogen opbouwen.'

Barbara's ogen begonnen te schitteren.

'Caesar zal alle formaliteiten voor de reis voor ons behandelen,' zei de hertogin. 'Het leek me het beste als je van Gravesend vertrekt en niet vanuit Londen.' Barbara vroeg niet waarom. Ze wist het. Gravesend was verder van Londen en dichter bij de zee. In Londen waren mensen die het niet mochten weten.

'Montrose zal het moeten weten,' fluisterde ze terug. 'Hij is mijn zaakwaarnemer.'

'Kan hij iets geheim houden?'

Ze knikte; ze begon helemaal opgewonden te raken. Zij, Harry, Thérèse, Hyacinthe en de honden hadden door Frankrijk gereisd naar Italië, en ze had het heerlijk gevonden; het was zo leuk om op reis te gaan, om nieuwe dingen te zien, dat ze het ongemak er graag voor over had.

'Weet je het zeker?' fluisterde haar grootmoeder.

Ze knikte en meteen daarna schudde ze haar hoofd.

'Mooi,' zei de hertogin. 'Het is in ieder geval niet een domoor die ik er voor mijn zaken op uit stuur.'

'Een koe!'

Barbara keek haar grootmoeder verbijsterd aan. 'Moet ik een koe meenemen?'

De hertogin trok een koppig gezicht. 'En kippen.'

'Die zullen daar toch zeker wel zijn.'

'Het is mijn plantage en je gaat als mijn afgezant, en ik wil dat er het beste van Tamworth naar toe gaat.'

Barbara zag de koppige trek op haar grootmoeders gezicht. 'En als ik nu eens zou beslissen dat de plantage beter kan worden verkocht?'

'Dan krijg je er nog een betere prijs voor als er Tamworth-vee aanwezig is. En als je hem niet verkoopt, hoef jij geen voorraden meer te bestellen.'

Barbara keek haar grootmoeder nog eens aan en vroeg zich af wat er werkelijk in haar hoofd omging.

'Richard,' zei de hertogin. Ze begon te hijgen en sloot haar ogen, en haar stem beefde toen ze zei: 'Ben jij daar?'

Barbara wendde zich af. 'Daar bereikt u niets mee. Ik zal de kippen meenemen maar niet de koe.'

'Je neemt de koe wel mee. Ze heeft pas gepaard met mijn beste stier, en als ze een kalf krijgt, heb jij het beste vee van heel Virginia. Je zou een kapitaal kunnen verdienen aan dekgelden. Je neemt de koe wel mee.'

'Richard,' zei Barbara en ze bootste precies haar grootmoeders stem na, met het kleine trillinkje erbij, 'ze wil de koe niet meenemen.'

Iemand barstte in lachen uit. De hertogin draaide zich om in haar stoel en keek Tim dreigend aan. Meteen keek hij weer ernstig.

'Nog één geluid van jou en ik stuur je met haar mee de zee over.'

'O nee, mevrouw. Dat niet. Die avonturen laat ik over aan lady Devane en Robinson Crusoë.'

'Je neemt de koe dus mee,' zei de hertogin, en ging weer recht zitten.

'Annie,' zei ze later toen Tim haar naar haar kamer had gedragen en Annie een smeersel in haar benen wreef. 'Ze ziet er nu al beter uit. Ik kan het zien. Zij was altijd gek op avontuur. Weet je nog dat ze Harry eens zover heeft gekregen dat hij met haar is weggelopen naar Maidstone...'

'Stil,' zei Annie. 'U moet rusten.'

'Is Thérèse al bezig recepten over te schrijven? Het zijn er zoveel. Hoe moeten we weten wat ze daar nodig heeft? Er is daar een eindeloos groot bos, Annie, en een rivier zo breed als de zee...'

'Stil nou.'

'Ba!'

'Dat bent u zelf.'

'Als je brutaal tegen me doet, stuur ik je met Bab mee naar Virginia.'

'Ba!'

'Ba, dat ben je zelf. Bazige oude tang.'

Uit Londen kwam een brief om haar te berichten dat Roger schuldig was bevonden aan misbruik van vertrouwen als directeur van South Sea en dat hij een boete moest betalen in de vorm van een deel van zijn bezit en van zijn inkomen. Er was geen contant geld om de boete mee te voldoen, schreef Montrose, en ze moest de aanbeveling van Jacombe maar ernstig in overweging nemen: het afbreken van Devane House en het stuk voor stuk verkopen van het hele buitengoed. Dan kon er ook nog een deel overblijven voor Rogers schuldeisers die steeds meer begonnen aan te dringen.

Barbara keek op van haar brief. Ze zat op een oude stenen muur die de scheiding vormde tussen de boomgaard en het bos. De appel-, de pruime- en de kersebomen stonden in bloei en de bijen deden zich te goed aan hun nectar. Ze keek naar de papieren die ze zou moeten ondertekenen. Als het niet anders kon, zou ze Devane House moeten afbreken omdat ze anders haar leven lang onder schuld gebukt zou gaan. Roger. . . alleen de ontwerptekeningen zouden nog over zijn, levenloze dromen in een houten kistje.

Toen ze thuiskwam, zat haar grootmoeder bij het raam haar brieven te lezen. 'Abigail schrijft me het nieuws. Het spijt me voor je.'

Barbara zei niets en de hertogin zweeg ook. Abigail had haar behalve het nieuws over Rogers bezittingen ook nog geschreven dat Robert Walpole was benoemd tot eerste minister en tot minister van Financiën, een prachtige overwinning voor een man die drie jaar lang geen deel had uitgemaakt van het kabinet. Een overwinning waardoor Diana wel in Londen zou blijven om in de triomf te delen. Over een maand zou ze haar kleindochter met Perryman naar Gravesend sturen om scheep te gaan naar Amerika. Nog één maand en dan kon ze tijd gaan winnen voor haar kleindochter. Want dat was het enige waar een mens door kon genezen. . . tijd.

Tony leidde zijn paard door de hekken van Devane House en draafde de ronde oprijlaan op, waar niet het gebruikelijke contingent rijtuigen en omstanders verzameld was om naar het afbreken te kijken. Ik zou ertegenin zijn gegaan, had Abigail gezegd. Ik zou ze nog jaren hebben laten procederen. De directeuren hadden niet eens een advocaat mogen nemen, had Tony geantwoord. Bab heeft nog geluk dat ze haar toelage mag houden en het land dat ze als bruidsschat heeft meegekregen, plus een aantal meubelen en persoonlijke voorwerpen waar ze toestemming voor hebben gegeven. Vind je het niet vreemd, had Abigail gezegd, dat we dezer dagen zo weinig uit Tamworth horen? Vind jij het niet vreemd dat Barbara niet naar Londen komt om toezicht te houden op haar zaken? Ik vind dat niets voor de hertogin, zei ze.

Hij passeerde mannen die bezig waren bomen uit te graven in de tuin, stapte af en liep langs werklieden die het bordes op en neer gingen met zware stukken schoorsteenmantel, spiegels en marmeren vloertegels uit het huis. Binnen waren overal werklieden, sommigen op ladders, bezig met het voorzichtig lossnijden van stucwerk of het verwijderen van kostbaar geborduurd damast van de muren. Montrose stond op de galerij met een potlood achter elk oor tegen een voorman te redeneren.

'Nee,' zei hij. 'De schoorsteenmantels in deze kamer zijn in 1716 in Italië gekocht. Ik heb hier de reçu's. Die mag je niet weghalen.'

'Ik heb opdracht om alle schoorsteenmantels...'

'Dan heb je verkeerde opdrachten gekregen. Er zijn er vijf die tot de eigendommen van voor 1719 behoren en ik heb hier een uitspraak van het parlement waarin staat dat die voor lady Devane zijn.'

'Montrose!'

Tony en Montrose draaiden zich allebei om. Diana, die er weer welgedaan uitzag in een zwarte japon en een schitterend nieuw robijnen halssnoer, kwam uit de slaapkamer te voorschijn.

'Ze zijn bezig het bed uit elkaar te halen en uit deze kamer weg te dragen,' zei ze.

'Het staat op mijn lijst! Het staat op mijn lijst! Dat volk. Het lijken wel sprinkhanen!' En Montrose rende langs Diana de slaapkamer in.

Ze bekeek Tony van top tot teen; hij lachte verlegen en boog zich over haar hand. Haar ogen bleven op zijn blonde hoofd gevestigd.

'Waarom draag je nooit een pruik?'

'Een pruik is te heet.'

'Onzin. Ofschoon ik moet zeggen dat je eigen haar je goed staat. Waar ben je geweest? Ze plukken dit huis helemaal kaal. Ik zou Barbara met haar haren hierbij willen slepen. Ik begrijp niet waarom ze niet hier is. Kijk toch eens,' zei ze, 'ze graven zelfs de bomen uit.'

'Dus jij hebt ook geen bericht van haar?'

'Geen woord. Niet dat ik iets verwachtte. Ik laat haar maar met haar verdriet. Een jaar op Tamworth zal haar veel goed doen.' Diana huiverde. 'Ik kon het nooit uithouden op Tamworth.'

'En hoor je wel eens wat van grootmama?'

'Ja, maar heel korte briefjes. Kijk nou, Tony, ze dragen de

Franse kabinetten weg.'

Hij kwam bij haar staan en ze zagen hoe een heel koppel werklieden wankelde onder het gewicht van zware kabinetten met prachtig inlegwerk van verschillende houtsoorten. Diana keek nadenkend. 'Dit was toch een mooi huis,' zei ze.

Tony keek om zich heen. De lambrizering lag in een hoek opgestapeld, de meubels en schilderijen waren al weg, evenals de gordijnen en de muurbedekking, maar toch had de kamer nog iets van zijn oude schoonheid en élégance.

'Ja,' zei hij. 'Het was mooi.'

'Ze had het niet moeten laten afbreken!'

'Hoe moet ze anders de boete van het parlement opbrengen en Rogers schulden afbetalen?'

'Dat weet ik niet!' zei Diana geprikkeld. 'Maar als ze in Londen was gebleven, zoals het hoort, had iemand haar misschien geholpen. De prins. Of iemand anders.' Ze keek Tony half uitdagend aan. 'Ze heeft niet eens alle mogelijkheden die ze nog had, onderzocht.'

'De mogelijkheid van Charles Russel bestaat niet meer.'

Diana bleef hem een ogenblik spottend aankijken. 'O?'

'Ik zal hem niet de kans geven mijn zuster verdriet te doen.'

'En hoe hou je hem tegen, of haar?'

Tony zweeg.

'Ik wil haar weer getrouwd zien,' zei Diana. 'Veilig. Noem jij eens iemand die een arme weduwe zou willen trouwen!'

Tony glimlachte, een langzame, verlegen, onverwacht heel aantrekkelijke glimlach. 'Ik.'

Diana keek hem met grote ogen na toen hij naar Montrose slenterde.

'Montrose,' zei Tony. 'Wat voor nieuws hoor jij van lady Devane?'

'Niets,' zei Montrose, in de war en doodmoe terwijl hij voortdurend op zijn lijsten moest kijken en alles moest aanstrepen. 'Ze zal nu wel in Gravesend zijn...' Hij zweeg ineens.

'Gravesend? Wat moet zij in Gravesend?'

'Gravesend? Wie is in Gravesend?' vroeg Diana die achter Tony aan kwam lopen.

'Zei ik Gravesend?' vroeg Montrose met een vuurrode kleur, waarna hij nerveus begon te lachen. 'Ik moet aan zoveel tegelijk denken. Ik heb een aanbieding van iemand in Gravesend die zo'n schoorsteenmantel wil kopen. Ja. Dat was het natuurlijk waar ik aan dacht.'

Barbara stond op de binnenplaats en wachtte op haar grootmoeder, die nog in haar kamer was. Thérèse, Hyacinthe en de honden zaten al in het rijtuig en Perryman zat naast de koetsier. Achter het rijtuig stond een wagen vol met de spullen waarvan haar grootmoeder had geëist dat ze ze zou meenemen naar Virginia: spinaziezaad, stekken van de Duke of Tamworth-roos, potten jam, boeken over landbouw en veeteelt, het enige exemplaar van Thomas Tussers almanak dat de hertogin bezat, een miniatuur van de hertog, graszaad, balen stof, een klein tonnetje met spijkers en twee hamers, een Franse tafel met twee stoelen, een groot aantal jurken van Barbara (onafhankelijk van elkaar hadden de hertogin en Thérèse daartoe besloten want ze vonden dat Barbara die na haar jaar van rouw zou nodig hebben om indruk te maken op die kolonialen). Er was ook een kistje mee ingepakt, een kistje vol schetsen en een paar leren handschoenen. Een weduwe mag wel een paar grillen hebben, dacht Barbara toen het in de wagen werd gezet. Haar dromen. Zelfs verloren dromen waren beter dan geen dromen. Thérèse had de helft van Barbara's juwelen in de zoom van haar jurk genaaid en Barbara had het bewijs van eigendom van de plantage, en een brief waarin haar grootmoeder haar tot afgezant benoemde, in haar korset gestopt. Aan de wagen was een koe gebonden en uit een aantal manden klonk het zenuwachtige gekakel van kippen.

In het huis probeerde Annie de hertogin wakker te schudden.

'Wakker worden, mevrouw, ze gaat nu weg. Naar Virginia.'

'Wie?' zei de hertogin mopperig. Ze probeerde overeind te komen en door haar kanten muts heen te kijken die over haar ogen was gezakt. 'Wie gaat er naar Virginia?'

Annie en Tim wisselden een blik.

'Juffrouw Barbara. . .' begon Annie, maar de hertogin viel haar in de rede.

'Juffrouw Barbara! Waarom zou ze zoiets krankzinnigs doen. . .' Ze zweeg en trok de kanten muts van haar ogen. 'Ik ben oud,' zei ze heel waardig. 'Ik vergeet soms dingen.'

'Weet u wat u bent?' zei Annie, 'een oude zeurpiet. Als het uw bedoeling niet is dat ze gaat, na al die drukte en geheimzinnigheid. . .'

'Het is wel mijn bedoeling. Ik weet niet meer waarom, maar het is wel mijn bedoeling. Opzij, ouwe tang, en geef me mijn stok.'

'U kunt geen twee stappen lopen zonder te vallen. Hier is Tim al.'

'Hier is Tim al,' mompelde de hertogin. 'Ze behandelen me als een invalide.'

'Ze is in de war doordat Barbara weggaat,' fluisterde Annie tegen Tim. 'Ze zal de komende tijd onmogelijk zijn.'

Tim knikte, hij boog zich voorover, glimlachte en tilde de hertogin in zijn armen.

'Haal die glimlach eens van je gezicht,' zei de hertogin woest. 'Dat wil ik niet hebben.'

Beneden op de binnenplaats ging Barbara van de ene bediende naar de andere; ze waren allemaal naar buiten gekomen om afscheid van haar te nemen, niet alleen omdat ze heel erg op haar gesteld waren, maar ook omdat ze met hun eigen ogen iemand wilden zien die over de grote zee ging reizen naar Virginia, waar dat ook mocht wezen. Het was als een avontuur, fluisterden ze tegen elkaar. Net *Robinson Crusoë.*

Tim droeg de hertogin naar buiten. Ze knipperde tegen het zonlicht, gaf hem een teken haar op de grond te zetten en leunde nu op haar stok terwijl ze toekeek hoe Barbara nog een keukenmeisje omhelsde. Toen kwam Barbara naar haar toe en ze keken elkaar een hele tijd aan.

'Heb je het miniatuur?' vroeg de hertogin.

'Ja.'

'Hou het maar goed in gedachten. Als je een keer een wild plan hebt, kijk dan eens naar het miniatuur en bedenk dan wie je grootvader was. De fijnste man die ik ooit heb gekend.'

'Ja.'

'Heb je een bijbel?'

'Ja.'

'Tussers almanak?'

'Ja. En het zaad en de spijkers en de stekken en honderd en een andere dingen die ik van u moest meenemen. Ik kan altijd nog schrijven om me iets op te sturen, als ik eenmaal daar ben.'

Maar dan duurt het weken en weken, en maanden en maanden,

dacht de hertogin, voordat je brieven aankomen. Straks zijn we zo'n eind van elkaar gescheiden. Jij gaat naar de andere kant van de wereld. O, Richard, wat heb ik gedaan. . .

Van bovenaf het rijtuig riep Perryman: 'Het begint laat te worden, mevrouw, we moeten gaan.'

Barbara lachte plotseling naar haar grootmoeder, met haar grootvaders glimlach. 'Waarom gaat u niet mee,' zei ze.

Een ogenblik schitterden de ogen van de hertogin. 'Als ik het kon, ik zweer je dat ik het deed. Als ik tien, nee vijf jaar jonger was, deed ik het misschien.' Ze slikte en zei: 'Denk er maar goed aan wie je bent.'

'Ik weet wie ik ben.' Barbara nam haar in haar armen en drukte haar tegen zich aan. 'De kleindochter van de hertogin van Tamworth.' Toen, tegen Annie, met een felle stem: 'Denk erom dat je goed voor haar zorgt.'

'Ze is veel te gemeen om dood te gaan,' antwoordde Annie.

Barbara maakte zich los. 'Ik moet gaan.' Ze stapte in en sloot het portier, waarna het rijtuig zich in beweging zette met Barbara, Thérèse en Hyacinthe die allemaal uit de raampjes keken en wuifden. De bedienden juichten, ofschoon sommigen stonden te huilen. De staljongens holden achter het rijtuig aan tot aan de weg. Annie begon verwoed haar neus te snuiten.

'Een halve zigeunerin, dat is ze,' zei ze bij zichzelf. 'Is ze altijd geweest. Zal het altijd wel blijven ook.'

'Ik wil naar de kerk.' De stem van de hertogin stokte bij het woord 'kerk'.

Tim tilde haar meteen op. Ze huilde. De tranen stroomden over haar wangen en verdwenen in de kanten roesjes in de hals van haar bedjasje.

'Het geeft niet,' zei Tim vriendelijk. 'Ik breng u naar de kerk. Ja hoor, dat doe ik meteen.'

In het rijtuig veegde Barbara haar tranen weg met een zakdoek en snoot haar neus. 'Waar beginnen we aan?' zei ze tegen Thérèse, die lachte en haar schouders ophaalde. Barbara boog zich uit het raampje. 'Stop even bij de Tamworth-kerk,' zei ze tegen de koetsier.

Bij de kerk sprong ze uit het rijtuig en holde meteen door naar de kapel. Een ogenblik stond ze voor elk van de gedenkplaten en raakte de namen aan van haar broers en zusjes, waarbij ze het langst bleef staan bij Harry. Toen ging ze naar Rogers borstbeeld. De wilde bloemen die ze gisteren had gebracht waren nu al verwelkt; wilde bloemen bleven nooit lang. Ze raakte een marmeren wang aan.

'Vaarwel,' zei ze. Toen ging ze de kapel uit en liep de hele kerk door naar buiten tot het wachtende rijtuig.

White stond op de afgesproken plaats in Gravesend; hij rechtte zijn rug toen het rijtuig over de hobbelige hoofdstraat naderde. Aan de wagen die volgde was een koe vastgebonden. Hij zwaaide. De koetsier bracht het rijtuig tot stilstand en toen White naar hen toe kwam, hing Barbara met haar hoofd uit het raampje. Uit de wagen kwam het lawaai van kakelende kippen. White glimlachte toen hij het hoorde.

'Wat hebt u allemaal meegebracht?' vroeg hij aan Barbara. Thérèse stak haar hoofd door het andere raampje en de honden begonnen te blaffen.

'Je zou het niet geloven,' zei ze.

'Nou, het schip heeft vertraging, maar het is maar voor een paar dagen. Ik heb kamers voor u gereserveerd in een taveerne. Wist u dat Pocohantas hier in de parochiekerk begraven ligt?'

'Wie?' vroeg Thérèse.

'Een Indiaanse prinses,' zei Barbara. 'Uit Virginia.' Ze ging nog verder uit het raampje hangen en drukte White de hand. 'Je was een goede vriend.'

'Een goed betaalde.'

'Weet niemand iets?'

'Alleen Montrose. En nu we het toch over hem hebben, ik heb wel tien documenten die u beslist nog moet tekenen voor u vertrekt. U hebt een heel gelukkig man van hem gemaakt, weet u. Het regelen van lord Devanes nalatenschap neemt zeker nog vier jaar in beslag en hij wordt overspoeld met papieren, juridische documenten en tijdschema's waaraan hij zich moet houden, dus klaagt hij de hele dag en maakt lijsten, en hij is nog nooit zo'n tevreden mens geweest.'

Barbara moest lachen en riep Perryman: 'We gaan naar de taveerne. Het schip heeft vertraging. Je kunt de wagen vast naar het schip brengen. Het is de *Brenton* van kapitein Smith.'

Terwijl hij sprak, stond White naar Thérèse te glimlachen.

'Je hebt gekozen, hè?' zei hij, met een glimlach die ook een beetje droef was.

Ze knikte en raakte even de rouwring aan die ze aan het gouden kettinkje droeg.

'We gaan op avontuur,' zei Hyacinthe achter haar.

'Nou, dat gaan jullie inderdaad,' zei White.

Twee dagen later kwam een rijtuig in razende snelheid aanrijden, waarna het tot stilstand kwam op de binnenplaats van de taveerne. De koetsier sprong van de bok en opende het portier, terwijl de paarden nog stonden te hijgen met schuim om de mond. Met een vastberaden gezicht stapte Diana uit en liep met grote stappen over de binnenplaats de taveerne in. De plaatselijke bevolking, handelslieden en een paar zeelui, keken met grote ogen naar haar knappe, onverzettelijke gezicht, haar robijnen, de statige zwarte japon en haar hoed met de wuivende veren. De waard kwam haar snel tegemoet, boog en glimlachte.

'Is er hier een lady Devane?' snauwde ze nog voor hij zijn mond had geopend.

'Ja, zeker, mevrouw. Ze vertrekt vandaag op de. . .'

'Waar is ze?'

'In de kamer aan het eind van die gang, mevrouw. Mag ik u aandienen?'

Diana liep al langs hem heen. 'Ik dien mezelf wel aan.'

De deur sloeg met zo'n klap open dat hij meteen weer terugveerde van de muur, maar Diana hield hem met een gehandschoende hand tegen. Ze keek naar Barbara die duidelijk gekleed was voor de reis en die haar bezag met een uitdrukking van verbazing, teleurstelling en een begin van kwaadheid. Thérèse zat patience te spelen en Hyacinthe, die naast haar zat, zei: 'O, nee.'

'O ja,' reageerde Diana, en sloot de deur achter zich. De honden, die eerst aan Hyacinthes voeten zaten, sprongen op zijn schoot bij het horen van haar stem. Langzaam kwam ze naar het midden van de kamer. Niemand verroerde zich.

'Ik hoor dat je op reis gaat. 'Haar stem klonk als een zweepslag. Barbara herinnerde zich opeens dezelfde klank in haar moeders stem toen ze met Harry sprak over Jane, vele jaren geleden. Nou, ik ben Harry niet, dacht ze en ze keek haar moeder recht in de ogen. Thérèse maakte een geluid, maar tegelijk werd er op de deur geklopt en de waard stak zijn hoofd naar binnen.

'Een boodschap van de *Brenton*. De kapitein zegt dat u moet komen. Ze varen vanmiddag weg...'

'Eruit!' gilde Diana, waarop de waard zijn hoofd terugtrok als een schildpad die onder zijn schild kruipt, en de deur sloot. Hyacinthes lip begon te trillen en de honden bibberden onder zijn handen.

'Thérèse,' zei Barbara kalm, 'neem jij Hyacinthe en de hondjes mee en wacht op me in het rijtuig.'

'Jij vertrekt niet,' zei Diana en kwam op Barbara af. 'Ik sta het niet toe.'

'Hoe wou je me tegenhouden?'

Diana aarzelde bij deze eenvoudige vraag. Barbara stond op, liep om haar moeder heen en begaf zich naar de deur. Diana pakte haar arm stijf beet, maar Barbara rukte zich onmiddellijk los en ging tegenover haar staan.

'Je zult met me moeten vechten om me tegen te houden,' zei ze.

Diana stond als aan de grond genageld. Barbara's hand lag al op de deurknop. Diana rende naar haar toe en de woorden rolden uit haar mond.

'Je moet naar me luisteren. Blijf hier en luister! Je begint aan iets krankzinnigs. Je schip zou kunnen vergaan...'

'Of ik zou aan de pokken kunnen sterven of ik zou mijn keel met een scheermes kunnen doorsnijden.'

Ze deed de deur open. Weer greep Diana haar arm.

'Je kunt op Tamworth blijven. Altijd. Ik zal me niet met je leven bemoeien, maar ga niet weg. Het komt van het verdriet. Je was zo stapelgek op Roger. Daardoor ben je tijdelijk niet helemaal normaal. Wacht toch, Barbara, ik smeek het je. Als je over een half jaar nog wilt gaan, zal ik je helpen. Dat zweer ik je.'

Barbara trok haar arm los. 'Het ga je goed, moeder.' Ze liep nu door de gelagkamer.

'Nee!' gilde Diana en rende achter haar aan, onder grote belangstelling van de bierdrinkers in de gelagkamer die het grootste deel van de ruzie ook al hadden gehoord, vooral Diana's aandeel.

'Nee! Nee! Nee! Barbara, wacht! Ik smeek het je.'

Maar Barbara stond al buiten. Diana bleef bij de ingang van de taveerne staan en begon te snikken. 'Ik kan het niet geloven,' zei ze telkens weer. Barbara kwam weer van het rijtuig naar haar toe.

Thérèse en Hyacinthe hingen met gespannen gezichten uit het raampje en Perryman, boven op de bok, trok zijn hoed over zijn ogen opdat Diana hem niet zou herkennen.

'Goddank,' zei Diana terwijl ze probeerde niet meer te huilen en trachtend haar gezicht af te vegen waar een mengsel van tranen, rouge, potlood en poeder overheen stroomde, van haar wangen op haar japon.

'Een afscheidskus,' zei Barbara.

'Nee,' fluisterde Diana, maar Barbara boog zich naar haar toe en kuste haar, terwijl Diana haar weer beetpakte.

'Laat me niet alleen,' smeekte ze. 'Je bent het enige dat ik nog heb.' Maar weer maakte Barbara zich los, liep terug naar het rijtuig en klom naar binnen.

'Nee!' gilde Diana en stampte met haar voet. Verschillende klanten van de taverne morsten met hun bier door die luide en woeste gil. Het rijtuig zette zich in beweging. Diana snikte en de waard hielp haar naar een stoel.

'Mijn dochter,' huilde ze in een servet. Ze kon niet meer ophouden met huilen. Maar ineens schreeuwde ze: 'Idioot!' en sloeg met haar vuist op de tafel. De mensen gingen nu afrekenen om zo snel mogelijk te kunnen vertrekken. Diana barstte opnieuw in snikken uit. 'Ze is een idioot!' schreeuwde ze tegen de gelagkamer in het algemeen. 'Ik weet niet eens waar Virginia ligt.'

Aan boord van het schip begaven ze zich naar het kleine halfdek dat was bestemd voor de passagiers en voor de overige levende have. Boven hen stond de eerste maat zijn bevelen te roepen en de kapitein stond met zijn armen over elkaar bij het grote stuurrad. De koe was vastgebonden en loeide toen ze hen zag. Thérèse aaide over haar snuit. Hyacinthe keek met glanzende ogen naar de zeelui die op hun blote voeten in de masten en het tuigage klommen, alsof ze thuis de trap op moesten. Hij rende naar de zijkant van het schip en wees omlaag. Barbara kwam bij hem staan. Aan weerskanten van het schip lagen kleine bootjes die er met dikke touwen aan waren verbonden; zij zouden het schip naar het midden van de rivier slepen. Aan de wal begon Perryman met zijn hoed te zwaaien want het schip zette zich bijna onmerkbaar in beweging. Ze voeren de rivier op en als bij toverslag, na één roep van de eerste maat, kwamen alle zeilen met veel gekreun, gekraak en gesis naar omlaag, waarna de zeelieden zich haastten ze vast te binden. Plotseling kwam de wind in de zeilen, het schip gaf een ruk en Barbara viel tegen de koe aan, die begon te loeien. Thérèse lachte en Hyacinthe greep de mand waar de honden in zaten en zei: 'We zijn op zee!'

'We zijn op de rivier,' verbeterde Thérèse. Toen sloeg ze een kruis.

'Wat zou Harry hiervan genoten hebben,' zei Barbara, en haar ogen glansden al net als die van Hyacinthe. Ze tuurde naar de kust van Engeland waar alles haar bekend en vertrouwd was. Dag, grootmama. Hou u goed. Roger.

Verscheidene uren later kwam een eenzame ruiter de binnenplaats van de taveerne oprijden en stapte af. Hij liet zijn vermoeide paard aan een stalknecht over, liep naar binnen en sprak enkele ogenblikken met de waard, die hem vertelde dat hier inderdaad een zekere lady Devane had gelogeerd, maar ze was vroeg in de middag weggevaren. Naar Virginia, op een schip dat de *Brenton* heette, onder kapitein Smith. De lange man met het blonde, achterovergekamde haar dat met een lint bij elkaar was gebonden, wreef in zijn ogen bij het horen van dit nieuws. Er was nog een dame naar die persoon komen zoeken, vertelde de waard, en ze had een heel tumult veroorzaakt. Ze rustte nu in een van de kamers.

Tony klopte aan, ging naar binnen en trok een stoel naar het bed waarin Diana lag met een arm over haar gezicht. Ze schoof haar arm net lang genoeg opzij om te zien wie het was en zo dat Tony haar rood opgezette gezicht kon zien, dat nu helemaal zonder make-up was.

'Waarom heb je me niets gezegd?'

Diana lachte spottend. 'Wat had je kunnen doen?' Ze begon te huilen.

'Ik had haar kunnen tegenhouden.'

Diana veegde haar ogen af. 'Ik heb het geprobeerd. God weet dat ik het geprobeerd heb. Maar ze wilde niet luisteren en nu ben ik helemaal alleen.' Ze snikte in haar handen. 'Zeg maar tegen de waard dat ik voor de gebroken glazen zal betalen en ook voor de stoel.'

'Ik breng je naar Tamworth,' zei Tony. Weer veegde hij met

zijn hand over zijn ogen. Hij zag er plotseling moe uit en ouder.

'Tamworth!'

Diana ging rechtop in het bed zitten. 'Jij weet toch ook wiens idee dit was!'

Tony staarde haar ongelovig aan.

'Ja zeker! Van niemand anders. Ik ken haar.' Haar mond begon weer te trillen. 'Mijn dochter. Ze heeft mijn dochter weggestuurd. Breng jij me maar naar Tamworth, Tony Saylor. Ik wil mijn moeder wel eens spreken. Die ouwe heks. Ik haat haar!' Diana schopte met haar voeten tegen het bed en gilde: 'Ik haat haar!'

Aan de bar kon de waard haar geschreeuw horen en hij sloeg een kruis. 'Toch niet weer,' zei hij, maar toen hoorde hij een doffe klap, alsof er een stoel tegen de muur werd gegooid. Hij nam een stompje potlood en schreef nog een bedrag op de lijst die hij had gemaakt.

Gedurende de hele reis naar Tamworth mopperde, huilde en vloekte Diana tegen haar moeder. Tony echter was stil, maar zijn gezicht werd al harder en onverbiddelijker. Toen het rijtuig de oprijlaan opkwam, stond de zon hoog en tekende zonnevlekken door de bladeren; het koren stond jong en groen op de velden en het hoge gras werd gemaaid. Het rijtuig kwam tot stilstand en Diana stapte uit, gevolgd door Tony. Ze rukte hard en woedend aan de bel en door het huis weerklonk een langgerekt gerinkel. Perryman deed open en Diana schreed meteen langs hem heen.

'Waar is mijn moeder?'

'Lady Diana,' stotterde Perryman.

'Waar is ze, Perryman? Ik zou maar niet liegen als ik jou was. Ik weet dat ze hier is. Zeg op, anders gil ik dit hele huis bij elkaar...'

De hertogin zat in de junizon op het terras waar ze kon genieten van het gezicht en de geur van haar rozen die er prachtig bij stonden in hun weelderige eerste bloei. Ze voelde zich oud en moe en ze miste Barbara, zodat ze bij al haar pijn er nu nog een bij had. Al bad ze nog zoveel, ze wist niet of ze wel goed had gehandeld. Richard gaf haar geen antwoord en God ook al niet. Dulcinea lag lui op haar schoot; ze verwachtte kleintjes, haar eerste nest. Maar ik, dacht de hertogin terwijl ze de rug van de kat streelde, heb helemaal geen kleintjes meer.

'Jij bemoeizuchtige, eigengereide ouwe heks.'

De hertogin schrok en draaide zich om. Daar stond Diana in de deuropening. Tim die op de muur van het terras zat, kwam overeind bij het horen van Diana's stem en deed een stap naar voren. Maar de hertogin gaf hem met een gebaar te kennen dat hij zich rustig moest houden. Ze keek Diana recht in de ogen en wachtte af, zoals ze vanaf Barbara's vertrek op het onvermijdelijke had zitten wachten.

'Jij hebt haar weggestuurd! Ik weet dat jij dat hebt gedaan! Je hebt alleen maar aan jezelf gedacht. Je bent eigengereid en bemoeizuchtig en je maakt een grote fout! Hoor je me, moeder? Een grote fout!'

De hertogin kromp ineen.

'Het kan haar dood worden,' zei Diana. Haar woorden schoten als pijlen uit haar mond over het terras, recht in het hart van de hertogin. Allemaal woorden die ze zelf ook al had bedacht. 'Het kan onderweg gebeuren, of wanneer ze eenmaal daar is. Ze gaat helemaal over zee! Hoe kon je het doen!' Tim stond roerloos en wist niet wat hij moest beginnen.

Achter Diana zag de hertogin Tony verschijnen, een lange gestalte in de donkere deuropening. Toen ze de uitdrukking op zijn gezicht zag, maakte ze een plotseling nerveus gebaar. Ze draaide zich weer om en keek naar haar rozen, maar haar handen grepen zo strak in Dulcinea's vacht dat het dier een klaaglijke miauw liet horen en van haar schoot sprong naar de muur van het terras en vandaar de tuin in.

De mond van de hertogin bewoog. Door iedereen verlaten. Annie was op Ladybeth Farm. Perryman was een zwakkeling. 'Ik heb gedaan wat me het beste leek. . .' begon ze koppig.

'Wat jou het beste leek!' ketste Diana. 'Je bent gek! Klaar voor het gekkenhuis! Ik laat je opsluiten! Ik zweer je dat ik het doe! Ze is niet zomaar naar een ander land. Ze steekt de grote zee over in een klein houten scheepje!' Diana's gezicht was lelijk en verwrongen, erger dan kwaad. 'Dit vergeef ik je nooit! Nooit, zolang ik leef!'

De hertogin bleef met haar rug naar haar toe zitten. De rokken van haar dochter ruisten terwijl ze wegliep. Vanuit haar ooghoeken zag de hertogin Tony, die niet met Diana was weggelopen. Hij stond nu naast haar stoel en ze keek even naar zijn gezicht en meteen weer snel omlaag. Haar hart klopte zo hevig dat ze een gevoel kreeg of ze doodging. Richard, dacht de hertogin, Richard.

Tony knielde naast haar neer. Zijn blauwgrijze ogen keken haar met een boze blik aan en ze dacht: Zo ken ik hem niet. De jongen is er niet meer. Hij is een man geworden en die man ken ik niet.

'Ik houd van haar,' zei hij nadrukkelijk, en zijn woorden kwamen op haar neer als mokerslagen. Tim kneep zijn handen open en dicht toen hij het gelaat van de hertogin zag. Hij veegde zich het zweet van het voorhoofd.

'Alles wat Diana heeft gezegd is waar. U bent een bemoeizuchtige, eigengereide, hinderlijke oude vrouw...'

De hertogin gaf een snik. Ze legde haar handen over haar ogen. 'William,' zei ze. 'Alsjeblieft.'

'Nee,' zei Tony. Hij stond op en torende hoog boven haar, met een hard en verachtelijk gezicht. 'Niet William, maar Tony. Uw stuntelige, stomme Tony. U dacht dat ik niet goed genoeg voor haar was, maar dat ben ik wel.'

Er rolden tranen over de wangen van de hertogin. 'Ik wil naar de kerk,' zei ze met een zwakke stem. Tim kwam een stap naderbij, maar Tony hield hem met een blik tegen.

'Ja,' zei hij. 'Ga maar naar uw kerk en bid daar om vergiffenis. Ik hoop dat God u die zal schenken, grootmama, want van mij zult u geen vergiffenis krijgen.'

'Ah-h-h-h,' huilde de hertogin; ze boog haar hoofd en wiegde heen en weer van verdriet terwijl Tony zich verwijderde. Tim tilde haar op, ook zijn kin begon te trillen. Ze was zo klein in zijn armen, net een kind.

'Ik bedoel het goed,' fluisterde ze. 'Echt waar.'

'Stil maar,' zei Tim die zelf ook een beetje huilde, en hij liep met haar de treden van het terras af. Maar toen raakte iemand zijn schouder aan. Hij draaide zich om en daar stond de jonge hertog van Tamworth voor hem, met een kwaad gezicht waar toch ook iets anders van af te lezen was. Medelijden? Liefde? Tim wist het niet.

'Geef haar aan mij.'

Tim verroerde zich niet.

'In godsnaam! Het is mijn grootmoeder! Geef haar aan mij!'

Aarzelend gaf Tim gehoor. De hertogin snikte zo hard dat haar hele lichaam schokte. Ze greep de revers van Tony's jas. 'T-Tony,' snikte ze. 'O, T-Tony. H-haat me alsjeblieft niet.'

'Stil,' zei Tony. 'U windt zich zo op dat u nog ziek wordt. Ik zal u naar de kerk brengen. Stil maar, grootmama.' Tim had zijn adem ingehouden maar nu voelde hij zich gerust. Hij keek hoe de jonge hertog zijn grootmoeder de verdere treden van het terras afdroeg. Tim kreeg het gevoel dat hij zelf een beetje zwak in de knieën werd en dat hij moest gaan zitten. Hij veegde zijn ogen af en snoot zijn neus.

De jonge hertog droeg haar over het grindpad, maar toen ze langs de rozentuin kwamen, bleef hij staan, verlegde het gewicht van zijn grootmoeder, en plukte een roos, een donkere, weelderige rode roos. Hij gaf die aan de hertogin en ze drukte hem tegen haar borst en huilde alsof haar hart was gebroken. Het was de Duke of Tamworth-roos. Maar dat wist Tim niet. Alleen Tony en de hertogin wisten het.